고등학교 문학  해야 하는 거지?

걱정 마! 우리에겐
〈해법문학Q〉가 있잖아!
문학 공부 때문에 고민인
사람들 모두 모여~

1 어떤 작품부터 공부해야 할지 모르는 사람

〈해법문학Q〉에는 시대별로 고심해서 선별한 중요 작품들이 수록되어 있어.
여기 실린 작품만 공부해도 문학 '좀' 한다고 자부할 수 있을 거야!

2 고등학교 문학 교과서 필수 작품을 쭉~ 훑어 보려는 사람

그렇다면 〈해법문학Q〉가 딱이야! 이 책에 실린 작품들은 **고등학교 10종 문학 교과서 두 종 이상**,
기출문제로 2회 이상 출제되었던 작품들이기 때문에 진짜 진짜 필수 작품이라고 할 수 있거든.

3 수능형 문학 문제를 많~이 연습하고 싶은 사람

〈고전 문학 문제편〉과 〈현대 문학 문제편〉 두 권에는 수능형 문학 문제가 빼곡하게 실려 있어.
문학 문제에 갈증을 느낀다면, 여기 여기 붙어라!

교과서에 나온 모든 작품을
자세히 알고 싶다면
〈해법문학〉을 보도록 해!

공부 잘하는 그 친구는 계획이 다 있구나!

작품 이해가 필요할 땐 해법문학! **문제 훈련**이 필요할 땐 해법문학Q!
둘 다 있다면 문학 공부 끝!

공부 체크 ✅

해법
문학Q

현대 문학 문제편

구성과 특징

본문 학습

지문과 문제로 구성되어 있습니다.
지문 옆 보조단에는 작품이 수록된 교과서 정보와 작품 이해를 돕는 여러 가지 내용을 제시하였습니다.

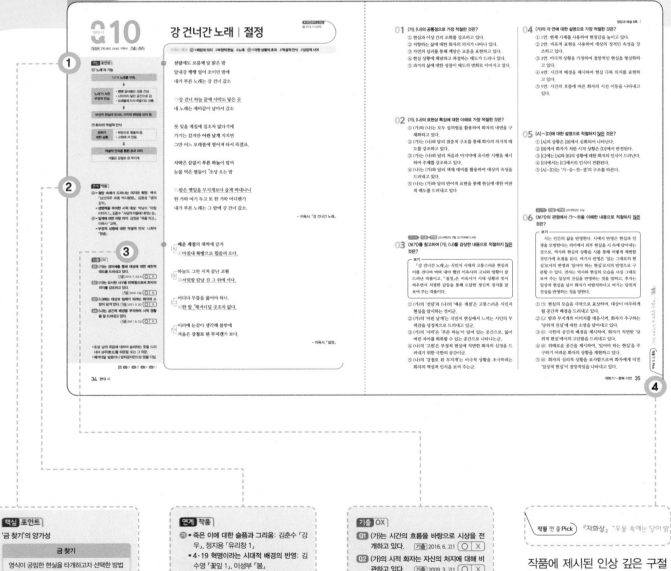

핵심 포인트
'금 찾기'의 양가성

금 찾기
영식이 궁핍한 현실을 타개하고자 선택한 방법

→ 성공 / → 실패

부의 획득을 통한 가난 탈출 ↔ 현재 상황의 악화로 인한 파멸

작품의 주제나 특징과 관련된 핵심 내용을 도식화하여 한눈에 파악할 수 있도록 하였습니다.

연계 작품
㉮ • 죽은 이에 대한 슬픔과 그리움: 김춘수 「강 우」, 정지용 「유리창 1」
 • 4·19 혁명이라는 시대적 배경의 반영: 김 수영 「꽃잎 1」, 이성부 「봄」
㉯ • 통일에 대한 소망: 신동엽 「봄은」, 곽재구 「임진강 살구꽃」
 • 강한 어조와 단호한 의지: 유치환 「바위」, 이육사 「광야」

본 작품과 주제, 구성, 작가 등 다 양한 측면에서 엮어 읽을 수 있는 작품을 안내하였습니다.

기출 OX
01 (가)는 시간의 흐름을 바탕으로 시상을 전 개하고 있다. [기출]2016. 6. 고1 ○ X
02 (가)의 시적 화자는 자신의 처지에 대해 비 관하고 있다. [기출]2009. 3. 고1 ○ X
03 (나)는 종교적 관념에 대한 사색을 바탕으 로 주제를 구체화하고 있다. [기출]2020. 9. 모평 ○ X

본 작품과 관련된 기출 문항 선 택지를 활용하여 OX 문제를 제 시하였습니다.

작품 한 줄 Pick 『자화상』 "우물 속에는 달이 밝 ..."

작품에 제시된 인상 깊은 구절 을 다시 한번 감상하며 학습을 마무리할 수 있도록 하였습니다.

기출 딥러닝

실전 복합

정답과 해설

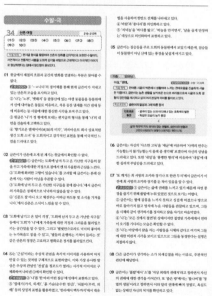

● 본 작품과 연계하여 살펴볼 기출 지문과 문제를 수록하였습니다.

● 기출 문제와 기출 변형 문제로 구성하였습니다.

● 복합 지문과 문제로 실전에 대비할 수 있도록 하였습니다.

● 각 회별로 세 세트의 지문을 구성하고 총 12~15개의 문항을 수록하였습니다.

● 정답인 이유, 오답인 이유를 친절하고 상세하게 설명하였습니다.

● 기출 딥러닝 과 〈보기〉에 수록된 작품도 이해할 수 있도록 작품 해제와 핵심 포인트 등을 제시하였습니다.

차례 현대시

1990년대 이후   쪽

차례 현대 산문

찾아보기

개화기~광복 이전

갑오개혁이 일어난 1894년 이후 서구 문물의 영향으로 개화기의 새로운 사상을
담은 작품들이 발표되었다. 국권 피탈 이후 일제로부터 독립하는 1945년 사이에는
저항시를 비롯한 다양한 경향의 시가 등장하였다.

민요조
서정시

\# 서정시의 기틀 마련
\# 3음보, 7·5조의 율격
\# 전통적 율격 계승
\# 우리 민족의 전통적 정서
\# 김소월, 한용운

예 「접동새」(김소월), 「산유화」(김소월), 「진달래꽃」(김소월),
「님의 침묵」(한용운), 「알 수 없어요」(한용운)

순수
서정시

\# 예술적 기교 중시
\# 세련된 언어와 음악성
\# 개인적, 일상적 정서 표현
\# 시는 언어의 예술임을 강조
\# 김영랑, 박용철 등 '시문학파'의 주도

예 「모란이 피기까지는」(김영랑)

모더니즘 시

저항시

\# 도시적 감각

\# 시의 회화성 중시

\# 의식의 속박에서 벗어나 의식 속에 숨어 있는
  비현실의 세계를 표현한 초현실주의

\# 대상을 주로 시각적 이미지로 표현하는 이미지즘

예 「와사등」(김광균), 「오감도—시 제1호」(이상)

\# 저항 정신

\# 일제의 혹독한 탄압

\# 일제의 민족 말살 정책으로 인한 민족 문학의 암흑기

\# 조국 광복에의 신념과 의지

\# 지식인으로서의 양심

예 「절정」(이육사), 「광야」(이육사), 「쉽게 씌어진 시」(윤동주)

현대 시 01

[교과서] [문] 천재(정), 동아, 창비 [국] 천재(박), 천재(이), 금성, 동아, 비상(박안), 비상(박영), 해냄 [기출] [EBS]

진달래꽃 | 산유화

키워드 체크 ㉮ #이별의 정한 #반어적 표현 #산화공덕 ㉯ #자연의 순환 #근원적 고독 #수미상관

핵심 포인트

㉮ '진달래꽃'의 의미

표면적 의미	이면적 의미
• 임에 대한 화자의 강렬한 사랑 • 임에 대한 축복(산화공덕)	• 화자의 분신 • 이별의 슬픔과 한(恨) • 가지 말라는 화자의 애원

㉯ 반복과 대칭의 구조

1연	4연
산에 꽃이 핌. = 존재의 생성	산에 꽃이 짐. = 존재의 소멸

반복과 대칭의 구성으로 자연의 순환에 따른 존재의 소멸과 생성을 나타냄.

연계 작품

㉮ • 이별의 정한이라는 주제 의식: 작자 미상 「가시리」, 작자 미상 「서경별곡」
• 꽃을 통한 그리움의 형상화: 최영미 「선운사에서」
㉯ 꽃을 통해 드러나는 자연의 순환: 김영랑 「모란이 피기까지는」

기출 OX

Q1 (가)의 화자는 임이 다시 돌아올 것을 확신하고 있다. [기출] 2006. 9. 고1 ○ X

Q2 (가)는 이별의 한(恨)이라는 전통적 정서가 전통적인 3음보의 민요조 율격과 어우러져 통일성 있게 구성되어 있다. [기출] 2015. 6. 고1 ○ X

Q3 (가)는 자연물을 이용해 화자의 정서를 표현하고 있다. [기출] 2017. 9. 고1 ○ X

• 약산 평안북도 영변 서쪽에 있는 산
• 즈려밟고 위에서 내리눌러 밟고.

답 **Q1** X **Q2** ○ **Q3** ○

㉮

나 보기가 역겨워
가실 때에는
말없이 고이 보내 드리우리다

영변에 ˚약산
진달래꽃
아름 따다 가실 길에 뿌리우리다

가시는 걸음걸음
놓인 그 꽃을
사뿐히 ˚즈려밟고 가시옵소서

나 보기가 역겨워
가실 때에는
죽어도 아니 눈물 흘리우리다

– 김소월, 「진달래꽃」

㉯

산에는 꽃 피네
꽃이 피네
갈 봄 여름 없이
꽃이 피네

산에
산에
피는 꽃은
저만치 혼자서 피어 있네

산에서 우는 작은 새요
꽃이 좋아
산에서
사노라네

산에는 꽃 지네
꽃이 지네
갈 봄 여름 없이
꽃이 지네

– 김소월, 「산유화(山有花)」

01
(가), (나)에 공통적으로 드러나는 표현상 특징으로 가장 적절한 것은?

① 시적 허용을 활용하여 운율을 형성하고 있다.
② 상반된 의미의 시어를 나란히 배치하고 있다.
③ 유사한 시구를 시의 처음과 끝에 배치하고 있다.
④ 계절의 변화를 바탕으로 하여 시상을 전개하고 있다.
⑤ 청각적 이미지를 활용하여 대상의 특성을 강조하고 있다.

02
(가)를 이해한 내용으로 적절하지 않은 것은?

① 임을 '말없이 고이 보내 드리'겠다는 화자의 말에는 고통을 인내하려는 마음이 담겨 있다.
② 화자가 '아름 따다' 뿌리는 '진달래꽃'은 임에 대한 화자의 사랑을 나타내는 소재이다.
③ '진달래꽃'을 '뿌리'는 화자의 행동에는 떠나는 임을 축복하는 마음이 담겨 있다.
④ 화자가 임에게 꽃을 '즈려밟고 가'라는 말은 임에 대한 원망의 마음을 반어적으로 표현한 것이다.
⑤ '죽어도 아니 눈물 흘리'겠다는 화자의 말은 이별의 아픔이 매우 클 것이라는 이면적 의미를 담고 있다.

03
〈보기〉의 ㉠, ㉡을 바탕으로 (나)의 시어를 이해한 내용으로 적절하지 않은 것은?

> ─ 보기 ─
> (나)의 2~3연은 존재의 고독을 다루고 있는데, ㉠화자가 '산'에 있는 존재들을 보면서 느끼는 고독을 드러냈다고 볼 수도 있고, ㉡화자를 포함한 '산'에 있는 모든 존재의 근원적인 고독을 드러냈다고 볼 수도 있다.

① ㉠의 관점에서는, '저만치'를 화자와 '꽃' 사이의 거리를 나타낸 시어로 볼 수 있다.
② ㉡의 관점에서는, '저만치'를 화자와 '꽃' 사이는 물론 꽃들 사이의 거리를 나타낸 시어로도 볼 수 있다.
③ ㉠의 관점에서는, '작은 새'를 고독을 느끼는 화자의 감정이 이입된 시어로 볼 수 있다.
④ ㉡의 관점에서, '작은 새'는 존재를 의미하는 '꽃'이 고독을 느끼는 근원적인 이유라고 볼 수 있다.
⑤ ㉠과 ㉡의 관점에서, '작은 새'가 '꽃'을 좋아하는 것은 고독에서 벗어나고자 하는 마음과 관련이 있다고 볼 수 있다.

04

(가)는 『개벽』에 처음 발표되었을 때 〈보기〉와 같았다. 수정한 이유를 추측한 내용으로 적절하지 않은 것은?

> ─ 보기 ─
> 나보기가 역겨워
> 가실째에는 말업시
> 고히고히 보내들이우리다.
>
> 영변엔 약산
> 그 진달내쏯을
> 한아름 짜다 가실길에 쑤리우리다.
>
> 가시는길 발거름마다
> 쑤려노흔 그쏯을
> 고히나 즈러밟고 가시옵소서.
>
> 나보기가 역겨워
> 가실째에는
> 죽어도 아니, 눈물흘니우리다.

① 1연의 '말업시'의 행갈이를 통해 4연과의 형태적 안정감을 부여하려 한 것이군.
② 2연의 '영변엔 약산'을 수정하여 낭독을 부드럽게 하려 한 것이군.
③ 2연의 '그', '한–'을 삭제하여 4음보를 형성하려 한 것이군.
④ 3연의 '발거름마다'의 일부 단어를 반복하여 리듬감을 살리려 한 것이군.
⑤ 4연의 반점을 제거하여 운율의 통일성을 형성하려 한 것이군.

05
(나)에 나타난 종결 어미 '–네'의 기능과 효과를 이해한 내용으로 가장 적절한 것은?

① 도윤: 화자가 직접 체험한 내용을 전달할 때 '–네'가 쓰일 수 있겠어.
② 은아: '–네'를 사용하면 화자의 정서나 태도를 절제해서 드러내는 효과가 있는 것 같아.
③ 태성: '–네'는 대상이나 상황에 대한 냉소적 태도를 드러낼 때 어울린다고 할 수 있겠어.
④ 시하: '–네'는 상황에 대한 주관적 판단을 배제한 표현으로 현실 비판에 효과적인 것 같아.
⑤ 혜은: 화자와 대상 사이의 거리감을 좁히고 친근한 정서를 강조하고자 할 때 '–네'가 효과적인 것 같아.

Q02 초혼 | 접동새

[교과서] [문] 미래엔, 해냄 [기출] [EBS]

키워드 체크 ㉮ #임의 죽음 #전통 장례 의식 #망부석 설화 #감정 이입 ㉯ #향토적 #누나의 한 #접동새 설화

핵심 포인트

㉮ 임에 대한 그리움과 단절감

| 하늘(죽음) | 임(사랑하던 그 사람, 그대) |

↑ 너무 멀어 소리가 비껴감.
→ 단절감, 안타까움

| 땅(삶) | 화자('나') |

㉯ 접동새 설화의 시적 변용

[1연] 접동새 울음소리
↓
[2연~5연] 접동새 설화

| 누나의 비극적 죽음 | 접동새가 된 누나 | 동생들을 그리워하며 슬피 우는 누나 |

연계 작품

㉮ 사별한 대상에 대한 그리움과 단절감: 김춘수 「강우」, 박목월 「이별가」
㉯ 설화의 시적 변용: 서정주 「견우의 노래」

기출 OX

Q1 (가)는 대조적인 이미지로 이별의 정서를 표현하고 있다. [기출] 2003. 3. 고3 (O X)

Q2 (나)의 화자는 1연의 '접동새'와 3연의 '누나'를 동일시하고 있다. [기출] 2016. 3. 고2 (O X)

Q3 (나)는 행의 길이에 변화를 주어 리듬의 완급을 조절하고 있다. [기출] 2014. 6. 모평A (O X)

- **겹도록** 감정이나 정서가 거세게 일어나 누를 수 없도록.
- **아우래비** 아홉 오라비. '아홉(아웁)'과 '오래비'를 합쳐 접동새 울음소리를 나타내는 의성어로 변형함.
- **의붓어미** 계모.
- **불설워** 평안도 방언으로 '몹시 서러워'.
- **오랩동생** 남동생.

답 01 X 02 O 03 O

㉮

산산이 부서진 이름이여!
허공중에 헤어진 이름이여!
㉠불러도 주인 없는 이름이여! / 부르다가 내가 죽을 이름이여!

㉡심중(心中)에 남아 있는 말 한마디는
끝끝내 마저 하지 못하였구나.
사랑하던 그 사람 이여! / 사랑하던 그 사람이여!

붉은 해는 서산마루에 걸리었다.
사슴의 무리도 슬피 운다.
㉢떨어져 나가 앉은 산 위에서 / 나는 그대의 이름을 부르노라.

설움에 *겹도록 부르노라.
설움에 겹도록 부르노라.
부르는 소리는 비껴가지만 / ㉣하늘과 땅 사이가 너무 넓구나.

선 채로 이 자리에 ⓐ돌이 되어도
㉤부르다가 내가 죽을 이름이여!
사랑하던 그 사람이여! / 사랑하던 그 사람이여!

– 김소월, 「초혼(招魂)」

㉯

접동 / 접동
*아우래비 접동

진두강 가람가에 살던 누나는
진두강 앞마을에 / 와서 웁니다.

옛날, 우리 나라 / 먼 뒤쪽의
진두강 가람가에 살던 누나는 / *의붓어미 시샘에 죽었습니다.

누나라고 불러 보랴 / 오오 *불설워
시새움에 몸이 죽은 우리 누나는 / ⓑ접동새가 되었습니다.

아홉이나 남아 되는 *오랩동생을 / 죽어서도 못 잊어 차마 못 잊어
야삼경 남 다 자는 밤이 깊으면 / 이 산 저 산 옮아가며 슬피 웁니다.

– 김소월, 「접동새」

01 (가), (나)의 표현상 특징으로 적절하지 <u>않은</u> 것은?

① (가), (나)는 모두 3음보 민요조 율격을 통해 운율을 형성하고 있다.

② (가)는 (나)에 비해 격정적인 어조로 화자의 정서를 드러내고 있다.

③ (가)는 (나)와 달리 자연물에 감정을 이입하여 화자의 비탄을 강조하고 있다.

④ (나)는 (가)와 달리 음성 상징어로 시를 시작하여 애상적인 분위기를 조성하고 있다.

⑤ (나)는 (가)와 달리 화자의 사연을 요약적으로 제시하여 시적 상황을 효과적으로 전달하고 있다.

02 ㉠~㉤에 대한 설명으로 적절하지 않은 것은?

① ㉠: 대상이 세상에 존재하지 않음을 암시한다.

② ㉡: 화자의 슬픔과 안타까움을 고조하는 원인이다.

③ ㉢: 현실의 고통을 잊을 수 있는 초월적인 공간이다.

④ ㉣: 화자에게 절망을 불러일으키는 '그대'와의 거리가 드러난다.

⑤ ㉤: 대상에 대한 화자의 그리움의 정도를 극단적으로 보여 준다.

고난도 기출 변형 2014학년도 6월 모의평가 A형

03 〈보기〉를 참고하여 (나)를 감상한 내용으로 가장 적절한 것은?

┌ 보기 ┐
김소월의 시에서 한(恨)은 서로 모순을 이루는 두 감정이 갈등을 일으키고, 그 갈등이 끝내 풀리지 않을 때 생긴다. 예컨대 한은 체념해야 할 상황에서도 미련을 버리지 못하거나, 자책과 상대에 대한 원망이 충돌하여 이렇게도 저렇게도 할 수 없을 때 맺힌다.
└────┘

① '시새움에 몸이 죽'었다는 것으로 보아, '누나'의 한은 의붓어미를 시샘하는 마음 때문에 맺힌 것 같아.

② '이 산 저 산' 떠도는 새의 모습으로 보아, '누나'의 한은 희망을 잃고 체념하여 방황할 때 맺힌 것 같아.

③ '야삼경'에도 잠들지 못하는 것으로 보아, '누나'의 한은 가족을 버린 것에 대한 자책 때문에 생긴 것 같아.

④ '차마 못 잊'는다는 것으로 보아, '누나'의 한은 죽어서도 동생들에 대한 미련을 끊어 내지 못하여 생긴 것 같아.

⑤ '오랩동생'에 대한 심경이 표현된 것으로 보아, '누나'의 한은 자신을 지켜 주지 못한 동생들에 대한 원망 때문에 생긴 것 같아.

04 〈보기〉를 참고하여 ⓐ, ⓑ를 이해한 내용으로 적절하지 <u>않은</u> 것은?

┌ 보기 ┐
(가)에는 절개를 지닌 아내가 외지에 나간 남편을 기다리다가 죽어 '돌'이 되었다는 「망부석 설화」의 내용이, (나)에는 계모에게 박대를 받던 처녀가 죽어서 '접동새'가 되어 밤마다 동생들을 찾아와 울었다는 「접동새 설화」의 내용이 반영되어 있다.
└────┘

① ⓐ, ⓑ는 모두 설화의 핵심 소재와 관련이 깊군.

② ⓐ, ⓑ에는 모두 비극적인 상황에서의 한(恨)의 정서가 응축되어 있다고 말할 수 있겠군.

③ ⓑ에는 ⓐ와 달리 깊은 슬픔에 더해 억울하고 분한 정서가 복합적으로 담겨 있다고 볼 수 있겠군.

④ 설화 속의 '돌'은 ⓐ와 달리 간절한 그리움뿐만 아니라 여성의 절개를 상징한다고 할 수 있겠군.

⑤ ⓑ는 설화의 '접동새'와 달리 죽음으로써 계모에게서 벗어났다는 점에서 위안의 의미를 갖는다고 볼 수 있겠군.

05 (가)에서 │그 사람│을 부르는 행위와 〈보기〉에서 │이 사람│을 찾는 행위의 공통점으로 가장 적절한 것은?

┌ 보기 ┐
조금 전까지는 거기 있었는데
어디로 갔나, / 밥상은 차려 놓고 어디로 갔나,
넙치지지미 맵싸한 냄새가
코를 맵싸하게 하는데 / 어디로 갔나,
│이 사람│이 갑자기 왜 말이 없나,
내 목소리는 메아리가 되어 / 되돌아온다.
내 목소리만 내 귀에 들린다.
〈중략〉
한 뼘 두 뼘 어둠을 적시며 비가 온다.
혹시나 하고 나는 밖을 기웃거린다.
나는 풀이 죽는다.
빗발은 한 치 앞을 못 보게 한다.
왠지 느닷없이 그렇게 퍼붓는다.
지금은 어쩔 수 없다고.

    – 김춘수, 「강우」
└────┘

① 상대방의 아픔을 이해하기 위한 행위이다.

② 상대방과의 추억을 잊지 않기 위한 행위이다.

③ 상대방에 대한 원망을 드러냄과 동시에 상대방에 대한 애틋함을 표출하는 행위이다.

④ 상대방에 대한 그리움을 드러냄과 동시에 상대방의 부재를 절실하게 실감하게 되는 행위이다.

⑤ 상대방과의 관계 회복을 목적으로 하지만, 오히려 상대방과의 단절감을 뚜렷하게 확인하게 되는 행위이다.

Q03 빼앗긴 들에도 봄은 오는가 | 이상화

교과서 [문] 미래엔 기출 EBS

키워드 체크 #상징적 #대유법 #국권 상실의 비애 #자조적인 태도 #향토적 시어

[A] 지금은 @남의 땅 — 빼앗긴 들에도 봄은 오는가?

[B]
나는 온몸에 햇살을 받고
ⓑ푸른 하늘 푸른 들이 맞붙은 곳으로
㉠가르마 같은 논길을 따라 꿈속을 가듯 걸어만 간다.

입술을 다문 하늘아 들아
내 맘에는 내 혼자 온 것 같지를 않구나.
네가 끌었느냐 누가 부르더냐 *답다워라 말을 해 다오.

㉡바람은 내 귀에 속삭이며 / 한 자국도 섰지 마라 옷자락을 흔들고
종다리는 울타리 너머에 아씨같이 구름 뒤에서 반갑다 웃네.

고맙게 잘 자란 ⓒ보리밭아
간밤 자정이 넘어 내리던 고운 비로
너는 *삼단 같은 머리를 감았구나 내 머리조차 가뿐하다.

[C]
혼자라도 가쁘게나 가자.
마른 논을 안고 도는 ㉢착한 도랑이
젖먹이 달래는 노래를 하고 제 혼자 어깨춤만 추고 가네.

나비 제비야 *깝치지 마라
맨드라미 들마꽃에도 인사를 해야지
아주까리기름을 바른 이가 *지심매던 그 들이라 다 보고 싶다.

내 손에 ⓓ호미를 쥐어 다오.
㉣살찐 젖가슴과 같은 부드러운 이 흙을
발목이 시도록 밟아도 보고 좋은 땀조차 흘리고 싶다.

[D]
강가에 나온 아이와 같이
짬도 모르고 끝도 없이 닫는 내 혼아
무엇을 찾느냐 어디로 가느냐 우스웁다 답을 하려무나.

나는 온몸에 풋내를 띠고
ⓔ푸른 웃음 푸른 설움이 어우러진 사이로
다리를 절며 하루를 걷는다 아마도 ㉤봄 신령이 지폈나 보다.

[E] 그러나 지금은 — 들을 빼앗겨 봄조차 빼앗기겠네.

핵심 포인트

화자의 질문과 대답에 담긴 현실 인식

질문 (1연)	빼앗긴 들에도 봄은 오는가?

⋮

대답 (11연)	들을 빼앗겨 봄조차 빼앗기겠네.

↓

조국을 잃어버려 봄(희망, 광복)이
오지 않을 것이라는 절망적인 현실 인식

연계 작품

• 국토 상실의 아픔 형상화: 김소월 「바라건대는 우리에게 우리의 보습 대일 땅이 있었더면」
• '봄'이라는 계절적 배경: 김억 「봄은 간다」

기출 OX

Q1 윗글은 계절적 배경을 통하여 분위기와 주제 의식의 연관성을 높이고 있다.
기출 2014. 수능 예비 시행 B [O | X]

Q2 윗글은 여정에 따른 공간 변화를 바탕으로 화자의 정서를 다양하게 드러내고 있다.
기출 2014. 수능 예비 시행 B [O | X]

• **답다워라** '답답하다'의 방언.
• **삼단** 삼을 묶은 단.
• **깝치지** '재촉하다'의 방언.
• **지심매던** '김매다'의 방언. 논밭의 잡풀을 뽑아 내던.

답 Q1 O Q2 X

01 윗글의 표현상 특징으로 적절하지 <u>않은</u> 것은?

① 촉각적 이미지를 통해 대상에 동화된 화자의 모습을 형상화하고 있다.

② 시의 처음과 끝을 대응하여 화자의 부정적인 현실 인식을 강조하고 있다.

③ 현재형 시제를 사용하여 시적 배경과 정서를 생동감 있게 드러내고 있다.

④ 대상을 의인화하여 말을 건넴으로써 대상에 대한 화자의 친밀감을 드러내고 있다.

⑤ 명령형과 청유형 어미를 활용하여 현실에 대한 시적 대상의 태도 변화를 촉구하고 있다.

04 〈보기〉를 참고하여 [A]~[E]를 이해한 내용으로 적절하지 <u>않은</u> 것은?

— 보기 —

1920년대 중반에 일부 시인들은 민중의 참담한 상황, 그리고 노동에 기반한 민중의 생명력에 주목하면서 민중의 생활을 노래하였다. 이러한 점은 「빼앗긴 들에도 봄은 오는가」에도 잘 반영되어 있다.

① [A]의 ⓐ는 당시 민중의 참담한 상황을 나타낸 표현이군.

② [C]의 ⓒ에는 민중의 생명력이, ⓓ에는 노동을 중시하는 화자의 태도가 함의되어 있군.

③ [B]에서 [D]로의 태도 변화로 보아, [C]에는 민중의 실상에 대한 화자의 안타까움도 내재되어 있겠군.

④ [B]의 ⓑ에는 화자의 이상이, [D]의 ⓔ에는 화자의 현실 인식이 투영되어 있군.

⑤ [A]와 [E]의 연관으로 보아, [B]~[D]에서의 화자의 행위는 민중의 처지를 바꿔 보려는 의지의 소산이군.

02 〈보기〉를 참고하여 윗글을 이해한 내용으로 적절하지 <u>않은</u> 것은?

— 보기 —

윗글의 '나'는 봄날의 아름다운 들판을 거닐고 있지만, 동시에 그 들판이 이제는 남의 땅이 되어 버린 냉정한 현실을 마주하고 있다. 이때 화자가 느끼는 상반된 감정은 '나'가 처한 상황의 모순으로부터 기인한다.

① 2연의 '꿈속을 가듯 걸어만 간다.'에는 들판의 아름다움에 취한 듯한 모습이 나타나 있다.

② 3연의 '입술을 다문 하늘아 들아'에는 이제 남의 땅이 되어 버린 들판에서 느끼는 답답함이 나타나 있다.

③ 8연의 '좋은 땀조차 흘리고 싶다.'에는 남의 땅이 된 아름다운 들판에서 노동을 해야 하는 모순적인 상황에 대한 분노가 나타나 있다.

④ 9연의 '짬도 모르고 끝도 없이 닫는 내 혼'에는 남의 땅이 된 들판을 즐겁게 거닐던 자신에 대한 조소가 나타나 있다.

⑤ 10연의 '다리를 절며 하루를 걷는다'에는 들판에서 느끼는 기쁨과 들판을 잃은 슬픔이 한데 뒤섞인 모순된 감정이 나타나 있다.

05 〈보기〉를 윗글과 비교한 내용으로 가장 적절한 것은?

— 보기 —

나는 꿈꾸었노라, 동무들과 내가 가지런히
벌 가의 하루 일을 다 마치고
석양에 마을로 돌아오는 꿈을, / 즐거이, 꿈 가운데.

그러나 집 잃은 내 몸이여,
바라건대는 우리에게 우리의 *보습 대일 땅이 있었더면!
이처럼 떠돌으랴, 아침에 저물손에
새라 새로운 탄식을 얻으면서.

동이랴, 남북이랴, / 내 몸은 떠 가나니, 〈중략〉 //
그러나 어쩌면 황송한 이 심정을! 날로 나날이 내 앞에는
자칫 가느란 길이 이어 가라. 나는 나아가리라.
한 걸음, 또 한 걸음. 보이는 산비탈엔
온 새벽 동무들, 저 저 혼자…… *산경(山耕)을 김매이는.
– 김소월, 「바라건대는 우리에게 우리의 보습 대일 땅이 있었더면」

*보습: 땅을 가는 데 쓰는 농기구의 일종.
*산경: 산에 있는 경작지.

① 윗글과 〈보기〉의 화자는 모두 정착할 곳이 없어 떠도는 삶을 살고 있다.

② 윗글의 화자는 '들'을, 〈보기〉의 화자는 '동무'를 잃어버린 처지에 놓여 있다.

③ 윗글의 화자는 '들'의 풍경에, 〈보기〉의 화자는 '땅'의 역사적인 가치에 주목하고 있다.

④ 〈보기〉의 '땅'과 달리 윗글의 '들'은 노동의 공간으로서의 성격을 지니고 있다.

⑤ 〈보기〉에는 윗글과 달리 부정적 현실을 극복하려는 화자의 의지가 드러나 있다.

03 ㉠~㉤에 대한 설명으로 적절하지 <u>않은</u> 것은?

① ㉠: 들 사이로 곧게 뻗은 논길을 비유적으로 표현한 것이다.

② ㉡: 화자에게 들길을 걷는 행위를 종용하는 역할을 한다.

③ ㉢: 시각적 심상과 청각적 심상을 함께 불러일으킨다.

④ ㉣: 들의 생명력과 풍요로움을 함축적으로 드러낸다.

⑤ ㉤: 빼앗긴 들의 회복을 도울 수 있는 존재이다.

님의 침묵 | 알 수 없어요

▶해법문학 Link
㉮ 현대 시 58쪽
㉯ 현대 시 116쪽

키워드 체크 ㉮ #역설적 표현 #윤회 사상 #영원한 사랑 #회자정리 ㉯ #설의법 #희생정신 #절대적 존재

㉮ 님은 갔습니다. **아아** 사랑하는 나의 님은 갔습니다.

푸른 산빛을 깨치고 단풍나무 숲을 향하여 난 작은 길을 걸어서 차마 떨치고 갔습니다.

황금의 꽃같이 굳고 빛나던 옛 맹세는 **차디찬 티끌**이 되어서 한숨의 *미풍(微風)에 날아갔습니다.

날카로운 첫 키스의 추억은 나의 운명의 지침(指針)을 돌려놓고 뒷걸음쳐서 사라졌습니다.

나는 향기로운 님의 말소리에 귀먹고 **꽃다운 님의 얼굴**에 눈멀었습니다.

사랑도 사람의 일이라 만날 때에 미리 떠날 것을 염려하고 경계하지 아니한 것은 아니지만, 이별은 뜻밖의 일이 되고 놀란 가슴은 새로운 슬픔에 터집니다.

그러나 이별을 쓸데없는 **눈물**의 원천을 만들고 마는 것은 스스로 사랑을 깨치는 것인 줄 아는 까닭에 걷잡을 수 없는 슬픔의 힘을 옮겨서 새 희망의 *정수박이에 들어부었습니다.

㉠우리는 만날 때에 떠날 것을 염려하는 것과 같이 떠날 때에 **다시 만날 것**을 믿습니다.

아아 님은 갔지마는 나는 님을 보내지 아니하였습니다.

제 곡조를 못 이기는 사랑의 노래는 님의 침묵을 휩싸고 돕니다.

– 한용운, 「님의 침묵」

㉯ 바람도 없는 공중에 수직의 파문을 내이며 고요히 떨어지는 오동잎은 누구의 발자취입니까

지리한 장마 끝에 서풍에 몰려가는 무서운 검은 구름의 터진 틈으로 언뜻언뜻 보이는 푸른 하늘은 누구의 얼굴입니까

꽃도 없는 깊은 나무에 푸른 이끼를 거쳐서 옛 탑 위의 고요한 하늘을 스치는 알 수 없는 향기는 누구의 입김입니까

근원은 알지도 못할 곳에서 나서 돌뿌리를 울리고 가늘게 흐르는 작은 시내는 구비구비 누구의 노래입니까

연꽃 같은 발꿈치로 *가이없는 바다를 밟고 옥 같은 손으로 끝없는 하늘을 만지면서 떨어지는 날을 곱게 단장하는 저녁놀은 누구의 시(詩)입니까

㉡타고 남은 재가 다시 기름이 됩니다 그칠 줄을 모르고 타는 나의 가슴은 누구의 밤을 지키는 약한 등불입니까

– 한용운, 「알 수 없어요」

* 미풍 약하게 부는 바람.
* 정수박이 '정수리'의 방언.
* 가이없는 끝이 없는.

㉮ 절망을 희망으로 바꾸는 시상의 전환

전반부	이별 (1~4행)	이별의 상황 인식
	슬픔 (5~6행)	이별 후의 슬픔과 고통

↓

'그러나'

↓

후반부	희망 (7~8행)	슬픔의 극복 의지
	다짐 (9~10행)	'님'과의 재회에 대한 믿음

㉯ 자연에서 확인한 절대자의 모습

오동잎	바람도 없는데 떨어짐.	절대자의 발자취
푸른 하늘	검은 구름 틈으로 비침.	절대자의 얼굴
향기	꽃도 없는데 하늘을 스침.	절대자의 입김
작은 시내	근원을 알지 못할 곳에서부터 흐름.	절대자의 노래
저녁놀	바다를 밟고 하늘을 단장함.	절대자의 시

↓

신비롭고 아름다운 자연에서 절대자의 존재를 발견함.

연계 작품

㉮ 시상의 전환을 통한 화자의 태도 변화: 김광균 「노신」 ⋯ 기출 딥러닝 22쪽

㉯ 상징적 소재를 통한 주제 강조: 장석남 「배를 매며」

기출 OX

01 (가)는 과거의 상황을 환기하며 화자의 정서를 드러낸다. 기출 2009. 수능 ○ X

02 (가)에서 노래가 '님의 침묵'을 휩싸고 돈다는 것은 화자가 부재 속에 실재하는 '님'과 깊이 교감한다는 뜻이다. 기출 2009. 수능 ○ X

03 (나)에는 절대자의 존재에 대한 화자의 회의적인 태도가 드러나 있다. 기출 2013. 6. 모평 ○ X

답 **01** ○ **02** ○ **03** X

01 (가), (나)에 대한 이해로 적절하지 <u>않은</u> 것은?

① (가)의 '님'과 (나)의 '누구'는 모두 화자와 떨어져 있는 대상이다.

② (가)의 화자는 '님'과의 재회를, (나)의 화자는 '누구'와의 재회를 기대하고 있다.

③ (가)의 화자와 달리 (나)의 화자는 '누구'를 위해 자신을 희생하려는 의지를 다지고 있다.

④ (나)의 화자와 달리 (가)의 화자는 '님'과의 만남이 자신에게 일으킨 변화를 형상화하고 있다.

⑤ (나)의 화자와 달리 (가)의 화자는 주로 자신과 '님'의 관계에 초점을 맞추어 시상을 전개하고 있다.

02 〈보기〉를 바탕으로 ⑤의 기능을 설명한 내용으로 적절하지 <u>않은</u> 것은?

─ 보기 ─

회자정리(會者定離)『불교』만난 자는 반드시 헤어짐.
거자필반(去者必返)『불교』떠난 사람은 반드시 돌아오게 됨.

① 화자의 슬픈 정서를 희망과 기대의 정서로 전환한다.

② 화자에게 만남과 이별에 대한 역설적인 진리를 상기시킨다.

③ 화자가 '님'과의 이별이 성숙한 삶의 밑바탕으로 작용함을 깨닫게 만든다.

④ 화자가 '님'과 맺었던 사랑의 맹세가 완전히 깨진 것이 아니라는 것을 깨닫게 만든다.

⑤ 화자가 지금은 '님'이 '부재'하는 것이 아니라 '침묵'하는 것일 뿐이라는 인식을 가지게 한다.

03 ⑥에 대한 설명으로 적절하지 <u>않은</u> 것은?

① 시상이 전환되는 부분이다.

② 화자의 의지가 투영되어 있는 부분이다.

③ 불교의 윤회관을 바탕으로 한 역설적 논리가 드러난다.

④ 관념적인 서술을 통해 인간이 가진 한계를 부각하고 있다.

⑤ 물음의 방식을 통해 구도자로서의 자기 성찰을 보여 주고 있다.

04 (가)와 〈보기〉를 대응시켜 감상한 내용으로 적절하지 <u>않은</u> 것은?

─ 보기 ─

삼경에 못 든 잠을 사경 말에 비로소 들어
상사(相思)하던 우리 님을 꿈 가운데 해후하니
시름과 한(恨) 못다 일러 한바탕 꿈 흩어지니
아리따운 고운 얼굴 곁에 얼핏 앉았는 듯 〈중략〉
좋은 기약 막혀 있고 세월이 하도 할사
엊그제 꽃이 버들 곁에 붉었더니
그 결에 *훌훌하여 잎에 가득 가을 소리라
새벽 서리 지는 달에 외기러기 슬피 울 제
반가운 님의 소식 행여 올까 바라더니
아득한 구름 밖에 빈 소리뿐이로다
지리하다 이 이별이 언제면 다시 볼까
어화 내 일이야 나도 모를 일이로다

　　　　　　　　　　– 작자 미상, 「춘면곡(春眠曲)」 중

*훌훌하여: 시간이 빨리 지나가서.

① 1행의 '아아'와 〈보기〉의 '어화'는 부정적 상황에 대한 비탄의 표현으로 볼 수 있군.

② '차디찬 티끌'과 〈보기〉의 '새벽 서리'는 허무하게 깨진 인연을 상징한다는 점에서 통하네.

③ '꽃다운 님의 얼굴'과 〈보기〉의 '아리따운 고운 얼굴'은 화자가 사랑하는 대상의 모습을 나타내고 있어.

④ '눈물'과 〈보기〉의 '시름과 한'은 이별로 인해 생겨난 슬픔이라 할 수 있어.

⑤ '다시 만날 것'과 〈보기〉의 '좋은 기약'은 '님'과 만나고 싶은 소망과 관련되겠군.

05 〈보기〉를 참고하여 (나)를 이해한 내용으로 적절하지 <u>않은</u> 것은?

─ 보기 ─

(나)의 화자는 주변의 자연 현상에 내재한 절대자의 흔적을 찾고 있는데, 이를 통해 절대자의 세계, 즉 절대적 진리의 속성을 드러내고 있다.

① '바람도 없는 공중에' 떨어지는 '오동잎'에서, 보이지 않지만 존재하는 진리의 속성을 알 수 있군.

② '꽃도 없'이 하늘을 스치는 '향기'에서, 초월적인 힘을 가진 진리의 속성을 알 수 있군.

③ '언뜻언뜻' 보이는 '푸른 하늘'에서, 그 실체를 쉽게 드러내지 않는 진리의 속성을 알 수 있군.

④ '근원은 알지도 못'하는 '작은 시내'에서, 인간의 생각을 뛰어넘는 심오한 진리의 속성을 알 수 있군.

⑤ '가이없는 바다를 밟'는 '저녁놀'에서, 어둠이 다가와야 참모습을 드러내는 진리의 속성을 알 수 있군.

[06 ~ 08] 다음 글을 읽고 물음에 답하시오.

가 ㉠님은 갔습니다. 아아 사랑하는 나의 님은 갔습니다.

푸른 산빛을 깨치고 단풍나무 숲을 향하여 난 작은 길을 걸어서 차마 떨치고 갔습니다.

㉡황금의 꽃같이 굳고 빛나던 옛 맹세는 차디찬 티끌이 되어서 한숨의 미풍(微風)에 날아갔습니다.

㉢날카로운 첫 키스의 추억은 나의 운명의 지침(指針)을 돌려놓고 뒷걸음쳐서 사라졌습니다.

㉣나는 향기로운 님의 말소리에 귀먹고, 꽃다운 님의 얼굴에 눈멀었습니다.

사랑도 사람의 일이라 만날 때에 미리 떠날 것을 염려하고 경계하지 아니한 것은 아니지만, 이별은 뜻밖의 일이 되고 놀란 가슴은 새로운 슬픔에 터집니다.

[A] ┌ 그러나 이별을 쓸데없는 눈물의 원천을 만들고 마는 것은 스스로 사랑을 깨치는 것인 줄 아는 까닭에 걷잡을 수 없는 슬픔의 힘을 옮겨서 새 희망의 정수박이에 들어부었습니다. └

우리는 만날 때에 떠날 것을 염려하는 것과 같이 떠날 때에 다시 만날 것을 믿습니다.

㉤아아 님은 갔지마는 나는 님을 보내지 아니하였습니다.

제 곡조를 못 이기는 사랑의 노래는 님의 침묵을 휩싸고 돕니다.

　　　　　　　　　　　　　　　　　－ 한용운, 「님의 침묵」

나 시를 믿고 어떻게 살아가나

서른 먹은 사내가 하나 잠을 못 잔다.

먼 기적 소리 처마를 스쳐가고

잠들은 아내와 어린것의 베갯맡에

밤눈이 내려 쌓이나 보다.

무수한 손에 뺨을 얻어맞으며

항시 곤두박질해 온 생활의 노래

지나는 돌팔매에도 이제는 피곤하다.

먹고 산다는 것

너는 언제까지 나를 쫓아오느냐.

등불을 켜고 일어나 앉는다.

담배를 피워 문다.

쓸쓸한 것이 오장을 씻어 내린다.

[B] ┌ *노신이여
이런 밤이면 그대가 생각난다.
온 세계가 눈물에 젖어 있는 밤 └

상해(上海) 호마로(胡馬路) 어느 뒷골목에서

쓸쓸히 앉아 지키던 등불

등불이 나에게 속삭거린다.

여기 하나의 상심한 사람이 있다.

여기 하나의 굳세게 살아온 인생이 있다.

　　　　　　　　　　　　　　　　－ 김광균, 「노신(魯迅)」

• 노신 루쉰. 중국의 문학가이자 사상가. 어려운 가정 환경에서 자랐으며 가족 제도의 폐해를 폭로하거나 중국의 의식 개혁을 주창하는 등 사회적인 메시지를 전달하는 작품들을 저술함.

기출

06 (가), (나)의 공통점으로 가장 적절한 것은?

① 현실 초월적인 태도를 보이고 있다.

② 부정적 상황이 창작의 계기가 되고 있다.

③ 억압적 현실에 대한 비애가 드러나 있다.

④ 대상에 대한 원망이 표면에 나타나 있다.

⑤ 과거의 상황에 대한 화자의 반성이 나타나 있다.

07 [A], [B]의 공통점으로 가장 적절한 것은?

① 바람직한 삶에 대한 화자의 깨달음이 제시되어 있다.

② 화자의 시선이 자신의 내면에서 외부 세계로 향하고 있다.

③ 상황에 대한 화자의 긍정적 인식으로의 전환을 암시한다.

④ 지금까지의 무의미한 삶에 대한 화자의 반성이 나타나 있다.

⑤ 종교적 신념을 통해 현실을 극복하려는 화자의 의지가 나타나 있다.

기출 변형

08 ㉠~㉤에 대한 설명으로 적절하지 않은 것은?

① ㉠: 동일한 시구를 반복하여 '님'을 잃은 상실감을 표현하고 있다.

② ㉡: 대비적 의미를 지닌 시구를 통해 화자의 좌절감을 그려 내고 있다.

③ ㉢: 시어를 점층적으로 배열하여 '님'의 절대성을 강조하고 있다.

④ ㉣: 과장법과 대구법을 사용하여 화자가 받은 강렬한 느낌을 드러내고 있다.

⑤ ㉤: 역설적인 표현을 통해 영원한 사랑을 다짐하는 화자의 태도를 드러내고 있다.

모란이 피기까지는 │ 청명

핵심 포인트

㉮ 순환 구조

1~2행
봄을 기다림.

↓

3~10행
봄의 상실

↓

11~12행
봄을 기다림.

반복
(순환 구조)

㉯ 자연과의 일체감

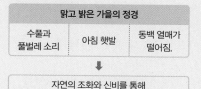

맑고 밝은 가을의 정경		
수풀과 풀벌레 소리	아침 햇발	동백 열매가 떨어짐.

↓

자연의 조화와 신비를 통해 자연과의 일체감을 느낌.

연계 작품

㉮ 대상에 대한 기다림: 김종길 「고고(孤高)」
··· 기출 딥러닝 25쪽
㉯ 자연에서의 만족감: 정극인 「상춘곡」

기출 OX

Q1 (가)는 시간의 흐름을 바탕으로 시상을 전개하고 있다. 기출 2016. 6. 고1 ○ X

Q2 (가)의 시적 화자는 자신의 처지에 대해 비관하고 있다. 기출 2009. 3. 고1 ○ X

Q3 (나)는 종교적 관념에 대한 사색을 바탕으로 주제를 구체화하고 있다. 기출 2020. 9. 모평 ○ X

• **우옵내다** '우옵나이다'의 준말, 혹은 '우옵니다'의 전라도 방언.
• **취어진** 계절의 정취에 젖어 든.
• **청명** '청명하다'의 어근. (날씨가) 맑고 밝음을 의미함.

답 Q1 ○ Q2 X Q3 X

㉮

모란이 피기까지는
나는 **아직** 나의 봄을 기다리고 있을 테요
모란이 ㉠뚝뚝 떨어져 버린 날
나는 **비로소** 봄을 여읜 설움에 잠길 테요
오월 어느 날 그 하루 무덥던 날
떨어져 누운 꽃잎**마저** 시들어 버리고는
천지에 모란은 자취도 없어지고
뻗쳐오르던 내 보람 서운케 무너졌느니
모란이 지고 말면 그**뿐** 내 한 해는 다 가고 말아
삼백예순 날 하냥 섭섭해 •우옵내다
모란이 피기까지는
나는 아직 기다리고 있을 테요 찬란한 슬픔의 봄을

– 김영랑, 「모란이 피기까지는」

㉯

호르 호르르 호르르르 가을 아침
•취어진 •청명을 마시며 거닐면
ⓐ수풀이 호르르 벌레가 호르르르
청명은 내 머릿속 가슴속을 젖어 들어
발끝 손끝으로 새어 나가나니

온 살결 터럭 끝은 모두 눈이요 입이라
ⓑ나는 수풀의 정을 알 수 있고
벌레의 예지를 알 수 있다
그리하여 나도 이 아침 청명의
가장 고웁지 못한 노래꾼이 된다

수풀과 벌레는 자고 깨인 어린애라
밤새워 빨고도 이슬은 남았다
남았거든 나를 주라
나는 이 청명에도 주리나니
ⓒ방에 문을 달고 벽을 향해 숨 쉬지 않았느뇨

ⓓ햇발이 처음 쏟아오아
청명은 갑자기 으리으리한 관을 쓴다
그때에 ㉡토록 하고 동백 한 알은 빠지나니
오! 그 빛남 그 고요함
간밤에 하늘을 쫓긴 별살의 흐름이 저러했다

온 소리의 앞 소리요
온 빛깔의 비롯이라
ⓔ이 청명에 포근 취어진 내 마음
감각의 낯익은 고향을 찾았노라
평생 못 떠날 내 집을 들었노라

– 김영랑, 「청명(淸明)」

01 (가), (나)의 공통점으로 가장 적절한 것은?

① 대화체 형식을 통해 주제를 선명하게 드러내고 있다.
② 어순이 바뀐 문장으로 시를 종결하여 여운을 남기고 있다.
③ 첫 연을 마지막 연에서 변주하여 시상을 마무리하고 있다.
④ 유사한 시어를 반복적으로 사용하여 리듬감을 형성하고 있다.
⑤ 영탄적 어조를 통해 시적 상황에 대한 화자의 정서를 강조하고 있다.

02 ㉠, ㉡에 대한 설명으로 가장 적절한 것은?

① ㉠은 자연물과 인간의 대립을, ㉡은 자연물과 인간의 조화를 나타내고 있다.
② ㉠은 화자의 회의적인 태도를, ㉡은 화자의 예찬적인 태도를 강조하고 있다.
③ ㉠은 대상으로 인한 화자의 상실감을, ㉡은 대상에 대한 화자의 경탄을 자아내고 있다.
④ ㉠은 보편적인 자연의 섭리를, ㉡은 자연에 대한 인간의 주관적 인식을 보여 주고 있다.
⑤ ㉠은 부정적 현실에 대한 대결 의지를, ㉡은 현실에 순응하는 삶의 모습을 상징적으로 드러내고 있다.

03 (가)의 찬란한 슬픔의 봄과 유사한 표현 방법이 나타난 것은?

① 산 꿩도 섧게 울은 슬픈 날이 있었다.
② 여울지어 / 수척한 흰 물살, // 갈갈이 / 손가락 펴고,
③ 먼 훗날 당신이 찾으시면 / 그때에 내 말이 "잊었노라."
④ 아아 님은 갔지마는 나는 님을 보내지 아니하였습니다.
⑤ 지붕에 박넝출 남풍에 자라고 / 푸른 하늘엔 석류꽃 피 뱉은 듯 피어

고난도

04 〈보기〉는 (가)에 쓰인 시어들의 사전적 의미이다. 이를 중심으로 (가)를 이해한 내용으로 적절하지 않은 것은?

보기

아직: 어떤 일이나 상태 또는 어떻게 되기까지 시간이 더 지나야 함을 나타내거나, 어떤 일이나 상태가 끝나지 아니하고 지속되고 있음을 나타내는 말.
비로소: 어느 한 시점을 기준으로 그 전까지 이루어지지 아니하였던 사건이나 사태가 이루어지거나 변화하기 시작함을 나타내는 말.
마저: 이미 어떤 것이 포함되고 그 위에 더함의 뜻을 나타내는 보조사. 하나 남은 마지막임을 나타낸다.
뻗쳐오르다: 물줄기나 불줄기 따위가 뻗쳐 위로 오르다. '벋쳐오르다'보다 센 느낌을 준다.
뿐: '그것만이고 더는 없음' 또는 '오직 그렇게 하거나 그러하다는 것'을 나타내는 보조사.

① '아직'을 사용하여 봄을 기다리는 일이 지속되고 있다는 것을 분명하게 드러내고 있군.
② '비로소'를 사용하여 모란에 대한 화자의 정서가 변화하는 시점을 분명하게 드러내고 있군.
③ '마저'는 떨어져 누운 꽃잎이 하나 남은 마지막 모란 꽃잎이라는 의미를 덧붙이는군.
④ '뻗쳐오르던'을 통해 화자가 모란을 통해 느끼는 정서를 구체화하여 나타내고 있군.
⑤ '뿐'을 통해 모란의 존재 유무를 중요하게 여기는 화자의 태도를 보여 주고 있군.

기출 변형 2020학년도 9월 모의평가

05 ⓐ~ⓔ에 대한 이해로 적절하지 않은 것은?

① ⓐ는 청각적 심상을 활용하여 산뜻한 가을 아침에 대한 화자의 인상을 표현하고 있다.
② ⓑ는 수풀을 마음을 가진 존재로 의인화하여 자연과 동화된 화자의 모습을 나타내고 있다.
③ ⓒ는 설의적 표현을 활용하여 화자의 지난 삶의 모습을 드러내고 있다.
④ ⓓ는 청명한 날이 으리으리한 관을 쓴다는 비유를 활용하여 햇빛이 쏟아지는 순간의 아름다움을 표현하고 있다.
⑤ ⓔ는 청명한 가을날에 느끼는 마음을 고향의 낯익음에 비유하여 지나가는 가을에 대한 아쉬움을 드러내고 있다.

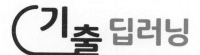

[06~08] 다음 글을 읽고 물음에 답하시오.

㉮ 모란이 피기까지는
　　나는 아직 ㉠나의 봄을 기다리고 있을 테요
　　모란이 뚝뚝 떨어져 버린 날
　　나는 비로소 봄을 여읜 설움에 잠길 테요
　　오월 어느 날 그 하루 무덥던 날
　　떨어져 누운 꽃잎마저 시들어 버리고는
　　천지에 모란은 자취도 없어지고
　　뻗쳐오르던 내 보람 서운케 무너졌느니
　　모란이 지고 말면 그뿐 내 한 해는 다 가고 말아
　　삼백예순 날 하냥 섭섭해 우옵내다
　　모란이 피기까지는
　　나는 아직 기다리고 있을 테요 찬란한 슬픔의 봄을
　　　　　　　　　　　　　　　　 – 김영랑, 「모란이 피기까지는」

㉯ 북한산이
　　다시 그 높이를 회복하려면
　　다음 겨울까지는 기다려야만 한다.

　　밤사이 눈이 내린,
　　그것도 백운대나 인수봉 같은
　　높은 봉우리만이 옅은 화장을 하듯
　　가볍게 눈을 쓰고

　　왼 산은 차가운 수묵(水墨)으로 젖어 있는,
　　어느 겨울날 이른 아침까지는 기다려야만 한다.

　　신록이나 단풍,
　　골짜기를 피어오르는 안개로는,
　　눈이래도 왼 산을 뒤덮는 적설(積雪)로는 드러나지 않는,

　　심지어는 장밋빛 햇살이 와 닿기만 해도 변질하는,
　　그 ㉡고고(孤高)한 높이를 회복하려면

　　백운대와 인수봉만이 가볍게 눈을 쓰는
　　어느 겨울날 이른 아침까지는
　　기다려야만 한다.

　　　　　　　　　　　　　　　　 – 김종길, 「고고(孤高)」

기출

06 (가), (나)의 공통점으로 가장 적절한 것은?

① 공간의 이동을 통해 시상을 전개하고 있다.
② 수미상관의 구조를 통해 주제를 강조하고 있다.
③ 어순의 도치를 통해 상황의 긴박감을 표현하고 있다.
④ 흑백의 대비를 통해 회화적 이미지를 강화하고 있다.
⑤ 가상의 상황을 통해 자기반성의 태도를 보여 주고 있다.

고난도　기출　변형

07 〈보기〉를 참고하여 (가), (나)를 감상한 내용으로 가장 적절한 것은?

　보기
　　김영랑의 「모란이 피기까지는」과 김종길의 「고고」는 대상이 지닌 특정 속성을 통해 화자가 경험한 아름다움을 드러낸다. 「모란이 피기까지는」에서는 봄이라는 계절에 소멸을 앞둔 대상을 통해, 「고고」에서는 겨울날 대상의 고고함이 드러나는 순간을 통해 대상의 아름다움이 경험되고 있다. 한편, 전자는 대상 자체보다는 대상에서 촉발된 주관적 정서의 표현에, 후자는 정서의 직접적 표현보다는 대상 자체의 묘사에 중점을 두고 있다.

① (가)와 (나)는 모두 아름다움을 경험하는 주체를 직접 노출하여 정서를 표현하고 있군.
② (가)는 (나)와 달리 특정한 계절적 배경에 드러나는 대상의 아름다움을 표현하고 있군.
③ (가)는 (나)와 달리 대상의 아름다움이 드러나는 순간과 그렇지 않은 때의 모습을 대비하고 있군.
④ (가)에서는 대상이 존재하는 시기가, (나)에서는 대상의 높이가 고고한 아름다움을 결정하는 유일한 조건이군.
⑤ (가)에서는 한정된 시간 동안에만 존속하는 속성이, (나)에서는 쉽게 변질되는 속성이 대상의 아름다움을 강화하고 있군.

기출　변형

08 ㉠, ㉡과 관련지어 (가), (나)를 이해한 내용으로 적절한 것은?

① (가)의 '설움'은 ㉠을 경험하지 못하게 방해하는 요인을 나타낸다.
② (가)의 '내 한 해는 다 가고 말아'는 화자가 아직까지 ㉠을 경험하지 못했다는 것을 의미한다.
③ (가)의 '찬란한 슬픔'은 ㉠을 맞이하는 것이 현실적으로 불가능하다는 화자의 인식을 보여 준다.
④ (나)의 '가볍게 눈을 쓰는'은 ㉡을 경험하기 위한 대상의 요건을 나타낸다.
⑤ (나)의 '어느 겨울날 이른 아침'은 ㉡이 회복되는 시간이 얼마 남지 않았음을 암시한다.

향수(鄕愁) | 정지용

키워드 체크 #향토적 #감각적 #후렴구 #공감각적 심상 #고향에 대한 그리움

넓은 벌 동쪽 끝으로
ⓐ옛이야기 *지줄대는 실개천이 회돌아 나가고,
얼룩백이 황소가
*해설피 금빛 게으른 울음 을 우는 곳,

— ㉠그곳이 차마 꿈엔들 잊힐 리야.

ⓑ질화로에 재가 식어지면
비인 밭에 밤바람 소리 말을 달리고
엷은 졸음에 겨운 늙으신 아버지가
짚베개를 돋아 고이시는 곳,

— 그곳 이 차마 꿈엔들 잊힐 리야.

ⓒ흙에서 자란 내 마음
파아란 하늘빛이 그리워
함부로 쏜 화살을 찾으려
풀섶 이슬에 *함초롬 휘적시던 곳,

— 그곳이 차마 꿈엔들 잊힐 리야.

ⓓ전설(傳說) 바다에 춤추는 밤물결 같은
검은 귀밑머리 날리는 어린 누이와
아무렇지도 않고 예쁠 것도 없는
사철 발 벗은 아내가
따가운 햇살을 등에 지고 이삭 줍던 곳,

— 그곳이 차마 꿈엔들 잊힐 리야.

하늘에는 성근 별
알 수도 없는 모래성으로 발을 옮기고,
*서리 까마귀 우지짖고 지나가는 초라한 지붕,
ⓔ흐릿한 불빛에 돌아앉아 도란도란거리는 곳,

— 그곳이 차마 꿈엔들 잊힐 리야.

핵심 포인트

다양한 감각적 이미지와 그 효과

심상	시구
시각적 심상	얼룩백이 황소, 파아란 하늘빛, 검은 귀밑머리 날리는, 성근 별, 흐릿한 불빛 등
청각적 심상	옛이야기 지줄대는 실개천, 서리 까마귀 우지짖고, 도란도란 거리는
촉각적 심상	따가운 햇살
공감각적 심상	금빛 게으른 울음, 밤바람 소리 말을 달리고(청각의 시각화)

↓

- 어린 시절의 추억을 떠올리게 함.
- 고향에 대한 향수를 불러일으킴.

연계 작품

- 다양한 감각적 이미지의 활용: 정지용 「장수산 1」
- 고향에 대한 그리움: 김상옥 「사향」, 이시영 「마음의 고향 6 – 초설」

기출 OX

Q1 윗글의 '넓은 벌'은 미지의 세계에 대한 동경을 뜻한다. [기출] 2000. 수능 ◯ | ✕

Q2 윗글은 향토적 소재를 통해 고향의 이미지를 형상화하고 있다. [EBS] 변형 ◯ | ✕

- 지줄대는 낮은 목소리로 자꾸 지껄이는.
- 해설피 '해가 질 무렵'이라는 해석과 '소리가 낮고 느리게'라는 해석이 있음.
- 함초롬 젖거나 서려 있는 모습이 가지런하고 차분한 모양.
- 서리 까마귀 가을 까마귀.

답 **Q1** ✕ **Q2** ◯

01 윗글의 각 단계의 장면들을 그림으로 표현하려 할 때, 시적 화자의 시각과 거리가 먼 것은?

① 풀을 뜯는 황소의 모습을 평화롭고 한가로운 분위기가 느껴지도록 그린다.
② 시골집 방 안에서 졸고 있는 노인의 모습을 고향 집의 푸근함이 느껴지도록 그린다.
③ 풀숲을 달리는 소년의 모습을 동심이 꾸밈없이 드러나도록 그린다.
④ 들에서 이삭 줍는 여인네들을 풍요롭고 넉넉한 삶에 대한 만족감이 드러나도록 그린다.
⑤ 가난하고 소박한 초가집 지붕 위에 떠 있는 별을 따뜻하고 아늑한 느낌이 들도록 그린다.

02 ㉠의 기능으로 적절하지 않은 것은?

① 시 전체에 구조적인 통일성을 부여한다.
② 점층적 확장을 통해 시상을 마무리한다.
③ 설의적 표현을 활용하여 주제를 부각한다.
④ 반복의 효과를 바탕으로 운율을 형성한다.
⑤ 대상에 대한 시적 화자의 정서를 함축하여 드러낸다.

03 ⓐ~ⓔ에 대한 설명으로 적절하지 않은 것은?

① ⓐ: 대상을 의인화하여 고향의 풍경을 제시하고 있다.
② ⓑ: 계절감이 나타나는 소재를 활용하여 시간의 경과를 보여 주고 있다.
③ ⓒ: 추상적 관념을 구체화하여 가난했던 어린 시절을 묘사하고 있다.
④ ⓓ: 역동적 이미지를 지닌 소재에 빗대어 어린 누이의 모습을 형상화하고 있다.
⑤ ⓔ: 시각적 이미지와 청각적 이미지를 활용하여 정겨운 분위기를 나타내고 있다.

04 〈보기〉를 참고할 때, 금빛 게으른 울음과 가장 유사한 표현이 나타난 것은?

─ 보기 ─
　공감각적 심상이란 하나의 감각이 동시에 다른 영역의 감각을 불러일으킴으로써 일어나는 심상으로, 청각의 시각화, 시각의 청각화, 시각의 촉각화 등이 있다.

① 가을밤같이 차게 울었다
② 분수처럼 흩어지는 푸른 종소리
③ 금으로 타는 태양의 즐거운 울림
④ 나비 허리에 새파란 초생달이 시리다
⑤ 국화 향기 흔들리는 좁은 서실(書室)을

[05~06] 〈보기〉를 읽고 물음에 답하시오.

─ 보기 ─

1

　절정에 가까울수록 뻐꾹채꽃 키가 점점 소모된다. 한 마루 오르면 허리가 스러지고 다시 한 마루 우에서 모가지가 없고 나중에는 얼굴만 갸옷 내다본다. *화문(花紋)처럼 판 박힌다. 바람이 차기가 함경도 끝과 맞서는 데서 뻐꾹채 키는 아주 없어지고도 팔월 한철엔 흩어진 *성신(星辰)처럼 난만하다. 산그림자 어둑어둑하면 그러지 않아도 뻐꾹채 꽃밭에서 별들이 켜 든다. 제자리에서 별이 옮긴다. 나는 여기서 기진했다. 〈중략〉

9

　가재도 기지 않는 백록담 푸른 물에 하늘이 돈다. 불구에 가깝도록 고단한 나의 다리를 돌아 소가 갔다. 좇겨 온 실구름 일말에도 백록담은 흐리운다. 나의 얼굴에 한나절 포긴 백록담은 쓸쓸하다. 나는 깨다 졸다 기도조차 잊었더니라.

－ 정지용, 「백록담(白鹿潭)」 중

*화문: 꽃무늬.
*성신: 별.

05 윗글과 〈보기〉의 공통점으로 가장 적절한 것은?

① 화자의 여정과 견문에 따라 시상이 전개되고 있다.
② 독백적 어조로 스스로의 삶의 태도를 성찰하고 있다.
③ 상징적 시어를 통해 문제의식을 함축적으로 드러내고 있다.
④ 감각적 이미지를 통해 시적 공간을 구체적으로 그려 내고 있다.
⑤ 자연과의 일체감을 통해 지향하는 세계에 대한 열망을 드러내고 있다.

06 윗글의 그곳과 〈보기〉의 백록담에 대한 설명으로 가장 적절한 것은?

① '그곳'은 화자의 이상이 실현된 장소이고, '백록담'은 화자가 이상의 실현을 위해 찾아가는 장소이다.
② '그곳'은 화자의 과거 경험을 환기하는 장소이고, '백록담'은 화자의 현재 경험이 나타나는 장소이다.
③ '그곳'은 화자가 자연물을 통해 깨달음을 얻는 장소이고, '백록담'은 화자가 자연과 동화되는 장소이다.
④ '그곳'은 화자가 가족을 통해 만족감을 느끼는 장소이고, '백록담'은 화자가 외로움을 해소하는 장소이다.
⑤ '그곳'은 화자의 개인적인 고민이 해소되는 장소이고, '백록담'은 화자가 세상으로부터 고립되어 쓸쓸함을 느끼는 장소이다.

[교과서] [문] 금성 [국] 창비 [기출] EBS

춘설 | 비

▶해법문학 Link
㉮ 현대 시 68쪽
㉯ 현대 시 70쪽

키워드 체크 ㉮ #영탄법 #초봄에 내리는 눈 #봄을 기다리는 마음 ㉯ #감정 배제 #감각적 묘사 #시간의 흐름

핵심 포인트

㉮ 화자가 바라본 자연의 모습과 그 역할

자연의 모습	역할
산봉우리에 갑작스레 봄눈이 내림.	화자가 봄의 도래를 깨닫는 계기가 됨.
얼음이 녹고 새로운 바람이 불어옴.	겨울이 가고 봄이 오는 생동감 있는 모습을 나타냄.
파릇한 미나리 새순이 돋아남.	
움직이지 않던 고기가 입을 오물거림.	

㉯ 시상 전개 과정

기 (1~2연)	비 내리기 직전의 모습
승 (3~4연)	빗방울이 여기저기 다투어 떨어지기 시작하는 모습
전 (5~6연)	빗물이 모여서 여울이 되어 흘러가는 모습
결 (7~8연)	빗방울이 나뭇잎에 떨어지는 정경

연계 작품

㉮ 봄의 생명력: 이수복 「봄비」
㉯ 자연의 관조적·감각적 묘사: 오규원 「하늘과 돌멩이」

기출 OX

Q1 (가)는 엄숙한 어조를 통해 경건한 분위기를 형성하고 있다.
[기출] 2006. 6. 고2 ○ X

Q2 (나)의 화자는 시적 대상의 변화에 따라 고뇌가 깊어지고 있다.
[EBS] 변형 ○ X

- **우수절** 입춘과 경칩 사이의 절기로, '봄비로 물기운이 가득한 때'라는 뜻임. 양력 2월 19일경.
- **멧부리** 산등성이나 산봉우리의 가장 높은 꼭대기.
- **이마받이** ① 이마로 부딪침. ② 두 물체가 몹시 가깝게 맞붙음.
- **옹송그리고** 춥거나 두려워 몸을 궁상맞게 몹시 움츠려 작게 하고.
- **핫옷** 솜을 두어 지은 겨울옷.
- **소소리 바람** 이른 봄에 살 속으로 스며드는 듯한 차고 매서운 바람. 여기서는 가을 바람인 듯함.
- **듣는** 눈물, 빗물 따위의 액체가 방울져 떨어지는.

답 **Q1** X **Q2** X

㉮
문 열자 선뜻!
먼 산이 이마에 차라.

*우수절(雨水節) 들어
바로 초하루 아침,

새삼스레 눈이 덮인 *멧부리와
서늘옵고 빛난 *이마받이하다.

얼음 금 가고 ㉠바람 새로 따르거니
흰 옷고름 절로 향기로워라.

*옹송그리고 살아난 양이
아아 꿈 같기에 설어라.

미나리 파릇한 새순 돋고
옴짓 아니 기던 고기 입이 오물거리는,

꽃 피기 전 철 아닌 눈에
*핫옷 벗고 도로 춥고 싶어라.

– 정지용, 「춘설(春雪)」

㉯
돌에 / 그늘이 차고,

따로 몰리는 / *소소리 ㉡바람.

[A]
┌ 앞섰거니 하여 / 꼬리 치날리어 세우고,
└ 종종 다리 까칠한 / 산새 걸음걸이.

여울지어 / 수척한 흰 물살,

갈갈이 / 손가락 펴고.

멎은 듯 / 새삼 *듣는 빗날

붉은 잎 잎 / 소란히 밟고 간다.

– 정지용, 「비」

01 (가), (나)의 공통점으로 가장 적절한 것은?

① 대상을 의인화하여 입체적으로 표현하고 있다.

② 화자의 정서가 드러나는 서술을 배제하고 있다.

③ 영탄적 어조를 활용하여 화자의 정서를 효과적으로 드러내고 있다.

④ 시각적 심상을 촉각적 심상으로 전이하여 자연 현상을 묘사하고 있다.

⑤ 시적 공간을 구성하는 다양한 요소를 활용하여 분위기를 형성하고 있다.

기출 변형 2010학년도 3월 고3 학력평가

02 (가), (나)에 드러난 자연의 공통적인 기능으로 가장 적절한 것은?

① 화자의 삶이 투영된 대상으로, 회상의 매개체 역할을 한다.

② 화자에게 영감을 주는 대상으로, 작품 창작의 계기가 된다.

③ 화자가 본받으려고 하는 대상으로, 화자에게 깨달음을 준다.

④ 이상적 삶을 실현할 수 있는 곳으로, 화자의 지향점을 집약적으로 제시한다.

⑤ 현실과 밀접한 관련을 맺고 있는 곳으로, 현실의 문제를 해결할 실마리를 제공한다.

기출 변형 2010학년도 3월 고3 학력평가

03 ㉠, ㉡을 비교한 내용으로 적절한 것은?

① ㉠과 ㉡은 모두 화자의 엄숙한 태도를 이끌어 낸다.

② ㉠과 ㉡은 모두 화자가 포착한 자연물로, 일상적 의미를 드러낸다.

③ ㉠은 상승적 이미지, ㉡은 하강적 이미지를 나타낸다.

④ ㉠은 화자와 대립되는 존재, ㉡은 화자와 동화된 존재이다.

⑤ ㉠은 심리적 갈등을 해소하는, ㉡은 심리적 갈등을 유발하는 기능을 한다.

---

04 〈보기〉를 참고하여 (가)를 감상한 내용으로 적절하지 않은 것은?

─ 보기 ─

일반적으로 '눈'은 겨울에 내리는 차갑고 서늘한 이미지를 나타내지만, 「춘설」에서 겨울에서 봄으로 변화하는 시기에 내리는 '눈'은 봄을 알리는 기능을 한다. 때 아닌 봄눈과 함께 주위의 자연이 생명의 기운을 얻어 살아 움직이고, 화자는 봄을 맞는 반가움과 겨울이 가는 허전함을 이중적으로 느끼고 있다.

① '선뜻!', '먼 산이 이마에 차라.' 등에서 눈에 대한 화자의 느낌이 구체적으로 드러나는군.

② '우수절(雨水節)'은 시의 배경이 겨울에서 봄으로 변화하는 시기라는 것을 명시적으로 드러내는군.

③ 겨울과 봄이 교차하는 것에 대한 화자의 이중적 정서는 '흰', '파릇한' 등의 색채 대비를 통해 드러나고 있군.

④ '옹송그리고'는 겨울을 보낼 때의 모습을 나타내며, 봄을 맞이하며 달라진 모습은 '꿈 같기에' 화자의 정서에 영향을 미치는군.

⑤ '철 아닌 눈에', '도로 춥고 싶어' 하는 화자의 모습에서 겨울이 가는 것을 아쉽게 여기는 정서를 읽어 낼 수 있군.

고난도

05 〈보기〉의 ⓐ, ⓑ를 중심으로 (나)를 감상한 내용으로 적절하지 않은 것은?

─ 보기 ─

선생님: 「비」는 떨어지기 시작하는 빗방울과 그 분위기를 섬세하게 포착하고 있는데 [A]에 대해서는 ⓐ빗방울이 떨어지는 모습을 비유적으로 표현한 부분이라는 해석과, ⓑ어디선가 날아온 산새의 모습과 움직임을 묘사한 것이라는 해석이 있어요. [A]에 대한 해석에 따라 시의 구절에 대한 해석이 어떻게 달라지는지 파악해 볼까요?

① '소소리 바람'은 ⓐ를 따르면 비를 몰고 온 바람으로, ⓑ를 따르면 산새의 역동적인 모습을 비유한 것으로 볼 수 있어요.

② ⓐ를 따르면 '꼬리 치날리어 세우고'는 빗방울이 떨어지는 모습을 산새의 모습에 빗대어 나타낸 것으로 볼 수 있겠네요.

③ ⓑ를 따르면 '종종 다리 까칠한 / 산새 걸음걸이.'는 산새의 외양적 특징과 산새의 움직임을 포착하여 묘사한 것으로 볼 수 있어요.

④ '수척한 흰 물살'은 ⓐ를 따르면 내린 비가 여울이 되어 흘러가는 모습을, ⓑ를 따르면 비가 내리기 전 가늘게 흐르는 여울의 모습을 표현한 것으로 볼 수 있겠네요.

⑤ '소란히 밟고 간다.'는 ⓐ를 따르면 멎었다가 다시 내리는 빗소리를, ⓑ를 따르면 멎은 듯이 약하게 내리기 시작한 빗소리를 표현한 것으로 볼 수 있겠네요.

현대 시 Q08

[교과서] [문] 천재(김), 금성, 신사고 [EBS]

거울 | 오감도 - 시 제1호

▶해법문학 Link
㉮ 현대 시 74쪽
㉯ 현대 시 76쪽

키워드 체크 ㉮ #자동기술법 #분열된 자아 #거울의 이중성 ㉯ #초현실주의 경향 #현대인의 불안과 공포

핵심 포인트

㉮ **자아 분열 양상과 거울의 역할**

현실		거울 속 세계
'거울 밖의 나' (현실적 자아)	↔	'거울 속의 나' (내면적 자아)

↑

거울
단절과 매개의 이중적 속성

㉯ **시의 대칭 구조**

1연	13인의 아이가 도로(막다른 골목)를 질주함.	1연과 5연의 대칭 구조 (상호 부정 관계)
2~3연	무섭다고 하는 13인의 아이	
4연	'무서운 아이'와 '무서워하는 아이'의 수는 상관 없음. (2~3연의 부연 설명)	
5연	13인의 아이가 도로(뚫린 골목)를 질주하지 않아도 좋음.	

연계 작품

㉮ **거울을 활용한 시상 전개:** 윤동주 「참회록」
㉯ **실험적 기법을 통한 시대 풍자:** 오규원 「프란츠 카프카」

기출 OX

Q1 (가)는 자아에 대한 성찰을 통하여 부정적인 현실 사회에 대한 비판 인식을 드러내고 있다. [EBS] 변형 (O | X)

Q2 (가)는 과거 상황에 대한 회상을 통해 시상을 전개하고 있다. [EBS] 변형 (O | X)

답 Q1 X Q2 X

㉮

거울속에는소리가업소
㉠저럿케까지**조용한세상**은참업슬것이오

거울속에도 내게 귀가잇소
㉡내말을못아라듯는**딱한귀**가두개나잇소

거울속의나는**왼손잡이**오
㉢**내악수**(握手)를바들줄몰으는 — 악수(握手)를몰으는왼손잡이오

㉣거울때문에나는거울속의나를만저보지를못하는구료만은
거울아니엿든들내가엇지거울속의나를맛나보기만이라도햇겟소

나는지금(至今)거울을안가젓소만은거울속에는늘거울속의내가잇소
잘은모르지만**외로된사업**(事業)에골몰할께요

거울속의나는참나와는반대(反對)요만은 / 또꽤닮앗소
㉤나는거울속의나를근심하고진찰(診察)할수업스니퍽섭섭하오

– 이상, 「거울」

㉯

13인의아해(兒孩)가도로로질주하오.
(길은막다른골목이적당하오.)

제1의아해가무섭다고그리오. / 제2의아해도무섭다고그리오.
제3의아해도무섭다고그리오. / 제4의아해도무섭다고그리오.
제5의아해도무섭다고그리오. / 제6의아해도무섭다고그리오.
제7의아해도무섭다고그리오. / 제8의아해도무섭다고그리오.
제9의아해도무섭다고그리오. / 제10의아해도무섭다고그리오.

제11의아해가무섭다고그리오. / 제12의아해도무섭다고그리오.
제13의아해도무섭다고그리오.
13인의아해는무서운아해와무서워하는아해와그렇게뿐이모였소.(다른사정은없는것이차라리나았소.)

그중에1인의아해가무서운아해라도좋소. / 그중에2인의아해가무서운아해라도좋소.
그중에2인의아해가무서워하는아해라도좋소.
그중에1인의아해가무서워하는아해라도좋소.

(길은뚫린골목이라도적당하오.)
13인의아해가도로로질주하지아니하여도좋소.

– 이상, 「오감도(烏瞰圖) – 시 제1호」

01 (가), (나)의 표현 방법에 대한 설명으로 적절하지 <u>않은</u> 것은?

① (가)는 (나)와 달리 시적 화자가 작품 표면에 등장하고 있다.

② (가)는 (나)와 달리 역설적 표현으로 주제 의식을 부각하고 있다.

③ (나)는 (가)와 달리 상황에 대한 화자의 부정적 정서가 직접적으로 드러나고 있다.

④ (가), (나) 모두 일반적 형식에서 벗어난 기법을 사용하여 낯선 느낌을 주고 있다.

⑤ (가)는 문장을 변주하여, (나)는 비슷한 통사 구조를 반복하여 시적 의미를 강조하고 있다.

02 다음 중 (가)의 거울속과의 관계가 나머지와 <u>다른</u> 것은?

① 조용한세상　② 짝한귀　③ 왼손잡이

④ 내악수　⑤ 외로된사업

03 〈보기〉를 참고하여 ㉠~㉤을 이해한 내용으로 적절하지 <u>않은</u> 것은?

> 보기
>
> (가)는 '거울'이라는 소재를 통해 '거울 밖의 나(현실적 자아)'와 '거울 속의 나(내면적 자아)' 사이의 갈등, 즉 자의식의 분열을 드러내고 있다.

① ㉠: 거울 밖과 분리된 거울 속의 이질적인 속성이 소리를 중심으로 나타나고 있다.

② ㉡: '현실적 자아'가 '내면적 자아'를 인식하지 못하는 것이 갈등의 원인으로 제시되고 있다.

③ ㉢: '현실적 자아'와 '내면적 자아'가 악수하지 못한다는 것을 통해 자아가 분리되었음이 드러나고 있다.

④ ㉣: '현실적 자아'와 '내면적 자아'를 단절시킴과 동시에 매개하는 '거울'의 이중적 속성이 나타나고 있다.

⑤ ㉤: '내면적 자아'와의 합일을 원하지만 현재 그것이 불가능하다고 생각하는 '현실적 자아'의 안타까움이 드러나고 있다.

04 〈보기〉를 참고하여 (나)를 감상한 내용으로 적절하지 <u>않은</u> 것은?

> 보기
>
> '13인의아해(兒孩)'는 근원적인 불안과 공포에서 벗어날 수 없는 현대인을 상징하는 존재이다.

① 1연의 '막다른골목'은 현대인이 느끼는 불안과 공포를 강화하는 장치로군.

② 2연과 3연에서 모든 '아해'들이 무서움을 느끼는 것은 불안과 공포가 모든 현대인들이 겪을 수 있는 감정이라는 것을 말해 주는군.

③ 3연에서 '13인의아해'를 '무서운아해'와 '무서워하는아해'로 나누고 있지만 '아해'들의 근원적인 불안과 공포는 변하지 않는군.

④ 4연에서 '좋소'를 반복하는 것은 무섭거나 무서워하는 아이의 숫자는 상관없다는 것으로, 현대인의 불특정 다수가 불안과 공포를 겪고 있음을 보여 주는군.

⑤ 5연에서 화자가 적당하다고 여기는 도로의 모습이 '막다른골목'에서 '뚫린골목'으로 전환되는 것은 불안과 공포를 해소할 수 있다는 희망을 보여 주는군.

고난도

05 (나)와 〈보기〉에 대한 설명으로 가장 적절한 것은?

> 보기
>
> 문(門)을암만잡아당겨도안열리는것은안에생활(生活)이모자라는까닭이다. 밤이사나운꾸지람으로나를조른다. 나는우리집내문패(門牌)앞에서여간성가신게아니다. 나는밤속에들어서서*제웅처럼자꾸만감(減)해간다. 식구(食口)야봉(封)한창호(窓戶)어데라도한구석터놓아다고내가수입(收入)되어들어가야하지않나. 지붕에서리가내리고뾰족한데는침(鍼)처럼월광(月光)이묻었다. 우리집이앓나보다그러고누가힘에겨운도장을찍나보다. 수명(壽命)을헐어서전당(典當)잡히나보다. 나는그냥문고리에쇠사슬늘어지듯매달렸다. 문을열려고안열리는문을열려고.
>
> – 이상, 「가정」
>
> *제웅: 짚으로 만든 사람의 형상.

① (나)는 시간적 배경을 부여하여, 〈보기〉는 공간적 배경을 묘사하여 화자의 내면세계를 형상화하고 있다.

② (나)는 문명에 대한 공포를 극복하고자 하고 있고, 〈보기〉는 다가올 미래에 대한 낙관적 인식을 밝히고 있다.

③ (나)의 화자는 현실에 대해 방관적인 태도를, 〈보기〉의 화자는 부정적 현실을 극복하려는 태도를 보이고 있다.

④ (나)와 〈보기〉의 화자는 모두 관찰자의 시점에서 시적 상황을 객관적으로 전달하고 있다.

⑤ (나)와 〈보기〉에서는 모두 대상에 감정을 이입하여 대상에 대한 친화적 태도를 드러내고 있다.

풀벌레 소리 가득 차 있었다
다리 위에서

▶해법문학 Link
㉮ 현대 시 124쪽

키워드 체크 ㉮ #유랑민의 비애 #풀벌레 소리 #절제된 어조 ㉯ #유년 시절 #감각적 이미지 #과거 회상의 매개체

핵심 포인트

㉮ 시에 나타난 유랑민의 비애

시어 및 시구
• 침상 없는 최후 • 노령, 아무을만, 니코리스크 • 한 마디 남겨 두는 말도 없었고

↓

이국에서의 가난한 현실과 아버지의 죽음

↓

일제 강점기에 타국을 유랑하던 한 가장의 비극적 죽음을 통해 우리 민족의 아픈 역사를 형상화함.

㉯ '다리'의 기능

국숫집을 찾아가는 길 (현재)	→	유년 시절의 '나'와 누나를 떠올림(과거).

↑

다리
(과거 회상의 매개체)

연계 작품

- ㉮ • 일제 강점기 비참한 현실의 서사적 전개: 백석 「여승」
  • 가족의 죽음에 대한 슬픔과 감정의 절제: 정지용 「유리창 1」
- ㉯ • 회상을 통한 시상 전개: 윤동주 「별 헤는 밤」
  • 어린 시절에 대한 회상: 박재삼 「추억에서」

기출 OX

Q1 (가)는 음성 상징어를 구사하여 생동감을 드러내고 있다. 기출 2015. 11. 고2 ○ Ⓧ

Q2 (가)는 장면을 초점화하여 감각적으로 표현하고 있다. 기출 2008. 9. 모평 ○ Ⓧ

Q3 (나)는 구체적인 청자를 설정하여 시상을 전개하고 있다. 기출 2008. 3. 고2 ○ Ⓧ

- **침상** 누워서 잘 수 있도록 만든 가구.
- **노령** 러시아의 영토.
- **아무을만** 러시아 지명으로 헤이룽강 하류의 아무르 지역.
- **설룽한** 춥고 차가운.
- **니코리스크** 러시아 지명으로 시베리아 하구의 항구 도시 니콜라예프스크를 가리킴.
- **목침** 나무토막으로 만든 베개.
- **미명** '무명'의 방언.

답 **Q1** Ⓧ **Q2** ○ **Q3** Ⓧ

㉮

우리 집도 아니고 / 일갓집도 아닌 집
고향은 더욱 아닌 곳에서
㉠아버지의 *침상(寢牀) 없는 최후 최후의 밤은
풀벌레 소리 가득 차 있었다.

*노령(露領)을 다니면서까지 / 애써 자래운 아들과 딸에게
㉡한 마디 남겨 두는 말도 없었고,
*아무을만(灣)의 파선도
*설룽한 *니코리스크의 밤도 완전히 잊으셨다.
*목침을 반듯이 벤 채.

다시 뜨시잖는 두 눈에 / ㉢피지 못한 꿈의 꽃봉오리가 갈앉고
얼음장에 누우신 듯 손발은 식어 갈 뿐
입술은 심장의 영원한 정지(停止)를 가리켰다.
㉣때늦은 의원이 아모 말없이 돌아간 뒤
이웃 늙은이의 손으로
눈빛 *미명은 고요히 / 낯을 덮었다.

우리는 머리맡에 엎디어 / 있는 대로의 울음을 다아 울었고
아버지의 침상 없는 최후 최후의 밤은
㉤풀벌레 소리 가득 차 있었다.
- 이용악, 「풀벌레 소리 가득 차 있었다」

㉯

바람이 거센 밤이면
몇 번이고 꺼지는 네모난 장명등을
궤짝 밟고 서서 몇 번이고 새로 밝힐 때
누나는 / 별 많은 밤이 되어 무섭다고 했다

ⓐ국숫집 찾아가는 다리 위에서
문득 그리워지는
누나도 나도 어려선 국숫집 아이

단오도 설도 아닌 풀벌레 우는 가을철
단 하루
아버지의 제삿날만 일을 쉬고
어른처럼 곡을 했다
- 이용악, 「다리 위에서」

01 (가), (나)의 공통점으로 가장 적절한 것은?

① 영탄적 어조로 격정적인 감정을 드러내고 있다.
② 수미상관식 구조로 시적 안정감을 획득하고 있다.
③ 역순행적 구성을 활용하여 시상을 전개하고 있다.
④ 구체적인 지명을 제시하여 사실성을 획득하고 있다.
⑤ 청각적 이미지를 통해 시의 분위기를 조성하고 있다.

02 ㉠~㉤에 대한 이해로 적절하지 <u>않은</u> 것은?

① ㉠: 화자와 가족들의 궁핍했던 생활상이 드러난다.
② ㉡: 갑작스럽게 죽음을 맞은 아버지의 상황을 보여 준다.
③ ㉢: 생전에 아버지가 이루지 못한 소망을 의미한다.
④ ㉣: 아버지의 죽음이 되돌릴 수 없는 현실임을 드러낸다.
⑤ ㉤: 아버지에 대한 그리움을 불러일으키는 매개체이다.

고난도

03 〈보기〉를 바탕으로 (가), (나)를 감상한 내용으로 적절하지 <u>않은</u> 것은?

── 보기 ──
　　이용악은 러시아 국경을 넘나들며 소금 밀수를 하다 객사한 아버지와, 아버지의 죽음 이후 국수 장사, 떡 장사 등으로 생계를 유지했던 어머니 밑에서 가난한 생활을 경험했다. 1930년대에 등단한 이용악은 이러한 가족사적 체험과 일제 강점기 민중의 비애를 객관적인 이야기 형식으로 서술하는 시를 주로 썼다. 그의 시는 감각적이고 사실적인 묘사와 객관적이고 절제된 어조를 통해 비극적인 이야기를 아름답게 승화한다는 특징을 지닌다.

① (가)에서는 '목침을 반듯이 벤 채' 손발이 식어 죽음을 맞이한 아버지의 비극적 상황이 감각적이고 객관적으로 형상화되어 있군.
② (가)에서 '우리 집도 아니고', '고향은 더욱 아닌 곳에서' 최후의 밤을 맞이한 아버지는 일제 강점기 유랑민의 비애를 대변하는군.
③ (나)의 '누나도 나도 어려선 국숫집 아이'를 통해 국수 장사를 했던 어머니 아래 자란 가족사적 체험이 반영되었음을 알 수 있군.
④ (나)의 화자가 '아버지의 제삿날만 일을 쉬고' '어른처럼 곡을' 한 것에서 어려운 가정 형편으로 인한 화자의 조숙한 모습을 엿볼 수 있군.
⑤ (가)와 (나)는 모두 절제된 어조를 사용하여 각각 아버지의 죽음, 유년 시절의 고단한 삶에 대한 감정을 직접적으로 드러내지 않는군.

04 시·공간적 배경을 중심으로 (가), (나)를 설명한 내용으로 가장 적절한 것은?

① (가)와 (나)는 모두 시·공간적 배경의 변화가 나타난다.
② (가)는 타향이라는 공간적 배경을 활용하여 시적 상황을 구체화하고 있다.
③ (가)는 '설룽한 니코리스크의 밤'이라는 시간적 배경을 제시하여 신비로운 분위기를 형성하고 있다.
④ (나)는 '국숫집'이라는 공간적 배경을 통해 고향에 대한 향수를 표현하고 있다.
⑤ (나)는 '별 많은 밤'이라는 시간적 배경을 통해 평화로운 분위기를 조성하고 있다.

기출 변형 2011학년도 6월 고1 학력평가

05 〈보기〉의 밑줄 친 시어와 ⓐ에 대한 설명으로 가장 적절한 것은?

── 보기 ──
사월이 오면
목련은 왜 옛마당을 찾아와 피는 것일까
어머님 가신 지 스물네해
무던히 오랜 세월이 흘러갔지만
나뭇가지에 물이 오르고
잔디잎이 눈을 뜰 때면
어머님은 내 옆에 돌아와 서셔서
어디가 아프냐고 물어보신다

하루 아침엔 날이 흐리고
하늘에서 서러운 비가 나리더니
목련은 한잎두잎 바람에 진다

목련이 지면 어머님은 옛집을 떠나
내년 이맘때나 또 오시겠지
지는 꽃잎을 두손에 받으며
어머님 가시는 길 울며 가볼까

　　　　　　　　 – 김광균, 「다시 목련」

① 화자의 감정이 이입된 대상이다.
② 시적 화자가 그리워하는 대상이다.
③ 과거의 기억을 환기하는 회상의 매개물이다.
④ 상반된 의미의 시어와 대비되어 주제를 부각한다.
⑤ 시상을 급격하게 전환하여 시적 긴장감을 조성한다.

「꽃벌레 소리 가득 차 있었다」 "아버지의 침상 없는 최후 최후의 밤은 꽃벌레 소리 가득 차 있었다." 작품 한줄 Pick

강 건너간 노래 | 절정

키워드 체크 ㉮ #희망과 의지 #부정적 현실 #노래 ㉯ #극한 상황의 초극 #역설적 인식 #상징적 시어

㉮

섣달에도 보름께 달 밝은 밤

앞내강 쨍쨍 얼어 조이던 밤에

내가 부른 노래는 강 건너 갔소

㉠강 건너 하늘 끝에 사막도 닿은 곳

내 노래는 제비같이 날아서 갔소

못 잊을 계집애 집조차 없다기에

가기는 갔지만 **어린 날개** 지치면

그만 어느 모래불에 떨어져 타서 죽겠죠.

사막은 끝없이 **푸른 하늘**이 덮여

눈물 먹은 별들이 *조상 오는 밤

㉡밤은 옛일을 무지개보다 곱게 짜내나니

한 가락 여기 두고 또 한 가락 어디멘가

내가 부른 노래는 그 밤에 강 건너 갔소.

― 이육사, 「강 건너간 노래」

㉯

[A] {
매운 계절의 채찍에 갈겨
㉢마침내 **북방**으로 휩쓸려 오다.
}

[B] {
하늘도 그만 지쳐 끝난 **고원**
㉣서릿발 칼날 진 그 위에 서다.
}

[C] {
어디다 무릎을 꿇어야 하나.
㉤한 발 *제겨디딜 곳조차 없다.
}

[D] {
이러매 눈감아 생각해 볼밖에
겨울은 **강철로 된 무지갠**가 보다.
}

― 이육사, 「절정」

핵심 포인트

㉮ '노래'의 기능

> '나'가 노래를 부름.

↓

> '노래'가 처한 부정적 현실
> - 쨍쨍 얼어붙은 강을 건넘.
> - 사막까지 닿은 공간으로 감.
> - 모래불에 타서 죽을지도 모름.

↓

> 부정적 현실에 맞서는 의지와 희망을 보여 줌.

㉯ 화자의 역설적 인식

> 화자가 처한 상황
> - 북방으로 휩쓸려 옴.
> - 고원에 서 있음.

↓

> 역설적 인식을 통한 초극 의지
> 겨울은 강철로 된 무지개

연계 작품

㉮ · 절망 속에서 드러나는 의지와 희망: 백석 「남신의주 유동 박시봉방」, 김광섭 「생의 감각」
 · 생명력을 부여한 시적 대상: 박남수 「아침 이미지 1」, 김춘수 「샤갈의 마을에 내리는 눈」
㉯ · 일제에 대한 저항 의지: 김영랑 「독을 차고」, 이육사 「교목」
 · 부정적 상황에 대한 역설적 인식: 나희덕 「땅끝」

기출 OX

01 (가)는 경어체를 통해 대상에 대한 예찬적 태도를 드러내고 있다.
기출 2014. 7. 고3 A O | X

02 (가)는 유사한 시구를 반복함으로써 화자의 의지를 강조하고 있다.
기출 2018. 수능 O | X

03 (나)에는 대상과 일체가 되려는 화자의 소망이 담겨 있다. 기출 2011. 9. 고2 O | X

04 (나)는 공간적 배경을 부각하여 시적 정황을 잘 드러내고 있다.
기출 2011. 9. 고2 O | X

· 조상 남의 죽음에 대하여 슬퍼하는 뜻을 드러내어 상주(喪主)를 위문함. 또는 그 위문.
· 제겨디딜 발끝이나 발뒤꿈치만으로 땅을 디딜.

답 **01** X **02** O **03** X **04** O

01 (가), (나)의 공통점으로 가장 적절한 것은?

① 현실과 이상 간의 조화를 강조하고 있다.
② 지향하는 삶에 대한 화자의 의지가 나타나 있다.
③ 자연의 섭리를 통해 깨달은 교훈을 표현하고 있다.
④ 현실 상황에 체념하고 좌절하는 태도가 드러나 있다.
⑤ 과거의 삶에 대한 성찰이 태도의 변화로 이어지고 있다.

02 (가), (나)의 표현상 특징에 대한 이해로 가장 적절한 것은?

① (가)와 (나)는 모두 설의법을 활용하여 화자의 내면을 구체화하고 있다.
② (가)는 (나)와 달리 점층적 구조를 통해 화자의 의지적 태도를 강조하고 있다.
③ (가)는 (나)와 달리 처음과 마지막에 유사한 시행을 제시하여 주제를 강조하고 있다.
④ (나)는 (가)와 달리 색채 대비를 활용하여 대상의 속성을 드러내고 있다.
⑤ (나)는 (가)와 달리 반어적 표현을 통해 현실에 대한 비판적 태도를 드러내고 있다

고난도 기출 변형 2014학년도 7월 고3 학력평가 A형

03 〈보기〉를 참고하여 (가), (나)를 감상한 내용으로 적절하지 않은 것은?

> ─ 보기 ─
> 「강 건너간 노래」는 식민지 시대의 고통스러운 현실과 이를 견디며 버텨 내야 했던 이육사의 고뇌와 방황이 잘 드러난 작품이고, 「절정」은 이육사가 시대 상황과 맞서 싸우면서 치열한 갈등을 통해 도달한 정신적 경지를 잘 보여 주는 작품이다.

① (가)의 '섣달'과 (나)의 '매운 계절'은 고통스러운 식민지 현실을 암시하는 것이군.
② (가)의 '어린 날개'는 식민지 현실에서 느끼는 시인의 무력감을 상징적으로 드러내고 있군.
③ (가)의 '사막'은 '푸른 하늘'이 덮여 있는 공간으로, 잃어버린 자아를 회복할 수 있는 공간으로 나타나는군.
④ (나)의 '고원'은 부정적 현실에 직면한 화자의 심정을 드러내기 위한 극한의 공간이군.
⑤ (나)의 '강철로 된 무지개'는 비극적 상황을 초극하려는 화자의 역설적 인식을 보여 주는군.

04 (가)의 각 연에 대한 설명으로 가장 적절한 것은?

① 1연: 현재 시제를 사용하여 현장감을 높이고 있다.
② 2연: 비유적 표현을 사용하여 대상의 정적인 속성을 강조하고 있다.
③ 3연: 비극적 상황을 가정하여 절망적인 현실을 형상화하고 있다.
④ 4연: 시간적 배경을 제시하여 현실 극복 의지를 표현하고 있다.
⑤ 5연: 시간의 흐름에 따른 화자의 시선 이동을 나타내고 있다.

05 [A]~[D]에 대한 설명으로 적절하지 않은 것은?

① [A]의 상황은 [B]에서 심화되어 나타난다.
② [B]에서 화자가 처한 시적 상황은 [D]에서 반전된다.
③ [C]에는 [A]와 [B]의 상황에 대한 화자의 인식이 드러난다.
④ [D]에서는 [C]에서의 인식이 전환된다.
⑤ [A]~[D]는 '기-승-전-결'의 구조를 따른다.

고난도 기출 변형 2018학년도 수능

06 〈보기〉의 관점에서 ⊙~⑩을 이해한 내용으로 적절하지 않은 것은?

> ─ 보기 ─
> 시는 인간의 삶을 반영한다. 시에서 반영은 현실과 인생을 모방한다는 의미에서 외부 현실을 시 속에 담아내는 것으로, 역사와 현실의 상황을 시를 통해 어떻게 재현할 것인가에 초점을 둔다. 여기서 반영은 '있는 그대로의 현실'로서의 반영과 '있어야 하는 현실'로서의 반영으로 구분할 수 있다. 전자는 역사와 현실의 모습을 사실 그대로 보여 주는 일상적 진실을 반영하는 것을 말하고, 후자는 일상적 현실을 넘어 화자가 바람직하다고 여기는 당위적 진실을 반영하는 것을 말한다.

① ⊙: 현실의 모습을 사막으로 표상하여, 대상이 마주하게 될 공간적 배경을 드러내고 있다.
② ⓒ: 밤과 무지개의 이미지를 대응시켜, 화자가 추구하는 '당위적 진실'에 대한 소망을 담아내고 있다.
③ ⓒ: 극한의 공간적 배경을 제시하여, 화자가 직면한 '당위적 현실'에서의 고단함을 드러내고 있다.
④ ⓔ: 위태로운 공간을 제시하여, '있어야 하는 현실'을 추구하기 어려운 화자의 상황을 재현하고 있다.
⑤ ⑩: 화자의 심리적 상황을 묘사함으로써 화자에게 닥친 '일상적 현실'이 절망적임을 나타내고 있다.

Q11

자야곡 | 광야

▶해법문학 Link
⑭ 현대 시 100쪽

교과서 [문] 미래엔, 비상 [국] 천재(박) 기출 EBS

키워드 체크 ㉮ #고향 상실 #수미상관 #대조적 이미지 ㉯ #조국 광복 염원 #시간적 흐름 #속죄양 모티프

핵심 포인트

㉮ 고향에 대한 화자의 정서

현실의 모습	이상적인 모습
무덤 위에 이끼만 푸름.	수만 채의 집에 빛이 남.

↓

비애, 절망감, 답답함

㉯ 시간의 흐름에 따른 시상 전개 방식

과거	광야의 생성, 생명과 문명의 시작

↓

현재	고난과 시련의 현실, 노래의 씨를 뿌림.

↓

미래	초인(민족의 구원자)이 노래를 부름.

연계 작품

㉮ 고향 상실의 상황: 오장환 「고향 앞에서」, 정지용 「고향」
㉯ 자기희생의 의지: 윤동주 「간」, 심훈 「그날이 오면」

기출 OX

01 (가)는 어순을 도치하여 시적 긴장을 높이고 있다. 기출 2012. 4. 고3 (O / X)

02 (가)에서는 자연물을 통해 시적 상황에 대한 화자의 내면이 드러난다. 기출 2012. 4. 고3 (O / X)

03 (나)의 화자는 과거의 삶을 돌아보며 후회하고 있다. 기출 2003. 6. 고1 (O / X)

04 (나)에는 시적 화자가 지향하는 삶의 자세가 나타나 있다. 기출 2007. 6. 고1 (O / X)

●수만 호 수만 채의 집.
●광음 햇빛과 그늘, 즉 낮과 밤이라는 뜻으로, 시간이나 세월을 이르는 말.

답 **01** X **02** O **03** X **04** O

㉮

*수만 호 빛이래야 할 내 ㉠고향이언만
노랑나비도 오잖는 무덤 위에 이끼만 푸르러라

슬픔도 자랑도 집어삼키는 검은 꿈
파이프엔 조용히 타오르는 꽃불도 향기론데

연기는 돛대처럼 나려 항구에 들고
옛날의 들창마다 눈동자엔 짜운 소금이 저려

바람 불고 눈보라 치잖으면 못 살리라
매운 술을 마셔 돌아가는 그림자 발자취 소리

숨 막힐 마음속에 어데 강물이 흐르느뇨
달은 강을 따르고 나는 차디찬 강 맘에 드리느라

수만 호 빛이래야 할 내 고향이언만
노랑나비도 오잖는 무덤 위에 이끼만 푸르러라

– 이육사, 「자야곡(子夜曲)」

㉯

까마득한 날에
하늘이 처음 열리고
어데 닭 우는 소리 들렸으랴

모든 산맥들이 / 바다를 연모해 휘달릴 때도
차마 ㉡이곳을 범하던 못하였으리라

끊임없는 *광음을
부지런한 계절이 피어선 지고
ⓐ큰 강물이 비로소 길을 열었다

[A] ┌ 지금 ⓑ눈 나리고
   │ ⓒ매화 향기 홀로 아득하니
   └ 내 여기 가난한 노래의 씨를 뿌려라

다시 천고의 뒤에 / ⓓ백마 타고 오는 초인이 있어
ⓔ이 광야에서 목 놓아 부르게 하리라

– 이육사, 「광야」

01 (가), (나)에 대한 설명으로 적절하지 <u>않은</u> 것은?

① (가), (나) 모두 현실을 부정적으로 인식하고 있다.
② (가), (나) 모두 명령형 어조로 현실 극복에 대한 강한 의지를 드러내고 있다.
③ (가)는 (나)와 달리 매개체를 통해 대상에 대한 그리움을 드러내고 있다.
④ (가)는 (나)와 달리 수미상관의 구조로 대상에 대한 화자의 정서를 강조하고 있다.
⑤ (나)는 (가)와 달리 시간의 흐름에 따라 시상을 전개하고 있다.

02 (가), (나)의 표현상 공통점으로 가장 적절한 것은?

① 직유를 통해 시각적 이미지를 드러내고 있다.
② 문장의 순서를 바꾸어 주제를 강조하고 있다.
③ 의인화를 통해 대상의 역동성을 강조하고 있다.
④ 청각적 이미지를 활용하여 대상의 소망을 드러내고 있다.
⑤ 후각적 심상을 사용하여 대상을 감각적으로 드러내고 있다.

03 ㉠, ㉡에 대한 설명으로 가장 적절한 것은?

① ㉠은 과거와 변함없는 모습을 지니고 있다.
② ㉡은 시간의 흐름에 따라 그 모습이 변화한다.
③ ㉠과 ㉡은 현재 각각 부정적, 긍정적으로 인식되고 있다.
④ ㉠과 ㉡은 모두 다른 공간과의 대조를 통해 특성이 부각된다.
⑤ ㉠은 화자가 지향하는 공간이고, ㉡은 화자와 멀리 떨어진 공간이다.

04 ⓐ∼ⓔ에 대한 설명으로 적절하지 <u>않은</u> 것은?

① ⓐ: 역사와 문명을 의미한다.
② ⓑ: 화자가 '가난한 노래의 씨'를 통해 초극하고자 하는 대상이다.
③ ⓒ: 시련을 겪는 존재로, '백마'와 대조된다.
④ ⓓ: 화자의 이상(理想)을 실현할 수 있는 존재이다.
⑤ ⓔ: 민족의 혼이 담겨 있는 공간이다.

고난도 기출 변형 2012학년도 4월 고3 학력평가

05 〈보기〉를 참고하여 (가)를 감상한 내용으로 적절하지 <u>않은</u> 것은?

┌ 보기 ┐

　「자야곡」에서는 밤이라는 시간적 배경을 통해 일제 강점 하의 냉혹한 현실을, 항구라는 공간적 배경을 통해 고향을 떠나 타향을 유랑하고 있는 시인 자신의 처지를 드러내고 있다. 이 시의 시적 상황을 도식화하면 아래와 같이 나타낼 수 있다.

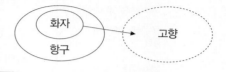

① '수만 호'의 빛이 있던 고향에 '무덤'만 가득함을 바라보고 있는 화자의 모습에서 고향의 현재 상황에 대해 안타까워하는 시인의 마음이 느껴져.
② '검은 꿈'이 '슬픔'과 '자랑'을 집어삼킨다는 표현에는 일제 강점 하의 현실을 이겨 내려는 시인의 의지가 드러나 있군.
③ '매운 술'을 마시고 '돌아가는 그림자'에는 고통스러운 현실에 대한 시인의 인식이 드러나 있어.
④ '숨 막힐 마음속'에는 고향을 떠나 타향을 유랑하던 시인의 답답한 마음이 담겨 있어.
⑤ '강'을 '차디찬'으로 수식한 것으로 보아 시인은 자신이 처한 현실이 냉혹하다고 인식하고 있어.

기출 변형 2003학년도 6월 고1 학력평가

06 시적 화자의 현실 인식과 대응 방식이 [A]와 가장 유사한 것은?

① 얼음장 밑에서도 고기가 숨쉬고 / 파릇한 미나리 싹이 / 봄날을 꿈꾸듯 // 새해는 참고 / 꿈도 좀 가지고 맞을 일이다. － 김종길, 「설날 아침에」
② 강나루 건너서 / 밀밭 길을 // 구름에 달 가듯이 / 가는 나그네. // 길은 외줄기 / 남도 삼백 리, // 술 익는 마을마다 / 타는 저녁 놀. － 박목월, 「나그네」
③ 남으로 창을 내겠소. / 밭이 한참갈이 // 괭이로 파고 / 호미론 김을 매지요. // 구름이 꼬인다 갈 리 있소. / 새 노래는 공으로 들으랴오. － 김상용, 「남으로 창을 내겠소」
④ 괴로웠던 사나이, / 행복했던 예수 그리스도에게 / 처럼 / 십자가가 허락된다면 // 모가지를 드리우고 / 꽃처럼 피어나는 피를 / 어두워 가는 하늘 밑에 / 조용히 흘리겠습니다. － 윤동주, 「십자가」
⑤ 되도록 생각을 하지 말아 다오 / 놀라울 때는 다만 '아!' 라고 말해 다오 / 보다 긴 말을 하고 싶으면 침묵해 다오 / 침묵이 어색할 때는 / 오랫동안 가문 날씨에 관하여 / 아르헨티나의 축구 경기에 관하여 / 성장하는 GNP와 증권 시세에 관하여 / 이야기해 다오 － 김광규, 「상행(上行)」

와사등 | 추일서정

▶해법문학 Link
㉮ 현대 시 125쪽

키워드 체크 ㉮ #감각적 #변형된 수미상관 #도시 문명 비판 #고독과 비애 ㉯ #회화적 #선경후정 #쓸쓸함

㉮

차단―한 등불이 하나 비인 하늘에 걸려 있다.
내 호올로 어딜 가라는 슬픈 신호냐.

긴―여름해 황망히 나래를 접고
늘어선 고층(高層) 창백한 묘석(墓石)같이 황혼에 젖어
찬란한 야경 무성한 잡초인 양 헝클어진 채
㉠사념(思念) 벙어리 되어 입을 다물다.

피부의 바깥에 스미는 어둠
ⓐ낯설은 거리의 아우성 소리
까닭도 없이 눈물겹고나

공허한 군중의 행렬에 섞이어
내 어디서 그리 무거운 비애를 지니고 왔기에
ⓑ길―게 늘인 그림자 이다지 어두워

내 어디로 어떻게 가라는 슬픈 신호기
차단―한 등불이 하나 비인 하늘에 걸리어 있다.

― 김광균, 「와사등」

㉯

낙엽은 폴―란드 망명정부의 지폐
포화에 이즈러진
도룬시의 가을 하늘을 생각케 한다
길은 한 줄기 구겨진 넥타이처럼 풀어져
일광의 폭포 속으로 사라지고
조그만 담배 연기를 내뿜으며
ⓒ새로 두 시의 급행 열차가 들을 달린다
포푸라나무의 근골(筋骨) 사이로
공장의 지붕은 흰 이빨을 드러내인 채
한 가닥 꾸부러진 철책이 바람에 나부끼고
그 위에 셀로판지(紙)로 만든 구름이 하나
자욱―한 풀벌레 소리 발길로 차며
ⓓ호올로 황량한 생각 버릴 곳 없어
㉡허공에 띄우는 돌팔매 하나
기울어진 풍경의 장막 저쪽에
ⓔ고독한 반원을 긋고 잠기어 간다

― 김광균, 「추일서정(秋日抒情)」

핵심 포인트

㉮ 도시 문명에 대한 화자의 정서와 인식

도시 문명	화자의 정서와 인식
차단―한 등불	차디차고 쓸쓸한 도시 풍경
창백한 묘석같이 늘어선 고층	생명력이 없는 공간
무성한 잡초처럼 헝클어진 야경	무질서한 공간
• 낯설은 거리의 아우성 소리 • 공허한 군중의 행렬	도시 문명 속에서 느끼는 단절감과 고독감

↓

도시 문명 속에서 고독감과 절망감을 느낌.

㉯ 비유적 표현의 효과

원관념	보조 관념	특징
낙엽	폴란드 망명 정부의 지폐	무가치하고 쓸모없음.
길	구겨진 넥타이	구불구불하고 초라함.
급행 열차의 연기	담배 연기	사라져 버림.
공장의 지붕	흰 이빨	냉혹함, 황량함.

↓

가을날 도시의 황량함과 고독감을 드러냄.

연계 작품

㉮, ㉯ • 도시 문명 속에서 느끼는 고독과 우울: 김광균 「외인촌」, 김광균 「광장」, 김기림 「아스팔트」
• 회화적 이미지의 활용: 김광균 「데생」, 정지용 「인동차」

기출 OX

Q1 (가)에는 삶에 대한 화자의 고뇌가 나타나 있다. 기출 2008. 수능 ○ X

Q2 (가)는 영탄적 표현을 통해 대상에 대한 경외감을 표출하고 있다. 기출 2015. 6. 모평 B ○ X

Q3 (나)는 유사한 문장 형태를 변주하여 시간의 흐름을 드러내고 있다. 기출 2020. 6. 모평 ○ X

답 Q1 ○ Q2 X Q3 X

01 (가), (나)에 대한 설명으로 가장 적절한 것은?

① (가)는 수미상관의 구조를 통해 화자의 관조적 태도를 부각하고 있다.

② (가)는 선경후정의 시상 전개 방식을 통해 시적 분위기를 형성하고 있다.

③ (나)는 시어를 의도적으로 변형하여 대상에 역동성을 부여하고 있다.

④ (나)는 시각적 이미지를 통해 가을날의 황량한 풍경을 형상화하고 있다.

⑤ (가)와 (나)는 모두 특정 시어를 장음으로 읽도록 유도하여 현실에 대한 극복 의지를 드러내고 있다.

02 ㉠, ㉡에 대한 이해로 가장 적절한 것은?

① ㉠은 화자에게 가해지는 폭력과 억압을, ㉡은 부정적 상황을 피하지 않고 직시하려는 태도를 의미한다.

② ㉠은 도시화로 인해 상실된 자아에 대한 슬픔을, ㉡은 도시 문명의 냉혹한 현실에서 느끼는 분노를 의미한다.

③ ㉠은 도시 문명 속에서 이성적인 사고를 할 수 없는 상태를, ㉡은 고독감으로부터 벗어나려는 노력을 의미한다.

④ ㉠은 계속되는 부정적 상황에 대한 체념적 태도를, ㉡은 도시 문명에 안주하는 현대인에 대한 비판 의식을 드러낸다.

⑤ ㉠은 현실에 대한 판단을 보류함으로써 사회로부터 스스로를 단절시키는 행위를, ㉡은 황량한 내면세계에서 벗어나고자 하는 행위를 의미한다.

기출 변형 2008학년도 수능

03 ⓐ~ⓔ 중, 〈보기〉의 밑줄 친 부분에 해당하지 않는 것은?

— 보기 —

서정적 자아는 세계를 내면화한다. 이런 작용으로 서정시에서 자아는 상상적으로 세계와 하나가 된다. 그렇지만 근대 이후의 문명사회에서 자아와 세계의 조화나 통일은 달성하기가 매우 어려운 일이다. 그래서 근대 이후의 서정시에서는 자아와 세계 사이의 분열에 대한 자아의 반응을 함축하고 있는 시어들이 자주 나타난다.

① ⓐ ② ⓑ ③ ⓒ ④ ⓓ ⑤ ⓔ

04 〈보기〉를 참고하여 (가)를 이해한 내용으로 적절하지 않은 것은?

— 보기 —

「와사등」은 도시 문명 속 현대인의 고독과 불안을 감각적 이미지를 사용하여 형상화한 작품이다. 이때 작품의 중심 소재이자 제목인 '와사등'은 '가스(gas)등'을 의미하며, 비정한 현대 도시 문명 속에서 방향 감각을 상실한 화자는 이를 마주하며 슬픔을 느끼고 있다.

① '차단—한 등불'은 현대 도시 문명에 대한 화자의 인식을 감각적으로 드러내고 있다.

② '늘어선 고층'을 '창백한 묘석'에 비유하여 도시 문명에 대한 화자의 부정적 태도를 드러내고 있다.

③ '공허한 군중의 행렬'에 섞여 있는 화자의 모습을 통해 화자가 느끼는 공허함과 고독감을 부각하고 있다.

④ '무거운 비애'는 방향 감각을 상실한 화자의 슬픔을 감각적으로 형상화하고 있다.

⑤ '슬픈 신호기'는 황량한 배경에 놓인 소재로 화자가 느끼는 현실과 이상 간의 괴리감을 환기하고 있다.

고난도 기출 변형 2013학년도 11월 고2 학력평가 B형

05 〈보기〉를 바탕으로 (나)를 감상할 때 적절하지 않은 것은?

— 보기 —

「추일서정」은 시각적 이미지와 원근법을 사용하여 도시의 풍경을 묘사한 작품이다. 그리고 이러한 회화적 구성을 통해 화자의 정서를 표출하고 있다. 작가는 역사적 사실을 작품의 소재로 사용하기도 했는데, 이는 당대의 역사적 사건에 대한 비판적 인식을 드러내기보다는 대상의 이미지나 그에 대한 정서를 효과적으로 나타내기 위한 것이었다. 또한 물질문명적 소재를 비유의 아름다움을 실현하기 위한 수단으로 삼기도 했다.

① '낙엽'과 '포푸라나무'는 근경, '급행 열차'와 '구름'은 원경을 이루면서 시 전체가 하나의 풍경화처럼 구성되는군.

② '폴—란드 망명정부'라는 소재를 사용하여 당대의 역사적 사건에 대한 화자의 부정적 정서를 형상화하고 있군.

③ '흰 이빨'을 드러낸 '공장의 지붕'을 통해 황량하고 고독한 정서를 드러내고 있군.

④ '셀로판지'는 물질문명과 관련된 소재로 구름을 표현하는 보조 관념으로 쓰여 비유의 아름다움을 실현하고 있군.

⑤ '자욱—한 풀벌레 소리'는 청각적 이미지를 시각화한 표현으로 작품의 회화성을 형성하는군.

교과서 [문] 금성, 지학사, 해냄 [국] 해냄　기출　EBS

수라 | 흰 바람벽이 있어

▶해법문학 Link
🔵 현대 시 88쪽

키워드 체크　㉮ #의인화　#연민과 배려　#가족 공동체의 회복　㉯ #의식의 흐름　#회고적　#서사적 요소

핵심 포인트

㉮ 시적 상황과 정서의 고조

1연	'거미 새끼'를 무심히 문 밖에 버림.	무심함
2연	'큰 거미'가 '거미 새끼' 있는 데로 가길 바라며 문 밖으로 버림.	서러움
3연	'무척 작은 새끼 거미'가 가족을 만나기를 바라며 문 밖으로 버림.	걱정과 슬픔

㉯ '흰 바람벽'의 의미와 기능

흰 바람벽	
자신의 내면을 비추고 삶의 의미와 자세를 성찰하는 매개체	➡ 운명에 대한 수용과 자기 위안, 쓸쓸하지만 고결한 삶에 대한 지향

연계 작품

㉮ 우의적 기법을 통한 주제의 형상화: 김광섭 「성북동 비둘기」
㉯ 삶에 대한 성찰적 태도: 백석 「남신의주 유동 박시봉방」, 윤동주 「자화상」, 정호승 「윤동주 시집이 든 가방을 들고」

기출 OX

Q1 (가)에서는 계절적 배경을 통해 화자가 처한 상황을 부각하고 있다.
기출 2018. 9. 고2 ○ X

Q2 (가)에서는 촉각적 심상을 활용하여 대상이 처한 상황의 비극성을 부각하고 있다.
기출 2018. 9. 고2 ○ X

Q3 (나)에는 화자의 내면적 갈등이 나타나 있다.
기출 2004. 9. 모평 ○ X

Q4 (나)에서는 반어적 표현을 활용하여 시적 대상의 특성을 드러낸다.
기출 2015. 3. 고3 A ○ X

- **아물거린다** 작거나 희미한 것이 보일 듯 말 듯하게 조금씩 자꾸 움직인다.
- **바람벽** 방이나 칸살의 옆을 둘러막은 둘레의 벽.
- **촉** 촉광. 예전에, 빛의 세기를 나타내던 단위.
- **앞대** 남쪽. 여기서는 한반도 남쪽 바다를 의미함.
- **개포** '개'의 평북 방언. 강이나 내에 바닷물이 드나드는 곳.
- **이즈막하야** 시간이 이슥하게 지나서.
- **울력** 여러 사람이 힘을 합하여 일함.
- **눈질** 눈으로 흘끔 보는 것.

답 01 X 02 ○ 03 ○ 04 X

㉮
거미 새끼 하나 방바닥에 나린 것을 나는 아모 생각 없이 문 밖으로 쓸어버린다
㉠차디찬 밤이다

어니젠가 새끼 거미 쓸려나간 곳에 큰 거미가 왔다
나는 가슴이 짜릿한다
나는 또 큰 거미를 쓸어 문 밖으로 버리며
찬 밖이라도 새끼 있는 데로 가라고 하며 ㉡서러워한다

㉢이렇게 해서 아린 가슴이 싹기도 전이다
어데서 좁쌀알만 한 알에서 가제 깨인 듯한 발이 채 서지도 못한 무척 작은 새끼 거미가 이번엔 큰 거미 없어진 곳으로 와서 •아물거린다
나는 가슴이 메이는 듯하다
내 손에 오르기라도 하라고 나는 손을 내어 미나 분명히 울고불고 할 이 작은 것은 나를 무서우이 달어나 버리며 나를 서럽게 한다
나는 이 작은 것을 ㉣고이 보드러운 종이에 받어 또 문 밖으로 버리며
이것의 엄마와 누나나 형이 가까이 이것의 걱정을 하며 있다가 ㉤쉬이 만나기나 했으면 좋으련만 하고 슬퍼한다

– 백석, 「수라(修羅)」

㉯
오늘 저녁 이 **좁다란 방**의 흰 •**바람벽**에 / 어쩐지 **쓸쓸한 것**만이 오고 간다
이 흰 바람벽에 / 희미한 **십오 •촉(十五燭)** 전등이 지치운 불빛을 내어던지고
때글은 다 **낡은 무명샤쓰**가 어두운 그림자를 쉬이고
그리고 또 달디단 따끈한 감주나 한잔 먹고 싶다고 생각하는 내 가지가지 **외로운 생각**이 헤매인다
그런데 이것은 또 어인 일인가
이 흰 바람벽에 / 내 가난한 늙은 **어머니**가 있다 / 내 가난한 늙은 어머니가
이렇게 시퍼러둥둥하니 추운 날인데 차디찬 물에 손은 담그고 무이며 배추를 씻고 있다
또 내 사랑하는 사람이 있다
내 사랑하는 **어여쁜 사람**이 / 어늬 먼 •**앞대** 조용한 •**개포**가의 나즈막한 집에서
그의 지아비와 마주앉어 대굿국을 끓여 놓고 저녁을 먹는다
벌써 어린것도 생겨서 옆에 끼고 저녁을 먹는다
그런데 또 •**이즈막하야** 어느 사이엔가 / 이 흰 바람벽엔
내 쓸쓸한 얼굴을 쳐다보며 / 이러한 **글자들**이 지나간다
┌ ― 나는 이 세상에서 가난하고 외롭고 높고 쓸쓸하니 살어가도록 태어났다
[A] 그리고 이 세상을 살어가는데
└ ― 내 가슴은 너무도 많이 뜨거운 것으로 호젓한 것으로 사랑으로 슬픔으로 가득 찬다
그리고 이번에는 나를 위로하는 듯이 나를 •**울력**하는 듯이
•**눈질**을 하며 주먹질을 하며 이런 글자들이 지나간다

— 하늘이 이 세상을 내일 적에 그가 가장 귀해하고 사랑하는 것들은 모두
[B] **가난하고 외롭고** 높고 쓸쓸하니 그리고 언제나 넘치는 사랑과 슬픔 속에 살도록 만드
└ 신 것이다
초생달과 바구지꽃과 짝새와 당나귀가 그러하듯이
그리고 또 '프랑시쓰 쨈'과 도연명(陶淵明)과 '라이넬 마리아 릴케'가 그러하듯이

– 백석, 「흰 바람벽이 있어」

01 (가), (나)에 대한 설명으로 적절하지 <u>않은</u> 것은?

① (가)와 (나)는 모두 특정 공간을 배경으로 설정하여 화자나 대상이 처한 상황을 드러내고 있다.

② (가)와 (나)는 모두 현재형 시제를 사용하여 시적 상황과 화자의 정서를 생생하게 드러내고 있다.

③ (가)는 화자의 내면에 떠오르는 의식의 흐름에 따라, (나)는 시간의 흐름에 따라 시상을 전개하고 있다.

④ (가)는 (나)와 달리 유사한 행위를 반복하여 제시함으로써 대상에 대한 화자의 태도를 부각하고 있다.

⑤ (나)는 (가)와 달리 문장의 어순을 바꾸어 시상을 마무리하는 방식을 통해 주제 의식을 강조하고 있다.

기출 변형 2018학년도 9월 고2 학력평가

02 (가)에 대한 설명으로 적절하지 <u>않은</u> 것은?

① 대상을 의인화하여 화자의 안타까움을 드러내고 있다.

② 대상에 대한 화자의 감정이 경험을 통해 변화하고 있다.

③ 화자의 태도가 달라짐에 따라 대상이 처한 상황이 악화되고 있다.

④ 시상의 전개에 따라 같은 공간에 대한 의미를 전환하여 주제를 형상화하고 있다.

⑤ '1연 → 2연 → 3연'으로 전개됨에 따라 행의 수가 늘어나는 구조를 통해 정서가 심화되는 양상을 보이고 있다.

고난도 기출 변형 2015학년도 3월 고3 학력평가 A형

03 (나)를 이해한 내용으로 적절하지 <u>않은</u> 것은?

① '흰 바람벽'은 '좁다란 방'과 의미상 대립을 이루며 고뇌에서 벗어나고자 하는 화자의 바람을 드러낸다.

② '쓸쓸한 것', '외로운 생각' 등에는 '흰 바람벽'을 마주하고 있는 화자의 고독한 내면이 드러난다.

③ '흰 바람벽'의 누추한 느낌은 '십오 촉 전등', '낡은 무명 샤쓰' 등과 같은 구체적 사물을 통해 심화된다.

④ '흰 바람벽'에 비친 '어머니', '어여쁜 사람', '글자들'에는 삶에 대한 화자의 상념과 회한이 투사되어 있다.

⑤ '흰 바람벽'의 백색이 지닌 깨끗한 이미지는 '가난하고 외롭'지만 고결한 삶을 지향하는 화자의 내면을 강조한다.

고난도

04 〈보기〉를 바탕으로 ㉠~㉤을 감상한 내용으로 적절하지 <u>않은</u> 것은?

보기

'수라(修羅)'는 불교 용어 '아수라'를 달리 부르는 말로, '눈 뜨고 볼 수 없을 만큼 끔찍하게 흩어져 있는 세계'를 뜻한다. 거미 가족들이 뿔뿔이 흩어져 함께 있지 못하는 비극적인 시적 상황을 함축하는 것이다. 여기에는 일제 강점기에 고향을 떠나 북간도 지방을 홀로 유랑하며 살 수밖에 없었던 시인의 체험과, 더 나아가 공동체가 파괴된 채 '아수라'와 같은 암울한 현실에서 살 수밖에 없었던 우리 민족의 아픔에 대한 연민이 담겨 있다. 화자는 이를 통해 사랑하는 이들과 함께하는 공동체적인 삶을 회복하고 싶다는 소망을 드러내고 있다.

① ㉠은 가족 공동체가 해체된 우리 민족이 처한 비극적인 현실을 드러낸다고 볼 수 있겠어.

② ㉡은 화자가 혼자 있는 거미를 보고 혈혈단신으로 유랑하며 살아온 자신의 처지를 떠올리며 느낀 감정으로도 볼 수 있겠어.

③ ㉢은 공동체의 회복을 어렵게 만드는 부정적 현실에 대한 비판으로 볼 수 있겠어.

④ ㉣은 공동체가 파괴된 채 살아가는 존재에 대한 화자의 배려와 연민이 담긴 행위라고 볼 수 있겠어.

⑤ ㉤은 공동체적인 삶의 회복을 바라는 화자의 소망이 반영된 것이라고 볼 수 있겠어.

---

05 [A], [B]에 대한 설명으로 가장 적절한 것은?

① [A]와 [B]에는 고통스러웠던 삶에 대한 울분의 정서가 드러나 있다.

② [A]와 [B]에는 정해진 운명을 거부하며 살아온 것에 대한 후회의 정서가 드러나 있다.

③ [A]에 드러난 절대자의 존재에 대한 부정은 [B]에서 절대자의 뜻에 대한 믿음으로 전환되고 있다.

④ [A]에는 주어진 운명을 바꾸려는 주체적인 태도가, [B]에는 운명에서 벗어날 수 없다는 체념적인 태도가 드러나 있다.

⑤ [A]에는 운명에 의한 삶을 어쩔 수 없는 것으로 여기는 태도가, [B]에는 그러한 삶을 긍정적으로 수용하려는 태도가 드러나 있다.

Q14

▶해법문학 Link
현대 시 148쪽

남신의주 유동 박시봉방 | 백석

교과서 [문] 천재(김), 신사고 [국] 미래엔 기출 EBS

키워드 체크 #성찰적 #편지 형식 #무기력한 삶 반성 #새로운 삶에 대한 의지 #객관적 상관물 #갈매나무

핵심 포인트

화자의 정서 변화

| 1~19행 | • 외로움과 쓸쓸함
• 무기력함
• 회한과 슬픔
• 좌절과 절망감 |

↓

'그러나'
(시상의 전환)

↓

| 21~32행 | • 운명에 대한 인식
• 내면의 안정
• 새로운 삶에 대한 의지와 희망 |

연계 작품

• 유랑하는 우리 민족의 처지: 이용악 「낡은 집」, 김소월 「바라건대는 우리에게 우리의 보습 대일 땅이 있었더면」
• 시상의 전환을 통한 태도 변화: 한용운 「님의 침묵」
• 토속적 시어를 활용한 향토적 분위기 형성: 정지용 「향수」, 백석 「여우난골족」

기출 OX

Q1 윗글에서 자연물은 화자의 삶의 방향에 영향을 미치고 있다.
기출 2003. 6. 고3 ○ X

Q2 윗글은 영탄적 표현을 통해 화자의 감흥을 표출하고 있다.
기출 2013. 6. 고2 B ○ X

• **샷** 갈대를 엮어서 만든 자리.
• **쥔을 붙이었다** 셋방을 얻어 살았다.
• **딜옹배기** 둥글넓적하고 아가리가 벌어진 작은 질그릇.
• **북덕불** 짚이나 풀, 겨 따위가 뒤섞여 엉클어진 뭉텅이에 피운 불.
• **턴정** 천장.
• **나줏손** 저녁 무렵, 저물 무렵.
• **정한** 깨끗하고 바른.

답 Q1 ○ Q2 X

[A]
어느 사이에 나는 아내도 없고, 또,
아내와 같이 살던 집도 없어지고,
그리고 살뜰한 부모며 동생들과도 멀리 떨어져서,
그 어느 바람 세인 쓸쓸한 거리 끝에 헤매이었다.
바로 날도 저물어서,
바람은 더욱 세게 불고, **추위**는 점점 더해 오는데,
나는 **어느 목수(木手)네 집 헌** *샷을 깐,
한 방에 들어서 *쥔을 붙이었다.

[B]
이리하여 나는 이 습내 나는 춥고, 누긋한 방에서,
낮이나 밤이나 나는 나 혼자도 너무 많은 것같이 생각하며,
*딜옹배기에 *북덕불이라도 담겨 오면,
이것을 안고 손을 쬐며 재 우에 뜻 없이 글자를 쓰기도 하며,
또 문밖에 나가디두 않구 자리에 누워서,
머리에 손깍지 벼개를 하고 굴기도 하면서,
나는 내 슬픔이며 어리석음이며를 소처럼 연하여 쌔김질하는 것이었다.

[C]
내 가슴이 꽉 메어 올 적이며,
내 눈에 뜨거운 것이 핑 괴일 적이며,
또 내 스스로 화끈 낯이 붉도록 부끄러울 적이며,
나는 내 슬픔과 어리석음에 눌리어 죽을 수밖에 없는 것을 느끼는 것이었다.

[D]
그러나 잠시 뒤에 나는 고개를 들어,
허연 문창을 바라보든가 또 눈을 떠서 높은 *턴정을 쳐다보는 것인데,
이때 나는 내 뜻이며 힘으로, 나를 이끌어 가는 것이 힘든 일인 것을 생각하고,
이것들보다 더 크고, 높은 것이 있어서, 나를 마음대로 굴려 가는 것을 생각하는 것인데,

[E]
이렇게 하여 여러 날이 지나는 동안에,
내 어지러운 마음에는 슬픔이며, 한탄이며, 가라앉을 것은 차츰 앙금이 되어 가라앉고,
외로운 생각이 드는 때쯤 해서는,
더러 *나줏손에 쌀랑쌀랑 싸락눈이 와서 문창을 치기도 하는 때도 있는데,
나는 이런 저녁에는 화로를 더욱 다가 끼며, 무릎을 꿇어 보며,
어니 먼 산 뒷옆에 바우섶에 따로 외로이 서서,
어두워 오는데 하이야니 눈을 맞을, 그 마른 잎새에는,
쌀랑쌀랑 소리도 나며 눈을 맞을,
그 드물다는 굳고 *정한 갈매나무라는 나무를 생각하는 것이었다.

01 윗글의 화자에 대한 설명으로 가장 적절한 것은?

① 외지에서 고향을 그리워하고 있다.
② 구도적 자세로 깨달음을 추구하고 있다.
③ 속세와 거리를 두고 자연과의 동화를 지향하고 있다.
④ 자신의 삶을 되돌아보며 슬픔과 부끄러움을 느끼고 있다.
⑤ 부정적인 상황으로부터 벗어나기 위한 도피책을 마련하고 있다.

02 윗글의 표현상 특징으로 적절하지 <u>않은</u> 것은?

① 방언을 활용하여 토속성을 높이고 있다.
② 음성 상징어를 통해 시적 긴장감을 조성하고 있다.
③ 촉각적 이미지를 통해 시적 공간을 형상화하고 있다.
④ 산문적 서술에 쉼표를 활용하여 호흡을 조절하고 있다.
⑤ 표면에 드러난 화자가 고백적 어조로 자신의 심리를 표출하고 있다.

고난도

03 〈보기〉를 참고하여 윗글을 감상한 내용으로 적절하지 <u>않은</u> 것은?

보기
　　윗글의 제목은 편지 겉봉의 발신인 주소 형식을 빌려온 것으로, '방(方)'은 예전에 편지 겉봉의 세대주나 집주인 이름 아래 붙어 그 집에 거처하고 있음을 의미하는 말이다. 화자는 이와 같은 편지 형식을 통해 자신의 정서를 효과적으로 전달하고 있다. 이때 화자는 자신이 처한 암울한 현실로 인해 회한과 비탄으로 추락하는 심리(하강 구조)를 드러내다가, 불가항력적인 운명의 힘을 긍정하며 살아갈 것을 다짐(상승 구조)하게 된다.

① '바람'과 '추위'는 화자의 회한과 비탄의 심리를 강화하는 암담한 상황을 의미하는군.
② '어느 목수네 집'은 '박시봉' 씨의 집으로, 화자는 편지 형식을 빌려 자신의 내면을 전달하고 있군.
③ '눈을 떠서 높은 턴정을 쳐다보는' 화자의 시선 이동은 하강 구조에서 상승 구조로의 전환과 대응할 수 있겠군.
④ 화자의 내적 갈등은 '나를 마음대로 굴'리는 '더 크고, 높은 것'으로 인해 심화되고 화자는 운명을 긍정하게 되는군.
⑤ 화자의 '외로운 생각'은 후회와 슬픔으로 인한 하강 구조에 따라 심화되는군.

04 윗글의 공간적 배경인 방을 [A]~[E]와 관련하여 이해한 내용으로 적절하지 <u>않은</u> 것은?

① [A]: 화자가 가족이나 고향과 '멀리 떨어져서' 외롭게 지내는 자신의 처지를 확인하는 공간이다.
② [B]: '나 혼자' 누워 있는 단절된 공간으로, 화자가 자신의 삶에 대해 끊임없이 고뇌하는 공간이다.
③ [C]: '죽을 수밖에 없'다고 느낄 만큼 화자의 절망감이 심화되는 공간이다.
④ [D]: '그러나'를 기점으로 화자가 외로움으로부터 벗어나고 싶다는 감정을 느끼는 공간이다.
⑤ [E]: 화자가 '갈매나무'를 생각하며 현실 극복의 의지를 드러내는 공간이다.

05 윗글과 〈보기〉를 비교한 내용으로 가장 적절한 것은?

보기
　　낡은 나조반에 흰밥도 가재미도 나도 나와 앉아서
쓸쓸한 저녁을 맞는다

흰밥과 가재미와 나는
우리들은 그 무슨 이야기라도 다 할 것 같다
우리들은 서로 미덥고 정답고 그리고 서로 좋구나

　　우리들은 맑은 물밑 해정한 모래톱에서 하구 긴 날을 모래알만 헤이며 잔뼈가 굵은 탓이다
　　바람 좋은 한벌판에서 물닭이 소리를 들으며 단이슬 먹고 나이 들은 탓이다
　　외따른 산골에서 소리개 소리 배우며 다람쥐 동무하고 자라난 탓이다

　　우리들은 모두 욕심이 없어 희여졌다
착하디착해서 *세관은 가시 하나 손아귀 하나 없다
너무나 정갈해서 이렇게 파리했다 〈중략〉

　　흰밥과 가재미와 나는 / 우리들이 같이 있으면
세상 같은 건 밖에 나도 좋을 것 같다

– 백석, 「*선우사(膳友辭)」

*세관은: '성질이나 기세가 억센'이라는 뜻의 평북 방언.
*선우: 반찬 친구.

① 윗글과 〈보기〉 모두 색채 대비를 통해 화자의 의지를 강조하고 있다.
② 윗글은 〈보기〉와 달리 현실을 통달하려는 달관적인 자세를 보이고 있다.
③ 윗글과 〈보기〉 모두 일상적 소재를 활용하여 소극적인 태도에 대한 반성적 자세를 이끌어 내고 있다.
④ 윗글은 의인화를 통해 자연에 대한 일체감을 드러내고 있으며, 〈보기〉는 화자와 대조되는 사물을 통해 정서를 심화하고 있다.
⑤ 윗글은 상징적 소재를 통해 삶에 대한 의지를 드러내고 있으며, 〈보기〉는 조촐한 소재를 통해 삶에 대한 만족을 드러내고 있다.

[06 ~ 07] 다음 글을 읽고 물음에 답하시오.

가 어느 사이에 나는 아내도 없고, 또,
　아내와 같이 살던 집도 없어지고,
　그리고 살뜰한 부모며 동생들과도 멀리 떨어져서,
　그 어느 바람 세인 쓸쓸한 거리 끝에 헤매이었다.
　바로 날도 저물어서,
　바람은 더욱 세게 불고, 추위는 점점 더해 오는데,
　나는 어느 목수(木手)네 집 헌 삿을 깐,
　한 방에 들어서 쥔을 붙이었다.
　이리하여 나는 이 습내 나는 춥고, 누긋한 방에서,
　낮이나 밤이나 나는 나 혼자도 너무 많은 것같이 생각하며,
　딜옹배기에 북덕불이라도 담겨 오면,
　이것을 안고 손을 쬐며 재 우에 뜻 없이 글자를 쓰기도 하며,
　또 문밖에 나가디두 않구 자리에 누워서,
　머리에 손깍지 벼개를 하고 굴기도 하면서,
　나는 내 슬픔이며 어리석음이며를 소처럼 연하여 쌔김질하는
것이었다.
　내 가슴이 꽉 메어 올 적이며,
　내 눈에 뜨거운 것이 핑 괴일 적이며,
　또 내 스스로 **화끈 낯이 붉도록** 부끄러울 적이며,
　나는 내 슬픔과 어리석음에 눌리어 죽을 수밖에 없는 것을 느
끼는 것이었다.
　그러나 잠시 뒤에 나는 고개를 들어,
　허연 문창을 바라보든가 또 눈을 떠서 높은 턴정을 쳐다보는
것인데,
　이때 나는 내 뜻이며 힘으로, 나를 이끌어 가는 것이 힘든 일인
것을 생각하고,
　이것들보다 더 크고, 높은 것이 있어서, 나를 마음대로 굴려 가
는 것을 생각하는 것인데,
　이렇게 하여 여러 날이 지나는 동안에,
　내 어지러운 마음에는 슬픔이며, 한탄이며, 가라앉을 것은 차
츰 앙금이 되어 가라앉고, / 외로운 생각만이 드는 때쯤 해서는,
　더러 나줏손에 쌀랑쌀랑 싸락눈이 와서 문창을 치기도 하는 때
도 있는데,
　나는 이런 저녁에는 화로를 더욱 다가 끼며, 무릎을 꿇어 보며,
　어느 먼 산 뒷옆에 바우섶에 따로 외로이 서서,
　어두워 오는데 하이야니 눈을 맞을, 그 마른 잎새에는,
　쌀랑쌀랑 소리도 나며 눈을 맞을,
　그 드물다는 굳고 정한 **갈매나무**라는 나무를 생각하는 것이었다.
　　　　　　　　　　　　　　　　　　－ 백석, 「남신의주 유동 박시봉방」

나 어느 해 늦가을 어느 날 오후,
　나는 경부선 **급행열차**를 타고 있었다.

　열차가 수원(水原)을 지날 무렵,
　서호(西湖)에 반사된 현란한 저녁해가
　차창 가득히 어떻게나 눈부시던지,

　나는 °골든 델리셔스라는 / 사과덩이 속을 파고드는
　한 마리 **눈먼 벌레**가 되었다.

　추수가 끝난 들녘도 / 잎이 진 잡목숲도, 인가(人家)도
　황금빛으로 무르익은 과육(果肉) 속이었다.
　　　　　　　　　　　　　　　　　　－ 김종길, 「저녁해」

● 골든 델리셔스 노란색을 띤 단맛이 강한 사과 품종.

기출　변형
06 (가), (나)의 공통점으로 가장 적절한 것은?
　① 동일한 시어를 반복하여 운율감을 형성하고 있다.
　② 토속적 시어를 통해 향토적 정감을 불러일으키고 있다.
　③ 계절적, 시간적 배경이 작품의 분위기와 연결되고 있다.
　④ 관조적 표현을 통해 화자의 정서를 담담하게 전달하고
　　있다.
　⑤ 의미가 대조되는 소재를 사용하여 장면을 효과적으로
　　전달하고 있다.

고난도　기출　변형
07 (가), (나)에 대한 감상으로 적절하지 **않은** 것은?
　① (가)는 '갈매나무'의 굳고 정한 모습이, (나)는 '급행열차'
　　의 속도감이 화자의 인식을 전환하는 계기가 되고 있어.
　② (가)의 화자는 내면 의식을 솔직하게 전달하고 있고, (나)
　　의 화자는 지나치는 풍경의 아름다움을 전달하고 있어.
　③ (가)는 '화끈 낯이 붉도록'을 통해, (나)는 '골든 델리셔
　　스'를 통해 화자의 느낌이 감각적으로 표현되고 있어.
　④ (가)는 화자의 삶의 자세를 상징하는 대상을 흰 색채 이
　　미지로, (나)는 화자가 바라보는 대상을 황금빛 색채 이
　　미지로 표현하고 있어.
　⑤ (가)의 화자는 방 안에서 과거를 성찰하는 스스로의 모습
　　을 '소'에 빗대고 있고, (나)의 화자는 차창 밖 풍경에 몰
　　입한 스스로의 모습을 '눈먼 벌레'로 형상화하고 있어.

자화상 | 바람이 불어

핵심 포인트

㉮ 우물을 매개로 한 자아 성찰

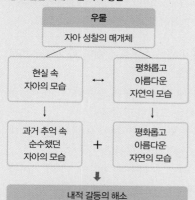

우물
자아 성찰의 매개체

현실 속 자아의 모습	↔	평화롭고 아름다운 자연의 모습

↓ ↓

과거 추억 속 순수했던 자아의 모습	+	평화롭고 아름다운 자연의 모습

↓

내적 갈등의 해소

㉯ '나'와 대비되는 소재

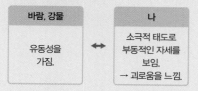

바람, 강물		나
유동성을 가짐.	↔	소극적 태도로 부동적인 자세를 보임. → 괴로움을 느낌.

연계 작품

㉮ 자아 성찰의 태도: 윤동주 「참회록」, 서정주 「자화상」
㉯ 질문을 통한 자아 인식: 김수영 「어느 날 고 궁을 나오면서」

기출 OX

Q1 (가)에는 대상을 딱하게 여기는 화자의 마음이 드러난다. 기출 2011. 수능 ○ X

Q2 (가)의 화자는 자신을 '사나이'로 객관화하여 드러낸다. 기출 2003. 12. 고1 ○ X

Q3 (나)의 화자는 자문하는 방식을 통해 자신의 삶에 대해 성찰하고 있다.
EBS 변형 ○ X

답 Q1 ○ Q2 ○ Q3 ○

㉮

산모퉁이를 돌아 논가 외딴 우물을 홀로 찾아가선 가만히 들여다봅니다.

㉠우물 속에는 달이 밝고 구름이 흐르고 하늘이 펼치고 파아란 바람이 불고 가을이 있습니다.

그리고 한 사나이가 있습니다.
어쩐지 그 사나이가 미워져 돌아갑니다.

돌아가다 생각하니 그 사나이가 가엾어집니다.
도로 가 들여다보니 사나이는 그대로 있습니다.

다시 그 사나이가 미워져 돌아갑니다.
돌아가다 생각하니 그 사나이가 그리워집니다.

우물 속에는 달이 밝고 구름이 흐르고 하늘이 펼치고 파아란 바람이 불고 가을이 있고 추억처럼 사나이가 있습니다.

– 윤동주, 「자화상(自畵像)」

㉯

바람이 어디로부터 불어와
어디로 불려 가는 것일까,

바람이 부는데
내 괴로움에는 이유가 없다.

내 괴로움에는 이유가 없을까,

단 한 여자를 사랑한 일도 없다.
시대를 슬퍼한 일도 없다.

㉡바람이 자꾸 부는데
내 발이 °반석 위에 섰다.

㉢강물이 자꾸 흐르는데
내 발이 언덕 위에 섰다.

– 윤동주, 「바람이 불어」

• 반석 넓고 평평한 큰 돌.

01 (가), (나)의 공통점으로 가장 적절한 것은?

① 구어체를 사용하여 산문적으로 진술하고 있다.
② 계절적 배경을 통해 시적 상황을 구체화하고 있다.
③ 시적 대상의 속성에 비추어 삶의 태도를 성찰하고 있다.
④ 자연물에 감정을 이입하여 화자의 정서를 드러내고 있다.
⑤ 과거 회상을 통해 역순행적 구조로 시상을 전개하고 있다.

02 ㉠~㉢에 대한 설명으로 가장 적절한 것은?

① ㉠~㉢은 모두 화자의 정서를 대변하는 기능을 한다.
② ㉠~㉢은 모두 화자가 스스로를 돌아보는 계기가 된다.
③ ㉠은 ㉢과 달리 화자의 내적 갈등을 심화하는 소재이다.
④ ㉡은 ㉠과 달리 화자가 현실 극복 의지를 갖게 하는 소재이다.
⑤ ㉢은 ㉡과 달리 주체적이고 적극적인 태도를 보이는 존재이다.

고난도 기출 2011학년도 수능

03 〈보기〉를 참고하여 (가)를 이해한 내용으로 적절하지 <u>않은</u> 것은?

┌─ 보기 ─────────────────────
「자화상(自畵像)」은 1941년 『문우(文友)』에는 '우물 속의 자상화(自像畵)'라는 제목으로 게재되었다. 이 제목에서는 '우물'과 '그림'이 부각되어 있다. 상징적 관점에서 볼 때, 우물은 자신의 모습을 투영해 볼 수 있는 사물이고, 하늘을 향해 있는 동굴이며, 그 동굴의 원형인 모태(母胎)를 떠올리게 하는 공간이다. 이 점에서 보면, 이 시에서 우물 속의 자상화는 자신의 존재에 대한 화자의 인식과 태도를 다층적으로 담아 내고 있는 그림이다.
└──────────────────────────

① 1연의 '외딴', '홀로', '가만히', '들여다봅니다' 등으로 보아, '우물'은 화자의 모습을 투영해 볼 수 있는 내밀한 공간이겠군.
② 2연에서 '우물 속'에 들어 있는 자연은 하늘을 향해 있는 우물 속의 그림이므로, 화자가 지향해 온 바를 담고 있겠군.
③ 3연~5연에서 '한 사나이'에 대한 화자의 반응들로 보아, 화자는 자신을 성찰하는 자세를 지니고 있겠군.
④ 6연에서 자연과 '사나이'가 함께 나타나는 것은, 우물 속의 자상화를 들여다보는 화자가 존재 탐구를 끝냈음을 의미하겠군.
⑤ 6연에서 '추억처럼'에는 고향과 같은 모태적 공간을 통해서 자신을 바라보려는 화자의 태도가 내포되어 있겠군.

04 〈보기〉를 바탕으로 (나)를 이해한 내용으로 가장 적절한 것은?

┌─ 보기 ─────────────────────
시를 감상할 때 대조를 통해 형성되는 의미망에 주목하면 시를 쉽게 이해할 수 있다. 예를 들어 색채의 대비나 움직임과 멈춤, 즐거움과 슬픔 등은 시에서 서로 대조를 이루어 화자의 정서나 주제를 강조하는 역할을 한다. 「바람이 불어」에서는 멈춰 있는 것이 성장이나 성찰의 부재를 나타내고 있고, 이것이 화자의 괴로움과 연결되고 있다.
└──────────────────────────

① '반석'을 '언덕'과 대비하여 자연물에 대한 화자의 우호적인 정서를 이끌어 내고 있군.
② '반석'과 '강물'의 색채 대비를 통해 순수하고 고결한 것에 대한 화자의 지향을 드러내고 있군.
③ 한 여자에 대한 '사랑'과 시대에 대한 '슬픔'의 정서를 대비하여 화자의 태도 변화를 유도하고 있군.
④ 정처 없이 떠도는 '바람'과 한곳에 정착한 '나'의 처지를 대비하여 화자의 체념적 태도를 강조하고 있군.
⑤ 자꾸 흐르는 '강물'과 제자리에 멈춘 '나'의 모습을 대비하여 소극적 태도에 대한 화자의 반성을 드러내고 있군.

05 〈보기〉와 (가), (나)를 비교하여 설명한 내용으로 적절하지 <u>않은</u> 것은?

┌─ 보기 ─────────────────────
그러니까 이렇게 옹졸하게 반항한다
이발쟁이에게
땅 주인에게는 못 하고 이발쟁이에게
구청 직원에게는 못 하고 동회 직원에게도 못 하고
야경꾼에게 20원 때문에 10원 때문에 1원 때문에
우습지 않으냐 1원 때문에

모래야 나는 얼마큼 작으냐
바람아 먼지야 풀아 나는 얼마큼 작으냐
정말 얼마큼 작으냐……

 – 김수영, 「어느 날 고궁을 나오면서」 중
└──────────────────────────

① (가), (나)와 〈보기〉에는 모두 화자의 성찰적 태도가 드러나 있다.
② (나)의 '바람'과 〈보기〉의 '바람'은 모두 화자의 부끄러움을 강조하는 기능을 한다.
③ (가)의 화자는 〈보기〉의 화자와 달리 내적 갈등을 해소하는 모습을 보이고 있다.
④ 〈보기〉의 화자는 (가)의 화자와 달리 '반항'을 통해 괴로운 현실에 맞서려는 태도를 보인다.
⑤ (나)의 화자가 느끼는 '괴로움'은 〈보기〉의 화자가 '얼마큼 작으냐'고 물으며 느끼는 감정에 대응할 수 있다.

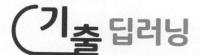
[06~07] 다음 글을 읽고 물음에 답하시오.

가 바람이 어디로부터 불어와
　　어디로 불려 가는 것일까,

　　⊙바람이 부는데
　　내 괴로움에는 이유가 없다.

　　내 괴로움에는 이유가 없을까,

　　단 한 여자를 사랑한 일도 없다.
　　시대를 슬퍼한 일도 없다.

　　ⓛ바람이 자꾸 부는데
　　내 발이 반석 위에 섰다.

　　강물이 자꾸 흐르는데
　　내 발이 언덕 위에 섰다.

　　　　　　　　　　　　– 윤동주, 「바람이 불어」

나 새는 새장 밖으로 나가지 못한다.
　　매번 머리를 부딪치고 날개를 상하고 나야 보이는,
　　창살 사이의 간격보다 큰, 몸뚱어리.
　　하늘과 산이 보이고 ©울음 실은 공기가 자유로이 드나드는
　　그러나 살랑거리며 날개를 굳게 다리에 매달아 놓는,
　　그 적당한 간격은 슬프다.
　　그 창살의 간격보다 넓은 몸은 슬프다.
　　넓게, 힘차게 뻗을 날개가 있고
　　②날개를 힘껏 떠받쳐 줄 공기가 있지만
　　새는 다만 네 발 달린 짐승처럼 걷는다.
　　부지런히 걸어 다리가 굵어지고 튼튼해져서
　　닭처럼 날개가 귀찮아질 때까지 걷는다.
　　새장 문을 활짝 열어 놓아도 날지 않고
　　닭처럼 모이를 향해 달려갈 수 있을 때까지 걷는다.
　　⑪걸으면서, 가끔, 창살 사이를 채우고 있는 바람을
　　부리로 쪼아 본다, 아직도 벽이 아니고
　　공기라는 걸 증명하려는 듯.
　　유리보다도 더 환하고 선명하게 전망이 보이고
　　울음 소리 숨내음 자유롭게 움직이도록 고안된 공기,
　　그 최첨단 신소재의 부드러운 질감을 음미하려는 듯.

　　　　　　　　　　　　– 김기택, 「새」

06 (가)에 대한 이해로 가장 적절한 것은?

① '불려 가는'이라는 피동 표현을 통해 자신이 처한 현실에 순응하려는 화자의 태도를 강조하고 있다.

② '이유가 없을까'라는 물음의 형식으로 화자의 정신적 고통에 타당한 이유가 없음을 단정하고 있다.

③ '사랑한 일'과 '슬퍼한 일'을 병치하여 화자의 개인적 불행이 시대에 대한 무관심의 원인임을 암시하고 있다.

④ '없다'의 반복을 활용하여 자신의 삶과 내면을 응시하는 화자의 반성적 자세를 드러내고 있다.

⑤ '흐르는데'와 '섰다'의 대비를 통해 변함없는 자연에서 깨달음을 얻으려는 화자의 의지를 드러내고 있다.

07 다음에 제시된 선생님의 안내에 따라, ⊙~⑪을 탐구한 내용으로 적절하지 **않은** 것은?

> 공기와 바람은 눈에 보이지 않지만 사물의 움직임을 통해 지각되고, 계속 움직이며 대상에 영향을 주는 힘으로 인식되기도 합니다. 이런 속성이 시에 어떻게 활용되는지 알아봅시다.

① ⊙에서는 움직임이라는 '바람'의 속성을 '괴로움'이라는 내면의 흔들림을 지각하는 계기로 활용하고 있다.

② ⓛ에서는 끊임없이 움직이는 '바람'의 속성을 활용해 '내 발'을 '반석 위'로 이끄는 힘을 보여 주고 있다.

③ ©에서는 자유롭게 창살 사이를 이동하는 '공기'의 속성을 '새'가 처한 상황을 부각하는 데 활용하고 있다.

④ ②에서는 '날개'를 '힘껏' 떠받치는 '공기'의 속성을 활용해 '새'의 '날개'가 '공기'의 힘을 이용할 수 있음을 암시하고 있다.

⑤ ⑪에서는 보이지 않지만 존재하는 '바람'의 속성을 활용해 '창살 사이'의 빈 공간을 쪼는 '새'의 동작에 의미를 부여하고 있다.

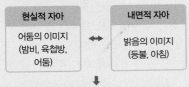

현대 시

쉽게 씌어진 시 | 윤동주

교과서 [문] 천재(김), 천재(정), 금성, 동아, 미래엔, 비상, 지학사 기출 EBS

키워드 체크 #자기 성찰 #상징적 시어 #자아의 대립과 화해 #최후의 나 #식민지 지식인

핵심 포인트

화자의 자기 성찰 과정

현실적 자아		내면적 자아
어둠의 이미지 (밤비, 육첩방, 어둠)	↔	밝음의 이미지 (등불, 아침)

↓

자기 성찰(부끄러움)

↓

현실적 자아와 내면적 자아의 화해(악수)

[A]
창밖에 밤비가 속살거려
˙육첩방(六疊房)은 남의 나라,

시인이란 슬픈 ˙천명(天命)인 줄 알면서도
한 줄 시를 적어 볼까,

[B]
땀내와 사랑내 포근히 품긴
보내 주신 학비 봉투를 받아

대학 노ー트를 끼고
늙은 교수의 강의 들으러 간다.

[C]
생각해 보면 어린 때 동무를
하나, 둘, 죄다 잃어버리고

나는 무얼 바라
ⓐ나는 다만, 홀로 ˙침전(沈澱)하는 것일까?

[D]
인생은 살기 어렵다는데
시가 이렇게 쉽게 씌어지는 것은
부끄러운 일이다.

[E]
㉠육첩방은 남의 나라
창밖에 밤비가 속살거리는데,

등불을 밝혀 어둠을 조금 내몰고,
시대처럼 올 아침을 기다리는 ⓑ최후의 나,

나는 나에게 작은 손을 내밀어
눈물과 위안으로 잡는 최초의 악수.

연계 작품

- 일제 강점기라는 부정적 현실에 대한 극복 의지: 이육사 「광야」, 이육사 「절정」
- 자기 성찰과 부끄러움: 윤동주 「참회록」, 정호승 「윤동주 시집이 든 가방을 들고」, 김수영 「어느 날 고궁을 나오면서」

˙육첩방 일본식 다다미가 여섯 장 깔린 방.
˙천명 타고난 운명.
˙침전하는 기분 따위가 가라앉는.

기출 OX

Q1 윗글의 화자는 시적 대상과의 관계 회복을 소망하고 있다.
기출 2012. 11. 고1 ◯ ☓

Q2 윗글에는 과거에 대한 그리움이 나타나 있다.
기출 2007. 3. 고2 ◯ ☓

답 Q1 ◯ Q2 ☓

01 윗글에 대한 설명으로 적절하지 <u>않은</u> 것은?

① 명사로 시상을 종결하여 시적 여운을 남기고 있다.
② 독백적 어조를 통해 화자의 내면을 고백하고 있다.
③ 대조적인 이미지를 활용하여 주제를 강조하고 있다.
④ 반어적 표현을 사용하여 화자의 정서를 강조하고 있다.
⑤ 시·공간적 배경을 설정하여 시적 상황을 드러내고 있다.

02 [A]~[E]에 대한 이해로 적절하지 <u>않은</u> 것은?

① [A]에는 시인인 화자가 암담한 현실을 인식하면서도 시를 쓸 수밖에 없는 것에 대한 괴로움이 나타나 있다.
② [B]에는 '늙은 교수의 강의'를 들으며 현실에 안주하는 화자의 모습이 드러나 있다.
③ [C]에는 '어린 때 동무를' 잃어버리고 상실감에 빠져 무기력하게 살아가는 화자의 모습이 형상화되어 있다.
④ [D]에는 자아와 시대 현실 간의 괴리를 인식하고 그 원인을 탐구하는 화자의 내면이 형상화되어 있다.
⑤ [E]에는 방관적인 자세에서 벗어나 현실을 극복하려는 화자의 의지와 다짐이 드러나 있다.

고난도 기출 2013학년도 11월 고1 학력평가

03 〈보기〉를 바탕으로 윗글을 감상한 내용으로 적절하지 <u>않은</u> 것은?

보기

이 작품은 윤동주가 일제 강점기 때 일본에서 유학하며 쓴 시이다. 이 시에서 화자는 자아 성찰을 통해 무기력한 삶을 반성하고 현실을 극복하려는 의지와 희망적인 미래에 대한 확신을 드러낸다. 이 과정에서 현실에 안주하고 있는 현실적 자아와 현실 극복 의지를 지닌 이상적 자아 사이의 갈등은 해소되고, 두 자아는 화해를 이루게 된다.

① '육첩방은 남의 나라'는 화자가 처해 있는 부정적인 현실을 의미하는군.
② '홀로 침전하는 것'은 일제 강점기 현실 속에서 고결함을 유지하고자 하는 화자의 의지를 나타내는군.
③ '등불을 밝혀 어둠을 조금 내몰고'는 현실 상황을 극복하려는 화자의 의지를 드러내는군.
④ '시대처럼 올 아침'은 긍정적인 미래에 대한 화자의 확고한 인식을 드러내는군.
⑤ '최초의 악수'는 현실적 자아와 이상적 자아가 화해에 이르렀음을 나타내는군.

04 윗글에서 ㉠의 역할로 가장 적절한 것은?

① 자문자답을 통해 화자의 내적 갈등이 심화되었음을 나타낸다.
② 과거 회상을 통해 화자의 유년 시절에 대한 그리움을 강화한다.
③ 화자가 내면의 성찰을 통해 현실을 재인식하는 모습을 보여 준다.
④ 수미상관 구조를 통해 성숙한 자아로 거듭나고자 하는 화자의 소망을 강조한다.
⑤ 앞 연과 대비되는 시적 상황을 제시하여 화자를 둘러싼 외부 환경의 변화를 드러낸다.

05 ⓐ, ⓑ에 대한 설명으로 적절하지 <u>않은</u> 것은?

① ⓐ는 잘못된 현실에 타협하며 살아가는 자신의 모습을 부정적으로 여긴다.
② ⓐ는 시인이 타고난 운명을 인식하면서도 시를 적는 것을 포기하지 않는다.
③ ⓑ는 ⓐ가 자기반성을 통해 도달한 성숙한 자아이다.
④ ⓑ는 '시가 이렇게 쉽게 씌어지는 것'을 부끄러워하고 있으므로 ⓐ와 대비된다.
⑤ ⓑ가 ⓐ에게 '작은 손을 내밀어' '눈물과 위안으로 잡는' 것은 화자의 내면적 갈등이 해소되었음을 의미한다.

기출 변형 2002학년도 10월 고3 학력평가

06 〈보기〉는 윗글에 나타난 '부끄러움'의 의미를 탐색해 가는 과정이다. 〈보기〉의 [   ]에 들어가기에 가장 적절한 것은?

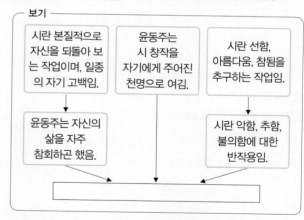

보기

시란 본질적으로 자신을 되돌아 보는 작업이며, 일종의 자기 고백임.

윤동주는 시 창작을 자기에게 주어진 천명으로 여김.

시란 선함, 아름다움, 참됨을 추구하는 작업임.

윤동주는 자신의 삶을 자주 참회하곤 했음.

시란 악함, 추함, 불의함에 대한 반작용임.

① 시를 통해 참된 '나'를 발견하지 못했다는 데서 오는 부끄러움
② 자신의 내면을 외면하고 학업에 전념하지 못한 것에 대한 부끄러움
③ 시를 통해 현실의 아름다움을 재현하지 못했다는 데서 오는 부끄러움
④ 자신에게 주어진 천명을 거부하고자 했던 과거 모습에 대한 부끄러움
⑤ 현실에 치열하게 대응하지 못한 채로 일상을 살아가던 자신에 대한 부끄러움

▶해법문학 Link
④ 현대 시 142쪽

동물원의 오후 | 낙화

키워드 체크 · ㉮ #주객전도 #애상적 #단절과 속박 #고독과 비애 ㉯ #삶의 무상감 #절제미 #전통적 정서

㉮

마음 후줄근히 시름에 젖는 날은 / 동물원 으로 간다.

사람으로 더불어 말할 수 없는 슬픔을 / 짐승에게라도 하소해야지.

난 너를 구경오진 않았다 / 뺨을 부비며 울고 싶은 마음.
혼자서 숨어 앉아 시를 써도 / 읽어줄 사람이 있어야지
쇠창살 앞을 걸어가며 / 정성스레 써서 모은 시집을 읽는다.

철책 안에 갇힌 것은 나였다
문득 돌아다보면 / 사방에서 창살 틈으로 / 이방(異邦)의 짐승들이 들여다본다.

'여기 나라 없는 시인이 있다'고 / 속삭이는 소리……

무인(無人)한 동물원의 오후 전도(顚倒)된 위치에
통곡과도 같은 낙조(落照)가 물들고 있었다.

— 조지훈, 「동물원의 오후」

㉯

꽃이 지기로소니 / ㉠바람을 탓하랴

주렴 밖에 성긴 별이 / 하나둘 스러지고

*귀촉도 울음 뒤에
㉡머언 산이 다가서다.

촛불을 꺼야 하리
꽃이 지는데

꽃 지는 그림자 / 뜰 에 어리어

하이얀 미닫이가 / *우련 붉어라.

㉢묻혀서 사는 이의
고운 마음을

㉣아는 이 있을까
*저허하노니

꽃이 지는 아침은
㉤울고 싶어라.

— 조지훈, 「낙화(落花)」

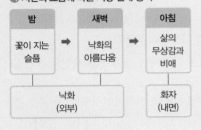

01 (가), (나)의 공통점으로 가장 적절한 것은?

① 말줄임표를 활용하여 상실감을 부각하고 있다.

② 자연물을 통해 화자의 내면 심리를 드러내고 있다.

③ 역설적 표현을 통해 화자가 처한 상황을 강조하고 있다.

④ 영탄적 어조를 사용하여 대상에 대한 확신을 강조하고 있다.

⑤ 공간의 이동에 따라 시상을 전개하여 화자의 태도 변화를 부각하고 있다.

02 (가)의 동물원과 (나)의 뜰에 대한 설명으로 적절하지 않은 것은?

① '동물원'은 화자가 자신의 처지를 확인하는 공간이다.

② '동물원'은 화자가 시름을 달래려고 찾아간 공간이다.

③ '뜰'은 화자의 감각적 경험이 이루어지는 공간이다.

④ '뜰'은 화자를 현실과 단절시키는 탈속적 공간이다.

⑤ '동물원', '뜰'은 모두 화자의 부정적 정서를 강화하는 공간이다.

03 (가)의 화자에 대해 이해한 내용으로 적절하지 않은 것은?

① 화자는 '나라 없는 시인'이기 때문에 '혼자서 숨어 앉아' 시를 쓰게 되었군.

② 화자는 정성스레 쓴 시를 '읽어줄 사람'이 없는 상황에 대해 '통곡'하고 싶은 심정을 느끼고 있군.

③ 화자는 자신을 가둔 '쇠창살 앞'을 걸어가며 '시집을 읽는' 행위를 통해 현실 극복의 의지를 다지고 있군.

④ 화자는 '더불어 말할 수 없는 슬픔'을 '짐승에게라도 하소해야' 할 만큼 절박하고 답답한 처지에 놓여 있군.

⑤ 화자는 '전도된 위치'를 인식함으로써 동물원에 갇혀 살아가는 동물들과 자신의 처지가 별다를 바 없다는 사실을 깨닫고 있군.

04 〈보기〉를 바탕으로 (가)를 감상한 내용으로 적절하지 않은 것은?

─ 보기 ─

시에서의 이미지는 추상적이고 관념적인 것을 구체화함으로써 내용을 보다 선명하게 인식하게 하고, 시적 상황을 암시하여 독자의 정서적 반응을 유발한다. 또한 어휘나 소재의 이미지를 바탕으로 낯익은 대상을 낯설게 드러내어 신선함과 참신함을 느끼게 할 수도 있으며, 작품 속 이미지 간의 긴밀한 관계를 통해 의미를 집중시키거나, 이미지를 통해 특정한 정서를 환기할 수도 있다.

① '마음'이 '후줄근'하게 '시름에 젖'었다는 표현을 통해 추상적인 것을 구체화하여 화자의 슬픔을 선명하게 인식하게 하고 있군.

② '쇠창살', '철책', '창살 틈' 등의 유사한 이미지를 반복하여 신선함을 강조함으로써 단절과 속박이라는 시적 의미를 형상화하였다고 할 수 있군.

③ '사방'에서 '짐승들이 들여다본다'를 통해 대상과 전도된 화자의 상황이 암시되었다고 할 수 있군.

④ '이방(異邦)'의 짐승들이 '나'에게 '속삭'인다는 낯선 상황을 통해 망국민의 비애를 참신하게 드러내었다고 할 수 있군.

⑤ '낙조(落照)가 물들고 있었다'와 같은 하강의 이미지를 통해 화자의 비통한 정서를 환기하였다고 할 수 있군.

05 (나)에 대한 이해로 적절하지 않은 것은?

① '밤 → 새벽 → 아침'이라는 시간의 흐름에 따라 시상을 전개하고 있다.

② '귀촉도 울음'을 통해 화자의 서글픈 심정을 간접적으로 드러내고 있다.

③ '우련', '저허하노니' 등 고풍스러운 어휘를 사용하여 전통적인 정서를 환기하고 있다.

④ 화자의 시선이 외부에서 내부로 전환됨에 따라 '꽃이 지는' 외부 상황에 대한 화자의 심리 변화가 드러나고 있다.

⑤ '하이얀 미닫이가 / 우련 붉어라.'에서 색채 대비를 통해 지는 꽃이 미닫이에 비치는 모습을 감각적으로 형상화하고 있다.

06 ㉠~㉤에 대한 설명으로 적절하지 않은 것은?

① ㉠: 설의적 표현을 활용하여 자연의 섭리에 순응하는 화자의 태도를 드러낸다.

② ㉡: '산'에 생명력을 부여하여 밤에서 새벽으로 날이 밝아 오는 상황을 드러낸다.

③ ㉢: 화자의 처지와 현실에 대한 대응 태도를 드러낸다.

④ ㉣: 반어적 표현을 통해 화자의 상황을 알아주기를 바라는 심리를 드러낸다.

⑤ ㉤: 낙화를 통해 느끼는 삶의 무상감과 비애를 드러낸다.

광복 이후 ~ 1980년대

1945년에 광복이 되자 많은 시인들이 광복의 기쁨과 새 조국 건설의 희망을 노래하였다.
6·25 전쟁을 거치며 따뜻한 인간애로 전후의 불안과 위기에 대응하는 시가 창작되었고,
4·19 혁명과 급격한 산업화로 인해 현실 비판 의식과 민주화에 대한 열망을 담은 작품들이 창작되었다.

광복을 노래한 시

\# 광복의 기쁨
\# 『해방 기념 시집』 발간
\# 새 조국 건설에 대한 희망
\# 새로운 문학을 건설하기 위한 노력
\# 식민지 말기에 발표되지 못했던 작품 다수 발표

예 「꽃덤불」(신석정), 「청산도」(박두진)

서정시

\# 전후의 불안과 위기에 대응하는 시
\# 전통적인 순수 서정시의 계승
\# 정치적 목적, 이데올로기의 배제
\# 인간의 본질, 순수 의식 등에 주목
\# 따뜻한 인간애와 정제된 시적 감수성

예 「추천사」(서정주)

▲ 신석정 시집

참여시

\# 문학의 현실 인식과 사회적 실천성 중시
\# 분단 현실에 대한 비판적 인식
\# 민족의 동질성 회복 기원
\# 민주주의, 자유에 대한 열망
\# 4·19 혁명 이후 부조리한 현실에 대한 비판과 고발

예 「어느 날 고궁을 나오면서」(김수영), 「풀」(김수영),
   「껍데기는 가라」(신동엽)

민중시

\# 급격한 산업화, 도시화로 인한 사회 문제 대두
\# 현실에 대한 비판적 인식
\# 사회의 변혁 촉구
\# 민중의 삶과 소망의 형상화
\# 1960년대 참여시를 계승

예 「농무」(신경림), 「봄」(이성부), 「벼」(이성부)

도봉 | 청산도

핵심 포인트

㉮ 시간의 흐름에 따른 화자의 정서 변화

어스름	→	황혼	→	밤
고독감, 외로움		쓸쓸함		슬픔, 그리움

㉯ 시에 나타난 대립적 시어

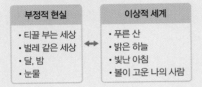

부정적 현실		이상적 세계
• 티끌 부는 세상 • 벌레 같은 세상 • 달, 밤 • 눈물	↔	• 푸른 산 • 밝은 하늘 • 빛난 아침 • 볼이 고운 나의 사람

연계 작품

㉮ 삶의 고독: 김소월 「산유화」
㉯ 밝고 평화로운 세계에 대한 소망: 박두진 「해」

기출 OX

01 (가)는 담담한 어조로 그리움과 짙은 우수를 나타내고 있다.
　　　기출 2005. 11. 고2 ○ X

02 (가)에는 과거에 대한 반성과 미래에 대한 희망이 드러나 있다.
　　　기출 2005. 11. 고2 ○ X

03 (나)는 음성 상징어를 활용하여 시적 상황을 구체화하고 있다.
　　　기출 2016. 11. 고1 ○ X

04 (나)는 먼 곳에서 가까운 곳으로 화자의 시선이 이동하고 있다.
　　　기출 2006. 수능 ○ X

답 01 ○ 02 X 03 ○ 04 X

㉮

[A]
　산새도 날아와 / 우짖지 않고,

　구름도 떠가곤 / 오지 않는다.

　인적 끊인 곳 / 홀로 앉은 / 가을 산의 어스름.

[B]
　호오이 호오이 소리 높여 / 나는 누구도 없이 불러 보나.

　울림은 헛되이 / 빈 골 골을 되돌아올 뿐.

[C]
　산그늘 길게 늘이며 / 붉게 해는 넘어가고,

　황혼과 함께 / 이어 별과 밤은 오리니,

　삶은 오직 갈수록 쓸쓸하고, / 사랑은 한갓 괴로울 뿐.

[D]
　㉠그대 위하여, 나는 이제도 이

　긴 밤과 슬픔을 갖거니와,

[E] 이 밤을 그대는, 나도 모르는 / 어느 마을에서 쉬느뇨?

– 박두진, 「도봉」

㉯
　산아, 우뚝 솟은 푸른 산아. 철철철 흐르듯 짙푸른 산아. 숱한 나무들, 무성히 무성히 우거진 산마루에, **금빛 기름진 햇살**은 내려오고, 둥둥 산을 넘어, 흰 구름 건넌 자리 씻기는 하늘. 사슴도 안 오고, 바람도 안 불고, 넘엇골 골짜기서 울어 오는 뻐꾸기…….

　산아. 푸른 산. 네 가슴 향기로운 풀밭에 엎드리면, 나는 가슴이 울어라. 흐르는 골짜기 스머드는 물소리에, 내사 줄줄줄 가슴이 울어라. 아득히 가 버린 것 잊어버린 하늘과, 아른아른 오지 않는 보고 싶은 하늘에, 어쩌면 **만나도질 볼이 고운 사람**이, 난 혼자 그리워라. 가슴으로 그리워라.

　티끌 부는 세상에도 벌레 같은 세상에도 눈 맑은, 가슴 맑은, 보고 지운 나의 사람. 달밤이나 새벽녘, 홀로 서서 눈물 어릴 볼이 고운 나의 사람. **달 가고, 밤 가고,** 눈물도 가고, **티어 올 밝은 하늘 빛난 아침** 이르면, 향기로운 이슬 밭 푸른 언덕을, 총총총 달려도 와 줄 볼이 고운 나의 사람.

　푸른 산 한나절 구름은 가고, 골 너머, 골 너머, 뻐꾸기는 우는데, 눈에 어려 흘러가는 물결 같은 사람 속, 아우성쳐 흘러가는 물결 같은 사람 속에, 난 그리노라. ㉡너만 그리노라. 혼자서 철도 없이 난 너만 그리노라.

– 박두진, 「청산도」

01 (가), (나)의 공통점으로 가장 적절한 것은?

① 자연물을 통해 시의 분위기를 형성하고 있다.
② 시어의 반복을 통해 형태적 안정감을 얻고 있다.
③ 담담한 태도로 삶에 대한 무상감을 드러내고 있다.
④ 어조의 변화를 통해 화자의 깨달음을 부각하고 있다.
⑤ 이상적인 세계에 대한 기대와 바람을 나타내고 있다.

02 ㉠, ㉡에 대한 설명으로 가장 적절한 것은?

① ㉠과 ㉡은 모두 화자가 부정적인 현실 상황을 견디며 기다리는 대상이다.
② ㉠과 ㉡은 모두 화자가 긍정적인 미래가 올 것이라는 확신을 갖게 하는 대상이다.
③ ㉠은 초월적 힘을 가진 대상이고, ㉡은 부정적 현실을 변화시킬 수 있는 대상이다.
④ ㉠은 화자가 다시 만날 수 없는 대상이고, ㉡은 화자가 기다림 끝에 재회한 대상이다.
⑤ ㉠은 현재 부재하는 대상이고, ㉡은 화자와 특정 공간에서 만나기로 약속했던 대상이다.

03 (가)에 대한 이해로 가장 적절한 것은?

① 우짖지 않는 '산새'는 화자의 감정 이입 대상이다.
② '구름'은 떠가고 오지 않는다는 점에서 붉은 '해'와 대응된다.
③ 빈 골 골을 되돌아오는 '울림'에는 화자가 고대하던 내용이 담겨 있다.
④ '별'은 화자의 이상이 실현되기 어려움을 암시하는 대상이다.
⑤ '긴 밤'은 화자가 미래를 위해 기꺼이 감당하고자 하는 것이다.

04 [A]~[E]에 대한 설명으로 적절하지 <u>않은</u> 것은?

① [A]: 통사 구조를 반복하여 화자가 산에서 느끼는 적막함을 강조하고 있다.
② [B]: 부를 이도, 대답해 줄 이도 없는 상황을 제시하여 고독을 극복하려는 화자의 시도가 실패했음을 드러내고 있다.
③ [C]: 해가 저물 무렵에서 밤까지의 시간의 흐름에 따른 고독의 심화를 드러내고 있다.
④ [D]: 의도적인 행갈이를 통해 '긴 밤'의 부정적인 이미지를 강조하고 있다.
⑤ [E]: 물음의 형식을 통해 '그대'가 돌아오지 않는 상황에 대한 화자의 절망감을 드러내고 있다.

05 (나)의 표현상 특징으로 적절하지 <u>않은</u> 것은?

① 산문적 진술을 활용하여 화자의 정서를 구체화하고 있다.
② '산'을 호명하는 말을 변주하여 대상의 특성을 부각하고 있다.
③ '밤'과 '아침'의 상징적 의미를 대조하여 화자의 지향을 강조하고 있다.
④ '철철철' 등의 음성 상징어를 활용하여 대상을 역동적으로 형상화하고 있다.
⑤ '향기로운'이라는 후각적 심상을 활용하여 현실 세계의 아름다움을 부각하고 있다.

고난도 기출 2016학년도 11월 고1 학력평가

06 〈보기〉를 바탕으로 (나)를 감상한 내용으로 적절하지 <u>않은</u> 것은?

— 보기 —

이 작품은 광복 직후 이념 대립으로 인해 우리 민족이 분열되었던 시기에 창작된 것으로, 혼란스러운 현실에 대한 화자의 부정적 인식도 드러나 있지만 부정적 현실을 극복하여 평화로운 세계가 도래할 것이라는 미래지향적인 태도도 드러나 있다. 또한 이 작품은 소멸과 생성이라는 순환적 자연의 질서가 내재된 공간이자, 풍요로움과 아름다움을 지닌 포용의 공간인 '산'의 속성을 바탕으로 주제를 형상화하고 있다.

① '금빛 기름진 햇살'을 통해 산이 풍요로움과 아름다움을 지닌 공간임을 알 수 있군.
② '만나도질 볼이 고운 사람'을 통해 화자가 그리워했던 대상이 포용적 속성을 지닌 청산에서 함께하고 있음을 드러내고 있군.
③ '티끌 부는 세상'을 통해 분열과 대립으로 혼란스러운 현실에 대한 화자의 부정적 시선을 느낄 수 있군.
④ '달 가고, 밤 가고', '빛난 아침 이르면' 등을 통해 산이 소멸과 생성의 질서가 내재된 공간임을 알 수 있군.
⑤ '티어 올 밝은 하늘', '너만 그리노라' 등을 통해 긍정적 미래에 대한 화자의 확신과 소망을 느낄 수 있군.

07 (나)의 시어 중 아침과 유사한 의미를 지닌 것만으로 바르게 짝지어진 것은?

① 새벽녘, 눈물
② 잊어버린 하늘, 달밤
③ 짙푸른 산, 밝은 하늘
④ 벌레 같은 세상, 향기로운 이슬 밭
⑤ 울어 오는 뻐꾸기, 물결 같은 사람 속

▶해법문학 Link
㉮ 현대 시 140쪽

꽃덤불 | 대숲에 서서

키워드체크 ㉮ #대립적 이미지 #광복의 기쁨 #광복 직후의 혼란상 ㉯ #공감각적 이미지 #역설적 #대숲의 특성

핵심 포인트

㉮ 시간의 흐름에 따른 시상 전개

과거	현재	미래
일제 강점기의 암담한 현실	광복 직후의 혼란과 갈등	민족의 완전한 독립과 화합에 대한 기대

㉯ '대숲'의 의미

대숲의 특성
• 성글게 자람. • 고요함. • 곧고 강직함.

↓

화자가 추구하는 삶의 자세로 이어짐.

연계 작품

㉮ 부정적 현실을 극복하려는 의지적 태도: 심훈 「그날이 오면」, 김영랑 「독을 차고」
㉯ 자연물의 속성과 인간의 삶의 연결: 유치환 「바위」

기출 OX

Q1 (가)에는 화자가 지향하는 바람직한 삶이 나타나 있다. 기출 2009. 6. 고1 〇 X

Q2 (가)에는 지나간 삶에 대한 반성적 태도가 나타나 있다. 기출 2009. 6. 고1 〇 X

Q3 (나)는 자연물을 의인화하여 의사소통의 대상으로 삼고 있다. EBS 변형 〇 X

• **오롯한** 모자람이 없이 온전한.
• **성근** 듬성듬성한.
• **버레소리** 벌레 소리.

답 Q1 〇 Q2 X Q3 X

㉮

㉠태양을 의논하는 거룩한 이야기는
㉡항상 태양을 등진 곳에서만 비롯하였다.

달빛이 흡사 비 오듯 쏟아지는 밤에도
우리는 헐어진 성터를 헤매이면서
㉢언제 참으로 그 언제 우리 하늘에
*오롯한 태양을 모시겠느냐고
가슴을 쥐어뜯으며 이야기하며 이야기하며
가슴을 쥐어뜯지 않았느냐?

그러는 동안에 영영 잃어버린 벗도 있다.
그러는 동안에 멀리 떠나 버린 벗도 있다.
그러는 동안에 몸을 팔아 버린 벗도 있다.
그러는 동안에 맘을 팔아 버린 벗도 있다.

㉣그러는 동안에 드디어 서른여섯 해가 지나갔다.

다시 우러러보는 이 하늘에
㉤겨울밤 달이 아직도 차거니
오는 봄엔 분수처럼 쏟아지는 태양을 안고
그 어느 언덕 ⓐ꽃덤불에 아늑히 안겨 보리라.

– 신석정, 「꽃덤불」

㉯

대숲으로 간다
대숲으로 간다
한사코 *성근 대숲으로 간다

자욱한 밤안개에 *버레소리 젖어 흐르고
버레소리에 푸른 달빛이 배어 흐르고

대숲은 좋드라
성글어 좋드라
한사코 서러워 대숲은 좋드라

꽃가루 날리듯 흥근히 드는 달빛에
기척 없이 서서 나도 ⓑ대같이 살거나

– 신석정, 「대숲에 서서」

01 (가), (나)의 공통점으로 가장 적절한 것은?

① 시간의 흐름에 따라 시상을 전개하고 있다.
② 역설적 표현을 통해 화자의 의지를 강조하고 있다.
③ 동일한 시구를 반복하여 화자의 염원을 강조하고 있다.
④ 대립적인 이미지의 시어를 통해 주제를 형상화하고 있다.
⑤ 과거와 현재를 대비하여 화자의 상실감을 부각하고 있다.

02 〈보기〉를 참고하여 (가)를 이해한 내용으로 적절하지 <u>않은</u> 것은?

┌─ 보기 ─────────────────────┐
  이 시는 광복 후 일제 강점기의 어둡고 고통스러웠던 과거를 돌이켜 보면서 광복의 기쁨과 완전한 조국 광복에의 희망을 노래하고 있다. 당시 우리나라는 해방을 맞이했음에도 불구하고 좌우익의 이념 갈등으로 인해 여전히 혼란한 상황이었다. 이러한 상황을 고려할 때 시인은 조국의 완전한 독립과 화합에 대한 소망을 드러내기 위해 이 시를 창작했다고 볼 수 있다.
└──────────────────────────┘

① '오는 봄'은 조국의 완전한 독립과 화합이 이루어지는 시기라고 할 수 있군.
② '겨울밤 달이 아직도 차'가운 것은 좌우익의 이념 갈등으로 인한 혼란한 상황 때문이겠군.
③ '달빛'이 '쏟아지는 밤'에 '가슴을 쥐어뜯으며 이야기하'는 모습은 일제 강점기의 어둡고 고통스러웠던 과거를 보여 주는군.
④ '잃어버'리고 '떠나 버린' '벗'들의 행위는 일제 강점기를 살아왔던 우리 민족의 여러 유형을 보여 주는 것이라고 할 수 있군.
⑤ '분수처럼 쏟아지는 태양을 안고', '꽃덤불에 아늑히 안겨 보리라'는 소망은 조국 광복에 대한 간절한 염원을 의미하는군.

기출 ▶ 변형 2016학년도 9월 모의평가

03 ㉠~㉤에 나타난 화자의 태도에 대한 설명으로 적절하지 <u>않은</u> 것은?

① ㉠: 미래를 위한 노력에 대한 긍정적 인식이 '거룩한'을 통해 나타나고 있다.
② ㉡: 시간이 흘러도 변치 않는 한결같은 대상의 속성에 대한 경외감이 '항상'을 통해 나타나고 있다.
③ ㉢: 부정적인 현실 상황이 끝나지 않는 것에 대한 답답함이 '언제'를 통해 드러나고 있다.
④ ㉣: '드디어'에는 암담한 상황이 끝난 것에 대한 기쁨이 나타나 있다.
⑤ ㉤: 혼란한 상황이 극복되지 못한 것을 안타깝게 여기는 태도가 '아직도'를 통해 부각되고 있다.

04 ⓐ, ⓑ에 대한 설명으로 적절하지 <u>않은</u> 것은?

① ⓐ에는 화자의 소망이 투영되어 있다.
② ⓑ는 화자가 본받을 만한 속성을 지니고 있다.
③ ⓐ와 ⓑ는 모두 화자에게 긍정적으로 인식되고 있다.
④ ⓐ와 ⓑ는 모두 화자가 이상적으로 생각하는 대상이다.
⑤ ⓐ와 ⓑ는 모두 화자에게 삶의 자세에 대한 깨달음을 주고 있다.

05 (나)에 대한 이해로 적절하지 <u>않은</u> 것은?

① 공감각적 심상을 통해 '대숲'의 모습을 형상화하고 있다.
② '대숲'에 인격을 부여하여 자연과의 일체감을 드러내고 있다.
③ '한사코'를 통해 '대숲'에 대한 화자의 정서를 강조하고 있다.
④ 시간적 배경을 드러내어 '대숲'의 은근한 정취를 나타내고 있다.
⑤ 직유적 표현을 사용하여 '대숲'을 닮고자 하는 화자의 의지를 부각하고 있다.

06 (나)와 〈보기〉를 비교하여 감상한 내용으로 적절하지 <u>않은</u> 것은?

┌─ 보기 ─────────────────────┐
어머니, / 당신은 그 먼 나라를 알으십니까?

깊은 삼림대(森林帶)를 끼고 돌면
고요한 호수에 흰 물새 날고,
좁은 들길에 야장미 열매 붉어,

멀리 노루 새끼 마음 놓고 뛰어다니는
아무도 살지 않는 그 먼 나라를 알으십니까?

그 나라에 가실 때에는 부디 잊지 마셔요.
나와 같이 그 나라에 가서 비둘기를 키웁시다.
        – 신석정, 「그 먼 나라를 알으십니까」 중
└──────────────────────────┘

① (나)는 〈보기〉와 달리 독백적 어조를 통해 화자의 소망을 드러내고 있군.
② 〈보기〉는 (나)와 달리 특정 대상과 함께 떠나고 싶은 마음을 드러내고 있군.
③ (나)와 〈보기〉는 모두 색채 이미지를 통해 풍경을 묘사하고 있군.
④ (나)와 〈보기〉는 모두 청유형 어미를 통해 청자와의 친밀감을 드러내고 있군.
⑤ (나)의 '대숲'과 〈보기〉의 '그 먼 나라'는 의미상 대응하는 공간으로 볼 수 있군.

청노루 | 나무

▶해법문학 Link
㉮ 현대 시 132쪽

키워드 체크 ㉮ #절제된 언어 #봄의 정경 #탈속적 이미지 ㉯ #나무의 인격화 #여로형 구조 #인간의 본질적 고독

㉮

머언 산 ㉠청운사(靑雲寺)

낡은 기와집

산은 ㉡자하산(紫霞山)

봄눈 녹으면

㉢느릅나무

속잎 피어 가는 열두 굽이를

㉣청노루

맑은 눈에

도는

㉤구름

– 박목월, 「청노루」

㉯

유성에서 조치원으로 가는 어느 들판에 우두커니 서 있는 한 그루 늙은 나무를 만났다. 수도승일까. 묵중하게 서 있었다.

다음날은 조치원에서 공주로 가는 어느 가난한 마을 어귀에 그들은 떼를 져 몰려 있었다. 멍청하게 몰려 있는 그들은 어설픈 °과객일까. 몹시 추워 보였다.

공주에서 온양으로 우회하는 뒷길 어느 산마루에 그들은 멀리 서 있었다. 하늘 문을 지키는 °파수병일까, 외로워 보였다.

온양에서 서울로 돌아오자, 놀랍게도 그들은 이미 내 안에 뿌리를 펴고 있었다. 묵중한 그들의. 침울한 그들의. 아아 고독한 모습. 그 후로 나는 뽑아낼 수 없는 몇 그루의 나무를 기르게 되었다.

– 박목월, 「나무」

핵심 포인트

㉮ 화자의 시선 이동

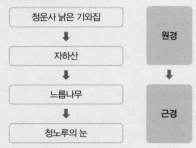

㉯ '나무'에 대한 화자의 인식 변화

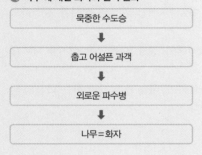

연계 작품

㉮ 평화롭고 이상적인 공간의 형상화: 박목월 「산도화」, 신석정 「그 먼 나라를 알으십니까」
㉯ 대상과의 동질성 확인: 윤동주 「병원」, 최승호 「북어」

기출 OX

Q1 (나)에는 출발한 곳으로 되돌아가는 회귀의 여정이 나타나 있다.
기출 2005. 10. 고3 ○ X

Q2 (나)의 화자는 공간의 이동에 따라 대상을 보며 깨닫게 된 자신의 내면을 드러내고 있다.
기출 2015. 9. 고2 ○ X

답 Q1 ○ Q2 ○

● 과객 지나가는 나그네.
● 파수병 경계하여 지키는 일을 하는 병정.

01 (가), (나)에 대한 설명으로 적절하지 <u>않은</u> 것은?

① (가)는 (나)와 달리 절제된 언어를 통해 여백의 미를 드러내고 있다.

② (나)는 (가)와 달리 의인법을 통해 역동적 분위기를 형성하고 있다.

③ (나)에서는 (가)와 달리 대상에 대한 화자의 인식이 변화하고 있다.

④ (가)와 (나)는 모두 자연물을 소재로 하여 시상을 전개하고 있다.

⑤ (가)와 (나)는 모두 시각적 이미지를 통해 대상을 형상화하고 있다.

기출 · 변형 2015학년도 9월 고2 학력평가

02 〈보기〉를 바탕으로 (가), (나)를 이해한 내용으로 적절하지 <u>않은</u> 것은?

─ 보기 ─

자연은 사람들이 살아가는 배경이자 삶의 동반자이기 때문에 창작의 원천이 되기도 한다. 사람들은 자연과 소통하면서 자신의 삶을 돌아보기도 하고, 말을 건네거나 감정을 교류하기도 한다. 그래서 시에서 자연은 때로는 삶의 진리를 깨닫게 하는 계기로, 때로는 지친 삶을 위로해 주는 존재로, 때로는 감정 이입의 소재로 나타나게 된다.

① (가)에서 '청운사'와 '자하산'은 이상 세계라는 점에서 지친 삶을 위로해 주는 존재로 기능한다고 할 수 있군.

② (가)에서 이상향 속 상상의 동물인 '청노루'에는 혼란한 현실에서 벗어나 마음의 평화를 얻고자 하는 화자의 염원이 반영되었다고 볼 수 있겠군.

③ (나)에서 화자는 '나무'를 통해 적극적인 삶의 자세를 배우게 되는군.

④ (나)에서 화자는 여러 공간에서 만난 '나무'들에 감정을 이입하고 있군.

⑤ (나)에서 '나무'는 화자에게 특별한 의미로 비춰지면서 화자 자신을 되돌아보게 하는 계기로 작용하는군.

03 (가)의 표현상 특징으로 적절하지 <u>않은</u> 것은?

① 화자의 시선 이동에 따라 대상을 묘사하고 있다.

② 명사로 시를 종결하여 시적 여운을 남기고 있다.

③ 시행의 길이를 조절하여 호흡에 변화를 주고 있다.

④ 음성 상징어를 통해 시적 공간에 생동감을 더하고 있다.

⑤ 시상 전개에 따라 4음보의 기본 율격에 변화를 주고 있다.

04 ㉠~㉢에 대한 설명으로 적절하지 <u>않은</u> 것은?

① ㉠: 푸른색 이미지로, 평화로운 분위기를 형성한다.

② ㉡: 자주색 이미지로, 환상적인 분위기를 형성한다.

③ ㉢: 동적 이미지로, 긴박한 분위기를 형성한다.

④ ㉣: 순수하고 고결한 생명으로, 시적 공간과 조화를 이루는 대상이다.

⑤ ㉤: 청노루의 눈에 비친 자연물로, 탈속적인 분위기를 형성한다.

[05~06] 〈보기〉를 읽고 물음에 답하시오.

─ 보기 ─

밤의 식료품 가게
케케묵은 먼지 속에 / 죽어서 하루 더 손때 묻고
터무니없이 하루 더 기다리는 / 북어들,
〈중략〉
말라붙고 짜부라진 눈, / 북어들의 빳빳한 지느러미.
막대기 같은 생각 / 빛나지 않는 막대기 같은 사람들이
가슴에 싱싱한 지느러미를 달고
헤엄쳐 갈 데 없는 사람들이
불쌍하다고 생각하는 순간,
느닷없이
북어들이 커다랗게 입을 벌리고
거봐, 너도 북어지 너도 북어지 너도 북어지
귀가 먹먹하도록 부르짖고 있었다.

─ 최승호, 「북어」

05 (나)와 〈보기〉의 공통점으로 적절한 것은?

① 공간의 이동에 따라 시상을 전개하고 있다.

② 자연의 섭리를 깨닫는 과정을 보여 주고 있다.

③ 일상적인 체험을 통해 삶의 의미를 발견하고 있다.

④ 시적 대상에 생명력을 부여하여 지향하는 세계를 형상화하고 있다.

⑤ 화자가 비판의 주체에서 비판의 대상으로 반전됨으로써 주제 의식이 드러나고 있다.

06 (나)의 나무와 〈보기〉의 북어에 대한 설명으로 적절하지 <u>않은</u> 것은?

① '나무'는 화자가 인간의 본질적 고독에 대해 깨닫게 한다.

② '나무'에 대한 화자의 인식은 적대감에서 동질감으로 변화하고 있다.

③ '북어'는 화자에게 자기 성찰의 매개체로 작용한다.

④ '북어'는 획일화되고 무기력하게 살아가는 현대인을 상징한다.

⑤ '나무'와 '북어'는 모두 그 속성이 시각화되어 드러난다.

Q21

교과서 [문] 미래엔, 해냄 [국] 창비, 해냄 기출 EBS

눈 | 풀

▶ 해법문학 Link
㉠ 현대 시 154쪽
㉡ 현대 시 178쪽

키워드 체크 ㉮ #순수하고 정의로운 삶 #부정적 현실 극복 ㉯ #민중의 생명력 #대립적 구조

핵심 포인트

㉮ '눈'과 '기침'의 상징적 의미

눈		가래
깨끗함, 순수함, 살아 있음.	↔	더러움, 부패함, 속물성

↓ 기침을 함(자기 정화).

순수한 삶에 대한 소망

㉯ 시상 전개에 따른 '풀'의 속성 변화

1연	풀의 수동성(나약함)

↓ 시상의 전환

2연	풀의 능동성(강인함)

↓ 점층

3연	풀의 끈질긴 생명력

연계 작품

㉮ • 상반된 '눈'의 상징적 의미: 최승호 「대설주의보」
• 순수한 내면 세계에의 지향: 윤동주 「서시」
㉯ • '풀'을 활용한 주제 구현: 조지훈 「풀잎 단장」
• 상징적 시어를 통해 표현한 민중의 속성: 이성부 「벼」

기출 OX

Q1 (가)에는 지나온 삶에 대한 자기반성이 나타나 있다. 기출 2004. 5. 고1 ○ | X

Q2 (가)에는 미래에 대한 희망과 의지가 드러나 있다. 기출 2008. 3. 고3 ○ | X

Q3 (나)는 유사한 어구를 반복하여 시적 상황을 부각한다. 기출 2014. 11. 고1 ○ | X

Q4 (나)는 반어적 표현을 통해 대상이 지닌 의미를 강조한다. 기출 2014. 11. 고1 ○ | X

답 Q1 X Q2 ○ Q3 ○ Q4 X

㉮

눈은 살아 있다
떨어진 눈은 살아 있다
마당 위에 떨어진 눈은 살아 있다

기침을 하자
젊은 시인이여 기침을 하자
눈 위에 대고 기침을 하자
눈더러 보라고 마음 놓고 마음 놓고
기침을 하자

눈은 살아 있다
죽음을 잊어버린 영혼과 육체를 위하여
눈은 새벽이 지나도록 살아 있다

기침을 하자
젊은 시인이여 기침을 하자
눈을 바라보며
밤새도록 고인 가슴의 가래라도
마음껏 뱉자

- 김수영, 「눈」

㉯

풀이 눕는다.
비를 몰아오는 동풍에 나부껴
풀은 눕고 / 드디어 울었다.
날이 흐려서 더 울다가
다시 누웠다.

풀이 눕는다.
바람보다도 더 빨리 눕는다.
바람보다도 더 빨리 울고 / 바람보다 먼저 일어난다.

날이 흐리고 풀이 눕는다.
발목까지 / 발밑까지 눕는다.
바람보다 늦게 누워도 / 바람보다 먼저 일어나고
바람보다 늦게 울어도 / 바람보다 먼저 웃는다
날이 흐리고 풀뿌리가 눕는다.

- 김수영, 「풀」

01 (가), (나)의 공통점으로 가장 적절한 것은?

① 색채의 대비를 통해 화자의 내적 갈등을 제시하고 있다.
② 공간의 이동에 따른 화자의 정서 변화에 주목하고 있다.
③ 자연물을 활용하여 현실에 대한 비판 의식을 드러내고 있다.
④ 청유형 종결 표현을 통해 독자의 의식 변화를 이끌어 내고 있다.
⑤ 계절감을 드러내는 소재를 통해 시적 상황을 구체화하고 있다.

02 (가)를 이해한 내용으로 적절하지 <u>않은</u> 것은?

① '새벽이 지나도록 살아 있'는 '눈'은 강인한 생명력을 지닌 대상이다.
② 하얗고 깨끗한 속성을 고려할 때 '눈'은 순수한 삶에 대한 화자의 소망을 드러낸다.
③ '죽음을 잊어버린 영혼과 육체'를 가진 '젊은 시인'은 정의로운 삶을 추구하는 인물이다.
④ '새벽'은 밝아 올 아침을 기다리는 시간이라는 점에서 화자가 지향하는 세계에 대한 기대감을 의미한다.
⑤ '눈 위에 대고 기침을 하자'는 반복적인 표현을 통해 스스로의 내면을 정화하고자 하는 화자의 의도가 드러난다.

03 〈보기〉를 바탕으로 (나)를 이해한 내용으로 적절하지 <u>않은</u> 것은?

> **보기**
>
> 「풀」의 1연과 2, 3연은 대조적인 관계를 이루고 있다. 1연에서 나약한 모습을 보이던 풀은 2연과 3연에서 주체적이고 강인한 대상으로 형상화된다. 이는 풀로 상징되는 민중의 성장과 더불어, 외부의 시련이 거세지더라도 풀은 이를 이겨 낼 수 있다는 희망을 드러내기 위한 장치라고 할 수 있다.

① 풀을 눕히는 '동풍'은 민중이 맞닥뜨린 시련과 고통이라고 볼 수 있겠군.
② 풀이 '드디어 울었다'는 것은 고통을 이겨 내지 못한 풀의 나약한 속성을 드러낸다고 볼 수 있겠군.
③ 풀이 '바람보다 먼저 일어난다'는 것은 민중의 주체적인 속성을 드러낸 것이라고 볼 수 있겠군.
④ '날이 흐리고 풀이 눕는다'는 것은 암담한 현실 상황을 드러내는 것이겠군.
⑤ '날이 흐리고 풀뿌리가 눕는다.'는 더 거세진 외부의 시련 앞에서 무릎을 꿇을 수밖에 없는 민중에 대한 연민을 드러낸 것이겠군.

[04~05] 〈보기〉를 읽고 물음에 답하시오.

> **보기**
>
> 폭포는 곧은 절벽을 무서운 기색도 없이 떨어진다
>
> 규정할 수 없는 물결이
> 무엇을 향하여 떨어진다는 의미도 없이
> 계절과 주야를 가리지 않고
> 고매한 정신처럼 쉴 사이 없이 떨어진다
>
> 금잔화도 인가도 보이지 않는 밤이 되면
> 폭포는 곧은 소리를 내며 떨어진다
>
> 곧은 소리는 소리이다
> 곧은 소리는 곧은 / 소리를 부른다
>
> 번개와 같이 떨어지는 물방울은
> 취할 순간조차 마음에 주지 않고
> 나타(懶惰)와 안정을 뒤집어 놓은 듯이
> 높이도 폭도 없이 / 떨어진다
>
> – 김수영, 「폭포」

<small>고난도</small>

04 (가)와 〈보기〉를 비교하여 이해한 내용으로 적절하지 <u>않은</u> 것은?

① 무언가를 표출한다는 측면에서 볼 때, (가)에서 '기침을 하'는 행위는 〈보기〉의 '폭포'가 '소리를 내며 떨어'지는 것과 유사하다고 볼 수 있어.
② 두려움이 없다는 측면에서 볼 때, (가)의 '죽음을 잊어버린 영혼과 육체'는 〈보기〉의 '무서운 기색도 없이' 떨어지는 '폭포'와 유사해 보이는군.
③ 선구자적 태도를 보인다는 측면에서, '기침'을 하자고 권유하는 (가)의 화자는 '곧은 소리'를 불러오는 '폭포'와 역할이 유사하다고 볼 수 있어.
④ 화자가 지향하는 대상이라는 측면에서 볼 때, (가)의 '눈'은 〈보기〉의 '고매한 정신'과 의미가 유사하다고 볼 수 있어.
⑤ 화자가 부정하는 대상이라는 측면에서 볼 때, (가)의 '가래'는 〈보기〉의 '금잔화', '인가'와 의미가 유사하다고 볼 수 있어.

05 (나)와 〈보기〉의 공통점으로 가장 적절한 것은?

① 시선의 이동에 따라 시상을 전개하고 있다.
② 자연물에 감정을 이입하여 정서를 드러내고 있다.
③ 대립적 구조를 통해 시의 분위기를 형성하고 있다.
④ 유사한 구절을 반복하여 시적 의미를 강조하고 있다.
⑤ 시어를 점층적으로 배열하여 주제를 형상화하고 있다.

▶해법문학 Link
현대 시 176쪽

어느 날 고궁을 나오면서 | 김수영

핵심 포인트
시에 나타난 대립 구조

본질적인 것	비본질적인 것
• 왕궁의 음탕에 분개하는 일 • 언론의 자유를 요구하는 일 • 월남 파병에 반대하는 일	• 힘없는 자인 설렁탕집 주인, 야경꾼, 이발쟁이에게 분개한 일 • 스펀지 만들기와 거즈 접는 일
'절정 위'에 있는 것	'비켜서' 있는 것

키워드 체크 #비판적 #소시민적삶 #옹졸함 #자조적 #독백적 #부조리한현실

왜 나는 조그마한 일에만 분개하는가
저 왕궁 대신에 왕궁의 음탕 대신에
50원짜리 갈비가 기름 덩어리만 나왔다고 분개하고
옹졸하게 분개하고 ㉠설렁탕집 돼지 같은 주인 년한테 욕을 하고
옹졸하게 욕을 하고

한 번 정정당당하게 / 붙잡혀 간 소설가를 위해서
언론의 자유를 요구하고 월남 파병에 반대하는
자유를 이행하지 못하고
20원을 받으러 세 번씩 네 번씩
찾아오는 *야경꾼들만 증오하고 있는가

㉡옹졸한 나의 전통은 유구하고 이제 내 앞에 정서(情緒)로 / 가로놓여 있다
이를테면 이런 일이 있었다 / 부산에 포로수용소의 제14 *야전 병원에 있을 때
정보원이 너스들과 스펀지를 만들고 거즈를
개키고 있는 나를 보고 포로 경찰이 되지 않는다고
남자가 뭐 이런 일을 하고 있느냐고 놀린 일이 있었다 / 너스들 옆에서

지금도 내가 반항하고 있는 것은 이 스펀지 만들기와
거즈 접고 있는 일과 조금도 다름없다
㉢개의 울음소리를 듣고 그 비명에 지고
머리에 피도 안 마른 애놈의 투정에 진다.
떨어지는 은행나무 잎도 내가 밟고 가는 가시밭

아무래도 나는 비켜서 있다 ⓐ절정 위에는 서 있지
않고 암만해도 조금쯤 옆으로 ⓑ비켜서 있다
㉣그리고 조금쯤 옆에 서 있는 것이 조금쯤
비겁한 것이라고 알고 있다!

그러니까 이렇게 옹졸하게 반항한다 / 이발쟁이에게
땅 주인에게는 못 하고 이발쟁이에게
구청 직원에게는 못 하고 동회 직원에게도 못 하고
야경꾼에게 20원 때문에 10원 때문에 1원 때문에 / 우습지 않느냐 1원 때문에

㉤모래야 나는 얼마큼 작으냐
바람아 먼지야 풀아 나는 얼마큼 작으냐
정말 얼마큼 작으냐 ……

연계 작품
• 소시민적 삶에 대한 반성: 김광규 「희미한 옛 사랑의 그림자」
• 자기반성의 목소리: 윤동주 「쉽게 씌어진 시」

기출 OX
Q1 윗글은 의도적 행갈이를 통해 시적 긴장감을 유지하고 있다.
기출 2013. 9. 고2 ◯ X
Q2 윗글은 자조적인 표현을 통해 시적 의미를 강조하고 있다. 기출 2013. 9. 고2 ◯ X

• 야경꾼 밤에 공공 건물·회사·동네 등을 돌며 화재나 범죄가 없도록 살피고 지키는 사람.
• 야전 병원 싸움터에서 생기는 부상병을 일시적으로 수용하고 치료하기 위하여 전투 지역에서 가까운 후방에 설치하는 병원.

답 01 ◯ 02 ◯

01 윗글에 대한 설명으로 적절하지 <u>않은</u> 것은?

① 동일한 시구를 반복하여 주제를 강조하고 있다.
② 설의적 표현을 통해 자신의 삶을 반성하고 있다.
③ 과거 경험을 제시하여 화자의 정서를 드러내고 있다.
④ 대비되는 시어를 활용하여 시적 상황을 부각하고 있다.
⑤ 시간의 흐름에 따른 화자의 태도 변화를 보여 주고 있다.

고난도 | 기출 | 변형 2013학년도 9월 고2 학력평가

02 〈보기〉를 바탕으로 ㉠~㉤을 이해한 내용으로 적절하지 <u>않은</u> 것은?

┌─ 보기 ─────────────────────
　현실을 솔직하게 그리기 위한 비속어와 일상어의 사용, 직설적인 표현은 자신과 남을 속이지 않으려는 양심과 정직으로 세상을 표현하려 했던 김수영 시의 특징이다. 이는 특유의 반복 기법과 맞물려 속물적 근성을 버리지 못한 자기에 대한 비판을 가능하게 하고, 나아가 불합리한 현실을 고발하고 저항하는 힘이 된다.
└──────────────────────────

① ㉠: 비속어의 사용을 통해 정직한 눈으로 세상의 모습을 솔직하게 표현하려 한 김수영 시의 특징을 보여 주는군.
② ㉡: 자신의 과거 행위를 양심적으로 응시함으로써 자기 반성으로 나아가고 있군.
③ ㉢: 일상어를 사용하여 자유를 억압하는 현실에 대해 고발하고 있군.
④ ㉣: 직설적인 표현을 통해 자신의 옹졸한 모습을 자조하고 있군.
⑤ ㉤: 자기 비판과 자책의 반복은 역사와 현실의 불합리에 맞서는 힘이 될 수 있겠군.

---

03 ⓐ, ⓑ와 관련 깊은 행위가 알맞게 짝지어진 것은?

	ⓐ	ⓑ
①	땅 주인에게 반항하는 일	월남 파병에 반대하는 일
②	야경꾼들을 증오하는 일	너스들과 거즈를 개키는 일
③	언론의 자유를 요구하는 일	왕궁의 음탕에 분개하는 일
④	구청 직원에게 반항하는 일	이발쟁이에게 반항하는 일
⑤	야전 병원에서 스펀지를 만드는 일	설렁탕집 주인에게 욕을 하는 일

---

04 〈보기〉의 밑줄 친 부분에 들어갈 말로 가장 적절한 것은?

┌─ 보기 ─────────────────────
　윗글 전체에 걸쳐 나타난 자기 비하는 단순히 자신에 대한 성찰에서 끝나는 것이 아니라 외부 세계를 향한 선언적 의미를 지닌다. 시인은 부조리한 대상을 직접 공격하는 대신 소시민으로 살아가는 자기 자신을 조롱하는 방법을 취함으로써 _____ 을(를) 드러내고 있다.
└──────────────────────────

① 부정을 일삼는 권력자들의 행태를 폭로하려는 의도
② 겉과 속이 다르게 행동하는 사람들을 비판하려는 의도
③ 비정상적 사회에 편승하는 기회주의자들을 풍자하려는 의도
④ 시대 현실을 외면하며 살아가는 사람들의 도덕적 양심을 일깨우려는 의도
⑤ 사회 개혁에 소극적인 태도를 지닐 수밖에 없었던 지식인들의 처지를 변호하려는 의도

---

05 윗글과 〈보기〉를 비교하여 감상한 내용으로 적절하지 <u>않은</u> 것은?

┌─ 보기 ─────────────────────
창밖에 밤비가 속살거려
육첩방(六疊房)은 남의 나라, //
시인이란 슬픈 천명(天命)인 줄 알면서도
한 줄 시를 적어 볼까, //
땀내와 사랑 내 포근히 품긴 / 보내 주신 학비 봉투를 받아 //
대학 노―트를 끼고 / 늙은 교수의 강의 들으러 간다. //
생각해 보면 어린 때 동무를 / 하나, 둘, 죄다 잃어버리고 //
나는 무얼 바라 / 나는 다만, 홀로 침전(沈澱)하는 것일까? //
인생은 살기 어렵다는데
시가 이렇게 쉽게 씌어지는 것은 / 부끄러운 일이다. //
육첩방은 남의 나라 / 창밖에 밤비가 속살거리는데, //
등불을 밝혀 어둠을 조금 내몰고,
시대처럼 올 아침을 기다리는 최후의 나, //
나는 나에게 작은 손을 내밀어
눈물과 위안으로 잡는 최초의 악수.

― 윤동주, 「쉽게 씌어진 시」
└──────────────────────────

① 윗글과 〈보기〉는 상징적인 시어를 통해 주제를 부각하고 있다.
② 윗글과 〈보기〉의 화자는 독백적 어조로 자아를 성찰하고 있다.
③ 윗글과 〈보기〉에는 시대적 상황에 따른 화자의 고뇌가 드러나 있다.
④ 윗글에는 〈보기〉와 달리 긍정적인 미래에 대한 확신이 드러나 있다.
⑤ 윗글과 달리 〈보기〉는 두 자아의 대립과 화해를 중심으로 시상을 전개하고 있다.

▶해법문학 Link
현대 시 216쪽

추천사 | 외할머니의 뒤안 툇마루

키워드 체크 ㉮ #이상 세계 #고전 소설 모티프 #그네의 기능 ㉯ #회상적 #향토적 소재 #툇마루의 기능

핵심 포인트

㉮ '그네'의 의미

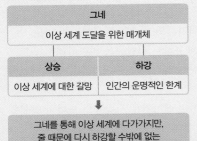

그네
이상 세계 도달을 위한 매개체

상승	하강
이상 세계에 대한 갈망	인간의 운명적인 한계

그네를 통해 이상 세계에 다가가지만,
줄 때문에 다시 하강할 수밖에 없는
인간의 한계가 드러남.

㉯ '툇마루'의 기능

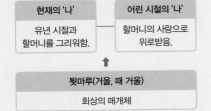

현재의 '나'	어린 시절의 '나'
유년 시절과 할머니를 그리워함.	할머니의 사랑으로 위로받음.

↑

툇마루(거울, 때 거울)
회상의 매개체

연계 작품

㉮ • 「춘향전」의 시적 변용: 박재삼 「수정가」
 • 이상향에 대한 갈망과 한계: 유치환 「깃발」
㉯ • 어린 시절에 대한 회상: 박재삼 「추억에서」
 • 그리움의 정서: 김춘수 「내가 만난 이중섭」

기출 OX

Q1 (가)는 유사한 어구의 반복을 통해서 화자의 정서를 강조하고 있다.
기출 2008. 6. 고2 (O / X)

Q2 (가)는 화자가 지향하는 세계를 드러내고 있다.
기출 2012. 6. 고2 B (O / X)

Q3 (나)는 어린 화자의 목소리를 활용하여 동화적인 분위기를 조성하고 있다.
기출 2016. 6. 모평 (O / X)

Q4 (나)에는 유년 시절에 대한 향수가 드러나 있다.
기출 2004. 수능 (O / X)

• 서 서쪽.
• 추천 그네.
• 뒤안 뒤꼍. 집 뒤에 있는 뜰이나 마당.
• 먹오딧빛 검은 빛깔을 내는 오디 빛깔.
• 그네 앞에서 이미 이야기한 사람을 가리키는 삼인칭 대명사.

답 Q1 O Q2 O Q3 X Q4 O

㉮

향단아 ㉠그넷줄을 밀어라
머언 바다로
배를 내어 밀듯이,
향단아

이 다소곳이 흔들리는 수양버들나무와
베갯모에 놓이듯 한 풀꽃더미로부터,
자잘한 나비 새끼 꾀꼬리들로부터
아주 내어 밀듯이, 향단아

산호도 섬도 없는 저 하늘로
나를 밀어 올려다오.
채색한 구름같이 나를 밀어 올려다오
이 울렁이는 가슴을 밀어 올려다오!

˙서으로 가는 달같이는
나는 아무래도 갈 수가 없다.

바람이 파도를 밀어 올리듯이
그렇게 나를 밀어 올려다오
향단아.

– 서정주, 「˙추천사(鞦韆詞)」

㉯

외할머니네 집 ˙뒤안에는 장관지 두 장만큼 한 ˙먹오딧빛 ㉡툇마루가 깔려 있습니다. 이 툇마루는 외할머니의 손때와 ˙그네 딸들의 손때로 날이 날마다 칠해져 온 것이라 하니 내 어머니의 처녀 때의 손때도 꽤나 많이는 묻어 있을 것입니다마는, 그러나 그것은 하도 나 많이 문질러서 인제는 이미 때가 아니라, 한 개의 거울로 번질번질 닦이어져 어린 내 얼굴을 들이비칩니다.

그래, 나는 어머니한테 꾸지람을 되게 들어 따로 어디 갈 곳이 없이 된 날은, 이 외할머니네 때 거울 툇마루를 찾아와, 외할머니가 장독대 옆 뽕나무에서 따다 주는 오디 열매를 약으로 먹어 숨을 바로 합니다. 외할머니의 얼굴과 내 얼굴이 나란히 비치어 있는 이 툇마루에까지는 어머니도 그네 꾸지람을 가지고 올 수 없기 때문입니다.

– 서정주, 「외할머니의 뒤안 툇마루」

01 (가), (나)의 공통점으로 가장 적절한 것은?

① 수미상관의 구조를 통해 안정감을 주고 있다.
② 현재 시제를 사용하여 현장감을 부여하고 있다.
③ 말을 건네는 방식을 활용하여 시상을 전개하고 있다.
④ 역순행적 시상 전개를 통해 화자의 정서를 부각하고 있다.
⑤ 다른 문학 갈래의 시적 변용을 통해 주제를 드러내고 있다.

02 ㉠, ㉡에 대한 이해로 가장 적절한 것은?

① ㉠과 ㉡은 모두 과거의 기억을 환기하는 소재이다.
② ㉠과 ㉡은 모두 삶에 대한 화자의 의지적 자세를 드러낸다.
③ ㉠은 화자에게 좌절감을, ㉡은 화자에게 부끄러움을 불러일으킨다.
④ ㉠은 화자에게 필요한 대상이며, ㉡은 화자가 그리워하는 대상이다.
⑤ ㉠은 동적인 속성을 통해, ㉡은 매개적인 속성을 통해 시적 의미를 심화한다.

고난도 기출 변형 2015학년도 3월 고3 학력평가 B형

03 〈보기〉를 참고할 때 (가)의 각 연을 낭송하기 위한 계획으로 적절하지 않은 것은?

— 보기 —

시를 낭송하는 것은 시를 특정한 호흡과 어조로 읽는 것이라고 볼 수 있다. 시행의 수나 길이 등은 시를 낭송할 때의 호흡에 영향을 준다. 따라서 각 연이나 시행마다 일정한 시간을 배분하여 낭송하기로 했다면, 그에 따라 낭송의 속도를 조절하는 것이 좋다. 또한 화자의 정서를 효과적으로 드러낼 수 있는 어조를 사용하여 낭송해야 한다.

① 1연: 다른 연에 비해 행의 길이가 짧으므로 대체로 느리게 낭송하고, 특히 '머언 바다'를 지향하는 화자의 정서가 잘 드러나도록 한다.
② 2연: 다른 연에 비해 행의 길이가 길기 때문에 대체로 빠르게 낭송하고, 특히 '아주 내어 밀듯이'는 지상을 떠나고 싶어 하는 화자의 마음에 유의한다.
③ 3연: 명령형 종결 어미가 반복되며 화자의 정서가 점차 고조되고 있으므로, 특히 마지막 행에서는 느낌표에 유의하여 격정적인 어조로 낭송한다.
④ 4연: 다른 연에 비해 행의 수가 적어 음절 수가 적으므로 대체로 느리게 낭송하고, 특히 '나는 아무래도 갈 수가 없다.'는 좌절감이 드러나는 어조로 낭송한다.
⑤ 5연: 행의 길이가 짧아지고 있으므로 점차 빨라지는 급박한 호흡으로 낭송하고, 특히 '향단아'를 읽을 때는 체념적 어조로 낭송한다.

04 〈보기〉를 참고하여 (가)를 이해한 내용으로 적절하지 않은 것은?

— 보기 —

| ⓐ 현실 세계 | → | ⓒ 이상 세계 |
| | ⓑ 이동 | |

① 화자는 상승 행위를 반복하여 ⓐ에서 벗어나려 한다.
② 화자는 '그네'라는 매개물을 통해 ⓑ를 시도한다.
③ 화자는 '배', '구름', '파도'를 통해 ⓑ에 대한 간절함을 강조한다.
④ ⓒ는 '수양버들나무'와 '풀꽃더미'가 아름답게 어우러진 공간이다.
⑤ 화자는 '달'과 달리 ⓒ로 갈 수 없는 자신의 한계를 인식한다.

05 (나)에 대한 감상으로 적절하지 않은 것은?

① '툇마루'는 시간적 의미와 공간적 의미를 가지고 있군.
② '뒤안', '장독대', '뽕나무' 등은 향토적인 분위기를 형성하는군.
③ '먹오딧빛'은 '툇마루'와 '오디 열매'의 관계를 긴밀하게 연결하는군.
④ '장독대 옆'에서 딴 '오디 열매'는 화자에 대한 어머니의 애정을 의미하는군.
⑤ '외할머니의 손때와 그네 딸들의 손때'는 세대 간의 교감이 오랜 시간에 걸쳐 이루어졌음을 의미하는군.

기출 2004학년도 수능

06 〈보기〉의 이중섭에게 (나)의 거울을 주었다고 가정할 때, 그 거울에 비칠 형상끼리 바르게 짝지어진 것은?

— 보기 —

광복동에서 만난 이중섭은
머리에 바다를 이고 있었다.
동경에서 아내가 온다고
바다보다도 진한 빛깔 속으로
사라지고 있었다.
눈을 씻고 보아도 / 길 위에
발자국이 보이지 않았다.
한참 뒤에 나는 또
남포동 어느 찻집에서 / 이중섭을 보았다.
바다가 잘 보이는 창가에 앉아
진한 어둠이 깔린 바다를
그는 한뼘 한뼘 지우고 있었다.
동경에서 아내는 오지 않는다고.

— 김춘수, 「내가 만난 이중섭」

① 나, 바다
② 이중섭, 길
③ 아내, 동경
④ 아내, 바다
⑤ 아내, 이중섭

할머니 꽃씨를 받으시다 | 새 1

▶해법문학 Link
㉮ 현대 시 158쪽

키워드 체크 ㉮ #전쟁의 비극성 #일상의 소중함 #현실 비판 ㉯ #순수와 폭력 #인간 문명 비판 #이미지의 대립

㉮

[A] ┌ 할머니 ⓐ꽃씨를 받으신다.
    │ ㉠방공호(防空壕) 위에
    └ 어쩌다 된 / 채송화 꽃씨를 받으신다.

호(壕) 안에는 / 아예 들어오시덜 않고
말이 수째 적어지신
㉡할머니는 그저 누여우시다.

㉢— 진작 죽었더라면 / 이런 꼴 / 저런 꼴
다 보지 않았으련만……

㉣글쎄 할머니, / 그걸 어쩌란 말씀이서요.
수째 말이 적어지신 / 할머니의 노여움을
풀 수는 없었다.

[B] ┌ 할머니 꽃씨를 받으신다.
    │ 인제 지구(地球)가 깨어져 없어진대도
    │ ㉤할머니는 역시 살아 계시는 동안은
    └ 그 작은 꽃씨를 털으시리라.

– 박남수, 「할머니 꽃씨를 받으시다」

㉯

1
하늘에 깔아 논 / 바람의 여울터에서나
속삭이듯 서걱이는 / 나무의 그늘에서나, ⓑ새는
노래한다. 그것이 노래인 줄도 모르면서
새는 그것이 사랑인 줄도 모르면서
두 놈이 부리를 / 서로의 쭉지에 파묻고
다스한 체온을 나누어 가진다.

2
새는 울어 / 뜻을 만들지 않고,
지어서 교태로 / 사랑을 가식하지 않는다.

3
— 포수는 한 덩이 납으로
그 순수를 겨냥하지만,
매양 쏘는 것은
피에 젖은 한 마리 상한 새에 지나지 않는다.

– 박남수, 「새 1」

01 (가), (나)의 공통점으로 가장 적절한 것은?

① 시적 화자가 시의 표면에 드러나 있다.

② 대립적 시어를 통해 주제를 형상화하고 있다.

③ 일상적인 체험에서 얻은 깨달음을 드러내고 있다.

④ 동일한 구절을 반복하여 화자의 의지를 강조하고 있다.

⑤ 정서를 직접적으로 표출하여 독자의 공감을 이끌어 내고 있다.

02 [A]와 [B]를 비교하여 감상한 내용으로 적절하지 <u>않은</u> 것은?

① [A]의 부정적 상황은 [B]에서 심화되어 나타나고 있다.

② [A]를 [B]에서 변주하여 구조적 안정감을 높이고 있다.

③ [A]의 내용을 [B]에서 유사하게 반복하여 주제 의식을 강조하고 있다.

④ [A]에서의 시적 상황에 대한 인물의 정서와 태도는 [B]에서 전환되고 있다.

⑤ [A]는 현재의 상황을 묘사하고 있으며, [B]는 미래의 상황을 가정하고 있다.

03 ㉠~㉤에 대한 설명으로 적절하지 <u>않은</u> 것은?

① ㉠: 상징적인 시어를 통해 전쟁이라는 시적 상황을 구체화하고 있다.

② ㉡: 비극적인 현실에 대한 '할머니'의 정서와 태도를 드러내고 있다.

③ ㉢: '할머니'의 말을 삽입하여 현실에 대한 안타까움을 강조하고 있다.

④ ㉣: 전쟁의 비정함에 대한 화자의 비판적인 인식을 드러내고 있다.

⑤ ㉤: '역시'라는 부사어와 '-리라'라는 어미를 통해 '할머니'의 의지를 강조하고 있다.

고난도

04 현실에 대한 화자의 태도가 (나)와 가장 유사한 것은?

① 멀리서 아끼는 사랑이 / 얼마나 애틋한지 아느냐 / 길 떠난 아들을 잊지 마라 / 구부정 소나무의 내 나라

  – 리진, 「구부정 소나무」

② 평상이 있는 국숫집에 갔다 / 붐비는 국숫집은 삼거리 슈퍼 같다 / 평상에 마주 앉은 사람들 / 세월 넘어온 친정 오빠를 서로 만난 것 같다   – 문태준, 「평상이 있는 국숫집」

③ 성북동 산에 번지가 새로 생기면서 / 본래 살던 성북동 비둘기만이 번지가 없어졌다. / 새벽부터 돌 깨는 산울림에 떨다가 / 가슴에 금이 갔다.   – 김광섭, 「성북동 비둘기」

④ 나는 무엇인지 그리워 / 이 많은 별빛이 내린 언덕 위에 / 내 이름자를 써 보고, / 흙으로 덮어 버리었습니다. // 딴은 밤을 새워 우는 벌레는 / 부끄러운 이름을 슬퍼하는 까닭입니다.   – 윤동주, 「별 헤는 밤」

⑤ 너는 / 어디로 갔느냐. / 그 어질고 안쓰럽고 다정한 눈짓을 하고. / 형님! / 부르는 목소리는 들리는데 / 내 목소리는 미치지 못하는. / 다만 여기는 / 열매가 떨어지면 / 툭 하는 소리가 들리는 세상.   – 박목월, 「하관(下棺)」

05 〈보기〉를 바탕으로 (나)를 이해한 내용으로 적절하지 <u>않은</u> 것은?

> **보기**
>
> 시각적 이미지를 주로 활용하는 모더니즘 계열의 시인인 박남수는 '새의 시인'으로도 유명하다. 그의 시에서 '새'는 본질이다. 그는 자연을 노래하면서도 사회에 관심을 두며, 인간 문명의 파괴성을 비판적으로 바라보았다.

① '새'는 순수함의 본질을 지닌 자연을 상징한다.

② '다스한 체온을 나누어 가'지는 '새'는 인간 문명의 파괴성과 대조된다.

③ '한 덩이 납'은 문명사회의 폭력성을 금속성의 물질로 형상화한 것이다.

④ '순수를 겨냥하지만' 끝내 쏘지 못하는 '포수'는 비정한 사회에서의 인간성의 회복을 암시한다.

⑤ '피에 젖은 한 마리 상한 새'는 인간 문명으로 인해 파괴된 자연의 모습을 시각화한 것이다.

06 ⓐ, ⓑ에 대한 설명으로 가장 적절한 것은?

① ⓐ와 ⓑ는 모두 의인화된 대상이다.

② ⓐ와 ⓑ는 모두 화자의 감정을 대신하여 나타낸다.

③ ⓐ는 미래에 대한 희망을 상징하고, ⓑ는 숭고한 생명을 상징한다.

④ ⓐ는 화려하고 빛나는 존재이고, ⓑ는 허위와 가식이 없는 존재이다.

⑤ ⓐ에는 화자의 긍정적인 인식이, ⓑ에는 부정적인 인식이 담겨 있다.

▶ 해법문학 Link
㉮ 현대 시 180쪽
㉯ 현대 시 250쪽

흥부 부부상 | 추억에서

키워드 체크 ㉮ #가난한 삶의 애환 #고전 소설 제재 #대립적 시어 ㉯ #회고적 #어머니 #한(恨)의 정서

핵심 포인트

㉮ 시상 전개에 따른 주제 구현

1연	안분지족하는 삶

↓

2연	가난 속에서도 서로를 이해하는 삶

↓

3연	가난의 한(恨)을 사랑으로 극복하는 삶

㉯ 시각적 이미지를 활용한 한(恨)의 표현

- 빛 발하는 눈깔들
- 은전만큼 손 안 닿는 한(恨)
- 달빛 받은 옹기전의 옹기들

➡ 어머니의 한(恨)과 슬픔을 표현함.

연계 작품

㉮ 고전 문학의 제재 차용: 서정주 「춘향 유문─춘향의 말 3」, 박재삼 「수정가」, 이수익 「단오」
㉯ 가난했던 유년 시절에 대한 기억: 기형도 「엄마 걱정」, 이용악 「다리 위에서」

기출 OX

01 (가)에는 이상과 현실의 괴리에서 오는 화자의 고뇌가 나타나 있다. [기출] 2008. 6. 고1 ◯ ✕

02 (가)는 정신적 가치의 소중함을 노래하고 있다. [기출] 2006. 3. 고2 ◯ ✕

03 (나)는 과거와 미래를 대비하여 시적 상황을 강조하고 있다. [기출] 2014. 10. 고3 A ◯ ✕

04 (나)는 지명을 통해 고향에 대한 정감을 환기하고 있다. [기출] 2007. 6. 모평 ◯ ✕

- **정갈하던** 깨끗하고 깔끔하던.
- **부끄리며** 부끄러워하며.
- **소스라쳐** 깜짝 놀라 몸을 떠는 듯이 움직이며.
- **생어물전** 생선, 김, 미역 따위의 어물을 전문적으로 파는 가게.
- **속절없이** 단념할 수밖에 달리 어찌할 도리가 없이.

답 **01** ✕ **02** ◯ **03** ✕ **04** ◯

㉮

흥부 부부가 박 덩이를 사이하고
가르기 전에 건넨 웃음살을 헤아려 보라.
금이 문제리,
황금 벼 이삭이 문제리,
웃음의 물살이 반짝이며 •정갈하던
그것이 확실히 문제다.

없는 떡방아 소리도 / 있는 듯이 들어내고
손발 닳은 처지끼리
같이 웃어 비추던 거울 면(面)들아.

웃다가 서로 불쌍해
서로 구슬을 나누었으리.
그러다 금시
절로 면(面)에 온 구슬까지를 서로 •부끄리며
면 물살이 가다가 •소스라쳐 반짝이듯
서로 소스라쳐 / 본(本)웃음 물살을 지었다고 헤아려 보라.
그것은 확실히 문제다.

— 박재삼, 「흥부 부부상」

㉯

진주(晉州) 장터 •생어물전에는
바닷밑이 깔리는 해 다 진 어스름을,

울 엄매의 장사 끝에 남은 고기 몇 마리의
빛 발(發)하는 눈깔들이 •속절없이
은전(銀錢)만큼 손 안 닿는 한(恨)이던가
울 엄매야 울 엄매,

별 밭은 또 그리 멀리
우리 오누이의 머리 맞댄 골방 안 되어
손 시리게 떨던가 손 시리게 떨던가,

진주(晉州) 남강(南江) 맑다 해도
오명 가명
신새벽이나 밤빛에 보는 것을,
울 엄매의 마음은 어떠했을꼬,
달빛 받은 옹기전의 옹기들같이
말없이 글썽이고 반짝이던 것인가.

— 박재삼, 「추억에서」

01 (가), (나)에 대한 설명으로 가장 적절한 것은?

① (가)와 (나)는 모두 과거 회상을 통해 시상을 전개하고 있다.

② (가)는 화자가 관찰자가 되어 대상을 바라보고 있고, (나)는 시상 전개에 따라 시적 화자가 달라지고 있다.

③ (가)는 자연물을 통해 시·공간적 배경을 형상화하고 있고, (나)는 자연물에 화자의 감정을 이입하고 있다.

④ (가)에서는 가난한 삶에 대한 긍정적인 태도를, (나)에서는 가난한 삶에 대한 안타까운 정서를 드러내고 있다.

⑤ (가)는 고전 문학의 제재를 활용하여 신비로운 분위기를, (나)는 토속적 시어를 사용하여 향토적 분위기를 형성하고 있다.

02 (가), (나)를 비교하여 감상한 내용으로 적절하지 <u>않은</u> 것은?

① (가)의 '흥부 부부'와 (나)의 '울 엄매'는 화자가 연민을 느끼는 대상이다.

② (가)의 '구슬'은 웃음으로 극복된다는 점에서 (나)의 '옹기'와 대조된다.

③ (가)의 '금'은 시적 대상이 소망하는 바가 아니라는 점에서 (나)의 '은전(銀錢)'과 대조된다.

④ (가)의 '손발 닳은 처지'와 (나)의 '장사 끝에 남은 고기'는 시적 대상의 고단한 삶을 보여 준다.

⑤ (가)의 '거울 면(面)'과 (나)의 '남강'은 맑고 투명한 속성을 통해 화자가 지향하는 바를 나타낸다.

03 (가)를 이해한 내용으로 적절하지 <u>않은</u> 것은?

① '황금 벼 이삭'은 물질적 가치가 아닌 정신적 가치를 소중하게 여기는 흥부 부부의 풍요로운 마음을 나타낸다.

② '반짝이며 정갈하던'은 '웃음의 물살'이 지닌 긍정적인 속성을 부각한다.

③ '없는 떡방아 소리'도 '있는 듯이 들어내'는 흥부 부부의 모습에서 그들이 빈곤한 상황에서도 낙천적으로 살아가고 있음을 알 수 있다.

④ '웃다가 서로 불쌍해 / 서로 구슬을 나누었으리.'는 흥부 부부가 마주 보면서 연민의 눈물을 나누고 있는 모습을 형상화한 것이다.

⑤ '본(本) 웃음 물살'은 아픔을 이겨 낸 뒤의 진정한 웃음을 의미한다.

기출 변형 2003학년도 9월 모의평가

04 〈보기〉를 참고하여 (가)를 감상한 내용으로 적절하지 <u>않은</u> 것은?

> ─ 보기 ─
>
> 판소리 『흥부가』는 「방이 설화」를 근원 설화로 삼아, 극단적인 궁핍의 상황을 가족애로써 극복하는 모습을 통해 민중들의 건강한 삶을 제시했다는 데 의의가 있다. 또한 아니리와 창, 비장한 장면과 익살스러운 장면의 교차적 제시는 긴장과 이완의 매력을 준다. 「흥부 부부상」은 이러한 판소리의 전통을 현대적으로 계승하여 서민들의 삶의 애환을, 박 타는 흥부 부부를 소재로 하여 표현하고 있다.

① (가)는 부부애에서 민중의 건강한 삶의 모습을 찾아내었군.

② (가)는 상대방에게 보내는 애정의 웃음을 통해 현실의 긴장을 완화하고 있군.

③ (가)의 '흥부 부부'는 삶의 애환을 겪는 민중을 대표하는 인물형이라고 볼 수 있군.

④ (가)와 〈보기〉의 『흥부가』는 옛이야기에서 제재를 차용했다는 점에서 공통점이 있군.

⑤ (가)는 익살스러운 장면을 연속으로 제시하여 현실의 고난을 웃음으로 승화하는 판소리의 특징을 계승하였군.

05 (나)의 표현상 특징으로 적절하지 <u>않은</u> 것은?

① 구체적인 지명을 밝혀 현실감을 높이고 있다.

② 방언을 활용하여 향토적 분위기를 형성하고 있다.

③ 시각적 이미지를 활용하여 한(恨)의 정서를 형상화하고 있다.

④ 설의적 표현을 통해 현실에 대한 비판 의식을 드러내고 있다.

⑤ 시간적 배경을 제시하여 유년 시절에 대한 애상감을 환기하고 있다.

기출 변형 2019학년도 9월 모의평가

06 (나)에 대한 감상으로 적절하지 <u>않은</u> 것은?

① '진주 장터 생어물전'은 어머니가 생선을 팔아 생계를 꾸리던 삶의 터전이겠군.

② '빛 발(發)하는 눈깔'은 '손 안 닿는' '은전(銀錢)'과 연결되어 어머니가 겪는 현실의 어려움이 가난 때문임을 보여 주는군.

③ '별 밭'이 '또 그리 멀리' 있다고 느끼는 화자의 모습에서 현실의 고달픔을 읽어 낼 수 있군.

④ '손 시리게 떨던가'에서는 추운 밤 '골방' 속에서 느꼈던 슬픔을 촉각적으로 나타내고 있군.

⑤ '글썽이고 반짝이던'은 달빛을 받은 '옹기'의 표면과 연결되어 낭만적인 분위기를 형성하는군.

산에 언덕에 | 껍데기는 가라

▶해법문학 Link
㉮ 현대 시 251쪽
㉯ 현대 시 186쪽

키워드 체크 ㉮ #추모적 #4·19 혁명 #소망 실현에 대한 염원 ㉯ #상징적 #분단과 통일 #동학 혁명

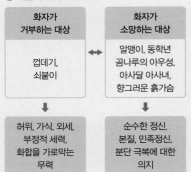

핵심 포인트

㉮ 그리움의 대상인 '그'에 대한 해석

개인적 맥락	사회적 맥락
이별로 떠나간 연인	4·19 혁명 과정에서 희생된 영혼

㉯ 대립적 이미지의 시어

화자가 거부하는 대상	화자가 소망하는 대상
껍데기, 쇠붙이	알맹이, 동학년 곰나루의 아우성, 아사달 아사녀, 향그러운 흙가슴

↓	↓
허위, 가식, 외세, 부정적 세력, 화합을 가로막는 무력	순수한 정신, 본질, 민족정신, 분단 극복에 대한 의지

연계 작품

㉮ • 죽은 이에 대한 슬픔과 그리움: 김춘수 「강우」, 정지용 「유리창 1」
  • 4·19 혁명이라는 시대적 배경의 반영: 김수영 「꽃잎 1」, 이성부 「봄」
㉯ • 통일에 대한 소망: 신동엽 「봄은」, 곽재구 「임진강 살구꽃」
  • 강한 어조와 단호한 의지: 유치환 「바위」, 이육사 「광야」

기출 OX

Q1 (가)에는 대상에 대한 그리움의 정서가 나타나 있다. 기출 2005. 6. 고1 ○ X

Q2 (가)는 색채의 대비를 통해 시적 정황을 드러내고 있다. 기출 2013. 10. 고3 A ○ X

Q3 (나)에서는 설의적 표현을 활용하여 시적 긴장감을 높이고 있다.
  기출 2013. 6. 고2 A ○ X

• 동학년 동학 혁명이 일어났던 1894년.
• 곰나루 충청남도 공주의 옛 이름. 동학 혁명 당시 우금치 전투가 있었던 곳.
• 초례청 전통적인 혼례를 치르는 장소.

답 Q1 ○ Q2 X Q3 X

㉮
그리운 그의 얼굴 다시 찾을 수 없어도
화사한 그의 꽃
산(山)에 언덕에 피어날지어이.

그리운 그의 노래 다시 들을 수 없어도
맑은 그 숨결
들에 숲 속에 살아갈지어이.

쓸쓸한 마음으로 들길 더듬는 행인(行人)아.

눈길 비었거든 바람 담을지네.
바람 비었거든 인정(人情) 담을지네.

그리운 그의 모습 다시 찾을 수 없어도
울고 간 그의 영혼
들에 언덕에 피어날지어이.

— 신동엽, 「산에 언덕에」

㉯
㉠껍데기는 가라.
사월도 알맹이만 남고
껍데기는 가라.

껍데기는 가라.
㉡•동학년 •곰나루의, 그 아우성만 살고
껍데기는 가라.

㉢그리하여, 다시
껍데기는 가라.
이곳에선, 두 가슴과 그곳까지 내 논
아사달 아사녀가
중립의 •초례청 앞에 서서
부끄럼 빛내며
맞절할지니

껍데기는 가라.
㉣한라에서 백두까지
향그러운 흙가슴만 남고
㉤그, 모오든 쇠붙이는 가라.

— 신동엽, 「껍데기는 가라」

01 (가), (나)의 공통점으로 가장 적절한 것은?

① 시상 전개에 따라 화자의 정서를 점층적으로 고조하고 있다.
② 시각적 이미지를 통해 시적 대상에 대한 그리움을 노래하고 있다.
③ 확신에 찬 어조를 통해 현실에 대한 비판을 강하게 드러내고 있다.
④ 상징적 시어를 통해 시적 상황에 대한 화자의 굳은 신념을 드러내고 있다.
⑤ 시적 대상과의 거리감을 좁히는 과정에서 인식의 변화가 나타나고 있다.

02 (가), (나)의 시적 공간에 대한 설명으로 적절하지 않은 것은?

① (가): 1연의 '산'과 '언덕'은 '그'의 부활이 이루어지기를 소망하는 공간이다.
② (가): 3연의 '들길'은 '그'의 부재에 따른 '쓸쓸한 마음'을 느끼는 공간이다.
③ (가): 5연의 '들'과 '언덕'은 '그'가 고난과 시련을 겪는 공간이다.
④ (나): 2연의 '곰나루'는 동학 혁명의 순수한 정신이 살아 있는 공간이다.
⑤ (나): 3연의 '이곳'은 허위와 겉치레가 사라지고 인간 본연의 순수한 모습을 드러내는 공간이다.

기출 변형 2013학년도 10월 고3 학력평가 A형

03 〈보기〉를 참고하여 (가)를 이해한 내용으로 적절하지 않은 것은?

보기
ⓐ 사랑했던 연인과 사별한 후 그 임에 대한 사랑과 그리움을 노래한 시로 읽을 경우
ⓑ 4·19 혁명 과정에서 독재 권력에 항거하다 목숨을 잃은 학생들을 추모하며 그들에 대한 그리움을 노래한 시로 읽을 경우

① ⓐ의 맥락에서 보면 '그리운'은 사랑했던 사람에 대한 개인적 정서가 드러난 것이로군.
② ⓐ의 맥락에서 보면 '꽃'은 세상을 떠난 연인에게 보내지 못했던 화자의 애정을 상징하고 있군.
③ ⓑ의 맥락에서 보면 '그의 노래'는 자유를 외치는 학생들이 권력에 대항하며 부른 노래였겠군.
④ ⓑ의 맥락에서 보면 '울고 간'은 억압적 현실로 인한 희생과 관련이 있다고 할 수 있겠군.
⑤ ⓐ의 맥락에서 보든, ⓑ의 맥락에서 보든 대상에 대한 그리움이 담겨 있다는 것은 동일하군.

04 (가)에 대한 설명으로 적절하지 않은 것은?

① 통사 구조의 반복으로 운율을 형성하고 있다.
② 시적 화자의 소망을 자연물을 통해 드러내고 있다.
③ 수미상관의 구조를 통해 시의 주제를 부각하고 있다.
④ 예스러운 어미를 통해 낙관적인 전망을 드러내고 있다.
⑤ 청자를 설정하여 문답의 형식으로 시상을 전개하고 있다.

고난도 기출 변형 2013학년도 6월 고2 학력평가 A형

05 〈보기〉를 참고하여 (나)를 감상한 내용으로 적절하지 않은 것은?

보기
신동엽 시인은 인간 생명의 원초적 본질인 대지에서 우리 민족 공동체가 함께 살기를 소망했다. 하지만 당시는 외세의 개입으로 인한 사회적 모순과 부조리가 가득했고 남과 북은 이념 대립으로 분단되어 있는 상태였다. 시인은 이러한 현실의 문제를 해결하기 위해서 외세와 봉건에 저항했던 동학 혁명이나 불의에 저항했던 4월 혁명과 같은 정신이 필요하다고 생각했다.

① '껍데기'는 현실의 문제를 유발하는 외세나 허위, 가식을 의미하겠군.
② '중립의 초례청'은 사회적 모순과 부조리로 인하여 훼손된 민족의 터전이겠군.
③ '맞절할지니'에는 이념 대립으로 분단된 남과 북이 하나로 화합되기를 원하는 화자의 소망이 반영되어 있겠군.
④ '향그러운 흙가슴'은 생명의 원초적 본질인 대지를 후각적 심상과 결합하여 형상화한 것이겠군.
⑤ '쇠붙이'는 우리 민족을 갈라 놓은 부정적 대상을 상징하겠군.

06 ㉠~㉤을 이해한 내용으로 적절하지 않은 것은?

① ㉠: 한정의 의미를 나타내는 조사를 사용하여 시어에 대한 인식을 구분하여 표현하고 있다.
② ㉡: 청각적 이미지를 활용하여 역사적 사건을 형상화하고 있다.
③ ㉢: 쉼표를 통해 호흡을 조절함으로써 화자의 정서를 강조하고 있다.
④ ㉣: 대조적인 공간을 제시하여 극복해야 할 현실의 모습을 사실적으로 드러내고 있다.
⑤ ㉤: 명령형의 어조를 사용하여 화자의 강한 의지를 나타내고 있다.

생의 감각 | 성북동 비둘기

▶ 해법문학 Link
㉮ 현대 시 255쪽
㉯ 현대 시 194쪽

키워드 체크 ㉮ #생에 대한 자각 #절망적 경험 #감각적 ㉯ #자연 파괴 #현대 문명 비판 #우의적 #상징적

핵심 포인트

㉮ 화자의 정서·태도 변화

과거 (3, 4연)	죽음, 절망

↓

채송화

↓

현재 (1, 2연)	삶에 대한 의지, 희망

㉯ 비둘기가 처한 상황의 변화

과거	사랑과 평화의 새

↓

	• 돌 깨는 산울림 • 채석장 포성

↓

현재	쫓기는 새

연계 작품

㉮ • '현재 → 과거'의 역전적 시상 전개 방식: 이용악 「낡은 집」, 백석 「여승」
• 삶에 대한 의지의 회복: 백석 「남신의주 유동 박시봉방」
㉯ • 물질문명에 대한 비판: 박남수 「새 1」, 김기택 「풀벌레들의 작은 귀를 생각함」
• 우의적 기법의 활용: 작자 미상 「두터비 파리를 물고」

기출 OX

Q1 (가)는 새로운 삶의 의미와 가치를 발견하게 되었음을 나타낸다.
기출 2007. 6. 고1 ◯ X

Q2 (가)는 이상과 현실이 일치하지 않고 있음에 대한 절망감을 표출하고 있다.
기출 2012. 9. 고2 ◯ X

Q3 (나)는 현대 물질문명을 긍정적인 시각으로 바라보고 있다. 기출 2002. 3. 고3 ◯ X

• 채석장 석재(石材)로 쓸 돌을 캐거나 떠 내는 곳.
• 구공탄 구멍이 뚫린 연탄을 통틀어 이르는 말.

답 Q1 ◯ Q2 X Q3 X

㉮

여명(黎明)의 종이 울린다.
새벽 별이 반짝이고 사람들이 같이 산다.
닭이 운다. 개가 짖는다.
오는 사람이 있고 가는 사람이 있다.

오는 사람이 내게로 오고
가는 사람이 내게서 간다.

아픔에 하늘이 무너졌다.
깨진 하늘이 아물 때에도 / 가슴에 뼈가 서지 못해서
푸른빛은 장마에 / 넘쳐 흐르는 흐린 강물 위에 떠서 황야에 갔다.

나는 무너지는 둑에 혼자 섰다.
기슭에는 채송화가 무더기로 피어서
생(生)의 감각(感覺)을 흔들어 주었다.

– 김광섭, 「생의 감각」

㉯

성북동 산에 번지가 새로 생기면서
본래 살던 성북동 ㉠비둘기만이 번지가 없어졌다.
새벽부터 돌 깨는 산울림에 떨다가 / 가슴에 금이 갔다.
그래도 성북동 비둘기는 / 하느님의 광장 같은 새파란 아침 하늘에
성북동 주민에게 축복의 메시지나 전하듯
성북동 하늘을 한 바퀴 휘 돈다.

성북동 메마른 골짜기에는
조용히 앉아 콩알 하나 찍어 먹을 / 널찍한 마당은커녕 가는 데마다
*채석장 포성이 메아리쳐서 / 피난하듯 지붕에 올라앉아
아침 *구공탄 굴뚝 연기에서 향수를 느끼다가
산 1번지 채석장에 도루 가서
금방 따 낸 돌 온기(溫氣)에 입을 닦는다.

예전에는 사람을 성자(聖者)처럼 보고
사람 가까이 / 사람과 같이 사랑하고
사람과 같이 평화를 즐기던
사랑과 평화의 새 비둘기는
이제 산도 잃고 사람도 잃고
사랑과 평화의 사상까지
낳지 못하는 쫓기는 새가 되었다.

– 김광섭, 「성북동 비둘기」

01 (가), (나)에 대한 설명으로 적절한 것은?

① (가)와 (나)는 모두 상징적 시어를 통해 주제를 드러내고 있다.

② (가)와 (나)에서는 모두 화자의 부정적 정서가 긍정적으로 변화하고 있다.

③ (가)와 (나)는 모두 시각, 청각, 촉각적 심상을 활용하여 시적 상황을 감각적으로 드러내고 있다.

④ (가)는 과거와 현재의 유사성을 통해, (나)는 과거와 현재의 대비를 통해 화자의 인식을 드러내고 있다.

⑤ (가)는 화자가 대상을 관찰한 내용을 중심으로, (나)는 화자가 처한 상황을 중심으로 시상을 전개하고 있다.

04 (나)에 대한 설명으로 적절하지 않은 것은?

① 구체적인 지명을 밝혀 사실성을 획득하고 있다.

② 아이러니한 상황을 설정하여 주제 의식을 강화하고 있다.

③ 시적 대상을 의인화하여 주제를 우의적으로 드러내고 있다.

④ 대립되는 시어를 통해 부정적인 현실에 대한 극복 의지를 드러내고 있다.

⑤ 시적 대상이 처한 상황을 묘사하여 현실에 대한 비판적인 시각을 드러내고 있다.

02
기출 변형 2012학년도 9월 고2 학력평가

(가)에 대한 설명으로 적절하지 않은 것은?

① 1연에는 화자가 4연에서 인식을 전환하는 계기가 드러나 있다.

② 1연은 각 행을 동일한 종결 어미로 끝맺음으로써 통일성을 부여하고 있다.

③ 2연은 통사 구조를 반복하는 대구법을 사용하여 운율을 형성하고 있다.

④ 2연과 4연은 시적 화자를 직접적으로 드러내어 화자의 인식을 부각하고 있다.

⑤ 2연은 현재 시제를, 3연은 과거 시제를 사용하여 시상을 역순행적으로 구성하고 있다.

05 (나)를 이해한 내용으로 적절하지 않은 것은?

① '성북동 산'에 새로 생긴 '번지'는 '본래 살던 성북동 비둘기'의 '번지'와 그 성격이 다르다.

② '돌 깨는 산울림'은 번지가 없어져 '가슴에 금이' 간 비둘기가 처한 상황의 원인이라고 볼 수 있다.

③ 새로운 '번지'가 생기기 전 '축복의 메시지나 전하듯' 성북동 하늘을 돌던 비둘기는 결국 '금방 따 낸 돌 온기에 입을 닦는' 처지가 된다.

④ '콩알 하나 찍어 먹을' 마당이 없는 상황은 '피난하듯 지붕에 올라앉'는 상황으로 연결된다.

⑤ '사랑과 평화의 새 비둘기'가 '쫓기는 새'로 전락한 모습은 비둘기가 처한 상황의 비극성을 강화한다.

03 〈보기〉를 바탕으로 (가)를 감상한 내용으로 적절하지 않은 것은?

> ─ 보기 ─
>
> 김광섭 시인은 1965년 뇌출혈로 쓰러져 사경을 헤매다가 일주일 만에 의식을 회복했다. 죽음의 문턱을 경험한 시인은 이후 생에 대한 새로운 자각과 인간의 존재에 대한 성찰을 담은 「생의 감각」을 발표했다.

① '여명(黎明)의 종이 울린다.'는 생명력이 여명처럼 희미해지는 위태로운 상황을 표현한 것이겠군.

② 의식을 회복한 후이기 때문에 '새벽 별이 반짝이고', '닭이' 울고, '개가 짖는' 일상적인 삶조차 새롭게 느껴졌겠군.

③ '아픔에 하늘이 무너졌다'는 것은 병으로 인한 고통을 형상화한 것이겠군.

④ '장마', '흐린 강물', '황야'는 생명을 위태롭게 하는 요인들이겠군.

⑤ '채송화가 무더기로 피어'난 것은 화자가 절망적인 순간에 생에 대한 의지를 되찾는 상황을 감각적으로 표현한 것이겠군.

06 〈보기〉를 바탕으로 ㉠을 이해한 내용으로 적절하지 않은 것은?

> ─ 보기 ─
>
> 「성북동 비둘기」가 발표된 1960년대는 산업화와 도시화가 급격하게 진행되던 시기였다. 이 작품은 자연에서의 보금자리를 잃은 비둘기를 통해 도시 문명의 무분별한 개발 때문에 황폐해져 가는 사회의 모습을 드러내면서 문명의 발달에 따른 부작용과 해악에 대해 경고하고 있다.

① 문명의 발달로 인해 삶의 터전을 빼앗긴 존재로 볼 수 있군.

② 문명과 상반되는 순수한 자연을 표상하는 존재로 볼 수 있군.

③ 개발 과정에서 소외되어 변두리로 밀려난 소외 계층을 의미한다고 볼 수 있군.

④ 도시화로 사라져 가는 이웃 간의 연대 의식을 회복할 수 있는 힘을 형상화한 대상이라고 볼 수 있군.

⑤ 도시 문명 개발의 이면에 자연 파괴가 있다는 모순적인 사실을 드러내는 존재로 형상화되었다고 볼 수 있군.

현대 시
Q28

[교과서] [문] 동아, 신사고, 지학사 [기출] [EBS]

▶해법문학 Link
㉮ 현대 시 200쪽
㉯ 현대 시 202쪽

묵화 | 누군가 나에게 물었다

키워드 체크 ㉮ #연민과 유대 #여백 #동반자적 관계 ㉯ #시(詩)란 무엇인가 #인생의 가치 #시인의 사회적 역할

핵심 포인트

㉮ '소'와 '할머니'의 관계

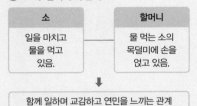

소	할머니
일을 마치고 물을 먹고 있음.	물 먹는 소의 목덜미에 손을 얹고 있음.

↓

함께 일하며 교감하고 연민을 느끼는 관계

㉯ 시상 전개 과정

질문	시란 무엇인가?

↓

답	시인이 못 되므로 잘 모름.

↓

탐색	• 무교동, 종로, 명동, 남산, 서울역 앞을 걸음. • 남대문 시장에서 빈대떡을 먹음.

↓

깨달음	고된 삶에도 불구하고 슬기롭게 사는 평범한 사람들이 시인이라는 것을 깨달음.

㉮

물 먹는 ㉠소 목덜미에
㉡할머니 손이 얹혀졌다.
이 하루도
함께 지났다고,
서로 발잔등이 부었다고,
서로 °적막하다고,

– 김종삼, 「°묵화(墨畫)」

㉯

누군가 나에게 물었다. 시가 뭐냐고
나는 시인이 못 되므로 잘 모른다고 대답하였다.
무교동과 종로와 명동과 남산과
서울역 앞을 걸었다.
저녁녘 남대문 시장 안에서
빈대떡을 먹을 때 생각나고 있었다.
그런 사람들이
엄청난 고생 되어도
순하고 명랑하고 맘 좋고 인정이
있으므로 슬기롭게 사는 사람들이
그런 사람들이
이 세상에서 °알파이고
고귀한 인류이고
영원한 광명이고
다름 아닌 시인이라고.

– 김종삼, 「누군가 나에게 물었다」

연계 작품

㉮ • 동양적 여백의 미: 박목월 「산도화」
• 고된 삶에 대한 연민의 정서: 문태준 「맨발」
㉯ • 사람들에 대한 관찰과 사색: 박태원 「소설가 구보 씨의 일일」
• 질문과 대답의 형식을 활용한 시상 전개: 이상화 「빼앗긴 들에도 봄은 오는가」

기출 OX

Q1 (나)는 자연물을 이용하여 화자의 정서를 표현하고 있다. [기출] 2018. 9. 고1 ◯ ⓧ

Q2 (나)는 설의적 표현을 통해 현실에 대한 화자의 인식을 드러내고 있다.
[기출] 2018. 9. 고1 ◯ ⓧ

답 **Q1** ⓧ **Q2** ⓧ

• **적막** ① 고요하고 쓸쓸함. ② 의지할 데 없이 외로움.
• **묵화** 먹으로 짙고 엷음을 이용하여 그린 그림.
• **알파** 그리스 문자의 첫째 자모. 'A, α'로 씀. '첫째가는 것, 처음'의 뜻으로 쓰임.

01 (가), (나)의 공통점으로 가장 적절한 것은?

① 문장을 도치하여 긴박한 분위기를 고조하고 있다.
② 묻고 답하는 방식을 통해 내용을 구체화하고 있다.
③ 일상적 삶에 대한 반성을 역설적으로 드러내고 있다.
④ 대립적 속성을 지닌 시어를 통해 의미를 심화하고 있다.
⑤ 시어의 반복을 통해 대상에 대한 따뜻한 시선을 드러내고 있다.

02 (가)에 대한 감상으로 적절하지 <u>않은</u> 것은?

① '소 목덜미'에 '할머니 손이 얹혀'진 장면에서는 소와 할머니의 교감이 느껴지는군.
② '이 하루도'에 사용된 조사 '도'를 통해 소와 함께하는 나날이 반복되고 있음을 짐작할 수 있군.
③ '함께', '서로' 등의 시어를 통해 할머니와 소가 유대감을 느끼며 살아가는 관계임을 알 수 있군.
④ 부은 '발잔등'은 할머니와 소가 겪어야만 하는 고된 현실에 대한 비판적인 인식을 드러내는군.
⑤ 할머니와 소는 모두 '적막'의 정서를 느끼지만 서로를 위로하고 의지하며 정신적 동반자의 관계를 이어 나가고 있군.

03 〈보기〉를 참고하여 (가)를 이해한 내용으로 적절하지 <u>않은</u> 것은?

┌─ 보기 ─
　수묵화라고도 하는 묵화(墨畫)는 색의 사용을 배제하고 먹의 짙고 엷음을 이용하여 그리는 대표적인 동양화이다. 선의 강약과 먹의 번짐, 여백의 미는 묵화의 동양적인 아름다움을 드러낸다. (가)의 시인은 이러한 묵화에서 발견할 수 있는 특징을 변용하여 시에 나타내었다.
└─

① 구체적인 배경 묘사와 서사를 생략하여 내용적인 여백을 구현하였군.
② 상황 맥락의 생략은 시적 대상인 '소'와 '할머니' 자체에 주목하도록 하는 효과를 주는군.
③ 전체 행을 6행으로 구성하고 한 행의 길이는 10자 이하로 하여 형식적인 여백의 미를 나타내었군.
④ 시상을 마무리하는 연결 어미와 쉼표로 드러나는 여백은 시적 대상의 정서를 더욱 강조해 주는군.
⑤ 잔잔히 번져 가는 먹을 통해 드러나는 동양적인 아름다움은 화자의 정서가 점점 심화되는 시상 전개로 변용되었군.

04 ㉠, ㉡의 관계를 표현한 말로 가장 적절한 것은?

① 청출어람(靑出於藍)　　② 막상막하(莫上莫下)
③ 동병상련(同病相憐)　　④ 동상이몽(同牀異夢)
⑤ 견원지간(犬猿之間)

기출 변형 2018학년도 9월 고1 학력평가

05 다음은 학생이 (나)를 감상한 내용이다. 적절하지 <u>않은</u> 것은?

┌─ 보기 ─
　이 시의 제목을 보니, 누군가 화자에게 던진 ⓐ시란 무엇인가에 대한 질문이 이 시를 쓴 계기가 된 것 같아. 화자는 이 질문에 대해, ⓑ자신은 '시인이 못 되므로' 모른다고 대답하였어. 그 후 ⓒ여러 곳을 걸으며 사색하던 중, ⓓ남대문 시장에서 고된 삶을 살아가는 사람들을 보고 질문에 대한 답을 얻게 되었어. 화자는 이런 경험을 통해 ⓔ삶이 고되어도 맘 좋고 인정 넘치는 사람들의 삶을 위로해 주는 것이 진정한 시인의 역할이라고 생각하게 된 것 같아.
└─

① ⓐ　② ⓑ　③ ⓒ　④ ⓓ　⑤ ⓔ

기출 변형 2009학년도 3월 고2 학력평가

06 (나)의 시적 상황을 〈보기〉와 같이 도식화해 보았다. 〈보기〉의 [A]~[E]와 관련지어 (나)를 이해한 내용으로 적절하지 <u>않은</u> 것은?

┌─ 보기 ─

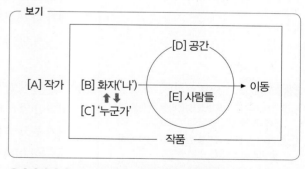

└─

① [A]와 [B]를 동일하게 본다면 시 내용이 작가 자신의 생각을 드러낸 것이라고 할 수 있다.
② [C]와의 대화는 [B]에게 시인의 의미를 생각하게 하는 계기가 되었다고 볼 수 있다.
③ [B]는 [D]를 돌아다니는 동안 [C]의 물음에 대한 깨달음을 얻게 되었다고 볼 수 있다.
④ [B]는 고된 생활을 하고 있지만 착하고 인정 많은 [E]에 대해 연민의 정서를 느끼고 있다.
⑤ [B]는 [E]의 모습에서 고귀한 삶의 가치를 발견하고 있다.

목계 장터 | 다시 느티나무가

▶해법문학 Link
㉮ 현대 시 210쪽
㉯ 현대 시 350쪽

키워드 체크 ㉮ #유랑과 정착 #민중의 애환 ㉯ #자기 성찰 #늙음에 대한 긍정 #사물의 재인식 #깨달음

핵심 포인트

㉮ 화자가 처한 대립적 상황

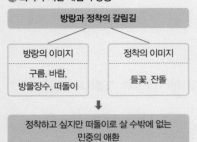

방랑과 정착의 갈림길

방랑의 이미지	정착의 이미지
구름, 바람, 방물장수, 떠돌이	들꽃, 잔돌

↓

정착하고 싶지만 떠돌이로 살 수밖에 없는 민중의 애환

㉯ 화자의 인식 변화

청년기
• 느티나무가 작아 보임.
• 자신의 성장을 깨달음.
• 순수성의 상실을 자연스럽게 여김.

↓

노년기
• 느티나무가 다시 커 보임.
• 자신이 늙고 병들었음을 깨달음.
• 세상이 아름다워 보임.

연계 작품

㉮ 유랑하는 민중의 모습: 이용악 「전라도 가시내」
㉯ • 느티나무를 제재로 한 주제 구현: 신경림 「우리 동네 느티나무들」
• 늙음에 대한 인식: 신계영 「탄로가」

기출 OX

Q1 (가)는 역설적 표현을 사용하여 주제를 부각하고 있다. 기출 2015. 7. 고3 B ◯ Ⓧ

Q2 (가)는 동일한 시구를 반복하여 시적 의미를 강조하고 있다. 기출 2015. 7. 고3 B Ⓞ Ⓧ

• 박가분 옛날 여인들이 쓰던 화장품의 하나인 분(粉)의 이름.

답 **Q1** X **Q2** O

㉮
하늘은 날더러 구름이 되라 하고
땅은 날더러 바람이 되라 하네
청룡 흑룡 흩어져 비 개인 나루
잡초나 일깨우는 잔바람이 되라네
뱃길이라 서울 사흘 목계 나루에
아흐레 나흘 찾아 *박가분 파는
가을볕도 서러운 방물장수 되라네
산은 날더러 들꽃이 되라 하고
강은 날더러 잔돌이 되라 하네
산서리 맵차거든 풀 속에 얼굴 묻고
물여울 모질거든 바위 뒤에 붙으라네
민물 새우 끓어 넘는 토방 툇마루
석삼년에 한 이레쯤 천치로 변해
짐부리고 앉아 쉬는 떠돌이가 되라네
하늘은 날더러 바람이 되라 하고
산은 날더러 잔돌이 되라 하네

– 신경림, 「목계 장터」

㉯
㉠고향집 앞 느티나무가
터무니없이 작아 보이기 시작한 때가 있다
그때까지는 보이거나 들리던 것들이
문득 보이지도 들리지도 않는다는 것을 알면서
나는 잠시 의아해하기는 했으나
내가 다 커서거니 여기면서
㉡이게 다 세상 사는 이치라고 생각했다

㉢오랜 세월이 지나 고향엘 갔더니
고향집 앞 느티나무가 옛날처럼 커져 있다
내가 늙고 병들었구나 이내 깨달았지만
내 눈이 이미 어두워지고 귀가 멀어진 것을
㉣나는 서러워하지 않았다

다시 느티나무가 커진 눈에
세상이 너무 아름다웠다
㉤눈이 어두워지고 귀가 멀어져
오히려 세상의 모든 것이 더 아름다웠다

– 신경림, 「다시 느티나무가」

01 (가), (나)에 대한 설명으로 가장 적절한 것은?

① (가)는 (나)와 달리 대구법을 통해 화자의 내적 갈등을 강조하고 있다.

② (가)는 (나)와 달리 탈속의 세계에 대한 화자의 지향을 드러내고 있다.

③ (나)는 (가)와 달리 객관적 어조로 화자의 정서를 드러내고 있다.

④ (가)와 (나)는 모두 변형된 수미상관의 구조를 통해 주제를 강조하고 있다.

⑤ (가)와 (나)는 모두 도덕적 삶에 대해 고뇌하는 화자의 모습을 드러내고 있다.

02 (가)의 표현상 특징으로 적절하지 <u>않은</u> 것은?

① 종결 어미 '–네'의 반복을 통해 운율을 형성하고 있다.

② 3음보의 민요적 율격을 통해 전통적 정서를 환기하고 있다.

③ '떠남'과 '정착'의 대립적 구조를 통해 화자의 내면을 구체화하고 있다.

④ '토방 툇마루' 등의 토속적 어휘를 통해 향토적인 분위기를 형성하고 있다.

⑤ '하늘', '땅' 등의 시어를 통해 화자의 삶에 대한 운명론적 인식을 드러내고 있다.

03 〈보기〉를 바탕으로 (가)를 감상한 내용으로 적절하지 <u>않은</u> 것은?

┌─ 보기 ─

　목계 장터는 서울로 가는 길목의 하나로, 과거에 중부 내륙 물류의 중심지 역할을 하였지만 근대화를 거치며 농촌 공동체를 떠나는 사람들이 많아지면서 몰락의 길에 접어들게 되었다. 「목계 장터」는 이러한 상황에서 생계를 위해 유랑을 강요받게 되는 민중의 삶에 대한 애환을 담아내고 있다.

└─────

① 뱃길로 서울까지 사흘이 걸리는 길목이라는 속성과, '아흐레 나흘'에 장이 열려 일시적으로 오고가는 사람들이 많은 '목계 나루'의 공간적 속성은 정착하지 못하고 살아가는 민중의 처지를 형상화한 것이겠군.

② '방물장수'를 민중의 표상으로 본다면 '가을볕도 서러'워하는 것은 근대화 과정에서 농촌 공동체의 몰락을 겪게 되는 생활상과 관련이 있겠군.

③ '산서리'가 '맵차거든 풀 속에 얼굴'을 묻을 수 있는 '들꽃'에는 한곳에 뿌리내려 살고 싶은 민중의 소망이 반영된 것이겠군.

④ '석삼년에 한 이레쯤 천치로 변'하는 것은 근대화라는 시대의 흐름에 뒤처졌지만 순수한 마음을 간직하고 살아가는 이들의 모습을 나타내는군.

⑤ '하늘'과 '산'이 화자에게 서로 다른 것이 되라고 말하는 것을 통해 원지 않는 삶의 방식을 강요받았던 당대 민중의 현실이 드러나는군.

04 ㉠~㉤에 대한 이해로 적절하지 <u>않은</u> 것은?

① ㉠: 어린 시절의 '나'가 청년이 되면서 자신의 성장을 인식하게 된 때를 의미한다.

② ㉡: 순수함을 점점 잃어 가는 것을 자연스럽게 여기는 '나'의 태도가 드러난다.

③ ㉢: '나'가 늙은 만큼 느티나무 또한 나이가 들었음을 나타낸다.

④ ㉣: 늙음에 대한 '나'의 긍정적인 인식을 드러낸다.

⑤ ㉤: 역설적인 표현을 통해 청년 시절보다 세상을 더 아름답게 바라보게 된 현재에 대한 만족감이 나타난다.

05 (나)와 〈보기〉를 비교하여 이해한 내용으로 적절하지 <u>않은</u> 것은?

┌─ 보기 ─

산비알에 돌밭에 저절로 나서
저희들끼리 자라면서
재재발거리고 떠들어 쌓고
밀고 당기고 간지럼질도 시키고
시새우고 토라지고 다투고
시든 잎 생기면 서로 떼어 주고
아픈 곳은 만져도 주고
끌어안기도 하고 기대기도 하고
이렇게 저희들끼리 자라서는
늙으면 동무 나무 썩은 가질랑
슬쩍 잘라 주기도 하고
세월에 곪고 터진 상처는
긴 혀로 핥아 주기도 하다가
열매보다 아름다운 이야기들을
머리와 어깨와 다리에
가지와 줄기에
주렁주렁 달았다가는
별 많은 밤을 골라 그것들을
하나하나 떼어 온 고을에 뿌리는
우리 동네 늙은 느티나무들

　　　　　　　　　－ 신경림, 「우리 동네 느티나무들」

└─────

① (나)에는 〈보기〉와 달리 대상에 대한 화자의 인식 변화가 나타나 있다.

② 〈보기〉는 (나)와 달리 시적 대상을 의인화하여 제시하고 있다.

③ 〈보기〉는 (나)와 달리 시적 대상에 대한 예찬적인 태도를 드러내고 있다.

④ (나)와 〈보기〉는 모두 시간의 흐름에 따라 시상을 전개하고 있다.

⑤ (나)와 〈보기〉는 모두 더불어 사는 삶을 가치 있게 여기는 화자의 태도를 드러내고 있다.

▶해법문학 Link
현대 시 208쪽

농무(農舞) | 신경림

키워드 체크 #농민시 #농민들의 한(恨) #역설적 상황 설정 #피폐한 농촌 현실 #임꺽정

징이 울린다 막이 내렸다

오동나무에 전등이 매어 달린 *가설무대

구경꾼이 돌아가고 난 텅 빈 운동장

우리는 분이 얼룩진 얼굴로

학교 앞 소줏집에 몰려 술을 마신다

답답하고 고달프게 사는 것이 원통하다

쟁과리를 앞장세워 장거리로 나서면

따라붙어 악을 쓰는 건 쪼무래기들뿐

처녀 애들은 기름집 담벽에 붙어 서서

철없이 킬킬대는구나

ㄱ┌ 보름달은 밝아 어떤 녀석은

  │ *꺽정이처럼 울부짖고 또 어떤 녀석은

㉠│ *서림이처럼 해해대지만 이까짓

  └ 산 구석에 처박혀 발버둥 친들 무엇하랴

비룟값도 안 나오는 농사 따위야

아예 여편네에게나 맡겨 두고

  ┌ *쇠전을 거쳐 *도수장 앞에 와 돌 때

  │ 우리는 점점 신명이 난다

[A]│ 한 다리를 들고 날라리를 불거나

  └ 고갯짓을 하고 어깨를 흔들거나

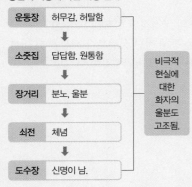
연계 작품

• 산업화 과정에서 소외된 사람들: 조세희 「난쟁이가 쏘아 올린 작은 공」
• 가난한 노동자의 삶의 비애: 정희성 「저문 강에 삽을 씻고」

기출 OX

Q1 윗글은 밤에서 낮으로의 시간 변화를 통해 대상의 이면을 보여 주고 있다.
기출 2014. 9. 모평 B ○ X

Q2 윗글에는 현실적 한계에 대한 화자의 인식이 드러나 있다.
기출 2007. 11. 고2 ○ X

Q3 윗글에는 미래에 대한 밝은 소망이 드러나 있다.
기출 2003. 10. 고1 ○ X

• 가설무대 임시로 만든 무대.
• 꺽정이 조선 명종 때의 의적. 홍명희의 소설 「임꺽정」의 주인공.
• 서림이 홍명희의 소설 「임꺽정」에 나오는 임꺽정의 참모. 후에 관군에게 붙잡혀 임꺽정을 배신한 인물.
• 쇠전 소를 사고파는 시장.
• 도수장 도살장. 고기를 얻기 위하여 소나 돼지 따위의 가축을 잡아 죽이는 곳.

답 Q1 X Q2 ○ Q3 X

01 윗글에 대한 설명으로 가장 적절한 것은?

① 의지적 어조로 현실에 대한 비판 의식을 드러내고 있다.
② 직설적 표현을 활용하여 화자의 정서를 드러내고 있다.
③ 청자에게 말을 건네는 어조를 사용하여 친근한 느낌을 주고 있다.
④ 상징적인 시간적 배경을 설정하여 시의 분위기를 형성하고 있다.
⑤ 상승 이미지를 시의 시작과 마무리 부분에 활용하여 역동적인 느낌을 강화하고 있다.

02 〈보기〉를 바탕으로 윗글을 감상한 내용으로 적절하지 <u>않은</u> 것은?

보기
　　윗글의 배경인 1970년대에는 산업화로 인해 농민들이 싼값에 농작물을 팔아야 했고, 이를 견디지 못해 도시로 이주하여 도시 노동자로 전락하는 농민들이 많았다. 또한 임꺽정 이야기의 삽입은 이러한 1970년대 농촌의 현실이 수백 년 전과 차이가 없음을 보여 주기도 한다. 이에 따라, 농사를 지은 후 구성원들이 자축하는 의미에서 행하는 축제의 향연이었던 '농무'는 윗글에서 암담한 농촌 현실에 대한 울분을 표출하기 위한 수단으로 형상화되었다.

① 막이 내린 후의 '가설무대'와 '운동장'은 당시 농촌의 공허한 분위기를 보여 주는군.
② '소줏집에 몰려 술을 마시'는 행위는 '답답하고 고달'픈 현실을 잊고자 하는 행위라고 볼 수 있겠군.
③ '꺽정이처럼 울부짖'는 것은 수백 년 전과 다를 바 없는 암담한 농촌의 현실에 대한 절규로 볼 수 있겠군.
④ '비룟값도 안 나오는 농사'는 개인의 노력만으로는 해결될 수 없는 농촌의 구조적 문제로 보아야 하겠군.
⑤ '꽹과리를 앞장세워' 나선 '장거리'는 함께 농무를 즐기며 '따라붙'고 '킬킬대'는 이들로부터 위안을 얻을 수 있는 공간이군.

03 [A]에 대한 감상으로 가장 적절한 것은?

① 춤을 추는 행위를 통해 고달픈 현실은 잠시 잊고 이상을 추구하고자 하는 염원이 강조되는 것 같아.
② 역설적 상황을 통해 농촌의 현실에 대한 농민들의 울분이 최고조에 이르렀음이 드러나는 것 같아.
③ 신명이 나는 상황 때문에 현실에 대한 원통함을 표출하고자 하는 소망이 제대로 실현되지 못하고 있는 것 같아.
④ 농사일로 인한 고단함과 피로를 춤으로 승화하여 이겨 내려는 농민들의 긍정적인 삶의 자세가 드러나는 것 같아.
⑤ 농무를 추는 사람과 농무를 구경하는 사람이 일체가 되어 어우러지는 모습에서 흥이 점점 고조되는 모습이 드러나는 것 같아.

[04~05] 〈보기〉를 읽고 물음에 답하시오.

보기
　　흐르는 것이 물뿐이랴
　　우리가 저와 같아서
　　강변에 나가 삽을 씻으며
　　거기 슬픔도 퍼다 버린다
　　일이 끝나 저물어
　　스스로 깊어 가는 강을 보며
　　쭈그려 앉아 담배나 피우고
　　나는 돌아갈 뿐이다
　　삽자루에 맡긴 한 생애가
　　이렇게 저물고, 저물어서
　　샛강 바닥 썩은 물에
　　달이 뜨는구나
　　┌ 우리가 저와 같아서
　　│ 흐르는 물에 삽을 씻고
　　ⓛ 먹을 것 없는 사람들의 마을로
　　└ 다시 어두워 돌아가야 한다
　　　　　　　　　　　- 정희성, 「저문 강에 삽을 씻고」

04 윗글과 〈보기〉를 비교하여 감상한 내용으로 적절하지 <u>않은</u> 것은?

① 윗글과 〈보기〉 모두 힘겨운 현실에서 느끼는 비애를 드러내고 있다.
② 윗글과 〈보기〉 모두 '우리'를 통해 화자의 공동체 의식을 드러내고 있다.
③ 윗글과 〈보기〉 모두 자연물의 속성을 삶과 연결하여 시적 의미를 형성하고 있다.
④ 윗글은 〈보기〉와 달리 다양한 인물을 제시하여 시적 상황을 구체화하고 있다.
⑤ 윗글은 공간의 이동에 따라, 〈보기〉는 시간의 흐름에 따라 시상을 전개하고 있다.

05 윗글의 ㉠과 〈보기〉의 ⓛ에 대한 설명으로 가장 적절한 것은?

① ㉠과 ⓛ에는 모두 화자의 직접적인 감정 표출이 드러나 있다.
② ㉠과 ⓛ에는 모두 애상적이고 경건한 분위기가 형성되어 있다.
③ ㉠의 화자는 자조적 태도를, ⓛ의 화자는 체념적 태도를 보이고 있다.
④ ㉠의 화자는 격정적 어조로, ⓛ의 화자는 담담한 어조로 정서를 표출하고 있다.
⑤ ㉠에는 앞날에 대한 기대감이, ⓛ에는 변하지 않는 현실에 대한 허무함이 드러나 있다.

[06~08] 다음 글을 읽고 물음에 답하시오.

㉮
나의 지식이 독한 회의를 구하지 못하고
내 또한 삶의 애증을 다 짐지지 못하여
㉠병든 나무처럼 생명이 부대낄 때
저 머나먼 아라비아의 사막으로 나는 가자

거기는 한번 뜬 백일(白日)이 불사신같이 작열하고
일체가 모래 속에 사멸한 ㉡영겁의 *허적(虛寂)에
오직 알라의 신만이
밤마다 고민하고 방황하는 열사(熱沙)의 끝

그 ㉢열렬한 고독 가운데 / 옷자락을 나부끼고 호올로 서면
운명처럼 반드시 '나'와 대면케 될지니
하여 '나'란 나의 생명이란
그 ㉣원시의 본연한 자태를 다시 배우지 못하거든
차라리 나는 어느 사구(沙丘)에 ㉤회한(悔恨)없는 백골을 쪼이
리라

– 유치환, 「생명의 서·일장(一章)」

* 허적 아무것도 없이 적막함.

㉯
```
      ┌ 징이 울린다 막이 내렸다
      │ 오동나무에 전등이 매어 달린 가설무대
      │ 구경꾼이 돌아가고 난 ⓐ텅 빈 운동장
  [A] │ 우리는 분이 얼룩진 얼굴로
      │ 학교 앞 소줏집에 몰려 술을 마신다
      └ ⓑ답답하고 고달프게 사는 것이 원통하다
      ┌ 꽹과리를 앞장세워 장거리로 나서면
      │ 따라붙어 악을 쓰는 건 쪼무래기들뿐
      │ 처녀 애들은 기름집 담벽에 붙어 서서
      │ 철없이 킬킬대는구나
  [B] │ 보름달은 밝아 어떤 녀석은
      │ 꺽정이처럼 울부짖고 또 어떤 녀석은
      │ 서림이처럼 해해대지만 ⓒ이까짓
      └ 산 구석에 처박혀 발버둥 친들 무엇하랴
      ┌ 비룻값도 안 나오는 농사 따위야
      │ 아예 여편네에게나 맡겨 두고
      │ 쇠전을 거쳐 도수장 앞에 와 돌 때
  [C] │ 우리는 점점 신명이 난다
      │ 한 다리를 들고 날나리를 불거나
      └ 고갯짓을 하고 어깨를 흔들거나
```

– 신경림, 「농무(農舞)」

기출 변형

06 다음 중 (가)와 달리 (나)에만 해당하는 것을 모두 고른 것은?

> ㄱ. 청각적 심상을 활용하여 시적 상황을 드러낸다.
> ㄴ. 대구의 방식으로 시상을 마무리하여 여운을 강화한다.
> ㄷ. 계절을 드러내는 시어를 사용하여 분위기를 조성한다.
> ㄹ. 시적 공간의 탈속성을 내세워 이상향에 대한 동경을
>   드러낸다.

① ㄱ, ㄴ   ② ㄱ, ㄷ   ③ ㄴ, ㄷ
④ ㄱ, ㄴ, ㄹ   ⑤ ㄴ, ㄷ, ㄹ

기출

07 (가)의 '나'와 ㉠~㉤의 관련성을 이해한 내용으로 적절하지 않은 것은?

① ㉠은 화자가 극복해야 할 자신의 모습을 빗대어 표현한
   것으로, '나'와 대비되는 표상이다.
② ㉡은 어떤 것도 존재하지 못하는 극한 상태로, 화자가
   '나'와 대면할 수 있는 조건에 해당한다.
③ ㉢은 절대적 고독을 나타낸 것으로, 화자가 그 절대적 고
   독에서 벗어남으로써 '나'에 도달할 수 있음을 알려 준다.
④ ㉣은 생명이 본래적으로 존재하는 모습을 가리키는 것
   으로, '나'가 원시적 생명력을 지닌 존재임을 보여 준다.
⑤ ㉤은 죽음에 대한 화자의 태도를 드러내는 것으로, '나'
   를 통해 생명을 회복하려는 화자의 의지를 담아낸 표현
   이다.

고난도 기출 변형

08 (나)를 감상한 내용으로 적절하지 않은 것은?

① [A]에서 화자는 농무를 통해 활력을 얻기보다 오히려 무
   력감을 느끼고 있는 것 같아.
② [B]에서 '악을 쓰는', '울부짖고', '해해대지만' 등은 화자
   가 농무를 흥겹게 대하지는 못하고 있음을 드러내 주네.
③ [C]에서 생업을 포기한 것에 대한 화자의 후회는 '점점
   신명이 난다'에서 반어적으로 드러나고 있어.
④ ⓐ는 '비룻값도 안 나오는 농사'로 허탈해진 농민의 심정
   과 연결되는 것 같아.
⑤ ⓑ는 농민들이 자신들이 처한 상황에 대해 느끼는 감정
   으로, ⓒ의 인식으로까지 이어지고 있어.

Q31

현대 시

교과서 [문] 비상, 창비 [국] 천재(이) 기출 EBS

▶해법문학 Link
㉮ 현대 시 198쪽
㉯ 현대 시 228쪽

샤갈의 마을에 내리는 눈
납작납작-박수근 화법을 위하여

키워드 체크 ㉮ #회화적 #봄의 생명력 #샤갈 ㉯ #현실 비판 #설의적 표현 #박수근 화법

핵심 포인트

㉮ 선명한 색채 이미지의 대비와 그 효과

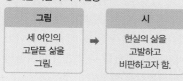

눈(흰색) ↔ · 정맥(파란색) · 올리브빛(녹색) · 불(붉은색)

↓

소생하는 '봄'의 아름다움

↓

맑고 순수한 생명력 강조

㉯ 예술 작품의 시적 변용

그림		시
세 여인의 고달픈 삶을 그림.	→	현실의 삶을 고발하고 비판하고자 함.

연계 작품

㉮, ㉯ 미술 작품의 시적 변용: 황동규 「세일에서 건진 고흐의 별빛」, 정진규 「감자 먹는 사람들 – 삽질 소리」
㉮ 감각적 이미지의 강조: 김광균 「외인촌」, 「추일 서정」, 박남수 「아침 이미지 1」
㉯ 설의적 표현을 활용한 현실 비판: 신동엽 「누가 하늘을 보았다 하는가」

기출 OX

Q1 (가)는 점층적으로 시상을 전개하여 고조되는 화자의 정서를 드러내고 있다. EBS 변형 ○ | X
Q2 (가)는 공간의 이동에 따른 화자의 정서 변화가 나타나고 있다. EBS 변형 ○ | X

• 가이없이 끝이 없이.

답 Q1 X Q2 X

㉮

[A] 샤갈의 마을에는 삼월에 눈이 온다.
　　봄을 바라고 섰는 사나이의 관자놀이에
[B] 새로 돋은 정맥이
　　바르르 떤다.
바르르 떠는 사나이의 관자놀이에
새로 돋은 정맥을 어루만지며
　　눈은 수천수만의 날개를 달고
[C] 하늘에서 내려와 샤갈의 마을의
　　지붕과 굴뚝을 덮는다.
삼월에 눈이 오면
　　샤갈의 마을의 쥐똥만 한 겨울 열매들은
[D] 다시 올리브빛으로 물이 들고
　　밤에 아낙들은
[E] 그해의 제일 아름다운 불을
　　아궁이에 지핀다.

– 김춘수, 「샤갈의 마을에 내리는 눈」

㉯
드문드문 세상을 끊어 내어
한 며칠 눌렀다가
벽에 걸어 놓고 바라본다.
흰 하늘과 쭈그린 아낙네 둘이
벽 위에 납작하게 뻗어 있다.
가끔 심심하면
여편네와 아이들도
한 며칠 눌렀다가 벽에 붙여 놓고
㉠하나님 보시기 어떻습니까?
조심스럽게 물어본다.

발바닥도 없이 서성서성.
입술도 없이 슬그머니.
표정도 없이 슬그머니.
그렇게 웃고 나서
피도 눈물도 없이 바짝 마르기.
그리곤 드디어 납작해진
천지 만물을 한 줄에 꿰어 놓고
*가이없이 한없이 펄렁펄렁.
㉡하나님, 보시니 마땅합니까?

– 김혜순, 「납작납작-박수근 화법을 위하여」

01 (가), (나)의 공통점으로 가장 적절한 것은?

① 음성 상징어를 활용하여 시적 상황을 묘사하고 있다.

② 선명한 색채 이미지의 제시를 통해 시상을 전개하고 있다.

③ 현재형 시제를 사용하여 계절적 배경의 생명력을 부각하고 있다.

④ 대구법을 통해 시적 대상의 모습을 효과적으로 형상화하고 있다.

⑤ 실재하지 않는 세계를 공간적 배경으로 설정하여 환상적인 분위기를 조성하고 있다.

02 [A]~[E]를 이해한 내용으로 적절하지 <u>않은</u> 것은?

① [A]: '삼월'에 내리는 '눈'을 통해 겨울과 봄이 혼재한 시적 상황을 설정하고 있다.

② [B]: '바르르' 떠는 사나이의 정맥을 통해 봄을 온몸으로 느끼는 인물의 모습을 회화적으로 그려 내고 있다.

③ [C]: '지붕과 굴뚝을 덮는' '눈'에 인격을 부여하여 냉정하면서도 포용력 있는 역설적 속성을 강조하고 있다.

④ [D]: 겨우내 움츠러들었던 생명들이 다시 되살아나는 모습을 '물이 들고'를 통해 감각적으로 드러내고 있다.

⑤ [E]: 맑고 순수한 생명력을 의미하는 '불'을 지피는 '아낙'의 모습을 통해 봄을 맞이하는 기쁨을 형상화하고 있다.

03 ㉠, ㉡에 대한 이해로 적절하지 <u>않은</u> 것은?

① ㉠은 ㉡에 비해 화자의 생각을 완곡하게 드러내고 있다.

② ㉠과 ㉡에는 모두 현실에 대한 화자의 비판적인 인식이 담겨 있다.

③ ㉠과 ㉡은 모두 답을 구하기 위한 것이 아니라 화자의 의도를 강조하기 위한 표현이다.

④ ㉠과 ㉡에는 모두 절대적 존재가 문제를 해결해 주기를 바라는 화자의 소망이 담겨 있다.

⑤ ㉠과 ㉡은 모두 사람들이 그림을 보듯 '하나님'이 현실 세상을 보고 있다는 것을 전제로 하고 있다.

04 〈보기〉를 참고하여 (가)를 감상한 내용으로 적절하지 <u>않은</u> 것은?

> **보기**
>
> 김춘수는 샤갈의 그림 『나와 마을』에서 받은 느낌을 시로 표현함으로써 상호 텍스트성을 구현했다. 올리브빛 얼굴을 가진 사나이와 당나귀가 서로 마주 보고 있는 그림에서 영감을 받은 시인은, "특히 인상 깊었던 것은 커다란 당나귀의 눈망울이었고, 그 당나귀의 눈망울 속에 들어앉아 있는 마을이었다."라고 느낌을 말했다. 또한 밝고 화려한 색감을 지닌 이질적 이미지들의 병치로 이루어진 샤갈의 초현실주의적 그림에 대한 감각적 인상을, 자신의 고향 마을에 투사하여 다양한 이미지의 병치로 변용했다. 이는 봄을 맞이한 생동감과 고향 마을의 따뜻한 풍경에 대한 그리움을 형상화한 것이라고 할 수 있다.

① '샤갈의 마을'은 시인이 그림 속 마을 풍경에서 받은 인상을 자신의 고향 마을에 투사하여 표현한 것이군.

② '봄을 바라고 섰는 사나이', '새로 돋은 정맥' 등은 시인이 그림 속 이질적 이미지들의 병치를 다양한 이미지들의 병치로 변용하여 봄의 생동감을 형상화한 것이군.

③ '하늘', '지붕과 굴뚝' 등은 시인이 밝고 화려한 색감을 지닌 그림 속 마을의 모습을 공감각적 이미지의 풍경으로 변용한 것이군.

④ '올리브빛'은 시인이 그림 속에서 영감을 받은 것으로, '겨울 열매들'을 물들이는 따뜻한 봄의 이미지를 표상한 것이군.

⑤ '아낙', '아궁이' 등은 시인이 초현실주의적 그림 속 풍경에 대한 감각적 인상을 고향 마을을 떠올리게 하는 이미지로 전이시킨 것이군.

05 〈보기〉를 바탕으로 (나)를 감상한 내용으로 적절하지 <u>않은</u> 것은?

> **보기**
>
> 박수근 화백은 서민들의 고달픈 일상을 그림의 주된 소재로 삼았는데, 대상을 평면적으로 다루고 극도로 단순한 형태로 보여 주는 것이 특징이다. 「납작납작─박수근 화법을 위하여」의 창작에 영감을 준 그림 『세 여인』은 세 여인이 바구니를 앞에 두고 쭈그리고 앉은 모습을 담고 있다. 그림 속 인물들은 어떠한 감정도 느끼지 못하고 삶의 무게에 짓눌린 듯한 이미지로 형상화되어 있다.

① 그림 속 '세 여인'은 시에서 '아낙네 둘'과 '여편네와 아이들'로 변용되어 나타나고 있군.

② 현실의 무게에 짓눌린 서민들의 고단한 삶의 모습은 '벽 위에 납작하게 뻗어 있다.'로 표현되어 있군.

③ 입체감 없이 표현된 그림 속 인물들은 시에서 '천지 만물을 한 줄에 꿰어 놓고'를 통해 형상화되어 있군.

④ 힘겨운 삶으로 인해 감정조차 느끼지 못하는 서민들을 '피도 눈물도 없이 바짝' 말라 있다고 묘사하고 있군.

⑤ 정처 없이 떠돌며 살아가는 그림 속 인물들에 대한 연민의 정서를 '가이없이 한없이 펄렁펄렁'이는 모습에 담아 내고 있군.

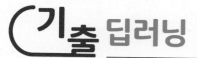
[06~08] 다음 글을 읽고 물음에 답하시오.

가

[A] ┌ 검정 포대기 같은 까마귀 울음소리 고을에 떠나지 않고
    └ 밤이면 부엉이 괴괴히 울어

남쪽 먼 포구의 백성의 순탄한 마음에도
상서롭지 못한 세대의 어둔 바람이 불어오던
– 융희(隆熙) 2년!

[B] ┌ 그래도 계절만은 천 년을 다채(多彩)하여
    │ 지붕에 박넌출 남풍에 자라고
    └ 푸른 하늘엔 석류꽃 피 뱉은 듯 피어

[C] ┌ 나를 잉태한 어머니는
    │ 짐짓 어진 생각만을 다듬어 지니셨고
    │ 젊은 의원인 아버지는
    └ 밤마다 사랑에서 저릉저릉 글 읽으셨다

[D] ┌ 왕고못댁 제삿날 밤 열나흘 새벽 달빛을 밟고
    └ 유월이가 이고 온 제삿밥을 먹고 나서

희미한 등잔불 장지 안에
번문욕례 사대주의의 욕된 후예로 세상에 떨어졌나니

[E] ┌ 신월(新月)같이 슬픈 제 족속의 태반을 보고
    │ 내 스스로 °고고(呱呱)의 °곡성(哭聲)을 지른 것이 아니련만
    └ 명(命)이나 길라 하여 할머니는 돌메라 이름 지었다오

– 유치환, 「출생기(出生記)」

● **고고** 아이가 세상에 나오면서 처음 우는 울음소리.
● **곡성** 사람이 죽어 슬퍼서 크게 우는 소리.

나 샤갈의 마을에는 삼월에 눈이 온다.
봄을 바라고 섰는 사나이의 관자놀이에
새로 돋은 정맥이 / 바르르 떤다.
바르르 떠는 사나이의 관자놀이에
새로 돋은 정맥을 어루만지며
눈은 수천수만의 날개를 달고
하늘에서 내려와 샤갈의 마을의
지붕과 굴뚝을 덮는다.
삼월에 눈이 오면
샤갈의 마을의 쥐똥만 한 겨울 열매들은
다시 올리브빛으로 물이 들고
밤에 아낙들은 / 그해의 제일 아름다운 불을
아궁이에 지핀다.

– 김춘수, 「샤갈의 마을에 내리는 눈」

기출

06 (가), (나)의 공통점으로 가장 적절한 것은?

① 시간과 관련된 표지를 제시하여 시적 분위기를 조성하고 있다.
② 과거 시제를 사용하여 서사적 사건을 들려주는 형식을 취하고 있다.
③ 시적 상황의 객관적 관찰에 초점을 둠으로써 주관적 의미의 서술을 배제하고 있다.
④ 암울하고 비관적인 정서를 내포한 시어를 사용하여 비극적 상황을 고조하고 있다.
⑤ 자연물을 살아 있는 대상으로 묘사하여 화자가 느끼는 이국적인 세계의 모습을 담아내고 있다.

07 (가), (나)를 영상으로 만든다고 할 때, 연출할 내용으로 적절하지 **않은** 것은?

① (가): 암담한 느낌의 배경 음악으로 영상을 시작한다.
② (가): 전체적으로 어둡고 희미한 조명을 사용한다.
③ (나): 시의 공간적 배경을 고려하여 인물들은 서양식 의복을 입는다.
④ (나): 사나이의 얼굴을 카메라로 확대하여 관자놀이 부근을 강조한다.
⑤ (나): 포근한 느낌을 주는 효과음을 삽입하여 눈이 오는 마을의 정경을 부각한다.

고난도 **기출**

08 [A]~[E]에 대한 이해로 적절하지 **않은** 것은?

① [A]: 청각의 시각화를 통해 음산한 시적 상황을 조성하고 있다.
② [B]: 시대 상황과 대비되는 자연의 모습을 통해 생명력을 표현하고 있다.
③ [C]: 대구 형식을 활용하여 화자의 출생을 앞둔 집안의 분위기를 드러내고 있다.
④ [D]: 화자가 태어난 날의 상황을 구체적으로 서술하여 출생에 대한 감격을 드러내고 있다.
⑤ [E]: 울음소리에서 연상되는 상반된 의미와 연결하여 화자의 이름이 지어진 이유를 제시하고 있다.

현대 시 Q32

꽃 | 과목

교과서 [문] 천재(김), 금성, 동아, 미래엔, 비상, 신사고
기출 EBS

키워드 체크 ㉮ #존재론 #본질 #이름 부르기 #의미 ㉯ #인식의 전환 #자연의 경이로움 #반복과 강조

핵심 포인트

㉮ '이름 부르기'를 통한 관계 맺기 구조

하나의 몸짓	무의미한 존재

↓

이름 부르기(의미 부여)

↓

· 꽃, 무엇 · 하나의 눈짓	의미 있는 존재

㉯ '과목'을 본 화자의 인식

과목	· 척박한 환경에 뿌리를 박음. · 비바람들 속에 가지가 출렁거림. · 모든 것이 멸렬하는 가을에 결실을 맺음.

↓

경이로움을 느낌.

↓

삶에 대한 깨달음을 얻음.

연계 작품

㉮ 원작의 형식적 패러디: 장정일 「라디오같이 사랑을 끄고 켤 수 있다면」, 오규원 〈꽃〉의 패러디

㉯ 열매 맺는 가을에 대한 감격: 김종길 「저녁해」

기출 OX

01 (가)는 자연물을 활용하여 자연 친화적 정서를 드러내고 있다.
기출 2013. 9. 고1 [O | X]

02 (가)에서 '나'는 진정한 관계 형성에 대한 소망을 드러내고 있다.
기출 2013. 9. 고1 [O | X]

· **과목** 열매를 얻기 위하여 가꾸는 나무를 통틀어 이르는 말.
· **과물** 나무 따위를 가꾸어 얻는, 사람이 먹을 수 있는 열매.
· **사태** 일이 되어 가는 형편이나 상황. 또는 벌어진 일의 상태.
· **멸렬** 찢기고 흩어져 완전히 형태를 잃음.

답 **01** X **02** O

㉮

내가 그의 이름을 불러 주기 전에는
그는 다만
㉠하나의 몸짓에 지나지 않았다.

㉡내가 그의 이름을 불러 주었을 때
그는 나에게로 와서
㉢꽃이 되었다.

내가 그의 이름을 불러 준 것처럼
나의 이 빛깔과 향기에 알맞은
누가 나의 이름을 불러 다오.
그에게로 가서 나도
그의 ⓐ꽃이 되고 싶다.

우리들은 모두
㉣무엇이 되고 싶다.
너는 나에게 나는 너에게
잊혀지지 않는 ㉤하나의 눈짓이 되고 싶다.

– 김춘수, 「꽃」

㉯

°과목에 °과물들이 무르익어 있는 °사태처럼
나를 경악케 하는 것은 없다.

뿌리는 박질 붉은 황토에
가지들은 한낱 비바람들 속에 뻗어 출렁거렸으나

모든 것이 °멸렬하는 가을을 가려 그는 홀로
황홀한 빛깔과 무게의 은총을 지니게 되는

과목에 과물들이 무르익어 있는 사태처럼
나를 경악케 하는 것은 없다.

—— 흔히 시를 잃고 저무는 한 해, 그 가을에도
나는 이 과목의 기적 앞에 ⓑ시력을 회복한다.

– 박성룡, 「과목(果木)」

01 (가), (나)의 공통점으로 적절한 것은?

① 유사한 시구를 반복하여 운율을 형성하고 있다.

② 영탄적 어조를 통해 화자의 정서를 강조하고 있다.

③ 인식의 점층적인 확대를 통해 주제를 드러내고 있다.

④ 후각적 심상을 통해 시적 대상의 속성을 강조하고 있다.

⑤ 말을 건네는 어조를 통해 친근한 분위기를 조성하고 있다.

02 ㉠~㉤에 대한 설명으로 적절하지 <u>않은</u> 것은?

① ㉠: 무의미한 존재로, 가치 없는 행동에 불과하다.

② ㉡: 상대방의 존재를 인식하고 이에 의미를 부여한 행위이다.

③ ㉢: 서로를 인식한 존재 사이에는 의미가 있음을 상징적으로 형상화한 것이다.

④ ㉣: '꽃'과 동일한 의미로 이해할 수 있으며, 상대방에게 소중하게 인식된 존재이다.

⑤ ㉤: '빛깔과 향기'에 대응할 수 있으며, 서로가 상호 의미 있는 존재가 되었음을 의미한다.

03 〈보기〉를 참고하여 (나)의 시어에 담긴 의도를 이해한 내용으로 적절하지 <u>않은</u> 것은?

> ─ 보기 ─
>
> 시인은 정교한 전략을 거쳐 시어를 사용한다. 한 단어, 한 단어 모두 의미가 정확하게 전달될 수 있도록 함은 물론이고, 단어가 품고 있는 어감이 적절한가도 고려해야 한다. 같은 의미를 전달하는 여러 유의어, 그리고 고유어와 한자어 사이에서도 느껴지는 어감이 다르기 때문이다. 또 해당 단어가 시의 다른 어휘들과의 관계 속에서 적절하게 강조되고 있는지, 화자의 정서를 정확히 전달하고 있는지를 고려하는 것도 중요하다.

① 부드러운 어감을 가진 고유어 '열매' 대신 한자어 '과물'을 사용하여 익숙한 대상을 새롭게 인식하도록 하였군.

② '과목에 과물들이 무르익어 있는'과 어울리지 않는 시어 '사태'를 병치하여 열매를 매달고 있는 나무들의 모습이 낯설게 느껴지도록 하였군.

③ '경악'이라는 한자어를 사용하여 화자가 느낀 경이로움의 정서를 강렬하게 표현하였군.

④ 흩어져 형태를 잃는다는 의미를 지닌 '멸렬'이라는 시어를 사용하여 가을이라는 계절의 속성을 강조하고자 하였군.

⑤ '모든 것'과 대조되는 '홀로'라는 시어를 통해 고독하고 외로운 과목의 속성을 전달하고자 하였군.

04 〈보기〉를 바탕으로 (가), (나)를 감상한 내용으로 적절하지 <u>않은</u> 것은?

> ─ 보기 ─
>
> 문학 작품은 작가가 현실의 다양한 사물이나 현상 등을 경험하고 인식하는 과정을 통해 새롭게 발견한 의미를 언어를 매개로 표현한 것이다. 독자는 문학 작품을 통해 이전에 알지 못했던 사실을 발견하거나 이미 알고 있던 사실에 대한 새로운 깨달음을 얻기도 한다. 이렇게 문학 작품을 통해 인간과 세계에 대한 이해가 확대되는 것을 문학의 인식적 기능이라고 한다.

① (가)는 '이름을 부르는 행위'에 담긴 새로운 의미를 언어로 표현한 것이군.

② (가)를 통해 독자는 존재들 사이의 진정한 관계에 대한 이해를 심화할 수 있겠군.

③ (나)는 열매를 맺은 과목을 통해 삶을 새롭게 인식하는 과정을 담고 있군.

④ (나)를 통해 독자는 잎이 지는 가운데 풍성한 과실이 무르익은 과목의 생명력에 주목할 수 있겠군.

⑤ (가), (나)를 통해 독자는 각각 '꽃이 피는 과정', '나무가 열매를 맺는 과정'에 대해 이전에 알지 못했던 새로운 지식을 얻을 수 있겠군.

05 ⓐ, ⓑ에 대해 이해한 내용으로 가장 적절한 것은?

① ⓐ는 의미 있는 존재가 되고 싶은 마음을, ⓑ는 깨달음을 얻은 감동을 드러낸다.

② ⓐ는 잊히고 싶지 않은 마음을, ⓑ는 상황을 극복하고자 하는 다짐을 드러낸다.

③ ⓐ는 사물의 본질을 인식하였음을, ⓑ는 사태의 원인을 파악하였음을 드러낸다.

④ ⓐ는 소망하는 대상에 대한 간절함을, ⓑ는 소망하던 바를 성취하였음을 드러낸다.

⑤ ⓐ는 시적 화자가 목표하는 바를, ⓑ는 시적 화자가 애써 이루어 낸 결과물을 상징한다.

Q33

교과서 [문] 미래엔, 창비 기출 EBS

벼 | 봄

핵심 포인트

㉮ '벼'를 통해 드러내는 민중의 속성

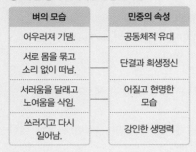

벼의 모습	민중의 속성
어우러져 기댐.	공동체적 유대
서로 몸을 묶고 소리 없이 떠남.	단결과 희생정신
서러움을 달래고 노여움을 삭임.	어질고 현명한 모습
쓰러지고 다시 일어남.	강인한 생명력

㉯ '봄'의 상징적 의미

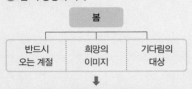

봄

| 반드시 오는 계절 | 희망의 이미지 | 기다림의 대상 |

↓

민주주의와 자유에 대한 열망을 상징적으로 드러냄.

연계 작품

㉮ 민중의 생명력과 저력: 이성부 「누룩」
㉯ '봄'의 상징성을 통한 주제 구현: 신동엽 「봄은」

기출 OX

Q1 (가)는 대상을 의인화하여 말을 건네는 방식으로 친근감을 드러내고 있다.
기출 2017. 6. 고1 ○ | X

Q2 (가)는 명사형으로 마무리함으로써 독자에게 여운을 주고 있다.
기출 2017. 6. 고1 ○ | X

Q3 (나)는 색채 이미지를 활용하여 시의 분위기를 형성하고 있다.
EBS 변형 ○ | X

답 **Q1** X **Q2** ○ **Q3** X

㉮

벼는 서로 어우러져 / 기대고 산다.
햇살 따가워질수록
깊이 익어 스스로를 아끼고
이웃들에게 저를 맡긴다.

서로가 서로의 몸을 묶어
더 튼튼해진 **백성**들을 보아라.
죄도 없이 죄지어서 더욱 불타는
마음들을 보아라. 벼가 춤출 때,
벼는 소리 없이 떠나간다.

벼는 가을 하늘에도 / 서러운 눈 씻어 맑게 다스릴 줄 알고
바람 한 점에도 / 제 몸의 노여움을 덮는다.
저의 가슴도 더운 줄을 안다.

벼가 떠나가며 바치는
이 넓디넓은 **사랑**,
쓰러지고 쓰러지고 다시 일어서서 드리는
이 피 묻은 그리움,
이 **넉넉한 힘**…….

– 이성부, 「벼」

㉯

[A] ⊙기다리지 않아도 오고
기다림마저 잃었을 때에도 너는 온다.

어디 뺄밭 구석이거나
ⓒ썩은 물웅덩이 같은 데를 기웃거리다가
한눈 좀 팔고, 싸움도 한판 하고,
[B] 지쳐 나자빠져 있다가
ⓒ다급한 사연 듣고 달려간 바람이
흔들어 깨우면
눈 부비며 너는 더디게 온다.
더디게 더디게 마침내 올 것이 온다.

너를 보면 눈부셔
일어나 맞이할 수가 없다.
[C] ⓔ입을 열어 외치지만 소리는 굳어
나는 아무것도 미리 알릴 수가 없다.
가까스로 두 팔을 벌려 껴안아 보는
ⓜ너, 먼 데서 이기고 돌아온 사람아.

– 이성부, 「봄」

01 (가), (나)의 공통점으로 가장 적절한 것은?

① 자연물에 감정을 이입하여 정서를 심화하고 있다.

② 설의적 표현을 반복하여 예찬적 태도를 드러내고 있다.

③ 단정적 어조를 사용하여 중심 소재의 특성을 부각하고 있다.

④ 구체적인 지명을 사용하여 향토적인 분위기를 형성하고 있다.

⑤ 동일한 시어를 반복하여 부정적 현실에 대한 관조적 태도를 드러내고 있다.

고난도

02 〈보기〉를 참고하여 (가), (나)를 감상한 내용으로 적절하지 <u>않은</u> 것은?

┌ 보기 ┐

이성부의 작품 「벼」와 「봄」은 모두 1960~1970년대의 사회를 담아내고 있다. 이 시기는 4·19 혁명을 통해 수립된 민주 정권이 5·16 군사 정변으로 무너진 이후, 독재 정권의 장기 집권으로 민주주의에 대한 염원이 좌절된 상황이었다. 또한 경제 발전의 그늘 아래 민중은 빈부 격차에 시달리고 기본적인 인권도 보장받지 못한 채 억압받는 삶을 살아야만 했다. 이러한 상황에서 민중은 서로 연대하며 자유와 민주주의를 지키기 위해 노력하였고, 저항하는 과정에서 목숨을 잃는 이도 있었다.

└──────┘

① (가)에서 '죄도 없이 죄지어서 더욱 불타는' 벼는 기본적인 인권도 보장받지 못한 채 억압받는 삶을 살아야 했던 민중의 모습으로 볼 수 있겠군.

② (가)에서 '벼는 소리 없이 떠나간다.'는 기본권을 지키기 위해 자신을 희생했던 이들의 모습을 형상화한 것이겠군.

③ (가)에서 '서러운 눈 씻어 맑게 다스릴 줄' 아는 벼의 모습은 민중이 연대를 통해 독재 정권에 저항하는 모습을 나타낸 것이겠군.

④ (나)의 화자가 '기다리지 않아도' 반드시 올 것이라고 확신하는 봄은 민주주의를 의미하는 것이겠군.

⑤ (나)에서 '지쳐 나자빠져 있다가'는 정치적 상황으로 인해 민주주의가 현실에 정착되지 못한 상황에 영향을 받은 봄의 모습으로 볼 수 있겠군.

---

03 (가)의 시어 중 그 의미가 <u>이질적인</u> 것은?

① 벼　　　② 햇살　　　③ 백성

④ 사랑　　　⑤ 넉넉한 힘

---

04 〈보기〉를 바탕으로 (가)에 드러난 벼의 속성을 민중의 모습과 연결했을 때, 적절하지 <u>않은</u> 것은?

┌ 보기 ┐

이 시는 벼의 속성을 민중과 연결시켜 희생과 인내를 통해 고난에 대응하는 민중의 강인한 생명력을 보여 주고 있다. 이를 통해 고통스러운 현실에 분노와 절망을 느끼면서도 자신의 내면을 다스리고 서로 단결하는 공동체 의식을 보여 주고 있는 것이다.

└──────┘

① '서로 어우러져 / 기대고 산다.'에서는 민중의 공동체 의식이 드러난다.

② '이웃들에게 저를 맡긴다.'에서는 민중의 인내심이 드러난다.

③ '서로가 서로의 몸을 묶어 / 더 튼튼해진'에서는 민중의 단결력이 드러난다.

④ '떠나가며 바치는 / 이 넓디넓은 사랑.'에서는 민중의 희생정신이 드러난다.

⑤ '쓰러지고 쓰러지고 다시 일어서서'에서는 민중의 생명력이 드러난다.

---

05 (나)를 이해한 내용으로 적절하지 <u>않은</u> 것은?

① [A]에는 '기다림마저 잃은' 절망적인 상황에서도 봄은 올 것이라는 화자의 강한 확신이 드러나 있다.

② [B]는 '봄'에 인간적 속성을 부여하여 봄이 오기까지의 과정을 구체적으로 형상화하고 있다.

③ [B]의 '더디게 더디게'에는 시련을 겪은 봄이 늦게 도착하는 것에 대한 안타까움이 드러나 있다.

④ [C]에는 '먼 데서 이기고 돌아온' 봄을 맞이하는 화자의 감격과 기쁨이 드러나 있다.

⑤ [A]에서의 '기다림'은 [C]에서 '가까스로 두 팔을 벌려 껴안아 보는' 행동으로 결실을 맺고 있다.

---

06 ㉠~㉤에 대한 이해로 적절하지 <u>않은</u> 것은?

① ㉠: 자연의 섭리를 바탕으로 봄이 온다는 당위성을 드러내고 있다.

② ㉡: 봄이 빠르게 오는 것을 방해하는 역경을 비유적으로 나타낸 표현이다.

③ ㉢: '바람'은 화자의 간절한 소망을 봄에게 전달하는 매개 역할을 한다.

④ ㉣: 소극적인 자세로 봄을 기다리기만 했던 자신을 반성하는 화자의 모습을 자조적으로 드러내고 있다.

⑤ ㉤: 마침내 역경을 극복하고 승리자의 모습으로 '이기고 돌아온' 봄을 의미한다.

Q34

울타리 밖 | 월훈

▶해법문학 Link
㉑ 현대 시 204쪽

핵심 포인트

㉮ 인간과 자연의 조화

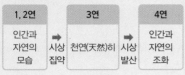

1, 2연		3연		4연
인간과 자연의 모습	시상 집약	천연(天然)히	시상 발산	인간과 자연의 조화

㉯ 시상 전개에 따른 정서의 심화

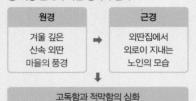

원경		근경
겨울 깊은 산속 외딴 마을의 풍경	→	외딴집에서 외로이 지내는 노인의 모습

↓

고독함과 적막함의 심화

연계 작품

㉮ 자연과 조화를 이루는 삶: 도종환 「어떤 마을」
㉯ • 귀뚜라미 울음소리의 활용: 나희덕 「귀뚜라미」
• 시선의 이동에 따른 시상 전개: 박목월 「청노루」

기출 OX

Q1 (가)는 화자를 작품의 표면에 나타내어 주제에 대한 공감을 이끌어 내고 있다.
기출 2015. 6. 모평 B ○ X

Q2 (가)는 수미상관의 방법을 통해 정서의 변화를 강조하고 있다.
기출 2015. 6. 모평 B ○ X

Q3 (나)는 독백체의 어조를 사용하여 시의 분위기를 드러내고 있다.
기출 2014. 6. 고2 ○ X

Q4 (나)는 회상하는 방식으로 삶의 애환을 그려 내고 있다.
기출 2008. 9. 모평 ○ X

• 천연히 생긴 그대로 조금도 꾸밈이 없이.
• 잔광 해가 질 무렵의 약한 햇빛.
• 허방다리 함정으로 판 구덩이.
• 봉당 안방과 건넌방 사이의 마루를 놓을 자리에 마루를 놓지 아니하고 흙바닥 그대로 둔 곳.
• 월훈 달무리.

답 Q1 X Q2 X Q3 O Q4 X

키워드 체크 ㉮ #동질적 속성 #인간과 자연의 조화 #순수함 ㉯ #상징적 #토속적 #외딴집 고독한 노인

㉮

[A] ┌ 머리가 마늘쪽같이 생긴 고향의 소녀와
　　├ 한여름을 알몸으로 사는 고향의 소년과
　　└ **같이** 낯이 설어도 사랑스러운 들길이 있다

[B] ┌ 그 길에 아지랑이가 피듯 태양이 타듯
　　├ 제비가 날듯 길을 따라 물이 흐르듯 그렇게
　　└ 그렇게

[C] ***천연(天然)히**

[D] 울타리 밖에도 화초를 심는 ㉠마을이 있다
　　┌ 오래오래 ***잔광**이 부신 마을이 있다
[E] └ 밤이면 더 많이 별이 뜨는 마을이 있다.

– 박용래, 「울타리 밖」

㉯

　첩첩산중에도 없는 ㉡마을이 여긴 있습니다. 잎 진 사잇길, 저 모래 둑, 그 너머 강기슭에서도 보이진 않습니다. ***허방다리** 들어내면 보이는 마을.

　갱(坑) 속 같은 마을. 꼴깍, 해가, 노루 꼬리 해가 지면 집집마다 ***봉당**에 불을 켜지요. 콩깍지, 콩깍지처럼 후미진 외딴집, 외딴집에도 불빛은 앉아 이슥토록 창문은 모과[木瓜] 빛입니다.

　기인 밤입니다. 외딴집 노인은 홀로 잠이 깨어 출출한 나머지 무를 깎기도 하고 고구마를 깎다, 문득 바람도 없는데 시나브로 풀려 풀려 내리는 짚단, 짚오라기의 설레임을 듣습니다. 귀를 모으고 듣지요, 후루룩 후루룩 처마깃에 나래 묻는 이름 모를 새, 새들의 온기를 생각합니다. 숨을 죽이고 생각하지요.

　참 오래오래, 노인의 자리맡에 밭은기침 소리도 없을 양이면 벽 속에서 겨울 귀뚜라미는 울지요. 떼를 지어 웁니다. 벽이 무너지라고 웁니다.

　어느덧 밖에는 눈발이라도 치는지, 펄펄 함박눈이라도 흩날리는지, 창호지 문살에 돋는 ***월훈(月暈)**.

– 박용래, 「월훈(月暈)」

01 (가), (나)의 공통점으로 가장 적절한 것은?

① 대비되는 대상들을 나열하여 주제 의식을 부각하고 있다.
② 정서를 함축하는 시어를 통해 시적 분위기를 반전하고 있다.
③ 감각적인 표현을 활용하여 시적 공간을 회화적으로 그려 내고 있다.
④ 공간의 이동에 따라 변화하는 대상의 정서를 구체적으로 묘사하고 있다.
⑤ 구체적인 청자를 설정하고 그에게 말을 건네는 방식을 활용하여 시상을 전개하고 있다.

02 〈보기〉의 선생님의 말씀을 참고할 때, (가)의 '같이'에 주목하여 감상한 내용으로 가장 적절한 것은?

> ─ 보기 ─
> 선생님: 같은 단어이지만 의미나 쓰임이 서로 다를 때가 있죠? 시에서도 여러 의미를 담고 있는 어휘나 쓰임을 달리하는 말을 활용하여 다양한 해석을 유도하기도 합니다. 그럼 (가)에 쓰인 '같이'는 어떤지 생각해 볼까요?

① '같이'를 '처럼'과 같은 의미로 본다면 '소녀, 소년'은 '들길'과 다른 속성을 지닌 대상이 됩니다.
② '같이'를 어떤 의미로 해석하느냐에 따라 '낯이 설어도 사랑스러운'의 대상이 달라질 수 있습니다.
③ '같이'를 어떤 의미로 보느냐에 따라 '들길'을 바라보는 화자의 인식이 정반대로 바뀔 수 있습니다.
④ '같이'는 여러 의미로 해석하기보다는 '함께'라는 의미로만 해석하는 것이 시상 전개에 어울립니다.
⑤ '같이'를 어떤 의미로 보더라도 결국 '소녀, 소년, 들길'은 같은 속성을 지닌 대상이라고 할 수 있습니다.

03 [A]~[E]에 대한 설명으로 적절하지 않은 것은?

① [A]: '소녀'의 모습을 비유적으로 표현하여 향토적이고 순수한 면모를 부각한다.
② [B]: '아지랑이', '태양', '제비', '물'을 모두 '~듯'으로 연결하여 모두 동질적인 속성을 지닌 대상임을 나타낸다.
③ [C]: '천연(天然)히'라는 시어 하나로 한 연을 구성하여 대상의 속성을 강조하고 시상의 전환을 암시한다.
④ [D]: 울타리의 안과 밖을 구분하지 않고 화초를 심는 행동을 통해 인간과 자연의 조화를 드러낸다.
⑤ [E]: '오래오래 잔광이 부'시고 밤이면 별이 더 많이 뜨는 풍경으로 자연이 오래 머무는 마을의 정경을 부각한다.

04 (나)에 대한 감상으로 적절하지 않은 것은?

① '콩깍지', '풀려', '후루룩' 등의 시어를 반복하는 것은 산문적인 형식에 리듬감을 더하기 위함이겠군.
② '무'와 '고구마'로 허기를 달래는 노인의 모습에서 가난으로 인한 어려운 생활을 짐작할 수 있군.
③ '짚오라기의 설레임'은 사람의 인기척을 그리워하는 노인의 기대를 나타낸 것이겠군.
④ '귀뚜라미'는 '벽이 무너지라고' 욺으로써 노인의 고독감을 고조하는 대상이겠군.
⑤ '월훈'이라는 명사로 시를 마무리함으로써 여운을 남기고 시상을 집약하려 한 것이겠군.

기출 · 변형 2014학년도 6월 고2 학력평가 B형

05 (나)를 영상물로 제작하고자 할 때, 고려할 사항으로 적절하지 않은 것은?

① 1연: 일을 마치고 귀가하는 산촌 사람의 뒷모습을 화자가 멀찍이 떨어진 강기슭에서 바라보고 있는 모습을 담아낸다.
② 2연: 깊은 산 끝에 걸려 있던 해가 금세 지고 나면 외딴집 창에 빛이 어른거리는 장면을 묘사한다.
③ 3연: 고요하고 깊은 밤 홀로 방 안에서 말없이 앉아 있는 노인의 모습을 담아낸다.
④ 4연: 노인이 잠든 뒤, 귀뚜라미 떼의 울음소리를 점점 크게 들리게 한다.
⑤ 5연: 방 안에서 창호지 문살에 비치는 눈발과 달무리를 보여 준다.

06 ㉠, ㉡에 대해 이해한 내용으로 가장 적절한 것은?

① ㉠과 ㉡은 모두 자연과 인간이 교감하며 살아가는 공간이다.
② ㉠과 ㉡은 모두 화자가 소망하는 토속적이고 전통적인 공간이다.
③ ㉠은 ㉡과 달리 문명과 동떨어져 있다는 점에서 인위적이지 않은 공간이다.
④ ㉠은 ㉡과 달리 넉넉한 느낌을 통해 따뜻하고 밝은 분위기를 형성하는 공간이다.
⑤ ㉡은 인적이 드문 산속 마을이라는 점에서 사람들의 따뜻한 마음이 ㉠보다 심화된 공간이다.

묘비명 | 대장간의 유혹

핵심 포인트

㉮ 반어적 표현을 통한 주제 구현

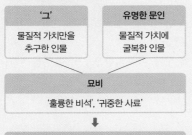

'그'	유명한 문인
물질적 가치만을 추구한 인물	물질적 가치에 굴복한 인물

↓

묘비
'훌륭한 비석', '귀중한 사료'

↓

비판의 대상을 반어적으로 표현하여 바람직한 삶에 대한 인식을 강조함.

㉯ 공간과 소재의 상징적인 의미

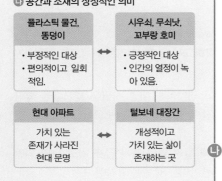

플라스틱 물건, 똥덩이	시우쇠, 무쇠낫, 꼬부랑 호미
• 부정적인 대상 • 편의적이고 일회적임.	• 긍정적인 대상 • 인간의 열정이 녹아 있음.

현대 아파트	털보네 대장간
가치 있는 존재가 사라진 현대 문명	개성적이고 가치 있는 삶이 존재하는 곳

연계 작품

㉮ • 부정적 현실에 대한 풍자: 김광규 「안개의 나라」
• 시인으로서의 성찰: 윤동주 「쉽게 씌어진 시」
㉯ 소시민의 생활과 그에 대한 반성: 김광규 「희미한 옛사랑의 그림자」

기출 OX

Q1 (가)는 시적 대상에 생명력을 부여하여 의지를 지닌 존재로 나타내고 있다. [기출] 2018. 수능 [O] [X]

Q2 (가)는 대상에 대한 비판적 인식을 바탕으로 하고 있다. [기출] 2004. 6. 고2 [O] [X]

Q3 (나)에는 현재의 상황을 이겨 내려는 태도가 드러나 있다. [기출] 2010. 6. 고2 [O] [X]

Q4 (나)의 '대장간 벽'은 화자가 정체성을 상실하는 공간이다. [기출] 2010. 6. 고2 [O] [X]

• **사료** 역사 연구에 필요한 문헌이나 유물.
• **시우쇠** 무쇠를 불에 달구어 단단하게 만든 쇠붙이의 하나.
• **모루** 대장간에서 불린 쇠를 올려놓고 두드릴 때 받침으로 쓰는 쇳덩이.

답 **Q1** O **Q2** O **Q3** O **Q4** X

㉮
한 줄의 시(詩)는커녕
단 한 권의 소설도 읽은 바 없이
그는 한평생을 행복하게 살며
많은 돈을 벌었고
높은 자리에 올라
이처럼 훌륭한 비석을 남겼다
그리고 어느 유명한 문인이
그를 기리는 묘비명을 여기에 썼다
비록 이 세상이 잿더미가 된다 해도
불의 뜨거움 꿋꿋이 견디며
이 묘비는 살아 남아
귀중한 •사료(史料)가 될 것이니
역사는 도대체 무엇을 기록하며
시인(詩人)은 어디에 무덤을 남길 것이냐

– 김광규, 「묘비명」

㉯
제 손으로 만들지 않고
한꺼번에 싸게 사서 / 마구 쓰다가
망가지면 내다 버리는
플라스틱 물건처럼 느껴질 때
나는 당장 버스에서 **뛰어내리고 싶다**
현대 아파트가 들어서며
홍은동 사거리에서 사라진
털보네 대장간을 **찾아가고 싶다**
풀무질로 이글거리는 불 속에
•시우쇠처럼 나를 달구고
•모루 위에서 벼리고 / 숫돌에 갈아
시퍼런 무쇠낫으로 **바꾸고 싶다**
땀 흘리며 두들겨 하나씩 만들어 낸
꼬부랑 호미가 되어
소나무 자루에서 송진을 흘리면서
대장간 벽에 **걸리고 싶다**
지금까지 살아온 인생이 / 온통 부끄러워지고
직지사 해우소 / 아득한 나락으로 떨어져 내리는
똥덩이처럼 느껴질 때
나는 가던 길을 멈추고 문득
어딘가 **걸려 있고 싶다**

– 김광규, 「대장간의 유혹」

01 (가), (나)에 대한 설명으로 가장 적절한 것은?

① (가)는 (나)와 달리 설의적 표현을 사용하고 있다.
② (나)는 (가)와 달리 반어적 표현을 사용하고 있다.
③ (가)와 (나)는 모두 구체적인 지명을 언급하고 있다.
④ (가)와 (나)는 모두 하강적 이미지를 활용하고 있다.
⑤ (가)와 (나)는 모두 화자가 작품의 표면에 드러나 있다.

02 (가)를 감상한 내용으로 적절하지 **않은** 것은?

① '한 줄의 시(詩)는커녕', '단 한 권의'라는 시어를 통해 '그'에 대한 화자의 부정적 인식을 보여 주는군.
② '시(詩)'와 '소설'은 '그'가 한평생 추구했던 가치와는 거리가 멀겠군.
③ '많은 돈'과 '높은 자리'는 '그'가 '훌륭한 비석'을 남기는 데 도움을 주었겠군.
④ 화자는 '불의 뜨거움 꿋꿋이 견디며' 살아남은 '사료(史料)'가 현실에 많지 않은 것에 대해 안타까움을 느끼는군.
⑤ '역사는 도대체 무엇을 기록하며'에는 '이 묘비'에 기록된 내용이 무가치하다는 화자의 생각이 반영되어 있군.

고난도 기출 변형 2018학년도 수능

03 〈보기〉를 참고하여 (가)의 묘비명을 이해한 내용으로 적절하지 **않은** 것은?

— 보기 —

　일반적으로 시는 인간의 삶을 반영한다. 하지만 '시에 대한 시 쓰기'라는 형식을 통해 인간의 삶이 아니라 시 그 자체를 반영하는 특수한 경우도 있다. 이때 반영의 대상은 외부 현실이 아니라 시 쓰기 상황이나 시를 쓰는 시인이 된다. 이 경우 시는 그 자체로 시론 혹은 시인론의 성격을 지닌다. 시인들은 시 속에 형상화된 세계를 통해 인간이 지향해야 할 바람직한 삶의 방향을 모색한다. 이를 통해 시는 무엇을 말해야 하고, 시인은 어떤 존재로 살아가야 하는가에 대한 자기 성찰의 태도를 드러내는 것이다.

① '묘비명'은 (가)의 시인 자신이 추구하는 삶과는 거리가 있는 사람의 인생을 반영하고 있겠군.
② '묘비명'을 기록한 '유명한 문인'이 추구하는 삶과 (가)의 시인이 추구하는 삶의 방향은 서로 대비를 이루겠군.
③ '묘비명'은 시나 소설을 읽지 않아도 '행복하게 살' 수 있다는, (가)의 시인의 관점을 드러내는 소재라 할 수 있겠군.
④ '묘비명'은 (가)의 시인이 시 쓰기를 통해 '무엇을 기록'해야 하는지에 대해 자기 성찰을 하게 되는 계기라 할 수 있겠군.
⑤ '묘비명'은 '사료(使料)'로 쓰일 수 있다는 점에서 (가)의 시인이 바람직한 시인의 역할에 대한 고민을 하는 데 영향을 미쳤겠군.

04 (나)의 화자의 정서를 '-고 싶다'를 중심으로 해석할 때 적절하지 **않은** 것은?

① '뛰어내리고 싶다'에서는 '플라스틱 물건'과 같은 자신의 모습에 대한 화자의 비판적 태도가 드러난다.
② '찾아가고 싶다'에서는 '홍은동 사거리'에서 사라져 버린, 스스로를 단련할 수 있는 공간으로 가고 싶은 화자의 바람이 드러난다.
③ '바꾸고 싶다'에서는 달구고 벼리고 갈아서 만들어지는 '무쇠낫'이 되고 싶은 화자의 소망이 드러난다.
④ '걸리고 싶다'에서는 '땀 흘리며 두들겨 하나씩 만들어' 내는 공간에 '호미'가 되어 머물고 싶은 화자의 마음이 드러난다.
⑤ '걸려 있고 싶다'에서는 '대장간'에 대응하는 '직지사 해우소'에 가고 싶어 하는 화자의 소망이 드러난다.

05 (나)와 〈보기〉를 비교하여 감상한 내용으로 적절하지 **않은** 것은?

— 보기 —

언제나 안개가 짙은
안개의 나라에는
아무 일도 일어나지 않는다
어떤 일이 일어나도
안개 때문에 / 아무것도 보이지 않으므로
안개 속에 사노라면 / 안개에 익숙해져
아무것도 보려고 하지 않는다
안개의 나라에서는 그러므로
보려고 하지 말고 / 들어야 한다
듣지 않으면 살 수 없으므로 / 귀는 자꾸 커진다
하얀 안개의 귀를 가진
토끼 같은 사람들이
안개의 나라에 산다

　　　　　　　 – 김광규, 「안개의 나라」

① (나)의 '마구 쓰다가 / 망가지면 내다 버리는'과 〈보기〉의 '언제나 안개가 짙은'은 모두 부정적인 현실의 모습을 보여 주는군.
② (나)의 '현대 아파트'와 〈보기〉의 '안개의 나라'는 모두 화자가 부정적으로 생각하는 공간이군.
③ (나)의 '풀무질'과 〈보기〉의 '들어야' 하는 것은 모두 현실을 극복하기 위한 의지가 담긴 행동이군.
④ (나)와 〈보기〉의 화자는 각각 '시우쇠'와 자꾸만 커지는 '귀'를 현실에 대한 대응 방안으로 여기겠군.
⑤ (나)의 '똥덩이'와 〈보기〉의 '토끼 같은 사람들'은 모두 비판적인 시각을 상실한 채 무의미하게 살아가는 대상을 의미하는군.

사평역에서 | 새벽 편지

▶해법문학 Link
㉮ 현대 시 258쪽
㉯ 현대 시 259쪽

키워드 체크 ㉮ #삶의 애환 #대조적 이미지 #연민과 공감 ㉯ #고통스러운 현실 #수미상관 #상징적

핵심 포인트

㉮ '대합실'에서 느끼는 화자의 정서

| 화자 | ➡ | 가난하고 소외된 사람들 |

⬆

'한 줌의 톱밥', '한 줌의 눈물'(연민, 공감)

㉯ 시어 및 시구의 의미

시어 및 시구	의미
새벽	미래의 희망을 준비하는 시간
고통과 쓰라림과 목마름의 정령들	고통스럽고 고달픈 현실을 살아가는 소외된 사람들의 영혼
새소리, 햇살, 바람, 꽃 향기	아름답고 희망찬 아침의 이미지
새벽 편지	따뜻한 마음과 연민, 사랑

㉮

[A]
ⓐ막차는 좀처럼 오지 않았다
㉠대합실 밖에는 밤새 송이눈이 쌓이고
흰 보라 수수꽃 눈 시린 유리창마다
㉡톱밥 난로가 지펴지고 있었다
그믐처럼 몇은 졸고 / 몇은 감기에 쿨럭이고
그리웠던 순간들을 생각하며 나는 / 한 줌의 톱밥을 불빛 속에 던져 주었다

[B]
내면 깊숙이 할 말들은 가득해도 / 청색의 손바닥을 불빛 속에 적셔 두고
㉢모두들 아무 말도 하지 않았다
산다는 것이 때론 술에 취한 듯 / 한 두름의 굴비 한 광주리의 사과를
만지작거리며 귀향하는 기분으로
침묵해야 한다는 것을 / 모두들 알고 있었다
㉣오래 앓은 기침 소리와 / 쓴 약 같은 입술 담배 연기 속에서
싸륵싸륵 눈꽃은 쌓이고
그래 지금은 모두들 / 눈꽃의 화음에 귀를 적신다

[C]
자정 넘으면 / 낯설음도 뼈아픔도 다 설원인데
단풍잎 같은 몇 잎의 차창을 달고
㉤밤 열차는 또 어디로 흘러가는지
그리웠던 순간들을 호명하며 나는
한 줌의 눈물을 불빛 속에 던져 주었다.

– 곽재구, 「사평역에서」

연계 작품

㉮ 서민들의 삶의 애환: 최두석 「성에꽃」
㉯ '새벽'의 희망적 이미지: 김지하 「타는 목마름으로」

㉯
새벽에 깨어나 / 반짝이는 별을 보고 있으면
이 세상 깊은 어디에 마르지 않는
사랑의 샘 하나 출렁이고 있을 것만 같다.
고통과 쓰라림과 목마름의 정령들은 잠들고
눈시울이 붉어진 인간의 혼들만 깜박이는
아무도 모르는 고요한 그 시각에
아름다움은 새벽의 창을 열고
우리들 가슴의 깊숙한 뜨거움과 만난다.
다시 고통하는 법을 익히기 시작해야겠다.
이제 밝아 올 아침의 자유로운 새소리를 듣기 위하여
따스한 햇살과 바람과 라일락 꽃 향기를 맡기 위하여
진정으로 진정으로 너를 사랑한다는 한마디
ⓑ새벽 편지를 쓰기 위하여
새벽에 깨어나 / 반짝이는 별을 보고 있으면
이 세상 깊은 어디에 마르지 않는
희망의 샘 하나 출렁이고 있을 것만 같다.

– 곽재구, 「새벽 편지」

기출 OX

Q1 (가)는 시상이 전개되면서 역동적인 분위기가 정적인 분위기로 바뀐다.
[기출] 2014. 수능 B ○ X

Q2 (가)에는 과거의 순간들에 대한 화자의 그리움이 드러난다.
[기출] 2014. 수능 B ○ X

Q3 (나)에는 부정적 현실을 극복하기 위한 역사의식이 나타나 있다.
[기출] 2004. 4. 고3 ○ X

Q4 (나)에는 지향하는 삶에 대한 의지가 드러나 있다.
[기출] 2011. 9. 고2 ○ X

[답] **Q1** X **Q2** O **Q3** X **Q4** O

01 (가), (나)의 공통점으로 가장 적절한 것은?

① 공간의 이동에 따라 시상을 전개하고 있다.

② 음성 상징어를 사용하여 따뜻한 분위기를 조성하고 있다.

③ 화자의 인식을 자연물에 투영하여 정서를 환기하고 있다.

④ 현재형 어미를 사용하여 시적 상황을 생생하게 전달하고 있다.

⑤ 상징적 이미지를 통해 화자가 추구하는 삶의 자세를 드러내고 있다.

02 ㉠~㉢을 이해한 내용으로 적절하지 않은 것은?

① ㉠: 막차를 기다리는 사람들이 모여 있는 곳으로, 서민들의 애환이 담긴 인생의 여정과 연결된다.

② ㉡: 대합실 밖 추위와 대조되어 가난한 이들에게 따뜻한 위안이 되는 존재이다.

③ ㉢: 침묵의 상황을 통해 인정이 없는 삭막한 현실에 대한 비판적 시각을 드러낸다.

④ ㉣: 청각적 이미지를 통해 대합실에 모인 사람들이 힘겨운 삶을 살아가고 있음을 드러낸다.

⑤ ㉤: 밤 열차의 목적지를 알 수 없다고 함으로써 미래에 대한 불안한 마음을 드러낸다.

고난도 기출 2014학년도 수능 B형

03 〈보기〉를 참고하여 (가)를 감상한 내용으로 적절하지 않은 것은?

> **보기**
>
> (가)의 화자는 대합실에서 막차를 기다리는 사람들의 모습을 공감 어린 시선으로 바라본다. 화자는 이런 시선으로 불빛, 눈 등을 바라보며 고단한 삶을 견디어 내는 사람들의 속내에 주목한다. '한 줌의 눈물'은 그들을 위해 화자가 바치는, 작지만 진심 어린 하나의 선물이라 할 수 있다.

① [A]의 '한 줌의 톱밥'이 불을 피우는 데 쓰여 추위를 견디게 해 주는 것처럼, '한 줌의 눈물'은 사람들이 자신의 힘든 상황을 견디는 데 위로가 된다고 할 수 있겠어.

② [B]에서 화자가 사람들의 속내를 잘 이해하는 것을 보면, '한 줌의 눈물'은 할 말이 있는데도 침묵하는 사람들의 속내에 화자가 공감하여 흘리는 것이라고 할 수 있겠어.

③ [B]에서 화자는 '눈꽃의 화음'이 열악한 상황을 드러낸다고 보고 있으므로, '한 줌의 눈물'은 그러한 상황을 극복해 내려는 화자의 의지를 담고 있는 것이라고 할 수 있겠어.

④ [C]에서 화자가 지난날을 '호명'하며 '한 줌의 눈물'을 흘리는 것을 보면, '한 줌의 눈물'은 고단한 현재를 견디어 내게 해 주는 힘이 과거의 추억처럼 소박한 데 있음을 암시한다고 할 수 있겠어.

⑤ [A]에서 [C]로 전개되면서 화자가 '불빛 속'에 '한 줌의 눈물'을 던지는 것을 보면, '한 줌의 눈물'은 삶의 고단함을 견디어 내는 데 힘을 보태고자 하는 화자의 진심이 담긴 것이라고 할 수 있겠어.

04 (나)에 대한 설명으로 적절하지 않은 것은?

① 대구법을 사용하여 운율을 형성하고 있다.

② 시간의 흐름에 따라 시상을 전개하고 있다.

③ 감각적 이미지를 통해 화자의 소망을 드러내고 있다.

④ 수미상관의 구조를 통해 구조적인 안정성을 획득하고 있다.

⑤ 자연물을 활용하여 화자가 기다리는 세계를 형상화하고 있다.

기출 변형 2011학년도 9월 고2 학력평가

05 〈보기〉와 같이 (나)를 재구성하여 감상한 내용으로 적절하지 않은 것은?

① '눈시울이 붉어진 인간의 혼들만 깜박이는' 시간은 고통을 겪어 낸 사람들만이 깨어 교감하는 희망의 시간이겠군.

② '고요한 그 시각'에 '새벽의 창을 열고' 만나는 '가슴의 깊숙한 뜨거움'은 희망의 세계에 대한 소망을 의미하겠군.

③ '다시 고통하는 법을 익히기 시작해야겠다.'는 새벽에서 다시 밤으로 돌아가 새롭게 시작해 보고 싶은 바람이겠군.

④ '따스한 햇살과 바람'은 험한 세상에서 겪은 고통을 통해 성숙해진 이들이 마주할 세계의 풍경이겠군.

⑤ '희망의 샘 하나 출렁이고 있을 것만 같다.'에서 밤의 고통이 해소되기 바라는 마음이 표현되었군.

06 ⓐ, ⓑ에 대한 설명으로 가장 적절한 것은?

① ⓐ와 ⓑ는 모두 화자가 기다리는 대상이다.

② ⓐ는 과거에 대한 화자의 미련을, ⓑ는 미래에 대한 화자의 기대를 담고 있다.

③ ⓐ는 화자가 느끼는 삶의 무게감을, ⓑ는 고통을 겪어 낸 사람들 간의 교감을 상징한다.

④ ⓐ는 현실에 대한 화자의 부정적인 인식을, ⓑ는 현실에 대한 화자의 긍정적인 인식을 드러낸다.

⑤ ⓐ는 쓸쓸하고 외로운 시적 분위기를 형성하고, ⓑ는 희망적이고 서정적인 시적 분위기를 형성한다.

낡은 집 | 성에꽃

▶해법문학 Link
ⓒ 현대 시 270쪽

키워드 체크 ㉮ #향토적 #귀향 #고향 집의 정겨움 ㉯ #서민들의 삶 #현실 참여적 #현실의 아픔 #역설적 표현

핵심 포인트

㉮ 귀향한 화자가 바라본 소재들

어색함, 낯섦을 유발하는 소재	익숙함, 정겨움을 유발하는 소재
도망가는 오리, 슬레이트 흙담집, 아무도 없는 집, 차가운 방바닥	뒤주, 메주, 어머니와 동생, 아버지의 귀가, 오리 잡기

㉯ 서민들의 애환에 대한 역설적 인식

서민들의 고단한 삶	성에꽃
• 엄동 혹한 • 막막한 한숨 • 정열의 숨결	• 선연히 핌. • 찬란함. • 아름다움.

역설적 인식
힘든 시대 상황에서 고단하게 사는 이들의 삶에서 아름다움을 발견함.

연계 작품

㉮ 고향에 대한 생경함과 쓸쓸함: 오장환 「고향 앞에서」, 정지용 「고향」
㉯ 성에꽃을 보며 느낀 아름다움: 문정희 「성에꽃」

기출 OX

Q1 (가)는 썰렁한 집 안의 정경 묘사를 통해 화자가 느끼는 심정을 간접적으로 드러내고 있다. [기출] 2015. 수능 B (○ | X)

Q2 (나)는 대조적 이미지를 활용하여 화자의 정서를 드러내고 있다. [기출] 2008. 10. 고3 (○ | X)

Q3 (나)의 화자는 서민들의 삶에 대한 따뜻한 시선을 바탕으로 성에꽃의 아름다움에 심취해 있다. [기출] 2015. 6. 고2 (○ | X)

* 선연히 실제로 보는 것같이 생생하게.

답 **Q1** ○ **Q2** ○ **Q3** ○

㉮

　귀향이라는 말을 매우 어설퍼하며 마당에 들어서니 다리를 저는 오리 한 마리 유난히 허둥대며 두엄자리로 도망간다. ㉠나의 부모인 농부 내외와 그들의 딸이 사는 슬레이트 흙담집, 겨울 해어름의 집 안엔 아무도 없고 방바닥은 선뜩한 냉돌이다. ㉡여덟 자 방구석엔 고구마 뒤주가 여전하며 벽에 메주가 매달려 서로 박치기한다. 허리 굽은 어머니는 냇가 빨래터에서 오셔서 콩깍지로 군불을 피우고 동생은 면에 있는 중학교에서 돌아와 반가워한다. 닭똥으로 비료를 만드는 공장에 나가 일당 서울 광주 간 차비 정도를 버는 아버지는 한참 어두워서야 귀가해 장남의 절을 받고, 가을에 이웃의 텃밭에 나갔다 팔매질당한 다리병신 오리를 잡는다.

- 최두석, 「낡은 집」

㉯

새벽 시내버스는
ⓐ차창에 웬 **찬란한 치장**을 하고 달린다
ⓑ엄동 혹한일수록
*선연히 피는 성에꽃
어제 이 버스를 탔던
처녀 총각 아이 어른
미용사 외판원 파출부 실업자의
입김과 숨결이
ⓒ간밤에 은밀히 만나 피워 낸
번뜩이는 기막힌 아름다움
나는 무슨 ⓓ전람회에 온 듯
자리를 옮겨 다니며 보고
다시 꽃 이파리 하나, 섬세하고도
차가운 아름다움에 취한다
어느 누구의 **막막한 한숨**이던가
어떤 **더운 가슴**이 토해 낸 **정열의 숨결**이던가
일 없이 정성스레 입김으로 손가락으로
성에꽃 한 잎 지우고
이마를 대고 본다
ⓔ덜컹거리는 창에 어리는 푸석한 얼굴
오랫동안 함께 길을 걸었으나
지금은 면회마저 금지된 친구여.

- 최두석, 「성에꽃」

01 (가), (나)의 공통점으로 가장 적절한 것은?

① 시선의 이동에 따라 시상을 전개하며 자연의 생명력을 드러내고 있다.

② 계절적 배경을 나타내는 시어를 통해 암울한 시대 현실을 드러내고 있다.

③ 슬픔에서 벗어나려는 화자의 의지를 어조의 변화를 통해 드러내고 있다.

④ 일상적이고 평범한 소재를 활용하여 특정 공간의 분위기를 드러내고 있다.

⑤ 평범한 민중의 모습을 구체적으로 묘사하여 그들에 대한 화자의 친밀감을 드러내고 있다.

기출 2015학년도 수능 B형

02 (가)와 〈보기〉에 대한 이해로 가장 적절한 것은?

┌ 보기 ┐
흙이 풀리는 내음새
강바람은 / 산짐승의 우는 소릴 불러
다 녹지 않은 얼음장 울명울명 떠내려간다.

진종일 / 나룻가에 서성거리다
행인의 손을 쥐면 따뜻하리라.

고향 가차운 주막에 들러
누구와 함께 지난날의 꿈을 이야기하랴.
양귀비 끓여다 놓고
주인집 늙은이는 공연히 눈물지운다.

간간이 잰나비 우는 산기슭에는
아직도 무덤 속에 조상이 잠자고
설레는 바람이 가랑잎을 휩쓸어간다.
– 오장환, 「고향 앞에서」 중
└────────┘

① (가)의 화자는 익숙했던 공간에 들어서며 낯선 느낌을 받고 있고, 〈보기〉의 화자는 낯선 행인에게서 친근감을 기대하고 있다.

② (가)의 화자는 여전히 가난이 지속되는 공간을, 〈보기〉의 화자는 아직도 조상의 권위가 지속되는 공간을 벗어나고자 한다.

③ (가)의 화자는 세상이 변해도 인심은 변하지 않기를 바라고 있고, 〈보기〉의 화자는 세상이 변해도 각박한 인심이 여전함에 좌절하고 있다.

④ (가)의 화자는 공장 노동자로 전락한 농민의 처지를 통해, 〈보기〉의 화자는 떠돌아다니는 자신의 처지를 통해 삶의 무상함을 드러내고 있다.

⑤ (가)의 화자는 산업화를 통해 농촌의 모습이 변화되기를 희망하고, 〈보기〉의 화자는 자연과 조화를 이루는 농촌의 모습이 보존되기를 희망한다.

03 ㉠, ㉡에 대한 이해로 적절하지 않은 것은?

① ㉠과 ㉡ 사이의 시간 경과는 직접적으로 나타나 있지 않다.

② ㉠에서의 쓸쓸하고 공허한 분위기는 ㉡에서 상대적으로 누그러지고 있다.

③ ㉠에는 차가운 이미지의 시어가, ㉡에는 따뜻한 이미지의 시어가 쓰이고 있다.

④ ㉠에는 가족의 궁핍한 삶의 단면이, ㉡에는 풍요로운 고향의 모습이 드러나고 있다.

⑤ ㉠에서 화자는 ㉡에서와는 달리 거리를 두는 듯한 어조로 자신의 가족을 지칭하고 있다.

04 ⓐ~ⓔ에 대한 설명으로 적절하지 않은 것은?

① ⓐ는 화자와 다른 대상을 매개하는 역할을 한다.

② ⓑ는 선명한 성에꽃이 만들어지는 계절적 배경이다.

③ ⓒ는 성에꽃의 아름다움이 만들어지는 시간이다.

④ ⓓ는 성에꽃의 아름다움을 널리 알리고 싶어 하는 화자의 바람을 담고 있다.

⑤ ⓔ는 성에꽃에 주목하고 있던 화자에게 부정적인 현실의 모습을 떠올리게 한다.

05 〈보기〉를 참고하여 (나)를 이해한 내용으로 적절하지 않은 것은?

┌ 보기 ┐
「성에꽃」의 화자는 버스 창문에 핀 성에꽃을 통해 서민들의 삶의 애환을 떠올리면서, 힘들지만 열정적으로 살아가는 이들의 삶에서 아름다움과 생명력을 발견하며 그들의 삶에 대한 애정을 드러내고 있다.
└────────┘

① '찬란한 치장', '번뜩이는 기막힌 아름다움'은 화자가 서민들의 삶을 아름답게 인식하고 있음을 드러내는군.

② '입김과 숨결'이 '은밀히 만나'서 피는 성에꽃은 연대를 통해 현실을 극복하려는 서민들의 의지를 나타내는군.

③ '자리를 옮겨 다니며' '이마를 대고' 성에꽃을 보는 화자의 행동은 서민들의 삶에 대한 화자의 애정을 나타내는군.

④ '막막한 한숨'은 힘든 현실을 살아가는 서민들의 삶의 애환을 나타내는군.

⑤ '더운 가슴'과 '정열의 숨결'은 현실의 고단함 속에서도 최선을 다해 살아가는 서민들의 생명력을 나타내는군.

우리 동네 구자명 씨
작은 부엌 노래

▶해법문학 Link
㉮ 현대 시 240쪽
㉯ 현대 시 355쪽

핵심 포인트

㉮ 개인에서 사회로의 인식 확장

구자명 씨		여성 전체
가정의 편안함이 여성의 희생으로 이루어짐.	➡	여성의 일방적 희생을 강요하는 현실

㉯ 여성과 남성의 공간적 대조

부엌(여성)		큰방(남성)
• 억압의 공간 • 노동의 공간 • 정체성을 상실하는 공간	⬌	가부장적 권위의 공간

연계 작품

㉮ 서민들의 삶에 대한 연민: 최두석 「성에꽃」
㉯ 남성 중심 사회 속 여성의 삶: 문정희 「그 많던 여학생들은 어디로 갔는가」

• 팬지꽃 제비꽃과의 한해살이 또는 두해살이 풀. 4∼5월에 자주색, 흰색, 노란색의 꽃이 핌.
• 안개꽃 석죽과의 내한성 한해살이풀. 5∼6월에 잘고 흰 꽃이 무리를 지어 핌.
• 멍에 쉽게 벗어날 수 없는 구속이나 억압을 비유적으로 이르는 말.

키워드 체크 ㉮ #현실 비판 #여성의 고단한 삶 ㉯ #비판적 #결혼 제도에 대한 비판 #여성의 자기 정체성

㉮
맞벌이 부부 우리 동네 ㉠구자명 씨 / 일곱 달 아기 엄마 구자명 씨는
출근 버스에 오르기가 무섭게 / 아침 햇살 속에서 졸기 시작한다
[A]
┌ 경기도 안산에서 서울 여의도까지
└ 경적 소리에도 아랑곳없이 / 옆으로 앞으로 꾸벅꾸벅 존다

[B]
┌ 차창 밖으론 사계절이 흐르고 / 진달래 피고 밤꽃 흐드러져도 꼭
└ 부처님처럼 졸고 있는 구자명 씨

[C]
┌ 그래 저 십 분은 / 간밤 아기에게 젖 물린 시간이고
│ 또 저 십 분은 / 간밤 시어머니 약시중 든 시간이고
│ 그래그래 저 십 분은
└ 새벽녘 만취해서 돌아온 남편을 위하여 버린 시간일 거야

[D]
┌ 고단한 하루의 시작과 끝에서
└ 집 속에 흔들리는 ˚팬지꽃 아픔 / 식탁에 놓인 ˚안개꽃 ˚멍에
그러나 부엌문이 여닫기는 지붕마다
[E]
┌ 여자가 받쳐 든 한 식구의 안식이
│ 아무도 모르게 / 죽음의 잠을 향하여
└ 거부의 화살을 당기고 있다

– 고정희, 「우리 동네 구자명 씨」

㉯
부엌에서는 / 언제나 술 괴는 냄새가 나요.
㉡한 여자의 / 젊음이 삭아 가는 냄새
한 여자의 설움이 / 찌개를 끓이고
한 여자의 애모가 / 간을 맞추는 냄새
부엌에서는 / 언제나 바삭바삭 무언가 / 타는 소리가 나요.
세상이 열린 이래 / 똑같은 하늘 아래 선 두 사람 중에
한 사람은 큰방에서 큰소리치고
한 사람은 / 종신 동침 계약자, 외눈박이 하녀로
부엌에 서서 / 뜨거운 촛농을 제 발등에 붓는 소리.
부엌에서는 한 여자의 피가 삭은
빙초산 냄새가 나요.
그런데 언제부터인가 모르겠어요.
촛불과 같이 / 나를 태워 너를 밝히는
저 천형의 덜미를 푸는 / 소름 끼치는 마고할멈의 도마 소리가 / 똑똑히 들려요.
수줍은 새악시가 홀로
허물 벗는 소리가 들려와요.
우리 부엌에서는……

– 문정희, 「작은 부엌 노래」

01 (가), (나)에 대한 설명으로 가장 적절한 것은?

① (가)와 (나)는 모두 개인에 대한 인식을 일반으로 확장하고 있다.

② (가)와 (나)는 모두 공감각적 표현을 활용하여 화자의 인식을 드러내고 있다.

③ (가)는 (나)와 달리 특정 청자를 설정하여 시적 대상과의 거리감을 좁히고 있다.

④ (가)는 (나)와 달리 감각적 심상을 활용하여 대상에 대한 인식을 전달하고 있다.

⑤ (나)는 (가)와 달리 상반된 내용을 연결하는 접속어를 활용하여 시상을 전환하고 있다.

02 [A]~[E]에 대한 설명으로 적절하지 않은 것은?

① [A]: '경적 소리'에도 '꾸벅꾸벅' 조는 모습을 통해 구자명 씨의 고단한 삶의 모습을 형상화하고 있다.

② [B]: '진달래'와 '밤꽃'이 피는 평화로운 풍경과 구자명 씨의 모습을 대조하여 구자명 씨의 피로를 강조하고 있다.

③ [C]: 가족을 위해 희생하는 구자명 씨의 일상을 연민의 어조를 사용하여 구체화하고 있다.

④ [D]: '고단한 하루의 시작과 끝'을 통해 구자명 씨의 피로가 하루 종일 지속됨을 드러내고 있다.

⑤ [E]: '죽음의 잠'이라는 중의적인 표현을 통해 이로부터 벗어나기 위한 구자명 씨의 노력을 강조하고 있다.

03 〈보기〉를 바탕으로 (가)를 이해한 내용으로 적절하지 않은 것은?

보기

「우리 동네 구자명 씨」는 버스 안에서 졸고 있는 구자명 씨의 모습을 바탕으로 직장 일과 가사라는 이중 노동에 시달리는 현대 사회 여성의 삶을 진솔하게 다루고 있다. 작가는 이를 통해 가정의 유지를 위해 여성의 희생을 강요하는 현대 사회에 대한 비판적 인식을 드러내었다.

① '구자명 씨'는 이중 노동을 하며 살아가는 현대 여성을 대표하는 인물이군.

② '여자가 받쳐 든 한 식구의 안식'은 여성의 삶에 대한 작가의 생각을 단적으로 드러내는 표현이군.

③ '거부의 화살'은 여성에게 가정을 유지하기 위한 희생을 강요하는 현대 사회에 대한 비판적 인식이 반영된 표현이군.

④ '경기도 안산'과 '서울 여의도'라는 구체적인 지명의 제시는 현실감을 높여 현대 사회 여성의 삶을 사실적으로 드러내는군.

⑤ '팬지꽃'과 '안개꽃'은 가족을 위해 일하는 '구자명 씨'가 맺은 결실로, 여성의 삶에 대한 작가의 애정 어린 시선이 담겨 있군.

04 (나)의 표현상 특징으로 적절하지 않은 것은?

① '삭아 가는'이라는 시어를 통해 생명력이 서서히 소멸되는 모습을 나타내고 있다.

② 여성의 희생을 '술 괴는 냄새', '빙초산 냄새' 등의 후각적 이미지로 형상화하고 있다.

③ '큰소리'와 '뜨거운 촛농을 제 발등에 붓는 소리'를 통해 공간의 대조를 드러내고 있다.

④ '바삭바삭'이라는 음성 상징어를 사용하여 억눌린 삶의 모습을 감각적으로 드러내고 있다.

⑤ 시적 대상을 '한 여자'에서 '너'로 전환하여 심화되는 고통으로 인한 여성의 좌절을 드러내고 있다.

고난도

05 〈보기〉를 참고하여 (나)를 감상한 내용으로 적절하지 않은 것은?

보기

한국 사회에서 부엌은 여성들의 공간으로 인식되어 왔다. 집안일은 여성들이 담당해야 하는 여성의 몫이라는 고정 관념이 오랫동안 지속되었기 때문이다. 요리하는 공간인 부엌은 남성들과 가족을 위해 집안일을 해야 하는, 앞서지 못한 뒷 공간인 것이다.

① '큰방'은 부엌과 달리 남성들의 공간이라고 할 수 있겠군.

② '우리 부엌'에는 부엌에서 시간을 보내야 했던 여성들에 대한 동질감이 나타나는군.

③ '천형의 덜미'는 여성을 뒷 공간에 머물 수밖에 없게 만든 고정 관념으로 이해할 수 있겠군.

④ '마고할멈의 도마 소리'는 아주 오래 전부터 집안일라는 여성들의 역할이 이어져 왔음을 드러내 주는군.

⑤ '찌개를 끓이고' '간을 맞추는 냄새'가 나는 부엌은 가사 노동에 시달리는 여성들의 공간이라고 할 수 있겠군.

06 ㉠과 ㉡이 대화를 나눈다고 할 때, 대화의 내용으로 적절하지 않은 것은?

① ㉠: 가정을 꾸리고 산다는 것은 여성들에게 너무 힘든 일인 듯해요.

② ㉡: 맞아요. 항상 가사 노동에만 얽매여 있으니 제 자신이 누군지도 모르겠어요.

③ ㉠: 집에서 여러 일들로 지치다 보면 때로 출근하는 버스에서 잠드는 잠깐이 행복할 때도 있더군요.

④ ㉡: 대체 왜 우리만 더 많이 희생해야 하는지 모르겠어요. 똑같은 사람인데.

⑤ ㉠: 가정의 평안을 깨지 않기 위해 할 일이 많다 보니 쉴 시간이 별로 없는 것도 지쳐요.

질투는 나의 힘
가을 무덤 – 제망매가

▶해법문학 Link
㉮ 현대 시 246쪽

키워드 체크 ㉮ #회고적 #애상적 #반성과 성찰 ㉯ #어린 시절에 대한 회상 #죽은 누이에 대한 그리움 #제(祭)

핵심 포인트

㉮ 화자의 반성적 깨달음

미래의 상황에 대한 가정
현재의 '나'를 향한 반성과 자조

↓

젊은 날의 열정을 부정함으로써 스스로를 사랑하는 것이 중요함을 깨달음.

㉯ 시적 상황과 화자의 태도

죽은 누이에 대한 추모		누이와 교감하는 화자
무덤에서 누이의 명복을 기원하며 술을 부음.	→	힘겨운 과거를 회상한 후 누이의 영혼과 정서적으로 교감함.

연계 작품

㉮ 과거, 현재, 미래의 흐름 속 자아 성찰: 윤동주 「참회록」
㉯ • 말을 건네는 방식을 활용한 추모: 송수권 「산문에 기대어」
  • 죽은 누이를 향한 제례: 월명사 「제망매가(祭亡妹歌)」

기출 OX

Q1 (나)는 동적 이미지를 활용하여 대상에 대한 애틋함을 부각하고 있다.
EBS 변형 ○ X

Q2 (나)는 자연물에 감정을 이입하여 자연과의 일체감을 드러내고 있다.
EBS 변형 ○ X

답 Q1 ○ Q2 X

㉮

아주 오랜 세월이 흐른 뒤에
힘없는 책갈피는 이 종이를 떨어뜨리리
그때 내 마음은 너무나 많은 공장을 세웠으니
어리석게도 그토록 기록할 것이 많았구나
구름 밑을 천천히 쏘다니는 개처럼
지칠 줄 모르고 공중에서 머뭇거렸구나
나 가진 것 탄식밖에 없어 / 저녁 거리마다 물끄러미 청춘을 세워 두고
살아온 날들을 신기하게 세어 보았으니 / 그 누구도 나를 두려워하지 않았으니
내 희망의 내용은 질투 뿐이었구나
그리하여 나는 우선 여기에 짧은 글을 남겨 둔다
나의 생은 미친 듯이 사랑을 찾아 헤매었으나 / 단 한 번도 스스로를 사랑하지 않았노라
– 기형도, 「질투는 나의 힘」

㉯

누이야 / 네 파리한 얼굴에 / 철철 술을 부어 주랴

㉠시리도록 허연 / 이 영하의 가을에
망초꽃 이불 곱게 덮고 / 웬 잠이 그리도 길더냐.

풀씨마저 피해 날으는 / 푸석이는 이 자리에 / 빛바랜 단발머리로 누워 있느냐.

㉡헝클어진 가슴 몇 조각을 꺼내어 / ㉢껄끄러운 네 뼈다귀와 악수를 하면
딱딱 부딪는 이빨 새로 / 어머님이 물려주신 푸른 피가 배어 나온다.

물구덩이 요란한 빗줄기 속 / 구정물 개울을 뛰어 건널 때
왜라서 그리도 숟가락 움켜쥐고 / 눈물보다 찝찔한 설움을 빨았더냐.

㉣아침은 항상 우리 뒤켠에서 솟아났고
맨발로도 아프지 않던 산길에는 / 버려진 개암, 도토리, 반쯤 씹힌 칡.
질척이는 뜨물 속의 밥덩이처럼 / 부딪히며 하구로 떠내려갔음에랴.

우리는 / 신경을 앓는 중풍병자로 태어나
전신에 땀방울을 비늘로 달고 / 쉰 목소리로 어둠과 싸웠음에랴.

편안히 누운 / 내 누이야.
네 파리한 얼굴에 술을 부으면 / 눈물처럼 튀어 오르는 술방울이
㉤이 못난 영혼을 휘감고 / 온몸을 뒤흔드는 것이 어인 까닭이냐.
– 기형도, 「가을 무덤 – 제망매가(祭亡妹歌)」

01 (가), (나)의 공통점으로 가장 적절한 것은?

① 미래의 상황을 가정하여 주제를 드러내고 있다.

② 과거를 회상하는 방식을 활용하여 시상을 전개하고 있다.

③ 지난날에 대한 반성을 바탕으로 미래에 대한 의지를 다지고 있다.

④ 현실에 대한 부정적 인식을 바탕으로 비판적 태도를 드러내고 있다.

⑤ 역설적 표현을 활용하여 시적 대상의 긍정적인 속성을 드러내고 있다.

02 (가), (나)의 표현상 특징으로 적절하지 <u>않은</u> 것은?

① (가)는 동일한 종결 어미를 반복적으로 사용하여 운율을 형성하고 있다.

② (가)는 영탄적 어조를 활용하여 화자가 깨달은 바를 효과적으로 드러내고 있다.

③ (나)는 청자에게 말을 건네는 방식을 활용하여 애상적 정서를 효과적으로 드러내고 있다.

④ (나)는 설의적 표현을 활용하여 혈육의 죽음으로 인한 슬픔과 원망의 정서를 드러내고 있다.

⑤ (가)와 (나)는 모두 현재형 표현을 통해 시적 상황을 생생하게 드러내고 있다.

고난도

03 〈보기〉를 바탕으로 (가)를 감상한 내용으로 적절하지 <u>않은</u> 것은?

보기

「질투는 나의 힘」은 젊은 날에 대한 반성적 성찰이 드러난 작품이다. 이 작품의 화자는 무한한 열정으로 살았다고 생각했던 젊은 날의 모습을 떠올리며 그 모든 것들이 다른 이에 대한 질투에서 비롯된 것들이었다는 깨달음을 얻는다. 이러한 깨달음은 스스로를 사랑하지 못했다는 사실에 대한 반성과 회한의 정서로 이어진다.

① '힘없는 책갈피'가 떨어뜨리는 '이 종이'에는 '나'의 현재 삶의 모습이 담겨 있군.

② '많은 공장을 세'우고, '그토록 기록할 것이 많았'던 '그때'는 '가진 것이 탄식밖에 없는' 현재와 대비되어 현재의 삶을 반성하게 하는 계기가 되는군.

③ '구름 밑을 천천히 쏘다니는 개'는 방황하는 '나'의 모습을 빗댄 것으로, 화자의 부정적인 인식을 담고 있군.

④ '청춘을 세워 두고' 자신을 돌아본 '나'가 '질투뿐이었'다고 탄식을 하는 것에는 스스로를 인정하지 못했다는 인식이 담겨 있군.

⑤ '나'가 '미친 듯이 사랑을 찾아 헤'맸지만 결국 '스스로를 사랑하지 않았'음을 깨달은 것에서 자신에 대한 반성과 회한의 정서가 느껴지는군.

04 **질투**에 대한 설명으로 적절하지 <u>않은</u> 것은?

① '나'가 '여기에 짧은 글'을 남겨 두는 이유이다.

② '나'가 안타까움과 회한을 느끼도록 만드는 원인이다.

③ '나'가 '미친 듯이 사랑을 찾아 헤'매도록 만든 원동력이다.

④ '나'가 꿈꾸던 '희망의 내용'으로, 낙관적인 전망을 암시한다.

⑤ '나'가 새롭게 인식한 자신의 과거 모습을 압축하는 시어이다.

05 〈보기〉를 참고하여 (나)를 감상한 내용으로 적절하지 <u>않은</u> 것은?

보기

「가을 무덤 – 제망매가」는 작품의 제목을 통해 그 내용을 짐작할 수 있는데, 부제인 '제망매가'는 신라 승려인 '월명사'가 죽은 누이를 추모하기 위해 지은 향가의 제목을 따온 것이다. 이를 '가을 무덤'과 관련지어 이해하면 이 작품은 가을에 누이의 무덤을 찾아가 누이에 대한 그리움을 노래한 것으로 볼 수 있다.

① '망초꽃 이불'은 누이의 무덤을 비유한 것으로, 비애의 정서를 강화하는군.

② '눈물보다 찝찔한 설움'은 화자와 누이가 가난한 어린 시절에 느꼈던 서러움을 의미하는군.

③ '맨발로도 아프지 않던 산길'에 있는 '버려진 개암, 도토리, 반쯤 씹힌 칡'은 누이와 함께했던 가난한 유년 시절을 드러내 주는 현실적 소재이군.

④ '쉰 목소리'는 '어둠'과 싸우던 우리의 모습을 형상화한 것으로, 지난날의 힘겨웠던 삶을 부각하는군.

⑤ 누이의 '파리한 얼굴'에 붓는 술은 화자가 슬픔을 견디기 위해 마시는 것으로, 화자를 위로하는 역할을 하는군.

06 ⊙∼⑩에 대한 감상으로 적절하지 <u>않은</u> 것은?

① ⊙: 공감각적 심상을 계절적 배경과 연결하여 화자의 공허한 심정을 나타내고 있다.

② ⓒ: 추상적 관념을 구체화하여 화자의 슬픔을 감각적으로 드러내고 있다.

③ ⓒ: 누이와의 불편했던 관계를 털어 내고 화해를 청하는 의도를 담고 있다.

④ ⓔ: 과거에 희망이 보이지 않던 삶을 살았음을 표현하고 있다.

⑤ ⑩: 제(祭)를 지내는 행위를 통해 누이와 정서적인 교감을 나누는 모습을 드러내고 있다.

1990년대 이후

사회주의의 몰락 이후 이념에 치우쳤던 경향에서 벗어나
개인의 '일상', '자아' 등에 초점을 맞춘 작품들이 주목받게 되었고,
자연, 생명, 환경, 여성, 소수자 문제, 다문화 사회 등의 다양한 영역을 주제로 삼게 되었다.

생태주의 시

여성주의 시

  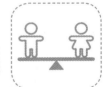

\# 성장과 개발 이데올로기의 폐해 비판
\# 환경 파괴와 생태계의 위기
\# 인간과 자연의 유기적 전체를 지향하는 생태학적 관점
\# 상생과 포용의 정신
\# 생명의 본질과 가치 추구

예 「우포늪 왁새」(배한봉), 「신의 방」(김선우)

\# 억압받던 여성이 주체
\# 남녀 불평등에 대한 문제의식과 직·간접적 비판
\# 인간 일반의 문제로 심화되는 경향
\# 이성, 권력, 남성 중심적인 근대적 사유 체계에서
　감성, 다양성, 생명 중심적으로의 인식적 전환

예 「작은 부엌 노래」(문정희)

개인의 내면을 다룬 시

\# 개인의 정체성
\# 개인의 일상생활이나 감정에 대한 관심 증가
\# 개별화된 자아의 내면에 초점
\# 역사나 시대에 대한 관심 약화

예 「질투는 나의 힘」(기형도)

도시 문명 비판 시

\# 자본주의 사회상
\# 도시 문명적 삶의 거부
\# 소비 문화가 주는 매혹과 그에 대한 비판
\# 근원적이고 실존적인 정서 바탕
\# 새로운 서정 표현

예 「평상이 있는 국숫집」(문태준)

▶해법문학 Link
현대 시 272쪽

사과를 먹으며 | 함민복

사과를 먹는다
사과나무의 일부를 먹는다
사과꽃에 눈부시던 햇살을 먹는다
사과를 더 푸르게 하던 **장맛비**를 먹는다
사과를 흔들던 *소슬바람을 먹는다
사과나무를 감싸던 **눈송이**를 먹는다
사과 위를 지나던 **벌레**의 기억을 먹는다
사과나무에서 울던 새소리를 먹는다
사과나무 잎새를 먹는다
[A] 사과를 가꾼 사람의 **땀방울**을 먹는다
사과를 연구한 식물학자의 지식을 먹는다
사과나무 집 딸이 바라보던 하늘을 먹는다
사과에 *수액을 공급하던 사과나무 가지를 먹는다
사과나무의 세월, 사과나무 나이테를 먹는다
사과를 지탱해 온 사과나무 뿌리를 먹는다
사과의 씨앗을 먹는다
사과나무의 자양분 **흙**을 먹는다
사과나무의 흙을 붙잡고 있는 지구의 **중력**을 먹는다
사과나무가 존재할 수 있게 한 **우주**를 먹는다

[B]
흙으로 빚어진 사과를 먹는다
흙에서 멀리 도망쳐 보려다
흙으로 돌아가고 마는

[C]
사과를 먹는다
사과가 나를 먹는다

핵심 포인트

시상 전개에 따른 인식의 확장

1~2행	사과를 먹는 행위

↓

3~9행	사과를 존재하게 한 자연물들

↓

10~12행	사과와 함께한 인간의 노력

↓

13~16행	사과나무를 이루는 구성 요소

↓

17~19행	근원적인 대자연(흙, 중력, 우주)

↓

20~24행	생명 순환의 원리

생명의 순환에 바탕을 둔 역설적 인식

'나'가 사과를 먹음.	⇄	사과가 '나'를 먹음.

↑

사과, 인간은 모두 흙(자연)에서 태어나 흙(자연)으로 돌아가는, 순환하는 자연의 일원이라는 인식을 역설적으로 드러냄.

연계 작품

• 생명의 순환에 대한 인식: 정호승 「상처는 스승이다」
• 열매가 결실을 맺는 과정의 탐구: 장석주 「대추 한 알」
• 일상의 소재를 통한 깨달음: 최승호 「북어」

기출 OX

Q1 윗글은 유사한 문장 구조의 반복을 통해 운율을 형성하고 있다. [EBS] 변형 ○ X
Q2 윗글은 음성 상징어를 사용하여 대상의 속성을 강조하고 있다. [EBS] 변형 ○ X

• 소슬바람 가을에, 외롭고 쓸쓸한 느낌을 주며 부는 으스스한 바람.
• 수액 땅속에서 나무의 줄기를 통하여 잎으로 올라가는 액.

답 **Q1** ○ **Q2** X

01 윗글에 대한 설명으로 적절하지 <u>않은</u> 것은?

① 대상을 의인화하여 본받고자 하는 대상의 속성을 드러내고 있다.

② 유사한 시구를 시의 처음과 끝에 배치하여 시적 의미를 강조하고 있다.

③ 현재 시제를 사용하여 시적 상황과 화자의 인식을 생생하게 전달하고 있다.

④ 특정 시구의 형식과 행 배열에 변화를 줌으로써 시적 긴장감을 높이고 있다.

⑤ 시상의 전개에 따라 점층적으로 의미를 확대하여 주제 의식을 드러내고 있다.

고난도

02 〈보기〉를 참고하여 [A]~[C]를 이해한 내용으로 적절하지 <u>않</u>은 것은?

보기

윗글의 화자는 사과를 먹으면서 사과가 있기까지의 과정에 대해 사유하고 있다. 사과를 구성하는 요소들은 물론 사과가 성장하는 과정에 함께한 자연·인간·우주의 작용을 떠올리고, 이 과정에서 '생성 – 소멸'이라는 대자연의 순환 원리를 발견하게 된다. 더 나아가 '사과가 나를 먹는다'는 역설적 인식을 바탕으로 인간(화자)과 자연(사과)은 똑같이 대자연의 일부이며, 사과를 먹는 것은 대자연의 작용에 참여하는 것이라는 인식에 이르게 된다.

① [A]의 '햇살'은 사과와 함께한 자연의 작용을, '식물학자의 지식'은 인간의 작용을 보여 주는 사례이겠군.

② [B]에서 '흙으로 빚어'진 사과가 흙에서 도망치려 하는 모습은 인간과 자연의 역설적인 관계를 드러내려 한 것이겠군.

③ [B]의 '흙'은 사과로 빚어졌다가 다시 본래 모습으로 돌아간다는 점에서 대자연의 순환을 드러낸다고 할 수 있겠군.

④ [C]에서 '나'와 '사과'가 모두 먹는 주체인 동시에 대상도 되는 것은 이 둘이 동등한 관계라는 인식 때문이겠군.

⑤ [A]~[C]에서 화자는 사과를 먹음으로써 사과에 내재한 대자연의 존재를 사유하고 그것의 작용에 참여하고 있는 것이겠군.

03 [A]의 시어를 이해한 내용으로 적절하지 <u>않은</u> 것은?

① '장맛비'와 '눈송이'는 계절의 변화를 알리는 자연물이다.

② '땀방울'은 사과와 사과나무의 성장에 영향을 준 인간의 노력과 정성을 의미한다.

③ '벌레'와 '소슬바람'은 사과와 사과나무의 성장을 방해하는 외부의 존재이다.

④ '중력'은 '흙'에 영향을 미침으로써 사과와 사과나무의 성장에 참여하는 존재이다.

⑤ '우주'는 사과는 물론 사과에 영향을 미친 다른 대상들이 존재할 수 있게 한 근원적인 요소이다.

04 〈보기〉의 ㉠을 참고할 때 다음 밑줄 친 시어 중, 윗글의 먹는다와 그 특징이 가장 유사한 것은?

보기

윗글에 반복적으로 쓰이는 시어 '먹는다'는 단순히 입에 넣거나 씹는 행위를 뜻하는 데 머물지 않는다. '먹는다'는 ㉠먹는 행위와 결합될 수 없는 관념적인 소재나, 구체적이지만 실제로 먹을 수 없는 소재와 연결됨으로써 자연과 인간의 존재와 관계를 함축하는 시어로 거듭나고 있는 것이다.

① 흐르는 것이 물뿐이랴. / 우리가 저와 같아서 / 강변에 나가 삽을 <u>씻으며</u> / 거기 슬픔도 퍼다 버린다.
— 정희성, 「저문 강에 삽을 씻고」

② 배를 매면 구름과 빛과 시간이 함께 / <u>매어진다</u>는 것도 처음 알았다 / 사랑이란 그런 것을 처음 아는 것
— 장석남, 「배를 매며」

③ 고통과 설움의 땅 훨훨 지나서 / 뿌리 깊은 벌판에 <u>서자</u> / 두 팔로 막아도 바람은 불듯 / 영원한 눈물이란 없느니라
— 고정희, 「상한 영혼을 위하여」

④ 밤에 홀로 유리를 <u>닦는</u> 것은 / 외로운 황홀한 심사이어니, / 고운 폐혈관(肺血管)이 찢어진 채로 / 아아, 늬는 산(山)새처럼 날아갔구나!
— 정지용, 「유리창 1」

⑤ 그곳 바다인들 여느 바다와 다를까요 / 검은 개펄에 작은 게들이 구멍 속을 <u>들락거리고</u> / 언제나 바다는 멀리서 진펄에 몸을 뒤척이겠지요
— 이성복, 「서해」

05 윗글과 〈보기〉에 대한 설명으로 적절하지 <u>않은</u> 것은?

보기

상처는 스승이다 / 절벽 위에 뿌리를 내려라
뿌리 있는 쪽으로 나무는 잎을 떨군다
잎은 썩어 뿌리의 끝에 닿는다
나의 뿌리는 나의 절벽이어니
보라 / 내가 뿌리를 내린 절벽 위에
노란 애기똥풀이 서로 마주 앉아 웃으며 / 똥을 누고 있다
나도 그 옆에 가 똥을 누며 웃음을 나눈다
너의 뿌리가 되기 위하여
예수의 못자국은 보이지 않으나
오늘은 상처에서 흐른 피가 / 뿌리를 적신다
— 정호승, 「상처는 스승이다」

① 윗글과 〈보기〉에는 모두 생명의 순환 원리가 나타난다.

② 윗글과 〈보기〉는 모두 종결 어미의 반복을 통해 운율을 형성하고 있다.

③ 윗글은 〈보기〉와 달리 일상적인 체험을 통해 얻은 깨달음을 전달하고 있다.

④ 윗글과 달리 〈보기〉는 고통의 극복을 통한 진정한 성숙과 성장을 강조하고 있다.

⑤ 윗글은 역설적 표현을 통해, 〈보기〉는 반어적 표현을 통해 주제를 드러내고 있다.

현대 시

Q41

[교과서] [문] 미래엔 [기출]

▶해법문학 Link
㉮ 현대 시 276쪽
㉯ 현대 시 359쪽

바퀴벌레는 진화 중 | 멸치

키워드 체크 ㉮ #생태계 파괴 #반어적 표현 #현대 물질문명 비판 ㉯ #역동적 생명력 #대립적 #감각적 이미지

㉮ ㉠믿을 수 없다, 저것들도 먼지와 수분으로 된 사람 같은 생물이란 것을. 그렇지 않고서야 어찌 ⓐ시멘트와 살충제 속에서만 살면서도 저렇게 *비대해질 수 있단 말인가. 살덩이를 녹이는 살충제를 어떻게 가는 혈관으로 흘려보내며 딱딱하고 거친 시멘트를 똥으로 바꿀 수 있단 말인가. ㉡입을 벌릴 수밖엔 없다, 쇳덩이의 근육에서나 보이는 저 고감도의 민첩성과 *기동력 앞에서는.

사람들이 최초로 시멘트를 만들어 집을 짓고 살기 전, 많은 벌레들을 씨까지 일시에 죽이는 독약을 만들어 뿌리기 전, 저것들은 어디에 살고 있었을까. ㉢흙과 나무, 내와 강, 그 어디에 숨어서 흙이 시멘트가 되고 다시 집이 되기를, 물이 살충제가 되고 다시 먹이가 되기를 기다리고 있었을까. 빙하기, 그 세월의 두꺼운 얼음 속 어디에 수만 년 썩지 않을 금속의 씨를 감추어 가지고 있었을까.

㉣로봇처럼, 정말로 철판을 온몸에 두른 벌레들이 나올지 몰라. 금속과 금속 사이를 뚫고 들어가 살면서 철판을 왕성하게 소화시키고 수억 톤의 중금속 폐기물을 배설하면서 불쑥불쑥 자라는 잘 진화된 신형 바퀴벌레가 나올지 몰라. 보이지 않는 빙하기, 그 두껍고 차가운 강철의 살결 속에 씨를 감추어 둔 채 때가 이르기를 기다리고 있을지 몰라. ㉤아직은 암회색 스모그가 그래도 맑고 희고, 폐수가 너무 깨끗한 까닭에 숨을 쉴 수가 없어 움직이지 못하고 눈만 뜬 채 잠들어 있는지 몰라.

– 김기택, 「바퀴벌레는 진화 중」

㉯
[A] ┌ 굳어지기 전까지 저 딱딱한 것들은 물결이었다
　　 파도와 해일이 쉬고 있는 바닷속 / 지느러미의 물결 사이에 끼어
　　└ 유유히 흘러 다니던 무수한 갈래의 길이었다

[B] ┌ ⓑ그물이 물결 속에서 멸치들을 떼어 냈던 것이다
　　 햇빛의 꼿꼿한 직선들 틈에 끼이자마자
　　 부드러운 물결은 팔딱거리다 길을 잃었을 것이다
　　 바람과 햇볕이 달라붙어 물기를 빨아들이는 동안
　　 바다의 무늬는 뼈다귀처럼 남아
　　 멸치의 등과 지느러미 위에서 딱딱하게 굳어갔던 것이다
　　 모래 더미처럼 길거리에 쌓이고 / 건어물집의 푸석한 공기에 풀리다가
　　└ 기름에 튀겨지고 접시에 담겨졌던 것이다

　　 지금 젓가락 끝에 깍두기처럼 딱딱하게 집히는 이 멸치에는
　　 두껍고 뻣뻣한 공기를 뚫고 흘러가는 / 바다가 있다 그 바다에는 아직도
　　 지느러미가 있고 지느러미를 흔드는 물결이 있다

[C] 이 작은 물결이
　　 지금도 멸치의 몸통을 뒤틀고 있는 이 작은 무늬가
　　 파도를 만들고 해일을 부르고
　　└ 고깃배를 부수고 그물을 찢었던 것이다

– 김기택, 「멸치」

01 (가), (나)의 공통점으로 가장 적절한 것은?

① 청각적 심상을 활용하여 사물의 속성을 표현하고 있다.

② 역순행적 구성을 통해 화자의 인식 변화를 드러내고 있다.

③ 영탄적 어조를 통해 대상에 대한 경외감을 드러내고 있다.

④ 유사한 종결 표현을 반복하여 화자의 정서를 강화하고 있다.

⑤ 의문형 진술을 통해 현실에 대한 비판 인식을 드러내고 있다.

02 ㉠~㉤에 대한 설명으로 적절하지 <u>않은</u> 것은?

① ㉠: 문장의 어순을 바꾸어 '바퀴벌레'라는 소재에 대한 화자의 경탄을 제시하고 있다.

② ㉡: 역설적 표현을 활용하여 바퀴벌레의 생명력에 대한 감탄을 드러내면서 환경 오염의 심각성을 제시하고 있다.

③ ㉢: 자연과 현대 물질문명을 상징하는 시어를 대조하여 생태계가 파괴되는 과정을 드러내고 있다.

④ ㉣: 특정 소재를 통해 화자가 염려하는 상황을 가정하여 형상화하고 있다.

⑤ ㉤: 반어적 표현을 활용하여 환경 문제에 대한 경각심을 촉구하고 있다.

03 〈보기〉를 바탕으로 (가)를 감상한 내용으로 적절하지 <u>않은</u> 것은?

┌─ 보기 ─
「바퀴벌레는 진화 중」은 '바퀴벌레'라는 소재를 통해 현대 물질문명이 초래한 환경 오염의 심각성을 고발하는 작품이다. 현대 문명의 발달에 발맞추어 적응하고 진화하는 바퀴벌레의 생명력을 바탕으로 과거와 현재, 미래를 아우르는 화자의 현실 인식을 통해 환경과 생태계 파괴가 더욱 심해질 것이라는 경고를 하고 있는 것이다.
└─

① 1연에는 '살충제'를 '가는 혈관으로 흘려보내'고 '딱딱하고 거친 시멘트를 똥으로 바'꾸는 바퀴벌레의 생명력이 제시되어 있군.

② 2연에는 문명이 발달하기 전의 모습이 '사람들이 최초로 시멘트를 만들어 집을 짓고 살기 전', '독약을 만들어 뿌리기 전'으로 형상화되어 있군.

③ 2연에서 화자는 '빙하기'로 대변되는 과거에 바퀴벌레가 어떻게 생존하였을지 궁금해하면서, '금속의 씨'라는 표현을 통해 과거와 현재를 연결하고 있군.

④ 3연의 '신형 바퀴벌레'는 미래 문명의 발달에 맞게 진화한 생명체로, 현재보다도 더 오염된 모습일 생태계의 비극을 단적으로 드러내고 있군.

⑤ 3연에서 '움직이지 못하고 눈만 뜬 채 잠들어 있는' 바퀴벌레는 심각해진 환경 오염 때문에 보금자리를 잃은 자연물로, 환경 오염에 대한 화자의 우려를 드러내고 있군.

04 [A]~[C]에 대한 설명으로 적절하지 <u>않은</u> 것은?

① [A]는 중심 소재의 원초적 속성을 제시하고 있다.

② [B]는 중심 소재가 긍정적 속성을 잃어 가는 과정을 묘사하고 있다.

③ [B]는 중심 소재가 여러 공간을 거치며 변화되는 모습을 제시하고 있다.

④ [C]는 중심 소재가 동적인 속성을 완전히 잃은 것이 아니라는 인식을 드러내고 있다.

⑤ [C]는 중심 소재가 죽음을 통해 본래의 속성으로 회귀하는 모습을 제시함으로써 순환론적 세계관을 형상화하고 있다.

05 〈보기〉를 바탕으로 (나)를 감상한 내용으로 적절하지 <u>않은</u> 것은?

┌─ 보기 ─
「멸치」는 밥상 위의 멸치를 모티프로 하여 현대 문명의 탐욕에 의해 파괴된 생명체가 생명력을 상실하는 과정과 이를 다시 회복하기를 바라는 화자의 소망을 순차적으로 제시하고 있다. 이 작품은 표면적으로는 동물의 모습을 묘사하고 있지만 이면적으로는 현대 문명의 폭력성에 의해 파괴된 인간의 삶의 불안한 양상을 드러낸 작품으로 해석할 수도 있다.
└─

① '딱딱한 것'은 밥상 위에서 생명력을 상실한 멸치의 모습을, '유유히 흘러 다니던'은 생명력이 충만했던 멸치의 모습을 나타낸 것이겠군.

② '햇빛'이 가진 직선의 이미지는 '지느러미의 물결'이 가진 곡선의 이미지와 대비되어 현대 문명의 폭력성을 드러내는 것이겠군.

③ '바람'과 '모래 더미'는 생명력이 없는 존재라는 점에서 현대 문명에 의해 파괴된 인간 삶의 불안한 양상을 나타내고 있다고 이해할 수 있겠군.

④ '작은 물결'과 '작은 무늬'는 '파도'와 '해일'을 만드는 존재로 형상화되어 생명력이 가진 건강한 힘을 나타내는군.

⑤ '고깃배를 부수고 그물을 찢었던'은 생명력을 파괴하는 현대 문명의 탐욕에 대한 화자의 저항 의식이 상상력을 통해 표출된 것이겠군.

06 ⓐ, ⓑ를 비교한 내용으로 가장 적절한 것은?

① ⓐ, ⓑ 모두 화자를 억압하고 구속하는 존재이다.

② ⓐ, ⓑ 모두 반생명적 속성을 지닌 현대 문명을 의미한다.

③ ⓐ, ⓑ 모두 환경 오염으로 인해 황폐화된 자연을 의미한다.

④ ⓐ는 ⓑ와 달리 화자가 현실을 부정적으로 인식하게 되는 계기로 작용한다.

⑤ ⓑ는 ⓐ와 달리 생명력을 상실한 현대인의 처지를 상징한다.

▶해법문학 Link
현대 시 304쪽

백두산을 오르며
윤동주 시집이 든 가방을 들고

키워드 체크 ㉮ #시간의 흐름 #공간의 이동 #공동체적 자세 ㉯ #자아 성찰 #생명 경시 #시집의 의미 #비판적

㉮

[A]
백두산에 도착하자 눈이 내리기 시작했다
흰 자작나무 사이로
외롭게 걸려 있던 낮달은 어느새 사라지고
*잣까마귀들이 떼지어 날던 하늘 사이로
서서히 함박눈은 퍼붓기 시작했다

[B]
바람은 점점 어두워지고 / 멀리 백두폭포를 뒤로 하고
우리들은 말없이 *천지를 향해 길을 떠났다

[C]
눈 속에 핀 흰 *두견화를 만날 때마다
사랑한다 사랑한다고 속삭이며
우리들은 저마다 하나씩 백두산이 되어갔다

[D]
눈보라가 장백송 나뭇가지를 후려 꺾는 풍구(風口)에서
마침내 운명을 사랑하는 사람이 되는 일은 어려운 일이었다

[E]
올라갈수록 더 이상 올라갈 수 없는
내려갈수록 더 이상 내려갈 수 없는
눈보라치는 백두산을 오르며 / 우리들은 다시 ㉠천지처럼
함께 살아가야 할 날들을 생각했다

— 정호승, 「백두산을 오르며」

㉯
나는 왜 아침 출근길에 / 구두에 질펀하게 오줌을 싸 놓은
강아지도 한 마리 용서하지 못하는가
윤동주 시집이 든 가방을 들고 구두를 신는 순간
새로 갈아 신은 양말에 축축하게 / 강아지의 오줌이 스며들 때
나는 왜 강아지를 향해
이 개새끼라고 소리치지 않고는 견디지 못하는가
개나 사람이나 풀잎이나 / 생명의 무게는 다 똑같은 것이라고
산에 개를 데려왔다고 시비를 거는 사내와 / 멱살잡이까지 했던 내가
왜 강아지를 향해 구두를 내던지지 않고는 견디지 못하는가
세상에서 가장 어려운 일은 / 사람의 마음을 얻는 일이라는데
나는 한 마리 강아지의 마음도 얻지 못하고
어떻게 사람의 마음을 얻을 수 있을까
진실로 사랑하기를 원한다면 / 용서하는 법을 배워야 한다고
윤동주 시인은 늘 내게 말씀하시는데
나는 밥만 많이 먹고 강아지도 용서하지 못하면서
어떻게 ㉡인생의 순례자가 될 수 있을까
강아지는 이미 의자 밑으로 들어가 보이지 않는다
오늘도 강아지가 먼저 나를 용서할까 봐 두려워라

— 정호승, 「윤동주 시집이 든 가방을 들고」

핵심 포인트

㉮ 배경의 변화에 따른 화자의 태도

배경의 변화	화자의 태도
눈이 내리기 시작함.	백두산을 오르기 시작함.
함박눈이 오고 바람이 심해짐.	천지를 향해 말없이 산을 오름.
눈 속에 핀 두견화를 만남.	사랑한다 속삭이며 백두산이 되어 감.
눈보라가 휘몰아침.	함께 살아가야 할 날을 생각함.

㉯ 일상에서 찾은 화자의 깨달음

윤동주 시집이 든 가방을 들고 구두를 신음.
↓
구두에 오줌을 싼 강아지의 행동에 분노하고 욕설을 함.
↓
산에서 만난 사내와 다툰 경험을 떠올림.
↓
용서하는 법을 배워야 한다는 윤동주 시인의 말을 생각함.
↓
옹졸한 자기 자신의 행동을 반성함.

연계 작품

㉮ • 산을 오르는 경험: 오세영 「등산」
• 통일에 대한 염원: 박봉우 「나비와 철조망」, 신동엽 「껍데기는 가라」, 「봄은」
㉯ • 일상의 경험을 바탕으로 한 주제의 형상화: 함민복 「눈물은 왜 짠가」, 김수영 「어느 날 고궁을 나오면서」
• 반성과 성찰의 태도: 윤동주 「참회록」

기출 OX

01 (가)는 의성어를 활용하여 상황을 생동감 있게 묘사하고 있다.
기출 2019. 11. 고1 ○ X

02 (나)는 다른 인물의 말을 인용하여 화자의 바람을 드러내고 있다. EBS 변형 ○ X

• *잣까마귀 까마귓과의 새. 까마귀 가운데 가장 작음.
• *천지 백두산 꼭대기에 있는 못.
• *두견화 진달랫과의 낙엽 활엽 관목.

답 01 X 02 ○

01 (가), (나)에 대한 설명으로 가장 적절한 것은?

① (가)와 (나)는 모두 현실에 대한 화자의 비판 의식을 강조하고 있다.

② (가)와 (나)는 모두 현재형 어미를 통해 시적 상황을 생생하게 드러내고 있다.

③ (가)와 달리 (나)는 표면에 드러난 화자가 정서를 직접적으로 표출하고 있다.

④ (나)와 달리 (가)는 시간의 흐름과 공간의 이동에 따라 시상이 전개되고 있다.

⑤ (가)는 자조적 어조를 통해, (나)는 의지적 어조를 통해 주제를 드러내고 있다.

02 (가)의 표현상 특징으로 적절하지 <u>않은</u> 것은?

① 대구법을 활용하여 운율을 형성하고 있다.

② 자연물을 활용하여 시적 상황을 묘사하고 있다.

③ 대상을 의인화하여 역동적 이미지를 강화하고 있다.

④ 시각적 이미지를 통해 대상을 감각적으로 제시하고 있다.

⑤ 역설적 표현을 활용하여 화자가 처한 상황의 어려움을 드러내고 있다.

기출 2019학년도 11월 고1 학력평가

03 [A]~[E]에 대한 이해로 적절하지 <u>않은</u> 것은?

① [A]: 화자를 둘러싼 상황이 악화되고 있음이 드러나 있다.

② [B]: 묵묵히 목표를 향해 나아가는 화자의 모습이 드러나 있다.

③ [C]: 화자가 대상과 동화되어 가는 모습이 드러나 있다.

④ [D]: 억압적 현실에 저항하고 있는 화자의 행동이 드러나 있다.

⑤ [E]: 공동체적 삶에 대한 화자의 바람이 드러나 있다.

04 (나)에 대한 설명으로 적절하지 <u>않은</u> 것은?

① 상징적 소재를 활용하여 시적 의미를 강조하고 있다.

② 일상의 경험에서 얻은 화자의 깨달음을 전달하고 있다.

③ 유사한 통사 구조를 반복하여 화자의 성찰을 드러내고 있다.

④ 과거 회상을 통해 구체적인 현실 극복 방안을 모색하고 있다.

⑤ 스스로에게 질문을 던지는 방식을 통해 자신의 태도에 대한 부끄러움을 드러내고 있다.

고난도
05 (나)와 〈보기〉를 비교하여 감상한 내용으로 적절하지 <u>않은</u> 것은?

> ─ 보기 ─
> 죽는 날까지 하늘을 우러러
> 한 점 부끄럼이 없기를,
> 잎새에 이는 바람에도
> 나는 괴로워했다.
> 별을 노래하는 마음으로
> 모든 죽어 가는 것들을 사랑해야지
> 그리고 나한테 주어진 길을
> 걸어가야겠다.
>
> 오늘 밤에도 별이 바람에 스치운다.
>
> ─ 윤동주, 「서시」

① 〈보기〉의 화자가 우러러 보는 '하늘'은 (나)의 '윤동주 시집'과 유사한 역할을 하는군.

② 〈보기〉의 내용을 고려할 때, 〈보기〉는 (나)의 화자가 읽은 '윤동주 시집'의 내용으로 볼 수 있겠군.

③ (나)에서 '윤동주 시인'이 '늘 내게 말씀하시는' 내용은 '모든 죽어 가는 것들을 사랑'하겠다는 〈보기〉의 내용과 관련이 있겠군.

④ (나)의 화자는 생명을 경시한 자신의 모습을 성찰하고 있고, 〈보기〉의 화자는 도덕적 순결성과 양심을 지켜 나가겠다는 다짐을 하고 있군.

⑤ 〈보기〉의 화자가 '잎새에 이는 바람'에도 괴로워하는 행위는 (나)의 화자가 '구두에 질펀하게 오줌을 싸 놓은' 강아지를 향해 구두를 내던지는 행위와 대응하는군.

06 ㉠, ㉡에 대한 설명으로 가장 적절한 것은?

① ㉠과 ㉡은 모두 과거의 모습과 그 속성이 대조된다.

② ㉠과 ㉡은 모두 화자가 지향하는 삶의 태도를 드러낸다.

③ ㉠과 ㉡은 모두 자연과 동화되고자 하는 화자의 소망이 담긴 대상이다.

④ ㉠은 현실에 대한 화자의 긍정적 인식을, ㉡은 부정적 인식을 드러낸다.

⑤ ㉠은 내적 갈등을 유발하는 대상이고, ㉡은 내적 갈등을 해소해 주는 대상이다.

못 위의 잠 | 땅끝

키워드 체크 ㉮ #서사적 #연민의 정서 #아버지 #과거 회상 ㉯ #절망의 극복 #역설적 #이상 추구 #독백적

핵심 포인트

㉮ 과거 회상을 통한 시상 전개

| 현재 | 못 위에서 꾸벅거리는 아비 제비를 봄. |

↓

| 과거
회상 | 실업자인 아버지와 함께 일을 마치고 온 어머니를 마중 갔던 일을 떠올림. |

↓

| 현재 | 아버지의 안쓰러운 모습을 떠오르게 하는 아비 제비를 봄. |

㉯ '땅끝'의 의미를 바탕으로 한 역설적 깨달음

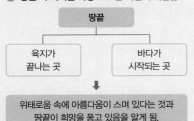

위태로움 속에 아름다움이 스며 있다는 것과 땅끝이 희망을 품고 있음을 알게 됨.

㉮ 저 지붕 아래 제비집 너무도 작아 / 갓 태어난 새끼들만으로 가득 차고
어미는 둥지를 날개로 덮은 채 간신히 잠들었습니다
바로 그 옆에 누가 박아 놓았을까요, 못 하나 / 그 못이 아니었다면
아비는 어디서 밤을 지냈을까요 / 못 위에 앉아 밤새 꾸벅거리는 제비를
눈이 뜨겁도록 올려다봅니다
종암동 버스 정류장, ㉠흙바람은 불어오고
한 사내가 아이 셋을 데리고 마중 나온 모습 / 수많은 버스를 보내고 나서야
피곤에 지친 한 여자가 내리고, 그 창백함 때문에
반쪽 난 달빛은 또 얼마나 창백했던가요 / 아이들은 달려가 엄마의 옷자락을 잡고
제자리에 선 채 ㉡달빛을 좀 더 바라보던 / 사내의, 그 마음을 오늘 밤은 알 것도 같습니다
실업의 호주머니에서 만져지던 / 때 묻은 ㉢호두알은 쉽게 깨어지지 않고
그럴듯한 집 한 채 짓는 대신 / 못 하나 위에서 견디는 것으로 살아온 아비,
거리에선 아직도 흙바람이 몰려오나 봐요
돌아오는 길 희미한 달빛은 그런대로
식구들의 손잡은 그림자를 만들어 주기도 했지만 / 그러기엔 ㉣골목이 너무 좁았고
늘 한 걸음 늦게 따라오던 아버지의 ㉤그림자
그 꾸벅거림을 기억나게 하는 / 못 하나, 그 위의 잠

– 나희덕, 「못 위의 잠」

㉯ 산 너머 고운 노을을 보려고
그네를 힘차게 차고 올라 발을 굴렀지 / 노을은 끝내 어둠에게 잡아먹혔지
나를 태우고 날아가던 그넷줄이 / 오랫동안 삐걱삐걱 떨고 있었어

어릴 때는 나비를 좇듯 / 아름다움에 취해 땅끝을 찾아갔지
그건 아마도 끝이 아니었을지도 몰라
그러나 살면서 몇 번은 땅끝에 서게도 되지
파도가 끊임없이 땅을 먹어 들어오는 막바지에서
이렇게 뒷걸음질치면서 말야

살기 위해서는 이제 / 뒷걸음질만이 허락된 것이라고
파도가 아가리를 쳐들고 달려드는 곳
찾아 나선 것도 아니었지만
끝내 발 디디며 서 있는 땅의 끝,
그런데 이상하기도 하지
위태로움 속에 아름다움이 스며 있다는 것이
땅끝은 늘 젖어 있다는 것이
그걸 보려고 / 또 몇 번은 여기에 이르리라는 것이

– 나희덕, 「땅끝」

연계 작품

㉮ 유년 시절 아버지에 대한 회상: 김종길 「성탄제」
㉯ 이상의 추구와 좌절: 서정주 「추천사」, 유치환 「깃발」

기출 OX

01 (가)에서는 시간의 변화가 시상 전개에 중요한 역할을 하고 있다.
기출 2009. 6. 모평 ○ X

02 (가)는 반어적 표현을 사용하여 인물의 정서를 강조하고 있다.
기출 2018. 6. 고2 ○ X

03 (나)의 화자는 회상의 방식으로 지난 삶을 반성하고 있다. 기출 2010. 4. 고3 ○ X

04 (나)에는 소망에 이르기 위한 화자의 노력이 드러나 있다. 기출 2016. 7. 고3 ○ X

답 01 ○ 02 X 03 X 04 ○

01 (가), (나)의 공통점으로 가장 적절한 것은?

① 역설적 표현을 통해 주제를 강조하고 있다.
② 색채 이미지를 나열하여 정서를 드러내고 있다.
③ 대상을 의인화하여 비판적 태도를 드러내고 있다.
④ 화자의 과거 경험을 바탕으로 시상을 전개하고 있다.
⑤ 대화의 방식을 활용하여 화자의 의지를 강조하고 있다.

02 (가)에 대한 설명으로 적절하지 않은 것은?

① 구체적인 지명을 제시하여 현실감을 높이고 있다.
② 자연물에 감정을 이입하여 화자의 정서를 드러내고 있다.
③ 유사한 속성을 지닌 대상들을 병치하여 주제를 형상화하고 있다.
④ 시적 대상이 처한 상황을 통해 시대적 배경을 간접적으로 드러내고 있다.
⑤ 대상의 모습과 행동을 구체적으로 묘사하여 화자의 정서를 전달하고 있다.

고난도 기출 2018학년도 6월 고2 학력평가

03 ㉠~㉤을 이해한 내용으로 적절하지 않은 것은?

① ㉠: 엄마를 기다리는 가족들에게 '불어오'는 것으로, 이들에게 닥친 고난과 시련으로 볼 수 있다.
② ㉡: '제자리에 선 채' '좀 더 바라보던' 것으로, 아버지가 자신과 동일시하는 대상이라 할 수 있다.
③ ㉢: '때 묻'고 '쉽게 깨어지지 않'는 것으로, 오랫동안 지속된 아버지의 실업 상태를 표현한 것이라 볼 수 있다.
④ ㉣: 가족이 다 같이 함께하기에는 '너무 좁'은 곳으로, 가족의 힘든 상황을 형상화한 것으로 볼 수 있다.
⑤ ㉤: '한 걸음 늦게 따라오'는 아버지의 모습이 담긴 것으로, 가족을 생각하는 가장의 마음이 반영된 것이라 할 수 있다.

기출 변형 2016학년도 7월 고3 학력평가

04 (나)에 대한 이해로 적절하지 않은 것은?

① '아름다움에 취해 땅끝을 찾아갔지'는 이상을 추구하던 어린 시절의 경험을 표현한 것이다.
② '그러나 살면서 몇 번은 땅끝에 서게도 되지'는 어려움을 겪을 수밖에 없는 현실을 표현한 것이다.
③ '파도가 끊임없이 땅을 먹어 들어오는 막바지에서'는 삶의 시련으로 인한 절망적 상황을 표현한 것이다.
④ '뒷걸음질만이 허락된 것이라고'는 삶의 시련을 이겨 내려는 의지를 표현한 것이다.
⑤ '위태로움 속에 아름다움이 스며 있다는 것이'는 삶의 고통 속에서 깨달은 삶의 아름다움을 표현한 것이다.

05 (나)와 〈보기〉를 비교하여 감상한 내용으로 적절하지 않은 것은?

보기

길을 잃어 보지 않은 사람은 모르리라
터덜거리며 걸어간 길 끝에
멀리서 밝혀져 오는 불빛의 따뜻함을

막무가내의 어둠 속에서
누군가 맞잡을 손이 있다는 것이
인간에 대한 얼마나 새로운 발견인지

산속에서 밤을 맞아 본 사람은 알리라
그 산에 감긴 작은 지붕들이
거대한 산줄기보다
얼마나 큰 힘으로 어깨를 감싸 주는지

먼 곳의 불빛은
나그네를 쉬게 하는 것이 아니라
계속 걸어갈 수 있게 해 준다는 것을

– 나희덕, 「산속에서」

① (나)와 〈보기〉는 모두 삶의 어려움 속에서 드러나는 희망에 주목하고 있군.
② (나)의 '고운 노을'과 〈보기〉의 '불빛'은 모두 화자에게 위안이 되는 존재이군.
③ (나)의 '어둠에게 잡아먹'힌 경험은 〈보기〉의 '길을 잃'은 상황에 대응할 수 있군.
④ (나)와 달리 〈보기〉에는 대상이 의지할 수 있는 존재가 나타나 있군.
⑤ 〈보기〉와 달리 (나)에는 대상에 대한 인식의 전환이 드러나 있군.

[06~08] 다음 글을 읽고 물음에 답하시오.

㉮ 어느 집 담장을 넘어 달겨드는
　　이것은, / 치명적인 ㉠냄새

식은 ㉡감자알 갉작거리며 평상에 엎드려 산수 숙제를 하던, 엄마 내 친구들은 내가 감자가 좋아서 감자밥 도시락만 먹는 줄 알아. 열한 식구 때꺼리를 감자 없이 무슨 수로 밥을 해 대냐고, 귀밝은 할아버지는 땅밑에서 감자알 크는 소리 들린다고 흐뭇해하셨지만 엄마 난 땅속에서 자라는 것들이 무서운데, 뿌리 끝에 댕글댕글한 어지럼증을 매달고 식구들이 밥상머리를 지킨다 하나둘 숟가락 내려놓을 때까지 엄마 밥주발엔 숟가락 꽂히지 않는다.

어릴 적 질리도록 먹은 건 싫어하게 된다더니, 감자 삶는 냄새
이것은, / 치명적인 그리움

꽃은 꽃대로 놓아두고 저는 땅 밑으로만 궁그는,
㉢꽃 진 자리엔 얼씬도 하지 않는,
열한 개의 구덩이를 가진 늙은 애기집
　　　　　　　　　　　　　　　– 김선우, 「감자 먹는 사람들」

㉯─산 너머 고운 노을을 보려고
　│그네를 힘차게 차고 올라 발을 굴렀지
[A]│노을은 끝내 어둠에게 잡아먹혔지
　│나를 태우고 날아가던 ㉣그넷줄이
　└오랫동안 삐걱삐걱 떨고 있었어

　┌어릴 때는 나비를 좇듯
　│아름다움에 취해 땅끝을 찾아갔지
　│그건 아마도 끝이 아니었을지도 몰라
[B]│그러나 살면서 몇 번은 땅끝에 서게도 되지
　│파도가 끊임없이 땅을 먹어 들어오는 막바지에서
　└이렇게 뒷걸음질치면서 말야

　┌살기 위해서는 이제 / 뒷걸음질만이 허락된 것이라고
　│파도가 아가리를 쳐들고 달려드는 곳
　│찾아 나선 것도 아니었지만
　│끝내 발 디디며 서 있는 땅의 끝,
[C]│그런데 이상하기도 하지
　│㉤위태로움 속에 아름다움이 스며 있다는 것이
　│땅끝은 늘 젖어 있다는 것이
　└그걸 보려고 / 또 몇 번은 여기에 이르리라는 것이
　　　　　　　　　　　　　　　　– 나희덕, 「땅끝」

기출

06 (가), (나)에 대한 설명으로 가장 적절한 것은?
① (가)는 설의적 표현을 통해 대상의 속성을 강조하고 있다.
② (가)는 반어적 표현을 활용하여 대상에 대한 냉소적 태도를 드러내고 있다.
③ (나)는 구체적 청자와의 대화를 통해 시상을 전개하고 있다.
④ (나)는 특정한 종결 어미를 반복하여 운율을 형성하고 있다.
⑤ (가)와 (나)는 화자의 이동 경로에 따라 화자의 정서를 구체화하고 있다.

고난도 기출

07 [A]~[C]에 대한 이해로 적절하지 <u>않은</u> 것은?
① [A]에서 화자는 '어둠'을 통해 자신이 느끼는 암담한 심정을 드러내고 있다.
② [A]에서 화자는 '그네'를 굴림으로써 이상적 대상에 다가가고 싶은 마음을 표현하고 있다.
③ [B]에서 화자는 '땅끝'을 현실에서 벗어난 이상적 공간으로 인식하고 있다.
④ [C]에서 화자는 달려드는 '파도'를 삶의 위태로움으로 인식하고 있다.
⑤ [C]에서 화자는 '여기'에서 삶에 대한 역설적 깨달음을 얻고 있다.

기출 변형

08 <보기>를 참고할 때, ㉠~㉤ 중 ⓐ에 해당하는 것으로 가장 적절한 것은?

　보기
　　기억은 어떻게 재생되느냐에 따라 자발적 기억과 비자발적 기억으로 나눌 수 있다. 자발적 기억은 우리 의지에 따라 수행되는 기억이고, 비자발적 기억은 어떤 사건이나 사물 혹은 사람과 우연히 마주쳤을 때 발생하는 기억이다. 완전히 잊었다고 생각했던 과거의 일이 어떤 일을 계기로 우연히 떠오를 때가 있는데 이런 기억이 바로 비자발적 기억이다. 이때 ⓐ비자발적 기억을 우연히 떠오르게 <u>하는 요인</u>으로는 시각적 경험뿐 아니라 후각, 촉각적 경험 등도 작용한다.

① ㉠　　② ㉡　　③ ㉢　　④ ㉣　　⑤ ㉤

우포늪 왁새 | 신의 방

핵심 포인트

가 비유를 통한 주제의 형상화

| 왁새의 울음 | 비유 → | 소리꾼의 소리 |

우포늪의 생명적 가치를 강조함.

나 생명의 순환 구조와 그 의미

인간의 배설물, 음식물 찌꺼기 등 → 돼지 → 돼지의 배설물 → 보리밭 거름 → 보리 → 인간

인간과 자연이 공존하는 생태적 삶의 추구

연계 작품

가 • 우포늪의 생명력: 황동규 「우포늪」
• 판소리 창자와 고수의 교감: 김영랑 「북」
나 • 생태주의적 관점: 김선우 「깨끗한 식사」
• 인간과 자연의 공존: 박형진 「사랑」

기출 OX

Q1 (가)는 화자와 대화를 주고받는 대상을 통해 시상을 전개하고 있다.
[기출] 2016. 3. 고2 ○ X

Q2 (가)는 인간의 삶과 공간의 의미를 연결 지어 주제 의식을 구체화하고 있다.
[기출] 2019. 6. 모평 ○ X

Q3 (나)는 특정 지역 생활 양식의 변화를 제시함으로써 현실 세계를 재현하고자 하였다.
[기출] 2022. 수능 예시 문항 ○ X

* **자운영** 콩과의 두해살이풀. 봄에 자줏빛 또는 흰색의 꽃이 핌.
* **고수** 북이나 장구 따위를 치는 사람.
* **동편제** 판소리의 한 유파.
* **통시** 제주 지역에서 변소와 돼지우리가 하나로 되어 있는 공간.
* **호** 구덩이.
* **공양** 부처나 망자의 영혼 등에게 음식, 꽃 따위를 바치는 일. 또는 절에서 음식을 먹는 일.
* **지표** 방향이나 목적, 기준 등을 나타내는 표지.

답 **01** X **02** ○ **03** ○

가

득음은 못하고, 그저 시골장이나 떠돌던
소리꾼이 있었다, ㉠신명 한 가락에
막걸리 한 사발이면 그만이던 흰 두루마기의 그 사내
꿈속에서도 폭포 물줄기로 내리치는
한 대목 절창을 찾아 떠돌더니
오늘은, 왁새 울음 되어 우항산 솔밭을 다 적시고
ⓐ우포늪 둔치, 그 눈부신 봄빛 위에 *자운영 꽃불 질러 놓는다
살아서는 근본마저 알 길 없던 혈혈단신
㉡텁텁한 얼굴에 달빛 같은 슬픔이 엉켜 수염을 흔들곤 했다
늙은 *고수라도 만나면
어깨 들썩 산 하나를 흔들었다
㉢필생 동안 그가 찾아 헤맸던 소리가
적막한 늪 뒷산 솔바람 맑은 가락 속에 있었던가
소목 장재 토평마을 양파들이 시퍼런 물살 몰아칠 때
일제히 깃을 치며 *동편제 넘어가는
저 왁새들
완창 한 판 잘 끝냈다고 하늘 선회하는
그 소리꾼 영혼의 심연이
우포늪 꽃잔치를 자지러지도록 무르익힌다

– 배한봉, 「우포늪 왁새」

나

이런 돼지가 살았다지요 반들거리는 검은 털에 날렵한 주둥이를 가진, 유난히 흙의 온기를 좋아하여 흙이랑 노는 일을 제일로 즐거워했다는군요 기른다는 것이 실은 서로 길드는 것이어서 이 지방 사람들은 ⓑ통시라는 거처를 마련했다지요 인간의 배변 장소와 돼지우리가 함께 있는 아주 재미난 방인 셈인데요 지붕을 덮지 않은 널찍한 *호를 파고 지푸라기 조금 깔아 준 방 안에서 이 짐승은 ㉣눈비 맞고 흙과 똥과 뒹굴면서 비바람 햇볕을 고스란히 살 속에 아로새기게 되었다는데요 음식물 찌꺼기며 설거지물까지 버릴 것 없이 모아 둔 큰 독 속에서 ㉤한때 빛나던 것들이 제힘으로 다시 빛날 때 발효한 이 먹이를 돼지가 먹고 돼지의 배설물은 보리밭 거름으로 이쁜 보리들을 길렀다는데요 그래도 이 짐승의 주식이 사람의 똥이었던 것은 생명은 생명에게 *공양되는 법이라 행여 남아 있을 산 것들의 온기가 더럽고 하찮은 것으로 취급될까 두려운 때문이 아니었는지 몰라

나라의 높은 분이 보기에 미개하여 시멘트 네 포대씩 무상 지급한 때가 있었다는데요 문명국의 *지표인 변소를 개량하라 다그쳤다는데요 흔적이나마 통시가 아직 남아 내 몸 속의 방을 향해 손 내밀어 주는 것은, 똥 누고 먹는 일이 한가지로 행해지는 그곳을 신이 거주하는 장소라 여긴 하늘 가까운 섬사람들이 있었기 때문입니다

– 김선우, 「신(神)의 방」

01 (가), (나)에 대한 설명으로 적절하지 <u>않은</u> 것은?

① (가)는 청각적 심상을 통해 시적 정서를 형상화하고 있다.

② (가)는 구체적인 지명을 제시하여 현실감을 더하고 있다.

③ (가)는 자연물에 감정을 이입하여 화자의 정서를 드러내고 있다.

④ (나)는 특정 종결 어미를 반복하여 운율을 형성하고 있다.

⑤ (나)는 대상에 대한 대립적 가치관을 제시하여 주제를 부각하고 있다.

02 ㉠～㉤에 대한 이해로 적절하지 <u>않은</u> 것은?

① ㉠: 물욕이 없이 소박하게 살았던 소리꾼의 모습을 짐작해 볼 수 있다.

② ㉡: 직유적 표현을 통해 소리꾼의 삶을 애상적으로 드러내고 있다.

③ ㉢: 예술적 가치와 자연의 아름다움을 동일시하는 인식을 드러내고 있다.

④ ㉣: 자연과 동화되기 위한 돼지의 노력이 나타나 있다.

⑤ ㉤: 버려진 음식물에도 생명력이 남아 있다는 인식이 담겨 있다.

03 ⓐ, ⓑ를 비교한 내용으로 가장 적절한 것은?

① ⓐ와 ⓑ는 모두 화자가 과거의 기억을 떠올리는 공간이다.

② ⓐ와 ⓑ는 모두 자연과 인간의 조화가 이루어지는 공간이다.

③ ⓐ와 ⓑ는 모두 화자가 자연에 대한 인식을 전환하는 공간이다.

④ ⓐ는 ⓑ와 달리 세상과 단절하고자 하는 화자의 소망이 드러나는 공간이다.

⑤ ⓑ는 ⓐ와 달리 화자가 지닌 욕망이 실현되는 공간이다.

04 (가)에 대한 감상으로 적절하지 <u>않은</u> 것은?

① '시골장이나 떠돌던 / 소리꾼'이 추구했던 '한 대목 절창'은 우포늪에 퍼지는 '왁새 울음'소리와 동일시되고 있군.

② '흰 두루마기의 그 사내'가 '꿈속에서도' 찾던 득음의 경지를 '눈부신 봄빛 위에 자운영 꽃불'이 퍼지는 것으로 표현하고 있군.

③ '혈혈단신'으로 슬픔을 지닌 사내가 '필생 동안' 찾아 헤맨 소리는 멀리 있는 것이 아니라 '적막한 늪 뒷산 솔바람 맑은 가락 속'에 있는 것이겠군.

④ '양파들이 시퍼런 물살 몰아칠 때' 왁새들이 '일제히 깃을 치며' 날아가는 것은, 득음의 경지에 이르지 못한 소리꾼의 회한을 드러내는 것이겠군.

⑤ '완창 한 판 잘' 끝낸 '왁새들'의 울음은 '우포늪 꽃잔치'를 무르익게 하는 생명력을 내포한다고 볼 수 있겠군.

05 〈보기〉를 참고하여 (나)를 감상한 내용으로 적절하지 <u>않은</u> 것은?

> ──── 보기 ────
> 「신의 방」은 제주도의 전통 재래식 화장실인 '통시'를 생명의 관점에서 해석하고 있다. 통시는 인간의 배변과 돼지의 사육이 함께 이루어지는 공간으로, 인간과 자연의 관계성을 보여 주는 곳이다. 화자는 통시를 통해 생명의 순환과 자연의 이치를 인식하고, 통시를 문명국의 지표인 변소로 개량하려는 이들과의 대립을 확인한다.

① '기른다는 것이 실은 서로 길드는 것'은 인간과 자연이 맺고 있는 관계에 대한 화자의 인식을 단적으로 보여 주는군.

② '돼지의 배설물'을 '보리밭 거름'으로 사용하는 것은 편리함과 효율성을 중시하는 인간 중심적인 가치관을 드러내는군.

③ '생명은 생명에게 공양되는 법'은 생명이 순환되는 자연의 이치를 나타내는군.

④ '문명국의 지표인 변소'는 인간이 자연을 지배하고 통제하려는 관점에서 생성된 삶의 양식을 나타내는군.

⑤ '통시'를 '신이 거주하는 장소'라 여기는 것은 화자가 자연과 생명의 섭리를 깨달았기 때문이라고 볼 수 있겠군.

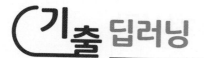

[06~08] 다음 글을 읽고 물음에 답하시오.

㉮ 산과 산이 마주 향하고 믿음이 없는 얼굴과 얼굴이 마주 향한
항시 어두움 속에서 꼭 한 번은 천동 같은 화산이 일어날 것을 알
면서 요런 자세로 꽃이 되어야 쓰는가.

　저어 서로 응시하는 쌀쌀한 풍경. 아름다운 풍토는 이미 고구
려 같은 정신도 신라 같은 이야기도 없는가. 별들이 차지한 하늘
은 끝끝내 하나인데…… 우리 무엇에 불안한 얼굴의 의미는 여기
에 있었던가.

　모든 유혈(流血)은 꿈같이 가고 지금도 나무 하나 안심하고 서
있지 못할 광장. 아직도 정맥은 끊어진 채 휴식인가 야위어 가는
이야기뿐인가.

　언제 한 번은 불고야 말 독사의 혀같이 징그러운 바람이여. 너
도 이미 아는 모진 겨우살이를 또 한 번 겪으라는가 아무런 죄도
없이 피어난 꽃은 시방의 자리에서 얼마를 더 살아야 하는가 아
름다운 길은 이뿐인가.

　산과 산이 마주 향하고 믿음이 없는 얼굴과 얼굴이 마주 향한
항시 어두움 속에서 꼭 한 번은 천동 같은 화산이 일어날 것을 알
면서 요런 자세로 꽃이 되어야 쓰는가.

　　　　　　　　　　　　　　　　　　　　　　－ 박봉우, 「휴전선」

㉯ 득음은 못하고, 그저 시골장이나 떠돌던
　소리꾼이 있었다, 신명 한 가락에
　막걸리 한 사발이면 그만이던 흰 두루마기의 그 사내
　꿈속에서도 폭포 물줄기로 내리치는
　한 대목 절창을 찾아 떠돌더니
[A]┌ 오늘은, 왁새 울음 되어 우항산 솔밭을 다 적시고
　└ 우포늪 둔치, 그 눈부신 봄빛 위에 자운영 꽃불 질러 놓는다
[B]┌ 살아서는 근본마저 알 길 없던 혈혈단신
　└ 텁텁한 얼굴에 달빛 같은 슬픔이 엉겨 수염을 흔들곤 했다
　늙은 고수라도 만나면 / 어깨 들썩 산 하나를 흔들었다
[C]┌ 필생 동안 그가 찾아 헤맸던 소리가
　└ 적막한 늪 뒷산 솔바람 맑은 가락 속에 있었던가
[D]┌ 소목 장재 토평마을 양파들이 시퍼런 물살 몰아칠 때
　└ 일제히 깃을 치며 동편제 넘어가는 / 저 왁새들
[E]┌ 완창 한 판 잘 끝냈다고 하늘 선회하는
　│ 그 소리꾼 영혼의 심연이
　└ 우포늪 꽃잔치를 자지러지도록 무르익는다

　　　　　　　　　　　　　　　　　　　　　　－ 배한봉, 「우포늪 왁새」

06 **(가), (나)에 대한 설명으로 적절하지 않은 것은?**

① (가)는 설의적 표현으로 현실에 대한 화자의 안타까움을
　드러내고 있다.
② (나)는 청각의 시각화를 통해 소재의 생동감을 부각하고
　있다.
③ (가)는 시간의 흐름에 따라, (나)는 시선의 이동에 따라
　시상을 전개하고 있다.
④ (가)는 동일한 시구를 반복하여, (나)는 인물에 대한 이야
　기를 활용하여 주제 의식을 강조하고 있다.
⑤ (가)와 (나)는 모두 화자의 인식을 자연물에 투영하여 시
　적 정서를 환기하고 있다.

07 **(가)에 대한 설명으로 적절하지 않은 것은?**

① '천동 같은 화산'은 전쟁의 참혹한 상황을 의미한다.
② '별들이 차지한 하늘'은 하나로 이어진 세계를 뜻한다.
③ 끊어진 '정맥'은 '유혈'을 이겨 낸 삶의 의지를 환기한다.
④ '징그러운 바람'은 미래에 닥칠지도 모르는 모진 상황을
　상징한다.
⑤ '꽃'은 지은 죄 없이 '요런 자세'로 삶에 순응하는 존재이다.

08 **〈보기〉를 참고하여 [A]~[E]를 이해한 내용으로 적절하지 않은
것은?**

　보기
　　이 시의 화자는 '우포늪'에서 왁새 울음소리를 들으며,
　득음을 못한 채 생을 마감했던 한 '소리꾼'을 상상적으로
　떠올리고 있다. 화자는 왁새 울음소리에서 고단하고 외로
　웠던 소리꾼이 평생을 추구했던 절창을 연상함으로써, 우
　포늪의 생명력이 소리꾼의 영혼을 절창으로 이끌었음을
　표현하고자 했다. 자연과 인간이 어우러진 세계에서 창조
　되는 예술의 경지와 우포늪의 아름다움을 조화롭게 형상
　화한 것이다.

① [A]: 화자는 왁새 울음소리와 우포늪의 풍경을 연결 지
　어 소리꾼이 추구했던 절창을 상상적으로 떠올리고 있다.
② [B]: 득음의 경지를 찾아 떠돌았던 소리꾼의 얼굴에 묻
　어나는 삶의 비애를 감각적으로 표현하고 있다.
③ [C]: 소리꾼이 평생 추구했던 절창을 우포늪에서 찾아낸
　화자의 정서를 드러내고 있다.
④ [D]: 화자가 상상적으로 떠올린 세계를 우포늪 일대의
　현실적 공간과 결부하고 있다.
⑤ [E]: 날아가는 왁새와 완창을 한 소리꾼을 대비하여 자
　연과 인간이 통합된 예술의 형상을 사실적으로 보여 주
　고 있다.

Q45

나무 속엔 물관이 있다 | 첫사랑

키워드 체크 ㉮ #생명의 조화로움 #배려 #자연 #성찰적 ㉯ #인내와 헌신 #성숙한 사랑 #역설법

핵심 포인트

㉮ 자연을 통한 삶의 성찰

가지들	서로를 배려하며 자신의 분수에 맞게 살아감.
둥치	흔들림 없이 중심을 잡음.
실뿌리	무게를 견딜 힘을 가지로 올려 보냄.

⬇

생명의 조화로운 이치를 통해
인간의 삶을 성찰함.

㉯ '눈꽃'과 '첫사랑'의 공통점

눈꽃	첫사랑
햇솜 같은 마음을 다 퍼부음.	온 마음으로 상대를 사랑함.
바람 한 자락 불면 날아감.	쉽게 헤어질 수 있음.
마침내 피워 낸 저 황홀	사랑을 이루었을 때의 기쁨
세상에서 가장 아름다운 상처	이별 후에 더 성숙한 사랑을 할 수 있게 됨.

연계 작품

㉮ 자연에서 얻는 삶의 교훈: 이성부 「벼」, 도종환 「담쟁이」
㉯ • 사랑이 시작되는 순간의 떨림과 설렘: 장석남 「배를 매며」, 용혜원 「첫사랑」
• 역설을 통한 주제의 형상화: 한용운 「님의 침묵」

기출 OX

01 (가)는 현재형 진술을 사용하여 대상을 현장감 있게 그리고 있다.
[기출] 2018. 10. 고3 ○ X

02 (가)는 공간의 이동에 따라 시상을 전개하여 화자의 태도 변화를 드러내고 있다.
[기출] 2018. 10. 고3 ○ X

03 (나)는 반어적 표현을 활용하여 시어의 의미를 부각하고 있다.
[기출] 2015. 6. 고2 ○ X

04 (나)는 공감각적 심상을 활용하여 대상을 참신하게 표현하고 있다.
[기출] 2015. 6. 고2 ○ X

• **우듬지** 나무의 꼭대기 줄기.
• **땅심** 농작물을 길러 낼 수 있는 땅의 힘.
• **난분분** '난분분하다'의 어근. 눈이나 꽃잎 따위가 흩날리어 어지러운 모양.
• **햇솜** 그 해에 새로 난 솜.

답 **01** ○ **02** X **03** X **04** X

㉮
  잦은 바람 속의 겨울 감나무를 보면, 그 가지들이 가는 것이나 굵은 것이나 아예 실가지거나 *우듬지거나, 모두 다 서로를 훼방 놓는 법이 없이 제 숨결 닿는 만큼의 찰랑한 허공을 끌어안고, 바르르 떨거나 사운거리거나 건들대거나 획획 후리거나, 제 깜냥껏 한세상을 흔들거린다.

  그 모든 것들이 웬만해선 흔들림이 없는 한 집의
  주춧기둥 같은 둥치에서 뻗어 나간 게 새삼 신기한 일.

  더더욱 그 실가지 하나에 앉은 조막만한 새의 무게가 둥치를 타고 내려가, 칠흑 땅속의 그중 깊이 뻗은 실뿌리의 흙살에까지 미쳐, 그 무게를 견딜힘을 다시 우듬지에까지 올려 보내는 *땅심의 배려로, 산 가지는 어느 것 하나라도 어떤 댓바람에도 꺾이지 않는 당참을 보여 주는가.

  아, 우린 너무 감동을 모르고 살아왔느니.

– 고재종, 「나무 속엔 물관이 있다」

㉯
흔들리는 나뭇가지에 ㉠꽃 한번 피우려고
㉡눈은 얼마나 많은 도전을 멈추지 않았으랴

싸그락 싸그락 두드려 보았겠지
*난분분 난분분 춤추었겠지
미끄러지고 미끄러지길 수백 번,

㉢바람 한 자락 불면 획 날아갈 사랑을 위하여
㉣*햇솜 같은 마음을 다 퍼부어 준 다음에야
마침내 피워 낸 저 황홀 보아라

봄이면 ㉤가지는 그 한 번 덴 자리에
ⓐ세상에서 가장 아름다운 상처를 터뜨린다

– 고재종, 「첫사랑」

01 (가), (나)의 공통점으로 가장 적절한 것은?

① 대구법을 사용하여 운율을 형성하고 있다.
② 자연물을 활용하여 주제를 드러내고 있다.
③ 대조적인 시어를 제시하여 의지를 강조하고 있다.
④ 영탄적 어조로 현실 비판적 태도를 나타내고 있다.
⑤ 음성 상징어를 활용하여 긴박한 분위기를 형성하고 있다.

02 〈보기〉를 참고할 때, (가)에 대한 설명으로 적절하지 않은 것은?

보기
「나무 속엔 물관이 있다」의 시인은 자연의 생명력에 대한 깊은 관심과 강한 애착을 보여 주고 있다. 시인은 열린 마음으로 자연과 소통하는 과정에서 느낀 깨달음을 독특한 표현 방식으로 작품에 담아내고 있다.

① 쉼표를 사용하여 대상을 묘사하고 낭송의 호흡을 조절하고 있다.
② 자연물과 대화를 나누는 듯한 어조를 통해 대상과의 거리를 좁히고 있다.
③ 일상적 소재에서 의미를 포착하여 자연에서 느낀 경이로움을 형상화하고 있다.
④ 자연을 관찰하며 얻은 생명에 대한 깨달음이 화자의 삶에 대한 성찰로 이어지고 있다.
⑤ '가지들 → 둥치 → 땅속 실뿌리'로 초점을 전환하며 대상을 세부적으로 관찰하고 있다.

기출 변형 2018학년도 10월 고3 학력평가
03 (가)에 대한 이해로 적절하지 않은 것은?

① '가지들'이 '제 깜냥껏 한세상을 흔들거'리는 모습은 타인을 신경 쓰지 않는 현대인의 자유로운 모습을 비유한 것이라 할 수 있군.
② '둥치'는 '겨울 감나무'의 '주춧기둥'과 같은 역할을 하며, 흔들리지 않는 중심이 되어 주는군.
③ '새'는 나무의 모든 부분이 서로 연결되어 '실가지'가 '그 무게를 견딜힘'이 있음을 알 수 있게 하는군.
④ '땅속'은 감나무가 생명을 이어 갈 수 있도록 하는 중요한 생명력의 근원이라 볼 수 있겠군.
⑤ '땅심의 배려'는 아주 가는 '실뿌리'에게까지 전해지며 나무가 혹독한 겨울을 버틸 수 있도록 하는 힘이 되어 주겠군.

고난도 기출 2015학년도 6월 고2 학력평가
04 〈보기〉를 바탕으로 (나)를 이해한 내용으로 적절하지 않은 것은?

보기
이 작품은 눈과 나뭇가지의 사랑을 그리고 있다. 눈은 바람이 불면 날아가 버릴지라도 나뭇가지에 눈꽃을 피우기 위해 인내하고 헌신하는 존재이다. 이러한 노력으로 첫사랑인 눈꽃을 피워 내고, 봄이 되면 나뭇가지는 아름다운 꽃을 피워 낸다. 이를 통해 인내와 헌신으로 피워 낸 사랑의 고귀함을 전달하고 있다.

① '미끄러지고 미끄러지길 수백 번'은 눈이 눈꽃을 피우기 위해 겪는 시련으로 볼 수 있다.
② '다 퍼부어 준 다음에야'는 나뭇가지에 대한 눈의 헌신적 태도로 볼 수 있다.
③ '마침내 피워 낸 저 황홀'은 나뭇가지의 노력을 통해 피어난 봄꽃의 기쁨으로 볼 수 있다.
④ '한 번 덴 자리'는 눈이 녹은 자리이자 봄꽃이 피는 자리라는 점에서 고귀한 사랑의 바탕으로 볼 수 있다.
⑤ '아름다운 상처'는 끝없는 인내와 헌신 끝에 얻은 사랑의 결실인 봄꽃으로 볼 수 있다.

05 ㉠~㉤에 대한 설명으로 적절하지 않은 것은?

① ㉠은 ㉡과 ㉤이 이루어 내는 결실이다.
② ㉡은 도전을 두려워하지 않는 적극성을 보인다.
③ ㉢은 ㉡과 ㉤의 화합을 방해하는 존재이다.
④ ㉣은 금방 사라져 버릴 가벼운 마음을 뜻한다.
⑤ ㉤은 첫사랑의 아픔을 경험한 존재이다.

06 ⓐ와 동일한 표현법이 사용된 것은?

① 닦아라, 사람들아 / 네 마음속 구름 / 찢어라, 사람들아, 네 머리 덮은 쇠 항아리.
　　　　　　　　　　　　　　　- 신동엽, 「누가 하늘을 보았다 하는가」
② 그래도 당신이 나무라면 / "믿기지 않아서 잊었노라." // 오늘도 어제도 아니 잊고 / 먼 훗날 그때에 "잊었노라."
　　　　　　　　　　　　　　　- 김소월, 「먼 후일」
③ 즐거운 지상(地上)의 잔치에 / 금(金)으로 타는 태양의 즐거운 울림. / 아침이면, / 세상은 개벽(開闢)을 한다.
　　　　　　　　　　　　　　　- 박남수, 「아침 이미지 1」
④ 봄 한철 / 격정을 인내한 / 나의 사랑은 지고 있다. // 분분한 낙화…… / 결별이 이룩하는 축복에 싸여 / 지금은 가야 할 때.
　　　　　　　　　　　　　　　- 이형기, 「낙화」
⑤ 날로 기우듬해 가는 마을 회관 옆 / 청솔 한 그루 꼿꼿이 서 있다. // 한때는 앰프 방송 하나로 / 집집의 새앙쥐까지 깨우던 회관 옆, / 그 둥치의 터지고 갈라진 아픔으로 푸른 눈 더욱 못 감는다.
　　　　　　　　　　　　　　　- 고재종, 「세한도」

가재미 | 산수유나무의 농사

키워드 체크 가 #안타까움과 연민 #독특한 비유 나 #산수유나무의 그늘 #참신한 발상 #타인에게 인색한 현실

핵심 포인트

가 개성적 비유

가재미		'그녀'
• 바짝 엎드려 헤엄침. • 눈이 한쪽으로 몰림.	연상 →	• 납작하게 누워 있음. • 점점 삶과 멀어지며 죽음에 가까워짐

나 시의 대립적 구조

산수유나무의 그늘		사람들 마음의 그늘
• 농사의 주체: 산수유나무 • 특성: 꽃이 활짝 필수록 땅에서 넓어짐. • 상징적 의미: 다른 생명들을 배려하는 공간	↔	• 농사의 주체: 사람 • 특성: 말려들고 좁아짐. • 상징적 의미: 이기적이고 인색하여 타인에게 베풀지 못하는 인간의 속성

연계 작품

가 가족의 죽음에 대한 슬픔: 도종환 「옥수수밭 옆에 당신을 묻고」
나 • 자연물과 인간 삶의 대조: 신경림 「동해 바다」
  • 나무와 그늘을 통한 삶의 자세: 김남주 「고목」

가
김천의료원 6인실 302호에 산소마스크를 쓰고 암 투병 중인 그녀가 누워 있다
바닥에 바짝 엎드린 *가재미처럼 그녀가 누워 있다
나는 그녀의 옆에 나란히 한 마리 가재미로 눕는다
가재미가 가재미에게 눈길을 건네자 그녀가 울컥 눈물을 쏟아낸다
㉠한쪽 눈이 다른 한쪽 눈으로 옮아 붙은 야윈 그녀가 운다
그녀는 죽음만을 보고 있고 나는 그녀가 살아온 파랑 같은 날들을 보고 있다
㉡좌우를 흔들며 살던 그녀의 물속 삶을 나는 떠올린다
그녀의 오솔길이며 그 길에 돌아나던 대낮의 뻐꾸기 소리며
가늘은 국수를 삶던 저녁이며 흙담조차 없었던 그녀 *누대의 가계를 떠올린다
두 다리는 서서히 멀어져 가랑이지고
폭설을 견디지 못하는 나뭇가지처럼 등뼈가 구부정해지던 그 겨울 어느 날을 생각한다
그녀의 숨소리가 느릅나무 껍질처럼 점점 거칠어진다
나는 그녀가 죽음 바깥의 세상을 이제 볼 수 없다는 것을 안다
㉢한쪽 눈이 다른 쪽 눈으로 캄캄하게 쏠려버렸다는 것을 안다
나는 다만 좌우를 흔들며 헤엄쳐 가 그녀의 물속에 나란히 눕는다
산소호흡기로 들이마신 물을 마른 내 몸 위에 그녀가 가만히 적셔준다

– 문태준, 「가재미」

기출 OX

Q1 (가)는 자연물에 감정을 이입하여 화자의 심리를 드러내고 있다.
기출 2019. 6. 고1 O X

Q2 (가)는 비유적 표현을 통해 시적 상황을 효과적으로 나타내고 있다.
기출 2019. 6. 고1 O X

나
산수유나무가 노란 꽃을 터트리고 있다
산수유나무는 ⓐ그늘도 노랗다
마음의 그늘이 *옥말려든다고 불평하는 사람들은 보아라
나무는 그늘을 그냥 드리우는 게 아니다
그늘 또한 나무의 한 해 농사
㉣산수유나무가 그늘 농사를 짓고 있다
꽃은 하늘에 피우지만 그늘은 땅에서 넓어진다
산수유나무가 농부처럼 농사를 짓고 있다
㉤끌어모으면 벌써 노란 좁쌀 다섯 되 무게의 그늘이다

– 문태준, 「산수유나무의 농사」

• 가재미 가자미의 방언. 몸이 납작하여 타원형에 가깝고, 두 눈은 오른쪽에 몰려 붙어 있으며 넙치보다 몸이 작음.
• 누대 여러 대.
• 옥말려든다고 안쪽으로 오그라져 말려든다고.

답 01 X 02 O

01 (가), (나)의 공통점으로 가장 적절한 것은?

① 현재형 어미를 통해 현장감을 드러내고 있다.
② 설의적 표현을 통해 화자의 의도를 드러내고 있다.
③ 의태어를 활용하여 대상의 생동감을 부각하고 있다.
④ 촉각적 이미지를 활용하여 시적 의미를 강화하고 있다.
⑤ 역설적 표현을 통해 상황에 대한 인식을 강조하고 있다.

02 ㉠~㉤에 대한 설명으로 적절하지 않은 것은?

① ㉠: 외양의 유사성을 바탕으로 한 개성적 비유를 통해 대상을 묘사하고 있다.
② ㉡: 추상적인 관념을 동적인 이미지로 형상화하고 있다.
③ ㉢: 화자의 상황을 시각적으로 형상화하고 있다.
④ ㉣: 대상을 의인화하여 독자의 인식 전환을 유도하고 있다.
⑤ ㉤: 참신한 비유를 활용하여 대상의 긍정적 속성을 부각하고 있다.

03 〈보기〉를 바탕으로 (가)를 이해한 내용으로 적절하지 않은 것은?

보기

「가재미」에서 화자는 암 투병을 하며 죽음을 눈앞에 두고 있는 '그녀'를 간병하면서 '그녀'의 힘들고 고단했던 삶을 떠올린다. 암 투병으로 인한 육체적인 고통과 힘들었던 삶의 궤적은 자연물의 속성을 통해 비유의 방식으로 제시되어 있으며, 화자는 이를 통해 '그녀'에 대해 느끼는 안타까움과 연민의 정서를 효과적으로 전달하고 있다.

① '바닥에 바짝 엎드린 가재미'는 암 투병으로 인해 고통받는 '그녀'의 모습을 나타내는 것이군.
② '나'가 '한 마리 가재미'가 되어 '눈길을 건네'는 행동에는 '그녀'에 대한 연민과 위로의 감정이 담겨 있군.
③ '흙담조차 없었던' '누대의 가계'는 '그녀'가 가난 속에서 힘들게 살아왔음을 보여 주는군.
④ '그녀의 숨소리가 느릅나무 껍질처럼 점점 거칠어'지는 것은 '그녀'의 죽음이 눈앞에 다가왔음을 표현한 것이군.
⑤ '좌우를 흔들며 헤엄쳐 가 그녀의 물속에 나란히 눕는' '나'의 행동은 '그녀'의 죽음을 받아들이지 못하는 마음이 표출된 것이군.

04 (나)에 나타난 의미의 대립 구조를 〈보기〉와 같이 나타낼 때, 이에 대한 설명으로 적절하지 않은 것은?

보기

| ⓐ 산수유나무의 그늘 | ↔ | ⓑ 사람들의 마음의 그늘 |

① ⓐ는 꽃이 필수록 넓어지지만, ⓑ는 점점 말려들고 좁아진다.
② ⓐ는 눈에 보이는 대상이고, ⓑ는 눈에 보이지 않는 대상이다.
③ ⓐ를 만드는 주체는 산수유나무이고, ⓑ를 만드는 주체는 사람이다.
④ ⓐ에는 밝음의 이미지가 부여된 반면, ⓑ에는 어둠의 이미지가 부여되어 있다.
⑤ ⓐ는 화자에게 과거를 환기하고, ⓑ는 화자에게 미래에 대한 의지를 다지게 한다.

05 (나)의 ⓐ와 〈보기〉의 ⓑ를 비교한 내용으로 가장 적절한 것은?

보기

나는 그늘이 없는 사람을 사랑하지 않는다
나는 그늘을 사랑하지 않는 사람을 사랑하지 않는다
나는 한 그루 나무의 ⓑ그늘이 된 사람을 사랑한다
햇빛도 그늘이 있어야 맑고 눈이 부시다
나무 그늘에 앉아
나뭇잎 사이로 반짝이는 햇살을 바라보면
세상은 그 얼마나 아름다운가

– 정호승, 「내가 사랑하는 사람」 중

① ⓐ와 ⓑ는 모두 현실의 부정적 모습을 환기한다.
② ⓐ와 ⓑ는 모두 외부의 시련과 고통을 이겨 낸 존재이다.
③ ⓐ와 ⓑ는 모두 다른 생명에 대한 배려의 속성을 내포한다.
④ ⓐ는 ⓑ와 달리 휴식과 쉼터의 기능을 하는 존재이다.
⑤ ⓑ는 ⓐ와 달리 색채 이미지를 통해 긍정적 성격을 드러낸다.

Q47 까치밥 | 송수권

기출 EBS

[A]
고향이 고향인 줄도 모르면서
긴 장대 휘둘러 ㉠•까치밥 따는
서울 조카아이들이여
그 까치밥 따지 말라
남도의 빈 겨울 하늘만 남으면
우리 마음 얼마나 허전할까
살아온 이 세상 어느 물굽이
소용돌이치고 휩쓸려 배 주릴 때도
공중을 오가는 날짐승에게 길을 내어주는
그것은 따뜻한 등불이었으니

[B]
철없는 조카아이들이여
그 까치밥 따지 말라
사랑방 •말쿠지에 짚신 몇 죽 걸어놓고
할아버지 는 무덤 속을 걸어가시지 않았느냐
그 짚신 더러는 외로운 •길손의 길•보시가 되고
한밤중 동네 개 컹컹 짖어 그 짚신 짊어지고
아버지는 다시 새벽 두만강 국경을 넘기도 하였으니

아이들아, 수많은 기다림의 세월
그러니 서러워하지도 말아라
눈 속에 익은 까치밥 몇 개가
겨울 하늘에 떠서
아직도 너희들이 가야 할 머나먼 길
이렇게 등 따숩게 비춰주고 있지 않으냐.

핵심 포인트

까치밥의 의미와 그 변주

까치밥
• 날짐승을 위해 남겨 두는 것 • 배려와 인정(人情)의 상징

↓

'따뜻한 등불', '길손의 길보시'로
변주되어 나타남.

'짚신'을 통한 '까치밥'의 의미 확장

짚신을 만든 할아버지	까치밥을 남겨 둔 고향 사람들
길손과 아버지가 도움을 받음.	굶주린 날짐승이 도움을 받음.

↓

'까치밥'에 담긴 배려, 인정, 이타심이
고단한 현대인들의 삶을 따뜻하게 감싸 줄 것임.

연계 작품

타인에 대한 배려와 공동체적 사고방식: 서정주
「신선 재곤이」, 정호승 「슬픔이 기쁨에게」

기출 OX

01 윗글은 대상에게 말을 건네는 어투로 친근
감을 표현하고 있다.
기출 2014. 9. 고1 ◯ ✕

02 '따뜻한 등불'이 지닌 의미는 '길보시'로 이
어지고 있다.
EBS 변형 ◯ ✕

• **까치밥** 까치 따위의 날짐승이 먹으라고 따지
않고 몇 개 남겨 두는 감.
• **말쿠지** '말코지'의 방언. 물건을 걸기 위하여
벽 따위에 달아 두는 나무 갈고리.
• **길손** 먼 길을 가는 나그네.
• **보시** 자비심으로 남에게 재물이나 불법(佛法)
을 베풂.

답 01 ◯ 02 ◯

01 [A], [B]의 표현상 특징으로 적절하지 <u>않은</u> 것은?

① [A]와 [B]는 모두 설의적 표현을 통해 청자의 공감과 이해를 촉구하고 있다.

② [A]와 [B]는 모두 명령형 어조를 사용하여 하지 말아야 할 행동을 제시하고 있다.

③ [B]는 [A]와 동일한 청자를 부르는 말을 변주함으로써 청자에 대한 인식 변화를 드러내고 있다.

④ [A]는 힘든 세상살이를 비유적으로 제시하여 시적 대상이 지니는 의미를 부각하고 있다.

⑤ [B]는 시적 대상과 속성이 유사한 또 다른 대상을 제시하여 주제를 구체화하고 있다.

02 윗글의 할아버지 의 삶에 대한 학생들의 감상으로 적절하지 <u>않은</u> 것은?

① 연주: 할아버지가 돌아가시기 전에 짚신 몇 죽을 남겨 둔 것은 타인에 대한 배려 때문이야.

② 대성: 할아버지의 배려 덕분에 훗날 길손뿐만 아니라 아버지까지도 도움을 받을 수 있었구나.

③ 철희: 그래서 할아버지의 마음이 담긴 짚신이 '길보시'의 역할을 한다고 표현하고 있는거야.

④ 희진: 이러한 할아버지의 삶은 타인을 위한 희생을 마다하지 않았던 아버지의 삶으로 이어지고 있어.

⑤ 태섭: 결국 추운 겨울 날짐승을 위해 까치밥을 남기는 사람들과 짚신을 남기고 돌아가신 할아버지는 이타적인 삶을 소중히 여기는 이들이라고 말할 수 있겠어.

기출 변형 2014학년도 9월 고1 학력평가

03 〈보기〉를 바탕으로 윗글을 감상할 때, 적절하지 <u>않은</u> 것은?

> **보기**
>
> 작가는 도시 문명으로 인해 사라지고 잊혀 가는 우리의 고향과 소중한 전통문화에 관심을 가졌다. 또한 힘든 삶을 견뎌 온 서민의 삶에 공감하였으며, 그들이 앞으로도 건강한 삶을 살 수 있도록 따뜻한 시선과 애정으로 그들을 배려해야 한다고 생각하였다.

① '고향'은 '서울'과 대비를 이루는, 화자가 관심을 가지고 있는 공간이다.

② 잊혀 가는 소중한 전통문화에 대한 안타까움이 '까치밥'에 나타나 있다.

③ '따뜻한 등불'은 힘든 삶을 살아가는 존재에 대한 위로를 형상화하고 있다.

④ '아버지'의 모습을 통해 고단한 삶을 견디며 살아온 서민의 삶을 형상화하고 있다.

⑤ '조카아이들'의 모습을 통해 전통문화를 현대적으로 이어 가기 위한 노력을 드러내고 있다.

04 '충고를 하는 이'와 '충고를 받는 이'의 관계를 고려할 때, 윗글과 〈보기〉에 대한 이해로 적절하지 <u>않은</u> 것은?

> **보기**
>
> 산그늘 내린 밭 귀퉁이에서 할머니와 참깨를 턴다.
> 보아하니 할머니는 슬슬 막대기질을 하지만
> 어두워지기 전에 집으로 돌아가고 싶은 젊은 나는
> 한 번을 내리치는 데도 힘을 더한다.
> 〈중략〉
> 도시(都市)에서 십 년을 가차이 살아본 나로선
> 기가 막히게 신나는 일인지라
> 휘파람을 불어가며 몇 다발이고 연이어 털어댄다.
> 사람도 아무 곳에나 한 번만 기분 좋게 내리치면
> 참깨처럼 솨아솨아 쏟아지는 것들이
> 얼마든지 있을 거라고 생각하며 정신없이 털다가
> "아가, 모가지까지 털어져선 안 되느니라"
> 할머니의 가엾어하는 꾸중을 듣기도 했다.
>
>   − 김준태, 「참깨를 털면서」

① 윗글의 화자는 '충고를 하는 이'이지만 〈보기〉의 화자는 '충고를 받는 이'이다.

② 윗글과 〈보기〉의 '충고를 받는 이'는 모두 도시에서의 삶의 방식이나 가치를 지니고 살아온 인물이다.

③ 윗글의 '충고하는 이'는 타인과 함께하는 삶을, 〈보기〉의 '충고하는 이'는 성급해하지 않는 신중한 삶을 강조하고 있다.

④ 〈보기〉는 윗글과 달리 '충고를 받는 이'가 충고의 내용을 어느 정도 예상하고 있었다.

⑤ 〈보기〉는 윗글과 달리 '충고를 받는 이'의 행동과 그 행동의 이유가 구체적으로 드러나 있다.

05 밑줄 친 시어의 기능이 ⊙과 가장 유사한 것은?

① 젊은 시인이여 기침을 하자 / 눈을 바라보며 / 밤새도록 고인 가슴의 가래라도 / 마음껏 뱉자   − 김수영, 「눈」

② 별을 노래하는 마음으로 / 모든 죽어 가는 것을 사랑해야지 그리고 나한테 주어진 길을 / 걸어가야겠다.

          − 윤동주, 「서시」

③ 유리(琉璃)에 차고 슬픈 것이 어른거린다. / 열없이 붙어 서서 입김을 흐리우니 / 길들은 양 언 날개를 파닥거린다.

          − 정지용, 「유리창 1」

④ 산이 날 에워싸고 / 그믐달처럼 사위어지는 목숨 / 그믐달처럼 살아라 한다 / 그믐달처럼 살아라 한다

          − 박목월, 「산이 날 에워싸고」

⑤ 상처 자국으로 벌집이 된 몸의 이곳저곳을 보라 / 나도 저러고 싶다 한 오백년 / 쉽게 살고 싶지는 않다 저 나무처럼 / 길손의 그늘이라도 되어 주고 싶다   − 김남주, 「고목」

개화기 ~ 광복 이전

개화기에는 고전 문학에서 현대 문학으로 넘어가는 과도기적 성격의 신소설이 등장하였다.
1920년대에는 낭만주의 소설, 사실주의 소설이 많이 창작되었으며,
1930년대에는 이념 지향성을 떠난 순수 소설, 농촌 소설 등이 등장하였다.

신소설

사실주의 소설

봉건적 질서 타파
근대적 사회로의 개혁
개화 사상이 주요 소재
고전 소설과 차별화되는 새로운 내용과 형식
고전 소설로부터 근대 소설로 이행하는 과도기

예 「혈의 누」(이인직), 「무정」(이광수)

사실주의 경향
시대 현실의 어두운 면 포착
사회를 비판적으로 바라보는 경향
식민 지배 아래 비참한 민족의 현실
일제 강점기에 민족이 나아갈 길 모색

예 「만세전」(염상섭), 「삼대」(염상섭),
「고향」(현진건), 「태평천하」(채만식)

▲ 1930년대 경성역

농촌 소설

\# 농촌 사회를 계몽하기 위한 브나로드 운동의 영향

\# 농촌의 참혹한 현실

\# 농촌을 변화시키려는 노력

\# 농촌이 주요 소재이자 배경

예 「봄·봄」(김유정), 「금 따는 콩밭」(김유정),
「메밀꽃 필 무렵」(이효석)

모더니즘 소설

\# 도시인의 삶

\# 세태 소설, 풍속 소설

\# 현대 문명에 대한 관심

\# 도시적 삶의 병리 묘사

\# 현대 문명 속 분열된 개인의 내면

예 「소설가 구보 씨의 일일」(박태원), 「천변 풍경」(박태원),
「날개」(이상)

[교과서] [문] 천재(정), 금성, 동아, 미래엔 [기출] [EBS]

만세전(萬歲前) | 염상섭

키워드 체크 #사실주의 #현실 비판적 #자아 각성 #지식인의 눈으로 바라본 우리 민족의 현실 #여로형 구조

[앞부분 줄거리] 조선의 식민지 현실에 별 관심이 없던 개인주의적 성향의 '나'는 동경에서 유학하던 중 고국에 있는 아내가 위독하다는 전보를 받는다. 귀국하는 배에 오른 '나'는 배 안에서 일본인들이 나누는 대화를 듣게 된다.

가

"실상은 누워 떡 먹기지. 나두 이번에 가서 해 오면 세 번째나 되우마는, °내지(內地)의 각 회사와 연락해 가지고 °요보들을 붙들어 오는 것인데……, 즉 조선 °쿨리[苦力] 말씀요. 농촌 노동자를 빼내 오는 것이죠. 그런데 그것은 대개 경상남북도나, 그렇지 않으면 함경, 강원, 그다음에는 평안도에서 모집을 해 오는 것인데, 그중에도 경상남도가 제일 쉽습네다, 하하하." / 그자는 여기 와서 말을 끊고 **교활한 웃음**을 웃어 버렸다.

나는 여기까지 듣고 깜짝 놀랐다. ㉠그 불쌍한 조선 노동자들이 속아서 지상의 지옥 같은 일본 각지의 공장과 광산으로 몸이 팔리어 가는 것이, 모두 이런 **도적놈 같은 협잡 부랑배**의 °술중(術中)에 빠져서 속아 넘어가는구나 하는 생각을 하며, 나는 다시 한번 그자의 **상판대기**를 치어다보지 않을 수 없었다.

나

㉡스물두셋쯤 된 책상 도련님인 나로서는 이러한 이야기를 듣고 놀라지 않을 수 없었다. 인생이 어떠하니, 인간성이 어떠하니, 사회가 어떠하니 하여야 다만 °심심파적으로 하는 탁상의 공론에 불과한 것은 물론이다. 아버지나 조상의 덕택으로 글자나 얻어 배웠거나 소설 권이나 들춰 보았다고, 인생이니 자연이니 시니 소설이니 한대야 결국은 배가 불러서 **투정질하는 수작**이요, 실인생, 실사회의 이면의 이면, 진상의 진상과는 얼마만 한 관련이 있다는 것인가? 하고 보면 ㉢내가 지금 하는 것, 이로부터 하려는 일이 결국 무엇인가 하는 의문과 불안을 느끼지 않을 수가 없었다. ㉣일 년 열두 달 죽도록 농사를 지어야 반년 짝은 시래기로 목숨을 이어 나가지 않으면 안 되겠으니까…… 하는 말을 들을 제, 그것이 과연 사실일까 하는 의심이 날 만치 나의 귀가 번쩍하리만치 조선의 현실을 몰랐다. 나도 열 살 전까지는 부모의 고향인 충청도 촌 속에서 자라났고, 그 후에도 일 년에 한두 번씩은 촌락에 발을 들여놓아 보았지만, 설마 그렇게까지 소작인의 생활이 참혹하리라고는 꿈에도 생각해 본 일이 없었다.

'시를 짓는 것보다는 밭을 갈라고 한다. 그러나 밭을 가[耕]는 그것이 벌써 시(詩)가 아니냐. 사람은 흙에서 나와서 흙에 돌아간다. 흙의 향기로운 냄새에 취할 수 있는 자의 행복이여! 흙의 북돋아 오르는 생기야말로 너 인간의 끊임없는 새 생명이니라.'

언젠가 **이따위의 산문시** 줄이나 쓰던, 자기의 공상과 값싼 로맨티시즘이 도리어 부끄러웠다. 흙의 냄새가 향기롭지 않다는 것도 아니다. 그 향기에 취할 수 있는 자가 행복스럽지 않다는 것도 아니다. 〈중략〉 그러나저러나 일 년 열두 달 소나 말보다도 죽을 고역을 다하고도, 시래기죽에 얼굴이 붓는 것도 시일까? 그들이 삼복의 끓는 햇볕에 손등을 데면서 호미 자루를 놀릴 때, 그들은 행복을 느끼는가? 그들은 흙의 노예다. 자기 자신의 생명의 노예다. 그들에게 있는 것은 다만 땀과 피뿐이다. 그리고 주림뿐이다.

[중간 부분 줄거리] '나'는 배에서 내려 조선 가옥을 찾아보기 어려울 정도로 일본 문화가 많이 유입된 부산의 거리를 걷는다.

다

'대체 이 사람들이 밤이 되면 어디로 기어들어가누?' 하는 생각을 할 제, 큰 의문이 생기는 동시에 그 불쌍한 흰옷 입은 °백성의 운명을 생각해 보지 않을 수 없었다.

[핵심 포인트]

여로형 구조에 따른 인물의 현실 인식 변화

동경에서 부산으로 가는 과정	→	부산 도착 이후 서울에 이르는 과정
일제의 억압과 수탈이 만연한 조선에 대한 현실 인식		현실에 대한 조선인들의 무기력한 대응에 대한 분노와 비판

[전체] 줄거리

발단	동경 유학 중인 '나'(이인화)는 아내가 위독하다는 전보를 받고 급히 귀국함.
전개	답답한 심정에 '나'는 여러 술집을 전전하다가 부산으로 향하는 배를 타게 됨.
위기	'나'는 배 안에서 일본인이 조선인을 멸시하는 것을 보고 분개함. ⋯→ 수록 부분 **가**, **나**
절정	조선의 현실을 알게 되면서 분노가 치솟지만 '나'는 답답한 마음에 사로잡혀 무덤 같은 조선에서 탈출하고자 함. ⋯→ 수록 부분 **다**
결말	'나'는 아내가 죽자 눈물조차 흘리지 않고 동경으로 떠남.

[기출] OX

Q1 '나'는 현실에 대한 새로운 인식으로 심리적 갈등을 겪고 있다.
[기출] 2006. 9. 모평 [O][X]

Q2 윗글은 조선인을 돈벌이 수단으로밖에 여기지 않는 일본인들의 만행을 고발하고 있다.
[기출] 2013. 6. 고2 B [O][X]

● **내지** 외국이나 식민지에서 본국을 이르는 말. 이 글에서는 일본을 뜻함.
● **요보** 일제 강점기 때 일본인이 조선인을 낮추어 부르던 호칭.
● **쿨리** 육체노동에 종사하는 하층의 노동자.
● **술중** 남의 꾀 속. 계략.
● **심심파적** 심심풀이.

[답] **Q1** ○ **Q2** ○

몇천 몇백 년 동안 그들의 조상이 근기 있는 노력으로 조금씩 조금씩 다져 놓은 이 땅을 다른 사람의 손에 내던지고 시외로 쫓겨 나가거나 촌으로 기어들어갈 제, 자기 혼자만 떠 나가는 것 같고, 자기 혼자만 촌으로 기어가는 것 같았을 것이다. 땅마지기나 있던 것을 *까불려 버리고, 집 한 채 지녔던 것이나마 문서가 이 사람 저 사람의 손으로 넘어 다니다 가 *변리에 변리가 늘어서 내놓고 나가게 될 때라도 사람이 살려면 이런 꼴도 보고 저런 꼴도 보는 것이지 하며, 이것도 내 팔자소관이라는 *안가(安價)한 낙천이나 단념으로 대 대로 지켜 내려오던 고향을 등지고, 문밖으로 나가고 산으로 기어들 뿐이요, ⓜ이것이 어 떠한 세력에 밀리기 때문이거나 혹은 자기가 견실치 못하거나 자제력과 인내력이 없어서 *깝살리고 만 것이라는 생각은 꿈에도 없다.

- *까불려 버리고 재물 따위를 함부로 써 버리고.
- *변리 남에게 돈을 빌려 쓴 대가로 치르는 일정한 비율의 돈.
- *안가한 값이 싼.
- *깝살리고 재물이나 기회 따위를 흐지부지 다 없애고.

01 윗글의 서술상 특징으로 가장 적절한 것은?

① 내적 독백을 통해 인물의 심리를 드러내고 있다.
② 이야기 바깥의 서술자가 사건의 전개 과정을 전달하고 있다.
③ 의식의 흐름 기법을 통해 분열하는 개인의 내면을 묘사 하고 있다.
④ 서술자의 적극적인 개입을 통해 작가의 생각을 직접적 으로 제시하고 있다.
⑤ 등장인물인 서술자가 자신이 관찰한 사건을 객관적인 태도로 전달하고 있다.

`고난도` `기출` `변형` 2013학년도 9월 고2 학력평가 B형

02 〈보기〉를 참고하여 윗글을 이해한 내용으로 적절하지 <u>않은</u> 것은?

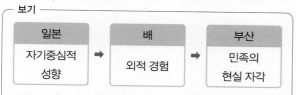

일본	➡	배	➡	부산
자기중심적 성향		외적 경험		민족의 현실 자각

선생님: 이 표는 '반성적 시각'을 지닌 인물의 내면 변화를 중심으로 이 글의 구조를 정리한 것입니다.
학 생: 선생님, '반성적 시각'에 대해 더 설명해 주세요.
선생님: '반성적 시각'은 자기 자신이나 타인 또는 세계를 회의적인 시선으로 바라보는 것입니다. 주인공은 소극 적 인물이지만 '반성적 시각'을 가지고 있기 때문에 여 행길에서 겪은 경험을 통해 민족의 현실을 자각하게 되 는 것입니다.

① '나'가 배에 타기 전에 '탁상의 공론'이나 하던 것은 '나'의 소극적인 성향을 드러내는군.
② '나'는 '불쌍한 조선 노동자들이 속아서' 일본으로 팔려간 다는 대화를 통해 민족의 현실을 자각하게 되는군.
③ '나'가 '자기의 공상과 값싼 로맨티시즘'을 부끄러워하는 것은 자신을 회의적인 시선으로 바라본 결과로군.
④ '나'는 '소나 말보다도 죽을 고역을 다하'는 소작인의 삶 에서 받은 충격으로 인해 반성적 시각을 가지게 되었군.
⑤ '나'가 부산에서 '흰옷 입은 백성의 운명을 생각해 보'는 것은 타인과 세계에 대한 반성적 시각이 반영된 것이군.

03 '나'가 깨닫게 된 조선의 현실로 적절하지 <u>않은</u> 것은?

① 소작인들은 궁핍하고 비참한 생활을 했다.
② 일제의 수탈 때문에 농촌의 흙도 향기를 잃었다.
③ 민중들은 일제의 수탈에 무기력한 태도로 대응했다.
④ 농민들의 땀과 피는 행복이 아닌 주림으로 이어졌다.
⑤ 자신의 고향을 떠나 산으로 들어가는 민중도 있었다.

04 일본인에 대한 '나'의 감정이 드러난 말끼리 알맞게 짝지은 것은?

① 요보, 쿨리, 흰옷 입은 백성
② 교활한 웃음, 도적놈 같은 협잡 부랑배, 상관대기
③ 쿨리, 교활한 웃음, 이따위의 산문시 줄, 상관대기
④ 요보, 이따위의 산문시 줄, 상관대기, 흰옷 입은 백성
⑤ 도적놈 같은 협잡 부랑배, 투정질하는 수작, 흰옷 입은 백성

05 〈보기〉를 참고하여 ㉠~㉤을 이해한 내용으로 적절하지 <u>않은</u> 것은?

보기
'만세전(萬歲前)'이라는 제목에서 알 수 있듯이, 이 작 품은 3·1 운동 직전의 동경과 서울을 배경으로 하고 있 다. 일제 강점 아래 핍박받고 수탈당하는 우리 민족의 현 실은 동경에서 유학하고 있는 식민지 지식인인 '나(이인 화)'를 통해 적나라하게 드러난다.

① ㉠: 일제 강점 아래 수탈당하는 우리 민족의 비참한 모습 을 드러내고 있다.
② ㉡: 조선의 비참한 현실을 모른 채 타지에서 공부만 하고 있었던 자신에 대한 자조적 인식이 드러나 있다.
③ ㉢: 식민지 현실에 처한 조선 민중을 계몽하려 했던 지식 인의 회의가 드러난다.
④ ㉣: '일 년 열두 달'이라는 표현을 통해 매일 힘겨운 삶을 영위하는 농민들의 현실을 강조하고 있다.
⑤ ㉤: 조선인들이 현실을 제대로 인식하지 못하는 것에 대 한 지식인 '나'의 답답함을 나타내고 있다.

[06~10] 다음 글을 읽고 물음에 답하시오.

㉮ "누가 돈 쓰는 것을 아랑곳하랬나? 누가 저더러 돈을 쓰라니 걱정인가? 내 돈 가지고 내가 어떻게 쓰든지……."

"아버지께서 하시는 일에……." / 조금 뜸하여지며 부친이 쌈지를 풀어서 담배를 담는 동안에 상훈이는 나직이 말을 꺼냈다.

"……돈 쓰신다고만 하는 것도 아닙니다마는 어쨌든 공연한 일을 만들어 내는 사람들이 첫째 잘못이란 말씀입니다."

"무에 어째 공연한 일이란 말이냐?"

부친의 어기는 좀 낮추어졌다.

"대동보소만 하더라도 족보 한 질에 오십 원씩으로 매었다 하니 그 오십 원씩을 꼭꼭 수봉하면 무엇 하자고 삼사천 원이 가외로 들겠습니까?" / "삼사천 원은 누가 삼사천 원 썼다던?"

㉠영감은 아들의 말이 옳다고는 생각하였으나 실상 그 삼사천 원이란 돈이 족보 박이는 데에 직접으로 들어간 것이 아니라 ××조씨로 무후(無後)한 집의 계통을 이어서 일문일족에 끼려 한즉 군식구가 늘면 양반에 진국이 묽어질까 보아 반대를 하는 축들이 많으니까 그 입들을 씻기기 위하여 쓴 것이다. 하기 때문에 난봉 자식이 난봉 피운 돈 액수를 줄이듯이 이 영감도 실상은 한 천 원 썼다고 하는 것이다. 중간의 협잡배는 이런 약점을 노리고 우려 쓰는 것이지만 이 영감으로서 성한 돈 가지고 이런 병신구실해 보기는 처음이다.

"그야 얼마를 쓰셨던지요. 그런 돈은 좀 유리하게 쓰셨으면 좋겠다는 말씀입니다."

'재하자 유구무언(在下者 有口無言)'의 시대는 지났다 하더라도 노친 앞이라 말은 공손했으나 속은 달았다.

"어떻게 유리하게 쓰란 말이냐? 너같이 오륙천 원씩 학교에 디밀고 제 손으로 가르친 남의 딸자식 유인하는 것이 유리하게 쓰는 방법이냐?"

아까부터 상훈이의 말이 화롯가에 앉아서 폭발탄을 만지작거리는 것 같아서 위태위태하더라니 겨우 간정되려던 영감의 감정에 또 불을 붙여 놓고 말았다.

상훈이는 어이가 없어서 얼굴이 벌게진다.

[중간 부분 줄거리] 조 의관(덕기의 조부)이 죽고, 덕기가 재산 상속자가 된다. 조 의관의 유산 목록에 *정미소가 없었다는 것을 안 상훈은 정미소를 차지하려고 한다. 한편 상훈은 세간 값을 적은 종이들을 덕기에게 보내 값을 치르라고 한다.

㉯ "어제 그건 봤니?"

부친이 비로소 말을 붙이나 아들은 다음 말을 기다리고 가만히 앉았다. / "치를 수 없거든 거기 두고 가거라."

역정스러운 목소리나 여자 손들이 많은데 구차스럽게 세간 값으로 부자 충돌을 하는 꼴을 보이기 싫기 때문에 ⓐ아들의 입을 미리 막으려는 것이다.

"안 치러 드린다는 것은 아닙니다마는……."

덕기는 너무 오래 잠자코 있을 수 없어서 말부리만 따고 또 가만히 고개를 떨어뜨리고 앉았다. 그러나 복통이 터져서 속은 끓었다. 속에 있는 말이나 시원스럽게 하고 싶으나 부친 앞에서, 더구나 *조인광좌(稠人廣座) 중에서 그럴 수도 없다.

"이 판에 용이 이렇게 과하시면 어떡합니까. 여간한 세간 나부랭이야 저 집에 안 쓰고 굴리는 것만 갖다 놓으셔도 넉넉할 게 아닙니까?" / 안방 치장 하나에 천여 원 돈을 묶어서 들인다는 것은 생돈 잡아먹는 것 같고, 누가 치르든지 간에 어려운 일이다.

"이 판이 무슨 판이란 말이냐? 그 따위 아니꼬운 소리 할 테거든 그거 내놓고 어서 가거라. 안 쓰고 굴리는 세간은 너나 쓰렴!"

영감은 자식에게라도 좀 *점해서 그런지 화만 버럭버럭 내고 호령이다.

"할아버지께서 산소에 돈 쓰신다고 반대하시던 걸 생각하시기로……." / "무어 어째? 널더러 먹여 살리라니? 걱정 마라. 아니꼽게 네가 무슨 총찰이냐? 그러나 정미소 장부는 이따라도 내게로 보내라." / 부친은 이 말을 하려고 트집을 잡는 것이었다.

"정미소 아니라 모두 내놓으라셔도 못 드릴 것은 아닙니다마는, 늘 이렇게만 하시면야 어디 드릴 수 있겠습니까?"

"드릴 수 있고 없고 간에, 내 거는 내가 찾는 게 아니냐?"

"왜 그렇게 말씀을 하셔요. 제게 두시면 어디 갑니까?"

"이놈 불한당 같은 소리만 하는구나! 돈 천도 못 되는 것을 치러 줄 수 없다는 놈이 무어 어째?"

부친은 신경질이 일어났는지 별안간 달려들더니 주먹으로 뺨을 갈기려는 것을 덕기가 벌떡 일어서니까 주먹이 어깨에 맞았다. 병적인지 벌써 망녕인지는 모르겠으나 점점 흥분하게 해서는 아니 되겠다 하고 마루로 피해 나와 버렸다. 그러나 금시로 정이 떨어지는 것 같고, 그 속에 앉은 부친은 딴 세상 사람같이 생각이 들었다. ㉡신앙을 잃어버리고 사회적으로 활약할 야심이나 희망까지 길이 막히고 보면야, 생활이 거칠어 가는 수밖에는 없을 것이라고 동정도 하는 한편인데, 이미 신앙을 잃어버린 다음에야 가면을 벗어 버리고 *파탈하고 나서는 것도 오히려 나은 일이라고도 하겠으나, 노래(老來)에 이렇게도 생활이 타락하여 갈까 하고, 덕기는 부친에게 반항하기보다도 다만 혼자 탄식을 하는 것이었다.

– 염상섭, 「삼대」

* 정미소 쌀 찧는 일을 전문적으로 하는 곳.
* 조인광좌 여러 사람이 빽빽하게 많이 모인 자리.
* 점해서 부끄럽고 미안해서.
* 파탈하고 어떤 구속이나 예절로부터 벗어나고.

기출 · 변형 2017학년도 6월 모의평가

06 윗글에 대한 이해로 적절한 것은?

① 상훈은 자신의 부친이 '산소'에 '돈'을 쓰는 것에 기꺼이 동의하였다.

② 덕기는 부친의 '세간 값'으로 치러야 하는 돈을 낭비라고 생각하지 않는다.

③ 상훈의 부친은 족보를 만드는 데에 '한 천 원'을 쓴 것을 다행이라고 여기고 있다.

④ 덕기는 집안의 재산이 낭비되지 않게 하기 위해 '정미소 장부'를 내놓지 않으려 한다.

⑤ 상훈의 부친은 상훈이 '오륙천 원'을 '학교에 디밀'었던 것은 돈을 '유리하게' 쓴 것이라고 본다.

기출 · 변형 2015학년도 7월 고3 학력평가

07 〈보기〉를 참고하여 윗글을 감상한 내용으로 적절하지 않은 것은?

> 보기
>
> 「삼대」는 1920~30년대를 배경으로 각기 다른 가치관을 지닌 조 의관, 조상훈, 조덕기의 삶을 통해 당대의 생활 현실을 사실적으로 그려 내고, 근대적으로 변화하는 시대상을 드러내고 있다. 구한말 봉건적인 가치를 고수하는 할아버지 조 의관, 개화 의식을 지녔지만 위선적이고 방탕한 생활을 하는 조상훈, 일제 강점기를 대표하는 손자 조덕기는 돈을 중심으로 대립하며 세대 간의 갈등을 보여주고 있다.

① 조 의관이 양반 신분을 사고 족보를 꾸미는 데 돈을 들인 것에서 조 의관의 봉건적 가치관이 드러나는군.

② '재산'과 관련한 조 의관과 조상훈, 조덕기의 태도를 통해 변화하는 시대 속 세대 간 갈등이 드러나는군.

③ 조 의관의 돈 씀씀이를 지적하는 한편, 제자를 유인하는 모습에서 조상훈의 위선적인 면모가 드러나는군.

④ 조 의관이 산소에 돈을 쓰는 것에 대한 조상훈의 태도를 통해 조상훈이 방탕한 생활을 했다는 것을 알 수 있군.

⑤ 조상훈과 조덕기가 '정미소 장부'와 관련하여 갈등하는 것을 통해 돈을 중심으로 대립하는 시대상을 엿볼 수 있군.

기출 2017학년도 6월 모의평가

08 윗글의 맥락을 고려할 때, ⓐ의 의미로 가장 적절한 것은?

① 아들에게 말을 돌려서 하려는 것이다.

② 아들의 말에 놀라움을 표시하려는 것이다.

③ 아들과 자신의 의견을 같게 하려는 것이다.

④ 아들에게 하고자 했던 말을 참으려는 것이다.

⑤ 아들이 말하고자 하는 것을 못 하게 하려는 것이다.

기출 2017학년도 6월 모의평가

09 (가), (나)에서 각각 드러나는 부자간의 갈등에 대한 이해로 적절하지 않은 것은?

① (나)와 달리 (가)에서는 아버지가 아들의 치부를 들추어 내며 책망한다.

② (가)와 달리 (나)에서는 아들이 아버지를 동정한다.

③ (가)와 달리 (나)에서는 아버지가 자신의 잘못을 아들의 탓으로 돌린다.

④ (가)와 (나) 모두에서 아버지는 아들의 간섭을 못마땅해 한다.

⑤ (가)와 (나) 모두에서 아들은 자신과 생각이 다른 아버지의 행위를 문제 삼는다.

고난도 기출 2017학년도 6월 모의평가

10 〈보기〉를 바탕으로 ㉠과 ㉡을 설명한 내용으로 적절한 것은?

> 보기
>
> 「삼대」의 서술자는 대체로 특정 인물의 시각에 의존하여 다른 인물을 서술 대상으로 포착한다. 이때 그 특정 인물은 장면에 따라 선택되며, 서술자는 특정 인물의 시각을 통해 서술 대상이 되는 인물들의 심리를 보여 준다. 이러한 서술 방식으로 서술자는 특정 인물이 지닌 의식과 행동 사이의 인과관계, 다른 인물과의 관계에서 겪는 심리적 갈등을 통해 인물의 성격과 그에 대한 평가를 복합적으로 드러낸다.

① ㉠에서는 서술자가 선택한 특정 인물이 영감에서 아들로 달라지는 반면, ㉡에서는 덕기로 고정되어 있다.

② ㉠에서는 영감의, ㉡에서는 덕기의 시각에서 서술 대상인 상훈을 낮게 평가하며 그와의 심리적인 갈등을 드러내고 있다.

③ ㉠에서는 서술 대상인 상훈의 의식과 행동 사이의 인과관계가, ㉡에서는 덕기가 포착한 상훈의 심리적 갈등이 드러난다.

④ ㉠에서는 서술 대상인 상훈에 대한 영감의 평가가 달라지는 반면, ㉡에서는 서술 대상인 상훈에 대한 덕기의 평가가 달라지지 않는다.

⑤ ㉠에서는 서술자가 선택한 특정 인물인 영감의 성격이, ㉡에서는 서술자가 선택한 특정 인물인 덕기와 서술 대상인 상훈의 성격이 드러난다.

고향 | 현진건

키워드 체크 #액자 소설 #현실 고발 #사실주의 #일제 강점기 #농민들의 참혹한 생활상

핵심 포인트

액자식 구성과 그 효과

외화
'그'의 이야기를 듣는 지식인 계층 '나'

↓

내화
일제 강점기 민중을 대표하는 '그'의 참담한 삶

↓

'그'의 이야기를 통한 정서적 공감대 형성과 민족 동질성의 재인식

전체 줄거리

발단	'나'는 서울행 기차에서 동양 삼국의 복장을 입고 천박한 행동을 하는 '그'를 만남. → 수록 부분 **가**
전개	'나'는 '그'에게서 '그'가 고향을 떠난 사정을 듣게 됨. → 수록 부분 **나**
위기	'그'는 과거에 대구 근교의 평화로운 농민이었으나 농토를 잃고 어려움을 겪으며 유랑 생활을 했음. → 수록 부분 **나**
절정	'그'가 오랜만에 돌아간 고향은 폐허가 되었고, '그'는 자신과 혼담이 있었던 여인을 우연히 만나 기구한 인생사를 듣게 됨. → 수록 부분 **다**
결말	'나'는 '그'의 이야기에 공감하여 함께 술을 마시고, '그'는 어릴 때 부르던 노래를 부름.

기출 OX

Q1 '그'는 가족들을 두고 서간도로 떠난 후 가족을 향한 그리움을 안고 살아가고 있다.
EBS 변형 ○ Ⓧ

Q2 '그'는 부모님을 제대로 모시지 못했다는 사실을 감추고 싶어 한다.
기출 2014. 3. 고2 B ○ Ⓧ

- **옥양목** 생목보다 발이 고운 무명. 빛이 희고 얇음.
- **역둔토** '역토(역에 딸린 땅)'와 '둔토(지방에 주둔한 군대의 경비를 충당하기 위한 땅)'를 아울러 이르는 말.
- **동양 척식 회사** 1908년 일제가 대한 제국의 경제를 독점, 착취하기 위하여 설립한 국책 회사.
- **남부여대** 남자는 지고 여자는 인다는 뜻으로, 가난한 사람들이 살 곳을 찾아 이리저리 떠돌아다님을 비유적으로 이르는 말.
- **신신하랴** 새롭고 생기가 돌라.
- **주접** 한때 머물러 삶.

답 **Q1** X **Q2** X

가 대구에서 서울로 올라오는 차중에서 생긴 일이다. ㉠나는 나와 마주 앉은 그를 매우 흥미 있게 바라보고 또 바라보았다. 두루마기 격으로 기모노를 둘렀고, 그 안에선 *옥양목 저고리가 내어 보이며, 아랫도리엔 중국식 바지를 입었다. 〈중략〉

나는 은근하게 물었다.

"어데서 오시는 길입니까?"

"흥, 고향에서 오누마."

하고 그는 휘 한숨을 쉬었다. 그러자 그의 신세타령의 실마리는 풀려 나왔다. 그의 고향은 대구에서 멀지 않은 K군 H란 외딴 동리였다. 한 백 호 남짓한 그곳 주민은 전부가 *역둔토를 파먹고 살았는데 역둔토로 말하면 사삿집 땅을 부치는 것보다 떨어지는 것이 후하였다. 그러므로 넉넉지는 못할망정 평화로운 농촌으로 남부럽지 않게 지낼 수 있었다. 그러나 세상이 뒤바뀌자 그 땅은 전부 *동양 척식 회사의 소유에 들어가고 말았다. 〈중략〉 그 후로 '죽겠다', '못 살겠다' 하는 소리는 중이 염불하듯 그들의 입길에서 오르내리게 되었다. ㉡남부여대하고 타처로 유리하는 사람만 늘고 동리는 점점 쇠진해 갔다.

나 지금으로부터 구 년 전 그가 열일곱 살 되던 해 봄에(㉢그의 나이는 실상 스물여섯이었다. 가난과 고생이 얼마나 사람을 늙히는가.) 그의 집안은 살기 좋다는 바람에 서간도로 이사를 갔었다. 쫓겨 가는 운명이어든 어디를 간들 *신신하랴. 그곳의 비옥한 전야도 그들을 위하여 열릴 리 없었다. 조금 좋은 땅은 먼저 간 이가 모조리 차지를 하였고 황무지는 비록 많다 하나 그곳 당도하던 날부터 아침거리 저녁거리 걱정이라, 무슨 행세로 적어도 일 년이란 장구한 세월을 먹고 입어 가며 거친 땅을 풀 수가 있으랴. ㉣남의 밑천을 얻어서 농사를 짓고 보니 가을이 되어 얻는 것은 빈주먹뿐이었다. 이태 동안을 사는 것이 아니라 억지로 버티어 갈 제 그의 아버지는 우연히 병을 얻어 타국의 외로운 혼이 되고 말았다. 열아홉 살밖에 안 된 그가 홀어머니를 모시고 악으로 악으로 모진 목숨을 이어 가는 중, 사 년이 못 되어 영양 부족한 몸이 심한 노동에 지친 탓으로 그의 어머니 또한 죽고 말았다.

"모친꺼정 돌아갔구마."

"돌아가실 때 흰 죽 한 모금 못 자셨구마."

하고 이야기하던 이는 문득 말을 뚝 끊는다. 그의 눈이 번들번들함은 눈물이 쏟아졌음이리라. 나는 무엇이라고 위로할 말을 몰랐다. 한동안 머뭇머뭇이 있다가 나는 차를 탈 때에 친구들이 사 준 정종 병마개를 빼었다. 찻잔에 부어서 그도 마시고 나도 마시었다. 악착한 운명이 던져 준 깊은 슬픔을 술로 녹이려는 듯이 연거푸 다섯 잔을 마신 그는 다시 말을 계속하였다. 그 후 그는 부모 잃은 땅에 오래 머물기 싫었다. 신의주로 안동현으로 품을 팔다가 일본으로 또 벌이를 찾아가게 되었다. 구주 탄광에 있어도 보고 대판 철공장에도 몸을 담아 보았다. 벌이는 조금 나았으나 외롭고 젊은 몸은 자연히 방탕해졌다. 돈을 모으려야 모을 수 없고 이따금 울화만 치받치기 때문에 한곳에 *주접을 하고 있을 수 없었다. 화도 나고 고국산천이 그립기도 하여서 훌쩍 뛰어나왔다가 오래간만에 고향을 둘러보고 벌이를 구할 겸 서울로 올라가는 길이라 한다.

다 "고향에 가시니 반가워하는 사람이 있습디까?" / 나는 탄식하였다.

ⓜ"반가워하는 사람이 다 뭐기오? 고향이 통 없어졌더마."

"그렇겠지요. 구 년 동안이면 퍽 변했겠지요."

"변하고 무어고 간에 아무것도 없더마. 집도 없고, 사람도 없고, 개 한 마리도 얼씬을 않더마." / "그러면 아주 *폐동이 되었단 말씀이오?"

"흥, 그렇구마. 무너지다가 담만 즐비하게 남았더마. 우리 살던 집도 터야 안 남았겠는기오?" / 하고 그의 짜는 듯한 목은 높아졌다.

● 폐동 동(洞)을 폐하여 없앰.

---

01 윗글의 서술상 특징으로 적절하지 않은 것은?

① 외양 묘사를 통해 인물의 내력을 암시하고 있다.

② 서술자가 객관적인 태도로 사건을 전달하고 있다.

③ 요약적 진술을 통해 사건을 압축적으로 제시하고 있다.

④ 외화와 내화를 구분하여 등장인물의 과거를 밝히고 있다.

⑤ 행동을 통해 등장인물에 대한 서술자의 심리를 보여 주고 있다.

02 ㉠~ⓜ에 대한 설명으로 적절하지 않은 것은?

① ㉠: 독특한 행색을 한 '그'에 대한 '나'의 호기심을 드러낸다.

② ㉡: 점차 사람들이 떠나 '그'의 고향 마을이 쇠퇴하게 되었음을 드러낸다.

③ ㉢: 실제 나이보다 늙어 보일 정도로 '그'가 고생을 많이 했음을 드러낸다.

④ ㉣: '그'가 열심히 일했음에도 불구하고 여전히 살기 어려웠음을 드러낸다.

⑤ ⓜ: 근대화로 낯설게 변해 버린 고향에 대한 '그'의 반감을 드러낸다.

03 〈보기〉는 '그'가 부른 노래이다. 윗글을 바탕으로 〈보기〉의 노래를 이해한 내용으로 적절하지 않은 것은?

─ 보기 ─

볏섬이나 나는 전토는 / 신작로가 되고요—.

말마디나 하는 친구는 / 감옥소로 가고요—.

담뱃대나 떠는 노인은 / 공동묘지 가고요—.

인물이나 좋은 계집은 / 유곽으로 가고요—.

① '신작로'는 일제가 수탈한 곡식을 실어 나르기 위한 길로, 농사지을 땅마저 빼앗긴 현실을 드러내는군.

② '말마디나 하는 친구'가 감옥에 갔다는 것은 가난을 벗어나기 위해 감옥을 택하기도 했음을 보여 주는군.

③ '담뱃대나 떠는 노인'은 암울한 현실 속에서 죽음을 맞게 된 '그'의 윗세대를 의미한다고 볼 수 있겠군.

④ '유곽'은 몸을 파는 여인들이 있던 곳으로, 조선의 여인들이 겪어야 했던 비참한 현실을 드러내는군.

⑤ 노래 전체의 내용은 가혹한 식민 통치로 조선의 모든 민중들이 겪은 비극적인 삶을 압축적으로 드러내는군.

기출 변형 2014학년도 3월 고2 학력평가 B형

04 〈보기〉를 참고하여 윗글을 감상한 내용으로 적절하지 않은 것은?

─ 보기 ─

「고향」이 1920년대 식민지 조선의 피폐함을 사실적으로 잘 드러낼 수 있었던 것은 작가 현진건이 『동아일보』 기자였다는 것과 관련이 있다. 현진건은 기사를 통해 국내 농촌의 피폐함뿐만 아니라 해외 동포들의 비극적인 삶에 대해 누구보다 자주 접할 수 있었기 때문이다. 이런 환경 속에서 일본의 폭력적 식민 지배가 낳은 폐단을 고발하고 식민 지배의 직접적인 피해 계층은 한국 민중이라는 사실을 집약적으로 드러내는 「고향」이 창작되었다. 민족 전체가 암울하게 살아가던 때, 「고향」은 우리 민중들이 품고 있는 반일 감정과 민족에 대한 연민의 감정을 고조시키는 계기가 되었다.

① '그'의 이야기에 함께 슬퍼하고 분노하는 '나'를 통해 같은 민족으로서 동질감과 연민을 느끼는 우리 민중의 모습을 보여 주고 있군.

② 타향을 떠돌며 고생을 하다가 고향까지 잃어버린 '그'의 모습을 통해 식민 지배의 직접적인 피해 계층이 한국 민중임을 보여 주고 있군.

③ '집도 없고, 사람도 없고, 개 한 마리도 얼씬을 않'는 '폐동'이 된 고향의 모습을 통해 폭력적인 식민 지배가 낳은 폐단을 고발하고 있군.

④ 고향을 둘러본 '그'가 괴로워하는 것은 일제의 수탈을 피해 고향을 떠난 자신만 그 수탈에서 벗어나 잘 살았다는 죄책감을 반영하고 있군.

⑤ '그'가 겪은 서간도에서의 삶과 일본 탄광에서의 노동 등은 작가가 기자로서 자주 접할 수 있었던 해외 동포들의 비극상에 바탕을 둔 것이겠군.

05 고향의 모습을 드러내는 말로 가장 적절한 것은?

① 풍수지탄(風樹之嘆) ② 만시지탄(晚時之嘆)

③ 상전벽해(桑田碧海) ④ 인생무상(人生無常)

⑤ 맥수지탄(麥秀之嘆)

『고향』 "변하고 무어고 간에 아무것도 없더마. 집도 없고, 사람도 없고, 개 한 마리도 얼씬을 않더마."

적중 마출 Pick

달밤 | 이태준

키워드 체크 #서정적 #천진한 사람 #현실의 비정함 #소외된 인물에 대한 연민 #애정 어린 시선

가
㉠성북동으로 이사 나와서 한 대엿새 되었을까, 그날 밤 나는 보던 신문을 머리맡에 밀어 던지고 누워 새삼스럽게,

"여기도 정말 시골이로군!" / 하였다.

뭐 바깥이 컴컴한 걸 처음 보고 시냇물 소리와 쏴 하는 솔바람 소리를 처음 들어서가 아니라 황수건이라는 사람을 이날 저녁에 처음 보았기 때문이다.

그는 말 몇 마디 사귀지 않아서 곧 못난이란 것이 드러났다. 이 못난이는 성북동의 산들보다, 물들보다, 조그만 지름길들보다 더 나에게 성북동이 시골이란 느낌을 풍겨 주었다.

서울이라고 못난이가 없을 리야 없겠지만 °대처에서는 못난이들이 거리에 나와 행세를 하지 못하고, 시골선 아무리 못난이라도 마음 놓고 나와 다니는 때문인지, 못난이는 시골에만 있는 것처럼 흔히 시골에서 잘 눈에 띈다.

나
나는 그날 그에게 돈 삼 원을 주었다. 그의 말대로 삼산학교 앞에 가서 버젓이 ㉡참외 장사라도 해 보라고. 그리고 돈은 남지 못하면 돌려주지 않아도 좋다 하였다.

그는 삼 원 돈에 덩실덩실 춤을 추다시피 뛰어나갔다. 그리고 그 이튿날,

"선생님 잡수시라굽쇼." / 하고 나 없는 때 ㉢참외 세 개를 갖다 두고 갔다.

그리고는 온 여름 동안 그는 우리집에 얼씬하지 않았다. 들으니 참외 장사를 해 보긴 했는데 이내 장마가 들어 밑천만 까먹었고, 또 그까짓 것보다 한 가지 놀라운 소식은 그의 아내가 달아났다는 것이었다. 저희끼리 금슬은 괜찮았건만 동서가 못 견디게 굴어 달아난 것이라 한다. 남편만 남 같으면 따로 살림 나는 날이나 기다리고 살 것이나 평생 동서 밑에 살아야 할 신세를 생각하고 달아난 것이라 한다.

다
그런데 요 며칠 전이었다. 밤인데 °달포 만에 수건이가 우리 집을 찾아왔다. 웬 포도를 큰 것으로 대여섯 송이를 종이에 싸지도 않고 맨손에 들고 들어왔다. 그는 벙긋거리며,

"선생님 잡수라고 사 왔습죠."

하는 때였다. 웬 사람 하나가 날쌔게 그의 뒤를 따라 들어오더니 다짜고짜로 수건이의 멱살을 움켜쥐고 끌고 나갔다. 수건이는 그 우둔한 얼굴이 새하얗게 질리며 꼼짝 못 하고 끌려 나갔다.

나는 수건이가 포도원에서 ㉣포도를 훔쳐 온 것을 °직각하였다. 쫓아 나가 매를 말리고 포돗값을 물어 주었다. 포돗값을 물어 주고 보니 수건이는 어느 틈에 사라지고 보이지 않았다.

나는 그 다섯 송이의 포도를 탁자 위에 얹어 놓고 오래 바라보며 아껴 먹었다. 그의 은근한 순정의 열매를 먹듯 한 알을 가지고도 오래 입 안에 굴려 보며 먹었다.

어제다. 문안에 들어갔다 늦어서 나오는데 불빛 없는 성북동 길 위에는 밝은 달빛이 °깁을 간 듯하였다.

그런데 포도원께를 올라오노라니까 누가 맑지도 못한 목청으로,

"°사…… 케…… 와 나…… 미다카 다메이…… 키…… 카……"

를 부르며 큰길이 좁다는 듯이 휘적거리며 내려왔다. 보니까 수건이 같았다. 나는,

핵심 포인트

'나'와 황수건의 관계

'나'

• 황수건에게서 따스한 인간미를 느낌.
• 황수건을 동정과 연민 어린 시선으로 바라봄.

인간적으로 ⇅ '나'의 도움에
대해 줌. 보답하고자 함.

황수건

• 순박하고 천진하여 현실에 잘 적응하지 못함.
• 각박한 현실에 부딪혀 하는 일마다 실패함.

전체 줄거리

발단	성북동으로 이사 온 '나'가 황수건이라는 인물을 만남. ⋯➡ 수록 부분 가
전개	'나'는 정식 신문 배달원이 되는 것이 소원인 황수건이 형님 집에 얹혀살게 되는 과정을 들음.
위기	황수건은 보조 배달원 자리를 빼앗기고 급사로 들어가고자 하지만 실패하고, '나'는 그가 참외 장사를 할 수 있게 돈을 줌. ⋯➡ 수록 부분 나
절정	황수건은 참외 장사에도 실패하고, 그의 아내가 가출함. ⋯➡ 수록 부분 나
결말	'나'는 달밤에 우연히 목격한 황수건에게 연민을 느낌. ⋯➡ 수록 부분 다

기출 OX

Q1 '참외 세 개'와 '포도'는 수건이 곤경에 처하는 계기가 된다. [EBS] 변형 ○ Ⓧ

Q2 윗글에는 금슬이 괜찮았던 아내마저 도망간 황수건의 불행한 삶에 대한 '나'의 연민이 드러난다. [EBS] 변형 ○ Ⓧ

• **대처** 도회지. 사람이 많이 살고 상공업이 발달한 번잡한 지역.
• **달포** 한 달이 조금 넘는 기간.
• **직각** 보거나 듣는 즉시 곧바로 깨달음.
• **깁** 명주실로 바탕을 조금 거칠게 짠 비단.
• **사케와 나미다카 다메이키카** '술은 눈물인가, 한숨인가.'라는 뜻의 일본어. 당시 유행했던 일본 가요의 한 구절.

답 Q1 X Q2 O

"수건인가?" / 하고 알은체하려다 그가 나를 보면 무안해할 일이 있는 것을 생각하고, 홱 길 아래로 내려서 나무 그늘에 몸을 감추었다.

그는 길은 보지도 않고 달만 쳐다보며, 노래는 이 이상은 외우지도 못하는 듯 첫 줄 한 줄만 되풀이하면서 전에는 본 적이 없었는데 ⑩담배를 다 뻑뻑 빨면서 지나갔다.

달밤은 그에게도 유감한 듯하였다.

01 윗글에 대한 설명으로 가장 적절한 것은?

① 사건이 전개되면서 중심인물 간의 갈등이 고조되고 있다.
② 작중 인물이 관찰자의 입장에서 작중 상황을 서술하고 있다.
③ 구체적 공간을 제시하여 시대 상황을 실감 나게 묘사하고 있다.
④ 동시에 일어나는 사건을 병렬적으로 배치하여 긴장감을 조성하고 있다.
⑤ 다른 사람의 체험을 듣고 독자에게 전해 주는 액자식 구성을 취하고 있다.

02 (가)~(다)에 대한 설명으로 적절하지 <u>않은</u> 것은?

① (가)에서 '나'는 그의 외양을 바탕으로 황수건을 평가하고 있다.
② (가)에 드러난 황수건의 특성은 (나)의 일화에 개연성을 더해 준다.
③ (나)에서 '나'는 그동안 황수건이 겪은 일들을 소문을 통해 전해 듣고 있다.
④ (다)에서 술에 취해 걸어가는 황수건의 모습에는 삶에 대한 고달픔이 담겨 있다.
⑤ (다)에서 '나'가 황수건을 알은체하지 않은 이유는 황수건을 배려하기 위해서이다.

03 ㉠~㉤에 대한 설명으로 적절하지 <u>않은</u> 것은?

① ㉠은 '나'가 시골이라고 생각하는 장소로, 윗글의 공간적 배경이다.
② ㉡은 황수건이 자신의 힘으로 생계를 꾸릴 수단으로 여기는 것이다.
③ ㉢은 장사 밑천을 대 준 '나'에게 보내는 황수건의 성의로 볼 수 있다.
④ ㉣은 황수건이 가진 도덕적 결함을 드러내어 그를 풍자하기 위한 소재이다.
⑤ ㉤은 자신의 상황에 답답함을 느끼는 황수건의 심리를 드러내는 소재이다.

04 〈보기〉를 바탕으로 달밤에 대해 이해한 내용으로 가장 적절한 것은?

> **보기**
>
> 윗글에서 '달밤'은 황수건의 불우한 현실과 대비를 이루어 서글프고 울적한 상황을 강조한다. 또한 거듭된 좌절과 실패를 경험한 황수건과 그런 황수건을 감싸는 아름다운 '달밤'은 황수건에게 느끼는 서술자의 정서를 효과적으로 전달하는 역할을 하기도 한다.

① '달밤'의 애상적인 달빛은 '나'가 황수건과 자신을 동일시하게 한다.
② '달밤'의 서정적인 분위기는 '나'의 따뜻한 시선과 연민의 정서를 강조한다.
③ '달밤'은 황수건이 처한 냉혹한 현실을 강조하면서 독자와 황수건의 거리감을 형성한다.
④ '달밤'에 어우러지는 황수건의 노래는 불우한 현재와 달리 다가올 긍정적인 미래를 암시한다.
⑤ '달밤'과 대조되는 '불빛 없는 성북동 길'은 황수건과 '나'가 처한 암울하고 답답한 현실과 대비된다.

05 〈보기〉를 통해 윗글을 감상한 내용으로 적절하지 <u>않은</u> 것은?

> **보기**
>
> 「달밤」에서 황수건은 큰 짱구 머리에 천진한 성품을 지녀 사회와 일상에서 소외되는 모습으로 그려진다. 황수건은 어수룩하고 우스꽝스러운 행동을 반복하지만, '나'는 그의 착한 인간성과 순박함을 좋아하게 된다. 작가는 이러한 '나'의 태도를 통해 황수건과 같은 인물들이 실패하고 좌절할 수밖에 없는 각박한 세태에 대한 문제를 제기하고 있다.

① '나'는 천진한 성격의 황수건이 좌절할 수밖에 없는 현실을 안타깝게 생각하겠군.
② 포도를 훔친 황수건이 바로 붙잡혀 가는 모습에서 그의 어수룩함을 엿볼 수 있군.
③ '나'는 황수건을 '못난이'라고 칭하는 각박한 사람들에게 질책 어린 시선을 보내겠군.
④ '나'가 황수건이 준 포도를 '순정의 열매'처럼 여기는 데서 황수건에 대한 애정을 읽을 수 있군.
⑤ 황수건이 여름 동안 겪은 여러 가지 사건은 그가 사회와 일상에서 소외된 인물임을 짐작게 하는군.

[06~10] 다음 글을 읽고 물음에 답하시오.

㉮ 아버지는 아들의 뒤를 쫓아 이내 개울에서 들어왔다.

아들은, 의사인 아들은, 마치 환자에게 치료 방법을 이르듯이, 냉정히 차근차근히 이야기를 시작하였다. 외아들인 자기가 부모님을 진작 모시지 못한 것이 잘못인 것, 한집에 모이려면 자기가 병원을 버리기보다는 부모님이 농토를 버리시고 서울로 오시는 것이 순리인 것, 병원은 나날이 환자가 늘어 가나 입원실이 부족되어 오는 환자의 삼분지 일밖에 수용 못 하는 것, 지금 시국에 큰 건물을 새로 짓기란 거의 불가능의 일인 것, 마침 교통 편한 자리에 삼층 양옥이 하나 난 것, 인쇄소였던 집인데 전체가 콘크리트여서 방화 방공으로 가치가 충분한 것, 삼층은 살림집과 직공들의 합숙실로 꾸미었던 것이라 입원실로 변장하기에 용이한 것, 각층에 수도, 가스가 다 들어온 것, 그러면서도 가격은 염한 것, 염하기는 하나 삼만 이천 원이라, 지금의 병원을 팔면 일만 오천 원쯤은 받겠지만 그것은 새 집을 고치는 데와, 수술실의 기계를 완비하는 데 다 들어갈 것이니 집값 삼만 이천 원은 따로 있어야 할 것, 시골에 땅을 둔대야 일 년에 고작 삼천 원의 실리가 떨어질지 말지 하지만 땅을 팔아다 병원만 확장해 놓으면, 적어도 일 년에 만 원 하나씩은 이익을 뽑을 자신이 있는 것, 돈만 있으면 땅은 이담에라도, 서울 가까이라도 얼마든지 좋은 것으로 살 수 있는 것……

㉯ 아버지는 아들의 의견을 끝까지 잠잠히 들었다. 그리고,

"점심이나 먹어라. 나두 좀 생각해 봐야 대답허겠다."

하고는 다시 개울로 나갔고, 떨어졌던 다릿돌을 올려놓고야 들어와 그도 점심상을 받았다. / 점심을 자시면서였다.

"원, 요즘 사람들은 힘두 줄었나 봐! 그 **다리** 첨 놀 제 내가 어려서 봤는데 불과 여남은이서 거들던 돌인데 장정 수십 명이 한나 잘 씨름을 허다니!"

"나무다리가 있는데 건 왜 고치시나요?"

"너두 그런 소릴 허는구나. 나무가 돌만 허다든? 넌 그 다리서 고기 잡던 생각두 안 나니? 서울루 공부 갈 때 그 다리 건너서 떠나던 생각 안 나니? 시쳇사람들은 모두 인정이란 게 사람헌테만 쓰는 건 줄 알드라! 내 할아버님 산소에 상돌을 그 다리로 건네다 모셨구, 내가 천잘 끼구 그 다리루 글 읽으러 댕겼다. 네 어미두 그 다리루 가말 타구 내 집에 왔어. 나 죽건 그 다리루 건네다 묻어라……. 난 서울 갈 생각 없다."

㉰ 아버지는 상을 물리고도 말을 계속하였다.

"너루선 어떤 수단을 쓰든지 병원부터 확장허려는 게 과히 엉뚱헌 욕심은 아닐 줄두 안다. 그러나 욕심을 부런 못쓰는 거다. 의

술은 예로부터 인술(仁術)이라지 않니? 매살 순탄허게 진실허게 해라."

"……"

"네가 가업(家業)을 이어나가지 않는다군 탄허지 않겠다. 넌 너루서 발전헐 길을 열었구, 그게 또 ˚모리지배(謀利之輩)의 악업이 아니라 활인(活人)허는 인술(仁術)이구나! 내가 어떻게 불평을 말허니? 다만 삼사 대 집안에서 공들여 이룩해 논 ˚전장을 남의 손에 내맡기게 되는 게 저윽 애석헌 심사가 없달 순 없구……"

"팔지 않으면 그만 아닙니까?"

"나 죽은 뒤에 누가 거두니? 너두 이제 말했지만 너두 문서쪽만 쥐구 서울 앉어 지주 노릇만 허게? 그따위 지주허구 작인 틈에서 땅들만 얼말 곯는지 아니? 안 된다. 팔 테다. 나 죽을 림시엔 다 팔 테다. 돈에 팔 줄 아니? 사람헌테 팔 테다. 건너 용문이는 우리 느르지논 같은 건 한 해만 부쳐 보구 죽어두 농군으루 태났던 걸 한허지 않겠다구 했다. 독시장밭을 내논다구 해 봐라, 문보나 덕길이 같은 사람은 길바닥에 나앉드라두 집을 팔아 살려구 덤빌 게다. 그런 사람들이 땅 님자 안 되구 누가 돼야 옳으냐? 그러니 아주 말이 난 김에 내 유언이다. 그런 사람들 무슨 돈으로 땅값을 한몫 내겠니? 몇몇 해구 그 땅 소출을 팔아 연년이 갚어 나가게 헐 테니 너두 땅값을랑 그렇게 받어 갈 줄 미리 알구 있거라. 그리구 네 모(母)가 먼저 가면 내가 묻을 거구, 내가 먼저 가게 되면 네 모친만은 네가 서울루 그때 데려가렴. 난 샘말서 이렇게 야인(野人)으로나 죄없는 밥을 먹다 야인인 채 묻힐 걸 흡족히 여긴다."

"……"

"자식의 젊은 욕망을 들어 못 주는 게 애비 된 맘으루두 섭섭허다. 그러나 이 늙은이헌테두 그만 신념쯤 지켜 오는 게 있다는 걸 무시하지 말어 다구."

아버지는 다시 일어나 담배를 피우며 다리 고치는 데로 나갔다. 옆에 앉았던 어머니는 두 눈에 눈물을 쭈루루 흘리었다.

[A]
"너이 아버지가 여간 고집이시냐?"

"아뇨. 아버지가 어떤 어룬이신 건 오늘 제가 더 잘 알았습니다. 우리 아버진 훌륭헌 인물이십니다."

그러나 창섭도 코허리가 찌르르 하였다. 자기의 계획하고 온 일이 실패한 것쯤은 차라리 당연하게 생각되었고, 아버지와 자기와의 세계가 격리(隔離)되는 일종의 결별(訣別)의 심사를 체험하는 때문이었다.

– 이태준, 「돌다리」

● **모리지배** 온갖 수단과 방법으로 자신의 이익만을 꾀하는 사람. 또는 그런 무리.
● **전장** 개인이 소유하는 논과 밭.

기출 변형 2004학년도 11월 고2 학력평가

06 윗글의 서술상 특징으로 가장 적절한 것은?

① 간결한 문장으로 사건을 긴박하게 전개하고 있다.

② 대화와 설명을 통해 인물의 지향점을 드러내고 있다.

③ 두 인물의 팽팽한 대립이 중재자를 통해 해소되고 있다.

④ 방언을 적절히 사용하여 해학적인 분위기를 조성하고 있다.

⑤ 인물의 의식의 흐름을 따라가면서 내적 갈등을 드러내고 있다.

기출 변형 2012학년도 수능

07 (가)에 대한 이해로 가장 적절한 것은?

① 부모님을 서울로 모시려는 계획을 통해, 이해관계에 얽매이지 않는 창섭의 진심이 드러난다.

② 땅을 팔아야 하는 이유를 나열함으로써, 창섭의 계획이 일목요연하게 전해지는 효과가 생긴다.

③ 창섭이 처한 경제적 어려움을 솔직하게 드러내어, 부모님이 땅을 팔 수밖에 없는 상황이 조성된다.

④ 합리적이고 효율적인 창섭의 미래 계획을 통해, 관념에 얽매인 기성세대에 대한 비판 의식이 드러난다.

⑤ 자신의 의사를 전달하는 창섭의 말투를 실감 나게 표현하여, 아버지를 대하는 창섭의 태도들 드러낸다.

08 (나), (다)의 아버지에 대한 설명으로 적절하지 않은 것은?

① 요즘 사람들은 땅을 홀대한다고 여긴다.

② 사람이 아닌 대상에도 인정을 베풀어야 한다고 생각한다.

③ '그 다리'에 얽힌 추억을 되새기며 고향을 떠날 마음이 없음을 강조한다.

④ 땅의 진정한 가치를 알고 이를 지키려는 농군이 땅을 가져야 한다고 생각한다.

⑤ 아들의 요청을 들어줄 마음이 없으며 아들이 스스로 자신의 일을 해결해야 한다고 생각한다.

기출 변형 2012학년도 수능

09 〈보기〉를 참고하여 윗글을 해석한 내용으로 적절하지 않은 것은?

> **보기**
>
> '장소애(場所愛)'는 인간의 안정된 삶을 보호하는 터전인 장소에 애착하는 심성이다. 근대 이전에는 '땅'과 '집'이 대표적인 장소애의 대상이었으나, 근대 이후 도시 사회에서는 이들이 도구적 대상이나 교환의 대상으로 변질되었다.

① '아버지'와 '창섭'은 땅에 대한 관점 차이 때문에 갈등을 겪고 있다.

② '창섭'에게 땅은 도구적 가치를 지닌 것으로, 장소애의 대상이 아니다.

③ '아버지'에게 돌다리는 삶의 추억과 애환이 투영된 장소애의 대상이다.

④ 땅에 애착하는 '아버지'의 생각과 행동은 땅에 대한 장소애의 의미를 부각하고 있다.

⑤ '창섭'은 땅보다는 삼층 양옥에 담긴 사회적 가치가 더 크다고 생각하여 이를 장소애의 대상으로 삼고 있다.

고난도 기출 변형 2004학년도 11월 고2 학력평가

10 〈보기〉를 바탕으로 [A]를 이해한 학생들의 반응이다. 잘못 이해한 학생은?

> **보기**
>
> 이태준에게 소설이란 치밀하게 만들어지는 세계로, 정교하고 절실하게 묘사되어 있는 것이다. 이를 위해 이태준이 구사하고 있는 심미적 장치의 본질은 아이러니라 할 수 있다. 그 중의 하나는 세계 인식의 차원에서 존재하는 아이러니이다. 즉 어떤 인물이 상대 인물을 경외하고 동경하면서도 자신의 마음을 버리지 못하는 심리적 괴리감의 상태가 되었을 때, 우리는 이를 '인식의 아이러니'라고 말한다.

① 성구: 아버지가 펼치는 신념의 세계로 창섭이 들어간다는 얘기겠네.

② 태민: 창섭은 아버지의 세계를 단지 그것 자체로 훌륭하다고 인정하는 거야.

③ 희수: 창섭이 자신의 뜻과는 다른 아버지의 신념과 논리를 인정하는 것으로 볼 수 있을 것 같아.

④ 호재: 창섭이 겪는 '인식의 아이러니'는 아버지에 대한 동경과 상충되는 자신의 욕망 때문이겠네.

⑤ 형식: 창섭이 심리적 괴리감을 겪는 상태라는 것을 고려할 때, 자신의 계획을 완전히 포기한 것으로 보기는 힘들 것 같아.

▶해법문학 Link
현대 소설 68쪽

소설가 구보 씨의 일일 | 박태원

키워드 체크 #자전적 #모더니즘 #여로형 구조 #의식의 흐름 기법 #1930년대 서울 거리

핵심 포인트

식민지 지식인 '구보'의 시선

구보		당대 사람들
세태에 대한 뚜렷한 해결책을 제시하지 못하는 소심한 식민지 지식인	➡ 냉소적, 자조적	근대화로 인해 정신적·육체적으로 병들어 감.

전체 줄거리

일정한 직업 없이 글을 쓰며 살아가는 구보는 정오에 집을 나와 서울 거리를 배회하다가 건강에 문제가 있다고 생각하며 불안해한다. 구보는 동대문행 전차 속에서 과거에 선을 본 여자를 발견하고 외면한 것을 후회한다. 【고독을 피하기 위해 경성역을 찾아간 구보는 온정을 느낄 수 없는 사람들만 발견한다.】 구보는 우연히 중학 시절 열등생이었던 동창이 예쁜 여자와 동행한 것을 보고 물질에 약한 여자의 허영심에 대해 생각하고, 다방에서 사회부 기자인 친구를 만나 그가 돈 때문에 기사를 써야 한다는 사실에 연민을 느낀다. 구보는 친구와 술을 마시며 세상 사람을 정신병자로 취급하고 싶은 충동에 사로잡힌다. 새벽 두 시경, 구보는 어머니를 위해 결혼을 하고 창작에 전념할 것을 다짐하며 집으로 향한다.
→【 】: 수록 부분

기출 OX

Q1 윗글은 시간적 순서에 따라 사건을 배열하여 사건의 인과성을 밝히고 있다.
기출 2008. 6. 모평 ○ X

Q2 윗글은 쉼표를 의도적으로 사용하여 읽기 속도에 변화를 줌으로써 그 부분에 주목하게 하고 있다. 기출 2008. 6. 모평 ○ X

- **웅숭그리고** 춥거나 두려워 몸을 궁상맞게 몹시 웅그리고.
- **약동하는** 생기 있고 활발하게 움직이는.
- **드난** 임시로 남의 집 행랑에 붙어 지내며 그 집의 일을 도와줌. 또는 그런 사람.
- **바제도씨병** 갑상샘 항진증으로, 눈알이 튀어나오는 병.
- **린네르** 리넨(linen). 아마(亞麻)의 실로 짠 얇은 직물을 통틀어 이르는 말.
- **쓰메에리** 깃의 높이가 4cm쯤 되게 하여, 목을 둘러 바싹 여미게 지은 양복.

답 Q1 X Q2 ○

조그만

한 개의 기쁨을 찾아, 구보는 남대문을 안에서 밖으로 나가 보기로 한다. 그러나 그곳에는 불어 드는 바람도 없이 양옆에 *웅숭그리고 앉아 있는 서너 명의 지게꾼들의 그 모양이 맥없다. / 구보는 고독을 느끼고, 사람들 있는 곳으로, *약동하는 무리들이 있는 곳으로, 가고 싶다 생각한다. 그는 눈앞에 경성역을 본다. 그곳에는 마땅히 **인생**이 있을 게다. 이 낡은 서울의 호흡과 또 감정이 있을 게다. 도회의 소설가는 모름지기 이 도회의 항구와 친해야 한다. 그러나 물론 그러한 직업의식은 어떻든 좋았다. 다만 구보는 고독을 삼등 대합실 군중 속에 피할 수 있으면 그만이다.

그러나 오히려 고독은 그곳에 있었다. 구보가 한옆에 끼여 앉을 수도 없게시리 사람들은 그곳에 빽빽하게 모여 있어도, 그들의 누구에게서도 인간 본래의 온정을 찾을 수는 없었다. 그네들은 거의 옆의 사람에게 **한마디 말**을 건네는 일도 없이, 오직 자기네들 사무에 바빴고, 그리고 간혹 말을 건네도, 그것은 자기네가 타고 갈 열차의 시각이나 그러한 것에 지나지 않았다. 그네들의 동료가 아닌 사람에게 그네들은 변소에 다녀올 동안의 그네들 짐을 **부탁**하는 일조차 없었다. 남을 결코 믿지 않는 그네들의 눈은 보기에 딱하고 또 가엾었다.

구보는 한구석에 가 서서, 그의 앞에 앉아 있는 노파를 본다. 그는 뉘 집에 *드난을 살다가 이제 늙고 또 쇠잔한 몸을 이끌어, 결코 넉넉하지 못한 어느 시골, 딸네 집이라도 찾아가는지 모른다. 이미 굳어 버린 그의 안면 근육은 어떠한 다행한 일에도 펴질 턱 없고, 그리고 그의 몽롱한 두 눈은 비록 그의 딸의 그지없는 효양(孝養)을 가지고도 감동시킬 수 없을지 모른다. 노파 옆에 앉은 중년의 시골 신사는 그의 시골서 조그만 백화점을 경영하고 있을 게다. 그의 점포에는 마땅히 주단포목도 있고, 일용 잡화도 있고, 또 흔히 쓰이는 약품도 갖추어 있을 게다. 그는 이제 그의 옆에 놓인 물품을 들고 자랑스러이 차에 오를 게다. 구보는 그 시골 신사가 노파와 사이에 되도록 **간격**을 가지려고 노력하는 것을 발견하고, 그리고 그를 업신여겼다. 만약 그에게 얕은 지혜와 또 약간의 용기를 주면 그는 삼등 승차권을 주머니 속에 간수하고, 일, 이등 대합실에 오만하게 자리 잡고 앉을 게다.

문득 구보는 그의 얼굴에 부종(浮腫)을 발견하고 그의 앞을 떠났다. 신장염. 그뿐 아니라, 구보는 자기 자신의 만성 위 확장(胃擴張)을 새삼스러이 생각해 내지 않으면 안 되었다. 그러나 구보가 매점 옆에까지 갔었을 때, 그는 그곳에서도 역시 병자를 보지 않으면 안 되었다. 사십여 세의 노동자. 전경부(前頸部)의 광범한 팽륭(澎隆). 돌출한 안구. 또 손의 경미한 진동. 분명한 *바제도씨병. 그것은 누구에게든 결코 깨끗한 느낌을 주지는 못한다. 그의 좌우에는 좌석이 비어 있어도 사람들은 그곳에 앉으려 들지 않는다. 뿐만 아니라, 그에게서 두 칸 통 떨어진 곳에 있던 아이 업은 젊은 아낙네가 그의 바스켓 속에서 꺼내다 잘못하여 시멘트 바닥에 떨어뜨린 한 개의 복숭아가, 굴러 병자의 발 앞에까지 왔을 때, 여인은 그것을 쫓아와 집기를 단념하기조차 하였다.

구보는 이 조그만 사건에 문득, 흥미를 느끼고, 그리고 그의 '대학 노트'를 펴 들었다. 그러나 그가 문 옆에 기대어 섰는 캡 쓰고 *린네르 *쓰메에리 양복 입은 사내의, 그 온갖 사람에게 **의혹**을 갖는 두 눈을 발견하였을 때, 구보는 또다시 우울 속에 그곳을 떠나지 않으면 안 된다.

01 윗글의 서술 방식에 대한 설명으로 가장 적절한 것은?

① 사건을 요약적으로 진술하여 인물의 과거 행적을 밝히고 있다.
② 작품 밖의 서술자가 다양한 인물의 시각에서 사건을 전개하고 있다.
③ 인물이 특정 공간에서 느끼는 내면 심리를 중심으로 이야기를 전개하고 있다.
④ 인물의 행위를 통해 인물이 공간에 부여한 의미가 변화하는 과정을 서술하고 있다.
⑤ 대립적인 관계에 있는 인물들의 심리를 교차하여 제시함으로써 사건 전개 양상을 입체적으로 보여 주고 있다.

기출 변형 2014학년도 9월 고2 학력평가 B형

02 윗글을 감상한 내용으로 적절하지 않은 것은?

① 구보는 고독을 벗어나기 위해 찾은 '경성역'에서 또다시 고독을 느끼는군.
② 구보는 역에 모인 '사람들'에게서 인간적 신뢰가 약화된 도시의 모습을 발견하고 안타까움을 느끼는군.
③ 구보는 '노파'에게서 물질 만능에 빠진 사람들이 겪는 좌절과 고독이 한꺼번에 나타나는 것을 발견하는군.
④ 구보는 '젊은 아낙네'에게서 인간 소외에 따른 비인간적이고 몰인정한 모습을 발견하는군.
⑤ 구보는 '양복 입은 사내'가 온갖 사람들을 경계하고 의심하는 모습을 보며 서글픔과 실망감을 느끼는군.

03 윗글에서 '구보'가 긍정적으로 여기는 것과 부정적으로 여기는 것을 골라 바르게 묶은 것은?

	긍정적	부정적
①	약동, 한마디 말	인생, 부탁, 간격, 의혹
②	약동, 부탁, 간격	인생, 한마디 말, 의혹
③	부탁, 간격, 의혹	약동, 인생, 한마디 말
④	약동, 인생, 한마디 말, 부탁	간격, 의혹
⑤	인생, 한마디 말, 부탁, 간격	약동, 의혹

04 〈보기〉를 통해 윗글을 이해한 내용으로 적절하지 않은 것은?

─ 보기 ─

윗글은 작가의 자전적 소설로, '구보'는 근대화와 도시화가 진행되면서 여러 병폐가 나타나는 당시 세태에 대해 뚜렷한 해결책을 제시하거나 어떠한 행동도 하지 못하는 소심한 식민지 지식인으로 형상화되어 있다. 이때 구보가 이동하는 장소와 사고 간에는 어떠한 필연적 연관성을 발견하기 어려운데, 이는 인물의 의식이 외부로부터의 자극을 받아들이고 반응하며 연속되는 '의식의 흐름'에 따라 기술하는 모더니즘 소설의 특성을 잘 드러낸다.

① 구보의 생각은 의식의 흐름에 따라 서술되었기 때문에 논리 체계를 찾기 어려운 것이군.
② 사회적 병폐 현상을 목격한 후의 구보의 실망과 우울은 식민지 지식인으로서의 그의 처지와 연관이 있군.
③ 구보가 남대문에서 경성역으로 이동하는 특정한 이유를 찾기 어려운 것은 모더니즘 소설의 특성 때문이군.
④ 구보는 식민지 지식인으로서 적극적으로 나서지 못하는 작가의 모습이 형상화된 인물이라고 볼 수 있겠군.
⑤ 구보가 다른 인물에게 말을 건네지 않고 어떠한 해결 방안도 생각하지 않는 것은 그의 소심함과 무기력함 때문이군.

고난도 기출 변형 2014학년도 3월 고3 학력평가 B형

05 〈보기〉를 참고하여 윗글을 감상한 내용으로 가장 적절한 것은?

─ 보기 ─

구보가 관찰하는 것은 사람들의 몸과 그 연장선인 그들의 행색이나 행동이다. 몸은 육체적, 정신적으로 끊임없이 세계와 교섭하며 그 흔적을 내재하고 있는 하나의 기호이기 때문이다. 구보의 시선이 포착하는 것은 자신을 포함한 사람들의 병든 육체와 정신이다. 이는 식민지 근대에 대한 구보의 진단이자, 지식인의 우울한 내면에 대한 은유라고 할 수 있다.

① 구보는 '지게꾼'들이 '웅숭그리고 앉아 있는' 모습에서 그들이 육체적으로 힘든 노동을 하지만 정신적으로는 건강한 상태라는 점을 포착하고 있군.
② 구보는 '딸'이 '그지없는 효양'을 하지 않았기 때문에 '노파'가 '뉘 집에 드난을 살다가' 육체적, 정신적으로 쇠약해진 것으로 판단하고 있군.
③ 구보는 자신과 달리 얼굴에 '부종'이 있는 사내의 곁을 떠나는 사람들의 모습을 보며 육체적 건강과 정신적 건강은 별개라는 점을 깨닫는군.
④ 구보가 '만성 위 확장'을 앓는 환자라는 사실은 구보가 다른 사람들과 달리 정신은 병들지 않았다는 점을 나타내는군.
⑤ 구보가 '대학 노트'를 꺼내 든 것은 '바제도씨병'을 앓는 '노동자'와 그를 대하는 사람들의 태도에서 육체적, 정신적으로 병든 시대의 모습을 포착했기 때문이군.

[06~11] 다음 글을 읽고 물음에 답하시오.

　그는 침을 삼키고, 눈물에 어린 눈을 들어, 이제 딸이 가지고 갈 세간을 둘러보았다.

　머릿장에, 인조견 금침에, °선채받은 함에, 경대에, 반짇고리에 ......

　아무리 장하게 차려준들, 어머니 마음에 흡족하다 할 날이 있으랴만, 몇 번을 둘러보아, 이쁜이의 어머니는 새삼스러이, 너무 가난한 자기 신세가 애달팠다.

　'허지만, 이쁜아. 에미를, 결코, 섭섭하게 생각해선 안 된다. 이게 네 에미가 그저 있는 힘을 다해서 마련해 논 게 아니냐......'

　그는, 아무리 참으려 해도 울음이 터져나올 것만 같아, 좀더 그곳에 앉아 있지 못하고, 방을 나왔다. 경삿날, 남에게 눈물을 보이기 싫어, 부엌에 들어가서, 손을 들어 코를 풀고, 치맛자락으로 눈을 씻었을 때, 동리 아이가 뛰어들어오며 큰길에 자동차가 왔다고 소리쳤다. 갑자기 또 집 안이 부산해지며, 기다리고나 있었던 듯이 어느 틈엔가 구두를 신고 뜰로 내려서는 신랑, 동네 아낙네들에게 싸여 그의 뒤를 따르는 신부. 이쁜이 어머니는 다시 허둥지둥 부엌을 나와, 새삼스러이, 딸에게 일러줄 말이 너무나 많은 것을 생각하며, 그중의 단 한마디를 골라내지 못한 채, 그대로 동리 마누라들에게 휩싸여, 골목을 전찻길로 향하여 나갔다.

　그 골목이 그렇게도 짧은 것을 그가 처음으로 느낄 수 있었을 때, 신랑의 몸은 벌써 차 속으로 사라지고, 자기와 차 사이에는 몰려든 군중이 몇 겹으로 길을 가로막았다. 이쁜이 어머니는 당황하였다. 그들의 틈을 비집고,

　'이제 가면, 네가 언제나 또 온단 말이냐? ......'

　딸이 이제 영영 돌아오지 못하기나 하는 것같이, 그는 막 자동차에 오르려는 딸에게 달려들어,

　"이쁜아."

　한마디 불렀으나, 다음은 목이 메어, 얼마를 벙하니 딸의 옆얼굴만 바라보다가, 그러한 어머니의 마음을 알아줄 턱없는 운전수가, 재촉하는 경적을 두어 번 울렸을 때, 그는 또 소스라치게 놀라며, 그저 입에서 나오는 대로,

　"모든 걸, 정신 채려, 조심해서, 해라......"

　그러나 ㉠자동차의 문은 유난히 소리 내어 닫히고, 다시 또 경적이 두어 번 운 뒤, 달리는 자동차 안에 이쁜이 모양을, 어머니는 이미 찾아볼 수가 없었다. 그는 실신한 사람같이, 얼마를 그곳에 서 있었다. 깨닫지 못하고, 눈물이 뺨을 흐른다. 그 마음속을 알아주면서도, 아낙네들이, 경사에 눈물이 당하냐고, 그렇게 책망하였을 때, 그는 갑자기 조금 웃고, 그리고, 문득, 정신을 바짝 차리지 않으면, 그대로 그곳에서 혼도해 버리고 말 것 같은 극도의 피로

와, 또 이제는 이미 도저히 구할 길 없는 마음속의 공허를, 그는 일시에 느꼈다.

제6절 몰락

　한편에서 이렇게 경사가 있었을 때—(그야, 외딸을 남을 주고 난 그 뒤에, 홀어머니의 외로움과 슬픔은 컸으나 그래도 아직 그것은 한 개의 경사라 할 밖에 없을 것이다)—, 또 ㉡한편 개천 하나를 건너 °신전 집에서는, 바로 이날에 이제까지의 서울에서의 살림을 거두어, 마침내 애달프게도 온 집안이 시골로 내려갔다.

[A]
　독자는, 그 수다스러운 점룡이 어머니가, 이미 한 달도 전에, 어디서 어떻게 들었던 것인지, 쉬이 신전 집이 낙향을 하리라고 가장 은근하게 빨래터에서 하던 말을 기억하고 계실 것이다. 이를테면 그것이 그대로 실현된 것에 지나지 않는다. 그러나 다만 그들의 가는 곳은, 강원도 춘천이라든가 그러한 곳이 아니라, 경기 강화였다.

　이 봄에 대학 의과를 마친 둘째 아들이 아직 취직처가 결정되지 않은 채, 그대로 서울 하숙에 남아 있을 뿐으로—(그러나, 그도 그로써 얼마 안 되어 충청북도 어느 지방의 '공의'가 되어 서울을 떠나고 말았다)—, 신전 집의 온 가족은, 아직도 장가를 못 간 주인의 처남까지도 바로 어디 나들이라도 가는 것처럼, 별로 남들의 주의를 끄는 일도 없이, 스무 해를 살아온 이 동리에서 사라지고 말았다.

　한번 기울어진 가운은 다시 어쩌는 수 없어, 온 집안사람은, 언제든 당장이라도 서울을 떠날 수 있는 준비 아래, 오직 **주인 영감의 명령**만을 기다리고 있었던 것이므로, 동리 사람들도 그것을 단지 시일 문제로 알고 있었던 것이나, 그래도 이 신전 집의 몰락은, 역시 그들의 마음을 한때, 어둡게 해 주었다.

　그러나 오직 그뿐이다. 이 **도회에서의 패잔자**는 좀 더 남의 마음에 애달픔을 주는 일 없이 무심한 이의 눈에는, 참말 어디 볼일이라도 보러 가는 사람같이, 그곳에서 얼마 안 되는 작은 광교 차부에서 강화행 자동차를 탔다. 천변에 일어나는 온갖 일에 관찰을 게을리하지 않는 이발소 소년이, 용하게도 막, 그들의 이미 오래 전에 팔린 집을 나오는 일행을 발견하고 그래 이발소 안의 모든 사람이 그것을 알았을 뿐으로, 그들이 남부끄럽다 해서, 고개나마 변변히 못 들고 빠른 걸음걸이로 천변을 걸어 나가, 그대로 큰길로 사라지는 뒷모양이라도 흘낏 본 이는 몇 명이 못 된다. ㉢얼마 있다, 원래의 신전은 술집으로 변하고, 또 그들의 살던 집에는 좀 더 있다, 하숙옥 간판이 걸렸다.

– 박태원, 「천변 풍경」

● **선채** 전통 혼례에서, 혼례를 치르기 전에 신랑 집에서 신부 집으로 미리 보내는 푸른색과 붉은색의 비단. 치마나 저고릿감으로 씀.
● **신전** 예전에, 신을 파는 가게를 이르는 말.

06 윗글에 대한 설명으로 가장 적절한 것은?

① 인물 간의 대화를 통해 사건의 긴장감을 완화하고 있다.

② 인물의 회상 장면을 통해 사건 해결의 실마리를 과거에서 찾고 있다.

③ 인물들이 대결하는 장면을 통해 특정 인물의 생각과 행동을 희화화하고 있다.

④ 인물 간의 갈등을 여러 각도에서 조명하여 사건 전개의 양상을 다면화하고 있다.

⑤ 인물의 내면을 행위로 제시하여 상황에 대한 인물들의 태도와 심리를 보여 주고 있다.

07 윗글의 내용과 일치하지 <u>않는</u> 것은?

① 신전 집 가족은 동리에서 스무 해를 살았다.

② 신전 집 가족은 동리 사람들의 주목을 끌지 않고 조용히 서울을 떠났다.

③ 동리 사람들은 신전 집 사람들이 서울을 떠난 사실을 알고 깜짝 놀랐다.

④ 이쁜이 어머니는 홀어머니로, 하나뿐인 딸인 이쁜이에게 깊은 애정을 가지고 있다.

⑤ 이쁜이 어머니는 넉넉하지 않은 가정 형편에도 최선을 다해 이쁜이의 세간을 마련하였다.

08 이발소 소년 에 대한 이해로 가장 적절한 것은?

① 주변을 관찰하여 일상의 변화를 포착한다.

② 특정 가족이 몰락하게 된 이유를 분석한다.

③ 새로운 사건을 모으고 그 진위를 논평한다.

④ 천변의 소식을 타 지역 주민에게 전해 준다.

⑤ 천변 주민들 사이에 발생하는 문제를 중재한다.

09 [A]에 대한 설명으로 적절하지 <u>않은</u> 것은?

① 독자가 가진 정보를 상기시키고 있다.

② 정보를 제공한 인물을 독자에게 환기시키고 있다.

③ 독자를 언급하여 서술자의 개입을 드러내고 있다.

④ 인물의 행선지와 관련한 정보를 독자에게 제공하고 있다.

⑤ 정보가 실현되지 못한 원인을 독자의 망각에서 찾고 있다.

10 윗글에 대한 감상으로 가장 적절한 것은?

① 짧게 느껴지는 '골목'은 어머니의 아쉬움을 보여 주고 있다.

② 딸이 멀리 떠나는 모습을 통해 가족들 간의 갈등 상황을 보여 주고 있다.

③ '눈물'은 가족의 성장을 기특하게 바라보는 어머니의 감격을 보여 주고 있다.

④ '주인 영감의 명령'만을 기다리는 신전 집 가족들의 모습을 통해 가족 내의 분위기가 고압적임을 보여 주고 있다.

⑤ '도회에서의 패잔자'가 낙향하는 모습을 통해 자신의 잘못을 회피하는 부도덕한 인물상을 보여 주고 있다.

11 〈보기〉를 바탕으로 ㉠~㉢에 대해 이해한 내용으로 적절하지 <u>않은</u> 것은?

> **보기**
>
> 작가는 시간의 흐름에 따라 나타나는 모든 상황을 서술하지는 않는다. 일련의 상황이나 사건들 중 작가의 시선에 의해 특정한 부분이 부각되어 서술되는 것이다. 즉, 서사는 시간과 공간을 배경으로 하는 사건의 선택과 결합을 통해 구성된다. 선택이란 사건이 벌어진 시간과 공간을 분할한 후 그중에서 의미 있는 부분을 선택하는 것을 가리킨다. 그리고 결합이란 선택된 시간과 공간을 다양한 방식으로 연결하여 새롭게 사건을 구성하는 것을 의미한다. 이렇게 서사는 다양한 사건 구성의 방식을 통해 인간의 문제를 총체적으로 파악하고자 하는 고민을 담고 있다.

① ㉠에서는 두 인물 사이에서 발생한 여러 상황에서 몇 개의 상황만을 선택적으로 제시하여 그 상황에 대한 인물의 심리를 암시하고 있군.

② ㉡에서는 서로 다른 공간에서 사건이 일어났음을 밝혀 ㉡의 공간에서 일어난 사건과 ㉠의 공간에서 일어난 사건을 연결하고 있군.

③ ㉡에서는 일련의 상황을 선택적으로 제시하면서 인물들에 대한 감정을 서술하고 있군.

④ ㉠과 ㉡의 연결은 서로 다른 날에 시간 차이를 두고 일어난 사건의 연결에 해당하는군.

⑤ ㉢은 시간의 흐름을 분할하고 대상의 특징적인 변화를 선택하여 제시하지만 서로 다른 두 공간의 결합이 나타나지는 않는군.

봄·봄 | 김유정

교과서 [문] 비상 [국] 천재(박), 금성, 동아, 비상(박영),
지학사, 해냄 기출

핵심 포인트

작품 이면에 담긴 현실 비판

표면	우직하고 순진한 '나'와 '나'를 이용하는 장인의 갈등이 해학적인 문체로 드러남.

↓

이면	'지주-마름-소작인'의 구조 속에서 강자가 약자를 착취하는 당대 현실이 드러남.

전체 줄거리

발단	'나'는 점순이의 키가 자라면 혼인하는 조건으로 장인의 집에서 머슴살이를 하지만 장인은 점순이의 키가 자라지 않는다는 핑계로 약속을 지키지 않음. ┈➝ 수록 부분
전개	'나'는 점순이의 충동질로 장인에게 반항하고, 구장에게 중재를 요청하지만 구장은 장인 편을 듦.
절정	'나'는 장인과 대판 몸싸움을 벌이고, 점순이가 장인의 편을 들자 망연자실함.
결말	'나'는 가을에 혼례를 올려 주겠다는 장인의 말을 믿고 다시 일을 나감.

기출 OX

Q1 윗글은 데릴사위 제도를 소재로 농촌 내부의 계층 대립을 상징적으로 드러내고 있다고 볼 수 있다. 기출 2006. 6. 고1 ○ X

Q2 윗글은 과거 사건을 현재 상황에 끌어 들여 인물들의 관계를 드러내고 있다. 기출 2016. 6. 모평A ○ X

● **마름** 지주를 대리하여 소작권을 관리하는 사람.
● **호박개** 뼈대가 굵고 털이 북슬북슬한 개.
● **안달재신** 몹시 속을 태우며 여기저기로 다니는 사람.
● **돌라안는다** '가로챈다'는 뜻.
● **계제** 어떤 일을 할 수 있게 된 형편이나 기회.
● **종당** 일의 마지막.
● **거반** 거의 절반 가까이.
● **올갈** 올해 가을.
● **사경** 새경. 머슴이 주인에게서 한 해 동안 일한 대가로 받는 돈이나 물건.

답 Q1 ○ Q2 ○

키워드 체크 #농촌 소설 #향토적 #해학적 #역순행적 구성 #혼례를 둘러싼 '나'와 장인의 갈등 #'봄'의 의미

"아이구, 배야!" / 난 몸 붓다 말고 배를 씨다듬으면서 그대루 논둑으로 기어올랐다. 그리고 겨드랑에 꼈든 벼 담긴 키를 그냥 땅바닥에 털썩 떨어치며 나도 털썩 주저앉았다. 일이 암만 바빠도 나 배 아프면 고만이니까. 아픈 사람이 누가 일을 하느냐. 파릇파릇 돋아오른 풀 한 숲을 뜯어 들고 다리의 거머리를 쓱쓱 문태며 장인님의 얼굴을 쳐다보았다.

논 가운데서 장인님도 이상한 눈을 해 가지고 한참 날 노려보더니

"너, 이 자식, 왜 또 이래, 응?"

"배가 좀 아파서유!" / 하고 풀 우에 슬며시 쓰러지니까 장인님은 약이 올랐다. 저도 논에서 철벙철벙 둑으로 올라오더니 잡은 참 내 멱살을 웅켜잡고 뺨을 치는 것이 아닌가……

"이 자식아, 일허다 말면 누굴 망해 놀 셈속이냐? 이 대가릴 까놀 자식."

우리 장인님은 약이 오르면 이렇게 손버릇이 아주 못됐다. 또, 사위에게 이 자식 저 자식 하는 이놈의 장인님 은 어디 있느냐. 오작해야 우리 동리에서 누굴 물론하고 그에게 욕을 안 먹는 사람은 명이 짜르다 한다. 조고만 아이들까지도 그를 돌라 세 놓고 '욕필이(번이름이 봉필이니까), 욕필이' 하고 손가락질을 할 만치 두루 인심을 잃었다. 허나, 인심을 정말 잃었다면 욕보다 읍의 배 참봉 댁 마름으로 더 잃었다. 번이 마름이란 욕 잘하고, 사람 잘 치고, 그리고 생김 생기길 호박개 같애야 쓰는 거지만, 장인님은 외양이 똑 됐다. 작인이 닭 마리나 좀 보내지 않는다든가 애벌논 때 품을 좀 안 준다든가 하면 그해 가을에는 영락없이 땅이 뚝뚝 떨어진다. 그러면 미리부터 돈도 먹이고 술도 먹이고 안달재신으로 돌아치든 놈이 그 땅을 슬쩍 돌라안는다. 이 바람에 장인님 집 빈 외양간에는 눈깔 커다란 황소 한 놈이 절로 엉금엉금 기어들고, 동리 사람은 그 욕을 다 먹어 가면서도 그래도 굽실굽실하는 게 아닌가……

그러나 내겐 장인님이 감히 큰소리할 계제가 못 된다. / 뒷생각은 못 하고 뺨 한 개를 딱 때려 놓고는 장인님은 무색해서 덤덤이 쓴 침만 삼킨다. 난 그 속을 퍽 잘 안다. 조금 있으면 갈도 꺾어야 하고, 모도 내야 하고, 한창 바쁜 때인데 나 일 안 하고 우리 집으로 그냥 가면 고만이니까. 작년 이맘때도 트집을 좀 하니까 늦잠 잔다구 돌멩이를 집어 던져서 자는 놈의 발목을 삐게 해 놨다. 사날씩이나 건숭 '끙, 끙.' 앓았드니 종당에는 거반 울상이 되지 않았는가……

"애, 그만 일어나 일 좀 해라. 그래야 올갈에 벼 잘되면 너 장가들지 않니?"

그래 귀가 번쩍 띄어서 그날로 일어나서 남이 이틀 품 들일 논을 혼자 삶아 놓으니까 장인님도 눈깔이 커다랗게 놀랐다. 그럼 정말로 가을에 와서 혼인을 시켜 줘야 온 경우가 옳지 않겠나. 볏섬을 척척 들여쌓아도 다른 소리는 없고 물동이를 이고 들어오는 점순이를 담배통으로 가리키며,

"이 자식아, 미처 커야지. 조걸 데리구 무슨 혼인을 한다구 그러니, 온!"

하고 남 낯짝만 붉게 해 주고 고만이다. 골김에 그저 이놈의 장인님 하고 댓돌에다 메꽂고 우리 고향으로 내뺄까 하다가 꾹꾹 참고 말았다.

참말이지 난 이 꼴 하고는 집으로 차마 못 간다. 장가를 들러 갔다가 오작 못났어야 그대로 쫓겨 왔느냐고 손가락질을 받을 테니까……

논둑에서 벌떡 일어나 한풀 죽은 장인님 앞으로 다가스며,

㉠"난 갈 테야유. 그동안 사경 쳐 내슈, 뭐." / "너, 사위로 왔지 어디 머슴 살러 왔니?"

"그러면 얼찐 성렐 해 줘야 안 하지유. 밤낮 부려만 먹구 해 준다, 해 준다······."

"글쎄, 내가 안 하는 거냐, 그년이 안 크니까······."

[뒷부분 줄거리] '나'는 점순이의 부추김에 성례를 시켜달라며 장인과 격렬하게 다툰다. 하지만 장인을 편드는 점순이의 행동에 망연자실해 하고, 결국 장인과 화해하고 다시 일터로 나선다.

01 윗글에 대한 설명으로 적절하지 <u>않은</u> 것은?

① 토속적인 언어와 비속어를 사용하여 현장감을 높이고 있다.

② 인물의 회상을 통해 사건의 순서를 재구성하여 제시하고 있다.

③ 작품 속에 등장하는 서술자가 사건을 객관적인 입장에서 전달하고 있다.

④ 서술 부분에도 구어적 표현을 사용하여 사건을 겪은 당사자가 직접 말해 주는 듯한 효과를 거두고 있다.

⑤ 특정 시기를 배경으로 인물의 기대와 좌절이 반복적으로 교차되며 생기는 갈등을 중심으로 전개하고 있다.

02 '장인'에 대한 설명으로 가장 적절한 것은?

① 다른 사람들의 눈을 의식하여 위선적으로 행동하는 인물이다.

② 겉으론 험악하게 대해도 속으로는 따뜻한 마음을 지닌 인물이다.

③ 인정에 휘둘리지 않고 냉철하고 객관적으로 상황을 판단하는 인물이다.

④ 자신의 이익을 취하기 위해 '나'를 지속적으로 회유하고 이용하는 인물이다.

⑤ 자신의 손해를 감수하고서라도 아랫사람에 대한 태도를 바꾸지 않는 고집스러운 인물이다.

03 이놈의 장인님 이라는 표현에 대해 탐구한 내용으로 적절하지 <u>않은</u> 것은?

① 윗사람인 장인을 낮추어 표현한 것이므로 '장인'에 대한 '나'의 반발 심리가 드러나고 있어.

② 늘 이러한 표현을 쓰지는 않는 것으로 보아 '나'가 언제나 장인에게 부정적인 감정으로 대하는 것은 아니야.

③ 분노의 감정이 두드러지게 느껴지는 표현이지만 이후의 '나'의 언행과 결합되면서 해학적인 분위기를 형성하고 있어.

④ 일반적으로 사위가 장인에게 사용하지 않는 표현이므로 이는 '나'가 더 이상 장인을 장인으로 대접하지 않게 될 것임을 암시하고 있어.

⑤ 낮춤 표현을 사용하면서도 장인에 '-님'을 붙인 것으로 보아 불만스러운 상황에서도 최소한의 예의를 지키는 '나'의 태도를 보여 주고 있어.

04 ㉠에 담긴 '나'의 심리에 대한 설명으로 가장 적절한 것은?

① 사경을 제대로 받은 후에 머슴살이를 계속하겠다는 다짐을 나타내고 있다.

② 사경을 받지 못하고 고향으로 돌아갔을 때의 수모를 면하기 위해 사경을 요구하고 있다.

③ 그동안 사경을 받지 않고 일한 것이 아까워서 그에 대한 대가를 받을 것을 결심하고 있다.

④ 장인의 횡포를 더 이상은 견디기 힘들어 사경을 받고 고향으로 돌아갈 것을 결심하고 있다.

⑤ 사경을 받고 돌아가겠다는 것이 아니라 점순이와 성례를 시켜 달라는 의도로 장인을 압박하고 있다.

고난도

05 〈보기〉를 바탕으로 윗글을 이해한 내용으로 적절하지 <u>않은</u> 것은?

— 보기 —

일제 강점기의 농민 문학은 주로 고통스러운 농촌 현실에 초점을 맞추어 그 속에서 힘겨워하거나 그로부터 벗어나기 위해 노력하는 인물들을 그리는 경향을 띠었다. 그러나 김유정은 이러한 경향과는 달리 당시의 농촌 생활과 풍속을 깊숙이 파고들어 내면적인 감정의 흐름과 본질적인 인간상을 잘 보여 주었다. 이를 통해 김유정은 한국 문학 최초로 토착적 해학을 형상화한 작가로 꼽히고 있다.

① '나'가 데릴사위로 머슴을 살고 있다는 사실에서 당시 농촌의 풍속을 짐작할 수 있군.

② 어리숙한 '나'의 입장에서 사건을 관찰하고 서술하게 함으로써 토착적 해학을 형상화하고 있군.

③ 돈 한 푼 받지 않고 머슴처럼 일하고 있는 '나'를 통해 힘겨운 농촌 현실에서 벗어나고자 하는 인물을 그리고 있군.

④ 자신이 처한 상황과 장인과의 관계에 대한 '나'의 생각을 서술한 부분에서 인간의 내면적인 감정의 흐름을 보여 주는군.

⑤ 마름인 장인의 횡포에 고통받는 소작인들의 모습을 비극적으로 그리지 않은 것에서 당시의 농민 문학과 차별성을 보이는군.

금 따는 콩밭 | 김유정

▶출제 예감!

키워드 체크 #농촌 소설 #해학적 #반어적 #일제의 수탈 #황금 열풍 #허황된 꿈과 욕망

핵심 포인트

'금 찾기'의 양가성

금 찾기
영식이 궁핍한 현실을 타개하고자 선택한 방법

↓ 성공		↓ 실패
부의 획득을 통한 가난 탈출	↔	현재 상황의 악화로 인한 파멸

전체 줄거리

발단	영식은 수재의 꼬임에 넘어가 금을 캐기 위해 콩밭을 뒤엎고 구덩이를 팜.
전개	마름과 동네 노인들은 영식의 행동을 비판하고, 아무리 파도 금이 나오지 않자 영식은 아내에게 산제를 지내기 위한 양식을 꿔 오라고 함.
위기	산제 이후에도 금이 나올 기미가 없자 영식은 절망에 빠지고, 수재와 다툼.
절정·결말	수재는 아내에게 폭력을 휘두르는 영식에게 거짓으로 금줄을 잡았다고 외치고, 달아날 것을 다짐함. ⟶ 수록 부분

기출 OX

Q1 수재는 위기를 모면하기 위해 달아날 결심을 하는 무책임한 면모를 보여 주고 있다.
EBS 변형 ○ X

Q2 아내는 봉건적인 가부장의 권위에 도전하며 소신을 내세워 위기를 극복하려는 진취적인 의식을 보여 주고 있다.
EBS 변형 ○ X

- **산제** 산신령에게 드리는 제사.
- **낭창할** 걸음걸이가 비틀거리거나 허둥대어 안정되지 아니할.
- **숙맥** 사리 분별을 못 하고 세상 물정을 잘 모르는 사람.
- **비양거린다** 얄미운 태도로 빈정거린다.
- **허구리** 허리 좌우의 갈비뼈 아래 잘쏙한 부분.
- **채었다** 어떤 사정이나 형편을 재빨리 미루어 헤아리거나 깨달았다.
- **비슬비슬하다** 자꾸 힘없이 비틀거리다.
- **시나브로** 모르는 사이에 조금씩 조금씩.
- **굿문** 갱도의 입구.
- **금줄** 금이 나는 광맥.
- **곱색줄** 광맥의 하나. 산화한 황화 광물로 이루어진 붉은빛의 광맥이 길게 뻗치어 박인 줄을 이름.

답 **Q1** ○ **Q2** X

[앞부분 줄거리] 수재는 가난에 허덕이며 살아가는 성실한 소작인 영식에게 금을 캐자고 부추긴다. 아내의 동조에 영식은 금을 찾기 위해 애써 가꾼 콩밭을 파기 시작하고, 아무리 파도 금이 나오지 않자 쌀을 빌려 *산제(山祭)를 지내지만 금은 나오지 않는다.

"산제 지낸다구 꿔 온 것은 은제나 갚는다지유?" / 뚱하고 있는 남편을 향하여 말끝을 꼬부린다. 그러나 남편은 눈썹 하나 까딱하지 않는다. 이번에는 어조를 좀 돋우며,

"갚지도 못할 걸 왜 꿔 오라 했지유!" / 하고 얼추 호령이었다.

이 말은 남편의 채 가라앉지도 못한 분통을 다시 건드린다. 그는 벌떡 일어서며 황밤 주먹을 쥐어 *낭창할 만치 아내의 골통을 후렸다. / "계집년이 방정맞게."

다른 것은 모르나 주먹에는 아찔이었다. 멋없이 덤비다간 골통이 부서진다. 암상을 참고 바르르하다가 이윽고 아내는 등에 업은 어린애를 끌러 들었다. 남편에게로 그대로 밀어 던지니 아이는 까르륵하고 숨 모는 소리를 친다. / 그리고 아내는 돌아서서 혼잣말로,

"콩밭에서 금을 딴다는 *숙맥도 있담." / 하고 빗대 놓고 *비양거린다.

"이년아, 뭐!"

남편은 대뜸 달려들며 그 볼치에다 다시 울찬 황밤을 주었다. 적이나 하면 계집이니 위로도 하여 주련만 요건 분만 폭폭 질러 노려나. 예이, 빌어먹을 거 이판사판이다.

"너허구 안 산다. 오늘루 가거라." / 아내를 와락 떠다밀어 밭둑에 젖혀 놓고 그 *허구리를 퍽 질렀다. 아내는 입을 헉 하고 벌린다.

"네가 허라구 옆구리를 쿡쿡 찌를 제는 언제냐, 요 집안 망할 년."

그리고 다시 퍽 질렀다. 연하여 또 퍽. / 이 꼴들을 보니 수재는 조바심이 일었다. 저러다가 그 분풀이가 다시 제게로 슬그머니 옮아올 것을 지레 *채었다. 인제 걸리면 죽는다. 그는 *비슬비슬하다 어느 틈엔가 구뎅이 속으로 *시나브로 없어져 버린다.

㉠볕은 다사로운 가을 향취를 풍긴다. 주인을 잃고 콩은 무거운 열매를 둥글둥글 흙에 굴린다. 맞은쪽 산 밑에서 벼들을 베며 기뻐하는 농군의 노래.

"터졌네, 터져." / 수재는 눈이 휘둥그렇게 *굿문을 뛰어나오며 소리를 친다. 손에는 흙한 줌이 잔뜩 쥐었다. / "뭐?" / 하다가, / "*금줄 잡았어, 금줄."

"응—" / 하고 외마디를 뒤남기자 영식이는 수재 앞으로 살같이 달려들었다. 허겁지겁 그 흙을 받아 들고 샅샅이 헤쳐 보니 딴은 재래에 보지 못하던 불그죽죽한 황토이었다. 그는 눈에 눈물이 핑 돌며,

"이게 원줄인가?" / "그럼 이것이 *곱색줄이라네. 한 포에 댓 돈씩은 넉넉 잡히대."

영식이는 기쁨보다 먼저 기가 탁 막혔다. 웃어야 옳을지 울어야 옳을지. 다만 입을 반쯤 벌린 채 수재의 얼굴만 멍하니 바라본다.

"이리 와 봐. 이게 금이래." / 이윽고 남편은 아내를 부른다. 그리고 내 뭐랬어, 그러게 해 보라고 그랬지 하고 설면설면 덤벼 오는 아내가 한결 어여뻤다. 그는 엄지가락으로 아내의 눈물을 지워 주고 그러고 나서 껑충거리며 구뎅이로 들어간다.

"그 흙 속에 금이 있지요." / 영식이 처가 너무 기뻐서 코다리에 고래등 같은 집까지 연상할 제, 수재는 시원스러이, / "네, 한 포대에 오십 원씩 나와유."

하고 대답하고 오늘 밤에는 꼭, 정녕코 꼭 달아나리라 생각하였다. / 거짓말이란 오래 못 간다. 뽕이 나서 뼈다귀도 못 추리기 전에 훨훨 벗어나는 게 상책이겠다.

01 윗글에서 알 수 있는 내용이 <u>아닌</u> 것은?

① 콩밭에서 나온 금은 질이 좋지 않아 가치가 떨어지는 것
이었다.
② 영식은 아내의 부추김에 영향을 받아 콩밭을 파 볼 것을
결심했다.
③ 영식과 아내는 산제를 지내기 위해 꾸어 온 곡식을 갚지
못하고 있다.
④ 영식과 아내는 콩밭에서 이렇다 할 수확이 없자 극심한
갈등을 빚고 있다.
⑤ 영식과 아내의 싸움을 본 수재는 자신도 추궁당할 것을
직감하고 도주를 계획한다.

02 금줄 에 대한 설명으로 적절하지 <u>않은</u> 것은?

① 인물들이 간절하게 찾고 있는 대상이다.
② 영식을 가난과 궁핍으로 내몬 근본적인 원인이다.
③ 영식이 자신이 처한 현실을 극복하고자 하는 수단이다.
④ 영식과 아내의 허황된 욕망을 압축적으로 드러내는 소
재이다.
⑤ 영식과 아내가 콩밭 농사와 바꿀 만한 가치가 있다고 여
기는 것이다.

03 〈보기〉는 윗글에 반영된 1930년대 농촌의 상황을 알 수 있는
자료이다. 이를 참고하여 윗글을 감상한 내용으로 적절하지 <u>않</u>
<u>은</u> 것은?

┌─ 보기 ─────────────────────
조선 농촌은 자작 소농가가 해마다 몰락하여 지금은 전
조선 농가 호수에 대한 소작 농가의 수가 팔 할을 넘으니,
이 많은 소작인은 과연 어떠한 생활을 하는가를 볼진대
곧 이 할에 불과한 지주들만 배를 불리고 있다. 대체로 보
면 수확한 곡물의 절반 이상의 소작료는 상례가 되고, 그
밖에도 지세(地稅), 비료대(肥料代), 사음료(舍音料), 수
리세(水利稅) 등을 일일이 정산하면 소작인의 소득은 공
(空)이 될 것이다.
─────────────────────────┘

① 민준: 1930년대에는 경제적 어려움 때문에 가족들 사이
에 갈등이 발생하는 경우도 있었겠어.
② 승연: 영식의 경제적 궁핍함은 수확한 곡물의 대부분을
소작료와 세금으로 내야 하는 처지와 관련이 있겠어.
③ 다미: 영식이 멀쩡하게 농사짓던 콩밭을 파헤친 것도 결
국 농사만 지어서는 살 수 없는 현실을 반영한 것이겠어.
④ 현지: 영식이 콩밭을 파헤친 것은 자신들의 배만 불리는
지주에 대한 소작인의 저항 행위인 것으로 볼 수 있겠어.
⑤ 가현: 1930년대가 일제 강점기임을 고려하면 대부분의
농민들이 소작농으로 전락한 것은 일제의 토지와 식량
수탈과 관련이 있겠어.

04 ㉠에 대한 설명으로 가장 적절한 것은?

① 의인법을 활용하여 인물과 자연의 일체감을 드러낸다.
② 객관적 사물에 감정을 전이하여 인물의 원망스러운 심
정을 나타낸다.
③ 인물의 상황과 대조적인 상황을 제시하여 인물의 어리
석음을 강조한다.
④ 계절적 배경이 드러나는 소재를 통해 서술자의 심리를
압축적으로 드러낸다.
⑤ 평화로운 분위기를 형성하여 인물의 상황이 원만하게
해결될 것임을 암시한다.

05 윗글을 〈보기〉와 같이 다시 쓰려고 할 때, ⓐ, ⓑ에 들어갈 내용
으로 가장 적절한 것은?

┌─ 보기 ─────────────────────
「202X 금 따는 콩밭」 쓰기
○ 다시 쓰기의 조건: 원작의 전체적인 틀과 주제를 그대
로 유지할 것
○ 다시 쓰기
1. 등장인물
△ 영식: 현재 직장 생활을 하고 있으며 (　ⓐ　)
△ 영식의 아내: 전업주부. 현재의 생활 수준에 전혀 만
족하지 못하고 있으며 남편을 무능하다고 여김.
△ 수재: 영식의 친구. 평범한 직장 생활로는 가난에서
벗어날 수 없다고 여겨 직장을 그만두고 일확천금을
꿈꾸고 있으나 자본이 부족한 상태임.
2. 이야기의 흐름
(1) 수재는 영식에게 영식이 모아 놓은 돈을 자본으로
하여 쉽게 거금을 벌 수 있는 일을 제안함.
(2) 마음의 결정을 내리지 못하고 고민하던 영식은 아내
의 부추김으로 직장을 그만두기로 결심함.
(3) 영식은 재산을 모두 털어 수재와 함께 (　ⓑ　)
─────────────────────────┘

	ⓐ	ⓑ
①	자신의 직위에 불만을 품고 있음.	새로운 직장으로 옮긴 후 이전보다 높은 자리를 얻음.
②	곧 더 좋은 직장으로 이직할 예정임.	곧 개발될 것이라는 소문이 있는 땅에 투자함.
③	조금만 더 고생하면 집을 살 수 있는 상황임.	적은 자본으로 시작할 수 있는 사업을 찾아 시작함.
④	자신이 하는 일에 비해 임금이 적다고 생각함.	회사를 차리고 성실한 노동자들에게 임금을 많이 줌.
⑤	임금이 너무 적어 생활에 어려움을 겪고 있음.	당첨자가 많이 나왔다는 복권방을 찾아가 복권을 구매함.

날개 | 이상

키워드 체크 #심리 소설 #의식의 흐름 기법 #무기력한 지식인 #분열된 자의식 #자기 극복 의지

핵심 포인트

'나'의 태도 변화

직업이 없고 경제적으로 무능한 지식인으로, 아내에게 기생하며 무기력하게 생활함.

↓

정오 사이렌이 '나'의 생명력을 일깨움.

↓

삶의 의미와 자유로움을 획득하고자 하는 의지를 '날개'를 통해 드러냄.

전체 줄거리

발단	'나'는 삶의 의욕을 상실한 채 방 안에서 지내며, 아내가 외출하면 아내의 방에서 놀곤 함.
전개	'나'는 아내에게 손님이 찾아올 때마다 아내에게 받은 은화를 모은 저금통을 변소에 빠뜨리고, 어느 날 외출에서 돌아온 '나'는 손님과 함께 있는 아내를 보게 됨.
위기	비를 맞고 감기에 걸린 '나'에게 아내는 아스피린을 주고, '나'는 그것을 먹고 잠만 자게 됨.
절정	'나'는 아내가 준 약이 아달린이라는 것을 알고 충격을 받아 거리를 쏘다니다가 미쓰코시 옥상에 올라가 자신의 삶을 되돌봄. ···› 수록 부분 ㉮, ㉯
결말	정오의 사이렌이 울리자 '나'는 날개를 달고 날아보고 싶다는 충동을 느낌. ···› 수록 부분 ㉯

기출 OX

Q1 윗글은 단정적이고 객관적인 진술로 사건에 사실성을 부여하고 있다.
기출 2008. 9. 모평 (O | X)

Q2 윗글은 비유적 표현으로 인물의 생각과 인상을 구체적으로 제시하고 있다.
기출 2008. 9. 모평 (O | X)

● **수효** 낱낱의 수.
● **회탁** 회색의 탁한.
● **로직(Logic)** 상황을 설명하는 논리.
● **변해할** 말로 풀어 자세히 밝힐.

답 **Q1** X **Q2** O

[앞부분 줄거리] '나'는 일을 하지 않고 아내가 벌어 오는 돈으로 무기력한 삶을 산다. 어느 날 '나'는 감기에 걸리고, 아내가 준 약이 해열제인 아스피린이 아니라 수면제인 아달린이라는 사실을 알고 집을 나간다. 밖에서 하룻밤을 보내고 돌아온 '나'에게 아내는 화를 낸다.

㉮ 아내는 너 밤새워 가면서 도적질하러 다니느냐, 계집질하러 다니느냐고 발악이다. 이것은 참 너무 억울하다. 나는 어안이 벙벙하여 도무지 입이 떨어지지를 않았다.

너는 그야말로 나를 살해하려던 것이 아니냐고 소리를 한 번 꽥 질러 보고도 싶었으나 그런 긴가민가한 소리를 섣불리 입 밖에 내었다가는 무슨 화를 볼는지 알 수 있나. 차라리 억울하지만 잠자코 있는 것이 우선 상책인 듯싶이 생각이 들길래 나는 이것은 또 무슨 생각으로 그랬는지 모르지만 툭툭 털고 일어나서 내 바지 포켓 속에 남은 돈 몇 원 몇 십 전을 가만히 꺼내서는 몰래 미닫이를 열고 살며시 문지방 밑에다 놓고 나서는 그냥 줄달음박질을 쳐서 나와 버렸다. 〈중략〉

나는 어디로 어디로 들입다 쏘다녔는지 하나도 모른다. 다만 몇 시간 후에 내가 ㉠미쓰꼬시 옥상에 있는 것을 깨달았을 때는 거의 대낮이었다.

나는 거기 아무 데나 주저앉아서 내 자라 온 스물여섯 해를 회고하여 보았다. 몽롱한 기억 속에서는 이렇다는 아무 제목도 불그러져 나오지 않았다.

나는 또 나 자신에게 물어보았다. 너는 인생에 무슨 욕심이 있느냐고. 그러나 있다고도 없다고도, 그런 대답은 하기가 싫었다. 나는 거의 나 자신의 존재를 인식하기조차도 어려웠다.

㉯ 허리를 굽혀서 나는 그저 ㉡금붕어나 들여다보고 있었다. 금붕어는 참 잘들도 생겼다. 작은 놈은 작은 놈대로 큰 놈은 큰 놈대로 다 싱싱하니 보기 좋았다. 내리비치는 오월 햇살에 금붕어들은 그릇 바탕에 그림자를 내려뜨렸다. 지느러미는 하늘하늘 손수건을 흔드는 흉내를 낸다. 나는 이 지느러미 *수효를 헤어 보기도 하면서 굽힌 허리를 좀처럼 펴지 않았다. 등허리가 따뜻하다.

나는 또 ㉢*회탁의 거리를 내려다보았다. 거기서는 피곤한 생활이 똑 금붕어 지느러미처럼 흐늑흐늑 허비적거렸다. 눈에 보이지 않는 끈적끈적한 줄에 엉켜서 헤어나지들을 못한다. 나는 피로와 공복 때문에 무너져 들어가는 몸뚱이를 끌고 그 회탁의 거리 속으로 섞여 들어가지 않는 수도 없다 생각하였다.

나서서 나는 또 문득 생각하여 보았다. 이 발길이 지금 어디로 향하여 가는 것인가를…….

그때 내 눈앞에는 아내의 모가지가 벼락처럼 내려 떨어졌다. 아스피린과 아달린.

우리들은 서로 오해하고 있느니라. 설마 아내가 아스피린 대신에 아달린의 정량을 나에게 먹여 왔을까? 나는 그것을 믿을 수는 없다. 아내가 대체 그럴 까닭이 없을 것이니.

그러면 나는 날밤을 새면서 도적질을, 계집질을 하였나? 정말이지 아니다.

우리 부부는 숙명적으로 발이 맞지 않는 ㉣절름발이인 것이다. 나나 아내나 제 거동에 *로직을 붙일 필요는 없다. *변해할 필요도 없다. 사실은 사실대로 오해는 오해대로 그저 끝없이 발을 절뚝거리면서 세상을 걸어가면 되는 것이다. 그렇지 않을까?

그러나 나는 이 발길이 아내에게로 돌아가야 옳은가. 이것만은 분간하기가 좀 어려웠다. 가야 하나? 그럼 어디로 가나?

다 이때 뚜— 하고 정오 사이렌이 울었다. 사람들은 모두 네 활개를 펴고 닭처럼 푸드덕거리는 것 같고 온갖 유리와 강철과 대리석과 지폐와 잉크가 부글부글 끓고 수선을 떨고 하는 것 같은 찰나, 그야말로 현란을 극한 정오다.

나는 불현듯이 겨드랑이가 가렵다. 아하, 그것은 내 인공의 날개가 돋았던 자국이다. 오늘은 없는 이 날개, 머릿속에서는 희망과 야심의 말소된 페이지가 *딕셔너리 넘어가듯 번뜩였다. / 나는 걷던 걸음을 멈추고 그리고 어디 한번 이렇게 외쳐 보고 싶었다.

ⓜ날개야 다시 돋아라. / 날자. 날자. 날자. 한 번만 더 날자꾸나.

한 번만 더 날아 보자꾸나.

• 딕셔너리(dictionary) 사전.

01 윗글에 대한 설명으로 가장 적절한 것은?

① 역순행적 구성을 통해 사건의 전말을 드러내고 있다.
② 과거와 현재의 대비를 통해 주제를 형상화하고 있다.
③ 독백적인 어조를 통해 서술자의 의식을 드러내고 있다.
④ 장면의 전환에 따라 시점을 달리하여 입체감을 부여하고 있다.
⑤ 변화하는 외부 공간에 대한 관념을 의식의 흐름에 따라 드러내고 있다.

02 윗글의 내용과 거리가 먼 것은?

① '나'는 아내와의 관계를 개선하려는 의지가 없다.
② '나'는 문지방 밑에 돈을 두고 집을 나와 배회했다.
③ 아내는 '나'가 밤새 허튼짓을 했다고 의심하고 있다.
④ '나'는 아내에게 자신을 살해하려 했다고 화를 내었다.
⑤ '나'는 아내의 터무니없는 의심에 억울함을 느끼고 있다.

<u>기출</u> <u>변형</u> 2008학년도 9월 모의평가

03 〈보기〉를 참고하여 윗글을 감상한 내용으로 적절하지 <u>않은</u> 것은?

> **보기**
> 전통적으로 철학과 문학에서는 낮과 밤의 특성에 함축적·상징적 의미를 부여해 왔다. 특히 낮 시간의 정점으로 빛이 가장 찬란한 때인 '정오'는 '인식의 각성' 또는 '어둠을 몰아내고 생명력을 회복하는 시간'이라는 상징성을 지니고 있다.

① 정오를 알리는 사이렌은 '나'의 생명력을 일깨우는 역할을 하는군.
② '나'가 정오를 기점으로 자신에 대한 인식을 각성한 것은 정오의 상징적 의미와 연관이 있겠군.
③ 정오가 된 이후의 희망적 어조와 '나'의 내면은 빛이 가장 찬란한 시간이라는 정오의 특성을 반영하는군.
④ 정오가 지난 후 '나'의 태도가 의지적으로 바뀐 것은 태양이 내면의 어둠을 몰아낸다는 의미와 연결되는군.
⑤ 정오가 되면서 '나'의 시선이 내부에서 외부로 전환되는 것은 '나'의 인식이 개인의 문제에서 사회 문제로 확대되었기 때문이겠군.

04 ㉠~㉤에 대한 설명으로 적절하지 <u>않은</u> 것은?

① ㉠: 아내와의 갈등을 피하기 위한 피난처이자 '나'가 자신의 삶을 성찰하는 공간이다.
② ㉡: 활발한 생명력을 지닌 존재이자 '나'가 자신의 삶의 의미와 자아를 획득하도록 하는 존재이다.
③ ㉢: 흐느적거리며 피곤한 일상을 살아가는 군중들이 모여 있는 곳이다.
④ ㉣: '나'와 아내의 비정상적인 부부 관계를 비유적으로 표현한 것이다.
⑤ ㉤: '나'가 자아를 잃어버린 채 방황했던 과거로부터의 탈피를 상징하는 소재이다.

<u>고난도</u> <u>기출</u> <u>변형</u> 2008학년도 9월 모의평가

05 〈보기〉를 참고하여 윗글을 이해한 내용으로 적절하지 <u>않은</u> 것은?

> **보기**
> 「날개」는 현대 문명과 불화를 겪고 있는 지식인의 내면 세계를 아내와 '나'의 관계에 빗대어 표현한 작품이다. 같은 맥락에서 이 소설에 나타나는 사물들과 사건들 또한 상징적인 의미를 지니며 작품의 갈등 관계는 다음과 같다.

아내		'나'
현대 문명	↔	현대 문명에 노출된 지식인의 내면세계

① 아내가 '나'를 의심하면서 따지는 행위는 지식인에 대한 현대 문명의 위협을 의미한다.
② '나'가 아내 몰래 집을 나온 것은 현대 문명으로부터 도피하고자 하는 지식인의 욕망을 상징한다.
③ 아내에게서 완전히 벗어나지 못하는 '나'는 현대 문명으로부터 멀어지기 어려운 지식인의 의식 상태를 의미한다.
④ '나'가 머릿속에서 희망과 야심의 말소된 페이지가 번뜩인다고 한 것은 현대 문명에 대한 부정적 인식의 전환을 상징한다.
⑤ '아내'가 자신 몰래 아달린을 먹였을지도 모른다는 '나'의 의심은 자신도 모르게 현대 문명에 길들여져 가는 것에 대한 지식인의 두려움을 상징한다.

▶해법문학 Link
현대 소설 96쪽

메밀꽃 필 무렵 | 이효석

키워드 체크 #순수 소설 #서정적 #낭만적 #향토적 #장돌뱅이 삶의 애환 #달밤 #하룻밤의 인연

[앞부분 줄거리] *장돌뱅이인 허 생원은 봉평에서 만난 동이라는 장돌뱅이와 다툰 후 곧 화해한다. 이후 허 생원, 조 선달, 동이는 다음 장이 열리는 대화까지 동행하기로 한다.

가

이지러는졌으나 보름을 가제 지난 달은 부드러운 빛을 흐붓이 흘리고 있다. 대화까지는 칠십 리의 ㉠밤길 고개를 둘이나 넘고 개울을 하나 건너고 벌판과 산길을 걸어야 된다. 길은 지금 긴 산허리에 걸려 있다. 밤중을 지난 무렵인지 죽은 듯이 고요한 속에서 짐승 같은 달의 숨소리가 손에 잡힐 듯이 들리며 콩 포기와 옥수수 잎새가 한층 달에 푸르게 젖었다. 산허리는 온통 메밀밭이어서 피기 시작한 꽃이 소금을 뿌린 듯이 ㉡흐붓한 달빛에 숨이 막힐 지경이다. 붉은 대궁이 향기같이 애잔하고 나귀들의 걸음도 시원하다.

길이 좁은 까닭에 Ⓐ세 사람은 나귀를 타고 외줄로 늘어섰다. 방울 소리가 시원스럽게 딸랑딸랑 메밀밭께로 흘러간다. 앞장선 허 생원의 이야기 소리는 꽁무니에 선 동이에게는 확적히는 안 들렸으나, 그는 그대로 개운한 제멋에 적적하지는 않았다.

나

"장 선 꼭 이런 날 밤이었네. *객줏집 *토방이란 무더워서 잠이 들어야지. 밤중은 돼서 혼자 일어나 개울가에 목욕하러 나갔지. 봉평은 지금이나 그제나 마찬가지나 보이는 곳마다 메밀밭이어서 개울가 어디 없이 하얀 꽃이야. 돌밭에 벗어도 좋을 것을 ㉢달이 너무도 밝은 까닭에 옷을 벗으러 물방앗간으로 들어가지 않았나. 이상한 일도 많지. 거기서 난데없는 성 서방네 처녀와 마주쳤단 말이네. 봉평서야 제일가는 일색이었지."

"팔자에 있었나 부지." / 아무렴 하고 응답하면서 말머리를 아끼는 듯이 한참이나 담배를 빨 뿐이었다. 구수한 자줏빛 연기가 밤기운 속에 흘러서는 녹았다.

"날 기다린 것은 아니었으나 그렇다고 달리 기다리는 놈팽이가 있는 것두 아니었네. 처녀는 울고 있단 말야. 짐작은 대고 있었으나 성 서방네는 한창 어려워서 들고날 판인 때였지. 한집안 일이니 딸에겐들 걱정이 없을 리 있겠나. 좋은 데만 있으면 시집도 보내련만 시집은 죽어도 싫다지…… . 그러나 처녀란 울 때같이 정을 끄는 때가 있을까. 처음에는 놀라기도 한 눈치였으나 걱정 있을 때는 누그러지기도 쉬운 듯해서 이럭저럭 이야기가 되었네…… . 생각하면 ㉣무섭고도 기막힌 밤이었어."

다

"아비 어미란 말에 가슴이 터지는 것도 같았으나 제겐 아버지가 없어요. 피붙이라고는 어머니 하나뿐인걸요." / "돌아가셨나?" / "당초부터 없어요." / "그런 법이 세상에."
생원과 선달이 야단스럽게 껄껄들 웃으니, 동이는 정색하고 우길 수밖에는 없었다.

"부끄러워서 말하지 않으려 했으나 정말예요. 제천 촌에서 달도 차지 않은 아이를 낳고 어머니는 집을 쫓겨났죠. 우스운 이야기나, 그러기 때문에 지금까지 아버지 얼굴도 본 적 없고, 있는 고장도 모르고 지내 와요." 〈중략〉

고개 너머는 바로 개울이었다. 장마에 흘러 버린 널다리가 아직도 걸리지 않은 채로 있는 까닭에 벗고 건너야 되었다. 고의를 벗어 띠로 등에 얽어매고 반벌거숭이의 우스꽝스러운 꼴로 물속에 뛰어들었다. 금방 땀을 흘린 뒤였으나 밤물은 뼈를 찔렀다.

"그래, 대체 기르긴 누가 기르구?" / "어머니는 하는 수 없이 의부를 얻어 가서 술장사를 시작했죠. 술이 고주래서 의부라고 전망나니예요. 철들어서부터 맞기 시작한 것이 하룬들 편한 날 있었을까. 어머니는 말리다가 채이고 맞고 칼부림을 당하고 하니 집 꼴이 무어겠소. 열여덟 살 때 집을 뛰어나와서부터 이 짓이죠."

핵심 포인트

'달밤'을 매개로 한 과거와 현재의 교차

과거	• 인물: 허 생원, 성 서방네 처녀 • 시·공간적 배경: 달밤, 봉평의 어느 물방앗간 • 주제: 젊은 날의 사랑과 유랑의 길

달밤(매개체)

현재	• 인물: 허 생원, 조 선달, 동이 • 시·공간적 배경: 달밤, 봉평에서 대화로 넘어가는 산길 • 주제: 인간의 혈육에 대한 애정

전체 줄거리

발단	장돌뱅이인 허 생원은 봉평 장에서 동이라는 장돌뱅이가 충줏집과 수작을 하는 것을 보고 화를 내며 쫓아 버린 후 바로 화해함.
전개	허 생원, 조 선달, 동이는 다음 장터로 가는 길에 동행하게 되고, 허 생원은 오래전 추억을 이야기함. ┈› 수록 부분 **가 나**
절정	동이가 자신의 어머니 이야기를 하고, 동이 어머니의 친정이 봉평이라는 이야기를 들은 허 생원은 개울을 건너다가 물에 빠짐. ┈› 수록 부분 **다**
결말	동이의 등에 업혀 개울을 건넌 허 생원은 동이가 자신의 혈육일 수도 있다는 기대를 하며, 동이와 함께 제천으로 가기로 함.

기출 OX

Q1 허 생원의 옛 추억은 현재의 삶에 영향을 미치고 있다. 기출 2015. 9. 고1 ◯ Ⅹ

Q2 주인공은 유랑의 원형을 지닌 소박한 삶을 살아가는 인물이다.
기출 2003. 9. 고2 ◯ Ⅹ

• 장돌뱅이 여러 장으로 돌아다니면서 물건을 파는 장수를 낮잡아 이르는 말.
• 객줏집 예전에, 길 가는 나그네들에게 술이나 음식을 팔고 손님을 재우는 영업을 하던 집.
• 토방 방에 들어가는 문 앞에 좀 높이 편평하게 다진 흙바닥. 여기에 쪽마루를 놓기도 함.

답 01 ◯ 02 ◯

"총각 °낫세론 동이 무던하다고 생각했더니 듣고 보니 딱한 신세로군." / 물은 깊어 허리까지 찼다. 속 물살도 어지간히 센 데다가 발에 차이는 돌멩이도 미끄러워 금시에 훌칠 듯하였다. ⑧나귀와 조 선달은 재빨리 거의 건넜으나 동이는 허 생원을 붙드느라고 두 사람은 훨씬 떨어졌다. / "모친의 친정은 원래부터 제천이었던가?"

"웬걸요. 시원스리 말은 안 해 주나 ⓜ봉평이라는 것만은 들었죠."

"봉평? 그래 그 아비 성은 무엇이구?" / "알 수 있나요. 도무지 듣지를 못했으니까."

"그, 그렇겠지" 하고 중얼거리며 흐려지는 눈을 까물까물하다가 ⓐ허 생원은 경망하게도 발을 빗디뎠다. 앞으로 고꾸라지기가 바쁘게 몸째 풍덩 빠져 버렸다.

* 낫세 나쎄. 그만한 나이를 속되게 이르는 말.

01 (가)에 대한 설명으로 적절하지 <u>않은</u> 것은?

① 서정적인 묘사를 통해 낭만적인 분위기를 형성한다.
② 허 생원이 불운했던 과거를 극복할 것임을 암시한다.
③ 허 생원의 추억을 아름답게 느껴지게 하는 효과를 준다.
④ 허 생원이 과거 이야기를 꺼낼 수 있는 분위기를 형성한다.
⑤ 유사한 시간적 배경을 통해 과거와 현재를 유기적으로 연결한다.

02 윗글을 통해 알 수 있는 내용으로 적절하지 <u>않은</u> 것은?

① 동이와 동이의 어머니는 순탄치 않은 삶을 살아왔다.
② 동이의 어머니는 제천에서 동이를 낳은 후 술장사를 시작했다.
③ 허 생원은 다른 남자에게 버림받은 성 서방네 처녀를 위로해 주었다.
④ 허 생원과 성 서방네 처녀는 달빛이 밝은 밤에 물방앗간에서 만났다.
⑤ 동이의 어머니는 아들에게 자신의 과거에 대해 자세히 이야기해 주지 않았다.

03 ㉠~ⓜ에 대한 설명으로 적절하지 <u>않은</u> 것은?

① ㉠: 허 생원이 자신의 추억을 털어놓게 되는 공간적 배경이다.
② ㉡: 시간적 배경을 드러내고, 메밀꽃의 백색 이미지를 강조하는 소재이다.
③ ㉢: 허 생원이 성 서방네 처녀를 만나는 계기가 된다.
④ ㉣: 성 서방네 처녀와의 만남을 후회하는 허 생원의 심리가 드러난다.
⑤ ⓜ: 허 생원이 자신과 동이의 관계를 짐작하는 단서가 된다.

04 ⓐ에 대한 설명으로 가장 적절한 것은?

① 비극적인 결말을 암시하는 부분이다.
② 인물들 사이의 유대가 드러나는 부분이다.
③ 허 생원의 급한 성격이 드러나는 부분이다.
④ 인물의 내면이 간접적으로 드러나는 부분이다.
⑤ 허 생원의 슬프고 애절한 정서가 드러나는 부분이다.

기출·변형 2015학년도 9월 고1 학력평가

05 ⓐ, ⑧에 드러난 인물들의 행렬에 대한 설명으로 적절하지 <u>않은</u> 것은?

① ⓐ와 같은 행렬이 된 것은 공간적 제약 때문이다.
② ⓐ의 행렬 때문에 동이는 허 생원의 이야기를 제대로 들을 수 없었다.
③ ⑧의 행렬은 허 생원이 물에 빠진 것에서 비롯되었다.
④ ⑧의 행렬 덕분에 허 생원과 동이만의 대화가 가능해졌다.
⑤ ⓐ에서 ⑧의 행렬로 전개될수록 허 생원과 동이의 심리적 거리가 가까워진다.

06 〈보기〉는 윗글에 이어지는 내용의 시나리오이다. 윗글과 〈보기〉를 비교하여 이해한 내용으로 적절하지 <u>않은</u> 것은?

┌─ 보기 ─

S# 78. 모닥불 근처(밤)

허 생원 (자리를 털고 일어서며) 자, 가다가 보면 대충 마을 테니 부지런히들 가세나. 내일 대화 장 보고는 제천으로 가세.

동이 (의아해하며) 생원도 제천으로유?

허 생원 어, 그래. 모처럼 한번 가 보고 싶구만. 같이 동행하려나, 동이?

동이 아, 그러지유. 가는 김에 어머니도 뵙구유.

　동이, 먼저 돌아 왼손으로 나귀의 고삐를 잡는다.

조 선달 (동이의 왼손을 흘끗 보며) 동이도 자네처럼 왼손잡이인가 보네.

동이 예, 어머니가 제 생부도 왼손잡이라고 그러셨어유.

└─────────

① 윗글과 〈보기〉에는 모두 동이가 허 생원의 아들임을 암시하는 소재가 등장한다.
② 〈보기〉와 달리 윗글에서는 허 생원이 동이에게 연민을 드러내고 있다.
③ 〈보기〉와 달리 윗글은 사건의 전말을 직접적으로 밝히지 않아 여운을 남기고 있다.
④ 윗글과 달리 〈보기〉에는 옛 인연을 찾아가려는 허 생원의 의지가 드러나 있다.
⑤ 윗글과 달리 〈보기〉에서는 동이가 방언을 생생하게 구사함으로써 향토적 분위기가 강조되고 있다.

태평천하 | 채만식

핵심 포인트

표현상 특징과 효과

경어체의 활용	• 독자와의 거리를 좁힘. • 작중 인물에 대한 풍자와 조롱을 극대화함.
서술자의 직접 개입	• 판소리 사설과 유사한 문체 • 인물과 사건에 대한 작가의 생각과 판단을 드러냄.
풍자적 수법	반어적 표현으로 인물의 추악함을 드러냄.

전체 줄거리

발단	윤 직원 영감은 인력거를 타고 와서는 그 삯을 깎으려 하고 나이 어린 기생을 데리고 다니면서도 인색하게 굶.
전개	윤 직원 영감은 자신의 아버지가 구한말 시절에 화적들의 습격을 받아서 죽었던 집안의 내력을 가슴에 안고 일제의 권력과 결탁해 돈을 모으려고 함.
위기	아들 창식은 노름으로 밤을 새며 가산을 탕진하고, 군수를 시키려던 손자 종수는 방탕한 생활에 빠져 많은 돈을 날림.
절정·결말	마지막으로 기대를 걸었던 손자 종학이 사상 관계로 경시청에 피검되었다는 전보를 받고, 윤 직원은 이런 태평천하에 왜 종학이가 사회주의 운동을 하는지 이해할 수 없다며 분노함.

→ 수록 부분 **가**, **나**, **다**

기출 OX

Q1 '윤 직원'에 대한 서술자의 태도는 사건의 전개에 따라 변하고 있다.
[기출] 1998. 수능 [O | X]

Q2 윗글은 부정적 인물인 윤 직원을 부각함으로써 독자들에게 지향해야 하는 가치가 무엇인지 생각해 볼 수 있도록 하고 있다.
[EBS] 변형 [O | X]

• **화적** 불한당. 떼를 지어 돌아다니며 재물을 마구 빼앗는 사람들의 무리.
• **노적** 곡식 따위를 한데에 수북이 쌓음. 또는 그런 물건.
• **경시청** 일본에서 경찰 사무를 맡아보던 관청.
• **피검** 수사 기관에 잡혀감.
• **사회주의** 빈부 격차를 없애기 위해 사유 재산 제도를 폐지하고 생산 수단을 사회화하여 자본주의 제도의 사회적·경제적 모순을 극복한 사회 제도를 실현하려는 사상. 또는 그 운동.
• **영각** 소가 길게 우는 소리.

답 **Q1** X **Q2** O

키워드 체크 #가족사 소설 #풍자와 해학 #반어 #판소리 문체 #일제 강점기 #물질과 명예욕

[앞부분 줄거리] 1930년대 서울, 구두쇠 윤 직원 영감은 일제와 손을 잡고 큰돈을 모아 대지주가 되었다. 하지만 아들 창식은 노름으로 가산을 탕진하고, 군수가 되기를 바랐던 손자 종수는 방탕한 생활에 빠진다. 이에 윤 직원 영감은 일본 유학 중인 손자 종학이 경찰서장이 되기를 바라며 모든 기대를 걸고 있다.

(가) 일찍이 윤 직원 영감은 그의 소싯적 윤 두꺼비 시절에 자기 부친 말대가리 윤용구가 *화적의 손에 무참히 맞아 죽은 시체 옆에 서서, *노적이 불타느라고 화광이 충천한 하늘을 우러러, / "이 놈의 세상, 언제나 망하려느냐?" / "우리만 빼놓고 어서 망해라!" 하고 부르짖은 적이 있겠다요. / ㉠이미 반세기 전, 그리고 그것은 당시의 나한테 불리한 세상에 대한 격분된 저주요, 겸하여 웅장한 투쟁의 선언이었습니다.

해서 **윤 직원 영감은 과연 승리를 했**겠다요. 그런데…. 〈중략〉

마침 이때, 마당에서 헴헴, 점잖은 밭은기침 소리가 납니다. ㉡창식이 윤 주사가 조금 아까야 일어나서, 간밤에 동경서 온 전보 때문에 억지로 억지로 큰댁 행보를 하던 것입니다.

윤 주사는 토방으로 내려서는 아들 종수더러, 언제 왔느냐고, 심상히 알은체를 하면서, 역시 토방으로 내려서는 두 며느리의 삼가로운 무언의 인사와 마루까지만 나선 이복 누이동생 서울 아씨의 입인사를 받으면서, 방으로 들어가서는 부친 윤 직원 영감한테 절을 한 자리 꾸부리고서, 아들 종수한테 한 자리 절과, 이복동생 태식이한테 경례를 받은 후, 비로소 한옆으로 꿇어앉습니다.

"해가 서쪽으서 뜨겄구나?" / ㉢윤 직원 영감은 아들의 이렇듯 부르지도 않은 걸음을, 더욱이나 안방에까지 들어온 것을, 이상타고 꼬집는 소립니다.

"……멋허러 오냐? 돈 달라러 오지?" / "동경서 [전보]가 왔는데요……."

㉣지체를 바꾸어 윤 주사를 점잖고 너그러운 아버지로, 윤 직원 영감을 속 사납고 경망스러운 어린 아들로 둘러놓았으면 꼬옥 맞겠습니다.

"동경서? 전보?" / "종학이 놈이 *경시청에 붙잽혔다구요!" / "으엉?"

㉤외치는 소리도 컸거니와 엉덩이를 꿍 찧는 바람에, 하마 방구들이 내려앉을 뻔했습니다. 모여 선 온 식구가 제각기 정도에 따라 제각기 놀란 것은 물론이구요.

(나) "종학, 사상 관계로, 경시청에 *피검! ……이라니? 이게 무슨 소리다냐?"

"종학이가 사상 관계로 경시청에 붙잽혔다는 뜻일 테지요!"

"사상 관계라니!" / "그놈이 *사회주의에 참예를……." / "으엉?" / 아까보다 더 크게 외치면서, 벌떡 뒤로 나동그라질 뻔하다가 겨우 몸을 가눕니다. 〈중략〉

그러나 그것은 결단코 자기가 믿고 사랑하고 하는 종학이의 신상을 여겨서가 아닙니다.

윤 직원 영감은 시방 **종학이가 사회주의를 한다는 그 한 가지 사실**이 진실로 옛날의 드세던 부랑당패가 백 길 천 길로 침노하는 그것보다도 더 분하고, 물론 무서웠던 것입니다.

(다) 윤 직원 영감은 팔을 부르걷은 주먹으로 방바닥을 땅 치면서 성난 황소가 *영각을 하듯 고함을 지릅니다.

"화적패가 있너냐아? 부랑당 같은 수령(守令)들이 있너냐?…… 재산이 있대야 도적놈의 것이요, 목숨은 파리 목숨 같던 말세넌 다 지내가고오……. 자 부아라, 거리거리 순사요, 골골마다 공명헌 정사(政事), 오죽이나 좋은 세상이여……. 남은 수십만 명 동병(動兵)을 히여서, 우리 조선 놈 보호히여 주니, 오죽이나 고마운 세상이여? ……으응?…… 제

것 지니고 앉아서 편안허게 살 태평 세상, 이걸 **태평천하**라구 허는 것이여, 태평천하!…… 그런디 이런 태평천하에 태어난 부자 놈의 자식이, 더군다나 왜지가 떵떵거리구 편안허게 살 것이지, 어찌서 지가 **세상 망쳐 놀 부랑당패**에 *참섭을 헌담 말이여, 으응?"

* 참섭 어떤 일에 끼어들어 간섭함.

---

01 윗글에 대한 설명으로 적절하지 <u>않은</u> 것은?

① 서술자가 서사에 개입하여 사건을 논평하고 있다.
② 판소리 문체를 활용하여 생동감을 획득하고 있다.
③ 경어체를 활용하여 독자와의 거리감을 좁히고 있다.
④ 배경 묘사를 통해 앞으로의 사건 전개를 암시하고 있다.
⑤ 비속한 표현을 사용하여 인물의 고조된 감정을 드러내고 있다.

02 윗글의 인물에 대한 추론으로 적절하지 <u>않은</u> 것은?

① 경시청에 붙잡힌 종학은 현재 일본에 살고 있군.
② 윤 직원은 아들이나 손자를 진심으로 아끼지 않는군.
③ 창식은 주로 돈이 필요할 때만 윤 직원을 찾아왔었군.
④ 종학은 할아버지에 대한 반감으로 사회주의 운동에 동참했겠군.
⑤ 부친이 화적에게 살해당한 경험은 윤 직원이 화적이 없는 현재를 태평천하로 여기는 데 영향을 미쳤겠군.

03 [전보]에 대한 설명으로 적절하지 <u>않은</u> 것은?

① 작품의 분위기를 전환한다.
② 주인공과 사회의 갈등을 개인 간의 갈등으로 전환한다.
③ 동일한 공간에 있지 않은 인물에 대한 정보를 전달한다.
④ 기세등등하던 주인공의 태도가 한풀 꺾이는 계기가 된다.
⑤ 다른 인물에 대한 주인공의 판단이 바뀌게 되는 계기가 된다.

04 (다)에 대한 이해로 가장 적절한 것은?

① 인물의 겉과 속이 다른 태도를 지적하고 있다.
② 역사적 사실을 요약하고 이를 문제의 원인으로 지적하고 있다.
③ 인물의 심리를 솔직하게 드러내어 인물에 대한 공감을 이끌어 내고 있다.
④ 인물이 지닌 역사의식을 드러내어 인물에 대한 비판적인 인식을 유도하고 있다.
⑤ 역사의식이 수반되지 않은 현실 비판의 한계를 부각하여 작품의 주제를 암시하고 있다.

<u>고난도</u>

05 〈보기〉를 참고하여 윗글을 이해한 내용으로 적절하지 <u>않은</u> 것은?

┌ 보기 ┐
　지주이자 고리대금업자인 윤 직원은 제 안위만을 생각하는 속물적 인물로, 경찰서장이 될 것이라고 기대했던 종학의 피검 등 권세와 명예를 얻기 위해 벌인 일들이 모두 실패하면서 친일과 착취로 얻은 부와 안정마저 붕괴된다. 작가는 이처럼 윤 직원이 자신의 어리석음으로 인해 스스로 파멸하는 구성을 취함으로써 비난과 웃음이라는 풍자의 이중적인 속성을 효과적으로 드러낸다.

① '윤 직원 영감은 과연 승리를 했'다는 것은 친일이나 착취를 통해 부를 쌓았다는 의미로 이해할 수 있겠군.
② '종학이 놈이 경시청에 붙'잡힌 일은 윤 직원의 몰락으로 이어진다고 예상할 수 있겠군.
③ 윤 직원이 '종학이가 사회주의를 한다는 그 한 가지 사실'을 무서워하는 가장 큰 이유는 종학이 자신의 기대에 부응하지 않았기 때문이겠군.
④ 부당한 방법으로 '태평천하'를 살아가던 윤 직원이 몰락하는 구조는 통쾌한 웃음을 유발하겠군.
⑤ 윤 직원이 사회주의 집단을 '세상 망쳐 놀 부랑당패'라고 한 것은 그가 자신의 이익만을 추구하는 속물적인 인물이기 때문이겠군.

06 〈보기〉를 참고하여 ⊙~◎에 담긴 서술자의 의도를 추측한 내용으로 적절하지 <u>않은</u> 것은?

┌ 보기 ┐
　「태평천하」의 서술자는 단순히 이야기를 중개하는 역할에 그치는 것이 아니라 인물의 행태와 사고를 평가하고 비판하며 때로는 해학적으로 묘사한다. 이는 서술자가 독자와의 관계를 유지하면서 자신의 의도를 효과적으로 드러내려는 문학적 장치라고 볼 수 있다.

① ⊙: 윤 직원의 말을 반어적으로 평가함으로써 윤 직원을 조롱하고 있다.
② ⓒ: 창식이 윤 직원을 찾아온 이유를 설명함으로써 윤 직원 영감에 대한 창식의 감정을 드러내고 있다.
③ ⓒ: 윤 직원의 말에 담긴 의도를 설명함으로써 아들을 탐탁지 않게 여기는 윤 직원의 심리를 나타내고 있다.
④ ◎: 윤 주사와 윤 직원의 행위를 희화화함으로써 두 인물의 부정적인 면을 부각하고 있다.
⑤ ◎: 엉덩방아를 찧은 윤 직원의 모습을 과장함으로써 인물을 우스꽝스럽게 표현하고 있다.

소망(少妄) | 채만식

[앞부분 줄거리] 1930년대 후반 어느 도시에서 아들 태호를 키우며 사는 '나'는 언니에게 집에만 틀어박혀 책이나 신문 읽기에만 전념하는 남편에 대해 하소연하고, 의사인 형부와 의논하여 신경 정신과 의사를 소개받고자 한다.

아까 그게 그러니까 두 시가 조금 못 돼서야. 부엌에서 무얼 좀 허구 있는 참인데, 뚜벅뚜벅 구두 소리가 나요. / 무심결에 돌려다 봤지. 봤더니, 웬 시꺼먼 양복쟁이야. 첨에는 몰라봤어. 그래 웬 사람인가 허구 자세히 보니깐, 그이겠지! 그이가 쇠통 글쎄 겨울 양복을 꺼내 입었어요. 이 삼복중에 겨울 양복을.

저를 어쩌니, 가 아니라, 뭐 정신이 아찔하더라니깐.

그게 제정신 지닌 사람이 할 짓이우? 〈중략〉

그러니 말이우. 그렇게 살뜰스럽게 오래지 않는다구 하더래두, 딴 *비발 써 가면서 남들은 일부러 피서두 갈라더냐. 거봐요! 언니네는 갈 맘이 꿀안 같애두 못 가잖우. 그러니 글쎄 선뜻 내려갔으면 오죽 좋수? / 그러나마 처가래야 처남인들 하나나 있으니, 어려운 생각이며 편안찮은 맘이 나겠수? 장인 장모 단 두 분이겠다, 참말이지 자기 본가집보다두 더 임의롭구 호강받이루 지낼 건데. / 내가 얼마를 졸랐다구. 그래두 영 도리질이야. 그러구는 한다는 소리가, 나를 목을 베어 봐라, 단 한 발이라두 서울서 물러서나, 이러는구려!

대체 무엇이 그다지 서울이 탐탁해서 죽어두 안 떠날 테냐구 캘라치면, 네까짓 것 **하등 동물**이, 동아줄 신경이, 설명을 해 준다구 알아들으면 제법이게? 설명해서 알 테면 **설명해 주기 전에 알아챌 일이지**, 이러면서 몰아세워요.

그러구두 졸리다 졸리다 못하면, 임자나 **태호** 데리구 가겠거든 가래는 거야. 웬만하거든 아주 영영 가버리라구. 시방, 세상이 통째루 *사개가 *벙그러지는 판인데, **부부구 자식이구 가정이구 그런 건 다 고담(古談)** 같대나. 내 어디서 원. / 왜 혼자라두 안 가느냐구 말이지? 언니두 그런 말 마시우. / 허기야 참, 몇 번 벼르기두 했더라우.

그래두 차마 훌쩍 못 떠나가겠읍디다! 그런 사람을 여기다가 떼어 놔두구서, 나 혼자 가다게 될 말이우? 것두 신경이 *노말한 사람이면 몰라. 그렇지만 병인인걸, 병인을 혼자 남의 손에 맡겨 두구서야 어디. / 에구 무척! 언니는 아저씨라면 들입다 깨진 뚱딴지 위하듯 위하면서, 하하하, 내가 그이 물이 들어서 자꾸만 이렇게 입이 걸쭉해 가나 봐.

신문사 나온 거? 뭐 누구 동료나 손윗사람허구 다투거나 의견 충돌이 생겼던 것두 아니구, 그저 불시루 그날 그 자리서 **사직원**을 써서는 편집국장 앞에다가 내놓고 나왔다는걸. 그게 벌써 신경이 심상찮어진 표적이 아니우?

신문사서두 어디루 보구, 어떻게 생각했든지 첨에는 편지가 오구, 둘째 번은 정치부장이 오구, 셋째 번에는 사장의 전갈이라구 편집국장이 명함을 적어 보내구, 도루 회사에 나오라는 *권면이야. / 그래두 번번이 몸이 건강치 못해서 일 감당을 못 하겠다는 핑계만 대지, 종시 움쩍을 안 했더라우.

남들은 다 같이 대학을 마치구 나와서두 삼사 년씩 취직을 못 해 쩔쩔매는 세상에, 그해 동경서 나오던 멀루 신문사에를 들어갔구, 인해 오 년이나 말썽 없이 있어 왔으니깐, 그만하면 신문사 인심두 얻구 또 사장두 자별하게 대접을 했답디다. 그런 것을 헌신짝 벗어 내던지듯 내던지구는 사람마저 저 지경이 됐으니…… 허기는 눈동자가 옳게 박힌 놈은 이 짓 못 해 먹겠다구, 그 무렵에 바싹 더 침울해허기는 했었지만서두.

핵심 포인트

'소망'이라는 제목의 의미

소(少)	망(妄)
젊다.	망령(정신이 흐려서 말이나 행동이 정상을 벗어남.)되다.

↓

젊은 나이에 미쳤다는 뜻으로,
남편의 현실 인식을 반어적으로 드러냄.

'나'와 남편의 갈등

'나'	남편
남편의 비정상적인 행동을 이해하지 못하는 현실 순응적 인물	↔ 시대적 문제의식을 지닌 채 내적 갈등을 보이는 인물

전체 줄거리

발단	'나'는 의사의 아내인 언니의 집을 찾아가 하소연함.
전개	남편은 신문사를 그만두고 집에서 책이나 신문, 잡지 읽기에 전념함. ···→ 수록 부분
위기	'나'가 남편에게 피서를 가자고 하자 남편은 그런 '나'를 하등 동물이라고 칭함. ···→ 수록 부분
절정	남편은 무더운 여름날 겨울 옷차림으로 종로 한복판에 서 있는 등 이상 행동을 함.
결말	'나'는 의사인 형부에게 남편의 정신병을 치료할 정신과 의사를 소개받고자 함.

기출 OX

Q1 윗글은 1인칭 서술 형식으로 되어 있으며, '나'는 '언니'에게 이야기를 전달하는 존재이다. [EBS 변형] ○ ✕

Q2 '도루 회사에 나오라는 권면'을 전하는 회사는, 남편이 능력은 부족하지만 성실하여 신임을 얻었던 인물임을 보여 주고 있다. [EBS 변형] ○ ✕

● 비발 비용.
● 사개 상자 따위의 모퉁이를 끼워 맞추기 위해 서로 맞물리는 끝을 들쭉날쭉하게 파낸 부분. 그런 짜임새.
● 벙그러지는 벌어지는.
● 노말(normal)한 정상적인.
● 권면 알아듣도록 권하고 격려하여 힘쓰게 함.

답 **Q1** ○ **Q2** ✕

01 윗글에 대한 설명으로 적절하지 <u>않은</u> 것은?

① 방언을 사용하여 서사에 생동감을 부여하고 있다.
② 구어체를 활용하여 생생한 현장감을 부여하고 있다.
③ 두 인물이 주고받는 대화를 통해 사건을 전달하고 있다.
④ 설의적 표현을 활용하여 서술자의 생각을 강조하고 있다.
⑤ 서술자가 인물에게 지닌 불만을 직접적으로 드러내고 있다.

02 윗글의 '남편'에 대한 설명으로 적절하지 <u>않은</u> 것은?

① 오 년 동안 신문사에서 일을 했다.
② 직장에서 인정을 받을 만큼 능력이 있다.
③ 대학 졸업 후 한동안 직업을 구하지 못했다.
④ 아내의 애원에도 불구하고 피서를 갈 생각이 없다.
⑤ 자신을 이해하지 못할 것이라는 이유로 아내를 무시한다.

고난도
03 〈보기〉는 윗글에 활용된 표현 방법에 대한 설명이다. 〈보기〉를 참고하여 윗글을 이해한 내용으로 적절하지 <u>않은</u> 것은?

보기

언어적 아이러니	반대되는 표현으로 의미를 전달하는 방법
극적 아이러니	독자나 다른 인물은 알지만 특정 인물은 모르는 것으로 설정함으로써 나타남.
구조적 아이러니	순진하거나 어리석어 사건의 실체를 알지 못하는 서술자를 내세워 서사를 진행할 때 나타남.
플롯의 아이러니	인물의 의도와 반대되는 결과를 그림으로써 나타남.
역설	상식이나 진리에 어긋나는 표현이나 행동을 통해 오히려 진리를 드러내는 방법

① 남편을 올바른 역사의식을 지닌 지식인으로 설정한 후 '젊은이의 망령'이라는 뜻인 '소망'을 제목으로 활용하여 언어적 아이러니를 구현했군.
② 책이나 신문을 열심히 읽는 남편의 행동을 통해 독자에게 '나'의 주장과 달리 남편은 미치지 않았다는 사실을 알게 하여 극적 아이러니를 드러냈군.
③ 남편의 심정을 전혀 이해하지 못하는 '나'를 서술자로 내세워 구조적 아이러니를 드러냈군.
④ 회사에 대한 비판과 항의의 의미로 낸 사직원이 결국 일자리를 잃는 결과로 이어진 것을 통해 플롯의 아이러니를 구현했군.
⑤ 남편이 여름날 겨울 양복을 입고 외출하는 것은 왜곡된 시대 현실에 대한 풍자의 의도를 담고 있는 역설적 행위이군.

04 〈보기〉를 참고하여 윗글을 이해한 내용으로 가장 적절한 것은?

보기

　윗글은 제국주의가 기승을 부리던 일제 강점기를 배경으로 하고 있다. 1930년대에 일제는 언론을 통해 젊은이들이 침략 전쟁에 참여하도록 부추겼고, 윗글의 남편은 곧 일어나게 될 세계 대전을 염려하면서 자신의 만족이나 즐거움만을 추구하는 이들을 경멸하게 된다.

① 남편은 아들 태호가 언론의 영향을 받아 전쟁에 참여하게 될 것을 우려하고 있다.
② 남편이 '나'를 '하등 동물'이라고 칭한 이유는 '나'가 다른 사람의 일에 관심이 많기 때문이다.
③ 남편이 '사직원'을 쓴 이유는 일제가 언론을 활용하여 제국주의를 강화한 일과 관련이 있다.
④ 남편이 '설명해 주기 전에 알아챌 일'이라고 '나'를 몰아세우는 것은 얼른 서울을 떠나라는 질책의 의미이다.
⑤ '부부구 자식이구 가정이구 그런 건 다 고담(古談) 같다'는 말은 전쟁에 대한 두려움 때문에 일상에서 탈피하고 싶은 남편의 심정을 드러낸다.

05 〈보기〉와 윗글을 비교한 내용으로 적절하지 <u>않은</u> 것은?

보기

[앞부분 줄거리] '나'는 일본인이 운영하는 상점의 종업원으로, 사회주의 운동을 하다 징역을 산 아저씨를 답답해한다.

　사실 우리 아저씨 양반은 대학교까지 졸업하고도 인제는 기껏 해먹을 계란 막벌이 노동밖에 없는데, 요 보통학교 사 년 겨우 다니고서도 시방 앞길이 환히 트인 내게다 대면 *고쓰까이[小使]만도 못하지요. 〈중략〉
　아—니, 그놈의 것하구는 무슨 대천지 원수가 졌단 말인지, 어쨌다고 그걸 끝끝내 하지 못해서 그 발광인고?
　　　　　　　　　　　　　　　－ 채만식, 「*치숙」 중

*고쓰까이: 잔심부름을 하는 남자 고용인을 이르는 일본어.
*치숙: 어리석은 아저씨.

① 〈보기〉의 아저씨와 윗글의 남편은 모두 식민지 지식인 계층이다.
② 〈보기〉의 아저씨와 윗글의 남편은 모두 시대적 상황에 대한 비판적 인식을 지니고 있다.
③ 〈보기〉의 아저씨와 달리 윗글의 남편은 사회 현실에 적극적으로 저항하는 인물로 그려지고 있다.
④ 〈보기〉의 아저씨를 바라보는 '나'와 달리 윗글의 '나'는 남편에 대한 연민의 정서를 드러내고 있다.
⑤ 〈보기〉와 윗글은 모두 서술자가 관찰하는 인물에 대한 이야기를 남에게 들려주는 형식을 취하고 있다.

[06~11] 다음 글을 읽고 물음에 답하시오.

1945년 8월 15일, 역사적인 날.

이날도 *신기료장수 방삼복은 종로의 공원 건너편 응달에 앉아서, 구두 징을 박으면서, 해방의 날을 맞이하였다. 그러나 삼복은 감격한 줄도 기쁜 줄도 모르겠었다. 지나가는 행인이, 서로 모르던 사람끼리면서 덥쑥 서로 껴안고 기뻐하고 눈물을 흘리고 하는 것이, 삼복은 속을 모르겠고 차라리 쑥스러 보일 따름이었다. ㉠몰려 닫는 군중이 오히려 성가시고, 만세 소리가 귀가 아파 이맛살이 지푸려질 지경이었다.

몰려다니고 만세를 부르고 하기에 미쳐 날뛰느라고 정신이 없어, 손님이 없어, 손님이 부쩍 줄었다.

"우랄질! 독립이 배부른가?"

이렇게 그는 두런거리면서 반감이 솟았다.

이삼 일 지나면서부터야 삼복에게도 삼복에게다운 해방의 혜택이 나누어졌다.

십 전이나 십오 전에 박아 주던 징을, 오십 전을 받아도 눈을 부라리는 순사를 볼 수가 없었다. ㉡순사가 없어졌다면야, 활개를 쳐 가면서 무슨 짓을 하여도 상관이 없고 무서울 것이 없던 것이었다.

"옳아, 그렇다면 독립도 할 만한 건가 보다."

삼복은 징 열 개를 박아 주고 오 원을 받아 넣으면서 이렇게 속으로 중얼거리기까지 하였다.

그러나 며칠이 못 가서 삼복은 다시금 해방을 저주하여야 하였다. 삼복이 저 혼자만 돈을 더 받으며, 더 받아 상관이 없는 것이 아니라, 첫째 도가(都家)들이 제 맘대로 재료 값을 올리던 것이었다. 징, 가죽, 고무, 실 모두가 오곱 십곱 비싸졌다. 그러니 ㉢신기료장수는 손님한테 아무리 비싸게 받는댔자 재료를 비싼 값으로 사야 하니, 결국 도가만 살찌울 뿐이지 소득은 전과 크게 다를 것이 없었다.

"이런 옘병헐! 그눔에 경제곈 다 어디루 가 뒈졌어. 독립은 우라진다구 독립을 헌담."

석양 때 신기료 궤짝 어깨에 멘 채 홧김에 막걸릿청으로 들어가, 서너 사발 들이켜고는 그는 이렇게 게걸거렸다.

[중간 부분 줄거리] 영어 실력 덕에 미군 통역관이 된 방삼복은 권력을 얻는다. 친일 행위로 모은 재산을 해방 이후에 모두 빼앗긴 백 주사는 방삼복을 만나 자신의 재산을 되찾아 달라고 부탁한다.

㉣옛날의 영화가 꿈이 되고, 일보에 몰락하여 가뜩이나 초상집 개처럼 초라한 자기가 또 한번 어깨가 옴츠러듦을 느끼지 아니치 못하였다. 그런데다 이 녀석이, 언제 적 저라고 무엄스럽게 굴어

심히 불쾌하였고, 그래서 엔간히 자리를 털고 일어설 생각이 몇 번이나 나지 아니한 것도 아니었다. 그러나 참았다.

보아 하니 큰 세도를 부리는 것이 분명하였다. 잘만 하면 그 힘을 빌려, ⓐ분풀이와 빼앗긴 재물을 도로 찾을 여망이 있을 듯싶었다. 분풀이를 하고, ㉤더구나 재물을 도로 찾고 하는 것이라야 코삐뚤이 삼복이는 말고, 그보다 더한 놈한테라도 머리 숙이는 것쯤 상관할 바 아니었다.

"그러니, 여보게 미씨다 방……."

있는 말 없는 말 보태 가며 일장 경과 설명을 한 후에, 백 주사는 끝을 맺기를,

"어쨌든지 그놈들을 말이네, 그놈들을 한 놈 냉기지 말구섬 죄다 붙잡아다가 말이네, 괴수놈들일랑 목을 썰어 죽이구, 다른 놈들일랑 뼉다구가 부러지두룩 두들겨 주구. 꿇어앉히구 항복 받구. 그리구 빼앗긴 것 일일이 도루 다 찾구. 집허구 세간 쳐부신 것 말끔 다 물리구…… 그렇게만 해 준다면, 내, 내, 재산 절반 노나 주문세, 절반. 응, 여보게 미씨다 방."

"염려 마슈."

미스터 방은 선뜻 쾌한 대답이었다.

"진정인가?"

"머, 지끔 당장이래두, 내 입 한 번만 떨어진다 치면, 기관총 들멘 *엠피가 백 명이구 천 명이구 들끓어 내려가서, 들이 쑥밭을 만들어 놉니다, 쑥밭을."

"고마우이!"

백 주사는 복수하여지는 광경을 서언히 연상하면서, 미스터 방의 손목을 덥쑥 잡는다.

"백골난망이겠네."

"놈들을 깡그리 죽여 놀 테니, 보슈."

"자네라면야 어련하겠나."

"흰말이 아니라 참 ○○○ 박사두 내 말 한마디면 고만 다 제바리유."

[A] 미스터 방은 그리고는 냉수 그릇을 집어 한 모금 물고 꿀쩍꿀쩍 양치를 한다. 웬 버릇인지, 하여간 그는 미스터 방이 된 뒤로, 술을 먹으면서 양치하는 버릇이 생겼었다.

양치한 물을 처치하려고 휘휘 둘러보다, 일어서서 *노대로 성큼성큼 나간다.

– 채만식, 「미스터 방」

* 신기료장수 헌 신을 꿰매어 고치는 일을 직업으로 하는 사람.
* 엠피(Military Police) 헌병. 군사 경찰의 구실을 하는 병과. 또는 그런 군인.
* 노대 발코니.

06 윗글의 서술상 특징으로 가장 적절한 것은?

① 특정 인물의 회상을 통해 과거와 현재를 교차하고 있다.

② 작중 인물을 서술자로 설정하여 서술의 신뢰성을 높이고 있다.

③ 장면의 전환에 따라 서술 시점을 바꾸어 입체감을 부여하고 있다.

④ 작품 밖 서술자가 사건의 내력이나 인물의 심리를 전달하고 있다.

⑤ 상세한 묘사를 통해 공간적 배경이 갖는 상징성을 강화하고 있다.

기출 변형

07 윗글에 대한 이해로 적절하지 않은 것은?

① 친일 행위를 반성하지 않는 백 주사의 모습을 통해 그의 뻔뻔스러운 태도를 비판적으로 드러내고 있다.

② 방삼복에 대한 백 주사의 이중적 태도를 통해 백 주사의 기회주의자적 태도를 비판적으로 드러내고 있다.

③ 갑작스럽게 출세하게 된 방삼복의 모습을 통해 해방 직후 사회의 부정적인 면을 비판적으로 드러내고 있다.

④ 자신의 목적을 위해 백 주사를 이용하는 방삼복의 모습을 통해 방삼복의 용의주도함을 비판적으로 드러내고 있다.

⑤ 시대적 상황에 개의치 않고 자신의 이익만을 생각하는 방삼복의 모습을 통해 그의 현실 인식에 대한 문제점을 비판적으로 드러내고 있다.

기출 변형

08 ㉠~㉤에 대한 설명으로 적절하지 않은 것은?

① ㉠: 민족의 기쁨에 동조하지 못하는 방삼복의 이기적인 면모가 드러난다.

② ㉡: 부정적인 방법으로 이득을 취하고자 하는 방삼복의 비도덕적인 성향을 드러낸다.

③ ㉢: 물가 상승으로 인해 혼란스러웠던 해방 당시의 경제 상황을 드러낸다.

④ ㉣: 전통적 계급 체제의 붕괴를 막지 못한 것에 대한 권력 계층의 한탄이 드러난다.

⑤ ㉤: 자존심을 꺾으면서까지 복수를 하고자 하는 백 주사의 의지를 드러낸다.

기출 변형

09 ⓐ의 상황을 나타내기에 가장 적절한 것은?

① 각주구검(刻舟求劍)　　② 풍전등화(風前燈火)

③ 일거양득(一擧兩得)　　④ 결초보은(結草報恩)

⑤ 수구초심(首丘初心)

10 윗글에 나타난 권력 구조를 〈보기〉와 같이 정리할 때, 이를 바탕으로 윗글을 이해한 내용으로 적절하지 않은 것은?

보기

[권력 구조]	해방 전	해방 후
높음.	일본 순사	미군
↑	백 주사	미스터 방
낮음.	방삼복	백 주사

① 방삼복이 해방 후 미스터 방이 된 것은 미군이 권력을 가지게 된 것과 관련이 있겠군.

② 해방 후 방삼복의 위치가 변하는 것에는 방삼복의 기회주의적 면모가 반영된 것이군.

③ 백 주사가 미스터 방에게 청탁을 하는 데에는 일본 순사가 없어진 것이 영향을 끼쳤겠군.

④ 권력의 최상위층이 일본 순사에서 미군으로 바뀌게 된 데에는 시대적 상황이 영향을 끼쳤겠군.

⑤ 권력 구조의 변화와 상관없이 인물에 대한 사회적 인식이 그대로인 것은 구시대적 가치관이 반영되었기 때문이겠군.

11 〈보기〉는 윗글의 결말 부분이다. 〈보기〉와 관련지어 작가가 [A]를 삽입한 이유를 추측한 내용으로 적절하지 않은 것은?

보기

　미스터 방이 그 걸쭉한 양칫물을 노대 아래로 아낌없이 좍 뱉는 바로 그 순간이었다. 그 순간이 공교롭게도, 마침 그를 찾으러 온 S 소위가 현관으로 일단 들어서려다 말고 (미스터 방이 노대로 나오는 기척이 들렸기 때문에) 뒤로 서너 걸음 도로 물러나, / "헬로."

　부르면서 웃는 얼굴을 쳐드는 순간과 그만 일치가 되었다.

　"에구머니!" / 놀라 질겁을 하였으나 이미 뱉어진 양칫물은 퀴퀴한 냄새와 더불어 백절폭포로 내려 쏟아져 웃으면서 쳐드는 S 소위의 얼굴 정통에 가 좌르르.

　"유 데빌!" / 이 기급할 자식이라고 S 소위는 주먹질을 하면서 고함을 질렀고, 그 주먹이 쳐든 채 그대로 있다가, 일변 허둥지둥 버선발로 뛰쳐나와 손바닥을 쏵쏵 비비는 미스터 방의 턱을 / "상놈의 자식!"

　하면서 철컥 어퍼컷으로 한 대 갈겼더라고.

① 자신의 지위를 과시하려는 방삼복의 태도를 비꼬기 위해

② 방삼복이 겸손한 사람으로 거듭나는 계기를 만들기 위해

③ 방삼복의 습관을 이어지는 사건의 복선으로 활용하기 위해

④ 위세를 떨던 방삼복의 행동이 허풍이었음을 드러내기 위해

⑤ 방삼복의 우스꽝스러운 모습을 강조하여 결말에 해학성을 부여하기 위해

광복 이후 ~ 1980년대

광복 이후부터 1950년대에는 혼란한 사회상, 6·25 전쟁의 아픔 등을 형상화한 작품들이 발표되었다.
1960년대 이후에는 급격한 산업화와 도시화로 인한 농촌 문제, 노동 문제, 도시 빈민 문제 등에 대한
비판적 시각을 드러내는 작품들이 발표되었다.

광복 이후의 혼란과 전쟁

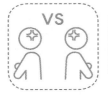 

\# 광복 직후의 정치적 혼란
\# 좌익과 우익의 이념 갈등
\# 6·25 전쟁의 상처
\# 민족 분단의 비극적 상황과 아픔
\# 부조리한 현실 고발

예 「미스터 방」(채만식), 「광장」(최인훈), 「꺼삐딴 리」(전광용),
「시장과 전장」(박경리), 「병신과 머저리」(이청준)

새로운 감수성의 문학

\# 소시민 의식을 바탕으로 한 새로운 감수성
\# 감각적인 문체
\# 인간의 삶과 존재의 본질 탐구
\# 비인간화, 소외 현상에 대한 성찰, 반성

예 「무진 기행」(김승옥), 「관촌수필」(이문구)

산업화, 도시화에 대한 비판

\# 농어촌 공동체의 해체
\# 노동 문제와 도시 빈민 문제
\# 도시화, 산업화가 야기한 문제에 대한 성찰
\# 삶의 뿌리를 상실한 사람들의 처지와 저항 의지

例 「삼포 가는 길」(황석영), 「도요새에 관한 명상」(김원일)

민중 문학

\# 소시민들의 삶과 정서
\# 자본가와 노동자의 갈등
\# 독재 권력과 민주화 운동 세력의 갈등
\# 다양한 갈등이 사회 변혁의 동력으로 작용

例 「아홉 켤레의 구두로 남은 사내」(윤흥길),
「난쟁이가 쏘아 올린 작은 공」(조세희)

▶해법문학 Link
현대 소설 140쪽

역마(驛馬) | 김동리

키워드 체크 #무속적 #역마살 #전통적 운명론 #인간과 운명 간의 갈등

[앞부분 줄거리] 옥화는 아들 성기를 계연과 결혼시켜 아들의 *역마살을 없애고자 했지만, 계연이 옥화 자신의 이복동생이라는 것을 알고 난 뒤 계연과 성기를 헤어지게 한다.

⑦ 그해 아직 봄이 오기 전, 보는 사람마다 성기의 *회춘을 거의 다 단념하곤 하였을 때, 옥화는 이왕 죽고 말 것이라면, 어미의 맘속이나 알고 가라고, 그래 그 체 장수 영감은, 서른여섯 해 전 *남사당을 꾸며 와 이 화개 장터에 하룻밤을 놀고 갔다는 자기의 아버지임에 틀림이 없었다는 것과 계연은 그 왼쪽 귓바퀴 위의 사마귀로 보아 자기의 동생임이 분명하더라는 것을 *통정하노라면서, 자기의 왼쪽 귓바퀴 위의 같은 검정 사마귀까지를 그에게 보여 주었다. 〈중략〉

그리고 부디 에미 야속타고나 생각지 말라고, 옥화는 아들의 뼈만 남은 손을 눈물로 씻었다. 옥화의 이 마지막 하직같이 하는 통정 이야기에 의외로 성기는 도로 힘을 얻은 모양이었다. 그 불타는 듯한 형형한 두 눈으로 천장을 한참 바라보고 있던 성기는 무슨 새로운 결심이나 하듯 입술을 지그시 깨물고 있었다.

아버지를 찾아 강원도 쪽으로 가 볼 생각도 없다, 집에서 장가들어 살림을 할 생각도 없다 하는 아들에게, 그러나 옥화는 이제 전과 같이 고지식한 미련을 두는 것도 아니었다.

"그럼 어쩔라냐? 너 좋을 대로 해라." / ⊙"……."

성기는 아무런 말도 없이 도로 자리에 드러누워 버렸다.

⑭ 그러고 나서 한 *달포나 넘어 지난 뒤였다.

성기가 좋아하는 여러 가지 산나물이 화갯골에서 연달아 자꾸 내려오는 이른 여름의 어느 장날 아침이었다. 두릅회에 막걸리 한 사발을 쭉 들이켜고 난 성기는 옥화에게,

"어머니, 나 엿판 하나만 맞춰 주." / 하였다. / ⓒ"……."

옥화는 갑자기 무엇으로 머리를 얻어맞은 듯이 성기의 얼굴을 멍하니 바라보고 있었다.

[A] 그런 지도 다시 한 보름이나 지나, **뻐꾸기**는 또다시 산울림처럼 건드러지게 울고, 늘어진 버들가지엔 햇빛이 젖어 흐르는 아침이었다. 새벽녘에 잠깐 가는 비가 지나가고, 날은 다시 **유달리 맑게 갠** '화개 장터' 삼거리 길 위에서, 성기는 그 어머니와 *하직을 하고 있었다. 갈아입은 옥양목 고의적삼에, 명주 수건까지 머리에 **질끈 동여매**고 난 성기는, 새로 맞춘 새하얀 **나무 엿판**을 *질빵해서 **느직하게** 엉덩이 즈음에다 걸었다. 윗목판에는 새하얀 가락엿이 반 넘어 들어 있었고, **아랫목판에는** 팔다 남은 이야기책 몇 권과 간단한 *방물이 좀 들어 있었다.

그의 발 앞에는, 물과 함께 갈리어 ⓐ길도 세 갈래로 나 있었으나, ⓑ화갯골 쪽엔 처음부터 등을 지고 있었고, ⓒ동남으로 난 길은 하동, ⓓ서남으로 난 길이 구례, 작년 이맘때도 지나 그녀가 울음 섞인 하직을 남기고 체 장수 영감과 함께 넘어간 ⓔ산모롱이 고갯길은 퍼붓는 햇빛 속에 지금도 환히 장터 위를 굽이돌아 구례 쪽을 향했으나, 성기는 한참 뒤 몸을 돌렸다. 그리하여 그의 발은 구례 쪽을 등지고 하동 쪽을 향해 천천히 옮겨졌다.

한 걸음 한 걸음 발을 옮겨 놓을수록 그의 마음은 한결 가벼워져, 멀리 버드나무 사이에서 그의 뒷모양을 바라보고 서 있을 어머니의 주막이 그의 시야에서 완전히 사라져 갈 무렵 하여서는, 육자배기 가락으로 제법 콧노래까지 흥얼거리며 가고 있는 것이었다.

핵심 포인트

세 갈래 길의 의미

화갯골
성기가 살아온 곳: 과거의 삶

↙ ↘ 선택(운명)

구례	하동
계연이 떠난 길: 운명을 거역하는 삶	성기가 떠난 길: 운명에 순응하는 삶

전체 줄거리

발단	옥화는 화개 장터에서 주막을 운영하며 살고 있는데, 어느 날 체 장수 영감이 딸 계연을 데리고 와 옥화네 주막에 맡기고 떠남.
전개	옥화는 계연을 아들 성기와 맺어 주어 성기가 타고난 역마살을 극복하고 정착하기를 바람.
위기	어느 날 옥화는 계연의 왼쪽 귓바퀴 위에 난 사마귀를 발견하고 자신의 동생이 아닐까 의심함.
절정	체 장수 영감이 돌아와 들려준 이야기를 통해 계연이 옥화의 이복동생임이 밝혀지고, 계연과 성기는 이별하게 됨.
결말	계연이 아버지를 따라 고향으로 떠난 후 병을 앓던 성기는 이후 엿판을 가지고 화개 장터를 떠남. → 수록 부분 ⑦, ⑭

기출 OX

Q1 윗글은 등장인물의 독백을 직접 인용하여 내면을 보여 주고 있다.
기출 2013. 9. 모평 ○ ✕

Q2 윗글에서 성기가 떠나면서 한참 뒤 몸을 돌린 것은 계연을 잊지 못하고 있음을 암시한다.
기출 2003. 10. 고2 ○ ✕

- *역마살 한곳에 머물러 지내지 못하고 늘 분주하게 떠돌아다니도록 된 액운(厄運).
- *회춘 중한 병에서 회복되어 건강을 되찾음.
- *남사당 무리를 지어 이곳저곳 떠돌아다니면서 소리나 춤을 팔던 남자.
- *통정 남에게 자기의 의사를 표현함.
- *달포 한 달이 조금 넘는 기간.
- *하직 먼 길을 떠날 때 웃어른께 작별을 고하는 것.
- *질빵 짐 따위를 질 수 있도록 어떤 물건 따위에 연결한 줄.
- *방물 여자가 쓰는 화장품, 바느질 기구, 패물 따위의 물건.

답 **Q1** ✕ **Q2** ○

01 윗글의 서술상 특징을 〈보기〉에서 모두 골라 바르게 묶은 것은?

보기
ㄱ. 상상의 공간을 배경으로 설정하여 허구성을 강화하고 있다.
ㄴ. 작품 밖의 서술자가 인물의 내면과 심리를 직접 서술하고 있다.
ㄷ. 등장인물의 말을 통해 과거의 사건을 집약적으로 드러내고 있다.
ㄹ. 다른 장소에서 동시에 벌어진 사건들을 병치하여 향토적 분위기를 강조하고 있다.

① ㄱ, ㄴ   ② ㄱ, ㄹ   ③ ㄴ, ㄷ
④ ㄴ, ㄹ   ⑤ ㄷ, ㄹ

02 윗글에 대한 이해로 적절하지 않은 것은?

① 앓아누운 성기를 본 사람들은 그가 건강을 되찾기 어려울 것이라고 생각했다.
② 계연의 왼쪽 귓바퀴 위에 있는 사마귀는 옥화가 단호한 결심을 하게 되었던 계기이다.
③ 옥화가 '통정 이야기'를 한 이유는 계연과 이별해야 했던 이유를 알고 싶어 하는 성기의 요청 때문이었다.
④ 옥화가 전에 두었던 '고지식한 미련'이란 역마살을 가진 성기를 한 곳에 정착하여 살게 하겠다는 마음을 뜻한다.
⑤ '한 달포나 넘어 지난 뒤' 두릅회에 막걸리를 곁들이는 성기의 모습을 통해 그의 건강이 회복되었음을 알 수 있다.

03 [A]에 대한 해석으로 가장 적절한 것은?

① 건드러지게 우는 '뻐꾸기'는 인물의 갈등이 고조될 것을 암시한다.
② '유달리 맑게 갠' 날씨는 분위기를 이전과 다르게 전환하는 기능을 한다.
③ '하직'은 성기가 계연을 그리워하고 있음을 간접적으로 드러내는 행위이다.
④ '질끈 동여매고'는 '느직하게'와 대조를 이루어 인물의 슬픔을 강조한다.
⑤ '나무 엿판'과 '아랫목판'은 가족의 생계를 책임지기 위한 도구이다.

04 ㉠, ㉡에 대한 설명으로 가장 적절한 것은?

① ㉠과 ㉡에는 모두 상대의 의견에 대한 반감이 담겨 있다.
② ㉠과 ㉡에는 모두 무기력하고 수동적인 인물의 성격이 드러난다.
③ ㉠에는 어머니에 대한 원망이, ㉡에는 아버지에 대한 거리감이 드러난다.
④ ㉠에는 현실을 수용하려는 태도가, ㉡에는 혈육을 떠나보내야 하는 심리적 고통이 드러난다.
⑤ ㉠에는 혼사를 치르고 싶어 하는 성기의 의지가, ㉡에는 상황에 대한 옥화의 복잡한 내면이 드러난다.

기출 변형 2003학년도 10월 고2 학력평가

05 윗글에서 '길'이 '떠돎'을 상징한다고 할 때, ⓐ~ⓔ의 의미로 적절하지 않은 것은?

① ⓐ는 성기에게 헤어짐의 장소이자 선택의 기로가 된다.
② 성기가 ⓑ를 선택할 경우, 운명을 받아들이고 새로운 장소로 떠날 것을 의미한다.
③ 성기가 ⓒ를 선택할 경우, 운명에 순응하여 방랑을 지속할 것을 의미한다.
④ 성기가 ⓓ를 선택할 경우, 계연과 결혼하여 정착을 시도할 것을 의미한다.
⑤ ⓔ와는 다른 방향으로 몸을 돌린 성기의 행동은, 계연과의 이별에 순응했기 때문이다.

기출 변형 2013학년도 9월 모의평가

06 〈보기〉를 참고하여 윗글을 감상한 내용으로 적절하지 않은 것은?

보기
ⓐ 김동리는 「역마」의 인물들을 통해, 운명을 수용하는 것이 운명에 패배하는 것이 아니라 세계와 조화되는 것이며, 이는 우리 민족의 전통적 삶의 방식이라고 여겼다.
ⓑ 「역마」의 인물들이 보여 주는 생각과 행동은 적극적이지 않고 비합리적이어서, 주체적으로 자기 삶의 방향을 결정하는 현대인들이 공감하기 힘들다는 비판이 있다.

① ⓐ에 따르면, 성기와 계연의 이별은 한국인의 전통적 삶의 방식을 따른 것이군.
② ⓐ에 따르면, 성기가 엿장수가 되어 떠나는 것은 세계와 조화를 이루는 행동이군.
③ ⓑ에 따르면, 하동 쪽으로 발을 옮겨 놓는 성기는 소극적 삶의 자세를 보여 주는 인물이라고 할 수 있겠군.
④ ⓑ에 따르면, 역마살이라는 자신의 운명을 받아들이는 성기의 행동은 비합리적이라고 여겨질 수 있겠군.
⑤ ⓑ에 따르면, 성기를 떠난 계연은 삶의 방향을 스스로 결정함으로써 세계와의 조화를 추구하는 인물이겠군.

작품 엮을 Pick

너와 나만의 시간 | 황순원

키워드 체크 #전쟁 소설 #실존적 #휴머니즘 #인간 존재의 의미 성찰 #심리 묘사

[핵심 포인트]

소재의 상징성

까마귀	현 중위의 시체를 발견하게 되는 계기가 되어 체념과 절망을 심화시킴.
개 짖는 소리	체념과 절망을 희망으로 반전시켜 강인한 생존 욕구가 실현되도록 만듦.

[전체 줄거리]

발단	전쟁 중, 현 중위와 김 일등병이 부상당한 주 대위를 번갈아 부축하며 걸어감.
전개	주 대위가 자살하기를 바라던 현 중위는 자신의 바람이 이루어지지 않자 혼자 길을 떠남.
위기	현 중위가 떠나고 얼마 후, 주 대위와 김 일등병이 현 중위의 시체를 발견함. ···▶ 수록 부분
절정	개 짖는 소리를 들은 주 대위가 김 일등병을 권총으로 위협하여 자신을 업고 인가에 도착하도록 유도함. ···▶ 수록 부분
결말	인가를 찾은 후 주 대위가 의식을 잃음. ···▶ 수록 부분

[기출 OX]

Q1 윗글은 간결한 문장과 사실적 묘사로 기술되었다. 기출 2007. 4. 고3 ◯ Ⅹ

Q2 윗글에서는 서사 전개 과정에 서술자가 개입하고 있다. 기출 2007. 4. 고3 ◯ Ⅹ

● 허청거리며 다리에 힘이 없어 잘 걷지 못하고 비틀거리며.
● 허깨비 헛것. 착각이 일어나, 없는데 있는 것처럼, 또는 다른 것처럼 보이는 물체.

답 **Q1** ◯ **Q2** Ⅹ

[앞부분 줄거리] 전쟁 중, 깊은 산 속에 낙오된 주 대위, 현 중위, 김 일등병은 무작정 남쪽으로 이동한다. 현 중위는 부상을 당한 주 대위가 이동에 방해가 되자 두 사람을 버리고 몰래 떠나고, 이동을 계속하던 김 일등병과 주 대위는 까마귀가 현 중위의 시체를 쪼아 먹는 것을 발견한다.

　　두 사람은 이쪽으로 와 아무데나 쓰러지듯이 드러누웠다. 현 중위의 시체를 보자 마지막 남았던 기운마저 빠져 버리고 만 것이었다.

　　잠시 후에 김 일등병은 무엇을 생각했는지 일어나 *허청거리며 벼랑 쪽으로 가더니 ⓐ돌을 집어 던지기 시작했다. 그때마다 까마귀가 펄럭하고 시체를 떠나는 것이었으나, 곧 못마땅한 듯이 까욱까욱 하며 다시 내려앉는 것이었다. 〈중략〉

　　그때, 바로 그때 주 대위의 귀에 은은한 폿소리 사이로 또 다른 하나의 소리가 들려 온 것이었다. / 처음에는 그도 의심스러운 듯이 귀를 기울이고 있다가, / "저 소리가 무슨 소리지?" / 김 일등병이 고개만을 들고 잠시 귀를 기울이듯 하더니, / "무슨 소리 말입니까?"

　　"지금은 안 들리는군." / 거기에 그쳤던 소리가 바람을 탄 듯이 다시 들려왔다.

　　"저 소리 말야. 이 머리 쪽에서 들려오는……." / 그래도 김 일등병의 귀에는 아무것도 들리지 않았다. / 개 짖는 소리 같애." / 개 짖는 소리라는 말에 김 일등병은 지친 몸을 벌떡 일으켜 머리 쪽으로 무릎걸음을 쳐 나갔다. 개 짖는 소리가 들린다면 그리 멀지 않은 곳에 인가가 있음에 틀림없었다. / "그 등성이를 넘어가면 된다!" / 그러나 김 일등병의 귀에는 여전히 아무것도 들리지 않았다. ㉠그는 누웠던 자리로 도로 뒷걸음질을 쳤다. / Ⓐ주 대위는 김 일등병에게 무엇인가 주고 싶었다. 그리고 그것을 자기 자신도 받고 싶었다.

　　김 일등병이 드러누우며 혼잣소리로, / ㉡"내일쯤은 까마귀 떼가 더 많이 몰려들겠지. 눈알이 붙어 있는 것두 오늘 밤뿐이야." / 이 말이 채 끝나기도 전에 갑자기 권총 소리가 그의 귓전을 때렸다. / 깜짝 놀라 돌아다보니 어둠 속에 주 대위가 ⓑ권총을 이리 겨눈 채 목 속에 잠긴 음성치고는 또렷하게, / "날 업어!" / 하는 것이다. / 김 일등병은 무슨 영문인지 몰라 하면서도 하라는 대로 일어나 등을 돌려 대는 수밖에 없었다. / "자, 걸어라!"

　　김 일등병은 ㉢자기 오른쪽 귀 뒤에 권총 끝이 와 닿음을 느꼈다. 〈중략〉

　　이렇게, 왼쪽으로, 오른쪽으로, 앞으로, 하는 주 대위의 말대로 죽을힘을 다해 걸음을 옮겨 놓는 동안에도 김 일등병의 귀에는 아무것도 들리지 않았다. 혹시 주 대위가 죽음을 앞두고 *허깨비 소리를 듣고 그러는 게 아닐까. 그렇다면 하필 자기네 두 사람은 마지막에 이러다가 죽을 필요는 무언가. 어젯저녁부터 혼자 업고 오느라고 갖은 고역을 다 겪으면서도 느끼지 못했던 원망이 주 대위를 향해 거듭 복받쳐 오름을 어찌할 수가 없었다.

　　하지만 걷지 않을 수 없었다. 오른쪽 귀 뒤에 감촉되는 권총 끝이 떠나지 않는 것이다. 그것은 마치 권총이 비틀거리는 걸음이나마 옮겨 놓게 하는 거나 다름없었다.

　　산 밑에 이르렀다. / "오른쪽으루!" / "그대루 똑바루!"

　　그제야 김 일등병의 귀에도 무슨 소리가 들렸다. 그것이 점점 개 짖는 소리로 확실해졌다. 그러나 그것이 얼마만한 거리에서인지는 짐작이 안 되었다.

　　목에서는 단내가 나고, 간신히 옮겨 놓는 걸음은 한껏 깊은 데로 무한정 빠져 들어가는 것만 같았다. 그저 그 자리에 주저앉고 싶은 생각뿐이었다. 그렇건만 ㉣쉬어 갈 수도 없는 노릇이었다. 귀 뒤에 와 닿은 ㉤권총 끝이 더 세게 밀고 있는 것이었다.

　　아무것도 뵈는 게 없었다. 어떻게 걸음을 떼어 놓고 있는지조차 깨닫지 못하고 있었다.

그러는데 저쪽 어둠 속에 자리 잡은 초가집 같은 검은 그림자와 그 앞에 서 있는 사람의 그림자, 그리고 거기서 짖고 있는 개의 모양이 몽롱해진 눈에 어렴풋이 들어왔다고 느낀 순간과 동시에 귀 뒤에 와 밀고 있던 권총 끝이 별안간 물러나면서 업힌 주 대위 몸뚱이가 무겁게 탁 내려앉음을 느꼈다.

01 윗글에 대한 설명으로 가장 적절한 것은?

① 장황한 해설을 통해 작가의 생각을 드러내고 있다.
② 꿈과 현실을 교차하여 동시에 진행되는 사건을 제시하고 있다.
③ 어리숙한 인물을 서술자로 내세워 진술의 해학성을 강화하고 있다.
④ 서술자가 서술의 초점이 되는 인물을 교체하면서 상황을 진술하고 있다.
⑤ 과거에 직접 경험했던 일을 독자에게 전해 주는 액자식 구성을 취하고 있다.

02 ㉠~㉤에 대한 설명으로 적절하지 <u>않은</u> 것은?

① ㉠: 자신에게는 소리가 들리지 않은 것에 대한 실망감에서 나온 행동이다.
② ㉡: 김 일등병이 희망을 잃은 상태임을 알 수 있다.
③ ㉢: 김 일등병의 입장에서는 주 대위를 업어야 하는 이유로 작용한다.
④ ㉣: 자신만이 주 대위를 살릴 수 있다는 절박함 때문이다.
⑤ ㉤: 인물이 다른 인물에 대한 인간애를 실현하기 위한 행동으로 볼 수 있다.

03 Ⓐ에 대한 해석으로 가장 적절한 것은?

① 주 대위가 자기 자신도 받고 싶다는 소망에는 이기심이 담겨 있군.
② 주 대위가 김 일등병에게 주고 싶은 '무엇'은 '자유'라고 할 수 있겠군.
③ 주 대위와 김 일등병이 주고받는 '무엇'은 마을에 도착하는 것으로 실현될 수 있겠군.
④ 주 대위와 김 일등병이 무엇인가를 주고받는 행위는 전쟁에서 지고 있다는 상황으로 인해 야기되는군.
⑤ 주 대위와 김 일등병이 무엇인가를 주고받는 행위는 주 대위의 극심한 고통과 주 대위에 대한 김 일등병의 원망의 마음 때문에 이루어질 수 없겠군.

04 ⓐ와 ⓑ를 비교한 내용으로 가장 적절한 것은?

① ⓐ는 주 대위에 대한 김 일등병의 소극적인 저항 행위이다.
② ⓑ는 생명의 위협을 느낀 주 대위의 대응 방식이다.
③ ⓐ는 ⓑ는 각각 현 중위와 김 일등병을 공격하기 위한 행위이다.
④ ⓐ와 ⓑ는 모두 김 일등병과 주 대위의 이타적인 속성을 드러낸다.
⑤ ⓐ와 ⓑ는 모두 김 일등병이 처한 상황이 개선되는 결과로 이어진다.

기출 변형 2007학년도 4월 고3 학력평가

05 개 짖는 소리 의 서사적 기능으로 가장 적절한 것은?

① 향토적이고 정감 있는 분위기를 형성한다.
② 비극으로 치닫던 상황을 반전시키는 계기가 된다.
③ 갈등하는 인물들을 화해시키는 매개체 역할을 한다.
④ 인물 간의 갈등을 한 인물의 내적 갈등으로 전환한다.
⑤ 인물들이 처한 상황의 원인을 드러내어 사건 해결의 실마리가 된다.

06 〈보기〉를 바탕으로 윗글을 이해한 내용으로 적절하지 <u>않은</u> 것은?

> **보기**
>
> 윗글은 전쟁이라는 극한 상황에서 발휘되는 인간의 삶의 의지를 그려 낸 작품으로, 당시의 전후 소설이 주로 이념의 갈등을 다루었던 것과는 달리 전쟁으로 인한 절망적인 상황을 어떻게 극복해 나가는지를 제시하였다는 점에서 의의가 있다. 제목인 '너와 나만의 시간'은 극한 상황에서 계급과 같은 사회적 질서에서 벗어난 인간 그대로의 모습이 드러나는 시간을 뜻한다.

① 까마귀가 현 중위의 시체를 쪼아 먹는 것은 인물이 처한 극한 상황을 강조해 주는군.
② 현 중위의 시체를 보고 힘이 빠져 버린 김 일등병의 모습은 이념 간 갈등으로 인해 지친 심리를 드러내는군.
③ 김 일등병이 주 대위를 업고 인가로 향하는 장면을 통해 절망적인 상황을 극복해 나가는 방법을 제시하고 있군.
④ 현 중위는 극한 상황에서 사회적 질서로부터 벗어났기 때문에 계급이 높은 주 대위를 놓고 떠날 수 있었겠군.
⑤ 현 중위가 주 대위와 김 일등병을 놓고 떠난 것은 생존 욕구를 충실하게 따르는 인간 본연의 모습을 나타내는군.

Q13

광장 | 최인훈

교과서 [문] 금성, 미래엔, 비상, 지학사 기출 EBS

키워드 체크 #분단 소설 #독백적 #진정한 삶의 의미 #남북의 이념과 체제 대립 #분단 상황의 현실 비판

핵심 포인트

명준이 중립국을 선택하는 이유

	남한	북한
이념의 공통점	표면적으로는 행복한 삶의 추구	
현실	타락과 방종에 가까운 자유	이념을 핑계로 한 자유의 억압

↓

중립국	• 이념 갈등이 없는 공간 • 남한과 북한 모두 완전하지 못한 공간이라는 깨달음을 얻은 이후 명준이 선택한 공간

전체 줄거리

발단	해방 후 남한의 평범한 대학생이던 명준은 월북한 아버지 때문에 기관에 끌려가 고초를 당하고 월북을 함.
전개	막상 북쪽 사회를 체험하자 그들이 내세우는 이상과는 달리 왜곡된 이념과 부자유만이 있음을 알게 된 명준은 은혜와의 사랑으로 돌파구를 찾으려고 하지만, 은혜가 유학을 떠나게 되어 이마저도 좌절됨.
위기	6·25 전쟁이 발발하자 인민군으로 종군하게 된 명준은 은혜와 극적으로 해후하나, 그녀는 비극적인 죽음을 맞이하고 그는 포로가 됨.
절정	명준은 포로수용소에서 석방될 때 남한과 북한이 아닌 제3국을 선택함. ···▶ 수록 부분 ㉮, ㉯, ㉰
결말	명준은 제3국인 인도로 향하는 타고르호에서 바다에 투신함.

기출 OX

Q1 윗글은 서술의 초점을 한 인물에 맞추어 사건을 전개하고 있다.
기출 2006. 수능 〇 X

Q2 윗글은 현재형 어미를 사용하여 일상적 삶의 모습을 부각하고 있다.
기출 2006. 수능 〇 X

• 조력 힘을 써 도와줌. 또는 그 힘.

답 **Q1** 〇 **Q2** X

㉮ 네 사람의 공산군 장교와, 국민복을 입은 중공 대표가 한 사람, 합쳐서 다섯 명. ⓐ그들 앞에 가서, 걸음을 멈춘다. 앞에 앉은 장교가, 부드럽게 웃으면서 말한다.

"동무, 앉으시오." / ㉠명준은 움직이지 않았다.

"동무는 어느 쪽으로 가겠소?" / "중립국." 〈중략〉

"다시 한번 생각하시오. 돌이킬 수 없는 중대한 결정이란 말이오. 자랑스러운 권리를 왜 포기하는 거요?" / ㉡"중립국."

이번에는, 그 옆에 앉은 장교가 나선다.

"동무, 지금 인민 공화국에서는, 참전 용사들을 위한 연금 법령을 냈소. 동무는 누구보다도 먼저 일터를 가지게 될 것이며, 인민의 영웅으로 존경받을 것이오. 전체 인민은 동무가 돌아오기를 기다리고 있소. 고향의 초목도 동무의 개선을 반길 거요." / "중립국."

㉯ 아까부터 그는 설득자들에게 간단한 한마디만을 되풀이 대꾸하면서, ㉢지금 다른 천막에서 동시에 진행되고 있을 광경을 그려 보고 있었다. 그리고 그 자리에도 자기를 세워 보고 있었다.

"자넨 어디 출신인가?" / "……." / "음, 서울이군."

ⓑ설득자는, 앞에 놓인 서류를 뒤적이면서, 〈중략〉

"지식인일수록 불만이 많은 법입니다. 그러나 그렇다고 제 몸을 없애 버리겠습니까? 종기가 났다고 말이지요. 당신 한 사람을 잃는 건, 무식한 사람 열을 잃는 것보다 더 큰 민족의 손실입니다. 당신은 아직 젊습니다. 우리 사회에는 할 일이 태산 같습니다. 나는 당신보다 나이를 약간 더 먹었다는 의미에서, 친구로서 충고하고 싶습니다. 조국의 품으로 돌아와서, 조국을 재건하는 일꾼이 돼 주십시오. 낯선 땅에 가서 고생하느니, 그쪽이 당신 개인으로서도 행복이라는 걸 믿어 의심치 않습니다. 나는 당신을 처음 보았을 때, 대단히 인상이 마음에 들었습니다. 뭐 어떻게 생각지 마십시오. 나는 동생처럼 여겨졌다는 말입니다. 만일 남한에 오는 경우에, 개인적인 *조력을 제공할 용의가 있습니다. 어떻습니까?"

명준은 고개를 쳐들고, 반듯하게 된 천막 천장을 올려다본다. 한층 가락을 낮춘 목소리로 혼자말 외듯 나직이 말할 것이다. / "중립국."

㉰㉢준다고 바다를 마실 수는 없는 일. 사람이 마시기는 한 사발의 물. 준다는 것도 허황하고 가지거니 함도 철없는 일. 바다와 한 잔의 물. 그 사이에 놓인 골짜기와 눈물과 땀과 피. 그것을 셈할 줄 모르는 데 잘못이 있었다. 세상에서 뒤진 가난한 땅에 자란 지식 노동자의 슬픈 환상. 과학을 믿은 게 아니라 마술을 믿었던 게지. 바다를 한 잔의 영생수로 바꿔 준다는 마술사의 말을. 그들은 뻔히 알면서 권력이라는 약을 팔려고 말로 속인 꼬임을. 어리석게 신비한 술잔을 찾아 나섰다가, 낌새를 차리고 항구를 돌아보자, 그들은 항구를 차지하고 움직이지 않고 있었다. 참을 알고 돌아온 바다의 난파자들을 그들은 감옥에 가둘 것이다. 못된 균을 옮기지 않기 위해서. 〈중략〉

㉤중립국. 아무도 나를 아는 사람이 없는 땅. 하루 종일 거리를 싸다닌대도 어깨 한번 치는 사람이 없는 거리. 내가 어떤 사람이었던지도 모를 뿐더러 알려고 하는 사람도 없다.

병원 문지기라든지, 소방서 감시원이라든지, 극장의 매표원, 그런 될 수 있는 대로 마음을 쓰는 일이 적고, 그 대신 똑같은 움직임을 하루 종일 되풀이만 하면 되는 일을 할 테다.

기출 2014학년도 9월 모의평가 B형

01 윗글의 서술상 특징으로 가장 적절한 것은?

① 장면의 빈번한 전환을 통해 긴박한 분위기를 조성하고 있다.
② 실제 공간의 실감 있는 묘사를 통해 시대적 상황을 구체화하고 있다.
③ 인물의 의식에 초점을 맞추어 현실에 대한 관념적 인식을 드러내고 있다.
④ 회상을 통해 대조적 체험을 병렬적으로 제시함으로써 주제를 강조하고 있다.
⑤ 인물 간의 갈등을 다각적으로 조명하여 사건 전개의 양상을 다면화하고 있다.

02 ㉠~㉤에 대한 이해로 적절하지 않은 것은?

① ㉠: 권유를 거절함과 동시에 상대방에 대한 심리적 거리감을 드러낸다.
② ㉡: 간결한 대답을 통해 자신의 의지를 단호하게 드러낸다.
③ ㉢: 북한 측의 설득을 듣기 전 남한 측 천막에 다녀왔던 일을 떠올리고 있다.
④ ㉣: 대조적인 대상을 통해 이상과 현실의 괴리에 대한 인식을 드러낸다.
⑤ ㉤: 명사로 문장을 마무리함으로써 지향하는 바와 그 이유를 강조한다.

03 지식 노동자 가 명준을 가리킨다고 할 때, (다)를 이해한 내용으로 가장 적절한 것은?

① 명준은 '바다'를 얻기 위해 중립국 행을 결정한 것이라고 할 수 있겠군.
② 명준은 '낌새를 차리고 항구를 돌아보'기 전에 '못된 균'에 옮아 버렸군.
③ 명준이 '슬픈 환상'을 경험한 것은 '과학'보다 '신비한 술잔'을 더 믿었기 때문이군.
④ 명준은 마술에 속아 '참을 알고 돌아온 바다의 난파자'를 감옥에 가두는 데 동참하였군.
⑤ 명준은 '세상에서 뒤진 가난한 땅에 자란' 처지라는 이유로 다른 사람들에게 '마술사'로 간주되었군.

04 ⓐ, ⓑ에 대한 설명으로 적절하지 않은 것은?

① ⓐ는 명준이 얻게 될 금전적인 이득을 강조하고 있다.
② ⓑ는 명준에 대한 개인적인 호감을 드러내고 있다.
③ ⓐ와 ⓑ는 모두 명준의 가치를 높게 평가하고 있다.
④ ⓐ는 ⓑ와 달리, '중립국'의 부정적인 측면을 제시하고 있다.
⑤ ⓑ는 ⓐ와 달리, 행복한 삶의 중요성을 언급하고 있다.

고난도 기출 변형 2014학년도 9월 모의평가 B형

05 〈보기〉를 참고하여 윗글을 감상할 때 적절하지 않은 것은?

보기
　4·19 직후에 발표된 최인훈의 「광장」은 당대에 금기시되던 이념 대립의 문제를 정면으로 파헤쳤다는 점에서 전후 분단 소설의 대표작으로 평가받고 있다. 당시에는 남북한 간 이념의 이분법적 구도로 인해, 한반도의 분단만이 아니라 각 체제 내의 사회적 모순과 문제점을 비판하고 고발하는 것조차 이념의 이름으로 은폐하는 사태가 발생하였다. 「광장」은 그러한 시대적 상황에 문제를 제기하고 이념적 대립을 극복할 비판적 대안을 제시하고자 했던 것이다.

① 다양한 논리를 바탕으로 주인공을 설득하려는 양측 설득자들의 모습에서 이념 대립의 문제를 정면으로 다루고 있음을 알 수 있군.
② 개인의 행복한 삶을 마다하고 낯선 땅으로 가려는 주인공의 선택에서 남북한 양쪽의 제안이 비슷하기 때문에 괴로워하는 지식인의 고뇌가 드러나는군.
③ 항구를 차지한 이들이 바다에서 돌아온 이들을 감금하려 한다는 대목에는 사회적 모순을 직시하는 이들을 격리하려는 권력을 비판하고자 하는 의식이 담겨 있군.
④ 미래에 대한 환상으로 사람들을 꾀는 마술사의 속임수를 비꼬듯 이야기한 데에서 현실의 문제를 감추거나 왜곡하기에 급급한 체제에 대한 냉소적 태도가 드러나는군.
⑤ 주인공이 중립국에서 누리고자 하는 삶의 모습을 기술한 데에서 일상적 삶을 자유롭게 누릴 수 있는 사회를 이념적 대립 구도에 갇힌 현실에 대한 대안으로 제시하고 있음을 알 수 있군.

▶해법문학 Link
현대 소설 168쪽

꺼삐딴 리 | 전광용

키워드 체크 #풍자 소설 #비판적 #기회주의적 인물 #반민족적 행태 비판 #역순행적 구조

[앞부분 줄거리] 이인국 박사는 일제 강점기에 친일 행위를 하여 득세한다. 광복 이후 박사는 북한을 점령한 소련군 장교를 살리는 수술에 성공하여 장교의 환심을 산다.

핵심 포인트

이인국의 기회주의적 면모

일제 강점기	·제국 대학 졸업 ·친일 행위, 일본어 사용

↓ 광복

소련의 점령 (북한)	·러시아어 독학 ·소련군 장교 수술 성공 ·꺼삐딴(captain) 리로 불리며 아들을 러시아로 유학 보냄.

↓ 월남

미국의 점령 (남한)	·영어 발음 교정 ·딸을 미국으로 유학 보냄. ·미 대사관의 브라운 씨에게 고려청자를 선물함.

전체 줄거리

발단	부를 추구하고, 출세 지향적인 이인국은 미국인 브라운 씨를 만나러 가는 도중 시계를 보며 회상에 잠김.
전개	이인국은 일제 강점기 말기에 친일파로서 득세를 함.
위기	이인국은 광복 후 친일 이력으로 감옥에 갇히지만 소련 장교의 혹 제거 수술에 성공하면서 위기를 모면하고, 친소파로 영화를 누리며 아들을 러시아로 유학 보냄. → 수록 부분 ㉮
절정	1·4 후퇴 때 월남한 이인국은 미국인의 도움으로 사회 지도층이 됨. → 수록 부분 ㉯
결말	이인국은 브라운 씨에게 고려청자를 선물로 주고, 미국에 가기 위한 협조를 얻

기출 OX

Q1 윗글은 현학적인 표현을 사용하여 비판적인 지성인의 모습을 형상화하고 있다.
기출 2014. 9. 모평 A ○ X

Q2 아내는 남편의 결정을 못마땅하게 여기고 있다.
기출 2003. 6. 고1 ○ X

• 노서아 '러시아'의 음역어.
• 관철 어려움을 뚫고 나아가 목적을 기어이 이룸.

답 Q1 X Q2 ○

㉮ 일면의 제목을 대강 훑고 난 그는 신문을 뒤집어 꺾어 삼면으로 눈을 옮겼다.

'북한 소련 유학생 서독으로 탈출' / 바둑돌 같은 굵은 활자의 제목. 왼편 전단을 차지한 외신 기사. 손바닥만한 사진까지 곁들여 있다. / 그는 코허리에 내려온 안경을 올리면서 눈을 부릅떴다. 그의 시각은 활자 속을 헤치고 머릿속에는 아들의 환상이 뒤엉켜 들이차 왔다. 아들을 모스크바로 유학시킨 것은 자기의 억지에서였던 것만 같았다.

출신 계급, 성분, 어디 하나 부합될 조건이 있었단 말인가. 고급 중학을 졸업하고 의과 대학에 입학된 바로 그 해다. / 이인국 박사는 그때나 지금이나 자기의 처세 방법에 대하여 절대적인 자신을 가지고 있다.

"얘, 너 그 노어 공부를 열심히 해라." / "왜요?"

아들은 갑자기 튀어나오는 아버지의 말에 의아를 느끼면서 반문했다.

"야 원식아, 별 수 없다. 왜정 때는 그래도 일본말이 출세를 하게 했고 이제는 노어가 또 판을 치지 않니. ㉠고기가 물을 떠나서 살 수 없을 바에야 그 물속에서 살 방도를 궁리해야지. 아무튼 그 *노서아 말 꾸준히 해라." 〈중략〉

이인국 박사는 끝내 스텐코프 소좌의 배경으로 요직에 있는 당 간부의 추천을 받아 아들의 소련 유학을 결정짓고야 말았다. / "여보, 보통으로 삽시다. 거저 표나지 않게 사는 것이 이런 세상에선 가장 편안할 것 같아요, 이제 겨우 죽을 고비를 면했는데 또 쟤까지 그 '높이 드는' 복판에 휘몰아 넣으면 어쩔라구……."

"가만있어요, ㉡호랑이 굴에 가야 새끼를 잡는 법이오. 무슨 세상이 되든 할 대로 해 봅시다." / "그래도 저 어린것을 어떻게 노서아까지 보낸단 말이오."

"아니, 중학교 야들도 가지 못해 골들을 싸매는데, 대학생이 못 가 견딜라구."

"그래도 어디 앞일을 알겠소……."

"괜한 소리, 쟤가 소련 바람을 쏘이구 와야 내게 허튼 소리 하는 놈들도 찍소리를 못할 거요. 어디 보란 듯이 다시 한번 살아 봅시다."

아들의 출발을 앞두고, 걱정하는 마누라를 우격다짐으로 무마시키고 그는 아들의 유학을 *관철하였다.

'흥 혁명 유가족두 가기 힘든 구멍을 이인국의 아들이 뚫었으니 어디 두구 보자…….'

㉯ 그 다음해에 사변이 터졌다.

잘 있노라는 서신이 계속하여 왔지만 동란 후 후퇴할 때까지 소식은 두절된 대로였다.

마누라의 죽음은 외아들을 사지로 보낸 것 같은 수심에도 그 원인이 있었다고 그는 생각하고 있다. / 이인국 박사는 신문 다치키리(스크랩) 속에 채워진 글자를 하나도 빼지 않고 다 훑어 내려갔다. 그러나 아들의 이름에 연관되는 사연은 한마디도 없었다.

'이 자식은 무얼 꾸물꾸물하느라고 이런 축에도 끼지 못한담…… 사태를 판별하고 임기응변의 선수를 쓸 줄 알아야지, 멍추같이…….'

그는 신문을 포개어 되는 대로 말아 쥐었다.

'개천에서 용마가 난다는데 이건 제 애비만도 못한 자식이야.' / 그는 혀를 찍찍 갈았다.

01 윗글의 서술상의 특징으로 가장 적절한 것은?

① 서술자가 관찰자의 입장에서 사건을 객관적으로 전달하고 있다.

② 상황에 대응하는 특정 인물의 성격을 대화나 독백을 통해 부각하고 있다.

③ 공간적 배경에 따라 서술자를 달리하여 상황을 입체적으로 드러내고 있다.

④ 여러 인물의 내면을 서술하여 인물 간의 갈등이 해소되는 과정을 보여 주고 있다.

⑤ 중심인물의 시선에서 사건을 서술하여 중심인물의 성격이 변화하는 과정을 드러내고 있다.

02 윗글에 대한 이해로 적절하지 않은 것은?

① 이인국은 스텐코프 소좌의 도움으로 아들을 유학 보냈다.

② 소련으로 유학을 간 이인국의 아들은 연락이 두절된 상태이다.

③ 원식은 노어 공부를 강조하는 아버지의 제안에 의아하게 반응하고 있다.

④ 이인국은 자신이 과거에 했던 결정이 아내의 죽음에 영향을 미쳤다고 생각하고 있다.

⑤ 아내는 낯선 곳에서 죽을 고비를 겨우 면했던 아들의 과거 경험을 근거로 남편을 설득하고 있다.

고난도 기출 변형 2013학년도 6월 고2 학력평가 A형

03 다음은 윗글에 드러난 사건을 정리한 것이다. 사건 발생 순서에 따라 바르게 배열한 것은?

ⓐ	ⓑ	ⓒ	ⓓ	ⓔ
이인국의 아내가 죽음.	이인국이 동란 후 월남함.	아들이 의대에 입학함.	아들이 소련으로 유학을 감.	이인국이 외신 기사를 읽음.

① ⓐ — ⓑ — ⓒ — ⓓ — ⓔ

② ⓑ — ⓐ — ⓓ — ⓒ — ⓔ

③ ⓑ — ⓒ — ⓔ — ⓓ — ⓐ

④ ⓒ — ⓓ — ⓑ — ⓐ — ⓔ

⑤ ⓒ — ⓑ — ⓔ — ⓓ — ⓐ

04 신문에 대한 이해로 가장 적절한 것은?

① 이인국의 내적 갈등을 완화하는 기능을 한다.

② 이인국이 과거에 있었던 일을 회상하는 계기가 된다.

③ 이인국이 품고 있던 욕망이 실현되었음을 확인하는 기능을 한다.

④ 이인국이 그리워하는 사람과 재회하도록 하는 매개 역할을 한다.

⑤ 이인국의 분신으로, 그가 겪었던 역경의 고단함을 나타내는 소재이다.

기출 변형 2013학년도 6월 고2 학력평가 A형

05 ㉠과 ㉡의 공통점으로 가장 적절한 것은?

① 시류 변화에 따른 대응 방식을 드러내고 있다.

② 우화를 활용하여 동일한 대상을 깨우치고 있다.

③ 미래의 삶에 대한 낙관적 전망과 확신을 드러내고 있다.

④ 세상을 살아가는 데 필요한 도덕적 가치를 부각하고 있다.

⑤ 자연물에 대한 관심을 통해 말하는 이의 강한 집념을 강조하고 있다.

06 〈보기〉를 참고하여 윗글을 감상한 내용으로 적절하지 않은 것은?

> ─ 보기 ─
>
> 윗글의 제목인 '꺼삐딴 리'의 '꺼삐딴'은 영어의 '캡틴 (captain)'에 해당하는 러시아어로, 소련군이 북한에 주둔하면서 '우두머리 또는 최고'라는 뜻으로 사용한 말이다. 따라서 '꺼삐딴 리'라는 말은 주인공이 출세에 눈먼 기회주의자의 최고봉인 동시에 한국 사회의 지도층임을 암시하고 있다. 작가는 이와 같이 사회 지도층임에도 불구하고 혼란스러운 시기에 대의를 저버리고 개인적 이익만을 위해 살아가는 인물을 형상화하여 부패한 사회상과 지도층을 풍자하고 있다.

① 제목인 '꺼삐딴 리'에는 친소파로 영화를 누린 이인국을 풍자하기 위한 의도가 담겨 있겠군.

② 이인국의 호칭인 '박사'는 박사다운 면모를 보이지 않는 그를 비판하기 위한 반어적인 표현이겠군.

③ 침입하는 외세에 따라 그 나라의 언어를 배워 득세하려는 인식을 가진 이인국은 기회주의적인 인물의 전형이겠군.

④ 작가는 이인국처럼 반민족적 행위를 한 인물이 출세하여 사회 지도층이 되는 현실의 부당함을 폭로하고자 하였겠군.

⑤ 이인국의 의견에 반대하는 아내와 아들은 시류에 따라 태도를 바꾸며 처세하는 이들에 대한 작가의 비판 의식을 대변하는 인물이겠군.

현대 소설 Q15

교과서 [문] 금성 기출 EBS

시장과 전장 | 박경리

키워드 체크 #전후 소설 #자전적 #6·25 전쟁의 비극 #생활의 터전인 시장 #이념의 싸움터인 전장

핵심 포인트

'시장'과 '전장'의 의미

	시장	전장
공통점	삶을 위한 다툼의 공간	
차이점	• 민중의 삶의 터전 • 생계유지를 위한 다툼의 공간	삶과 죽음의 두 갈림길 속에서 삶을 택하려는 처절한 다툼의 공간

전체 줄거리

발단	38선 바로 아래 위치한 황해도 연백에서 국어 교사로 근무하던 지영은 6·25 전쟁이 발발하자 서울 집으로 돌아옴.
전개	지영은 가족과 함께 피란길에 오르지만 한강 철교가 끊어져 다시 집으로 돌아오고, 인민군 치하에 살면서도 남편 기석의 형인 공산주의자 기훈의 도움으로 탈 없이 지냄. ···▶ 수록 부분 ❼
위기	지영은 인민군이 후퇴하고 국군이 서울을 되찾자 붙잡혀 간 기석의 석방을 위해 노력하지만 실패하고, 기훈은 지리산에 들어가 빨치산이 됨.
절정	지영의 가족은 1·4 후퇴 때 서울을 떠나지 못하고 있다가 어머니마저 잃자 부산으로 피란을 가는 한편, 기훈은 가화를 만나 사랑에 빠지고 가화를 좋아하는 장덕삼은 가화와 기훈에게 자수를 권함. ···▶ 수록 부분 ❽
결말	경찰의 색출 작전이 심해지고 장덕삼의 오발로 가화가 죽게 되자 기훈은 장덕삼을 죽이고 사라짐.

기출 OX

Q1 윗글은 인물의 경험을 관념적으로 서술하며 사건의 원인을 분석하고 있다.
기출 2017. 수능 ◯ Ⓧ

Q2 윗글은 '중공군'과 같은 단어를 통해 실재했던 전쟁이 환기되도록 했다.
기출 2017. 수능 ◯ ◯

● **진솔** 옷이나 버선 따위가 한 번도 빨지 않은 새것 그대로인 것.
● **양단** 은실이나 색실로 수를 놓고 겹으로 두껍게 짠 고급 비단의 하나.

가 아침 해가 버드나무 사이에 스며들 때까지 방 안에 옷을 그득히 쌓아 놓은 채 윤 씨는 피란 짐을 매둥그리지 못하고 있다. / "아깝고 소중한 걸, 어느 것을 버리고 가노."

언제까지나 꾸물거리며 중얼거리고 있는 윤 씨를 보고 지영은 화를 낸다.

"몇 번 말해야 알아듣겠어요, 어머니! 입을 옷하고 담요만 싸세요. 나머지는 모두 식량입니다."

"이 아까운 것 도둑이 훔쳐 가면 어떡허노."

윤 씨는 °진솔 °양단 저고리 두루마기를 썰어 보고 지하실에 쌓인 쌀가마를 들여다본다.

"도둑이 훔쳐 가도 좋으니까 집에 돌아올 수 있었음 좋겠어요." / 위협한다.

㉠"그라믄, 그라믄, 우리가 못 돌아온단 말가?"

넋이 나간 사람처럼 윤 씨는 딸을 멍하니 쳐다본다.

[중간 부분 줄거리] 지영은 가족과 함께 피란길에 오르지만 끊어진 한강 철교 때문에 집으로 돌아온다.

나 "피란 안 갔다고 야단맞지 않을까요?"

윤 씨가 걱정스럽게 묻는다. ㉡김씨 댁 아주머니의 얼굴도 잠시 흐려진다. 그러나 이내 쾌활한 목소리로,

"쌀 배급을 주는데 야단을 치려구요? 세상에 불쌍한 백성을 더 이상 어쩌겠어요?"

"그래도 댁은…… 우린 애아범이 그래 놔서…… 전에도 배급을 못 타 먹었는데."

"이 마당에서 그걸 누가 알겠어요? 어지간히 시달려 놔서 이젠 그렇게들 안 할 거예요."

둑길을 건너서 인도교 가까이 갔을 때 노량진 쪽에서 사람들이 몰려온다. 어느 구석에 끼여 있었던지 용케 죽지도 않고, 스무 명가량의 사람들이 떼 지어 간다. 김씨 댁 아주머니는,

"여보시오! 어디서 배급을 줍니까?" / 하고 물었으나 ㉢그들은 미친 듯 뛰어갈 뿐이다.

"여보, 여보시오! 어디서 배급을 줍니까?"

다시 물었으나 여전히 그들은 뛰어간다. 윤 씨와 김씨 댁 아주머니도 이제 더 이상 묻지 않고 그들을 따라 뛰어간다. 그들이 간 곳은 한강 모래밭이었다. 강의 얼음은 아직 풀리지 않았다. 그곳에는 여남은 명가량의 사람들이 몰려 있었다. 사실은 배급이 아니었다. 밤사이에 중공군과 인민군이 후퇴하면서 미처 날라 가지 못했던 **식량**이 여기저기 흩어져 있었던 것이다. 사람들은 **갈가마귀 떼**처럼 몰려들어 가마니를 열었다. 그리고 악을 쓰면서 자루에다 쌀과 수수를 집어넣는다. 쌀과 수수가 강변에 흩어진다. 사람들은 **굶주린 이리 떼**처럼 눈에 핏발이 서서 자루에 곡식을 넣어 짊어지고 일어섰다. 쌀자루를 짊어지고 강변을 따라 급히 도망쳐 가는 사나이들, 쌀자루에 쌀을 옮겨 넣는 아낙들, 필사적이다. ㉣그야말로 전쟁이다. 김씨 댁 아주머니와 윤 씨도 허겁지겁 달려들어 쌀을 퍼낸다. 그리고 떨리는 손으로 자루 끝을 여민 뒤 머리에 이고 일어섰다. 그 순간 하늘이 진동하고 땅이 꺼지는 듯 고함 소리, **총성**과 함께 윤 씨가 푹 쓰러진다. 윤 씨는 외마디소리를 지르며 쌀자루 위에 얼굴을 처박는다. 거무죽죽한 피가 모래밭에 스며든다. 〈중략〉

김씨 부인이, / "애기 엄마……." / 하고 소리쳐 부른다. 지영은 그냥 쫓아간다.

"큰일 나요! 큰일 나, 지금 가면 안 돼요! 애기를 어쩌려고 그러는 거요."

지영은 언덕길을 미끄러지는 듯 달려간다. 둑길을 넘었다. 강변에는 아무도 없었다. ㉤강물도 하늘도 강 건너 서울도 회색빛 속에 싸여 있었다. 지영은 윤 씨를 내려다본다.

쌀자루를 꼭 껴안고 있다. 쌀자루는 피에 젖어 거무죽죽하다. 지영은 윤 씨를 안아 일으킨다. 그리고 들쳐 업는다. 그는 한 발 한 발 힘을 주며 걸음을 옮긴다. 윤 씨를 업고 **벼랑**을 **기어오**른다. 아무것도 기억할 수가 없었다. 아무것도 보이지 않았다. 얼마나 오랜 시간이 흘렀는지 그는 둑길까지 나왔다. 둑길에서 저 멀리 과천으로 뻗은 길을 바라본다. 길은 외줄기…… 멀리멀리 뻗어 있다. 지영은 집으로 돌아왔다.

01 윗글의 서술상 특징으로 가장 적절한 것은?

① 시간의 역전을 통해 사건의 내막을 밝히고 있다.
② 말줄임표를 통해 인물의 성격 변화를 암시하고 있다.
③ 인물 간의 대화를 활용하여 갈등 해소의 단서를 제시하고 있다.
④ 현재형 시제를 사용하여 인물이 처한 긴박한 상황을 드러내고 있다.
⑤ 동시에 일어난 여러 사건을 병치하여 사건을 다각적으로 조명하고 있다.

02 윗글에 대한 이해로 가장 적절한 것은?

① 윤 씨는 합리적인 태도로 피란을 준비하고 있다.
② 김씨 댁 아주머니는 총에 맞아 도망을 가지 못했다.
③ 지영은 자신 몫의 쌀과 수수를 윤 씨에게 양보하였다.
④ 윤 씨가 식량을 얻기 위해 도착한 곳은 한강 모래밭이었다.
⑤ 김씨 댁 아주머니는 쌀 배급을 받지 못할까 봐 걱정하는 윤 씨를 타박하였다.

03 (나)의 상황을 설명하는 말로 가장 적절한 것은?

① 절치부심(切齒腐心) ② 토사구팽(兔死狗烹)
③ 일촉즉발(一觸卽發) ④ 기진맥진(氣盡脈盡)
⑤ 중구난방(衆口難防)

04 ㉠~㉤에 대한 이해로 적절하지 않은 것은?

① ㉠: 집에 돌아오지 못할 수도 있다는 사실에 대한 절망감이 드러난다.
② ㉡: 자신이 속마음이 간파당한 것에 대한 당혹스러움이 나타난다.
③ ㉢: 사람들이 타인을 챙길 여유가 없는 절박한 상황에 처해 있음을 알 수 있다.
④ ㉣: 곡식을 향해 사람들이 달려드는 처절한 모습을 전쟁에 비유하고 있다.
④ ㉤: 암울한 배경을 통해 인물이 처한 상황의 비극성을 강화한다.

기출 변형 2017학년도 수능

05 〈보기〉를 바탕으로 윗글을 감상한 내용으로 적절하지 않은 것은?

┌ 보기 ┐
「시장과 전장」에서는 한국 전쟁이 남긴 상흔을 직시하고 이에 좌절하지 않으려던 작가의 의지가, 이념 간의 갈등에 노출되고 생존을 위해 몸부림치는 인물을 통해 형상화되었다. 이 소설에서는 전장(戰場)을 재현하여 전쟁의 폭력에 노출된 개인의 연약함이 강조되었다.
전쟁의 폭력성과 관련해서 사람들이 죽는 장소가 군사들이 대치하는 전선만이 아니라는 점도 주목된다. 전쟁터란 전장과 후방, 가해자와 피해자가 구분되지 않는 혼돈의 현장이다. 이 혼돈 속에서 사람들은 고통받으면서도 생의 의지를 추구해야 한다는 점에서 전쟁은 비극성을 띤다.
└─────────┘

① '식량'을 얻으려다가 인물이 죽게 되는 것은 전장과 후방이 구분되지 않는 혼돈의 현장을 보여 주는 것이로군.
② '갈가마귀 떼'는 전쟁으로 인해 기본적인 존엄성마저 상실한 채 살아가는 사람들의 모습을 상기하게 하는군.
③ '굶주린 이리 떼'는 전쟁의 폭력에 노출된 사람들이 이웃의 죽음조차 외면하는 냉혹한 존재로 변해 버렸음을 드러내는군.
④ '총성'은 무고한 인물에게 가해지는 전쟁의 폭력성이 청각적으로 형상화된 소재로군.
⑤ '벼랑을 기어오'르는 행위는 전쟁 속에서 생존을 위해 몸부림치는 인물의 처지를 상징적으로 보여 주는군.

▶해법문학 Link
현대 소설 285쪽

병신과 머저리 | 이청준

키워드 체크 #액자식 구성 #전후 세대 #형과 동생의 갈등 #서로 다른 상처의 형상화

[앞부분 줄거리] 의사인 형은 6·25 전쟁에 참전한 상처를 가진 인물로, 병원 일을 중단하고 전쟁 중 낙오되었던 경험을 바탕으로 한 소설을 쓰기 시작한다. 형의 소설에는 형과 중사 오관모, 김 일병이 등장하는데, 오관모는 김 일병이 오른쪽 팔을 잃어 쓸모가 없어지자 그를 죽이려고 한다. '나'는 진전이 없이 멈춰져 있는 형의 소설에서 형이 김 일병을 죽이는 것으로 대신 결말을 맺는데, 형은 자신이 오관모를 죽이는 다른 결말을 낸다.

"넌 내가 소설을 불태우는 이유를 묻지 않는군……." / 너무나 정색을 한 목소리여서 형의 얼굴을 보려고 했으나 형의 손이 귀를 놓아 주지 않았다. / "그런데 너도 읽었겠지만, 거 내가 죽인 관모 놈 있지 않아. ⓐ오늘 밤 나 그놈을 만났단 말야."

그러고는 잠시 말을 끊고 나를 찬찬히 살펴보고 있었다. 그 눈은 술에 젖어 있었지만, 생각이 멀리 있는 것처럼 보이는 것은 결코 술 때문만은 아닌 것 같았다. 그러나 형은 이제 안심이라는 듯 큰 소리로,

"ⓑ그래 이건 쓸데없는 게 되어 버렸지…… 이 머저리 새끼야!"
하고는 나의 귀를 쭉 밀어 버렸다. / 다시 ⓒ원고지를 집어 사그라드는 불집에 집어넣었다.

"한데 이상하거든…… 새끼가 날 잘 알아보질 못한단 말이야…… 일부러 그런 것 같지도 않았는데……?" / 불을 보면서 형은 계속 중얼거렸다.

"내가 이제 놈을 아주 죽여 없었으니 내일부턴…… 일을 하리라고 생각하고 자리를 일어서서 홀을 나오려는데…… 그렇지, 바로 문에서 두 걸음쯤 남았을 때였어. 여어, **너 살아 있었구나** 하고 누가 등을 탁 치지 않나 말이야."

형은 나를 의식하고 이야기하는 것 같기도 하고 혼자 중얼거리는 것 같기도 했다.

"놀라 돌아보니 아 그게 관모 놈이 아니냔 말이야. 한데 놈이 그래 놓고는 또 영 시치밀 떼지 않아. 이거 미안하게 됐다구…… 두려워서 비실비실 물러나면서…… 내가 그사이 무서워진 걸까…… 하긴 놈은 내가 무섭기도 하겠지. 어쨌든 나는 유유히 문까지 걸어 나왔어. 그러나…… 문을 나서서는 도망을 쳤지…… 놈이 살아 있는데 이런 게 이제 무슨 소용이냔 말이야." / 형은 나머지 원고 뭉치를 마저 불집에 집어넣고 나서 힐끗 나를 보았다.

"이 **참새가슴** 같은 것, 뭘 듣고 있어. **썩 네 굴로 꺼져!**"
소리를 꽥 지르는 통에 나는 방으로 쫓겨 들어오고 말았다.

비로소 몸 전체가 까지는 듯한 아픔이 전해 왔다. 그것은 아마 ㉠형의 아픔이었을 것이다. 형은 그 아픔 속에서 이를 물고 살아왔다. 그는 그 아픔이 오는 곳을 알고 있는 것이다. 그리하여 그것은 견딜 수 있었고, 그것을 견디는 힘은 오히려 형을 살아 있게 했고 자기를 주장할 수 있게 했다. 그러던 형의 내부는 **검고 무거운 것**에 부딪혀 지금 산산조각이 나고 있었다.

그렇다고 해도 이제 형은 곧 일을 시작하게 될 것이다. 형은 ⓓ자기를 솔직하게 시인할 용기를 가지고, 마지막에는 **관모의 출현**이 착각이든 아니든, 사실로서 오는 것에 보다 순종하여, ⓔ관념을 파괴해 버릴 수 있는 힘이 있었다. 무엇보다도 형은 그 아픈 곳을 알고 있었으니까. 어쨌든 형을 지금까지 지켜 온 그 아픈 관념의 성은 무너지고 말았지만, 그만한 용기는 계속해서 형에게 *메스를 휘두르게 할 것이다. 그것은 **무서운 창조력**일 수도 있었다. / 그러나 ― / 나는 **멍하니 드러누워 생각을 모으려고 애를 썼다.**

ⓛ나의 아픔은 어디서 온 것인가. 혜인의 말처럼 형은 6·25의 *전상자이지만, 아픔만이 있고 그 아픔이 오는 곳이 없는 나의 *환부는 어디인가. 혜인은 아픔이 오는 곳이 없으면 아픔도 없어야 할 것처럼 말했지만, 그렇다면 지금 나는 엄살을 부리고 있다는 것인가.

나의 일은, 그 나의 화폭은 깨진 거울처럼 산산조각이 나 있었다. 그것을 다시 시작하기 위하여 나는 지금까지보다 더 많은 시간을 망설이며 허비해야 하는지도 모른다.

어쩌면 그것은 나의 힘으로는 영영 찾아내지 못하고 말 얼굴일지도 몰랐다. 나의 아픔 가운데에는 형에게서처럼 **명료한 얼굴**이 없었다.

● **전상자** 전쟁터에서 적과 싸우다 상처를 입은 사람.
● **환부** 병이나 상처가 난 자리.

01 윗글에 대한 설명으로 가장 적절한 것은?

① 묘사를 통해 인물 간의 갈등의 원인을 드러내고 있다.
② 특정 어미를 반복하여 인물의 절박함을 강조하고 있다.
③ 내적 독백을 통해 다른 인물에 대한 판단을 제시하고 있다.
④ 내부 이야기와 외부 이야기를 빈번하게 교차하여 사건의 사실성을 강화하고 있다.
⑤ 시간과 공간이 지닌 상징성을 결합하여 공간적 배경이 지닌 의미를 강화하고 있다.

02 윗글에 대한 이해로 적절하지 않은 것은?

① 오관모가 '너 살아 있었구나'라고 말하며 등을 쳤다는 형의 말을 통해 형이 쓴 소설의 결말이 허구라는 것을 알 수 있다.
② 형이 나를 '참새가슴'이라고 비하하며 '썩 네 굴로 꺼'지라고 하는 데서 형이 현실의 문제에 직면하지 못하는 '나'의 소극적 태도를 못마땅하게 여김을 알 수 있다.
③ '검고 무거운 것'은 형이 더 이상의 아픔을 견딜 수 없을 정도로 회복이 불가능한 상태가 되었음을 알리는 기능을 한다.
④ '나'는 형이 더 이상 '관모의 출현'의 사실 여부에 구애받지 않을 것이라고 생각하고 있다.
⑤ '멍하니 드러누워 생각을 모으려고 애'를 쓰는 '나'의 모습에서 '나'가 자신의 아픔의 원인에 대한 상념에 잠겼음을 알 수 있다.

03 ㉠, ㉡에 대한 설명으로 가장 적절한 것은?

① ㉠은 ㉡과 달리 '환부'가 명확하게 드러난다.
② ㉠은 ㉡과 달리 추상적 경험에서 비롯되었다.
③ ㉡은 ㉠과 달리 '명료한 얼굴'을 찾아볼 수 있다.
④ ㉡은 ㉠과 달리 주변 인물을 통해 극복할 수 있다.
⑤ ㉠과 ㉡ 모두 '무서운 창조력'으로부터 시작되었으며 치유가 가능하다.

04 ⓐ~ⓔ을 이해한 내용으로 적절하지 않은 것은?

① 형은 ⓐ의 결과로 ⓑ라는 결론에 이르렀고 이것이 ⓒ의 행위로 이어지는군.
② 형이 ⓑ를 깨달았다는 것은 형에게 ⓔ가 있다는 것을 드러내 주는군.
③ 형이 ⓒ의 행위를 할 수 있었던 것은 형이 ⓓ를 통해 자신의 비겁한 모습이 아직도 남아 있음을 인정했기 때문으로 볼 수 있겠군.
④ '나'는 형이 ⓓ를 갖고 있기 때문에 일상으로 돌아갈 수 있으리라고 판단하였군.
⑤ '나'는 형과 달리 ⓔ를 거부하고 있으며 이는 곧 관념적 현실에 대한 두려움을 나타내는군.

고난도

05 〈보기〉를 바탕으로 소설에 대해 이해한 내용으로 가장 적절한 것은?

> 보기
>
> 윗글은 6·25 전쟁의 상처를 간직한 형의 아픔과 그 극복 과정에 초점이 맞추어져 있는 작품이다. 형은 전쟁이라는 극한 상황 속에서 비인간성을 체험하면서 부정적 힘에 제대로 맞서지 못했던 자신에게 환멸을 느끼며 그 상처를 극복하고자 애쓴다.

① '형'에게 소설이란 현실의 부조리에 맞서지 못했던 과거의 잘못을 합리화하는 수단으로 볼 수 있겠군.
② '형'은 소설만으로는 현실에 내재된 부정적 요소를 없앨 수 없음을 깨닫고 소설에서 '관모 놈'을 죽이는군.
③ '형'이 '관모 놈'을 죽였던 사실을 고백하는 내용의 소설을 쓴 것은 과거의 경험으로 인해 갖게 된 상처를 극복하는 계기가 될 수 있겠군.
④ '형'이 '관모 놈'을 소설 속에서 죽인 것은 전쟁 상황에서 지닐 수밖에 없었던 비인간성에서 여전히 벗어나지 못한 모습을 보여 준다고 할 수 있겠군.
⑤ '형'은 소설 속의 자신을 과거 자신의 모습과 달리 현실의 비정함에 맞서는 인물로 그림으로써 스스로에게 느끼는 환멸을 극복하려는 시도를 하고 있군.

「병신과 머저리」, "나의 아픔 가운데에는 형에게서처럼 명료한 얼굴이 없었다."

작품 만중 Pick

토지 | 박경리

▶해법문학 Link
현대 소설 188쪽

키워드 체크 #최장편 대하소설 #사실적 #당대 민중들의 삶 형상화 #근대사에 대한 역사의식

핵심 포인트

조준구 내외와 서희의 갈등

조준구, 홍씨	↔	서희
최 참판댁의 재산을 빼앗음.		적개심을 가지고 복수할 것을 다짐함.

전체 줄거리

제1부	구한말, 평사리에서 지주인 최치수가 살해되고, 조준구는 최 참판 집안의 재산을 탈취함. → 수록 부분 ㉮, ㉯
제2부	조준구에게 집안의 재산을 모두 빼앗긴 서희는 가문을 되찾으려는 일념을 가지고 간도로 이주하고, 길상의 도움으로 토지 거래를 통해 큰 재산을 모음.
제3부	귀향 후 진주에 정착한 서희는 조준구에게 빼앗긴 재산과 토지 문서를 되찾고, 서희의 남편이 된 길상은 독립운동을 하다가 투옥됨.
제4부	3·1 운동이 일어나자 서희의 아들인 환국과 윤국은 자신들의 풍족한 처지와 현실 사이에서 갈등하고, 윤국은 시위에 참가하였다가 정학 처분을 받음.
제5부	출옥한 길상은 암자에서 탱화를 그리고 사상범으로 재투옥되고, 일본의 히로시마에 원자 폭탄이 투하되어 조선의 해방이 멀지 않은 가운데 서희는 가족들을 데리고 서울로 올라갈 것을 결심함.

기출 OX

Q1 윗글은 의식의 흐름 기법을 활용하여 인물의 내적 욕망을 드러내고 있다.
기출 2017. 4. 고3 O X

Q2 홍씨는 자신을 습격했던 무리를 '화적놈'이라고 부르며 서희가 그들과 공모했다고 몰아가고 있다.
기출 2020. 6. 모평 O X

● **권솔** 한집에 거느리고 사는 식구.
● **상청** 죽은 사람의 영궤와 그에 딸린 모든 것을 차려 놓는 곳인 궤연을 속되게 이르는 말.
● **상식** 상가(喪家)에서 아침저녁으로 궤연 앞에 올리는 음식.
● **고방** 세간이나 그 밖의 여러 가지 물건을 넣어 두는 곳.
● **화적** 떼를 지어 돌아다니며 재물을 마구 빼앗는 사람들의 무리.

답 Q1 X Q2 O

[앞부분 줄거리] 서희의 아버지인 최치수와 서희의 할머니인 윤씨 부인이 죽은 후, 먼 친척뻘인 조준구는 부인 홍씨를 데리고 최 참판댁으로 이사를 온다. 이후 그들은 서희가 물려받아야 할 최 참판댁의 재산을 가로채고, 하인 삼수를 내세워 마을 사람들을 착취한다.

㉮ ㉠수시로 듣는 얘기였다. 봉순이만 하는 말도 아니었다. 그런 비슷한 말을 길상이도 하고 수동이는 더더군다나 머릿속에 못이라도 박아넣듯이 아무리 사소한 일이라도 서희 귀에 넣어서 적개심을 풀지 못하게 하였다. 조준구 내외와 그에게 추종하는 무리들은 말할 것도 없고 심지어 마음속으로는 서희에 대한 동정에 가득 차 있는 삼월이나 복이까지 싸잡아서, 그러니까 자신과 길상이 봉순이를 빼놓은 나머지는 모조리 원수로 알아야 할 것이며, 일각일순인들 마음을 놓아서는 안 된다는 것이며 조씨네 *권솔은 최 참판댁 살림을 들어먹으려는 도둑놈들이요 집안의 노비들과 마을의 농사꾼들 대부분은 은혜를 모르는 배신자로서 후일 반드시 벼락을 내려야 한다는 것이며 애기씨는 도둑놈들과 배신자들을 결코 잊어서는 안 되고 용서해도 안 되고 항상 깊이 명심해야 할 것이며, 할머님의 기상을 본받아야 할 것이며 어서어서 자라야 한다는 것이다. 〈중략〉

'어디 두고보아라. 내 나이 어리다고, ㉡내 처지가 적막강산이라고, 지금은 나를 얕잡아보지만 어디 두고보아라.'

그런 앙심은 이미 아이가 가지는 성질의 것은 아니었다. 그것을 두려워하는 사람은 역시 조준구다. 아침이면 봉순이를 거느리고 서희는 윤씨 부인 *상청에 나가 *상식을 올리고 곡을 하는데 조준구는 그 곡소리가 질색이었다. 〈중략〉 날로 새롭게 날로 결심을 굳히는 듯, ㉢곡성을 들을 때마다 조준구는 한기를 느끼곤 했다.

[중간 부분 줄거리] 윤보 일행이 의병 자금 마련을 위해 최 참판댁을 습격하자, 조준구와 홍씨는 삼수의 도움으로 목숨은 부지하지만, 윤보 일행에게 재산을 탈취당한다.

㉯ ⓐ안방으로 달려간 홍씨는 홍씨대로 울부짖는다. 아무리 뒤져 보아야 목숨만큼이나 아끼던 그 많은 패물은 간 곳이 없다. 서울 육의전에서 바리바리 사다 나른 숱한 청나라 비단, 은전 한 푼 남아 있는 게 없다. ⓑ눈꼬리를 치키고 뚱뚱한 작은 몸을 솟구쳐가며 *고방으로 달려간 홍씨, ⓒ그곳인들 무엇이 남아 있겠는가. 울부짖고 악담하고 금세 목이 잠긴다. 〈중략〉

"서희 이, 이년! 썩 나오지 못할까!"

나오길 기다릴 홍씨는 아니다. 방문을 박차고 들어가서 서희를 끌어 일으킨다.

"㉣네년 소행인 줄 뉘 모를 줄 알았더냐? 자아! 내 왔다! 이제 죽여보아라! *화적놈 불러들일 것 없이!" / 나오지 않는 목청을 뽑으며, 거품이 입가에 묻어 나온다.

"자아! 자아! 못 죽이겠니?" / 손이 뺨 위로 날았다. 앞가슴을 잡고 와락와락 흔들어댄다. 서희 얼굴이 흙빛으로 변한다. 울고 있던 봉순이, / "왜 이러시요!"

달겨들어 서희 몸을 잡아당기니 실 뜯어지는 소리와 함께 홍씨 손에 옷고름이 남는다.

"감히 누굴! 감히!" / 하다가 별안간 방에서 뛰쳐나간다. 맨발로 연못을 향해 몸을 날린다. 서희는 죽을 생각을 했던 것이다. / "애기씨!" / 울부짖으며 봉순이 뒤쫓아간다.

"죽어라! 죽어! 잘 생각했어! 어차피 너는 산 목숨은 아니란 말이야! 죽고 남지 못할 거

란 말이야!" / ⓓ고래고래 소리를 지른다. 서희는 연못가에서 걸음을 뚝 멈춘다. 돌아본다. 흙빛 얼굴에 웃음이 지나간다. / "내가 왜 죽지? 누구 좋아하라고 죽는단 말이냐?"

ⓔ나직한 음성이다. 홍씨 눈을 똑바로 주시한다.

㉢"사람 영악한 것은 범보다 더 무섭다는 말 못 들으셨소?"

여전히 나직한 음성이다.

"무서우면 어떻게 무서워! 우리 내외한테 •비상을 먹이겠다 그 말이냐?"

아이고! 아이고! 눈물도 안 나오는 헛울음을 울더니 이번에는 봉순에게 달겨들어 머리 끄덩이를 꺼두르고 한 소동을 피운다.

• 비상 비석(砒石)에 열을 가하여 승화시켜서 만든 결정체. 독성이 있음.

---

01 (가)에 드러난 서술상 특징으로 가장 적절한 것은?

① 독백적 어조로 현실과 단절된 의식 상태를 표현하고 있다.
② 작품 밖 서술자를 통해 인물의 내면 심리를 제시하고 있다.
③ 작품 속 서술자가 다른 인물들의 심리를 엿보며 추측하고 있다.
④ 서술자가 주인공으로 등장하여 자신의 경험을 이야기하고 있다.
⑤ 서술자가 직접 개입하여 인물의 내적 갈등이 해소되는 과정을 서술하고 있다.

02 윗글의 내용과 일치하는 것은?

① 수동이는 서희에게 봉순이에 대한 경계심을 풀지 말 것을 당부하였다.
② 서희의 측근들은 서희가 윤씨 부인의 모습을 닮아 자라기를 원하였다.
③ 조준구 내외는 윤보 일행의 습격을 미리 알고 강경하게 대응하여 물리쳤다.
④ 길상과 수동이는 특정 인물에 대해 서로 상반된 평가가 담긴 말을 서희에게 수시로 하였다.
⑤ 봉순이는 서희 몰래 윤씨 부인의 상청에 나가 곡을 올리며 어머니에 대한 그리움을 드러냈다.

03 ㉠~㉢에 대한 이해로 적절하지 <u>않은</u> 것은?

① ㉠: 서희는 그의 측근에게 조준구 무리에 대한 적개심을 드러내는 이야기를 자주 들었다.
② ㉡: 서희와 서희의 측근이 조준구와 조준구의 측근보다 세력이 약하다는 것을 의미한다.
③ ㉢: 조준구는 서희가 아침마다 하는 행동에 대해 두려움을 느끼고 있다.
④ ㉣: 홍씨는 서희가 어젯밤 습격을 대비하지 못했다는 점을 이유로 들어 서희에게 책임을 묻고 있다.
⑤ ㉤: 서희는 홍씨에게 자신의 영악함이 범보다 무섭다고 경고하고 있다.

04 ⓐ~ⓔ 중, 〈보기〉의 선생님의 설명에 해당하는 것은?

┌─ 보기 ───────────────────────
선생님: 이 소설에는 상황에 대한 정보를 압축적으로 요약하는 수준을 넘어서서 서술자의 판단을 드러내는 부분이 있습니다. 예를 들어 아래와 같은 부분이지요.
 ⑩ 숨소리를 죽이며, 그래서 가냘픈 가슴이 더 뛰고 양어깨로 숨을 쉴 수밖에 없었는데 움직이지 못한다는 것은 어린것에게 얼마나 큰 고통인가.
└─────────────────────────────

① ⓐ　　② ⓑ　　③ ⓒ　　④ ⓓ　　⑤ ⓔ

고난도 | 기출 | 변형 2020학년도 6월 모의평가

05 〈보기〉를 바탕으로 윗글을 감상한 내용으로 적절하지 <u>않은</u> 것은?

┌─ 보기 ───────────────────────
「토지」는 개화기부터 해방 무렵까지 우리 민족의 수난과 저항의 역사를 다루고 있다. 근대 이전까지 비교적 안정적이었던 신분 질서와 사회적 관계는 이 시기를 거치며 큰 변화를 겪는데, 「토지」에서는 몰락한 양반층, 친일 세력, 저항 세력, 기회주의자 등 다양한 인물들이 때로 협력하고 때로 대립하면서 복잡한 관계망을 형성한다.
└─────────────────────────────

① 수동이가 서희를 동정하는 삼월이를 원수로 알아야 할 것이라고 주장하는 것으로 보아, 수동이는 서희에게 삼월이와의 협력 관계를 거부하기를 요구하고 있군.
② 아이가 가지는 성질이 아닌 정도의 앙심을 품고 있는 서희의 태도를 보아, 서희는 최 참판댁의 재산을 사이에 둔 조준구와의 대립 관계에서 그를 이기고 싶어 하는군.
③ 윤보 일행이 의병 자금을 마련하기 위해 최 참판댁을 습격했다는 점에서, 윤보 일행으로 대표되는 저항 세력과 조준구 내외는 대립적인 관계망을 형성하는군.
④ 봉순이가 달려들어 서희의 몸을 잡아당기는 것으로 보아, 이전까지 비교적 안정적이었던 신분 질서가 흔들리며 봉순이와 서희의 협력 관계가 약화되고 있군.
⑤ 홍씨의 모욕에 죽을 생각을 했던 서희가 홍씨의 눈을 똑바로 주시한 것으로 보아, 홍씨와 서희는 대립 관계를 이어 가겠군.

『토지』 "어디 두고보아라, 내 나이 어리다고, 내 처지가 적막강산이라고, 지금은 나를 얕잡아보지만 어디 두고보아라." 작품 연결 Pick

▶해법문학 Link
현대 소설 196쪽

삼포 가는 길 | 황석영

키워드 체크 #여로형 소설 #근대화와 산업화의 흐름 #하층민의 애환 #인간적 유대감 #고향 상실의 아픔

[앞부분 줄거리] 떠돌이 노동자인 영달은 고향인 삼포로 향하는 정 씨를 우연히 만나게 된다. 이들은 삼포로 가는 기차를 타기 위해 감천으로 향하던 중 술집에서 도망친 백화를 만나고, 백화에게 측은함을 느껴 동행한다. 그들은 폐가에 들어가 불을 피워 몸을 녹이며 각자의 사연을 들은 후 눈 쌓인 길을 함께 걷는다.

㉠사방이 어두워지자 그들도 얘기를 그쳤다. 어디에나 눈이 덮여 있어서 길을 잘 분간할 수가 없었다. 뒤에 처졌던 백화가 눈 덮인 길의 고랑에 빠져 버렸다. 발이라도 삐었는지 백화는 꼼짝 못 하고 주저앉아 신음을 했다. ⓐ영달이가 달려들어 싫다고 뿌리치는 백화를 업었다. 백화는 영달이의 등에 업히면서 말했다.

"무겁죠?" / 영달이는 대꾸하지 않았다. 백화는 어린애처럼 가벼웠다. 〈중략〉

ⓑ그들은 일곱 시쯤에 감천 읍내에 도착했다. 마침 장이 섰었는지 ˚파장된 뒤인데도 읍내 중앙은 흥청대고 있었다. 전 부치는 냄새, 고기 굽는 냄새, 곰국 냄새가 풍겨 왔다. 영달이는 이제 백화를 옆에서 부축하고 있었다. 발을 디딜 때마다 여자가 얼굴을 찡그렸다. 정 씨가 백화에게 물었다. / "어느 방향이오?" / "전라선이에요."

"나는 호남선 쪽인데. 여비는 있소?" / "군용차를 사정해서 타고 가면 돼요."

그들은 장터 모퉁이에서 아직도 따뜻한 온기가 남아 있는 팥 시루떡을 사 먹었다. ⓒ백화가 자기 몫에서 절반을 떼어 영달에게 내밀었다. 〈중략〉

정 씨는 대합실 나무 의자에 피곤하게 기대어 앉은 백화 쪽을 힐끗 보고 나서 말했다.

"같이 가시지. 내 보기엔 좋은 여자 같군." / "그런 거 같아요."

"또 알우? 인연이 닿아서 말뚝 박구 살게 될지. 이런 때 아주 ˚뜨내기 신셀 청산해야지."

영달이는 시무룩해져서 역사 밖을 멍하니 내다보았다. 백화는 뭔가 쑤군대고 있는 두 사내를 불안한 듯이 지켜보고 있었다. 영달이가 말했다.

"어디 능력이 있어야죠." / "삼포엘 같이 가실라우?" / "어쨌든 ……."

영달이가 뒷주머니에서 꼬깃꼬깃한 오백 원짜리 두 장을 꺼냈다. / "저 여잘 보냅시다."

영달이는 표를 사고 삼립 빵 두 개와 찐 달걀을 샀다. 백화에게 그는 말했다.

"우린 뒤차를 탈 텐데……. 잘 가슈." / 영달이가 내민 것들을 받아 쥔 백화의 눈이 붉게 충혈되었다. 그 여자는 더듬거리며 물었다.

"아무도…… 안 가나요?" / "우린 삼포루 갑니다. 거긴 내 고향이오."

영달이 대신 정 씨가 말했다. 사람들이 개찰구로 나가고 있었다. 백화가 보퉁이를 들고 일어섰다. / "정말, 잊어버리지…… 않을게요."

백화는 개찰구로 가다가 다시 돌아왔다. ⓓ돌아온 백화는 눈이 젖은 채로 웃고 있었다.

Ⓐ"내 이름 백화가 아니에요. 본명은요……. 이점례예요."

"삼포에서요? 거 어디 공사 벌릴 데나 됩니까? 고작해야 고기잡이나 하구 감자나 매는데요." / "어허! 몇 년 만에 가는 거요?" / "십 년." / 노인은 그렇겠다며 고개를 끄덕였다.

"말두 말우, 거긴 지금 육지야. 바다에 ˚방둑을 쌓아 놓구, 추럭이 수십 대씩 돌을 실어 나른다구."

"뭣 땜에요?" / "낸들 아나. 뭐 관광호텔을 여러 채 짓는담서, 복잡하기가 말할 수 없데."

"동네는 그대루 있을까요?"

전체 줄거리

발단	영달은 공사가 중단되자 밀린 밥값을 떼어먹고 도망치다가, 고향인 삼포를 찾아가는 정 씨와 동행하게 됨.
전개	두 사람은 도망친 술집 작부 백화를 잡아 오면 만 원을 주겠다는 술집 주인의 제안을 받은 후, 삼포로 가는 기차를 타려고 감천으로 향하던 중 백화를 만나게 되어 그녀의 사연을 듣고, 그녀에게 동질감과 동정심을 갖게 됨.
절정	영달에게 호감을 갖게 된 백화는 기차역에서 자신의 고향으로 갈 것을 제안하지만, 영달은 거절하고 기차표와 먹을거리를 사 주며 그녀를 보냄. ⋯ 수록 부분 ㉮
결말	정 씨와 영달은 대합실에서 한 노인에게 삼포가 공사판으로 변했다는 이야기를 듣고, 정 씨는 고향을 잃었다는 생각에 실망함. ⋯ 수록 부분 ㉯

기출 OX

01 윗글은 인물들의 대화를 통해 갈등을 부각시키고 있다. 기출 2012. 6. 고2 ◯ Ｘ

02 '삼립 빵 두 개와 찐 달걀'은 백화에 대한 영달의 따뜻한 마음을 알 수 있는 소재이다. 기출 2014. 3. 고3 A ◯ Ｘ

● 파장된 과장(科場), 백일장, 시장(市場) 따위가 끝나게 된.
● 뜨내기 일정한 거처가 없이 떠돌아다니는 사람.
● 방둑 방죽. 물이 밀려들어 오는 것을 막기 위하여 쌓은 둑.

답 01 Ｘ 02 ◯

"그대루가 뭐요. 맨 천지에 공사판 사람들에 다 장까지 들어섰는걸."

"그럼 **나룻배두 없어졌겠네요.**" / "바다 위로 신작로가 났는데, 나룻배는 뭐에 쓰오. 허허, 사람이 많아지니 °변고지. 사람이 많아지면 하늘을 잊는 법이거든."

ⓔ작정하고 벼르다가 찾아가는 고향이었으나, 정 씨에게는 풍문마저 낯설었다. 옆에서 잠자코 듣고 있던 영달이가 말했다. / "잘됐군. 우리 거기서 공사판 일이나 잡읍시다."

그때에 기차가 도착했다. 정 씨는 발걸음이 내키질 않았다. 그는 마음의 **정처를 방금 잃어버렸**던 때문이었다. 어느 결에 정 씨는 영달이와 똑같은 입장이 되어 버렸다.

ⓛ기차는 눈발이 날리는 어두운 들판을 향해서 달려갔다.

• 변고 갑작스러운 재앙이나 사고.

---

01 ㉠, ㉡에 대한 설명으로 가장 적절한 것은?

① ㉠과 ㉡은 모두 공간의 변화를 나타낸다.

② ㉠과 ㉡은 모두 새로운 사건의 발생을 예고한다.

③ ㉠은 서정적이고 낭만적인 분위기를, ㉡은 차갑고 쓸쓸한 분위기를 조성한다.

④ ㉠은 인물 간의 갈등이 심화되고 있음을, ㉡은 갈등이 해소되었음을 알려 준다.

⑤ ㉠은 인물의 고단한 현재의 삶을 상징하며, ㉡은 그러한 삶이 지속될 수 있음을 암시한다.

고난도 기출 변형 2014학년도 3월 고3 학력평가

02 〈보기〉를 바탕으로 윗글을 감상한 내용으로 적절하지 <u>않은</u> 것은?

┌ 보기 ┐

길은 인생의 행로로, 걷는 이들의 삶을 드러낸다. 이 작품에는 떠돌이의 삶을 살아가는 이들이 길 위에서 만나 동행하는 과정을 보여 주는데, 동행은 일시적이지만 이 과정에서 인물들은 낯선 타인의 관계에서 벗어나 유대감과 온정을 느끼게 된다.

└─────────

① '폐가'는 불가에 다가앉아 온기를 느끼는 일시적인 쉼터의 기능을 하고 있군.

② '읍내'의 흥청대는 분위기는 힘겹게 길을 걸어온 인물들의 상황과 대비를 이룬다고 할 수 있군.

③ '장터'에서 산 따뜻한 팥 시루떡을 나누는 모습에서 인물들 사이의 유대감을 느낄 수 있군.

④ '대합실'은 동행을 마친 인물들의 고달픈 삶의 여정이 계속될 것임을 암시하는 공간이겠군.

⑤ '역사'는 백화가 고향으로 가면서 세 인물의 동행이 끝나는 공간이라고 할 수 있군.

---

03 ⒜에 대한 설명으로 가장 적절한 것은?

① 관계의 단절을 두려워하는 마음이 담겨 있다.

② 마음의 상처가 완전히 치유되었음을 의미한다.

③ 과거의 삶과 단절하고자 하는 의지가 담겨 있다.

④ 서로에 대한 이해와 교감이 이루어졌음을 보여 준다.

⑤ 상대가 느끼는 부담을 털어 주려는 배려심을 드러낸다.

기출 변형 2012학년도 6월 고2 학력평가

04 ⓐ~ⓔ 중, 〈보기〉의 밑줄 친 부분에 해당하는 것은?

┌ 보기 ┐

소설에서 화자는 사건을 전달하는 자이고, 초점 화자는 사건을 바라보는 자를 뜻한다. 황석영의 「삼포 가는 길」에서는 초점 화자가 인물과 긴밀한 관계를 맺은 상태에서 그 인물의 감정을 그대로 들려주는 부분이 나타난다. 즉, 사건을 전달하는 화자의 목소리에 초점 화자의 눈길을 삽입시켜 인물의 내면을 제시하기도 하는 것이다.

└─────────

① ⓐ   ② ⓑ   ③ ⓒ   ④ ⓓ   ⑤ ⓔ

---

05 〈보기〉를 참고하여 윗글을 이해한 내용으로 적절한 것은?

┌ 보기 ┐

고향은 단순히 태어나고 자란 물리적 공간만을 가리키지 않는다. 과거의 기억이나 추억을 간직한 공간이자, 현재의 힘든 삶을 위로하고 잠시나마 그로부터 벗어나게 해 주는 정신적인 안식처이다.

└─────────

① 영달이 '삼포엘 같이 가'자는 정 씨의 제안을 따른 것은 영달이 삼포를 마음의 안식처라고 생각했기 때문이군.

② 정 씨가 '정처를 방금 잃어버렸'다고 느낀 것은 그가 물리적 공간으로서의 고향을 잃어버렸다는 것을 의미하는군.

③ 정 씨가 노인에게 '나룻배두 없어졌'는지를 묻는 것은 그가 삼포를 현재 삶의 문제를 해결하는 방편으로 여기고 있음을 보여 주는군.

④ 정 씨가 '고기잡이나 하구 감자나 매'던 삼포의 모습이 사라졌다는 소식에 실망한 것은 그가 고향을 추억이 깃든 장소로 여기기 때문이군.

⑤ 삼포에 '관광호텔을 여러 채 짓'는 공사가 벌어지는 이유는 사람들이 고향에서 현재의 삶에 대한 정신적인 위로를 느끼고 싶어 하기 때문이군.

▶출제 예감!

자서전들 쓰십시다 | 이청준

키워드 체크 #비판적 #삶에 대한 반성과 참회 #자서전의 허상 #참된 글쓰기의 의미

[앞부분 줄거리] 자서전 대필 작가인 지욱은 자신의 과거를 미화하려는 인물인 피문오 씨의 자서전 대필 작업을 중단하고, 이와 다른 인물일 것이라고 기대하며 최상윤 선생을 만나러 간다.

가 지욱은 차츰 선생의 그런 신념이 두려워지기 시작했다. 지욱의 이해와 능력으로는 감당할 수 없는 어떤 ⓐ무거운 압박감이 그를 못 견디게 짓눌러 왔다. 믿음이 논리를 초월할 수도 있다고는 했지만 그러나 논리적인 이해가 불가능한 신념은 ⓑ맹목적인 아집에 그칠 위험성이 있었다. 뿐만 아니라 그 자신감이 넘치고 있는 선생의 신념은 털끝만큼 한 자기 회의마저 용납을 하지 않고 있었다. 회의가 없는 신념은 맹목적인 자기 독단에 흐를 위험 또한 큰 것이었다. 그리고 무엇보다도 그것은 지욱이 그에게 소망해 온 어떤 감동적인 자서전적 인물상으로는 치명적인 결함일 수 있었다. 회의가 없는 자서전이야말로 영락없이 한 거인의 동상에 불과할 뿐이었다. 지욱이 최상윤의 신념을 두려워한 것은 그 자신 ㉠최상윤 선생에게서와 같은 어떤 ⓒ의식의 경화 현상을 싫어해 온 성격 이외에도, 그와 같은 위험성을 어슴푸레 느끼고 있었기 때문이다. 하나 그보다도 지욱이 더더욱 그 선생의 신념을 두려워한 것은 그의 너무나도 일사불란한 언동이나 생활 방식에서 오히려 어떤 씻을 수 없는 가식의 냄새를 맡고 있었기 때문이다.

나 "이거 아무리 ⓓ맘에 없는 웃음을 팔아먹고 사는 무식쟁이라고 누구한테 지금 설교를 하려는 거야 뭐야, 건방지게. 그래 내가 지금 당신 같은 위인의 신세 하소연이나 듣자고 이런 델 찾아온 줄 알아? 그렇게 내가 한가한 사람으로 보이느냐 말야. 왜 내 일을 안 하겠다는 건지 그걸 말해 보라는 거야. 이유를……" / "아니, 그런 게 아니라……"

갑자기 반말 투로 윽박질러 오는 ㉡피문오 씨의 어조에 지욱은 새삼 가슴이 내려앉는 표정이었으나, 이미 본색을 드러내기 시작한 피문오 씨의 행패는 걷잡을 수가 없을 지경이었다.

"그게 아니라니? 아니 이거 당신 정말 이런 식으로 날 바보 취급하고 나설 테야? 당신 눈엔 정말로 내가 그렇게 얼렁뚱땅 되잖은 소리로도 그냥 넘어갈 것 같아 보인 모양이지? 그래, 뭐가 어째? 내 일을 하지 않게 된 게 내 탓이 아니구 당신의 그 알량한 양심 때문이라구? 내가 그래 그 ⓔ알량한 당신의 양심에 들러리라도 서야 한다는 거야 뭐야." 〈중략〉

이런 자의 자서전 따윌 대필하려 했다니! 최상윤 선생과 같은 분에게조차 내 주관을 굽힐 수 없었던 이 지욱이 아닌가. 이런 자의 책을 쓰면서 그의 밑구멍을 핥느니 차라리 선생의 발밑에라도 나가 엎드려 선생의 신념을 찬미함이 낫지 않으냐. 참자! 작자의 일을 피하자면 이쯤 굴욕은 즐거이 참아 넘기자. 참아서 넘겨야 한다 —

하지만 피문오 씨는 그 정도로는 물론 분통이 풀릴 수가 없는 모양이었다.

"어디 선생! 말씀을 좀 해 보시라구. 아니 글에서는 그처럼 잘난 체 말이 많더니, 제 잘난 소리나 시부렁거릴 줄 알았지 선생도 남의 말을 알아듣는 덴 귀가 꽉 멀어 버리셨나. 왜 통 대답이 없으셔? 그렇담 내가 좀 더 수고를 해 주실까? 어째서 내 일을 하지 않게 되었느냐, 내 일을 하기가 싫어졌느냐…… 그 이율 좀 더 솔직하게 말해 달라 이거야. 이 무식한 놈도 좀 분명하게 알아듣고 납득이 가게끔 말씀이야. 알아들어? 그래도 못 알아들으시겠다면 내 좀 더 똑똑히 말을 해 줄까?"

묵묵히 입을 다물고 있는 지욱을 마음 내키는 대로 매도해대다 말고 피문오 씨는 무슨 생각을 해 냈는지 갑자기 목을 잔뜩 가다듬었다. 그리고는 청승맞도록 능청스런 목소리로 허공을 향해 외쳐 대기 시작했다.

[A] ┌ "고장 난 시계나 라디오들 고칩시다아 — 채권 삽니다아 — 부서진 우산이나 빈 병 삽
    └ 니다아 — 자서전이나 회고록들 쓰십시다아 —"

고저단속(高低斷續)을 적당히 조화시켜 가며 길게 외쳐 대고 난 피문오 씨가 이젠 좀 알아듣겠냐는 듯 여유만만한 표정으로 지욱을 이윽히 건너다보았다.

01 윗글의 서술상 특징으로 가장 적절한 것은?

① 회상을 통해 작품의 우화적 성격을 드러내고 있다.
② 외양 묘사를 통해 인물의 성격을 구체화하고 있다.
③ 의문 형식을 활용하여 서술자의 신념을 강조하고 있다.
④ 잦은 장면 전환을 통해 사건 전개에 속도감을 부여하고 있다.
⑤ 서술자가 특정 인물의 시각에 초점을 맞추어 사건을 서술하고 있다.

기출 변형 2020학년도 9월 모의평가

02 [A]에 대한 설명으로 적절하지 않은 것은?

① 피문오가 지욱의 기분을 상하게 하기 위한 목적으로 한 말이다.
② 피문오는 자서전 대필을 상행위와 동일한 것으로 취급하고 있다.
③ 피문오는 지욱이 생각하는 자서전의 가치를 폄하하여 지욱을 우롱하고 있다.
④ 피문오는 자서전을 채권과 동일선상에 둠으로써 자서전의 경제적 가치를 인정하고 있다.
⑤ 피문오는 지욱의 글쓰기에 대한 신념을 깎아내리는 방법으로 자신의 불쾌감을 해소하고 있다.

03 ㉠, ㉡에 대한 설명으로 적절하지 않은 것은?

① ㉠은 자신의 삶이 가식적임을 인정하고 이를 포장하려고 한다.
② ㉡은 지욱에게 찾아와 자신의 감정을 직접적으로 표출하고 있다.
③ ㉠과 ㉡은 모두 자신의 인생을 자서전으로 남기고자 한다.
④ ㉠과 ㉡은 모두 지욱에게 각자의 논리를 납득시키는 데 실패한다.
⑤ ㉠과 ㉡은 모두 지욱에게 진정한 글쓰기의 대상이 될 수 없는 인물이다.

04 문맥상 의미를 고려할 때, ⓐ~ⓔ에 대한 이해로 적절하지 않은 것은?

① ⓐ: 최상윤의 신념을 용인해야 한다는 것을 깨달은 데에서 오는 압박감이다.
② ⓑ: 독단적인 신념에 차 있는 최상윤의 태도를 의미한다.
③ ⓒ: 신념이 어떠한 성찰도 없이 굳어 버리는 현상을 의미한다.
④ ⓓ: 피문오의 직업을 짐작할 수 있게 하는 표현이다.
⑤ ⓔ: 지욱의 신념에 동의할 수 없음을 드러내기 위해 비아냥거리는 표현이다.

기출 변형 2020학년도 9월 모의평가

05 〈보기〉를 참고할 때, 감동적인 자서전적 인물상에 가장 가까운 사람은?

┌ 보기 ─────────────────
「자서전들 쓰십시다」의 주인공은 자서전 대필 작가로서의 글쓰기에 환멸을 느끼고 있다. 이러한 글쓰기는 의뢰인의 삶을 미화하여 결국 의뢰인에게 아첨하는 것일 뿐이기 때문이다. 어떤 의뢰인들은 자신의 요구를 강요하는 일까지 서슴지 않아 주인공을 괴롭히기도 한다. 주인공이 바라는 의뢰인은 작가의 의사를 존중하면서 삶을 거짓 없이 성찰하는 사람이다. 또한 주인공은, 후회나 의문이 없는 확신에 찬 태도로 독자를 사로잡는 주장을 하는 사람보다는 타인의 삶에 기여할 수 있는 정직한 고백을 하는 사람을 원한다.
└─────────────────────

① 바른 언동과 규칙적인 생활 방식을 엄격하게 유지해 온 사람
② 확신에 찬 태도로 신념을 내세워 독자를 사로잡는 주장을 하는 사람
③ 스스로 회의하며 의식의 경화를 경계할 줄 알고 삶을 거짓 없이 성찰하는 사람
④ 작가의 의사를 존중하면서도 작가에게 자신의 삶을 미화하도록 요구하는 사람
⑤ 정직한 고백을 자연스럽게 포장하고 작가가 자서전을 통해 자신에게 아첨하기를 요구하는 사람

[06~12] 다음 글을 읽고 물음에 답하시오.

[앞부분 줄거리] '나'는 오랜만에 아내와 함께 시골에 계신 노모를 찾아간다. 고등학교 1학년 때 형의 주벽으로 집이 몰락한 뒤 어머니로부터 아무런 도움을 받지 않고 자수성가했다고 생각하는 '나'는 집을 고치고 싶어 하는 노모의 마음을 알고도 외면한다. '나'의 태도에 불만을 가진 아내는 옛집과 관련된 과거의 일을 캐묻고, '나'는 노모가 도시에 나가 공부하다가 돌아온 '나'에게 상처를 주지 않으려고, 이미 팔린 옛집의 주인에게 간청하여 그 집에서 하룻밤을 자게 했던 일을 떠올린다. 아내가 그때 일을 묻자 노모는 '나'에게는 한 번도 해 주지 않았던 그 날의 이야기를 들려주고, '나'는 잠결에 두 사람의 이야기를 듣게 된다.

㉮ 그날 밤 — 아니 그날 새벽 — 아내에겐 한 번도 들려준 일이 없는 그날 새벽의 서글픈 동행을, 나 자신도 한사코 기억의 피안으로 사라져 가 주기를 바라 오던 그 새벽의 눈길의 기억을 노인 은 이제 받아 낼 길이 없는 묵은 빚 문서를 들추듯 허무한 목소리로 되씹고 있었다.

"날은 아직 어둡고 산길은 험하고, 미끄러지고 넘어지면서도 •차부까지는 그래도 어떻게 시간을 대어 갈 수가 있었구나……." 〈중략〉

동구 밖까지만 바래다주겠다던 노인은 다시 마을 뒷산 잿길까지 나를 좀 더 바래 주마 우겼고, 그 잿길을 올라선 다음엔 새 신작로가 나설 때까지만 산길을 함께 넘어가자 우겼다.

㉯ "길을 혼자 돌아가시던 그때 일을 말씀이세요?"

"눈길을 혼자 돌아가다 보니 그 길엔 아직도 우리 둘 말고는 아무도 지나간 사람이 없지 않았겠냐. 눈발이 그친 신작로로 눈 위에 저하고 나하고 ㉠둘이 걸어온 발자국만 나란히 이어져 있구나." / "그래서 어머님은 그 발자국 때문에 아들 생각이 더 간절하셨겠네요."

"간절하다뿐이었겠냐. 신작로를 지나고 산길을 들어서도 굽이굽이 돌아온 ㉡그 몹쓸 발자국들에 아직도 도란도란 저 아그의 목소리나 따뜻한 온기가 남아 있는 듯만 싶었제. 산비둘기만 푸르륵 날아올라도 저 아그 넋이 새가 되어 다시 되돌아오는 듯 놀라지고, 나무들이 눈을 쓰고 서 있는 것만 보아도 뒤에서 금세 저 아그 모습이 뛰어나올 것만 싶었지야. 하다 보니 나는 굽이굽이 외지기만 한 그 산길을 저 아그 발자국만 따라 밟고 왔더니라. 내 자석아, 내 자석아, 너하고 둘이 온 길을 이제는 이 몹쓸 늙은 것 혼자서 너를 보내고 돌아가고 있구나!"

"어머님 그때 우시지 않았어요?"

"울기만 했겠냐. 오목오목 디려 논 그 아그 발자국마다 한도 없는 눈물을 뿌리며 돌아왔제. 내 자석아, 내 자석아, 부디 몸이나 성히 지내거라. 부디부디 너라도 좋은 운 타서 복 받고 살거라…… 눈앞이 가리도록 눈물을 떨구면서 눈물로 저 아그 앞길만 빌고 왔제……."

노인의 이야기는 이제 거의 끝이 나 가고 있는 것 같았다. 아내는 이제 할 말을 잊은 듯 입을 조용히 다물고 있었다.

"그런디 그 서두를 것도 없는 길이라 그렁저렁 시름없이 걸어온 발걸음이 그래도 어느 참에 동네 뒷산을 당도해 있었구나. 하지만 나는 그 길로는 차마 동네를 바로 들어설 수가 없어 잿등 위에 눈을 쓸고 아직도 한참이나 시간을 기다리고 앉아 있었더니라……."

"어머님도 이젠 돌아가실 거처가 없으셨던 거지요."

한동안 조용히 입을 다물고 있던 아내가 이제 더 이상 참을 수가 없어진 듯 갑자기 노인을 추궁하고 나섰다. 그녀의 목소리는 이제 울먹임 때문에 떨리고 있었다. 〈중략〉

나는 아직도 눈을 뜰 수가 없었다. 불빛 아래 눈을 뜨고 일어날 수가 없었다. 사지가 마비된 듯 가라앉아 있는 때문만이 아니었다. 졸음기가 아직 아쉬워서도 아니었다. ⓐ눈꺼풀 밑으로 뜨겁게 차오르는 것을 아내와 노인 앞에 보일 수가 없었다. 그것이 너무도 부끄러웠기 때문이었다. 아내는 이번에도 그러는 나를 알고 있었던 것 같았다.

"여보, 이젠 좀 일어나 보세요. 일어나서 당신도 말을 좀 해보세요."

그녀가 느닷없이 나를 세차게 흔들어 깨웠다. 그녀의 음성은 이제 거의 울부짖음에 가까웠다. 그래도 나는 일어날 수가 없었다. 뜨거운 것을 숨기기 위해 눈꺼풀을 꾹꾹 눌러 참으면서 내처 잠이 든 척 버틸 수밖에 없었다.

음성이 아직 흐트러지지 않고 있는 건 오히려 그 노인뿐이었다.

"가만 두거라. 아침 길 나서기도 피곤할 것인디 곤하게 자고 있는 사람 뭣하러 그러냐." / 노인은 일단 아내의 행동을 말려 두고 나서 아직도 그 옛 얘기를 하는 듯한 아득하고 차분한 음성으로 당신의 남은 이야기를 끝맺어 가고 있었다.

"그런디 이것만은 네가 잘못 안 것 같구나. 그때 내가 뒷산 잿등에서 동네를 바로 들어가지 못하고 있었던 일 말이다. 그건 내가 갈 데가 없어 그랬던 건 아니란다. 산 사람 목숨인데 설마 그때라고 누구네 문간방 한 칸이라도 산 몸뚱이 깃들일 데 마련이 안됐겠냐. 갈 데가 없어서가 아니라 아침 햇살이 활짝 퍼져 들어 있는데, 눈에 덮인 그 우리 집 지붕까지도 햇살 때문에 볼 수가 없더구나. 더구나 동네에선 아침 짓는 연기가 한참인디 그렇게 ⒜시린 눈을 해 갖고는 그 햇살이 부끄러워 차마 어떻게 동네 골목을 들어설 수가 있더냐. 그놈의 말간 햇살이 부끄러워서 그럴 엄두가 안 생겨나더구나. 시린 눈이라도 좀 가라앉히고자 그래 그러고 앉아 있었더니라……."

– 이청준, 「눈길」

• **차부** 자동차의 시발점이나 종착점에 마련한 차의 집합소.

기출 변형

06 윗글의 서술상 특징으로 가장 적절한 것은?

① 인물 간의 대립을 통해 갈등이 심화되고 있다.

② 관련성이 없는 사건을 삽화처럼 나열하고 있다.

③ 인물 간의 대화를 통해 과거의 사건을 제시하고 있다.

④ 시간의 흐름에 따라 서술자를 달리하여 사건을 입체적으로 다루고 있다.

⑤ 서술자가 인물들의 내면을 직접 드러냄으로써 독자와의 거리를 좁히고 있다.

07 윗글에 대한 이해로 가장 적절한 것은?

① '나'는 노인과의 관계를 개선하기 위해 아내에게 도움을 요청하였다.

② '나'는 아내와 노인의 대화를 방해하지 않기 위해 자는 척을 하였다.

③ 노인은 과거 집이 팔린 상황으로 인해 '나'가 상처를 받을 것을 염려하였다.

④ 노인은 집이 팔렸을 때 동네 사람들에게 도움을 받지 못할까 봐 두려워하였다.

⑤ 아내는 노인이 과거에 대한 진실을 감추고 있다고 판단하여 노인을 추궁하였다.

08 노인이라는 호칭에 대한 이해로 가장 적절한 것은?

① 자수성가한 '나'의 상황을 고려할 때, '나'가 어머니에게 모멸감을 주기 위해 의도적으로 선택한 표현이다.

② 오랜만에 어머니를 찾아갔다는 점을 고려할 때, 어머니와 오랫동안 떨어져 지낸 상황을 강조하기 위한 표현이다.

③ 형의 주벽으로 집이 몰락한 상황을 고려할 때, 어머니를 부양하고 싶지 않은 '나'의 비정한 태도가 담긴 표현이다.

④ 어머니에게 도움을 받지 못한 '나'의 과거를 고려할 때, 어머니에게 심리적 거리감을 느끼는 '나'의 심리가 반영된 표현이다.

⑤ 어머니가 집을 고치는 것에 '나'의 도움을 바라는 상황을 고려할 때, 평생을 타인에게 의존하며 살아온 어머니에 대한 '나'의 비판적 인식이 담긴 표현이다.

기출 변형

09 ㉠, ㉡을 비교한 내용으로 적절하지 않은 것은?

① ㉠과 ㉡에는 동일 인물의 발자국이 있다.

② ㉠과 ㉡의 발자국은 같은 곳을 향하고 있다.

③ ㉠과 ㉡은 노인이 아들을 떠올리게 하는 매개체이다.

④ ㉡은 ㉠과 달리 노인의 감정이 표면적으로 드러난다.

⑤ ㉡은 ㉠과 달리 노인에게 아들에 대한 거리감을 갖게 한다.

10 ⓐ에 담긴 '나'의 심리로 가장 적절한 것은?

① 헤어진 가족을 그리워하는 애틋함

② 어머니에게 지녔던 마음에 대한 부끄러움과 죄책감

③ 가족의 불화를 눈치채지 못했던 과거에 대한 자책감

④ 감추고 싶었던 과거를 상기시키려는 아내에 대한 서운함

⑤ 어머니의 희생에 대한 부담감과 이에 보답해야 한다는 부채감

고난도 기출 변형

11 〈보기〉의 빈칸에 들어갈 내용으로 가장 적절한 것은?

보기

　　윗글에서 '노인'으로 표현되는 어머니는 햇살이 비치는 아침에 다른 사람이 주인이 되어 버린 집을 바라본다. 이때 햇살은 자연적이고 근원적인 빛으로서 만물을 속속들이 비추는 기능을 한다. 어머니가 이러한 햇살에 자신의 모습을 비추어 본다는 점에 주목하여 봤을 때, ⓐ에 드러난 '노인'의 심리는 (　　　　　　　　　　)(이)라고 볼 수 있다.

① 아들을 떠나보내고 난 뒤 돌아갈 곳이 없는 서러움

② 자식과 주고받을 것이 없는 관계가 된 것에 대한 슬픔

③ 자신이 베푼 사랑을 알아주지 않는 아들에 대한 서운함

④ 아들에게 가장의 역할을 떠넘기게 된 것에 대한 미안함

⑤ 아들에게 부모의 도리를 다하지 못한 자신의 무력한 삶에 대한 한스러움

12 윗글의 제목 '눈길'의 의미를 이해한 내용으로 적절하지 않은 것은?

① '나'가 노인을 외면하고 지내 온 세월을 의미한다.

② '나'에게 기억하고 싶지 않은 추억을 떠오르게 한다.

③ 몰락한 집안에서 노인이 겪어 온 인고의 삶을 상징한다.

④ '나'가 집을 떠난 뒤 겪을 고난의 삶을 상징적으로 보여 준다.

⑤ '나'에 대한 노인의 헌신적이고 숭고한 사랑을 보여 주는 공간이다.

난쟁이가 쏘아 올린 작은 공 | 조세희

교과서 [문]금성, 동아, 미래엔, 비상, 신사고, 지학사, 창비
기출 EBS

키워드 체크 #연작 소설 #비판적 #급격한 산업화 #도시 빈민 #사회의 구조적 모순 비판

핵심 포인트

작품의 시대적·공간적 배경

시대적 배경	산업화, 도시화로 도시 재개발 사업이 본격화된 1970년대
공간적 배경	도시 변두리의 철거민촌인 '낙원구 행복동'

↓

난쟁이 가족을 통해 산업화 과정에서 소외된 가난한 도시 빈민의 비참한 삶을 강조함.

전체 줄거리

제1부	난쟁이 가족은 하루하루를 힘겹게 살아가는 낙원구 행복동의 도시 빈민으로, 재개발 사업으로 집이 철거될 위기에 처함. ···→ 수록 부분
제2부	투기업자에게 입주권을 팔고 동네를 떠나는 대부분의 행복동 주민들처럼 난쟁이 일가도 입주권을 팔지만 제 몫으로 돌아오는 것은 거의 없고, 집이 철거당한 후 거리에 나앉을 처지가 됨.
제3부	가족으로부터 입주권을 구입한 투기업자를 따라간 영희는 투기업자에게 순결을 빼앗김. 영희는 투기업자에게 수면제를 먹이고 금고 안에서 입주권과 돈을 들고 나와 입주 절차를 마치지만 아버지의 자살 소식을 듣고 사회를 향해 절규함.

기출 OX

Q1 윗글에서는 서술자의 시각을 통해 상황에 대한 비판적 인식이 드러나고 있다.
기출 2014. 수능 A ○ X

Q2 '아파트'는 살고 싶어도 살 수 없는 곳이라는 점에서 영호네 가족의 고통을 더욱 가중시키는 역할을 한다.
기출 2003. 4. 고3 ○ X

- **계고장** 행정상의 의무 이행을 재촉하는 내용을 담은 문서.
- **표찰** 거주자의 성명을 써서 문 따위에 걸어 놓는 표.
- **입주권** 건물이 지어졌을 경우 먼저 입주할 수 있는 권리.

답 **Q1** ○ **Q2** ○

어머니는 조각 마루 끝에 앉아 아침 식사를 하고 있었다.

"그게 뭐냐?" / "철거 °계고장예요."

"기어코 왔구나!" / 어머니가 말했다.

"그러니까 집을 헐라는 거지? 우리가 꼭 받아야 할 것 중의 하나가 이제 나온 셈이구나!"

어머니는 식사를 중단했다. 나는 어머니의 밥상을 내려다보았다. ㉠보리밥에 까만 된장, 그리고 시든 고추 두어 개와 졸인 감자.

나는 어머니를 위해 철거 계고장을 천천히 읽었다.

낙원구

주택: 444,1 – 　　　　　　　　　　　　　　　　　197×. 9. 10

수신: 서울특별시 ㉡낙원구 행복동 46번지의 1839 김불이 귀하 〈중략〉

어머니는 손바닥에 놓인 °표찰을 말없이 들여다보았다. 영희가 이번에는 어머니의 손을 잡아끌었다. / "너희들이 놀게 되지만 않았어도 난 별걱정을 안 했을 거다."

어머니가 말했다.

"스무 날 안에 무슨 뾰족한 수가 생기겠니. 이제 하나하나 정리를 해야지."

"°입주권을 팔려고 그래요?" / 영희가 물었다.

"팔긴 왜 팔아!" / 영호가 큰 소리로 말했다.

"그럼 아파트 입주할 돈이 있어야지." / "아파트로도 안 가."

"그럼 어떻게 할 거야?" / "여기서 그냥 사는 거야. 이건 우리 집이다."

영호는 성큼성큼 돌계단을 올라가 아버지의 부대를 마루 밑에 놓았다.

"한 달 전만 해도 그런 이야길 하는 사람이 있었다."

아버지가 말했다. 어머니가 내준 철거 계고장을 막 읽고 난 참이었다.

"시에서 아파트를 지어 놨다니까 얘긴 그걸로 끝난 거다."

"그건 우릴 위해서 지은 게 아녜요." / 영호가 말했다. / "돈도 많이 있어야 되잖아요?"

영희는 ㉢마당가 팬지꽃 앞에 서 있었다. / "우린 못 떠나. 갈 곳이 없어. 그렇지 큰오빠?"

"어떤 놈이든 집을 헐러 오는 놈은 그냥 놔두지 않을 테야." / 영호가 말했다.

"그만둬." / 내가 말했다. / "그들 옆엔 ⓐ법이 있다."

[중략 부분 줄거리] 아파트에 입주할 돈이 없는 동네 사람들은 하나둘 입주권을 팔고 떠나기 시작한다.

㉣『일만 년 후의 세계』라는 책을 아버지는 개천 건너 주택가에 사는 젊은이에게서 빌렸다. 그의 이름은 지섭이었다. 지섭은 ㉤밝고 깨끗한 주택가 삼층집에서 살았다. 지섭은 그 집 가정 교사였다. 아버지와 그는 서로 통하는 데가 있었다. 지섭이 하는 말을 나는 들었다. 그는 이 땅에서 우리가 기대할 것은 이제 없다고 말했다.

"왜?" / 아버지가 물었다. / 지섭은 말했다.

"사람들은 사랑이 없는 욕망만 갖고 있습니다. 그래서 단 한 사람도 남을 위해 눈물을 흘릴 줄 모릅니다. 이런 사람들만 사는 땅은 죽은 땅입니다."/ "하긴!"

"아저씨는 평생 동안 아무 일도 안 하셨습니까?"

"일을 안 하다니? 일을 했지. 열심히 일했어. 우리 식구 모두가 열심히 일했네."

[A] "그럼 무슨 나쁜 짓을 하신 적은 없으십니까? ⓑ법을 어긴 적 없으세요?" / "없어." 〈중략〉

"그런데, 이게 뭡니까? 뭐가 잘못된 게 분명하죠? 불공평하지 않으세요? 이제 이 죽은 땅을 떠나야 됩니다." / "떠나다니? 어디로?" / "달나라로!"

01 [A]의 서술상 특징으로 가장 적절한 것은?

① 언어유희를 통해 바람직한 삶에 대한 깨달음을 얻고 있다.

② 문답의 형식을 통해 모순적인 현실의 상황을 드러내고 있다.

③ 인물 간의 대화를 통해 두 인물이 지닌 가치관의 차이를 드러내고 있다.

④ 문제 제기와 이에 대한 해명을 통해 인물 간의 입장 차이가 좁혀지고 있다.

⑤ 특정 인물이 자신의 경험을 다른 인물과 공유하면서 현실에 대한 불만을 드러내고 있다.

02 윗글의 인물에 대한 설명으로 적절하지 않은 것은?

① 영희는 집을 허물러 오는 사람들에게 맞서겠다고 결심하고 있다.

② 아버지는 계고장의 내용을 받아들일 수밖에 없다고 여기고 있다.

③ 어머니는 집이 곧 철거될 것이라는 통보가 올 것임을 예상하고 있었다.

④ 영호는 시에서 지은 아파트가 돈 있는 자들만을 위한 것임을 알고 있다.

⑤ '나'는 집이 철거되는 것을 막겠다는 영호의 생각에 회의를 느끼고 있다.

03 ㉠~㉤을 이해한 내용으로 가장 적절한 것은?

① ㉠: 철거를 통보 받은 후 '나'의 가족이 느끼는 상실감을 드러낸다.

② ㉡: 새로 지어질 아파트에 대한 '나'의 가족과 동네 주민들의 기대를 나타낸다.

③ ㉢: 비참한 처지에 있지만 꿈을 버리지 않는 가족의 강인한 생명력을 상징한다.

④ ㉣: 지금의 현실이 바뀌려면 오랜 시간이 필요할 것이라는 비관적인 전망을 암시한다.

⑤ ㉤: 아버지가 지섭에게 동질감을 느끼게 되는 계기로 작용한다.

04 ⓐ, ⓑ에 대한 이해로 가장 적절한 것은?

① ⓐ는 권력자를 위한 것이지만, ⓑ는 사회적 약자를 위한 것이다.

② ⓐ는 사회 구성원들의 합의를 통해 만들어졌지만, ⓑ는 가진 자들이 일방적으로 만든 것이다.

③ ⓐ는 빈곤 계층에 대한 권력자의 횡포이고, ⓑ는 서로 다른 계층의 화합을 유도하는 수단이다.

④ ⓐ는 불평등의 심화에 기여하며, ⓑ는 투철한 준법정신으로 성실하게 살아온 이들에게 무용지물이다.

⑤ ⓐ는 불공평한 사회를 만드는 이들에게 주어지는 벌이지만, ⓑ는 불공평한 사회를 만드는 이들이 악용하는 것이다.

고난도 기출 변형 2014학년도 수능 A형

05 〈보기〉를 바탕으로 윗글을 감상한 내용으로 적절하지 않은 것은?

─ 보기 ─

윗글은 등장인물인 '지섭'을 통해 '죽은 땅'과 '달나라'라는 상징적 공간을 설정하여 '난쟁이'로 불리는 아버지와 아버지의 가족이 직면한 현실의 문제를 드러내고 있다. 이때 '죽은 땅'은 '욕망'과 '불공평'이라는 속성으로, '달나라'는 '사랑'과 '남을 위한 눈물'이라는 속성으로 구체화된다. 이를 통해 윗글은 산업 사회의 이면에 대한 비판과 이상 세계를 향한 낭만적 동경을 보여 주고 있다.

① '불공평'을 '죽은 땅'의 속성으로 볼 때, '계고장'은 불평등한 현실의 문제를 들춰내는 소재이겠군.

② '욕망'을 '죽은 땅'의 속성으로 볼 때 '난쟁이' 가족의 어려움은 '욕망'으로 가득한 현실에서 비롯되었다고 할 수 있겠군.

③ '달나라'를 '죽은 땅'과 대조되는 것으로 볼 때, '달나라'에 대한 동경은 '죽은 땅'에 대한 '지섭'의 비판적 인식을 포함한다고 할 수 있겠군.

④ '사랑'을 '달나라'의 속성으로 볼 때, '지섭'은 자신의 욕망만 앞세우는 사람들이 사는 '죽은 땅'에서는 '사랑'을 기대할 수 없다고 생각하겠군.

⑤ '남을 위한 눈물'을 '달나라'의 속성으로 볼 때, '지섭'은 '난쟁이'가 타인에게 따뜻한 연민의 시선을 보냄으로써 달나라에 도착할 수 있을 것이라고 여기고 있군.

『난쟁이가 쏘아 올린 작은 공』 "사람들은 사랑이 없는 욕망만 지니고 있습니다. 그래서 단 한 사람도 남을 위해 눈물을 흘릴 줄 모릅니다."

작품 한 줄 Pick

Q21

아홉 켤레의 구두로 남은 사내 | 윤흥길

▶해법문학 Link
현대 소설 216쪽

핵심 포인트

'아홉 켤레의 구두'의 의미

열 켤레의 구두	대학까지 나왔음에도 불구하고 시위에 휘말려 전과자가 되고 생계 유지도 버거워하는 권 씨의 자존심

↓ 자존심에 상처를 입음.

아홉 켤레의 구두	냉정한 현실에 좌절하여 자존심마저 잃은 권 씨의 처지와 권 씨의 부재

전체 줄거리

발단	고생 끝에 집을 마련한 '나'는 문간방에 세를 놓는데, 시위를 주동했다는 이유로 감옥에 다녀온 후 경찰의 주목을 받는 권 씨와 임신한 아내, 두 남매가 들어옴.
전개	권 씨는 일자리를 구하지 못해 공사판에 나가 막일을 하면서도 구두만은 반짝반짝 윤이 나게 닦아 신고 다니고, '나'는 권 씨가 전과자가 된 사연을 듣게 됨.
위기	권 씨의 아내가 아이를 낳다 수술을 해야 하는 상황에서 권 씨가 '나'에게 수술비를 빌리러 오고, '나'는 이를 거절했다가 뒤늦게 돈을 구해 병원으로 가서 권 씨의 아내를 도움. →수록 부분
절정	'나'가 도와주었다는 사실을 모르는 권 씨는 강도로 돌변해 '나'의 집에 침입하고, 자신의 정체가 탄로 났다고 느끼자 자존심이 상해 집을 나감.
결말	권 씨가 아홉 켤레의 구두만 남겨 둔 채 자취를 감춤.

기출 OX

Q1 '막벌이'라는 표현을 고려할 때 권 씨는 변변한 일이 없어 경제적으로 궁핍한 처지에 놓여 있다. 기출 2004. 9. 고2 ○ X

• 적시 알맞은 때.
• 변통할 돈이나 물건 따위를 융통할.
• 썰면 '나'와 함께 근무하는 교사의 별명. 입술이 두툼해 썰면 한 접시는 된다는 의미.
• 고팽이 굽은 길의 모퉁이.
• 암만 밝혀 말할 필요가 없는 값이나 수량을 대신하여 이르는 말.
• 척분 성이 다르면서 일가가 되는 관계.

[앞부분 줄거리] '나'의 집 문간방에 권 씨가 전세를 얻어 살게 된다. 얼마 후 권 씨의 아내가 분만 수술을 받아야 할 상황에 놓이고, 형편이 어려운 그는 '나'에게 찾아와 수술비를 빌려 달라고 부탁한다.

"빌려만 주신다면 무슨 짓을, 정말 무슨 짓을 해서라도 반드시 갚겠습니다."

반드시 갚는 조건임을 강조하면서 그는 마치 성경책 위에다 오른손을 얹고 말하듯이 엄숙한 표정을 했다. ㉠하마터면 나는 잊을 뻔했다. 그가 *적시에 일깨워 주었기 망정이지 안 그랬더라면 빌려주는 어려움에만 골몰한 나머지 빌려줬다 나중에 돌려받는 어려움이 더 클 거라는 사실은 생각도 못 할 뻔했다. 그렇다. 끼니조차 감당 못하는 주제에 막벌이 아니면 어쩌다 간간이 얻어걸리는 출판사 싸구려 번역 일 가지고 어느 해가에 ⓐ빚을 갚을 것인가. ㉡책임이 따르는 동정은 피하는 게 상책이었다. 그리고 기왕 피할 바엔 저쪽에서 감히 두말을 못 하도록 야멸차게 굴 필요가 있었다.

"병원 이름이 뭐죠?" / "원 산부인괍니다."

"지금 내 형편에 현금은 어렵군요. 원장한테 바로 전화 걸어서 ㉢내가 보증을 서마고 약속할 테니까 권 선생도 다시 한번 매달려 보세요. 의사도 사람인데 설마 사람을 생으로 죽게야 하겠습니까. 달리 *변통할 구멍이 없으시다면 그렇게 해 보세요." 〈중략〉

"원장이 어리석은 사람이길 바라고 거기다 희망을 걸기엔 너무 늦었습니다. 그 사람은 나한테서 수술 비용을 받아 내기가 수월치 않다는 걸 입원시키는 그 순간에 벌써 알아차렸어요."

얼굴에 흐르는 진땀을 훔치는 대신 그는 오른발을 들어 왼쪽 바짓가랑이 뒤에다 두어 번 문질렀다. 발을 바꾸어 같은 동작을 반복했다. / "바쁘실 텐데 실례 많았습니다."

'썰면'처럼 두툼한 입술이 선잠에서 깬 어린애같이 움씰거리더니 겨우 인사말이 나왔다. 무슨 말이 더 있을 듯싶었는데 그는 이내 돌아서서 휘적휘적 걷기 시작했다. 나는 내심 그 입에서 끈끈한 가래가 묻은 소리가, 이를테면, 오 선생 너무하다든가 잘 먹고 잘 살라든가 하는 말이 날아와 내 이마에 탁 눌어붙는 순간에 대비하고 있었는지도 모른다. 그래서 그가 갑자기 돌아서면서 나를 똑바로 올려다봤을 때 그처럼 흠칫 놀랐을 것이다.

㉮"오 선생, 이래 봬도 나 대학 나온 사람이오." 〈중략〉

산 *고팽이를 돌아 그의 모습이 벌거벗은 황토의 언덕 저쪽으로 사라지는 찰나, ㉣나는 뛰어가서 그를 부르고 싶은 충동을 느꼈다. 돌팔매질을 하다 말고 뒤집힌 삼륜차로 달려들어 아귀아귀 참외를 깨물어 먹는 군중을 목격했을 당시의 권 씨처럼, 이건 완전히 나체구나 하는 느낌이 팍 들었다. 그리고 내가 그에게 *암만의 ⓑ빚을 지고 있음을 퍼뜩 깨달았다. 전셋돈도 일종의 빚이라면 빚이었다. 왜 더 좀 일찍이 그 생각을 못 했는지 모른다.

원 산부인과에서는 만단의 수술 준비를 갖추고 보증금이 도착하기만을 기다리고 있었다. 학교에서 우격다짐으로 후려 낸 가불에다 가까운 동료들 주머니를 닥치는 대로 떨어 간신히 마련한 일금 십만 원을 건네자 금테의 마비츠 안경을 쓴 원장이 바로 마취사를 부르도록 간호원에게 지시했다. 원장은 내가 권 씨하고 아무 *척분도 없으며 다만 그의 셋방 주인일 따름인 걸 알고는 혀를 찼다. / "아버지가 되는 방법도 정말 여러 질이군요. 보증금을 마련해 오랬더니 오전 중에 나가서는 여지껏 얼굴 한 번 안 비치지 뭡니까."

"맞습니다. ㉤의사가 애를 꺼내는 방법도 여러 질이듯이 아버지 노릇 하는 것도 아마 여러 질일 겁니다." / 나는 내 말이 제발 의사의 귀에 농담으로 들리지 않기를 바랐으나 유감스럽게도 금테 안경의 상대방은 한 차례의 너털웃음으로 그걸 간단히 눙쳐 버렸다.

01 윗글의 서술상 특징으로 가장 적절한 것은?

① 공간의 이동에 따라 서술자가 달라지고 있다.
② 과거와 현재의 교차를 통해 사건을 전개하고 있다.
③ 작품 밖 서술자가 사건을 객관적으로 묘사하고 있다.
④ 인물이나 사건에 대한 서술자의 판단을 드러내고 있다.
⑤ 현재형 서술을 통해 갈등 상황을 생생하게 그리고 있다.

고난도 기출 변형 2016학년도 수능 B형

02 〈보기〉를 바탕으로 ㉠~㉤을 설명한 내용으로 적절하지 않은 것은?

─ 보기 ─
　1970년대 한국 소설에는 산업화 과정에서 공동체적 유대감이 파괴되고 개인주의가 팽배하면서 그 사이에서 고민하는 소시민이 나타난다. 가령 '나'는 어렵게 일군 안락한 삶을 지키고 싶어 하면서도 소외된 이들에게 연민을 느끼고 그들을 돕지 못하는 것에 대한 미안함을 느끼기도 한다. 또 더 나아가 물질만 추구하는 이기적인 세태에 대한 반감을 드러내기도 하는 선량한 인물이기도 하다.

① ㉠: '나'는 권 씨에게 직접적인 도움을 주는 것을 망설이는 소시민적인 면모를 보여 주고 있군.
② ㉡: '나'는 권 씨를 돕기보다는 자신의 안락한 삶을 지키려는 개인주의적인 모습을 보여 주고 있군.
③ ㉢: '나'는 권 씨를 적극적으로 돕지 못한 것에 미안함을 느끼는 선량한 면모를 보여 주고 있군.
④ ㉣: '나'는 권 씨의 부탁을 차갑게 거절한 자신의 행동에 대한 양심의 가책을 느끼고 있군.
⑤ ㉤: '나'는 개인의 이익과 물질을 더 중시하는 세태에 대한 반감을 드러내고 있군.

03 ⓐ, ⓑ를 비교한 내용으로 가장 적절한 것은?

① ⓐ와 ⓑ는 모두 '나'와 권 씨가 처한 경제적 어려움을 나타낸다.
② ⓐ와 ⓑ는 모두 '나'와 권 씨의 경제적 수준이 비슷하다는 것을 보여 준다.
③ ⓐ는 권 씨의 경제적 무능함을, ⓑ는 '나'의 경제적 무능함을 보여 준다.
④ ⓐ는 '나'가 권 씨의 부탁을 거절하는 이유가, ⓑ는 '나'가 권 씨의 부탁을 수용하는 이유가 된다.
⑤ ⓐ는 권 씨가 '나'에게 지게 될 금전적 채무를, ⓑ는 '나'가 권 씨에게 지고 있는 정신적 채무를 가리킨다.

04 〈보기〉는 '권 씨'에 대한 정보를 정리한 것이다. 이를 바탕으로 ⓐ를 이해한 내용으로 적절하지 않은 것은?

─ 보기 ─
• 대학까지 나온 지식인으로, 선량하고 평범한 삶을 살다가 우연히 빈민들의 대정부 시위에 주동자로 참여함.
• 시위 이후 경찰의 감시 대상이 되고 취업이 되지 않아 공사판에서 막일을 하는 등 도시 빈민으로 전락함.
• 항상 구두를 신고 다니며, 매일 열 켤레의 구두를 잘 닦아 둠.
• 남에게 신세 지는 것을 싫어하고 자존심이 강함.

① 자신이 무능하기만 한 사람이 아니라는 권 씨의 생각이 반영되어 있군.
② '나'의 거절로 인해 상처 입은 자존심을 회복하려는 권 씨의 의지가 나타나는군.
③ 선량하고 평범한 지식인의 삶을 살았던 과거에 대한 권 씨의 그리움이 담겨 있군.
④ 막일을 하면서도 항상 잘 닦인 구두를 신고 다니는 권 씨의 행위와 비슷한 의도가 담겨 있군.
⑤ 수술비를 마련하지 못할 만큼 형편이 어려워도 자신이 무시받을 사람이 아니라는 권 씨의 뜻이 드러나 있군.

05 〈보기〉는 윗글의 뒷부분 줄거리이다. 윗글과 〈보기〉를 함께 감상한 내용으로 적절하지 않은 것은?

─ 보기 ─
　'나'가 수술비를 낸 것을 모르는 권 씨는 그날 밤 돈을 마련하기 위해 강도로 돌변해 '나'의 집에 침입한다. '나'는 그가 권 씨임을 바로 알아채지만 그 사실을 숨긴 채, 그를 돕는 이웃이 있을 것이라는 말로 그를 진정시키려고 한다. 이 말에 권 씨는 '나'가 자신의 정체를 알고 있다는 것을 눈치채고는 허탈해하면서 빈손으로 집을 나가 버린다. 그 길로 권 씨는 자취를 감추고, 그의 집에는 평소 그가 닦아 두었던 아홉 켤레의 구두만 남아 있었다.

① '나'가 권 씨의 부탁을 거절한 일이 결과적으로 권 씨의 불행한 결말로 이어지고 말았어.
② 권 씨가 자취를 감추어 버린 것은 그가 냉혹한 현실에 큰 상처를 받았음을 보여 주는 것 같아.
③ 권 씨가 강도짓까지 하게 된 것은 어떻게든 수술비를 마련해야 한다는 절박감 때문이었을 거야.
④ 권 씨가 남겨 둔 아홉 켤레의 구두는 자신의 자존심을 상하게 한 '나'에 대한 원망을 나타내는 것 같아.
⑤ 강도로 변장한 권 씨가 허탈해한 것은 그를 달래려던 '나'의 말에 오히려 자존심이 무너졌기 때문이야.

[06 ~ 10] 다음 글을 읽고 물음에 답하시오.

버스가 이리시를 출발할 당시부터 사람들은 이상한 완장을 찬 웬 그들먹한 사내한테 관심을 쏟기 시작했다. 인상마저 남달리 험악하게 생긴 그가 버스에 오르자마자 거만한 눈초리로 내부를 한 바퀴 둘러본 다음 빈 자리를 찾아 앉았을 때 사람들은 우선 주눅부터 들었다.

"실례헙니다만……."

버스가 이리시의 경계를 벗어나 완연한 시골길로 들어설 무렵에야 겨우 옆자리의 청년은 용기를 내었다.

㉠"선생님은 직업이 무엇인가요?"

종술로서는 난생 처음 들어 보는 선생님 소리였다. 그러나 그는 퉁명스럽게 쏘아붙였다.

"실례허는 줄 알면서 묻기는 왜 물어?"

청년은 더 이상 아무 말도 하지 않았다.

"임씨, 임씨가 맡은 그 감독이 뭣이다요?"

종술은 얼른 소리나는 쪽으로 고개를 돌렸다. 알 만한 얼굴이었다. 소재지에서 이발관을 하는 사람이었다. 아직도 소식이 깡통인 그에게 종술은 대뜸 눈알을 허옇게 부라렸다.

"여보쇼 장씨, 당신 말버릇 조깨 세탁혀야 쓰겄어! 내가 장씨 친구여 뭐여? 어따 대고 함부로 임씨, 임씨여?"

그러자 ㉡이발관 사장 또한 단박에 침 먹은 지네요 댓진 먹은 배암꼴이 되었다. 종술이 어떤 위인인지는 소재지에서도 익히 아는지라 장씨는 가급적이면 그 성깔을 덧들이지 않는 편이 자기 신상에 이롭다고 판단하고는 얼굴이 시뻘개질 정도로 만좌중에 당한 무안을 혼자서 삭이느라고 느닷없는 생병을 앓기 시작했다. 이발할 때마다 목덜미에 면도칼을 들이대고도 오히려 장씨 쪽에서 덜덜 손이 떨리는 유일한 손님이 바로 종술이었기 때문이다.

거푸 두 사람이 완장을 찬 웬 거물한테 차례로 당하고 나서부터 버스 안의 승객들은 완전히 *오가리가 들어 버렸다. ㉢그들은 마치 훈육 주임의 감시 하에 수학여행을 나선 학생들이나 다름없었다. 일행끼리 꼭 필요한 대화를 나누면서도 언제나 떠들썩한 시골 버스의 분위기답지 않게 목소리를 잔뜩 낮추어 완장의 눈치를 흘끔흘끔 살피는가 하면, 담배를 꺼내 입에 물면서도 종술의 완장에 자꾸만 신경이 쓰이는 바람에 선뜻 불을 댕기기를 망설일 지경이었다. 〈중략〉

"지금이 어느 땐고 허면, 날이 너무 가물어서 농민들 눈에서는 피눈물이 맺히는 판국입니다요! 그런디 사장님이 요렇게 호화판으로 놀이허시는 걸 보고 농민들이 뭐라고 그러겠습니까요?"

최 사장을 상대로 종술은 무엄하게도 일장의 훈시를 시작했다. 그러자 대봇둑의 익삼 씨가 불쑥 훼방을 걸어 왔다.

㉣"니깟놈이 이놈아, 농민들 피눈물 생각혀서 이놈아, 그 사람들한티 오날날까장 그 행패 다 떨어 왔냐, 이놈아!"

익삼 씨의 존재를 깡그리 무시한 채 종술은 다시 최 사장을 상대했다.

"허지만 좋습니다. 다 좋다니깨요! 사장님이 재미지게 놀다 가시는 것이사 지가 무신 권리로 막겠습니까마는, 다 허시드라도 낚시질만은 절대로 안 되누만이라우!"

㉤"이 동네는 누가 사장이고 누가 사원인지 위아래도 알 수가 없네."

원 양이 참다못해 매섭게 쏘아붙였다. 비로소 최 사장은 내가 이러고만 있을 때가 아니라고 생각했다. 그는 먼저 헛기침으로 목청부터 가다듬었다.

"너 이놈 임가야!" / "말씀 낮추시지요, 사장님."

"너를 이 저수지 감시원으로 취직시켜 준 사람이 누구냐?"

"그것이사 사장님이지 누구겠습니까요."

"그런 줄 알면서 사장이 허는 일을 니가 막는단 말이냐?"

"사장님이 정 그렇게 나오신다면 저도 한 말씀 묻겠습니다요. 어느 누구를 막론허고 낚시질을 막으라고 저한티 명령허신 냥반이 누굽니까?"

최 사장은 하도 기가 막혀서 허허 웃을 수밖에 없었다.

"웃으실 일이 아닙니다요!"

"이놈아, 그것이사 따른 사람들 이얘기지 누가 너보고 사장까장 단속허랬냐? 내가 내 재산 조깨 축내는 것도 니 눈엔 도적질로 뵈더란 말이냐?"

"그게 아니지라우! 따른 사람보담도 사장님이 손수 좋은 뽄을 뵈야야 넘들도 따르지, 만약 안 그러고 삼동네 이웃이 개나 걸이나 죄다 나서서 월척을 낚기로 댐비는 날이면 그 뒷일을 사장님이나 지가 무신 재주로 감당허겄냐 이런 말씸이지라우!"

[A]
종술은 터무니없는 억지소리를 고집스럽게 밀고나갔다. 그와 같은 행동의 이면에는 물론 부월이하고의 감정이 사단으로 작용하고 있었다. 그러나 그것만이 전부는 또 아니었다. 널금 저수지와 거기에 딸린 모든 부속물 하나하나를 그는 마치 자기 소유인 양, 제 살점이나 다름없이 아끼고 사랑하고 있었다. 그처럼 끔찍한 저수지를 갖잖은 사장 나부랑이와 접객 업소의 여종업원 떨거지들로 하여금 손끝 하나라도 건드리게 하고 싶지 않은 까닭이었다.

그는 최 사장 일행의 행동을 자신의 인격이나 자존심에 가해지는 일종의 모독으로 받아들이고 있었다.

"네. 이노옴, 니놈이 감히 누구를 도적놈 취급이냐!"

드디어 최 사장의 입에서 노성이 벽력같이 뻗어나왔다.

"가암히 누구를 도적놈 취급이냐아!"

대봇둑에서 지르는 익삼 씨의 고함이 메아리처럼 공허하게 그 뒤를 따랐다.

"너는 이놈아, 오날부로 감시원직에서 모가지다!"

– 윤흥길, 「완장」

● 오가리 식물의 잎이 병들거나 말라서 오글쪼글한 모양.

기출 ◇ 변형

06 윗글에 대한 설명으로 가장 적절한 것은?

① 독백과 대화를 통해 인물의 내면 심리를 드러내고 있다.

② 낭만적인 배경을 통해 사건의 전개 방향을 암시하고 있다.

③ 사투리와 비속어를 사용하여 사실적인 느낌을 살리고 있다.

④ 시간을 역전적으로 배치하여 사건의 인과성을 높이고 있다.

⑤ 이질적인 시선을 가진 서술자들을 통해 사회 현실을 날카롭게 비판하고 있다.

기출 ◇ 변형

07 [A]에 대한 이해로 가장 적절한 것은?

① 인물의 내면을 직접적으로 제시하고 있다.

② 사건의 분위기를 상반된 방향으로 전환하고 있다.

③ 특정 소재를 통해 인물의 태도 변화를 암시하고 있다.

④ 과거와 현재를 병치하여 사건의 개연성을 강화하고 있다.

⑤ 상징적 소재를 통해 문제 해결의 실마리를 제시하고 있다.

기출

08 ㉠~㉤에 대한 이해로 적절하지 **않은** 것은?

① ㉠: 질문을 통해 상대방에 대한 호기심을 드러내고 있다.

② ㉡: 관용적 표현으로 인물이 느낀 곤혹스러움을 드러내고 있다.

③ ㉢: 다른 상황에 빗대어 버스 안의 위축된 분위기를 표현하고 있다.

④ ㉣: 과거 행적을 들어 상대방의 언행에 나타난 모순을 지적하고 있다.

⑤ ㉤: 우회적인 표현으로 인물이 느끼고 있는 불안함을 드러내고 있다.

고난도 ◇ 기출 ◇ 변형

09 〈보기〉를 참고하여 윗글을 감상한 내용으로 적절하지 **않은** 것은?

┌─ 보기 ─
이 작품은 종술이라는 인물의 행태와 몰락을 보여 주고 있다. 종술의 어리석은 행동과 그와 관련된 사건을 통해 작가는 도취되기 쉬운 권력의 속성과 부질없음을 드러냄과 동시에 작은 권력을 나누어 주고 진짜 권력을 휘두르는 자들의 횡포를 은연중에 비판하고 있다.
└─

① 종술이 완장을 차게 된 것은 작은 권력을 위임받은 것에 해당하겠군.

② 종술이 장씨에게 윽박지르는 모습은 권력에 도취된 인물의 심리를 단적으로 보여 주는군.

③ 최 사장이 종술로 하여금 마을 사람들의 낚시질을 단속하게 하는 모습은 권력의 부질없음을 보여 주는군.

④ 최 사장이 자신의 낚시질을 합리화하고, 노성을 지르며 종술을 해고하는 모습은 진짜 권력을 가진 자들의 횡포에 해당하겠군.

⑤ 종술이 최 사장 일행의 행동을 자신에 대한 모독으로 받아들이는 것은 자신의 위치를 파악하지 못하는 어리석음을 보여 주는군.

10 〈보기〉는 윗글의 앞부분 줄거리이다. 〈보기〉를 참고하여 윗글을 이해한 내용으로 적절하지 **않은** 것은?

┌─ 보기 ─
종술의 아버지는 일제 강점기에 완장을 찬 일본 헌병에게 고초를 당한다. 좌익과 우익의 대립이 심화된 해방 이후에도 사람만 바뀌었을 뿐 완장을 차고 나타나는 이들의 횡포는 계속된다. 6·25 전쟁을 거치면서 좌익 완장을 차게 된 종술의 아버지는 그간의 서러움을 앙갚음하겠다고 날뛰다가 행방이 묘연해지게 된다. 이를 지켜본 종술의 어머니는, 거친 성미에 내세울 만한 것도 없어 사람들에게 손가락질만 받으며 자라 온 종술이 어느 날 완장을 차고 나타나자 두려움을 느끼게 된다.
└─

① 완장의 힘을 가진 자는 시대 상황에 따라 계속해서 달라져 왔군.

② 종술의 집안은 완장을 찬 이들의 횡포에 시달린 아픈 경험을 갖고 있었군.

③ 종술과 아버지는 모두 완장을 차게 되자 그 힘을 믿고 다른 사람들을 억압적으로 대했군.

④ 종술이 완장을 찬 것은 완장을 찼던 이들이 행사했던 부당한 힘을 바로잡기 위해서였겠군.

⑤ 종술의 어머니는 종술이 완장을 차게 됨으로써 아버지와 같은 비극을 겪을 수 있다고 생각했겠군.

현대 소설 Q22

교과서 [문] 지학사 기출 EBS

우리 동네 황 씨 | 이문구

키워드 체크 #연작 소설 #비판적 #근대화의 부조리한 현실 #농촌 공동체 의식 상실 #개인과 공동체의 갈등

핵심 포인트

황 씨와 마을 사람들의 갈등

황 씨		마을 사람들 (이장, 김, 홍 등)
재물에 밝아 돈이 많지만, 인색하고 탐욕스러우며 이기적임.	↔	농사에 자부심이 있고, 공동체 의식 및 유대적인 인간관계를 추구함.

전체 줄거리

발단	김은 솔나방 퇴치 작업에 계장이 방문하니 술과 안주를 준비해 달라는 이장의 부탁을 받음.
전개	술과 안주를 준비해 마을 회관 앞을 지나가던 김은 장대에 걸린 황 씨의 팬티를 보고 며칠 전 황 씨와 있었던 일을 떠올림. ···› 수록 부분 ㉮
위기	황 씨는 자신이 입던 팬티를 구호품으로 내놓고, 이장과 김 등이 황 씨의 팬티를 말뚝에 걸어 둠. ···› 수록 부분 ㉯, ㉰
절정	마을 사람들과 황 씨는, 황 씨가 작년에 조합을 끼고 질 낮은 새우젓을 판매한 일, 며칠 전 헌 팬티를 내놓은 일 등에 대해 언쟁을 벌임.
결말	기세에 눌린 황 씨가 언쟁에서 한발 물러서자 이장과 김은 마음에 담아 두었던 말을 하고 헤어짐.

기출 OX

01 윗글에서는 현재형 어미를 사용해 사건을 생동감 있게 제시하고 있다.
기출 2013. 7. 고3 A ○ X

02 윗글에서는 농민들의 대화 속에 방언을 사용하여 농촌의 토속성을 실감 나게 보여 주고 있다. EBS 변형 ○ X

• 오 부 (원금의) 50%.
• 고대 바로 곧.
• 희치희치허구 피륙이나 종이 따위가 군데군데 치이거나 미어진 데가 있고.
• 추렴해 여럿이 각각 얼마씩의 돈을 내어 거두어.
• 새물내 빨래하여 이제 막 입은 옷에서 나는 냄새.
• 바지랑대 빨랫줄을 받치는 긴 막대기.
• 거탈 실상이 아닌, 다만 겉으로 드러난 태도.

답 01 X 02 ○

㉮ 황선주라면 느티울에선 버림치로 치부하여 진작 젖혀 둔 인간이었지만 이재에 밝고 돈푼이나 만지기로는 면내에서도 엄지손가락에 꼽힌다는 작자였다. 그는 내놓고 불려 가는 돈만 해도 이천만 원이 넘으리라고 했지만 억대를 웃도는 농토로 하여 지주로도 으뜸이었다. 그는 **느티울 사람에게도 크든 적든 노상 °오 부 이자를 놓았고**, 그나마도 눈 밖에 난 사람은 아무리 목 타는 소리를 해도 **빡빡하게** 굴었다.

대개 **고리대금업자**가 믿음성 한 가지로 ㉠돈을 놓기로는 **농사꾼만** 한 상대가 없을 거였다. 땅이 있음으로서이다. 그것을 가장 잘 이용할 줄 아는 이가 황이었다. 그러나 그는 아직도 자기를 예사 헐뜯으며 술이 들어가면 으레 싫은 소리를 하던 이장이나, 새마을 지도자 최정식, 고명근이와 홍사철한테는 ㉡고대 죽는다고 해도 눈 하나 까딱할 위인이 아니었다.

㉯ "춘자 아버지두, 우리가 시방 춘자 아버지 입던 빤쓰를 으드러 왔단 말유? °희치희치허구 낡음낡음헌 흔 빤스를…… ㉢빤쓰 장수가 보면 불쌍해서 하나 그저 주게 생긴 걸레를 으드러 예까장 펄렁그리구 왔대유? 세상에 원……."

미루어 보건대 이재민 구호 물품이랍시고 황이 입던 팬티를 내놓은 모양이었다. 김은 구경만 하고 있잠도 아니요, 그렇다고 남의 집 안에 들어가 사내 여편네가 남남끼리 하필 팬티를 놓고 가갸거겨 하는 옆에서 옆들이 하잠도 아닌 듯하여 부쩌지 못하고 있었다. 황이 말했다.

"챙근 엄니는…… 말을 귀루 안 듣구 입으루 들유? 수재민이라구 홋것만 입으라는 법이 워디 있슈. 그러면 그 사람들이 한 끄니래도 끓이라구 °추렴해 준 양석 팔어 빤쓰버텀 사 입으야 쓰것수? 게, 다 나두 생각이 있어 내논 겐디 뎁세 나를 트집헐류? 말에 도장 읎다구 함부루 입방아 찧지 마유. 이게 왜 흔 게유? 남대문표는 삼 년을 입어두 °새물내만 납디다유. ㉣공연히 넘우세스럽게시리 이유 삼지 말구 얼릉 딴 디나 가 보유."

㉰ 김은 손수 밭이랑에 °바지랑대를 꽂고 남대문표를 바람에 안 탈 만하게 단단히 비끄러매었다. ㉤그리고 나니 그는 모처럼 남의 제사에 생일 차려 먹은 듯한 푸짐한 기분을 주체하기 어려웠다.

그는 **남대문표를 내걸자는 홍의 의견**이 나왔을 때부터 대뜸 효수라고 하던, 언젠가 TV 영화에서 본 적이 있는, 모가지를 끊어 장대에 높직하게 꿰달던 장면을 떠올렸던 것이다. 그는 남대문표를 황의 모가지로 치부하고 싶었다. 사람이라면 누구나 평생 두고 중히 여기므로 그 부분만 감쌈으로써 숨겨져 있던 물건이 널리 공개된다면 그것은 곧 그 당사자의 얼굴이나 다름없이 쳐야 마땅하겠기 때문이었다.

김은 황의 됨됨이와 심보와 체면 따위를 한가지로 섞어 자기 스스로 효수형을 집행한 마음이었다. 그것은 여간해서는 만나기 어려운 푸짐한 경사를 치른 기분과 다르지 않았다.

이장의 말은 틀림없었다. 황은 장터 나들이로 하루에도 두어 차례씩 그 앞을 지나다니건만, 어떻다는 말 한마디는 고사하고 무슨 내색 한번 얼핏하지 않았다. 자기 것이 아니라고 우기며 동네방네가 떠나가게 떠들지 않은 것은 다만 그럴 계제가 닿지 않았기 때문이었다. 그러나 황의 °거탈을 벗겨 내어 **창피를 주고자 했던 여럿의 양심**은 당초에 가량했던 대로 어지간히 이룬 셈이었다.

01 윗글의 서술상 특징으로 가장 적절한 것은?

① 대화를 통해 인물 간의 갈등을 해소하고 있다.
② 배경 묘사를 통해 사건의 사실성을 강조하고 있다.
③ 장소의 특성을 중심으로 사건의 의미를 해석하고 있다.
④ 특정 인물의 시각에서 인물 간의 관계를 드러내고 있다.
⑤ 이질적인 장면을 삽입하여 비극적 상황을 역설적으로 드러내고 있다.

02 윗글의 인물에 대한 설명으로 적절하지 <u>않은</u> 것은?

① 황선주는 지주이자 고리대금업자이다.
② 홍은 평소 황 씨의 태도에 불만을 가지고 있었다.
③ 최정식과 고명근은 술을 먹으면 황 씨를 헐뜯는 이야기를 하곤 했다.
④ 이장은 황선주에 관해 보고들은 정보를 다른 사람에게 공유하지 않았다.
⑤ 김은 황 씨의 체면을 깎아내리기 위해 황 씨의 팬티를 마을 회관에 매달아 두었다.

03 ㉠~㉤에 대한 설명으로 적절하지 <u>않은</u> 것은?

① ㉠: 마을 사람들을 돈을 벌기 위한 수단으로 생각하는 인물의 인식을 드러낸다.
② ㉡: 권세에 영합하지 않는 인물의 청렴한 태도를 드러낸다.
③ ㉢: 상대방의 행위에 대한 반감을 해학적으로 드러낸다.
④ ㉣: 자신의 잘못 대신 상대방의 태도를 탓하는 인물의 이기적인 태도를 드러낸다.
⑤ ㉤: 비유적 표현을 사용하여 자신의 행위에 대한 만족감을 드러낸다.

04 ⓐ~ⓓ 중, 남대문표 의 기능으로 적절한 것을 모두 고른 것은?

ⓐ 인물의 태도에 대한 사람들의 반감을 유발한다.
ⓑ 어려운 처지의 이재민에 대한 인물의 연민을 드러낸다.
ⓒ 인물이 스스로의 행위에 정당성을 부여하는 근거가 된다.
ⓓ 인물에 대한 주변 사람들의 인식이 전환되는 계기가 된다.

① ⓐ, ⓑ 　② ⓐ, ⓒ 　③ ⓐ, ⓓ
④ ⓑ, ⓒ 　⑤ ⓑ, ⓓ

05 〈보기〉를 바탕으로 윗글을 이해한 내용으로 적절하지 <u>않은</u> 것은?

보기

　1970년대 이후 우리 사회는 산업화 과정에서 도시 위주의 개발 정책을 시행하였다. 이때 농촌 인구가 감소하고 자본주의적 삶의 방식이 농촌에 침투하면서 이익만 추구하는 세태가 나타난다. 이에 따라 농민들의 공동체적 삶은 붕괴되고 사람들 사이의 신뢰는 떨어져 갔다.

① 황선주가 '느티울 사람에게도 크든 적든 노상 오 부 이자를 놓'은 행위를 통해 농민들의 공동체적 삶이 붕괴되는 모습을 짐작할 수 있군.
② '고리대금업자'가 '농사꾼'을 상대로 돈을 놓는 세태는 자본주의적 삶의 방식이 농촌에 침투했음을 보여 주는군.
③ 챙근 엄니의 '세상에 원……'이라는 탄식은 자신의 이익만 추구하는 이기적인 인물에 대한 비판 의식이 포함되어 있다고 할 수 있군.
④ '남대문표를 내걸자는 홍의 의견'은 공동체의 문제에 대한 해결책의 하나로 제시되고 있군.
⑤ '창피를 주고자 했던 여럿의 양심'은 사람들 사이의 신뢰가 상실되는 원인이라고 볼 수 있군.

06 〈보기〉는 윗글의 뒷부분에 이어지는 장면이다. 〈보기〉와 윗글을 이해한 내용으로 적절하지 <u>않은</u> 것은?

보기

　"나두 작년 같잖여. 나두 정신 채렸다구. 작년만 해두 동네서 쥑일 늠 소리를 들었구, 또 그래야 쌌어." 〈중략〉 이장은 말허리를 끊고 좌중을 한차례 둘러본 다음 나머지를 이었다. / "그러게 결과적으루 우리 스스로 우리를 보호허지 아니허면 아니 되겄더라 — 이게 결론여. 내 맘만 같으면 당신이구 오도바이구 죄 남대문표 빤쓰에 싸서 *둠벙 속에 쳐넣겄어. 또 그래야 옳어. 그러나 워쨌든 간에 당신은 우리게 사람여. 우리는 아직두 이웃을 보살피구 동네 사람을 애끼구 싶다 이게여. 그리구 당신 빤쓰 아니더래두 수재민들이 홀바지는 안 입는답디다. 부디 니열 빤쓰버텀 걷어 가슈. 당신 손으로. 동트기 전에."

*둠벙: 물이 괴어 있는 곳인 '웅덩이'의 방언.

① 〈보기〉의 이장은 자기반성을 한다는 점에서 윗글의 황선주와 대비되는군.
② 〈보기〉의 장면을 통해 윗글에 드러난 인물 간의 갈등이 일부분 해소되는군.
③ 〈보기〉에는 윗글에서 '효수형을 집행'했던 김의 행위에 대한 반감이 드러나는군.
④ 〈보기〉에서 황선주를 '우리게 사람'이라고 말하는 것을 통해 이장이 공동체 의식을 지녔음을 알 수 있군.
⑤ 〈보기〉에서 이장이 황선주에게 '빤쓰'를 걷어가라고 요구하는 이유는 황선주가 자기 자신의 잘못을 인정하기를 바라고 있기 때문이군.

[07~11] 다음 글을 읽고 물음에 답하시오.

조무래기들은 도깨비불만 보면 네 그르니 내 옳으니 하며 짜그락거리기 일쑤였고, 그러면 나이 좀 있는 사람이 얼른 쉬쉬하면서, 도깨비가 듣겠다고 나무라 주게 마련이었던 것이다. 도깨비가 들으면 무엇이 어떻다고 불뚱 끄덕 서두르며 말리려 들었을까. 그것은 아무도 가르쳐 주지 않았다. 알면서도 짐짓 모르는 시늉을 해 보이려 했지만, 그네들도 어려서부터 가르쳐 준 이가 없어 이렇다 하게 내놓지 못하는 눈치가 역연하던 것이다. 그것은 바지랑대에 등을 매달고 멍석에 둘러앉아 삼을 삼거나 태모시를 *톺던 늘그막의 아낙네들도 마찬가지로 가늠을 못 해, 도깨비불에 손가락질하면 도깨비가 쫓아온다는 것밖에 다른 말은 할 줄 모르고 있었다. 그네들은 낮춘말로, 도깨비들이 벌거벗고 산다더라고 귀띔해 주었으며, 그것은 그것들이 여름내 왕대뫼 자드락이나 갯가에 나와 불놀이를 하다가도, ㉠기러기 그림자에 논두렁 *콩노굿이 지고 오려논에 *자마구가 일며부터는 아무도 모르게 간곳없이 사라지던 것을 보아 믿을 만한 말이라고 우길 따름이었다.

*된내기 빛에 두엄이 허옇게 쇤 위로 난초 치던 붓끝 같은 마늘 싹이 솟고, 보리밭 머리에 장끼가 내리기 시작하여 이듬해 구렁찰 논배미에서 뜸— 뜸— 뜸부기 짝 찾는 소리로 개구리 논두렁 넘기 바쁘던 여름까지는 도깨비들이 *감뭇하기도 했었다. 그러나 아직 학령기에도 이르지 않았던 나는 정말 알지 못했다. 차지던 바람이 메져지고 개펄에 성에 엉기듯 허옇게 소금기가 끼는 철이 되면, 음습한 바람이 맴돌아야 난동하던 인화(燐火)가 전혀 일지 않던 것을.

어른들이 눈을 꿈적이며 먹탕곳 개펄께를 그만 보라고 타이른 밤이면 ㉡담 밑에 반딧불만 자주 날아도, 촛불 붙이려 혼자 사당(祠堂) 문을 열 때처럼 뒷덜미가 선뜩하고 떨떠름하여 담 밑에도 가지 못할 만큼이나 그 도깨비불은 여간 두려운 존재가 아니었다. 그러므로 그런 날은 아무리 무더워도 모기가 떠메어 간다는 핑계로 마실 마당에서 일쩍 물러나곤 하였다. 〈중략〉

복산이가 자리를 만들 동안 나는 변소를 찾아 나섰다. 농가라면 흔히 그렇듯 그곳은 저만치 밭마당 구석에 따로 나와 있었다. 나는 마당을 가로질러 가면서 무심결에 개펄 쪽을 둘러보다가 소스라쳐 놀라며 그 자리에 굳어 버리고 말았다. ㉢아— 나는 참으로 오랜만에 가슴이 벅차오르는 것을 느꼈다. ⓐ도깨비불—— 그렇다. 왕대뫼 밑 먹탕곳 개펄에 푸른빛을 내뿜는 도깨비불이 즐비하게 늘어서 있던 것이다.

하나 둘 서이 너이…… 나는 어느새 도깨비불들을 손가락으로 헤아려 나가고 있었다. 변치 않은 것이 한 가지 더 있다는 반가움, 반가움과 즐거움에 들떠 그것들을 차곡차곡 빠뜨리지 않고 세어 나갔다.

"마흔다섯……."

하고 중얼거리며 나는 손가락을 떨었다. ㉣내일 새벽엔 안개도 볼 수 있으리라고 믿어, 가슴의 설렘에 손가락마저 떨린 거였다. 모를 일이었다. 옛날로 돌아가 혹시 길 잃은 여우가 울부짖게 될지도.

"게서 뭣 허나?"

복산이가 같은 용무로 나오면서 허텅지거리를 했다.

"아, 도깨비불…… 생전 못 볼 줄 알았다가 보니 좋은데. 멋있는걸."

나는 건너편을 손가락질하면서 들뜬 소리로 말했다.

"무엇이?"

"저 도깨비불……."

"무엇 불?"

"옛날에 보던 도깨비불, 그거 아녀?"

"무슨 불? 허어 참, 그러게 장가를 가라구."

"……."

"도깨비불 좋아허네…… 저게? 술고래라서 안주두 고루 먹어 헛소리는 안 헐 중 알았더니……."

"그럼 모르겠는데……."

"뭘 몰러? 저건 서울서 온 낚시꾼들의 ⓑ간드레 불이여. 명색 문화인이라면서 밤낚시 한 번두 못 해 봤구먼."

나는 무엇에 받혀 하늘 높이 떠올랐다가 거꾸로 떨어진 기분이었다. 오랜 꿈결에서 순간적으로 깨어난 것처럼 허망하고 민망했다.

"이리 죽 늘어앉은 디는 물길이구, 저쪽 저리 둘러앉은 디가 유수지여. 갯물이 들어오면 수문을 막았다가 쓸물 때 열어 물을 빼는디 민물고기 갯물 고기가 섞이구 해서 씨알두 게가 굵구, 물길에서는 잔챙이래두 붕어만 문다네. 남포, 청라 담에는 여기를 친다는 겨."

그제서야 나는 늘어앉은 불빛들이 제자리에 죽어 있음을 비로소 깨달았다. ㉤무등 타기와 숨바꼭질을 하던 살아 있는 불이 아니란 것만 진작 알았어도 마흔다섯까지 수효를 헤아리지는 않았을 터였다. 나는 무슨 재산붙이를 어둠 속에 잃고 찾지 못한 투로 무거워진 가슴을 안고 복산이 따라 방으로 들어갔다.

– 이문구, 「관촌수필」

● **톺던** 끝을 가늘고 부드럽게 하려고 톱으로 훑던.
● **콩노굿** 콩의 꽃.
● **자마구** 곡식의 꽃가루.
● **된내기** 된서리.
● **감뭇하기도** 보이던 것이 전연 보이지 않아 찾을 곳이 감감하기도.

07 윗글에 대한 설명으로 가장 적절한 것은?

① 반복되는 사건을 제시하여 갈등을 심화하고 있다.
② 빈번한 장면 교차를 통해 긴박한 분위기를 조성하고 있다.
③ 장면에 따라 서술자를 달리하여 사건에 대한 다양한 관점을 제시하고 있다.
④ 과거와 현재를 매개하는 경험을 제시하여 인물이 겪는 정서의 변화를 드러내고 있다.
⑤ 시간의 역전을 통해 인과 관계를 재구성한 서사를 함께 제시하여 사건의 내막을 드러내고 있다.

08 ㉠~㉤에 대한 이해로 적절하지 <u>않은</u> 것은?

① ㉠에는 어른들의 말을 온전하게 받아들이지는 않는 '나'의 미심쩍음이 드러난다.
② ㉡에는 우연한 계기로 일어난 연상에 흥미를 갖는 '나'의 호기심이 나타난다.
③ ㉢에는 순간적인 놀라움이 반가움과 그리움으로 전환되어 나타난다.
④ ㉣에는 예측하는 상황이 일어날 것이라는 짐작에서 비롯된 '나'의 기대감이 나타난다.
⑤ ㉤에는 대상의 실체를 확인하기 전에 했던 자신의 행동에 대한 '나'의 허무감이 드러난다.

09 〈보기〉를 바탕으로 윗글을 이해한 내용으로 적절하지 <u>않은</u> 것은?

> ─ 보기 ─
> 이 작품은 작가의 체험을 바탕으로 고향 마을인 '관촌'의 생활상을 사실적으로 그린 자전 소설이다. 1인칭 서술자인 '나'가 어린 시절에 대한 회상, 어른이 되어 다시 찾은 고향에서 겪은 경험 등을 제시하고 있으며, 충청도 방언의 사용을 통해 생생한 느낌을 준다. 또한 과거 농촌 사회와 근대화 이후 변해 버린 농촌 세대에 대한 사실적인 묘사를 통해 가난했지만 정신적으로 풍요로웠던 고향에 대한 향수를 불러일으킨다.

① 복산이가 사용하는 충청도 방언은 작가의 고향인 '관촌'의 생활상을 사실적으로 그려 생생한 느낌을 주는군.
② '나'가 '명색 문화인'이면서도 '밤낚시 한 번두' 해 보지 않은 것은 전통적인 삶에 대한 애착이 있기 때문이겠군.
③ '나'가 '늘어앉은 불빛들이 제자리에 죽어 있음'을 깨달은 것은 근대화 이후 변해 버린 농촌 세대에 대한 자각으로 볼 수 있겠군.
④ 주인공 '나'의 독백적인 서술은 윗글이 작가의 체험을 바탕으로 하는 자전 소설임을 드러내는 동시에 제목에 쓰인 '수필'의 느낌을 드러내는군.
⑤ '된내기 빛에 두엄이 허옇게 쉰 위로 난초 치던 붓끝 같은 마늘 싹이 솟'는 풍경은 과거 농촌에 대한 실감 나는 묘사를 통해 고향에 대한 향수를 불러일으키는군.

10 ⓐ, ⓑ에 대한 설명으로 적절하지 <u>않은</u> 것은?

① ⓐ는 '나'에게 시간의 흐름에 따라 다르게 인식된다.
② ⓑ는 '나'에게 아쉬움과 허무함을 불러일으킨다.
③ '나'는 ⓐ가 ⓑ로 변한 것을 비관적으로 바라보고 있다.
④ ⓐ는 '나'의 과거, ⓑ는 현재와 연관된 소재이다.
⑤ ⓐ와 ⓑ는 모두 동일한 공간과 관련된 소재이다.

11 〈보기〉를 참고하여 윗글을 감상한 내용으로 적절하지 <u>않은</u> 것은?

> ─ 보기 ─
> 금기란 어떤 대상을 꺼리거나 피하는 행위를 가리킨다. 공동체의 구성원들은 금기를 위반하면 그 대상에 의해 공동체 혹은 그 구성원이 처벌을 받는다는 인식을 공유한다. 일반적으로 금기를 설정하는 근본적인 이유는 알려지지 않지만, 금기와 그 대상에 대한 추측은 구전의 방식을 통해 은밀하게 전파되어 구성원들 간에 회자된다. 이를 통해 금기와 금기의 대상이 환기하는 의미는 세대를 거쳐 전달됨으로써 서로 다른 세대 간에 공동체의 체험을 공유하는 데에 기여하기도 한다.

① '짜그락'거리는 '조무래기들'을 말리던 어른들이 그 이유를 '이렇다 하게 내놓지 못하는 눈치가 역력'하였던 것은, 금기가 설정된 근본적 이유가 알려지지 않았기 때문이겠군.
② '늘그막의 아낙네들'이 아이들에게 '도깨비불에 손가락질하면 도깨비가 쫓아온다'고 말하는 것은, 공동체의 금기를 서로 다른 세대가 공유하는 장면이라고 할 수 있겠군.
③ '그네들'이 '낮춘말'로 '도깨비들이 벌거벗고 산다'고 '귀띔'을 해 주는 행위는, 구전의 방식을 통해 금기의 대상에 대한 추측이 은밀하게 전파되는 정황을 보여 주는 것이겠군.
④ '아무리 무더워도' 핑계를 대고 '마실 마당에서 일찍 물러나곤' 한 것은, 금기를 위반한 '나'가 자신에게 닥칠 어른들의 처벌이 두려워서 한 행동이겠군.
⑤ '재산붙이'를 잃은 듯 '무거워진 가슴을 안고' 방으로 들어가는 행동은, 공동체에서 공유되던 금기에 관련된 일들이 추억으로만 남게 된 상황에 대한 '나'의 심리를 드러낸 것이라 할 수 있겠군.

도요새에 관한 명상 | 김원일

핵심 포인트

'도요새'를 바라보는 시선

병국		병식
• 이상과 자유, 동경의 대상 • 자신의 상처를 치유해 주는 존재	↔	• 금전적 가치가 있는 존재 • 경제적 이익을 얻는 수단

전체 줄거리

1부	병식의 시점. 재수생인 '나(병식)'는 강가에서 새를 밀렵하여 번 돈을 유흥비로 쓰면서 생활하는 한편, 촉망받는 수재였으나 학생 운동을 하다 퇴학당한 형(병국)에게 실망함.
2부	병국의 시점. 대학에서 제적을 당한 '나(병국)'는 고향으로 돌아온 후 자책감을 갖고 생활하다가 자연 문제와 동진강의 새 떼에 관심을 갖고 강 주변의 생태계 파괴 원인을 밝히고자 함. ···▸ 수록 부분 ㉮
3부	아버지의 시점. 북에 가족을 두고 온 '나(아버지)'는 적극적이고 억척스러운 아내와 대조적인 성격으로 갈등하는 한편, 병국이 낸 진정서 때문에 비료 회사 사람들과 군인들이 찾아오고 병국에게 환경 오염과 병식의 새 밀렵에 대한 이야기를 듣게 됨.
4부	전지적 작가 시점. 병국은 새 밀렵 행위 문제로 병식과 다투게 되고, 이후 통일에 대한 아버지의 희망을 듣고 도요새의 비상을 바라며 따라가지만 놓침. ···▸ 수록 부분 ㉯

기출 OX

Q1 도요새는 인물에 종속된 존재를 표상한다.
　기출 2015. 9. 모평 B ◯ Ⅹ

Q2 병식은 병국의 아픔을 들추어 냉소적으로 말하고 있다.
　기출 2009. 9. 고1 ◯ Ⅹ

• 다구리 탈 짓 못매 맞을 짓.

답 **Q1** Ⅹ **Q2** ◯

[앞부분 줄거리] 서울의 명문 대학교에 다니던 병국은 학생 운동을 했다는 이유로 퇴학을 당하고 고향으로 내려온다.

㉮ 　죽음을 거부하면서도 삶답지 못한 생존의 늪을 허우적거릴 때, 이 도시의 생활환경이 왜 자연을 파손시키느냐의 또 다른 문제에 관심을 갖게 되었다. 그와 동시에 나는 동진강 하구의 삼각주 개펄에서 새 떼를 만난 것이다. 실의의 낙향 생활로 술만 죽여 내던 내 깜깜한 생활 안으로 **나그네새의 울음소리가 화톳불처럼 살아나기 시작했다.** 새가 내 머릿속으로 자유자재 날아다녔다. 수백 마리로 떼를 이루어 의식의 공간을 무한대로 휘저었다. 새 중에서도 **동진강 하구에서 자취를 감춘 도요새**였다. 나는 도요새를 찾아 헤매었다. 〈중략〉 그래서 시베리아 알래스카 캐나다의 툰드라에서 편도 일만 킬로미터를 날아 남으로 남으로 내려오는 그 작은 **새 떼의 길고 긴 여정에 밤마다 동참**했던 것이다. 나의 일상이 너무 권태스러울 정도로 자유스러우면서, ㉠전혀 자유스럽지 못한 내 사고의 굳게 닫힌 문을 도요새가 그 날카로운 부리로 쪼며 밀려들었다. 그리고 떠남의 자유와 고통에 대해 여러 말을 재잘거렸다.

㉯ 　"너 그날 석교천 방죽에서 말야. 새를 독살하고 오던 길이지?"

　"그래서, 그게 뭘 어쨌다는 거야?" 〈중략〉

　"누가 네게 그 일을 시키고 있어? 그 사람을 대."

　병국이가 술이 찬 잔을 한쪽으로 밀며 소리쳤다. 출렁거린 술이 반쯤 식탁 위에 쏟아졌다.

　"이 지구상에 희귀조가 계속 멸종되어 간다는 건 너도 알지? ㉡인간이 새로운 새를 창조해 낼 순 없어."

　"그 개떡 같은 이론은 집어쳐. 내가 알기론 ㉢이 지구상에는 삼십억이 넘는 새들이 살고 있어. 그 중 내가 오십 마리를 죽였다 치자. 그게 형은 그렇게 안타까워? 그렇담 숫제 참새구이도 없애 버리지 뭘, 닭도 진화를 도와 하늘로 해방시키구."

　"박제하는 놈을 못 대겠어?"

　병국이가 의자에서 벌떡 일어서더니 아우의 멱살을 틀어쥐었다. 주모가 달려와 둘 사이에 끼어들었다. 개시도 안 한 술집에서 웬 행패냐고 주모가 소리쳤다.

　"난 못 불겠다. 그래, 고발 좋아한담 고발해 봐. 형 손에 아우가 쇠고랑을 차지!"

　병식이가 형의 손목을 잡고 비틀어 꺾었다.

　"형도 **구치소**깨나 출입했으니 아운들 **햇볕**만 보란 법은 없으니깐."

　"이 자식, 말이면 다야!" / 순간 병국의 주먹이 아우의 턱을 갈겼다. 병식이의 머리가 뒷벽에 부딪히자 금세 입술 사이에서 피가 내비쳤다.

　"쳐, 정말 형이 날 쳤어!"

　병식이가 의자에서 벌떡 일어났다. 그리곤 의자와 술상 사이로 빠져나오더니 형의 허리를 억세게 조여 안았다. 병국이의 몸이 마른 장작개비처럼 번쩍 들렸다. ㉣병식은 형을 흙바닥에 내동댕이치곤 옆에 있던 의자를 번쩍 치켜들었다. 그리고 그것을 형의 면상에다 내리찍으려 하다 손에 힘을 뽑더니 그만 내려놓았다.

　"형, 오늘은 내가 참는 거야. 내가 정말 °다구리 탈 짓을 했담 형한테 얼마든지 맞아 주겠어. 그러나 내가 새를 죽인 것도 아니구, 족제비란 친구를 따라 심심풀이로 같이 다녔는데, 뭐 치사하게 동생을 고발해!"

병식은 ⓜ백 원짜리 동전 세 개를 소리 나게 놓았다. 입술의 피를 닦았다. 그리고 가방을 들더니 재빨리 출입문을 열었다.

"병식아, **학관** 끝나면 집으로 꼭 들어와!"

모잽이로 쓰러졌던 병국이가 상체를 일으키며 외쳤다. 그러나 병식이는 이미 술집을 나서 버린 뒤였다.

01 (가), (나)에 대한 설명으로 가장 적절한 것은?

① (가)와 (나)는 모두 작품 속 인물이 사건을 서술하고 있다.

② (가)에서 시작된 두 인물의 갈등이 (나)에서 점차 심화되고 있다.

③ (가)는 시간의 흐름에 따라, (나)는 공간의 이동에 따라 사건이 서술되고 있다.

④ (가)는 인물의 내면을 중심으로, (나)는 인물 간 대화를 중심으로 사건이 전개되고 있다.

⑤ (가)와 (나)는 하나의 사건이 서로 다른 시각에서 서술되어 사건이 입체적으로 제시되고 있다.

02 윗글에 대한 이해로 적절하지 <u>않은</u> 것은?

① '나그네새의 울음소리'는 낙담한 병국을 각성시키는 계기가 된다.

② '새 떼의 길고 긴 여정에 밤마다 동참'하는 것은 병국의 정신적 상처를 치유하는 행위이다.

③ '박제하는 놈'을 대라며 화를 내는 병국의 태도는 도요새에 대한 병국의 인식과 관련이 있다.

④ '구치소'는 병국의 과거 행적과 관련이 있는 곳으로, '햇볕'이 드는 공간과 대비되는 공간이다.

⑤ '학관'은 병식이 병국과의 갈등을 피하기 위한 도피처이자, 병국과 병식이 화해하는 공간이다.

03 ㉠~ⓜ에 대한 이해로 적절하지 <u>않은</u> 것은?

① ㉠: 도요새에 상징적 의미를 부여하여 의식의 변화 과정을 드러내고 있다.

② ㉡: 상대의 행동을 만류하기 위한 의도가 간접적으로 담겨 있다.

③ ㉢: 예시를 들어 상대의 의견에 일부 동조하면서 자신의 행동을 옹호하고 있다.

④ ㉣: 인물 간의 갈등이 최고조에 이르렀음을 보여 주는 행동이다.

⑤ ⓜ: 상대에 대한 분이 아직 풀리지 않았음을 드러내는 행동이다.

04
기출 변형 2009학년도 9월 고1 학력평가

윗글을 〈보기〉와 같이 도식화할 때, ⓐ~ⓔ에 대한 설명으로 적절하지 <u>않은</u> 것은?

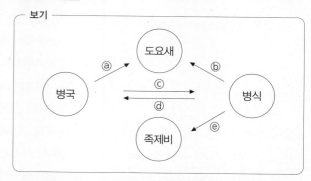

① ⓐ: 병국에게 도요새는 이상적 존재라 할 수 있다.

② ⓑ: 병식은 도요새를 금전적 가치로만 바라본다.

③ ⓒ: 병국은 병식에게 정보를 요구하고 있다.

④ ⓓ: 병식은 병국의 행동이 가식적이라고 생각한다.

⑤ ⓔ: 병식은 족제비의 생각과 행동에 동조한다.

05 〈보기〉를 바탕으로 윗글을 감상한 내용으로 적절하지 <u>않은</u> 것은?

> **보기**
>
> 산업화가 진행되던 1970년대 중반까지만 해도 인간 중심적, 성장 중심적 사고로 인해 환경에 대한 관심은 비교적 적었다. 「도요새에 대한 명상」은 신흥 공업 단지가 우리의 삶과 환경을 어떻게 파괴하는가에 주목하면서 환경 문제에 대한 선구적 문제의식을 보여 준다.

① '동진강 하구에서 자취를 감춘 도요새'는 환경 오염 문제의 심각성을 보여 주는군.

② '병식'은 환경 훼손의 심각성에 대한 인식이 얕은 사람과 대응할 수 있는 인물이겠군.

③ 새 독살에 참여하고도 뻔뻔한 병식의 태도는 당시의 인간 중심적 사고를 보여 주는군.

④ 작가는 성장 중심적 사고로 인해 발생할 수 있는 문제를 다룸으로써 사회적 반향을 일으키고자 했겠군.

⑤ 작가는 '신흥 공업 단지'로 대표되는 산업화의 파괴 행위는 곧 인간과 자연 간의 갈등으로 이어진다는 주제를 강조하고 싶었겠군.

▶해법문학 Link
현대 소설 236쪽

엄마의 말뚝 2 | 박완서

키워드 체크 #자전적 #회고적 #사실적 #역순행적 #전쟁의 상처와 분단 문제의 극복 #아들을 잃은 어머니의 아픔

[핵심 포인트]

'엄마의 말뚝'이 지닌 상징적 의미

엄마의 말뚝
┌ 홀로 두 자녀를 억척스레 키워 낸 어머니의 집념
├ 아들의 죽음으로 인해 어머니의 가슴에 박힌 한(恨)
└ 분단의 비극적 현실에 맞서려는 어머니의 의지

[전체] 줄거리]

발단	'나'가 집을 비운 사이 아이가 화상을 입게 된 후, '나'는 자신의 몸과 마음이 집에서 떠나면 사고가 일어난다고 믿게 됨.
전개	어느 날 외출했다 돌아온 '나'는 친정 어머니가 눈길에서 넘어졌다는 소식을 듣고 어머니가 계신 병원으로 감.
위기	어머니는 다리 수술을 받은 후, 환각 속에서 6·25 전쟁 때 아들을 죽인 군관의 모습을 보고 허공에 소리를 치는 등 이상 행동을 보임.
절정	6·25 전쟁 당시 '나'의 오빠는 어쩔 수 없이 의용군에 지원했다가 겨우 탈출했지만, 군관에게 발각되어 총을 맞고 죽음.
결말	어머니는 정신을 차린 후, 자신이 죽으면 시신을 화장하여 오빠의 유골을 뿌린 장소에 뿌릴 것을 부탁함. ⋯▶ 수록 부분

[기출] OX

Q1 윗글은 서술하는 시간과 서술되는 시간이 일치하지 않는 서술 방식을 사용하고 있다.
[기출] 2005. 9. 모평 (O / X)

Q2 어머니는 자식을 잃은 슬픔을 치유하지 못하고 있다. [기출] 2006. 6. 고2 (O / X)

● 가매장 시체를 임시로 묻음.
● 행려변사자 떠돌아다니다가 타향에서 병들어 죽은 사람.
● 수복되고 잃었던 땅이나 권리 따위가 되찾아지고.
● 종당 일의 마지막.
● 선영 조상의 무덤. 또는 그 근처의 땅.

나는 어머니에게로 조심스럽게 다가갔다. 어머니의 손이 내 손을 잡았다. 알맞은 온기와 악력이 나를 놀라게도 서럽게도 했다. / "나 죽거든 행여 묘지 쓰지 말거라."

어머니의 목소리는 평상시처럼 잔잔하고 만만치 않았다. / "네? 다 들으셨군요?"

"그래, 마침 듣기 잘했다. 그러잖아도 언제고 꼭 일러두려 했는데. 유언 삼아 일러두는 게니 잘 들어 뒀다 어김없이 시행토록 해라. 나 죽거든 내가 느이 오래비한테 해 준 것처럼 해 다오. 누가 뭐래도 그렇게 해 다오. 누가 뭐라든 상관하지 않고 그럴 수 있는 건 너밖에 없기에 부탁하는 거다."

"오빠처럼요?" / "그래, 꼭 그대로. 그걸 설마 잊고 있진 않겠지?"

"잊다니요. 그걸 어떻게 잊을 수가⋯⋯."

어머니의 손의 악력은 정정했을 때처럼 아니, 나를 끌고 농바위 고개를 넘을 때처럼 강한 줏대와 고집을 느끼게 했다.

오빠의 시신은 처음엔 무악재 고개 너머 벌판의 밭머리에 ˙가매장했다. ˙행려병사자 취급하듯이 형식과 절차 없는 매장이었지만 무정부 상태의 텅 빈 도시에서 우리 모녀의 가냘픈 힘만으로 그것 이상은 가능한 일이 아니었다.

서울이 ˙수복되고 화장장이 정상화되자마자 어머니는 오빠를 화장할 것을 의논해 왔다. 그때 우리와 합하게 된 올케는 아비 없는 아들들에게 무덤이라도 남겨 줘야 한다고 공동묘지로라도 이장할 것을 주장했다. 어머니는 오빠를 죽게 한 것이 자기 죄처럼, 젊어 과부된 며느리한테 기가 죽어 지냈었는데 그때만은 조금도 양보할 기세가 아니었다. 남편의 임종도 못 보고 과부가 된 것도 억울한데 그 무덤까지 말살하려는 시어머니의 모진 마음이 야속하고 정떨어졌으련만 그런 기세 속엔 거역할 수 없는 위엄과 비통한 의지가 담겨져 있어 ˙종당엔 올케도 순종을 하고 말았다.

오빠의 살은 연기가 되고 뼈는 한줌의 가루가 되었다. 어머니는 앞장서서 강화로 가는 시외버스 정류장으로 갔다. 우린 묵묵히 뒤따랐다. 강화도에서 내린 어머니는 사람들에게 묻고 물어서 멀리 개풍군 땅이 보이는 바닷가에 섰다. 그리고 지척으로 보이되 갈 수 없는 땅을 향해 그 한 줌의 먼지를 훨훨 날렸다. 개풍군 땅은 우리 가족의 ˙선영이 있는 땅이었지만 선영에 못 묻히는 한을 그런 방법으로 풀고 있다곤 생각되지 않았다. 어머니의 모습엔 운명에 순종하고 한을 지그시 품고 삭이는 약하고 다소곳한 여자 티는 조금도 없었다. 방금 출전하려는 용사처럼 씩씩하고 도전적이었다.

[A] ┌ 어머니는 한 줌의 먼지와 바람으로써 너무도 엄청난 것과의 싸움을 시도하고 있었다. 어머니에게 그 한 줌의 먼지와 바람은 결코 미약한 게 아니었다. 그야말로 어머니를 짓밟고 모든 것을 빼앗아 간, 어머니가 도저히 이해할 수 없는 분단이란 괴물을 홀로 거역할 수 있는 유일한 수단이었다.

어머니는 나더러 그때 그 자리에서 또 그 짓을 하란다. 이젠 자기가 몸소 그 먼지와 바람이 될 테니 나더러 그 짓을 하란다. 그 후 삼십 년이란 세월이 흘렀건만 그 괴물을 └ 무화시키는 길은 정녕 그 짓밖에 없는가?

"너한테 미안하구나, 그렇지만 부탁한다."

어머니도 그 짓밖에 물려줄 수 없는 게 진정으로 미안한 양 표정이 애달프게 이지러졌다. 아아, 나는 그 짓을 또 한 번 할 수밖에 없을 것 같다. / 어머니는 아직도 투병 중이시다.

01 윗글의 서술상 특징으로 가장 적절한 것은?

① 인물 간의 대화를 통해 갈등이 고조되고 있다.

② 역순행적 구성을 통해 과거와 현재를 연결하고 있다.

③ 장면마다 서술자를 달리하여 사건의 내막을 파헤치고 있다.

④ 주로 현재형 시제를 활용함으로써 사건을 생생하게 전달하고 있다.

⑤ 작품 밖 서술자가 인물들의 말과 행동을 객관적으로 묘사하고 있다.

02 〈보기〉는 윗글의 인물들의 관계를 나타낸 것이다. 윗글의 내용을 바탕으로 ㉠~㉤을 이해한 내용으로 적절하지 <u>않은</u> 것은?

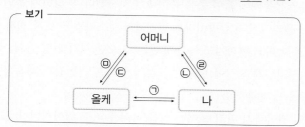

① ㉠: '나'는 올케의 상황을 고려하여 그녀의 마음을 이해하고 있다.

② ㉡: '나'는 어머니의 마음을 이해하지만 부탁을 거절하기로 하였다.

③ ㉢: '올케'는 오빠의 시신 처리 문제와 관련하여 어머니와 대립하였다.

④ ㉣: '어머니'는 '나'가 누구보다 자신의 뜻을 잘 이해해 줄 것이라 생각한다.

⑤ ㉤: '어머니'는 올케에게 미안함을 느끼고 있었으나 오빠의 화장 문제에서는 뜻을 굽히지 않았다.

03 [A]에 대한 이해로 적절하지 <u>않은</u> 것은?

① '한 줌의 먼지와 바람'은 현재 고향 땅에 닿을 수 있는 유일한 수단이다.

② 어머니가 '괴물'을 거역하는 수단은 '괴물을 무화'시키기 위한 근본적인 방법이다.

③ '너무도 엄청난 것'은 '분단이란 괴물'을 가리키는 것으로, 어머니는 이에 맞서고자 한다.

④ '그때 그 자리에서 또 그 짓'을 해야 하는 것은 '삼십 년이란 세월'에도 변하지 않은 현실을 드러낸다.

⑤ '몸소 그 먼지와 바람'이 되려는 어머니의 결심에서 남북의 분단 상황을 극복하고자 하는 마음이 드러난다.

04 윗글의 내용으로 볼 때, 제목 '엄마의 말뚝'이 의미하는 바를 추론한 내용으로 가장 적절한 것은?

① 자신의 뜻을 따라 주지 않는 가족들에 대한 어머니의 원망을 의미하는군.

② 비극적인 전쟁을 겪은 어머니가 후유증으로 얻은 오랜 지병을 상징하는군.

③ 분단으로 인해 받은 상처를 의미하는 동시에 이를 극복한 증표를 의미하는군.

④ 아들의 죽음으로 인한 한과 비극적 현실에 맞서려는 어머니의 의지를 나타내는군.

⑤ 집안의 가장 큰 어른으로서 끝까지 위엄을 지키고자 하는 엄마의 소망을 의미하는군.

05 다음은 윗글을 지은 작가의 말이다. 〈보기〉를 참고하여 윗글을 감상한 내용으로 가장 적절한 것은?

> 보기
>
> 우리나라의 분단은 이제 하나의 기정사실입니다. 분단은 오래전에 피 흘리기를 멈추고 굳은 딱지가 되었고 통일을 꿈꾸지 않은 지도 오래된 것처럼 보입니다. 통일이란 말이 도처에 범람하고 있습니다만 분단의 고통을 겪은 자의 애절한 꿈으로서가 아니라 한낱 구호로써 행세하고 있을 뿐입니다. 어떤 이들은 될 수 있는 대로 많은 구호를 만들어 내어 분단을 치장하면 된다고 생각하지만, 진실로 통일이 꿈인 사람은 끊임없이 분단된 상처를 쥐어뜯어 괴롭게 피 흘릴 수밖에 없습니다. 토막 난 채 아물어 버리면 다시는 이을 수 없게 되리라는 것을 알고 있기 때문입니다.

① 통일은 어머니의 애절한 꿈으로서 전쟁의 상처를 치유해 주었군.

② 어머니는 분단된 상처가 그대로 아무는 것을 거부하고 상처를 쥐어뜯으려고 하겠군.

③ '나'는 기정사실이 되어 버린 분단의 현실을 인정하고 상처를 단단하게 굳히려고 하겠군.

④ 올케에게 분단은 오래전에 피 흘리기를 멈추고 굳은 딱지이자, 한낱 구호로 여겨지겠군.

⑤ 오빠는 '나'에게 전쟁의 상처를 상기하게 하는 인물로서 '나'가 많은 구호로 분단을 치장하게 만드는군.

아버지의 땅 | 임철우

▶출제 예감!

키워드 체크 #분단 소설 #과거와 현재의 이중 구조 #민족사와 가족사 #이념 대립의 아픔과 극복

[앞부분 줄거리] 아버지 없이 자란 '나'에게는 *좌익 운동을 하러 떠났다는 아버지의 이미지가 죄책감처럼 따라붙고, '나'는 아버지를 원망한다. 전방에서 군 복무 중이던 '나'는 참호를 파다가 신원을 알 수 없는 유골을 발견하고, 유골의 묘를 새로 만들어 주기 위해 동네 노인을 불러온다.

⊙노인은 고개를 숙인 채 뼛조각에 묻은 흙을 정성스레 닦아 내고 있었다. 무슨 귀한 물건마냥 서두르는 기색도 없이 신중히 손질하고 있는 노인의 자그마한 체구를 우리는 둘러서서 지켜보았다. 〈중략〉

"땅속에 누운 사람의 잠을 살아 있는 사람이 깨워서야 되겠소. 또 그럴 수도 없는 법이고. 원통한 넋이니 죽어서라도 편히 눈감도록 해야지, 암. 그것이 산 사람들의 도리요…… 하기는, 이렇게 불편한 꼴로 묶여 있었으니 그 잠인들 오죽했을까만."

노인은 어느 틈에 꾸짖는 듯한 말투로 혼자 중얼거리고 있었다. 두개골과 다리뼈를 꼼꼼히 문질러 닦은 뒤, 노인은 몸통뼈에 묶인 줄을 풀어내기 시작했다. 완강하게 묶인 매듭은 마침내 노인의 손끝에서 풀리어졌다. 금방이라도 쩔걱쩔걱 쇳소리를 낼 듯한 철사 줄은 싱싱하게 살아 있었다. 살을 녹이고 뼈까지도 녹슬게 만든 그 오랜 시간과 땅 밑의 어둠을 끝끝내 견뎌 내고 그렇듯 시퍼렇게 되살아 나오는 그것의 놀라운 끈질김과 냉혹성이 언뜻 소름끼치도록 무서움증을 느끼게 했다.

노인은 손목과 팔에 묶인 결박까지 마저 풀어낸 다음 허리를 펴고 일어서더니 줄 묶음을 들고 저만치 걸어 나갔다. ⓛ그가 허공을 향해 그것을 멀리 내던지는 순간, 나는 까닭 모르게 마당가에서 하늘을 치어다보며 서 있는 어머니의 가녀린 목줄기와 그녀가 아침마다 소반 위에 떠서 올리곤 하던 하얀 물 사발이 눈앞에 떠올랐다가 스러져 버리는 것이었다.

나는 담배를 피워 물었다. 멀리 메마른 초겨울의 야산이 헐벗은 등을 까내놓고 죽은 듯이 엎드려 있었다. 사위는 온통 잿빛의 풍경이었다. 피잉, 현기증이 일었다.

광주리를 머리에 인 어머니가 모래밭을 걸어오고 있었다. 돌돌거리며 흐르는 물소리를 거슬러 강변 모래밭을 어머니가 혼자 저만치서 다가오고 있었다. 모래밭은 하얗게 햇살을 되받아 쏘며 은빛으로 반짝였다. 허리띠를 질끈 동인 어머니의 치맛자락이 흐느적이며 바람결에 흔들리고 있었다. 나는 햇살에 부신 눈을 가늘게 오므리고 줄곧 그녀를 지켜보고 있었다. 그때였다. 꿈속에서처럼 나는 그녀의 뒤를 바짝 따라오고 있는 한 사내의 환영을 보았다. 그건 아버지였다. 언젠가 어머니의 낡은 *반닫이 깊숙한 옷가지 밑에 숨겨져 있던 액자 속에서 학생복 차림으로 서 있던 그대로 그건 영락없는 그 사내였다. 나를 어머니의 뱃속에 남겨 놓은 채 어느 바람이 몹시 부는 날 밤, 산길을 타고 지리산인가 어디로 황황히 떠나가 버렸다는 사내. 창백해 뵈는 뺨에 마른 몸집의 그 사내가 어머니와 함께 걸어오고 있는 것이었다. 놀란 눈으로 풀밭에 앉아 나는 그들을 지켜보고 있었다. 이윽고 어머니의 눈썹과 코, 입의 윤곽과 야윈 목줄기까지 뚜렷이 드러날 만큼 가까워졌을 때 사내의 환영은 어느 틈에 사라져 버리고 없었다. 몇 번이나 눈을 비비고 보았으나 역시 마찬가지였다. 하얗게 반짝이는 모래밭 위로 어머니가 찍어 내는 발자국만 유령처럼 끈질기게 그녀의 발꿈치를 뒤따라오고 있을 뿐이었다.

ⓒ우리는 관 대신에 신문지로 싼 유해를 맨 처음 그 자리에 다시 묻어 주었다. 도톰하니 봉분을 만들고 *뗏장까지 입혀 놓고 보니 엉성한 대로 형상은 갖춘 듯싶었다. 노인은 술을 흙 위에 뿌려 주었다. 그리고 자신이 먼저 한 모금 마신 다음에 잔을 돌렸다. 오 일병이

노파가 준 북어를 내놓았고, 덕분에 작은 술판이 벌어졌다. *음복인 셈이었다. 〈중략〉

술이 가득 차오른 *반합 뚜껑을 나는 두 손으로 받쳐 들었다. ㉣저것 봐라이. 날짐승도 때가 되면 돌아올 줄 아는 법이다. 어머니가 말했다. 저만치 웬 사내가 서 있었다. 가슴과 팔목에 **철사 줄**을 동여맨 채 사내는 이쪽을 응시하며 구부정하게 서 있었다. **퀭하니 열려 있는 그 사내의 눈**은 잔뜩 겁에 질려 있는 채로였다. ㉤애앵. 총성이 울렸고 그는 허물어지듯 앞으로 고꾸라지고 있었다. 불현듯 시야가 부옇게 흐려 왔다.

아아. 아버지는 지금 어디에 쓰러져 누워 있을 것인가.

- *음복 제사를 지내고 난 뒤 제사에 쓴 음식을 나누어 먹음.
- *반합 직접 밥을 지을 수 있게 된, 알루미늄으로 만든 밥그릇. 주로 군인이나 등산객들이 씀.

---

01 윗글의 서술상 특징으로 가장 적절한 것은?

① 짧은 문장을 통해 긴박한 분위기를 조성하고 있다.
② 인물 간의 대화를 통해 인물의 내적 갈등을 드러내고 있다.
③ 여러 인물의 내면을 서술하여 사건의 입체성을 강화하고 있다.
④ 특정 공간이 지니는 의미 변화를 중심으로 서사를 전개하고 있다.
⑤ 현재의 사건을 매개로 한 과거 회상을 통해 인물의 내면을 드러내고 있다.

02 다음은 윗글에 나타난 장면을 정리한 것이다. 사건이 일어난 순서대로 바르게 나열한 것은?

┌ 보기 ─────────────────
ⓐ 노인이 몸통뼈에 묶인 줄을 풀어내는 장면
ⓑ 어머니가 소반 위에 물 사발을 올리던 장면
ⓒ 아버지가 산길을 타고 어디론가 떠나는 장면
ⓓ 군인들이 함께 봉분을 만들고 음복을 하는 장면
└──────────────────────

① ⓐ — ⓑ — ⓒ — ⓓ
② ⓑ — ⓐ — ⓓ — ⓒ
③ ⓒ — ⓑ — ⓓ — ⓐ
④ ⓒ — ⓑ — ⓐ — ⓓ
⑤ ⓓ — ⓒ — ⓑ — ⓐ

03 ㉠~㉤을 이해한 내용으로 적절하지 않은 것은?

① ㉠에서 노인이 유골을 대하는 태도를 통해 숭고한 인간애를 엿볼 수 있군.
② ㉡에서 노인이 철사 줄을 내던지는 행동은 이념의 잔혹성에 대한 거부를 상징하는군.
③ ㉢에서 어머니와 아버지의 모습을 떠올리던 '나'가 현재로 돌아왔음을 알 수 있군.
④ ㉣에서 어머니가 돌아오지 않는 아버지를 그리워함과 동시에 원망하고 있음을 알 수 있군.
⑤ ㉤은 아버지가 이념 대립의 희생자가 되었을 수도 있겠다는 '나'의 추측을 드러내는군.

04 철사 줄에 대한 설명으로 적절하지 않은 것은?

① 개인을 억압하는 이념의 폭력성을 상기시킨다.
② 이야기의 핵심적인 갈등을 촉발하는 기능을 한다.
③ 주인공의 과거와 현재를 연결하는 매개로 작용한다.
④ 주인공의 삶에 영향을 미치고 있던 굴레를 상징한다.
⑤ 주인공이 이전과 다른 감정을 느끼는 계기를 제공한다.

고난도 | 기출 | 변형 | 2015학년도 3월 고3 학력평가

05 〈보기〉를 참고하여 윗글을 이해한 내용으로 가장 적절한 것은?

┌ 보기 ─────────────────
이 작품에서 주인공의 아버지는 한국 전쟁 때 좌익 활동을 하다가 생사를 알 수 없게 된 존재이다. 이러한 아버지로 인해 주인공은 어린 시절 상처를 입고, 아버지를 원망하는 한편 아버지를 기다리는 어머니마저 탐탁지 않게 여기게 된다. 그런데 군 복무 중 우연히 발견한 유골을 수습하는 과정에서 주인공은 아버지와 어머니 모두에게 연민을 느끼게 된다. 작가는 이러한 과정을 통해 민족사의 비극이 개인에게 영향을 미쳐 가족사의 아픔으로 이어지고 있음을 보여 준다.
└──────────────────────

① '살을 녹이고 뼈까지도 녹슬게 만든' '철사 줄'은 사내가 동여맨 '철사 줄'과 이어져 민족사의 비극이 가족사의 아픔으로 이어지고 있음을 보여 주는군.
② '나'가 '현기증'을 느낀 것은 불현듯 어머니의 '가녀린 목 줄기'와 그녀가 올리던 '하얀 물 사발'이 눈앞에 떠올랐다가 스러져 버렸기 때문이겠군.
③ '나'가 '모래밭 위로 어머니가 찍어 내는 발자국만 유령처럼' 어머니를 따라오는 것을 본 것은 아버지를 기다리던 어머니에 대한 '나'의 부정적인 감정이 반영된 것이군.
④ '나'가 '퀭하니 열려 있는 그 사내의 눈'을 떠올린 것은 가족의 품으로 돌아오고 싶지만 미안함 때문에 그렇게 하지 못한 '아버지'의 감정을 이해했기 때문이군.
⑤ '나'가 '아버지는 지금 어디에 쓰러져 누워 있을 것인'지에 대해 의문을 가지는 것은 가족에 대해 무책임했던 '아버지'를 원망하는 마음 때문이겠군.

해산 바가지 | 박완서

키워드 체크 #자전적 #회고적 #현실 비판적 #남아 선호 사상 #생명 존중 #순환적 구조

핵심 포인트

'해산 바가지'를 통한 이해와 포용의 순환 구조

성별에 따라 차별하지 않고
'나'의 아이를 돌봐 주신 시어머니

↓

치매에 걸린 시어머니를 요양원에 모시고자 한 '나'

↓

해산 바가지를 떠올리며 시어머니를
진심으로 모시게 된 '나'

'해산 바가지'의 의미

아이가 태어나면 준비해 둔 '해산 바가지'로
정성스레 산모와 아이를 돌본 시어머니

↓

남녀를 차별하지 않는 생명 존중의 상징

전체 줄거리

발단	'나'는 남아 선호 사상으로 주위 사람들을 힘들게 하는 친구를 보고 자신이 경험한 이야기를 해 주기로 마음먹음.
전개	'나'는 네 명의 딸을 낳고 마지막으로 아들을 낳는데, 그때마다 시어머니는 남녀 구별 없이 정성스레 아기를 돌봐 주심.
위기	시어머니가 치매에 걸리자 '나'는 효부인 척 위선을 떨며 모시다가 심신이 지쳐 약까지 먹게 됨.
절정	상의 끝에 시어머니를 요양원에 모시기로 하고 남편과 함께 요양원을 보러 가던 중 '나'는 박을 보며 해산 바가지를 떠올림. ···▶ 수록 부분
결말	'나'는 아이를 낳을 때마다 한결같은 태도로 아기를 돌봐 주신 시어머니를 떠올리며 시어머니를 집에서 모시기로 하고, 이후 시어머니는 평화롭게 임종을 맞게 됨. ···▶ 수록 부분

기출 OX

Q1 '나'의 시어머니는 '나'가 낳은 첫딸을 귀하게 여겼다. [EBS 변형] ○ ✕

Q2 '해산 바가지'는 현재에서 과거로 시간을 전환한다. [EBS 변형] ○ ✕

● **해산달** 아이를 낳을 달.
● **첫국밥** 아이를 낳은 뒤에 산모가 처음으로 먹는 국과 밥. 주로 미역국과 흰밥을 먹음.
● **희색** 기뻐하는 얼굴빛.

답 01 ○ 02 ○

[앞부분 줄거리] 별다른 시집살이 없이 살았던 '나'는 시어머니가 치매에 걸린 뒤로 속마음과는 다르게 효부인 척 위선을 떨며 모시다가 신경 안정제를 복용할 정도로 심신이 황폐해진다. 시어머니의 친정 식구들의 권유에 따라 '나'는 시어머니를 맡길 요양원을 살펴보기 위해 남편과 함께 길을 나선다.

"여보 저 박 좀 봐요. 해산 바가지 했으면 좋겠네." / 나는 생뚱한 소리로 환성을 질렀다.

"해산 바가지?" / 남편이 멍청하게 물었다. / "그래요. 해산 바가지요."

실로 오래간만에 기쁨과 평화와 삶에 대한 믿음이 샘물처럼 괴어 오는 걸 느꼈다.

내가 첫애를 뱄을 때 시어머님은 *해산달을 짚어 보고 섣달이구나, 좋을 때다, 곧 해가 길어지면서 기저귀가 잘 마를 테니, 하시더니 그해 가을 일부러 사람을 시켜 시골에 가서 해산 바가지를 구해 오게 했다.

"잘생기고, 여물게 굳고, 정한 데서 자란 햇바가지여야 하네. 첫 손자 *첫국밥 지을 미역 빨고 쌀 씻을 소중한 바가지니까." / 이러면서 후한 값까지 미리 쳐주는 것이었다. 그럴 때의 그분은 너무 경건해 보여 나도 덩달아서 아기를 가졌다는 데 대한 경건한 기쁨을 느꼈다. 이윽고 정말 잘 굳고 잘생기고 정갈한 두 짝의 바가지가 당도했고, 시어머니는 그걸 신령한 물건인 양 선반 위에 고이 모셔 놓았다. 또 손수 장에 나가 보얀 젖빛 사발도 한 쌍을 사다가 선반에 얹어 두었다. 그건 해산 사발이라고 했다.

㉠나는 내가 낳은 첫아이가 딸이라는 걸 알자 속으로 약간 켕겼다. 외아들을 둔 시어머니가 흔히 그렇듯이 그분도 아들을 기다렸음 직하고 더구나 그분의 남다른 엄숙한 해산 준비는 대를 이을 손자를 위해서나 어울림 직했기 때문이다. ㉡그러나 퇴원한 나를 맞아들이는 그분에게서 섭섭한 티 따위는 조금도 찾아볼 수 없었다. 그 잘생긴 해산 바가지로 미역 빨고 쌀 씻어 두 개의 해산 사발에 밥 따로 국 따로 퍼다가 내 머리맡에 놓더니 정성껏 산모의 건강과 아기의 명과 복을 비는 것이었다. 그런 그분의 모습이 어찌나 진지하고 아름답던지, 비로소 내가 엄마 됐음에 황홀한 기쁨을 느낄 수가 있었고, 내 아기가 장차 무엇이 될지는 몰라도 착하게 자라리라는 것 하나만은 믿어도 될 것 같은 확신이 생겼다. 〈중략〉 ㉢네 번째 딸을 낳고는 병원에서 밤새도록 울었다. 의사나 간호원까지 나를 동정했고 나는 무엇보다도 시어머니의 그 경건한 의식을 받을 면목이 없어서 눈물이 났다. 그러나 그분은 여전히 *희색이 만면했고 경건했다. ㉣다음에 아들을 낳았을 때도 더도 아니고 덜도 아닌 똑같은 영접을 받았을 뿐이었다. 그분은 어디서 배운 바 없이, 또 스스로 노력한 바 없이도 저절로 인간의 생명을 어떻게 대접해야 하는지를 알고 있는 분이었다. 그분이 아직 살아 있지 않은가. 그분의 여생도 거기 합당한 대우를 받아 마땅했다. 나는 하마터면 큰일을 저지를 뻔했다. 그분의 망가진 정신, 노추한 육체만 보았지 한때 얼마나 아름다운 정신이 깃들었었나를 잊고 있었던 것이다. 비록 지금 빈 그릇이 되었다 해도 사이비 기도원 같은 데 맡겨 있지도 않은 마귀를 내쫓게 하는 수모와 학대를 당하게 할 수는 없는 일이었다.

나는 남편이 막걸릿병을 다 비우기도 전에 길을 재촉해 오던 길을 되돌아섰다. 암자 쪽을 등진 남편은 더 이상 땀을 흘리지 않았다. ㉤시어머님은 그 후에도 삼 년을 더 살고 돌아가셨지만 그동안 힘이 덜 들었단 얘기는 아니다. 그분의 망령은 여전히 해괴하고 새록새록 해서 감당하기 힘들었지만 나는 효부인 척 위선을 떨지 않음으로써 조금은 숨구멍을 만들 수가 있었다. 너무 속상할 때는 아이들이나 이웃 사람의 눈치 볼 것 없이 큰 소리

로 분풀이도 했고 목욕시키거나 옷 갈아입힐 때는 아프지 않을 만큼 거칠게 다루기도 했다. 너무했다 뉘우쳐지면 즉각 애정 표시에도 인색하지 않았다.

　ⓐ위선을 떨지 않고 마음껏 못된 며느리 노릇을 할 수 있고부터 신경 안정제가 필요 없게 됐다. 시어머니도 나를 잘 따랐다. 마치 갓난아기처럼 천진한 얼굴로 내 치마꼬리만 졸졸 따라다녔다. 외출했다 늦게 돌아오면 그분은 저녁도 안 들고 어린애처럼 칭얼대며 골목 밖에서 나를 기다리고 있곤 했다. 임종 때의 그분은 주름살까지 말끔히 가셔 평화롭고 순결하기가 마치 그분이 이 세상에 갓 태어날 때의 얼굴을 보는 것 같았다. 나는 마치 그분의 그런 고운 얼굴을 내가 만든 양 크나큰 성취감에 도취해었다.

01 윗글에 대한 설명으로 가장 적절한 것은?

① 과거 회상을 통해 현재 상황의 변화를 이끌어 내고 있다.
② 특정 사물을 통해 새로운 갈등이 시작될 것을 암시하고 있다.
③ 치밀한 배경 묘사를 통해 인물의 내면 심리를 드러내고 있다.
④ 외화와 내화를 구분하여 작품의 분위기를 상반되게 전환하고 있다.
⑤ 인물들의 말과 행동을 중심으로 묘사하여 내면을 짐작하도록 하고 있다.

02 윗글에 대한 이해로 가장 적절한 것은?

① 남편은 '나'에게 해산 바가지가 어떤 의미를 지니는지 잘 알고 있었다.
② 시어머니를 집에서 모시기로 결정한 '나'는 항상 다정하게 시어머니를 모셨다.
③ '나'는 여자아이를 낳은 후에 기뻐하는 시어머니의 위선적인 태도에 상처를 받았다.
④ '나'는 첫아이를 낳았을 때 시어머니가 딸보다는 아들을 바라고 계실 것이라고 생각했다.
⑤ 시어머니는 '나'가 아이를 낳을 때마다 해산 바가지를 직접 구하러 가는 등 정성을 다했다.

03 해산 바가지 의 기능으로 가장 적절한 것은?

① '나'와 남편의 관계가 악화될 것을 암시한다.
② '나'를 오해한 남편이 내적 갈등에 빠지도록 한다.
③ '나'가 위선을 떨게 하여 비극적 결말을 이끌어 낸다.
④ '나'와 시어머니의 관계를 개선하여 갈등을 해소한다.
⑤ '나'가 시어머니의 치매 원인을 짐작하여 문제를 해결하게 한다.

04 〈보기〉를 바탕으로 ㉠~㉢을 이해한 내용으로 적절하지 않은 것은?

---- 보기 ----

　예로부터 우리나라는 부계 중심 가족 제도의 영향으로 아들을 중시하는 경향이 강했다. 고려 시대 이후 나타나기 시작한 남아 선호 사상은 조선 시대에 이르러 유교의 확산과 함께 강화되었다. 그러나 최근에는 가계 전승의 의미가 약화되면서 남아 선호 사상 역시 빠르게 약화되고 있다. 한편 가속화된 고령화 사회로 인해 노인 부양이나 저출산 등이 새로운 사회 문제로 자리 잡기도 하였다.

① ㉠: 남아 선호 사상이 팽배했던 당시 사회 분위기를 알 수 있군.
② ㉡: 시어머니가 당시 사람들의 일반적인 생각과 다른 가치관을 가졌다는 것이 드러나는군.
③ ㉢: '나' 역시 남아 선호 사상에 영향을 받았음을 알 수 있군.
④ ㉣: 남녀를 차별하지 않는 시어머니의 모습에서 남아 선호 사상에 대한 시어머니의 부채 의식을 읽을 수 있군.
⑤ ㉤: 새롭게 떠오른 사회 문제인 노인 부양의 어려움이 나타나는군.

05 ⓐ를 이해한 내용으로 가장 적절한 것은?

① 자신을 괴롭혔던 상대방을 용서함으로써 내면의 갈등을 해소한 것이군.
② 더 이상 시어머니를 부양하는 일을 회피할 수 없는 현실에 체념한 것이군.
③ 시어머니와 자신의 가치관이 다름을 인정하고 공존의 가치를 깨달은 것이군.
④ 시어머니를 가식적으로 대하지 않음으로써 마음의 안정을 찾을 수 있게 된 것이군.
⑤ 시어머니의 속마음을 이해하기 위해 노력하지 않아도 된다는 사실을 깨달은 것이군.

▶해법문학 Link
현대 소설 268쪽

비 오는 날이면 가리봉동에 가야 한다 | 양귀자

키워드 체크 #연작 소설 #비판적 #소외된 사람들의 삶 #사실적 묘사 #타자에 대한 이해와 존중

핵심 포인트

제목의 의미와 역할

의미	임 씨는 평소에는 열심히 일을 하지만, 비가 와서 일을 하지 못하는 날에는 예전에 떼인 연탄값을 받으러 가리봉동에 감.
역할	• 독자의 호기심을 유발함. • 정직하고 성실한 사람이 대우받지 못하는 사회를 비판함. • 자신의 이익만을 지키려 하는 부유층의 이기적인 세태를 비판함.

전체 줄거리

발단	'그'는 원미동에 처음으로 집을 장만하여 이사를 하지만 집에 잦은 하자가 생겨 보수에 많은 돈이 들어감.
전개	어느 날 '그'는 목욕탕 배수관에 문제가 생겨 지물포 주인에게 소개받은 임 씨에게 일을 맡김.
위기	임 씨는 원래 연탄장수이지만 여름에는 집수리를 부업으로 한다는 사실을 알게 된 '그'와 아내는 욕실 공사를 맡긴 것을 후회하고 그가 공사비를 부풀릴 것이라고 생각함. '그'와 아내는 견적대로 돈을 주기 아까워 옥상 공사를 추가로 부탁함. ···▶ 수록 부분 ㉮
절정	예상과 달리 깔끔하게 공사를 마친 임 씨가 옥상 공사 비용은 받지 않고, 목욕탕 공사비가 적게 들었다며 견적보다 적은 돈을 받자 '그'는 임 씨를 의심했던 것을 부끄러워하며 함께 술을 마심.
결말	임 씨와 한 잔 더 하게 된 '그'는 임 씨가 비 오는 날이면 떼인 연탄값을 받기 위해 가리봉동에 간다는 이야기를 들으며 가난한 도시 빈민인 임 씨의 처지를 가슴으로 느끼게 됨. ···▶ 수록 부분 ㉯

기출 OX

Q1 윗글의 서술자는 이야기의 내부에서 관찰자 역할을 한다. EBS 변형 ○ X

Q2 '임 씨'와 '아내'의 내면에 대한 서술은 '그'에 비해 상대적으로 제한되어 있다. EBS 변형 ○ X

• 공이 '옹이'의 방언. '굳은살'을 비유적으로 이르는 말.
• 우정 '일부러'의 방언.
• 노임 '노동 임금'을 줄여 이르는 말.

답 **Q1** X **Q2** ○

㉮ 몇 번씩이나 옥상에 얼굴을 디밀고 일의 진척 상황을 살피던 아내도 마침내 질렸다는 듯 입을 열었다. / "대강 해 두세요. 날도 어두워졌는데 어서들 내려오시라구요."

"다 되어 갑니다, 사모님. 하던 일이니 깨끗이 손봐 드려얍지요."

다시 방수액을 부어 완벽을 기하고 이음새 부분은 손가락으로 몇 번씩 문대어 보고 나서야 임 씨는 허리를 일으켰다. 임 씨가 일에 몰두해 있는 동안 그는 숨소리조차 내지 않고 일하는 양을 지켜보았다. ⊙저 열 손가락에 박힌 *공이의 대가가 기껏 지하실 단칸방만큼의 생활뿐이라면 좀 너무하지 않나 하는 안타까움이 솟아오르기도 했다. 목욕탕 일도 그러했지만 이 사람의 손은 특별한 데가 있다는 느낌이었다. 자신이 주무르고 있는 일감에 한 치의 틈도 없이 밀착되어 날렵하게 움직이고 있는 임 씨의 열 손가락은 **손가락 이상의 그 무엇**이었다. 처음에는 이 사내가 견적대로의 돈을 다 받기가 민망하여 *우정 지어내 보이는 열정이라고 여겼었다. 옥상 일의 중간에 잠시 집에 내려갔을 때 아내도 그런 뜻을 표했다. / "예상외로 옥상 일이 힘드나 보죠? 저 사람도 이제 **세상에 공돈은 없다는 사실을 깨달았을** 거예요."

하지만 우정 지어낸 열정으로 단정한다면 당한 쪽은 되려 그들이었다. 밤 여덟 시가 지나도록 잡역부 노릇에 시달린 그도 고생이었고, 부러 만들어 시킨 일로 **심적 부담을 느끼기 시작**한 그의 아내 역시 **안절부절못했**으니까.

㉯ "자그마치 팔십만 원이오, 팔십만 원. 제기랄. 쉐타 공장 하던 놈한테 일 년 내 연탄을 대 줬더니 이놈이 연탄값 떼어먹고 야반도주했어요. 공장이 망했다고 엄살을 까길래, 내 마음인들 좋았겠소. 근데 형씨. 아, 그놈이 가리봉동에 가서 더 크게 공장을 차렸지 뭡니까. 우리네 노가다들, 출신이 다양해서 그런 소식이야 제꺼덕 들어오지, 뭐."

"그럼 받아야지, 암. 받아야 하구말구." / 그는 딸꾹질을 시작했다. 임 씨에게 술을 붓는 손도 정처 없이 흔들렸다. 그에 비하면 임 씨의 기세 좋은 입만큼은 아직 든든하다.

"누군 받기 싫어 못 받수. 줘야 받지. 형씨, 돈 있는 놈은 죄다 도둑놈이오. 쫓아가면 지가 먼저 울상이네. 여공들 *노임도 밀렸다, 부도가 나서 그거 메우느라 마누라 목걸이까지 팔았다고 지가 먼저 성깔 내." / "죽일 놈."

그는 스웨터 공장 사장 을 눈앞에 그려 본다. ⓐ빤질빤질한 상판에 배는 툭 불거져 나왔겠지.

"그게 작년 일인데, 형씨, 올 여름에 비가 오죽 많았소. ⓑ비만 오면 가리봉동에 갔지요. 비만 오면 갔단 말이요." 〈중략〉

"난 말요, 이 토끼띠 사내는 말요, ⓒ보증금 백오십만 원에 월세 삼만 원짜리 지하실 방에서 여섯 식구가 살고 있소. 가리봉동 그 새끼는 곧 죽어도 맨션아파트요, 맨션아파트!"

임 씨는 주먹을 흔들며 맨션아파트라고 외쳤는데 그의 귀에는 꼭 맨손아파트처럼 들렸다.

"돈 받으러 갈 시간도 없다구. 마누라는 마누라대로 벽돌 찍는 공장에 나댕기지, 나는 나대로 이 짓 해서 벌어야지. 그래도 달걀 후라이 한 개 마음 놓고 못 먹는 세상!"

임 씨의 목소리가 거칠어졌다. 술이 너무 과하지 않나 해서 그는 선뜻 임 씨에게 잔을 돌리지 못하고 있었다.

"돌고 돌아서 돈이라고? 돌고 도는 돈 본 놈 있음 나와 보래! 우리 같은 신세는 평생 이

지랄로 끝장이야. ⓓ돈? 에이! 개수작 말라고 해." 〈중략〉

ⓔ"참고 살다 보면 나중에는……." / "모두 다 소용없는 일이야!"

임 씨의 기세에 눌려 그는 또 말을 맺지 못하고 입을 다물었다. ⓛ나중에는 임 씨 역시 맨션아파트에 살게 되고 달걀 후라이쯤은 역겨워서, 곰국은 물배만 채우니 싫어서 갖은 음식 타박에 비 오는 날에는 양주나 찔끔거리며 사는 인생이 될 것이다, 라고 말할 수는 없었다. 천 번 만 번 참는다고 해서 이 두터운 벽이, 오를 수 없는 저 꼭대기가 발밑으로 걸어와 주는 게 아님을 모르는 사람이 누구인가.

01 윗글의 서술상 특징으로 가장 적절한 것은?

① 공간적 배경을 치밀하게 묘사하고 있다.
② 특정 인물의 시각에서 사건을 서술하고 있다.
③ 인물과 사회의 갈등 해소 과정을 전달하고 있다.
④ 부정적인 인물의 행동과 외양을 희화화하고 있다.
⑤ 다양한 시점에서 사건을 입체적으로 전달하고 있다.

02 ㉠, ㉡에 대한 설명으로 적절하지 않은 것은?

① ㉠은 임 씨가 인정받을 만한 됨됨이와 자질을 갖춘 인물임을 보여 주고 있군.
② ㉠은 임 씨가 노력에 걸맞은 보상이나 대우를 못 받는 처지라는 것에 대한 안타까움을 드러내고 있군.
③ ㉡은 임 씨가 처한 문제가 결국 사회적 불평등과 관련된 것임을 밝히고 있군.
④ ㉡은 임 씨의 처지가 나아지지 않을 것이라는 비관적인 전망을 드러내고 있군.
⑤ ㉡은 임 씨가 가난에서 벗어나지 못하게 만드는 불합리한 사회 제도를 구체적으로 밝히고 있군.

03 ⓐ~ⓔ에 대한 설명으로 적절하지 않은 것은?

① ⓐ: 인물의 외양을 객관적으로 묘사하며 스웨터 공장 사장에 대한 '그'의 반감을 드러내고 있다.
② ⓑ: 비가 오면 가리봉동에 갔다는 말을 반복함으로써 떼인 돈을 아직도 받지 못한 임 씨의 간절함을 드러내고 있다.
③ ⓒ: 구체적인 수치를 밝혀 임 씨의 비참한 삶의 모습을 현실적으로 드러내고 있다.
④ ⓓ: 비속어를 직접적으로 사용함으로써 현실에 대한 임 씨의 울분을 드러내고 있다.
⑤ ⓔ: 말줄임표를 사용해 자신이 하는 말에 확신을 갖지 못하는 '그'의 태도를 드러내고 있다.

04 스웨터 공장 사장에 대한 감상으로 적절하지 않은 것은?

① '눈 감으면 코 베어 간다'더니 성실하게 살아가는 임 씨를 속인 야박한 인물이군.
② '방귀 뀐 놈이 성을 낸다'더니 돈을 갚지 않은 주제에 임 씨에게 오히려 화를 내고 있군.
③ '핑계 없는 무덤 없다'더니 납득이 안 되는 변명을 하면서 밀린 돈을 갚지 않으려 하고 있군.
④ '내 코가 석 자'라더니 자신이 다급한 상황에 처하게 되니 다른 사람들의 어려움을 돌볼 겨를이 없나 보군.
⑤ '내 돈 서 푼은 알고 남의 돈 칠 푼은 모른다'더니 임 씨의 어려움은 외면한 채 자신의 안위만 생각하는 인물이군.

05 〈보기〉를 참고하여 윗글을 이해한 내용으로 적절하지 않은 것은?

─ 보기 ─

임 씨는 막일을 하는 일용직 노동자로 초라한 외양에 투박한 말투를 구사하는 인물이다. 임 씨에게 욕실 공사를 맡긴 '그'와 아내는 임 씨의 본업이 연탄장수라는 것을 알고 난 뒤 그의 실력과 정직성까지 의심하여, 견적대로 돈을 주기 아까워 옥상 보수까지 시킨다. 그러나 '그'는 곧 진심을 다해 성실히 일을 하는 임 씨의 모습에 잘못을 깨닫고 부끄러움을 느끼게 된다. 이러한 부부의 모습을 통해 작가는 소외된 계층에 대한 연민과 안타까움을 느끼면서도 적극적으로 사회 변화를 꾀하지 않았던 무기력한 소시민의 모습을 드러내고 있다.

① 아내가 '몇 번씩이나 옥상에 얼굴을 디밀'었던 것은 임 씨를 의심했기 때문이군.
② '그'가 일하는 임 씨의 손가락을 '손가락 이상의 그 무엇'이라고 생각한 것은 그의 실력과 진심을 비로소 알게 되었음을 뜻하는군.
③ '그'가 성실하게 일하는 임 씨의 모습을 '우정 지어내 보이는 열정'이라고 오해한 모습에서 어쩔 수 없는 소시민적 근성이 드러나는군.
④ 옥상 일을 하는 임 씨가 '세상에 공돈은 없다는 사실을 깨달았을' 것이라 기대하는 아내의 모습은 그녀가 임 씨의 진심과 성실함에 대해 알지 못하고 있음을 보여 주는군.
⑤ 아내가 '심적 부담을 느끼기 시작'하며 '안절부절못'한 것은 임 씨의 안타까운 사연에 연민을 느끼면서도 적극적으로 나서지 못하는 것에 부끄러움을 느꼈기 때문이군.

[06~10] 다음 글을 읽고 물음에 답하시오.

다음날 아침, 신새벽부터 밭에 나갔던 강노인은 그만 입을 쩍 벌리고 선 채 말을 잃었다. 세상에 이런 법은 없었다. 이제 손가락만 한 고추 모종이 깔려 있는 밭에 여기저기 연탄재들이 나뒹굴고 있지 않은가. 겨울 빈 밭에 내다 버리는 것이야 그럴 수 있다 치더라도 **목숨이 붙어 자라고 있는 밭에 연탄재를 내던진** 것은 명백히 짐승의 처사였다. 반상회 끝의 독기 어린 동네 사람들이 저지른 것임은 대번에 알 수 있었지만 아무리 그렇다 하여도 이런 짓거리까지 해댈 줄이야 짐작도 못 했던 강노인이었다. 수십 덩어리의 연탄재 폭격을 당해 짓뭉개진 모종이 한 고랑만 해도 숱했다. 세상에 막된 인종들…… 강노인은 주먹코를 씰룩이며 밭으로 달려들어가서 닥치는 대로 연탄재를 길가에 내던졌다. 서울 것들이나 되니 살아 있는 밭에 해코지할 생각을 갖지. **땅을 아는 자라면 저 시퍼런 하늘이 무서워서라도** 감히 이따위 행패를 생각이나 하겠는가. 흰 연탄재 가루를 뒤집어쓰고 쓰러져 있는 죄 없는 풀잎을 차마 바로 볼 수 없어서 강노인은 잔뜩 허둥대고 있었다.

도로 청소원인 김씨가 아침밥을 먹으러 들어오면서 보니 강노인은 검정 고무신이 벗겨진 줄도 모르고 손바닥으로 연탄재를 끌어 모으느라 정신이 없었다. 밤사이 밭에 무슨 일이 있었는지 눈여겨보지 않아 알 턱이 없었던 김씨가 인사랍시고 던진 말은 더욱 가관이었다.

"영감님네 땅을 내놓으셨다면서요? 그런데 뭘 그리 열심히 가꾸십니까. 이내 넘길 거라면서……." / "아니, 누가 그런 소릴 해?"

시뻘건 얼굴을 홱 돌리며 벽력같이 고함을 지르는 통에 김씨가 움찔 뒤로 물러났다. / 어젯밤 반상회에서 댁의 며느님이 그러셨다는데요? 저도 우리집 여편네한테 들은 소리라서."

더 들어볼 것도 없이 강노인은 곧장 집으로 뛰어갔다. 벗겨진 신발을 짝짝이로 꿰어 차고서, 얼갈이배추와 열무들을 다듬고 있던 마누라가 노인의 허둥대는 기세에 토끼눈을 뜨고 일어섰다.

"그렇게 말한 게 아니라, 우리 아버님 근력이 쇠하셔서 올해 일랑은 더 이상 일을 못 하시니까 파실 모양이더라고 말했다는군요. 경국이 어미도 동네 사람들 닦달에 그냥 해본 소리겠지요."

"그냥?" / "밭에다 그 지경을 해댄 걸 보면 오죽했겠수. 뭐, 틀린 말도 아니고 **땅 팔아서 아들 살리고 남는 돈은 은행에 넣어 이자나 받으면** 우리 식구 *신간이사 편치 뭘 그러슈." 〈중략〉

"시끄러!"

마누라 입을 봉해 놓고서 강노인은 이내 밭으로 되돌아왔다. 한 포기라도 살릴 수 있는 만큼은 건져내야 할 고추 모종들 때문에 한시가 급한 강노인이었다. 반상회 파문은 그것으로 끝난 것이 아니었다. 반상회 소식이 알려지자마자 연립 주택에 산다는 은혜 엄마가 찾아와서 경국이 엄마가 지난달 꾸어간 오십만 원을 돌려달라고 하소연을 늘어놓기 시작한 것이다. 땅을 팔았다니 계약금을 받았을 터인즉 큰며느리 빚을 대신 갚아 줄 수 없겠느냐는 여자의 말에 강노인은 주먹코가 더욱 빨개졌다. 지난겨울 서울에서 이사와 동네 물정 모르고 딸이 다니는 에바다 피아노 학원에서 알게 된 경국이 엄마에게 곗돈을, 그것도 두 번째 탄 것을 빌려줬다는 것이다. 이 동네 지주의 큰며느리라 해서 별 의심도 하지 않고 돈을 주었는데 경국이 엄마가 동네에 뿌린 빚이 한두 군데가 아니어서 직접 시아버지와 담판을 짓겠다고 마음먹은 은혜 엄마였다.

그게 어떤 돈인가 말이다. 서울에서의 셋방살이가 하도 지긋지긋해서 연립 주택 한 채를 마련, 이곳에 이사 온 지 반년도 채 되지 않은 그녀였다. 곗돈 타고, 여름에 보너스 나오면 이자 나가는 빚 백만 원을 갚을 요량이었는데 그 몇 달 사이의 ⓐ이자 몇 푼을 욕심내다가 생돈 떼이게 생겼으니 생각만 해도 속이 터질 지경이었다.

땅을 팔았다는 소문이 번지면서 큰아들 용규에게 빚을 준 동네 사람들이 강노인에게 몰려왔다. 은혜 엄마까지 꼭 여덟 명이었다. 그 중에는 목동에서 살다 철거 보상금 받아 쥐고 이곳까지 흘러온 김영진이라는 날품팔이 사내도 끼여 있었다. 철거 보상금을 삼 부 이자로 놓아 주겠다는 고흥댁의 말만 믿고 돈을 건네준 사람이었다. 그들은 한결같이 강노인 **땅을 믿고 빌려준 돈이니까 책임을 져야 한다**고 우겨대면서 땅을 판 적이 없다는 그의 말을 도무지 믿으려 하지 않았다.

"그 못난 놈이 공장까지 담보로 잡혀 먹었대요. 최신 기계 설비만 갖추면 돈 벌리는 게 눈에 보이는 사업이라는데……. 은행 대출도 기간이 차서 경고장이 날아왔답니다."

이관사관이라고 마누라도 이젠 감추지 않고 잘도 털어놓는다. 용규가 그 모양이니 처가에서까지 돈을 끌어댄 용민이는 어쩌겠느냐고 숫제 으름장이었다. / "땅은 안 돼, 안 팔아!"

"고집 좀 그만 부리고 우선 집 앞에 거라도 떼어 팔아 발등의 불이라도 꺼 봅시다. 다 자식 잘되라고 하는 짓인데 왜 그러우?"

"자식 놈들 뒷바라지에 땅 다 날려 보낸 걸 몰라!"

입씨름에 지친 마누라가 눈물바람을 하다가 용문이 방으로 건너가 버린 뒤, 강노인은 그 밤 오래도록 잠을 이루지 못하고 뒤척여야만 했다. 자식 농사는 포기한 지 오래지만 해마다 씨를 뿌리고 수확을 거두는 재미만큼은 쉽게 포기할 수 없는 그였다. 서울에서 밀려 나온 서울 것들 때문에 여기까지 땅값이 들먹거리는 북새통을 치렀고 그 와중에서 자식들이 모두 저 푼수로 커버렸다는 원망도 많은 게 강노인이었다. 씨 뿌린 **땅에서 거두어들이는 수확**이 아닌 다음에야 어찌 땅 팔아서 그 돈으로 **쌀 사고 채소 사며 살 수 있을 것인가.** 농사꾼 주제로는 평생 만져 볼 엄두도 못내는 큰 돈이 굴러 들어왔어도 쉽게 생긴 내력만큼이나 씀씀이도 허망하기 짝이 없었다. 그나마 이만큼이라도 ⓐ마지막 땅 조각을 붙들고 있다는 위안이 강노인에게는 큰 힘이 되었다. 이 고장에 서울 바람이 몰아닥쳐 요 모양으로 설익은 도시가 되지 않았더라면 아직껏 넓디넓은 땅을 가지고 있을 것이 틀림없는 스스로를 생각해 보면 더욱 화가 치밀었는데 다 부질없는 노릇이었다.

– 양귀자, 「마지막 땅」

• 신간 몸통.

기출 변형
06 윗글의 서술상 특징으로 적절한 것은?

① 과거 회상을 중심으로 사건을 서술하고 있다.
② 현재형 시제를 사용하여 사건의 현장성을 높이고 있다.
③ 작품 밖의 서술자가 등장인물의 심리를 서술하고 있다.
④ 중심인물을 객관적으로 묘사하여 작품의 분위기를 형성하고 있다.
⑤ 역전적 구성을 통해 중심인물의 성격이 변화하는 과정을 밝히고 있다.

기출 변형
07 윗글의 사건을 시간의 흐름에 따라 〈보기〉와 같이 재구성하였을 때, Ⓐ~Ⓔ에 대한 설명으로 적절하지 않은 것은?

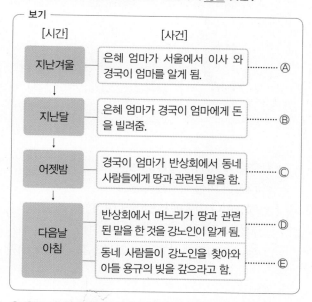

① Ⓐ는 자식이 연결 고리가 되어 일어난 사건이다.
② Ⓑ는 경국이 엄마가 강노인의 며느리라는 사실이 영향을 미쳤다.
③ Ⓒ는 경국이 엄마가 강노인의 입장을 변호하려 했기 때문에 발생한 일이다.
④ Ⓓ는 청소원 김씨에 의해 이루어진 사건이다.
⑤ Ⓔ는 강노인의 부인이 아들의 빚 문제를 구체적으로 실토하는 계기가 된다.

기출 변형
08 ㉠의 상황과 관련이 있는 한자성어로 가장 적절한 것은?

① 일거양득(一擧兩得)　　② 소탐대실(小貪大失)
③ 전화위복(轉禍爲福)　　④ 진퇴양난(進退兩難)
⑤ 풍전등화(風前燈火)

기출
09 ⓐ에 대한 강노인의 생각으로 보기 어려운 것은?

① 삶의 위안을 느낄 수 있는 공간이다.
② 재미와 보람을 느낄 수 있는 공간이다.
③ 마지막까지 지켜 내고자 하는 공간이다.
④ 생명을 가꾸고 유지할 수 있는 공간이다.
⑤ 자식들과의 행복한 생활을 보장하는 공간이다.

10 〈보기〉와 관련지어 윗글을 감상한다고 할 때, 그 내용으로 적절하지 않은 것은?

보기
　'땅'을 삶의 터전으로 삼아 농사를 지었던 이들에게 '땅'은 곧 그들의 삶 자체였다. '땅'은 생계를 유지하는 수단을 넘어서 가족 및 마을 공동체의 문화를 함께 영위하는 공간이자 자연, 생명의 가치와 조화를 터득하는 공간이었다. 그래서 '땅'을 잃어버리는 것은 공동체의 상실은 물론 삶의 정체성 상실을 뜻하는 것이었다. 그러나 산업화 이후 사람들은 '땅'을 물질의 하나로서 경제적 관점으로 바라보게 되고, 거래의 수단이자 막대한 부를 축적하는 수단으로 여기게 되었다.

① '목숨이 붙어 자라고 있는 밭에 연탄재를 내던진' 행위를 한 동네 사람들은 땅에 깃든 생명의 가치를 알지 못하는 인물들이군.
② '땅을 아는 자라면 저 시퍼런 하늘이 무서워서라도' 함부로 행동하지 못할 것이라고 말하는 강노인은 땅을 소중하게 여기며 그것과의 조화를 중시하는 인물이군.
③ '땅 팔아서 아들 살리고 남는 돈은 은행에 넣어 이자나 받으'며 살자는 마누라는 땅을 생계유지의 수단이자 가족 공동체의 문화를 지키는 수단으로 여기는 인물이군.
④ '땅을 믿고 빌려준 돈이니까 책임을 져야 한다고 우겨대'는 동네 사람들은 땅을 경제적인 가치로만 환산하는 인물들이군.
⑤ '땅에서 거두어들이는 수확' 대신 땅을 판 돈으로 '쌀 사고 채소 사며 살 수 있을 것인'지 반문하는 강노인은 땅을 삶의 터전으로 삼아 살아가는 농사꾼으로서의 정체성을 지닌 인물이군.

1990년대 이후

1990년대 이후에는 시대적 문제보다는 일상과 개인의 내면에 집중하는 경향이 나타났다.
개인주의의 강화, 소비 대중화, 정보화, 세계화 등의 환경을 바탕으로 쌍방향 문학이 생성되었고,
여성 작가들이 많이 등장하고, 다문화 가정의 문제를 다루는 작품들이 등장하였다.

쌍방향 문학

\# 인터넷 소설
\# 대중 문화와의 연계
\# 인터넷을 이용한 비평
\# 독자와 작가의 활발한 소통
\# 새로운 소통 방식의 글쓰기

예 「개밥바라기 별」(황석영)

여성주의 소설

\# 여성의 지위와 역할 향상
\# 다양한 여성 작가들의 등장
\# 가정이나 가족에서 벗어난 여성
\# 자신의 정체성 찾기에 나서는 여성
\# 남녀 불평등에 대한 문제의식과 직·간접적 비판

예 「채식주의자」(한강), 「새의 선물」(은희경)

역사적 사건의 재해석

다문화 소설

\# 과거와 현재, 미래의 관계 탐색

\# 왜곡되고 모순된 역사에 대한 관심

\# 역사적 사건을 현대적 관점에서 재해석

\# 과거의 사건을 통해 현대 사회의 모순과 문제를 돌파

예 「남한산성」(김훈)

\# 국내에서의 외국인 문제

\# 외국인 노동자의 삶과 애환

\# 다문화 가정의 일상적 문제

\# 다문화 가정을 우리 사회의 구성원으로 받아들이기
위해 고민해야 한다는 인식의 확산

예 「명랑한 밤길」(공선옥), 「완득이」(김려령)

▶해법문학 Link
현대 소설 296쪽

유자소전(兪子小傳) | 이문구

키워드 체크 #실명 소설 #전기적 #풍자적 #유재필의 일대기 #물질 만능주의 비판 #몰인정한 세태 비판

그는 운전자의 운전 윤리에 누구보다도 반듯하였다. 그러므로 운행 중에 때아닌 곳에서 과속으로 앞지르기를 하거나, 옆에서 끼어들어 진로 방해를 하거나, 차선을 함부로 넘나들거나, 신호등이 바뀌기 전부터 앞으로 나가지 않는다고 뒤에서 경적을 울려 대거나, 운전 상식이나 도로 질서에 도전하는 자를 보면, 매양 혼잣말처럼 중얼거리기를 잊지 않았다.

"츤헌늠…… 저건 아마 즤 증조할애비는 상전널 뫼시구 가마꾼 노릇 허구, 할애비는 고등계 형사 뫼시는 인력거꾼 노릇 허구, 애비는 양조장 허는 자유당 의원 밑에서 막걸리 자즌거나 끌었던 집안 자식일겨. 질바닥서 까부는 것덜두 다 계통이 있는 법이니께."

그가 다루는 사건도 태반이 가해자의 운전 윤리 마비증이 자아낸 것이었다. ㉠그렇지만 가해자가 그룹 내의 동료 운전수라 하여 팔이 *들이굽는다는 식의 적당주의를 취한 적은 거의 없었다.

다만 사건 처리에 필요한 서류를 갖추기 위해 신상 기록 대장에 있는 주소를 찾아가 보면 일쑤 비탈진 산꼭대기에 *더뎅이 진 무허가 주택에서 근근이 셋방살이를 하는 축이 많았고, 더욱이 인건비를 줄이느라고 임시로 쓰던 스페어 운전수들이 사는 꼴이 말이 아닐 때는, ㉡그 운전자의 자질 여부를 떠나서 현실적인 딱한 사정에 괴로워하지 않을 수가 없었던 것이다.

스페어 운전수는 대체로 벌이가 시답지 않아 결혼도 못 한 채 늙고 병든 홀어미와 단칸 셋방에 살고 있거나, 여편네가 집을 나가 버려 어린것들만 있는 경우가 적지 않았고, 들여다보면 방구석에 먹던 봉지 쌀이 남은 대신 연탄이 떨어지고, 연탄이 있으면 쌀이 없거나 밀가루 포대가 비어 있어, 한심해서 들여다볼 수가 없고 심란해서 돌아설 수가 없는 집이 허다한 것이었다.

[A]
㉢그는 결국 주머니를 털었다. 스페어 운전수의 사고에는 업무 추진비 명색도 차례가 가지 않아 자신의 용돈을 털게 되는 것이었다. 식구가 단출하면 쌀을 한 말 팔아 주고, 식구가 많은 집은 밀가루를 두 포대 팔아 주고, 그리고 연탄을 백 장씩 들여놓아 주는 것이 그가 용돈에서 *여툴 수 있는 한계였다.

㉣그는 쌀가게에서 쌀이나 밀가루를 배달하고, 연탄 가게에서 연탄 백 장을 지게로 져 올려 비에 안 젖게 쌓아 주기를 마칠 때까지 그 집을 떠나지 않았다. 그리고 그 집을 나와서 골목을 빠져나오다 보면 늘 무엇인가를 빠뜨리고 오는 것처럼 개운치가 않았다. / 그는 비탈길을 다 내려와서야 그것이 무엇이라는 것을 깨닫곤 하였다. 산동네 초입의 반찬 가게를 보고서야 아까 그 집의 부엌에 간장밖에 없었던 것이 뒤늦게 떠오른 것이다.

그러면 다시 주머니를 뒤졌다. / 그가 반찬 가게에서 집어 드는 것은 만날 *얼간하여 엮어 놓은 새끼 굴비 두름이었다. 바다와 연하여 사는 탓에 밥상에 비린 것이 없으면 먹어도 먹은 것 같지 않아 하는 대천 사람의 속성이 그런 데서까지도 *드티었던 것이다.

㉤도로 산비탈을 기어올라 가서 굴비 두름을 개 안 닿게 고양이 안 닿게 야무지게 매달아 주면서 / "뵉에 *제우 *지랑백이 읎으니 뱁이구 수제비구 *건건이가 있으야 넘어가지유. 탄불에 궈 자시던지 뱁솥에 쪄 자시던지 하면, 생긴 건 오죽잖어두 뇌인네 입맛에 그냥저냥 자셔 볼 만헐규."

쌀이나 연탄을 들여 줄 때는 회사에서 으레 그렇게 돌봐 주는 것이거니 하고 멀건 눈으

핵심 포인트

전(傳)의 양식과 그 효과

| 전(傳) | • 한 인물의 생애와 업적을 기록하고 평가를 덧붙이는 전통 서사 양식
• 남에게 모범이 되는 인물을 대상으로 함. |

↓

유재필의 삶이 주는 교훈을 전달함.

전체 줄거리

발단	'나'의 친구인 유재필은 매사에 생각이 깊고 곧은 성품을 지녔으며 남의 아픔을 자신의 아픔으로 받아들일 줄 아는 사람으로, '나'는 그를 성인군자를 대하는 기분으로 '유자'라고 부름.
전개	특유의 붙임성과 눈썰미로 학교에서 명물로 이름을 날린 유자는 졸업 후에는 선거 운동원과 의원 비서관 등으로, 제대 후에는 총수의 집에서 운전기사로 지내게 되지만 총수의 위선적인 모습 때문에 남들이 부러워하는 그 자리를 벗어나고 싶어 함.
절정·결말	총수에게 쫓겨난 유자는 그룹 소속 차량의 모든 교통사고를 뒤처리하는 노선 상무가 되는데, 그곳에서도 남을 먼저 생각하는 삶을 살게 됨. 말년에는 종합 병원 원무실장으로 근무하게 되는데, 6·29 선언 때 시위를 하다 부상당한 사람들을 치료해 주고 사표를 낸 후 간암으로 생을 마감함. → 수록 부분

기출 OX

01 '유자'는 그룹 내 '동료 운전수'들의 교통사고를 처리할 때 적당주의를 취하는 경우가 많았다. [기출] 2016. 7. 고3 ○ ╳

• *들이굽는다는 안쪽으로 꾸부러진다는.
• *더뎅이 부스럼 딱지나 때 따위가 거듭 붙어서 된 조각.
• *여툴 돈이나 물건을 아껴 쓰고 나머지를 모아 둠.
• *얼간 소금을 약간 뿌려서 조금 절인 간.
• *드티었던 밀리거나 비켜나거나 하여 약간 틈이 생겼던. 여기에서는 '드러났던'의 뜻인 듯함.
• *제우 '겨우'의 방언.
• *지랑 '간장'의 방언.
• *건건이 변변치 않은 반찬. 또는 간략한 반찬.

[답] **01** ╳

로 쳐다만 보던 노파도, 그렇게 반찬거리까지 챙겨 주는 자상함에는 그가 골목을 빠져나
갈 때까지 눈시울을 적시고 있는 것이 보통이었다.

01 윗글에 대한 설명으로 적절한 것은?

① 특정 인물에 대한 세간의 평가가 드러나 있다.
② 중심인물이 겪은 일을 자전적으로 회고하는 구성을 취하고 있다.
③ 공간적 배경에 따라 변화하는 사건 전개의 양상을 보여 주고 있다.
④ 작품 밖의 서술자가 상황에 따른 인물의 심리와 언행을 전달하고 있다.
⑤ 현실에서 흔히 볼 수 있는 부조리한 현상에 대한 자조적인 인식이 드러나 있다.

02 윗글을 통해 알 수 있는 내용으로 적절하지 <u>않은</u> 것은?

① 유자는 과거에 바닷가와 가까운 지역에서 살았었다.
② 유자가 다루는 사건의 대부분은 가해자의 잘못된 윤리 의식 때문에 일어났다.
③ 유자는 스페어 운전수들의 부탁이 없었음에도 음식이나 연탄을 마련해 주었다.
④ 스페어 운전수들은 회사에서 인건비를 줄이기 위해 임시로 고용한 사람들이었다.
⑤ 스페어 운전수들은 유자가 업무 추진비는 물론, 용돈까지 써야 할 정도로 형편이 어려웠다.

03 ㉠~㉤을 통해 '유자'라는 인물을 이해한 내용으로 적절하지 <u>않은</u> 것은?

① ㉠: 일을 처리할 때에는 공과 사를 철저하게 구분한다.
② ㉡: 타인의 아픔을 자신의 아픔처럼 받아들일 줄 안다.
③ ㉢: 경제적으로 손해를 보더라도 어려운 처지에 있는 사람을 돕는다.
④ ㉣: 목적을 달성하기 위해 힘들고 궂은일도 마다하지 않는다.
⑤ ㉤: 타인에게 섬세하면서도 실질적인 도움을 주는 자상한 성격이다.

04 [A]에 대한 설명으로 가장 적절한 것은?

① 작품 내 서술자가 인물을 객관적으로 관찰하고 있다.
② 인물의 행동을 제시하여 인물의 성격을 암시하고 있다.
③ 현재와 과거를 교차하여 이후 일어나는 사건의 원인을 제시하고 있다.
④ 인물 간의 갈등을 제시하여 인물의 문제점을 다각적으로 분석하고 있다.
⑤ 인물의 긍정적 측면과 부정적 측면을 동시에 보여 주어 인물의 이중적인 성격을 부각하고 있다.

05 〈보기〉를 바탕으로 윗글을 감상할 때, 적절하지 <u>않은</u> 것은?

고난도 기출 변형 2016학년도 7월 고3 학력평가

─ 보기 ─

「유자소전」은 지역 방언과 익살스러운 표현을 적극적으로 활용하는 문체를 사용했고, 인간적 도리를 꾸준히 실천하는 평면적인 인물을 통해 산업화 속에 나타나는 부정적 가치관과 인간 소외의 문제를 들추어내고 있다. 이 작품은 양심적이고 인정미 넘치는 주인공의 삶을 조명하여 산업화 속에 사라지고 있는 전통적 삶의 양식을 보여 주고자 했던 작가 의식을 반영하고 있다.

① 유자가 운전 윤리를 철저하게 지키는 것은 그가 양심적인 인물이기 때문이군.
② 유자가 소외된 사람들을 돕는 것을 통해 인정미 넘치는 인물의 모습을 보여 주고 있군.
③ 유자가 사용하는 방언과 익살스러운 표현을 통해 토속적인 느낌과 인물에 대한 정감을 주고 있군.
④ 유자는 행동이나 마음이 바뀌지 않고 인간적인 도리를 꾸준히 실천하고 있으므로 평면적 인물로 볼 수 있군.
⑤ 유자가 동료 운전수들의 사건을 규정에 따라 처리하는 장면은 산업화 속에 사라지고 있는 전통적 삶의 양식을 보여 주고자 한 것이군.

06 윗글에 대한 선생님의 설명이 〈보기〉와 같을 때, 이에 대한 학생의 대답으로 적절하지 <u>않은</u> 것은?

─ 보기 ─

선생님: 이 작품의 제목을 한 번 보세요. '유자'는 '공자', '맹자'에서 볼 수 있듯이 '유'라는 성에 '자(子)'를 붙인 것입니다. 그리고 '전(傳)'은 한 인물의 일대기를 서술하여 후세에 전하는 전통적 양식으로, 교훈을 전달하거나 비판을 덧붙여 평가하는 것을 목적으로 합니다.

학생: _____

① 작가는 유자의 삶이 후세에 전할 만한 가치가 있다고 여기고 있군요.
② '공자', '맹자'를 볼 때, '유자'라는 명칭에는 인물에 대한 작가의 존경심이 담겨 있겠네요.
③ 작가가 '전'의 형식을 빌려 유자의 일화를 서술한 것에는 교훈을 전달하려는 의도가 담겨 있겠네요.
④ 스페어 운전수의 가족에 대한 유자의 태도를 통해 '그'의 성에 '자'를 붙인 이유를 짐작할 수 있겠네요.
⑤ 작가는 운전 윤리를 지키지 않는 이들을 비판하는 유자의 모습을 통해 '그'가 속한 계층에 대한 반성을 촉구하고 있군요.

▶출제 예감!

자전거 도둑 | 김소진

키워드 체크 #회고적 #'영화'를 매개로 한 과거 회상 #내면의 상처 #액자 소설

[앞부분 줄거리] 구멍가게를 운영하는 아버지는 물건을 떼 오는 수도 상회에서 소주 스무 병 값을 치르고 열여덟 병만 가져오는 실수를 저지른다. 아버지는 '나'를 수도 상회로 보내 부족한 물건을 받아오라고 하지만 혹부리영감은 이를 거절하고, 얼마 뒤 물건을 떼러 간 아버지는 소주 두 병을 몰래 자루에 넣는다.

거 영감, 이보우다. 그 포대 좀 풀어 다시 한 번 헤아려봅세. 계산이래 안 맞아.

ⓐ나는 그때 겁에 질린 송아지처럼 눈에 흰자위가 유난히 많아진 아버지의 눈동자를 지금도 똑똑히 기억한다. 아버지는 어린 아들인 내가 무슨 구세주라도 돼 주었으면 하는 간절한 눈으로 내 얼굴을 쳐다봤던 것 같았다. 그러나 난들 달리 뾰족한 수가 있을 턱이 없지 않은가.

ⓑ결국 혹부리영감은 두 병이 더 들어간 것을 밝혀냈고 아버지에게 해명을 요구했다. 나는 내가 희생양이 돼야 함을 느꼈다.

예, 맞아요. 그건 말예요, 제가 영감님 몰래 넣은 건데요…… 왜냐하면 접때접때 우리 집에서 사실 두 병을 빠뜨리고 갔기 때문에 응, 쌤쌤이어서요……

㉠나는 이상하게도 맘이 편하고 당당했다. 나도 모르게 입가로 번져 나온 미소를 단속하느라 손바닥으로 입을 몇 번인가 틀어막기도 했다. ⓒ혹부리영감은 얼굴에 별다른 표정을 짓지 않고는 고개를 끄덕거렸다. 일단 직접적 책임을 모면한 아버지는 *헤설픈 표정으로 날 쳐다볼 뿐이었다.

그러나 한편으로는 그 혹부리영감이 당신과는 이제 거래 끝이야 하고 선언할까 봐 ㉡ 하는 얼굴이었다. 아버지처럼 이북 출신인 그 영감은 시장통에서 신용 하나는 보증 수표나 다름없었지만 성질이 불같고 매몰차기로 소문이 자자한 위인이었기에 그런 상황은 쉽게 상상해 볼 수 있었다.

ⓓ내레 이까짓 걸루다 당신하고 거래를 끊지는 않갔어. 다 물정 모르는 아이들이 저지른 짓인데 으잉?

아유, 고맙습네다 영감님. 그저 어떻게 헤헤…… 우리 아이가 평소에는 그렇게 *민한 애가 아닌데 어쩌다……

단…… / 혹부리영감이 아버지의 말끝을 가로챘다. / 내 앞에서 저 아이를 호되게 가르치는 꼴을 봬 주라우. 내가 그깟 술 두 병이 아까워서 기러는 게 아니야. 하지만 기렇게 따끔하게 가르치는 건 바로 자식에게 말이야, 부모된 도리를 다하는 것 아니갔슴매? 내 이 자리서 이녁이 하는 *깜냥을 두고보고서리 까짓것 그 술 두 병은 거저라두 주갔어. 내 이제껏 남한테 콩알 반쪼가리도 거져 준 적은 없지만서두, 이건 경우가 다르다우 아암.

호되게라믄…… 어떻게?

쯧쯧, 이녁도 함경도 아바이 출신이믄 자식이 잘못을 저질렀을 때 어드러케 다루는지는 알 만하잖소? 그걸 왜 내게 묻소 으응? 아 안 그렇소?

야! 간나야. 니 다시는 이런 민한 짓이래, 하겠니, 안 하겠니? 어서 말 좀 해 보라우.

*짐짓 호령을 하는 아버지의 손이 부들부들 떨며 허공 높이 허우적거렸다. 단 한 대에 내 뺨은 무섭게 부풀어오르며 감각을 잃어갔다.

길티…… 기게 바로 진짜 교육이야.

혹부리영감의 격려를 받은 아버지는 고개를 돌려 그에게 굽신거린 다음 또 한 차례 내 뺨을 기세 좋게 올려붙였다. 그러나 이 지독한 연극을 지켜보면서 나는 아픔을 거의 느끼

→ 수록 부분

[핵심 포인트]

영화를 매개로 한 인물들의 심리적 상처

과거 회상의 매개체
영화 「자전거 도둑」

'나'	서미혜
무능했던 아버지로 인한 상처	오빠의 죽음에 대한 죄책감

[전체 줄거리]

발단	'나'는 자신의 자전거를 훔쳐 타는 자전거 도둑이 위층에 사는 에어로빅 강사 서미혜라는 사실을 알게 됨.
전개	'나'는 영화 「자전거 도둑」을 떠올리며 손해를 메꾸기 위해 소주를 훔친 아버지의 죄를 '나'가 대신 뒤집어썼던 유년기를 회상함.
위기	'나'는 서미혜와 「자전거 도둑」을 보며 아버지에게 수모를 준 혹부리영감에게 복수하기 위해 몰래 영감의 가게를 난장판으로 만들고, 그 충격으로 영감이 죽은 이야기를 함.
절정	서미혜도 간질에 걸린 오빠에게 성추행을 당한 뒤 오빠를 방치해 죽게 만든 일을 고백함.
결말	'나'는 얼마 후 서미혜가 다른 자전거를 훔쳐 타는 것을 보게 됨.

[기출 OX]

Q1 아버지는 '나'의 잘못을 묵인했지만, 혹부리영감과의 잘못된 거래는 바로잡으려 노력했다. 기출 2020. 수능 〇 ✕

Q2 아버지는 혹부리영감과의 거래 중단을 염려하여 혹부리영감의 주장을 따를 수밖에 없었다. 기출 2020. 수능 〇 ✕

● **헤설픈** 말이나 행동 따위가 느리거나 어설픈.
● **민한** '어리석은'의 북한 사투리.
● **깜냥** 스스로 일을 헤아림. 또는 헤아릴 수 있는 능력.
● **짐짓** 마음으로는 그렇지 않으나 일부러 그렇게.

답 **Q1** ✕ **Q2** 〇

지 못했던 것 같다. 머릿속에서 뭔가가 맑아지는 느낌뿐이었다. 그리곤 투시해 버리고 말았다. 어린 나이에도 아버지의 눈 속에 흐르지도 못하고 괴어 있는 눈물을. ⓒ차라리 죽는 한이 있어도 애비라는 존재는 되지 말자. ⓔ아마도 나는 그때 그런 끔찍한 다짐을 했는지도 모른다.

01 윗글의 내용과 일치하는 것은?

① 혹부리영감은 아들을 때리는 아버지를 말렸다.
② 혹부리영감은 아버지에게 거래 중단을 선언하였다.
③ 혹부리영감은 소주가 더 들어간 것을 직접 알아냈다.
④ 아버지는 문제가 발생하자 책임을 자기 자신에게 돌렸다.
⑤ 아버지는 잘못을 한 아들 때문에 진심으로 노여워하였다.

02 다음은 '나'가 과거의 기억을 떠올리게 만든 영화 『자전거 도둑』의 내용이다. 〈보기〉를 참고하여 윗글을 이해한 내용으로 적절하지 <u>않은</u> 것은?

─ 보기 ─

　제2차 세계 대전 직후, 안토니오는 어렵게 구한 일을 하기 위해 돈을 빌려 마련한 자전거를 도둑맞는다. 그는 범인을 찾아내지만 범인 역시 가난한 간질 환자임을 알고 그냥 돌아온다. 대신 안토니오는 다른 사람의 자전거를 훔치게 되는데 금방 주인에게 붙잡히고, 아들 브루노의 앞에서 망신을 당한다. 안토니오는 허탈하게 집으로 돌아가고 아들은 아버지의 뒤를 따른다.

① 〈보기〉의 아들과 윗글의 '나'는 아버지의 권위가 무너지는 장면을 목격했다는 점에서 동일시될 수 있다.
② 〈보기〉에서 망신을 당하는 안토니오는 윗글의 혹부리영감 앞에서 무능한 모습을 보이는 아버지와 대응한다.
③ 물건을 훔치다가 금방 들키는 〈보기〉의 안토니오와 윗글의 아버지는 어수룩한 면모를 보인다고 할 수 있다.
④ 〈보기〉의 안토니오와 윗글의 아버지가 도둑을 용서한 것은 약자에 대한 연민의 태도를 보인 것으로 이해할 수 있다.
⑤ 〈보기〉에서 안토니오가 자전거를 훔친 것과 윗글에서 아버지가 소주 두 병을 훔친 것은 가난 때문이라고 볼 수 있다.

03 ㉠의 이유로 적절하지 <u>않은</u> 것은?

① 아버지의 '간절한 눈'에 대한 응답이 되었으므로
② 난처한 상황으로부터 아버지를 보호할 수 있으므로
③ 소주병의 계산이 '쌤쌤'으로 정당하다고 생각하므로
④ 자신의 희생이 최선의 해결책이라는 생각이 들었으므로
⑤ 아버지와 같은 고향 출신인 혹부리영감의 관용을 기대할 수 있으므로

기출 2007학년도 6월 고2 학력평가

04 ㉡에 들어갈 말로 가장 적절한 것은?

① 전전긍긍(戰戰兢兢)　　② 노발대발(怒發大發)
③ 동분서주(東奔西走)　　④ 우왕좌왕(右往左往)
⑤ 의기양양(意氣揚揚)

05 ㉢에 담긴 의미로 가장 적절한 것은?

① 부모가 되는 것은 어려운 일이라는 이치를 깨달았다.
② 나약하고 비굴한 아버지의 모습에 깊은 상처를 입었다.
③ 다시 같은 상황에 처해도 아버지를 대신하여 나설 것이다.
④ 위기 상황에서 아버지가 보여 준 지혜는 인생의 지침이 되었다.
⑤ 원하지 않는 일도 할 수밖에 없는 아버지의 처지에 깊이 공감하였다.

고난도　기출　변형 2020학년도 수능

06 〈보기〉를 참고할 때, ⓐ～ⓔ에 대한 반응으로 적절하지 <u>않은</u> 것은?

─ 보기 ─

　윗글의 서술자는 성인이 된 '나'로, 주로 두 가지 서술 방식을 사용한다. 먼저 서술자가 인물의 외양이나 행위만을 묘사하는 것이다. 이 경우 독자는 그 묘사가 갖는 의미를 스스로 해석해야 한다. 둘째는 서술자가 유년 '나'로 시선을 제한하여 유년 '나'의 눈에 보이는 인물의 외양이나 행위를 묘사하는 것이다. 이 경우 독자는 사건의 현장을 직접 보는 듯한 느낌을 가질 수 있으며, 그 묘사에 대해 해석해야 한다. 이 방식에 유년 '나'의 심리가 함께 서술되면 독자는 인물의 심리에 쉽게 공감하게 된다.

① ⓐ: 성인이 된 '나'가 기억하는 아버지의 외양을 묘사한 것으로, 독자는 아버지의 내면 심리를 스스로 해석해야 하겠군.
② ⓑ: 서술자가 인물의 행위와 함께 유년 '나'의 심리를 서술한 것으로, 독자는 '나'의 마음에 쉽게 이입할 수 있겠군.
③ ⓒ: 유년 '나'로 시선을 제한하여 혹부리 영감의 행위를 포착한 것으로, 독자는 혹부리 영감의 의도에 대한 '나'의 해석에 공감하겠군.
④ ⓓ: 유년 '나'가 들은 발화를 기억하여 서술한 것으로, 독자는 장면을 직접 보는 듯한 느낌을 받겠군.
⑤ ⓔ: 유년 '나'의 심리를 성인의 관점에서 이해하고 해석한 것이라고 볼 수 있겠군.

▶해법문학 Link
현대 소설 320쪽

황만근은 이렇게 말했다 | 성석제

교과서 [문] 금성, 비상 [국] 천재(박) 기출 EBS

키워드 체크 #농촌 소설 #향토적 #해학적 #풍자적 #이기적인 현대인 비판 #'전(傳)'의 양식 재구성

핵심 포인트

대조적인 인물 관계

황만근		마을 사람들
• 이타적이고 자기 희생적인 인물 • 전통 사회의 인물 유형	↔	• 이기적이고 이해 타산적인 인물 • 자본주의 사회의 인물 유형

↓

대조를 통해 황만근의 삶이 주는
교훈을 전달하고 주제를 강조함.

전체 줄거리

발단	황만근이 실종됐다는 소식에 마을 사람들이 모이지만, 민 씨 외에 다른 사람들은 신경 쓰지 않음. ···→ 수록 부분 ㄱ
전개	황만근은 말투가 어눌하고 행동이 엉뚱해서 마을 사람들에게 놀림을 받아 왔으나, 실상은 성실하고 인정이 많아 온갖 궂은일을 도맡아 함.
위기	농민 궐기 대회를 앞둔 전날 밤 이장은 황만근에게 궐기 대회가 열리는 군청까지 경운기를 타고 갈 것을 당부함.
절정	황만근과 민 씨는 술을 마시며 큰돈을 벌기 위해 무리해서 농사를 짓다가 빚을 내는 이웃들을 비판함. 황만근은 민 씨가 잠든 사이 경운기를 몰고 군청으로 떠난 뒤 돌아오지 않음. ···→ 수록 부분 ㄴ
결말	결국 황만근은 경운기를 몰고 돌아오는 길에 사고를 당해 죽어서 돌아오고, 민 씨는 황만근을 긍정적으로 평가한 묘비명을 쓰고 다시 도시로 돌아감. ···→ 수록 부분 ㄷ

기출 OX

Q1 이장은 황만근의 실종이 술 때문이라고 짐작하며 그의 실종으로 인해 모이게 된 것에 불만을 품고 있다.
기출 2017. 7. 고3 ○ ✕

Q2 윗글은 인물들의 행위를 과장하여 해학성을 높이고 있다. 기출 2010. 3. 고3 ○ ✕

• **궐기 대회** 어떤 문제에 대하여 해결책을 촉구하기 위하여 뜻있는 사람들이 궐기하는 모임.
• **부채** 남에게 빚을 짐. 또는 그 빚.
• **탕감** 빚이나 요금, 세금 따위의 물어야 할 것을 삭쳐 줌.
• **우사** 외양간. 마소를 기르는 곳.
• **이앙기** 모를 내는 데에 쓰는 기계.

답 **Q1** ○ **Q2** ✕

[앞부분 줄거리] 전날 새벽에 경운기를 타고 나간 황만근이 돌아오지 않자 민 씨는 마을 사람들을 불러 모은다.

(가) "어제 *궐기 대회 한다 하고 간 사람이 누구누구십니까. 황만근 씨하고 같이 간 사람은요? 궐기 대회 하는 동안 본 사람은 없나요?"

자리에 모인 대여섯 명의 황씨들은 서로의 얼굴을 마주 보더니 모두 고개를 흔들었다.

"㉠사람이라고 밍밍이나 되나. 군 전체 사람이 모도 모있다는 기 백 밍이 될라나 말라나 한데 반그이는 돼지고기 반 근만 해서 그런지 안 보이더라칸께."

이장은 계속 빈정거리듯 말을 이었다. 민 씨는 이장이 궐기 대회 전날 황만근을 따로 불러 무슨 말을 건네던 것을 기억해 냈다.

"그제 밤에 내일 궐기 대회 한다고 사람들 모였을 때 이장님이 황만근 씨에게 뭐라고 하셨죠. **모임 끝난 뒤에.**" / ㉡이장은 민 씨를 흘기듯 노려보았다.

"왜, 농민보고 농민 궐기 대회 꼭 나오라 캤는데, 뭐가 잘못됐나."

민 씨는 자기도 모르게 따지는 어조가 되었다.

"군 전체가 모두 모여도 몇 명 안 되었다면서요. 그런 자리에 황만근 씨가 꼭 가야 합니까. 아니, 황만근 씨만 가야 할 이유라도 있습니까. 따로 황만근 씨한테 부탁을 할 정도로."

"이 사람이 뭐라 카는 기라. 이장이 동민한테 농가 *부채 *탕감 촉구 전국 농민 총궐기 대회가 있다, 꼭 참석해서 우리의 입장을 밝히자 카는데 뭐가 잘못됐단 말이라."

"잘못이라는 게 아니고요, 다른 사람들은 다 돌아왔는데 왜 황만근 씨만 못 오고 있나 하는 겁니다." / "내가 아나. 읍에 가 보이 장날이더라고. 보나 마나 어데서 술 처먹고 주질러 앉았을 끼라. 백 리 길을 깅운기를 끌고 갔으이 시간도 마이 걸릴 끼고."

다른 사람들은 말이 없었고 민 씨와 이장만이 공을 주고받는 꼴이 되어 버렸다.

"글쎄, 그 자리에 꼭 황만근 씨만 경운기를 끌고 갔어야 했느냐 이 말입니다. 그것도 고장 난 경운기를."

"㉢깅운기를 끌고 오라는 기 내 말이라? 투쟁 방침이 그렇다카이. 깅운기도 그렇지, 고장은 무신 고장, 만그이가 그걸 하루 이틀 몰았나. 남들이 못 본다 뿐이지."

(나) 전날 밤, 분명 꿈은 아니었다. 민 씨는 황만근의 말을 이렇게 들었다.

"농사꾼은 빚을 지마 안 된다 카이."

[A] (한번 빚을 지면 그 빚을 갚으려고 무리하게 일을 벌인다. 동네 곳곳에 텅 빈 *우사 (牛舍), 마른 똥만 뒹구는 축사, 잡초만 무성한 비닐하우스를 보라. 농어민 복지, 소득 향상, 생활 개선? 다 좋다. 그걸 제 돈으로 해야 한다. 제 돈으로 하지 않으면 그건 노름이나 다를 바 없다. 빚은 **만근산의 눈덩이,** 처마의 **고드름**처럼 자꾸 커진다.)

㉣"기계화 영농 카더이마 집집마다 바퀴 달린 기계가 및이나 되나. 깅운기, 트랙터, 콤바인, *이앙기, 거다 탈곡기, 건조기에…… 다 빚으로 산 기라. 농사지 봐야 그 빚 갚느라고 정신없다."

(한 집에서 일 년에 한 번 쓰는 이앙기를 들여놓으면 그게 일 년 내내 돌아가던가. 놀 때는 다른 집에 빌려주면 된다. 옛날에는 소를 그렇게 썼다. 그런데 지금은 그렇게 하지 않는다. 서로 도와 가면서 농사짓던 건 옛날 말이다. 한 집에서 기계를 놀리면서도 안 빌려주면 옆집에서는 화가 나서라도 산다. 어차피 빚으로 사는데 사기가 어려울까.)

다 일주일 뒤에 황만근은 돌아왔다. 그의 아들이 그를 안고 돌아왔다. 한 항아리밖에 안 되는 그의 뼈를 담고 돌아왔다. 경운기도 돌아왔다. 수레는 떼어 내고 머리 부분만 트럭에 실려 돌아왔다. 황만근 아니면 그 누구도 작동시킬 수 없는 그 머리가, 바보처럼 주인을 태우지 않고 돌아왔다.

황만근, 황 선생은 어리석게 태어났는지는 모르지만 해가 가며 차츰 *신지(神智)가 돌아왔다. ⓜ하늘이 착한 사람을 따뜻이 덮어 주고 땅이 은혜롭게 부리를 대어 알껍질을 까 주었다. 그리하여 후년에는 그 누구보다 지혜로웠다.

● 신지 신령스럽고 기묘한 지혜.

01 윗글에 대한 설명으로 적절하지 <u>않은</u> 것은?

① 대화를 통해 등장인물 간의 갈등을 제시하고 있다.
② 사투리와 비속어를 사용하여 사실성을 높이고 있다.
③ 다양한 시점을 사용하여 사건의 전말을 밝히고 있다.
④ 특정 사건을 통해 당시 현실의 모습을 드러내고 있다.
⑤ 주인공에 대한 평가가 인물들의 말을 통해 드러나고 있다.

02 윗글에 등장하는 인물에 대한 설명으로 가장 적절한 것은?

① 이장은 민 씨의 태도를 못마땅하게 여기고 있다.
② 황만근은 평소 마을 사람들에게 신뢰를 받고 있다.
③ 민 씨는 이장을 지도력 있는 사람으로 여기고 있다.
④ 자리에 모인 동네 사람들은 황만근의 소재를 알고 있다.
⑤ 민 씨는 황만근의 실종이 자신 때문이라고 여겨 죄책감을 느끼고 있다.

03 윗글을 감상한 내용으로 적절하지 <u>않은</u> 것은?

① '궐기 대회'는 황만근에게 비극적 사건이 일어나는 계기가 되는군.
② '모임 끝난 뒤에' 이장이 황만근에게 부탁한 내용은 거리가 머니 일찍 출발하라는 것이었겠군.
③ '농사꾼은 빚을 지마 안' 되는 것은 농민으로서 황만근의 신조를 드러내는군.
④ '만근산의 눈덩이, 처마의 고드름'처럼 불어나는 빚은 당시 농촌의 상황을 보여 주는군.
⑤ '서로 도와 가면서 농사짓던' 옛날의 모습은 현재와 대비되는군.

기출 2017학년도 7월 고3 학력평가
04 [A]에 대한 설명으로 가장 적절한 것은?

① 황만근의 말을 민 씨의 시선을 통해 풀어서 제시하고 있다.
② 황만근의 말을 인용해 민 씨의 내적 갈등을 드러내고 있다.
③ 황만근의 삶을 민 씨의 반성을 통해 긍정적으로 그려 내고 있다.
④ 황만근의 처지가 민 씨의 말에 의해 과거와 대비되어 강조되고 있다.
⑤ 황만근의 말에 민 씨의 말을 덧붙여 가치관의 차이를 드러내고 있다.

05 <u>고장 난 경운기</u>에 대한 이해로 적절하지 <u>않은</u> 것은?

① 수지: 마을 사람들이 황만근을 '반그이'라고 부른다는 점에서 '고장 난 경운기'와 황만근은 유사점이 있어.
② 혜리: 황만근의 유해와 경운기가 함께 돌아왔다는 점에서 황만근과 '고장 난 경운기'를 연관 지을 수 있어.
③ 진영: 황만근만이 '고장 난 경운기'를 몰 수 있다는 점에서 황만근이 마을에서 없어서는 안 될 존재임을 알 수 있어.
④ 동표: 황만근이 '고장 난 경운기'를 타고 갔다가 돌아오지 않는다는 점에서 '고장 난 경운기'는 그의 죽음을 암시한다고 볼 수 있어.
⑤ 문빈: 황만근이 투쟁 방침을 따르기 위해 '고장 난 경운기'를 타고 갔다는 점에서 '고장 난 경운기'는 그의 우직한 성품을 드러낸다고 할 수 있어.

기출 변형 2017학년도 7월 고3 학력평가
06 <보기>를 참고하여 ㉠~ⓜ을 이해한 내용으로 적절하지 <u>않은</u> 것은?

┌ 보기 ┐
「황만근은 이렇게 말했다」는 공동체 의식이 무너져 가는 한 농촌 마을을 배경으로 바보 취급을 당하는 농민 '황만근'의 삶을 다루고 있다. 작가는 사람들이 도시로 떠나고 부채로 얼룩져 황폐해진 농촌의 현실과 그 안에서 우직하고 소박하게 살아가는 농민의 삶을 대비함으로써 인물의 모습을 긍정적으로 그리고 있다. 또한 민 씨의 입을 빌려, 황만근을 무시하고 있지만 정작 자신밖에 모르는 마을 사람들이야말로 진정한 바보임을 간접적으로 비판하고 있다.

① ㉠: 사람들이 도시로 떠나 황폐해진 농촌 공동체의 모습을 엿볼 수 있다.
② ㉡: 마을의 공동체 의식을 무너뜨리는 인물에 대한 간접적인 비판 의식이 담겨 있다.
③ ㉢: 자신의 책임을 회피하는 인물을 통해 이기적인 현대인의 모습을 형상화하고 있다.
④ ㉣: 열거를 통해 부채로 얼룩진 농촌의 현실을 구체적으로 보여 주고 있다.
⑤ ⓜ: 소박하게 살아가는 인물에 대한 우호적인 시선을 통해 주제 의식을 강조하고 있다.

▶해법문학 Link
현대 소설 332쪽

황진이 | 홍석중

핵심 포인트
역사적 인물과 가상 인물의 활용

| 황진이 | • 역사적 인물
• 황진이에 대한 사적(史的)과 설화를 뒤섞어 서사를 구성함. |
| 놈이 | • 실존하지 않는 가상의 인물
• 황 진사댁 하인으로 황진이를 사랑함. |

↓

신분이 다른 황진이와 놈이의 비극적인 사랑을 그려 냄으로써 평등 사회에 대한 지향을 드러냄.

전체 줄거리

발단	진이는 황 진사의 딸로, 남다른 재능과 아름다운 용모를 갖추었으며 하인 놈이는 진이를 짝사랑함.
전개	진이가 서울의 좋은 집안에 시집을 가게 되자 놈이는 그녀의 어머니가 종이었다는 사실을 폭로하여 파혼하게 만드는 한편, 진이는 자신을 짝사랑하던 총각 또복이 상사병으로 죽자 기생이 되기로 결심함. → 수록 부분
위기	진이에게 사랑을 고백하고 화적패의 우두머리가 되어 떠났던 놈이는 사또 김희열의 계략으로 목이 잘리는 효수형을 받음.
절정	진이가 놈이를 구하려고 애쓰는 과정에서 서로에 대한 사랑을 확인하지만 놈이는 결국 죽게 됨.
결말	진이는 처형당한 놈이를 묻어 주고 전국 각지를 떠돌다가 생을 마감함.

● **통** 북한어. 심술궂고 못된 성품을 낮잡아 이르는 말.
● **상두군** '상두꾼(상여를 메는 사람)'의 북한어.
● **지살받기** 북한어. 풍수지리설에서, 터가 나빠서 땅에 붙었다는 살(煞, 사람을 해치거나 물건을 깨뜨리는 모질고 독한 기운)을 받들어서 달래는 일.
● **상목** 품질이 썩 좋은 무명.
● **상두수번** 상여꾼의 우두머리.
● **선소리** 민요를 부를 때 한 사람이 앞서 부르는 소리. 메기는소리.
● **공수** 무당이 신(神)이 내려 신의 소리를 내는 일. 무당이 죽은 사람의 넋이 하는 말이라고 전하는 말임.
● **상문살** 사람이 죽은 일로 일어난 살(煞).
● **구정닻줄** 상여를 운반하는 데에 쓰는 장강틀 가로장의 양쪽에 건 넓은 줄.
● **류두날** '유둣날(음력 유월 보름날)'의 북한식 표기.
● **우렷하게** 북한어. 눈앞에 보이거나 떠오르는 모양 따위가 좀 희미한 가운데 은근하면서도 뚜렷하게.

키워드 체크 #북한 소설 #비극적 #황진이의 삶 #실존 인물 #비극적 사랑 #풍속의 사실적 재현

[앞부분 줄거리] 황 진사댁 고명딸로 자란 진이는 한양의 윤 승지댁과 혼약을 하지만, 하인 놈이가 진이가 아버지에게 겁탈당한 종의 딸이라는 출생 배경을 누설하여 파혼을 당한다. 한편 유둣날 밤 내기 때문에 진이가 있는 후원에 들어왔던 또복은 진이를 짝사랑하다 상사병으로 죽어 장례를 치른다.

"옛날 말에 *통은 통으로 때구 언청이는 ×으로 땐다구 그랬다우. *상두군들이 그 망할 놈의 *'지살받기'를 벌릴 때 입을 틀어막을 *상목은 미리 준비해 놔야지 않겠소?"

바로 이 '지살받기'가 할멈의 걱정거리이기도 하거니와 한편 구경군들이 간질간질하고 요글요글한 마음으로 고대하는 구경거리이기도 했다. 일단 상여가 어느 집 앞에서 멎고 '그네뛰기'가 시작되면 그 순간부터 *상두수번의 *선소리는 마치 령신 들린 무당이 '기밀굿'에서 쏟아 놓은 *공수와 같아진다. '그네뛰기'를 당하는 집에서 빨리 상목필을 내다가 상두수번의 입을 틀어막아야 망정이지 그의 입에서 죽은 혼백의 이름을 빌려 별의별 망측스러운 험담과 숨은 비밀이 개구리처럼 막 튀여나오는 판이라 자칫 손쓰는 게 늦으면 당하는 집의 체면이 한순간에 섭산적처럼 되여 버리고 만다. 〈중략〉

드디여 사람들이 기다리는 그 구경스러운 대목에 이르렀다. 앞으로 움직이던 상행이 황 진사댁 후원 뒤문 앞에 이르자 제자리걸음을 시작했으니 이것이 이른바 '지살받기'가 시작되기 전의 '그네뛰기'였다. 상두수번의 먹임소리와 상두군들의 받는소리는 원귀의 울음소리처럼 처량하게 들렸다.

…… / 산천초목 다 리별하고 / 황천 먼 길을 떠나가네 / 워 너머차 너호 //

황 진사댁 고명따님 / 어 잘났다 한번 보고 / 워 너머차 너호 //

외기러기 짝사랑에 / 외론 혼이 되였구나 / 워 너머차 너호 / ……

상여는 앞으로 나갈 듯 뒤로 물러서고 물러설 듯 다시 앞으로 나가가며 요령 소리와 상여 노래에 맞추어 그네처럼 한자리에서 흔들렸다. / 진이는 담장 안쪽에서 문고리를 쥐고 마음을 굳게 다잡았다. 담장 밖 구경군들의 눈길이 모두 이 문에 쏠려 있을 것이다. 늦지도 않게, 또 너무 이르지도 않게 제때에 문을 열고 사람들 앞에 나서야 한다. 〈중략〉

구경군들은 깜짝 놀랐다. 그들은 감히 황 진사댁 주인아씨가, 죽은 혼백의 *상문살이 무서워 천리만리로 달아났거나 집 안 구석방에 들어박혀 이불을 뒤집어쓰고 숨어 있을 진이가 직접 상행 앞에 나타나리라고는 꿈에도 생각하지 못했던 것이다.

진이는 상두군들의 *구정닻줄 우에 흔들거리고 있는 상여 앞으로 다가갔다. '그네뛰기'가 멎었다. 상두군들이 상여를 내려놓았다. 요령 소리가 멎고 상두수번의 선소리도 멎었다.

진이는 죽은 총각의 관곽 앞에 마주 섰다. 그리고는 손에 들고 나온 꽃무늬의 붉은 슬란치마를 활짝 펴서 관곽을 덮었다.

골목 안이, 골목 안에 꽉 들어찬 사람들이 물 뿌린 듯 조용해졌다.

진이는 마치 눈에 보이는 그 누구와 속삭이듯 입을 열었다. 그러자 신기하게도 *류두날 밤 달빛 속에서 자기를 넋 잃고 쳐다보던 그 총각의 얼굴이 *우렷하게 떠오르는 것이었다.

[A]
"여보세요. 나는 당신을 잘 모릅니다. 한번 얼핏 뵈온 일밖에 없으니까요. 그러나 당신이 죽음으로 보여 준 나에 대한 뜨거운 사랑은 압니다. 유명의 길이 달라 지금은 당신의 그 진실한 사랑에 보답할 길이 전혀 없군요. 혹시 이후 저승에서 다시 만나 뵙게 될는지……. 이승에서 보답할 수 없었던 사랑을 저승에서는 꼭 갚아 드리렵니다. 그 약

속에 대한 표적으로 제가 마련해 가지고 있던 혼례 옷을 당신의 령전에 바치오니 알음이 있으면 받아 주세요. 인명이 하늘에 매였다고는 하나 인정에 어찌 애닳지 않겠나요. 생사가 영 리별이라고 하지만 후생의 기약이 있으니 바라옵건대 어서 떠나세요……."

〈중략〉

진이는 사람들의 구구한 시비와 말밥에 오르는 것을 두려워하는 것이 아니였다. 한 가지 자신에게 명백히 할 것은 이 행동이 일시적인 충동이나 변덕이 아니라는 것이며 보다 중요하게는 자신이 지니고 있던 사랑의 감정을 송두리채 죽은 혼백한테 바쳐 버렸으니 이제부터 자기는 이승의 목숨이 다할 때까지 사랑이라는 감정은 전혀 있을 수 없는 목석과 같은 녀인이라는 것이였다.

01 윗글의 서술상 특징으로 가장 적절한 것은?

① 대화를 통해 사건의 전말을 밝히고 있다.
② 외양 묘사를 통해 인물의 특징을 나타내고 있다.
③ 시간의 흐름에 따라 사건을 전개하며 인물의 감정을 드러내고 있다.
④ 꿈과 현실을 교차하여 사건의 원인을 분석하는 과정을 제시하고 있다.
⑤ 작품 속 서술자가 자신의 주변에서 일어난 사건을 관찰하여 전달하고 있다.

02 윗글의 내용과 일치하는 것은?

① 할멈은 상두군들이 지살받기를 벌리는 것에 신경 쓰지 않고 있다.
② 진이는 또복의 상여가 집 앞 골목에 이르는 것에 대해 자책감을 느끼고 있다.
③ 황 진사댁 담장 밖 구경꾼들은 진이가 상행 앞에 나타날 것을 예상하고 있었다.
④ 상행 구경꾼들은 다른 사람의 고통이나 슬픔을 구경하며 자신들의 호기심을 충족하려 한다.
⑤ 상두군들이 상여를 내려놓은 것은 진이가 죽은 혼백에게 마지막 인사를 할 수 있게 하기 위함이다.

03 상여 노래 에 대한 이해로 적절하지 않은 것은?

① 구슬프고 처량한 분위기를 조성한다.
② 진이와 또복의 관계와 상황을 보여 준다.
③ 진이와 또복의 갈등이 해소되는 계기가 된다.
④ 진이를 짝사랑하다 죽은 또복의 마음을 대변한다.
⑤ 또복의 죽음을 애도하기 위한 목적으로 행하는 것이다.

04 [A]에서 알 수 있는 황진이의 심리에 대한 설명으로 가장 적절한 것은?

① 총각을 애도함으로써 자신의 괴로움이 해소되기를 고대하고 있다.
② 자신을 향한 총각의 사랑에 고마워하고 이에 보답하려 하고 있다.
③ 자신의 의사와 무관하게 자신을 곤란하게 만든 총각을 원망하고 있다.
④ 자신은 총각을 잘 모른다는 점을 강조하여 총각의 죽음에 대한 책임을 회피하고 있다.
⑤ 총각의 사연을 자세히 몰랐다는 점을 들어 자신을 향한 사람들의 질책과 시선에 억울함을 호소하고 있다.

05 〈보기〉를 참고하여 윗글을 감상한 내용으로 적절하지 않은 것은?

> 보기
>
> 윗글은 분단 이후 북한에서 창작된 작품으로, 민중의 언어를 살려 쓰고, 한자어보다는 순우리말을 많이 사용한다는 점 등에서 북한 문학의 특성이 드러나고 있다. 내용적으로는 양반댁 고명딸이었던 진이가 가부장적 제도와 가치관을 벗어나 새로운 삶을 살기 위해 기생의 길을 택하기까지의 과정, 하인인 놈이와의 비극적인 사랑, 기생이 된 후의 자유로운 삶 등을 다루고 있다. 특히 기생이 되어 양반층의 탐욕과 위선을 비판하는 것에는 평등 사회를 지향하는 민중 의식이 반영되어 있다.

① '통', '상두군', '지살받기', '리별' 등의 어휘를 통해 북한에서 창작된 작품임을 알 수 있군.
② 진이가 또복이 아닌 하인인 놈이를 선택한다는 점에서 양반층의 위선을 짐작할 수 있군.
③ 진이가 양반에게 겁탈당한 종의 딸이라는 점에서 양반층에 대한 비판의 근거를 찾을 수 있겠군.
④ 진이가 파혼을 당하고 또복의 죽음으로 충격을 받은 사건은 진이가 기생이 되는 데에 영향을 끼쳤겠군.
⑤ 진이가 스스로를 '사랑이라는 감정은 전혀 있을 수 없는 목석과 같은 녀인'이라고 생각하는 것은 더 이상 사랑에 얽매이지 않고 자유롭게 살겠다는 다짐을 보여 주는 것이로군.

남한산성 | 김훈

▶해법문학 Link
현대 소설 348쪽

키워드 체크 #역사 소설 #비판적 #병자호란 #남한산성 #주전파와 주화파의 갈등 #전쟁의 비참함

핵심 포인트

최명길과 김상헌의 대립

최명길 (이조 판서)	김상헌 (예조 판서)
• 청나라와 화친할 것을 주장함(주화 파). • 실리를 중시함.	• 청나라와 싸울 것 을 주장함(주전 파). • 명분을 중시함.

전체 줄거리

발단	청나라가 조선을 침략하고 인조는 남한 산성으로 피신함.
전개	용골대가 조선의 항복을 요구하자 조정 에서는 화친 여부를 둘러싸고 논쟁이 벌 어짐.　　　　　··· 수록 부분
위기	용골대를 만난 최명길은 적의 치욕스러 운 요구를 왕에게 전하고 김상헌은 원군 을 요청하기 위해 서날쇠를 산성 밖으로 내보냄.
절정	강화도가 함락되자 인조는 항복을 결심 하고 김상헌은 자결을 시도함.
결말	인조는 삼전도에서 투항하고 많은 사람 들이 청나라에 인질로 끌려감.

기출 OX

Q1 김상헌은 백성의 생명을 보장하려면 화친
보다 명분을 지켜 내는 것이 더욱 현실적이
라고 생각하고 있다. [EBS] 변형 〇 Ⅹ

● **무도하나** 말이나 행동이 인간으로서 지켜야
　할 도리에 어긋나서 막되나.
● **화친** 나라와 나라 사이에 다툼 없이 가까이 지냄.
● **투항** 적에게 항복함.
● **내실** 내적인 가치나 충실성.
● **사리** 일의 이치.
● **몽매하여** 어리석고 사리에 어두워.
● **본말** 사물이나 일의 중요한 부분과 중요하지
　않은 부분.

[앞부분 줄거리] 1636년(인조 14년) 청나라가 조선을 침략하자 임금(인조)은 남한산성으로 피란한다. 군사적 열세 속에서 추위와 굶주림에 시달리던 가운데 임금은 청의 장수인 용골대의 문서를 받는다.

이조 판서 최명길이 헛기침으로 목청을 쓸어내렸다. 최명길의 어조는 차분했다.

"전하, 적의 문서가 비록 ●무도하나 신들을 성 밖 으로 청하고 있으니 아마도 ●화친할 뜻이 있을 것이옵니다. 적병이 성을 멀리서 둘러싸고 서둘러 취하려 하지 않음도 화친의 뜻일 것으로 헤아리옵니다. 글을 닦아서 응답할 일은 아니로되 신들을 성 밖으로 내보내 말길을 트게 하소서."

예조 판서 김상헌이 손바닥으로 마루를 내리쳤다. 김상헌의 목소리가 떨려 나왔다.

"화친이라 함은 국경을 사이에 두고 논할 수 있는 것이온데, 지금 적들이 대병을 몰아 이처럼 깊이 들어왔으니 화친은 가당치 않사옵니다. 심양에서 예까지 내려온 적이 빈손으로 돌아갈 리도 없으니 화친은 곧 ●투항일 것이옵니다. 화친으로 적을 대하는 형식을 삼더라도 지킴으로써 ●내실을 돋우고 싸움으로써 맞서야만 화친의 길도 열릴 것이며, 싸우고 지키지 않으면 화친할 길은 마침내 없을 것이옵니다. 그러므로 ㉠화(和), 전(戰), 수(守)는 다르지 않사옵니다. 적의 문서를 군병들 앞에서 불살라 보여서 싸우고 지키려는 뜻을 밝히소서."

최명길은 더욱 낮은 목소리로 말했다. / "예관의 말은 말로써 옳으나 그 헤아림이 얕사옵니다. 화친을 형식으로 내세우면서 적이 성을 서둘러 취하지 않음은 성을 말려서 뿌리 뽑으려는 뜻이온데, 앉아서 말라죽을 날을 기다릴 수는 없사옵니다. 안이 피폐하면 내실을 도모할 수 없고, 내실이 없으면 어찌 나아가 싸울 수 있겠사옵니까? 싸울 자리에서 싸우고, 지킬 자리에서 지키고, 물러설 자리에서 물러서는 것이 ●사리일진대 여기가 대체 어느 자리이겠사옵니까. 더구나······."

김상헌이 최명길의 말을 끊었다. / "이거 보시오, 이판. 싸울 수 없는 자리에서 싸우는 것이 전이고, 지킬 수 없는 자리에서 지키는 것이 수이며, 화해할 수 없는 때 화해하는 것은 화가 아니라 항(降)이오. 아시겠소? 여기가 대체 어느 자리요?"

최명길은 김상헌의 말에 대답하지 않고 임금을 향해 말했다. / "예관이 화해할 수 있는 때와 화해할 수 없는 때를 말하고 또 성의 내실을 말하나, 아직 내실이 남아 있을 때가 화친의 때이옵니다. 성안 이 다 마르고 시들면 어느 적이 스스로 무너질 상대와 화친을 도모하겠나이까."

김상헌이 다시 손바닥으로 마루를 때렸다.

"이판의 말은 ●몽매하여 ●본말이 뒤집힌 것이옵니다. 전이 본(本)이고 화가 말(末)이며 수는 실(實)이옵니다. 그러므로 전이 화를 이끌어 내는 것이지 그 반대가 아니옵니다. 더구나 천도가 전하께 부응하고, 전하께서 실덕(失德)하신 일이 없으시며 또 이만한 성에 의지하고 있으니 반드시 싸우고 지켜서 회복할 길이 있을 것이옵니다."

최명길의 목소리는 더욱 가라앉았다. 최명길은 천천히 말했다.

"상헌의 말은 지극히 의로우나 그것은 말일 뿐입니다. 상헌은 말을 중히 여기고 생을 가벼이 여기는 자이옵니다. 갇힌 성안에서 어찌 말의 길을 따라가오리까." 〈중략〉

"이러지들 마라. 그만하라지 않느냐."

신료들은 입을 다물었다. 영의정 김류는 말없이 어두운 마당을 바라보고 있었다. 처마 끝에서 고드름이 떨어져 내렸다. 성첩에서 다시 총소리가 두어 번 터졌다. 임금이 김류에게 물었다. / "영상은 어찌 말이 없는가?" / 김류가 이마를 마루에 대고 말했다.

"말을 하기에는 이판이나 예판의 자리가 편할 것이옵니다. 신은 *참람하게도 *체찰사의 직을 겸하여 군부를 총괄하고 있으니 소견이 있다 한들 어찌 전과 화의 일을 아뢸 수 있겠사옵니까."

* 참람하게도 분수에 넘쳐 너무 지나치게도.
* 체찰사 조선 시대에, 지방에 군란(軍亂)이 있을 때 임금을 대신하여 그곳에 가서 일반 군무를 맡아보던 임시 벼슬.

01 윗글에 대한 설명으로 가장 적절한 것은?

① 대화를 통한 인물 간의 갈등을 중심으로 사건을 전개하고 있다.
② 이기적인 중심인물을 내세워 자신의 이익만을 도모하는 세태를 풍자하고 있다.
③ 못미더운 서술자를 내세움으로써 제시된 내용에 대한 판단을 독자에게 맡기고 있다.
④ 비극적 상황에 놓인 인물의 내면을 섬세하게 묘사하여 암담한 분위기를 강화하고 있다.
⑤ 다양한 계층의 사람들이 지닌 공통적인 심리를 강조함으로써 보편적 인간상을 탐구하고 있다.

02 윗글의 내용과 일치하는 것은?

① 남한산성 안의 상황은 풍족하고 여유로웠다.
② '적'은 예의를 갖추어 '신들'과 성 밖에서 대화를 하고 싶다는 문서를 보냈다.
③ 임금과 신하들은 '적'이 침략하자 남한산성으로 피란하여 성안에 갇혀 있다.
④ '적병'은 자신들에게 화친의 뜻이 있다는 것을 알리기 위해 성을 포위하지 않았다.
⑤ 이조 판서와 예조 판서는 영상 김류의 의견에 대항하여 자신들의 주장을 펼치고 있다.

03 성 밖 과 성안 에 대한 설명으로 적절하지 않은 것은?

① '성 밖'의 사람들은 '성안'의 사람들이 대립하도록 하는 원인이다.
② '성 밖'의 사람들은 '성안'의 사람들이 공통적으로 경계하는 대상이다.
③ '성안'의 사람들은 '성 밖'의 사람들의 의도에 대해 합의를 이루고 있다.
④ '성안'의 내실을 지키지 못하면 '성 밖'의 사람들과 맞서기 어려운 상황이다.
⑤ '성 밖'과 '성안'은 그곳에 존재하는 힘이 서로 균형을 이루고 있지 못한 공간이다.

04 ㉠에 대한 김상헌과 최명길의 생각을 이해한 내용으로 적절하지 않은 것은?

① 김상헌과 최명길은 '화(和), 전(戰), 수(守)'를 행할 '자리'에 대해 서로 다른 기준을 가지고 있다.
② 최명길은 '화(和)'를 선택하는 데에는 '때'가 중요하다고 여기고 있다.
③ 최명길은 '생'과 '내실'을 중히 여겨 '화(和)'를 통해 '수(守)'를 이룰 수 있다고 생각하고 있다.
④ 김상헌은 '화(和), 전(戰), 수(守)'를 더 중요한 것과 덜 중요한 것으로 나누어 생각하고 있다.
⑤ 김상헌은 나라가 망하는 한이 있더라도 비굴한 '화(和)'보다 명예로운 '전(戰)'이 더 낫다고 여기고 있다.

05 〈보기〉는 윗글과 관련된 역사적 사실을 서술한 것이다. 〈보기〉를 참고하여 윗글을 감상한 내용으로 적절하지 않은 것은?

─ 보기 ─

명나라를 공격하여 승리를 거둔 후금은 조선에 군신의 관계를 요구했으나, 조선은 이를 받아들이지 않았다. 국력이 더욱 강해진 후금은 나라 이름을 '청'으로 바꾸고, 조선의 왕자를 볼모로 보낼 것을 요구하였다. 조선이 이를 거부하자 청 태종은 10만 명의 군대를 이끌고 조선을 침략하였다(병자호란). 압록강을 넘은 지 불과 5일 만에 청군이 서울까지 다다르자 인조와 대신들은 급히 남한산성으로 피신했다. 청군이 남한산성을 포위하자 고립된 인조와 대신들은 청나라와 화친하자는 주화파와 맞서 싸우자는 주전파로 나뉘어 대립했고, 이후 강화도가 함락되며 조선은 결국 청과 화의를 맺게 된다.

① 〈보기〉의 '병자호란'이라는 역사적 사실은 윗글에서 사건의 배경으로 활용되었군.
② 윗글은 〈보기〉의 대신들이 '주화파'와 '주전파'로 나뉜 상황에 초점을 맞추어 갈등을 구성하였군.
③ 〈보기〉에서 설명한 '주화파'와 '주전파'의 갈등은 윗글에서 '신들'과 '임금'의 갈등 상황으로 변용되었군.
④ 윗글은 '청군이 남한산성을 포위'하고 '이후 강화도가 함락되'기까지의 상황을 중심으로 사건을 서술하고 있군.
⑤ 〈보기〉의 역사적 사실을 고려할 때 윗글에 나타난 첨예한 갈등은 당시 청과의 관계를 중심으로 한 외교적 논쟁이 치열했음을 반영하는군.

▶해법문학 Link
현대 소설 380쪽

입동(立冬) | 김애란

키워드 체크 #자식을 잃은 슬픔 #현실 비판적 #공감 없는 사회 #가족 소설

핵심 포인트

역순행적 구성

현재	아내가 미뤘던 도배를 하자고 함.
↓	
과거	갑작스러운 사고로 아이를 잃음.
↓	
현재	도배를 하다가 아이가 남겨 놓은 낙서를 발견함.

'꽃무늬'의 의미

벽지의 꽃무늬	• 함부로 던져진 조화 • 살아 있는 사람에게 악의로 던져 놓은 국화 • 꽃매

↓

상대를 배려하지 않는 형식적 위로의 폭력성

전체 줄거리

발단	아내는 '나'에게 복분자액이 어지럽게 튄 부엌 벽면을 도배하자고 제안함.
전개	'나'는 대출을 받아 집을 장만하여 집을 꾸미고 아이와 함께했던 과거를 회상함.
위기	아들 영우가 사고로 목숨을 잃고, 아내는 아이의 죽음을 경제적 가치로 환원하는 사람들과 호기심 어린 주위의 시선에 예민해짐. 이에 '나'는 아내마저 잃을 것 같은 두려움에 이사를 가려고 하지만 그마저도 여의치 않은 상황이 됨. ⋯ 수록 부분 가
절정	'나'와 부엌 벽을 도배하던 아내는 피해 보상금을 헐어서 빚을 갚을 것을 제안하고 '나'는 아내가 삶의 의지를 회복했다고 생각함.
결말	아내는 영우가 벽에 남긴 낙서를 발견하여 오열하고 '나'는 아내가 '꽃매'를 맞고 있다는 느낌을 받음. ⋯ 수록 부분 나 다

• **화장터** 시체를 화장하는 시설을 갖추어 놓은 곳.

가 　　**지난봄**, 우리는 **영우를 잃었다**. 영우는 후진하는 어린이집 차에 치여 그 자리서 숨졌다. 오십이 개월. 봄이랄까 여름이란 걸, 가을 또는 겨울이란 걸 다섯 번도 채 보지 못하고였다. 가끔은 열불이 날 만큼 말을 안 듣고 말썽을 피웠지만 딱 그 또래만큼 그랬던, 그런 건 어디서 배웠는지 제 부모를 안을 때 고사리 같은 손으로 토닥토닥 등을 두드려 주던, 이제 다시 안아 볼 수도, 만져 볼 수도 없는 아이였다. 무슨 수를 쓴들 두 번 다시 야단칠 수도, 먹일 수도, 재울 수도, 달랠 수도, 입 맞출 수도 없는 아이였다. ㉠화장터에서 영우를 보내며 아내는 "잘 가."라 않고 "잘 자."라 했다.

[중간 부분 줄거리] 아내는 슬픔에 빠져 직장을 그만두었지만 '나'는 생활비 때문에 계속 직장에 나간다. 어느 날 아내는 복분자 원액이 터져 더러워진 부엌 벽면의 도배를 다시 하자고 제안한다.

나 　　나는 아내가 얼른 먼지를 훔쳐 내고 내 안쪽으로 들어와 도배지 밑단을 잡아 주길 바랐다. 그런데 바쁘게 걸레질하던 아내가 갑자기 꼼짝하지 않았다. 〈중략〉

— 여기⋯⋯. / — 응? / — 여기⋯⋯ 영우가 뭐 써 놨어⋯⋯. / — ⋯⋯ 뭐라고?

— 영우가 자기 이름⋯⋯ 써 놨어. / 아내가 떨리는 손으로 벽 아래를 가리켰다.

— 근데 다⋯⋯ 못 썼어⋯⋯. / 아내의 어깨가 희미하게 떨렸다. / — 아직 성하고⋯⋯. 아내의 몸이 희미하게 떨렸다. / — 이응하고⋯⋯.

— ⋯⋯. / — ㉡이응하고, 아니 이응밖에 못 썼어⋯⋯.

아내는 끅끅 이상한 소리를 내다 결국 울음을 터뜨렸다. 〈중략〉 제대로 앉거나 기지도 못했던 아이가 어느 순간 훌쩍 자라 '김' 자랑 '이응'을 썼다니, 대견해 머리통이라도 쓰다듬어 주고 싶었다. 영우의 새까만 머리카락은 또 얼마나 차지고 부드러웠는지. 한 번만, 단 한 번만이라도 영우를 다시 안아 보고 싶었다. 그럴 수만 있다면 어떤 대가도 치를 수 있을 것 같았다. 부엌 창문 사이로 **11월 바람**이 **사납게 파고들었다.**

다 　　— 내 생일에 당신 케이크 사 왔잖아. 여기 식탁에서 같이 초에 불붙이고. 그때 영우는 태어나서 촛불 처음 보는 거였는데. 불을 무슨 엄청 신기한 사물 보듯 응시했잖아? 그날 내가 두 돌도 안 된 영우한테 장난으로 "영우야, 오늘 엄마 생일인데 뭐 해 줄 거야?" 하고 물었어. 그랬더니 영우가 어떻게 했는지 알아? 그 말도 못 하던 애가 잠시 고민하더니 갑자기 막 손뼉을 치더라고. 영우가 나한테 손뼉을 쳐 줬어. 태어났다고⋯⋯.

아내는 연주를 끝낸 뒤 수천 명의 기립 박수를 받은 피아니스트처럼 울었다. ㉢사람들이 던진 꽃에 싸인 채. 꽃에 파묻힌 채. 처마 밑에서 비를 피하는 사람처럼 내가 붙들고 선 벽지 아래서 흐느꼈다. 미색 바탕에 이름을 알 수 없는 흰 꽃이 촘촘하게 박힌 종이를 이고서였다. 그러자 그 꽃이 마치 아내 머리 위에 함부로 던져진 조화처럼 보였다. 누군가 살아 있는 사람에게 악의로 던져 놓은 국화 같았다. 우리는 알고 있었다. 처음에는 탄식과 안타까움을 표한 이웃이 우리를 어떻게 대하기 시작했는지. 그들은 마치 거대한 불행에 감염되기라도 할 듯 우리를 피하고 수군거렸다. 그래서 ㉣흰 꽃이 무더기로 그려진 벽지 아래 쪼그려 앉은 아내를 보고 있자니, 아내가 동네 사람들로부터 '꽃매'를 맞고 있는 것처럼 느껴졌다. 많은 이들이 '내가 이만큼 울어 줬으니 너는 이제 그만 울라'며 줄기 긴 꽃으로 아내를 채찍질하는 것처럼 보였다.

— 다른 사람들은 몰라. / 나는 멍하니 아내 말을 따라 했다. / — 다른 사람들은 몰라.

그러곤 내가 아내 말을 완벽하게 이해하고 있다는 걸 알았다. 아내가 물끄러미 나를 올려다봤다. 텅 빈 눈동자가 불 꺼진 형광등처럼 어두웠다. 아내가 한 손으로 영우가 직접 쓴, 아니 쓰다 만 이름을 어루만졌다. 〈중략〉 나는 결국 고개를 숙이고 말았다. 부엌 바닥으로 굵은 눈물방울이 툭 흘러내렸다. ⓜ하지만 그 순간조차 손에서 벽지를 놓을 수 없어, 그렇다고 놓지 않을 수도 없어 두 팔을 든 채 벌서듯 서 있었다. 물먹은 풀이 내 몸에서 나오는 고름처럼 아래로 후드득 떨어졌다. *한파가 오려면 아직 멀었는데 온몸이 후들후들 떨렸다.

* 한파 겨울철에 기온이 갑자기 내려가는 현상.

01 윗글의 서술상 특징으로 가장 적절한 것은?

① 역설적 상황에서 드러나는 모순을 지적하고 있다.
② 역순행적 구성을 통해 서술 시점에 변화를 주고 있다.
③ 사건의 중심이 되는 인물을 객관적으로 묘사하고 있다.
④ 공간적 배경을 전환하여 사건의 긴장감을 고조하고 있다.
⑤ 서술자의 독백을 통해 인물의 내면 심리를 드러내고 있다.

02 ㉠~㉤에 대한 설명으로 적절하지 않은 것은?

① ㉠: 아이의 죽음을 받아들이고 싶지 않은 아내의 심정이 드러난다.
② ㉡: 아내는 글자도 제대로 깨우치지 못하고 어린 나이에 떠난 아이에게 안타까움을 느끼고 있다.
③ ㉢: 사람들이 건넨 배려 없는 위로를 '꽃'에 비유하고 있다.
④ ㉣: 동네 사람들에게 상처 받은 아내의 모습을 나타낸다.
⑤ ㉤: 슬픔으로 가득한 일상으로부터 벗어나고 싶은 '나'의 심리가 간접적으로 드러난다.

03 벽 아래 의 기능으로 가장 적절한 것은?

① '나'와 아내 사이의 새로운 갈등을 야기한다.
② '나'와 아내의 새로운 삶의 출발을 의미한다.
③ 아내와 화해하고자 하는 '나'의 노력을 보여 준다.
④ '나'와 아내가 과거를 회상하도록 하는 매개체이다.
⑤ '나'와 아내가 과거의 상처를 치유할 수 있는 계기로 작용한다.

04 다음은 윗글의 제목인 '입동'의 사전적 정의이다. 〈보기〉를 참고하여 윗글을 이해한 내용으로 적절하지 않은 것은?

> ┌ 보기 ─
> 입동(立冬) 이십사절기의 하나. 상강(霜降)과 소설(小雪) 사이에 들며, 이때부터 겨울이 시작된다고 한다. 11월 8일경이다.

① '11월 바람'을 고려할 때 '입동'은 윗글의 계절적 배경이군.
② '입동'이라는 시기는 '영우를 잃'은 '지난봄'과 대비되어 영우의 부재로 인한 슬픔을 강조하는군.
③ '겨울이 시작'되는 시점임을 고려하면 '입동'은 부부의 아픔이 앞으로도 계속될 것임을 암시한다고 볼 수 있군.
④ 겨울을 알리며 '사납게 파고'드는 '11월 바람'은 부부를 바라보는 사람들의 시선에 대응하는 것으로 볼 수 있군.
⑤ '한파가 오려면 아직 멀었는데' '나'의 온몸이 떨리는 것으로 보아 '입동'은 부부의 내면에 남들보다 이른 겨울이 찾아왔음을 강조하는군.

05 〈보기〉를 참고하여 윗글을 감상한 내용으로 적절하지 않은 것은?

> ┌ 보기 ─
> 작가는 타인의 고통을 이해하는 것은 타인의 몸 바깥에 선 자신의 무지를 인정하고, 그 차이를 실감해 나가는 과정일지 모른다고 말했다. 그는 「입동」에서 아이를 잃었음에도 불구하고 피해 보상금 때문에 눈총을 받는 부부의 이야기를 통해 '배려 없는 위로의 폭력성'을 깊이 있게 그려 냈다.

① 이해와 공감의 결여는 '타인의 고통'에 대해 잘 알지 못하는 것에서 시작되겠군.
② 작가는 타인의 '배려 없는 위로'가 당사자에게는 '꽃매'가 될 수 있음을 말하고 싶었겠군.
③ '나'와 아내에 대해 수군거린 주변 이웃들은 타인에 대한 '자신의 무지'를 인정하지 못한 자들이로군.
④ 이웃들이 '타인의 몸 바깥에 선 자신'의 한계를 스스로 인식했다면 '나'와 아내는 슬픔을 극복할 수 있었겠군.
⑤ '나'가 다른 사람들은 모른다는 아내의 말을 완벽하게 이해한 것으로 보아 '나'는 아내의 슬픔을 '타인의 고통'이 아닌 자신의 고통처럼 인식하고 있음을 알 수 있군.

수필 · 극

수필은 인생에 대한 관조와 체험을 개성적 문체로 쓴 산문 문학이며,
극은 무대 상연을 위한 희곡, 영화 제작을 위한 시나리오를 일컫는 산문 문학이다.

수필

글쓴이 = '나'

자유로운 형식

깊이 있는 사색을 바탕으로 한 교훈적, 성찰적 성격

글쓴이의 체험, 생활 태도, 인생관 및 세계관을 솔직히
  표현하는 개성의 문학

예 「산촌 여정」(이상), 「특급품」(김소운)

▲ 희곡 「산불」의 공연 장면

희곡

\# 배우와 관객
\# 무대 상연 전제
\# 현재 진행형의 문학
\# 해설, 지시문(지문), 대사(대화, 독백, 방백)
\# 갈등과 해소 과정을 중심으로 하는 갈등의 문학

예 「동승」(함세덕), 「불모지」(차범석)

시나리오

  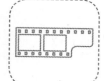

\# 시나리오 용어
\# 영화 상영 전제
\# 장면 표시(S#), 해설, 대사, 지시문
\# 자유로운 장면의 변화와 시·공간적 배경의 설정
\# 대사와 행동으로 인물의 특성과 사건의 진행 표현

예 「오발탄」(이범선 원작/나소운·이종기 각색),
　「독 짓는 늙은이」(황순원 원작/여수중 각색)

산촌 여정 | 이상

▶ 해법문학 Link
수필·극 24쪽

키워드 체크 #편지글 형식 #감각적 #산촌 생활 #도시적 감수성 #식구들에 대한 걱정

향기로운 °엠제이비(MJB)의 미각을 잊어버린 지도 20여 일이나 됩니다. 이곳에는 신문도 잘 아니 오고 °체전부(遞傳夫)는 이따금 °하도롱 빛 소식을 가져옵니다. 거기는 누에고치와 옥수수의 사연이 적혀 있습니다. 마을 사람들은 멀리 떨어져 사는 일가(一家) 때문에 수심이 생겼나 봅니다. 나도 ⊙도회에 남기고 온 일이 걱정이 됩니다.

건너편 팔봉산에는 노루와 멧돼지가 있답니다. 그리고 기우제 지내던 개골창까지 내려와서 가재를 잡아먹는 '곰'을 본 사람도 있습니다. ⓐ동물원에서밖에 볼 수 없는 짐승, 산에 있는 짐승들을 사로잡아다가 동물원에 갖다 가둔 것이 아니라, 동물원에 있는 짐승들을 이런 산에다 내어놓아 준 것만 같은 착각을 자꾸만 느낍니다. 밤이 되면, 달도 없는 그믐칠야(漆夜)에 팔봉산도 사람이 침소로 들어가듯이 어둠 속으로 아주 없어져 버립니다.

그러나 공기는 수정처럼 맑아서 별빛만으로라도 넉넉히 좋아하는 누가복음도 읽을 수 있을 것 같습니다. 그리고 또 참 별이 도회에서보다 갑절이나 더 많이 나옵니다. 하도 조용한 것이 처음으로 별들의 운행하는 기적이 들리는 것도 같습니다.

ⓑ객줏집 방에는 석유 등잔을 켜 놓습니다. 그 도회지의 °석간(夕刊)과 같은 그윽한 냄새가 소년 시대의 꿈을 부릅니다. 정 형! 그런 석유 등잔 밑에서 밤이 이슥하도록 '호까'—연초갑지— 붙이던 생각이 납니다. 베짱이가 한 마리 등잔에 올라앉아서 그 연둣빛 색채로 °혼곤한 내 꿈에 마치 영어 '티(T)' 자를 쓰고 건너긋듯이 유다른 기억에다는 군데군데 언더라인을 하여 놓습니다. ⓒ슬퍼하는 것처럼 고개를 숙이고 도회의 여차장이 차표 찍는 소리 같은 그 성악(聲樂)을 가만히 듣습니다. 그러면 그것이 또 이발소 가위 소리와도 같아집니다. 나는 눈까지 감고 가만히 또 자세히 들어 봅니다.

그리고 비망록을 꺼내어 머룻빛 잉크로 ⓛ산촌의 시정을 °기초(起草)합니다.

　그저께 신문을 찢어 버린 / 때 묻은 흰나비
　봉선화는 아름다운 애인의 귀처럼 생기고 / 귀에 보이는 지난날의 기사

얼마 있으면 목이 마릅니다. 자릿물— 심해처럼 가라앉은 냉수를 마십니다. ⓓ석영질 광석 내음새가 나면서 폐부에 °한란계(寒暖計) 같은 길을 느낍니다. 나는 백지 위에 싸늘한 곡선을 그리라면 그릴 수도 있을 것 같습니다.

청석(靑石) 없은 지붕에 별빛이 내리쪼이면 한겨울에 장독 터지는 것 같은 소리가 납니다. 벌레 소리가 요란합니다. 가을이 이런 시간에 엽서 한 장에 적을 만큼씩 오는 까닭입니다. 〈중략〉

ⓔ°파라마운트 회사 상표처럼 생긴 도회 소녀가 나오는 꿈을 조금 꿉니다. 그러다가 어느 사이에 도회에 남겨 두고 온 가난한 식구들을 꿈에 봅니다. 그들은 포로들의 사진처럼 나란히 늘어섭니다. 그리고 내게 걱정을 시킵니다. 그러면 그만 잠이 깨어 버립니다.

죽어 버릴까 그런 생각을 하여 봅니다. 벽 못에 걸린 다 해어진 내 저고리를 쳐다봅니다. 서도(西道) 천 리를 나를 따라 여기 와 있습니다그려!

등잔 심지를 돋우고 불을 켠 다음 비망록에 철필로 군청빛 '모'를 심어 갑니다. 불행한 인구(人口)가 그 위에 하나하나 탄생합니다. 조밀한 인구가.

내일은 진종일 화초만 보고 놀리라, Ⓐ탈지면에다 알코올을 묻혀서 온갖 근심을 문지

핵심 포인트

편지글의 형식과 그에 따른 효과

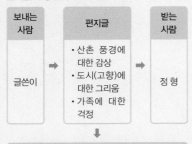

보내는 사람 → 편지글 → 받는 사람

글쓴이 →
편지글
· 산촌 풍경에 대한 감상
· 도시(고향)에 대한 그리움
· 가족에 대한 걱정
→ 정 형

↓

작가의 내면을 진술하게 고백하는 느낌을 줌.

감각적인 비유를 통한 참신한 표현

원관념	보조 관념
노루, 멧돼지, 곰	동물원에서 산에 내어놓아 준 짐승
석유 등잔 냄새	도회지의 석간과 같은 그윽한 냄새
베짱이 소리	도회의 여차장이 차표 찍는 소리, 이발소 가위 소리

연계 작품

모더니즘 경향을 보여 주는 작품: 김광균 「추일 서정」

기출 OX

Q1 윗글은 점층적 표현을 통해 대상을 역동적으로 묘사하고 있다.
기출 2017. 7. 고3 [O | X]

Q2 윗글은 공간의 이동을 통해 대상이 변화하는 모습을 나타내고 있다.
기출 2017. 7. 고3 [O | X]

· °엠제이비(MJB) 미국 커피 회사의 상품 이름.
· °체전부 '우편집배원'의 전 용어.
· °하도롱 화학 펄프를 사용한 다갈색의 질긴 종이. 포장지나 봉투를 만드는 데에 씀.
· °석간 석간신문. 매일 저녁때에 발행되는 신문.
· °혼곤한 정신이 흐릿하고 고달픈.
· °기초 글의 초안을 잡음.
· °한란계 사람이 일상생활을 할 수 있는 범위 내의 온도를 측정하도록 눈금을 설정한 온도계.
· °파라마운트 1914년에 설립된 미국의 영화 회사.

답 01 X 02 X

르리라, 이런 생각을 먹습니다. 너무도 꿈자리가 뒤숭숭하여서 그러는 것입니다. 〈중략〉
도회에 화려한 고향이 있습니다. 활엽수만으로 된 산이 고향의 시각을 가려 버린 이 산하에 팔봉산 허리를 넘는 철골 전신주가 소식의 제목만을 부호로 전하는 것 같습니다.

01 윗글에 대한 설명으로 적절하지 <u>않은</u> 것은?

① 경어체의 친근한 어조로 공간적 배경을 묘사하고 있다.
② 참신한 비유를 통해 사물에 대한 독창적 시각을 보여 주고 있다.
③ 편지 형식을 사용하여 글쓴이의 내면을 진솔하게 전달하고 있다.
④ 도회적인 표현을 활용하여 대상에 대한 글쓴이의 느낌을 나타내고 있다.
⑤ 계절의 흐름과 공간의 변화를 연결하여 상념에 잠긴 글쓴이의 모습을 드러내고 있다.

02 윗글의 '나'에 대한 설명으로 적절하지 <u>않은</u> 것은?

① '나'는 꿈 때문에 잠을 설쳤다.
② '나'는 본래 산촌에 사는 사람이 아니다.
③ '나'의 가족은 경제적으로 풍족하지 않다.
④ '나'가 지내는 산촌은 소식을 빠르게 받아 보기 어렵다.
⑤ '나'는 도회에서의 일상에 지쳐 산촌에 요양을 하러 왔다.

[기출] [변형] 2017학년도 7월 고3 학력평가

03 ㉠, ㉡에 대한 이해로 가장 적절한 것은?

① ㉠은 현실적·세속적인 공간이고, ㉡은 신비롭고 환상적인 공간이다.
② ㉠은 인간성을 상실한 공간이고, ㉡은 원시적 모습을 간직한 공간이다.
③ ㉠은 '나'가 지향하는 이상적 공간이고, ㉡은 '나'가 현실에서 도피하기 위해 찾아온 공간이다.
④ ㉠은 '나'가 시련을 극복하는 계기를 마련해 주는 공간이고, ㉡은 '나'에게 시련을 주는 공간이다.
⑤ ㉠은 '나'에게 걱정과 그리움을 불러일으키고, ㉡은 '나'에게 고요하고 평화로운 정서를 불러일으키는 공간이다.

04 다음 중 Ⓐ와 발상이 가장 유사한 것은?

① 내 고장 칠월은 / 청포도가 익어 가는 시절 // 이 마을 전설이 주저리주저리 열리고 　　　　 – 이육사, 「청포도」
② 나는 한 마리 어린 짐승. / 젊은 아버지의 서느런 옷자락에 열로 상기한 볼을 말없이 부비는 것이었다.
　　　　　　　　　　　　　　　　　　– 김종길, 「성탄제」
③ 껍데기는 가라. / 한라에서 백두까지 / 향그러운 흙 가슴만 남고 / 그, 모오든 쇠붙이는 가라.
　　　　　　　　　　　　　　　– 신동엽, 「껍데기는 가라」
④ 바람은 내 귀에 속삭이며 / 한 자국도 섰지 마라 옷자락을 흔들고 / 종다리는 울타리 너머에 아씨같이 구름 뒤에서 반갑다 웃네. 　– 이상화, 「빼앗긴 들에도 봄은 오는가」
⑤ 연꽃 같은 발꿈치로 가이없는 바다를 밟고, 옥 같은 손으로 끝없는 하늘을 만지면서, 떨어지는 날을 곱게 단장하는 저녁놀은 누구의 시(詩)입니까. 　– 한용운, 「알 수 없어요」

[고난도] [기출] [변형] 2017학년도 7월 고3 학력평가

05 〈보기〉를 참고하여 ⓐ~ⓔ를 감상한 내용으로 적절하지 <u>않은</u> 것은?

　보기

　「산촌 여정」에서 작가는 산촌에서의 체험과 정서를 다양한 감각적 이미지로 표현하고 있다. 도시의 삶에 익숙한 작가는 산촌의 자연적이고 향토적인 사물을 도시인의 관점에서 형상화하거나, 도시적이고 이국적인 언어를 통해 산촌의 풍경을 묘사하고 있다.

① ⓐ: 산촌의 짐승들을 '동물원'과 관련된 도시적 경험과 연결하여 산촌 풍경이 익숙함을 드러내고 있다.
② ⓑ: '석유 등잔'의 '냄새'를 도시에서 접했던 '석간'의 냄새에 비유하며 자신의 소년 시절을 떠올리고 있다.
③ ⓒ: 베짱이 울음소리를 '여차장이 차표 찍는 소리', '이발소 가위 소리'에 비유하며 자신에게 익숙한 도시의 경험과 관련 지어 표현하고 있다.
④ ⓓ: '한란계'라는 도시적 소재를 사용하여 찬물을 마시는 행위를 감각적으로 표현하고 있다.
⑤ ⓔ: 꿈속에서 본 도회 소녀를 '파라마운트 회사 상표'에 비유하며 이국적 느낌을 강조하고 있다.

[06~10] 다음 글을 읽고 물음에 답하시오.

㉮ 암소의 뿔은 수소의 그것보다도 한층 더 겸허하다. 이 애상적인 뿔이 나를 받을 리 없으니 나는 마음 놓고 그 곁 풀밭에 가 누워도 좋다. 나는 누워서 우선 소를 본다.

소는 잠시 반추(反芻)를 그치고 나를 응시한다.

'이 사람의 얼굴이 왜 이리 창백하냐. 아마 병인인가 보다. 내 생명에 위해를 가하려는 거나 아닌지 나는 조심해야 되지.'

이렇게 소는 속으로 나를 심리(審理)하였으리라. 그러나 오 분 후에는 소는 다시 반추를 계속하였다. 소보다도 내가 마음을 놓는다.

소는 식욕의 즐거움조차를 냉대할 수 있는 지상 최대의 권태자다. ㉠얼마나 권태에 지질렸길래 이미 위에 들어간 식물을 다시 게워 그 시금털털한 반소화물(半消化物)의 미각을 역설적으로 향락하는 체해 보임이리오?

소의 체구가 크면 클수록 그의 권태도 크고 슬프다. 나는 소 앞에 누워 내 세균같이 사소한 고독을 겸손하면서 나도 사색의 반추는 가능할는지 불가능할는지 몰래 좀 생각해 본다.

㉯ 지구 표면적의 백분의 구십구가 이 공포의 초록색이리라. 그렇다면 지구야말로 너무나 단조무미한 채색이다. 도회에는 초록이 드물다. 나는 처음 여기 °표착(漂着)하였을 때 이 신선한 초록빛에 놀랐고 사랑하였다. 그러나 닷새가 못 되어서 이 °일망무제(一望無際)의 초록색은 조물주의 몰취미(沒趣味)와 신경의 조잡성으로 말미암은 무미건조한 지구의 여백인 것을 발견하고 다시금 놀라지 않을 수 없었다.

어쩔 작정으로 저렇게 퍼러냐. ㉡하루 온종일 저 푸른빛은 아무 짓도 하지 않는다. 오직 그 푸른 것에 백치와 같이 만족하면서 푸른 채로 있다. 〈중략〉

마당에서 밥을 먹으면 머리 위에서 무수한 별들이 야단이다. 저 것은 또 어쩌라는 것인가. 내게는 별이 천문학의 대상이 될 수 없다. 그렇다고 시상(詩想)의 대상도 아니다. 그것은 다만 향기도 촉감도 없는, 절대 권태의 도달할 수 없는 영원한 °피안(彼岸)이다. 별조차가 이렇게 싱겁다.

저녁을 마치고 밖으로 나와 보면 집집에서는 모깃불의 연기가 한창이다.

그들은 마당에서 멍석을 펴고 잔다. 별을 쳐다보면서 잔다. 그러나 그들은 별을 보지 않는다. ㉢그 증거로는 그들은 멍석에 눕자마자 눈을 감는다. 그러고는 눈을 감자마자 쿨쿨 잠이 든다. 별은 그들과 관계없다.

나는 소화를 촉진시키느라고 길을 왔다 갔다 한다. 돌칠 적마다 멍석 위에 누운 사람의 수가 늘어 간다.

이것이 시체와 무엇이 다를까? 먹고 잘 줄 아는 시체, 나는 이런 실례(失禮)로운 생각을 정지해야만 되겠다. 그리고 나도 가서 자야겠다.

방에 돌아와 나는 나를 살펴본다. 모든 것에서 절연된 지금의 내 생활, 자살의 단서조차를 찾을 길이 없는 지금의 내 생활은 과연 권태의 극(極), 권태 그것이다.

㉣그렇건만 내일이라는 것이 있다. 다시는 날이 새지 않은 것 같기도 한 밤 저쪽에 또 내일이라는 놈이 한 개 버티고 서 있다. 마치 °흉맹한 °형리(刑吏)처럼—나는 그 형리를 피할 수 없다. 오늘이 되어 버린 내일 속에서 또 나는 질식할 만치 심심해 해야 되고 기막힐 만치 답답해 해야 된다.

그럼 오늘 하루를 나는 어떻게 지냈던가. 이런 것은 생각할 필요가 없으리라. 그냥 자자! 자다가 불행히—아니 다행히 또 깨거든 최 서방의 조카와 장기나 또 한판 두지. 웅덩이에 가서 송사리를 볼 수도 있고—몇 가지 안 남은 기억을 소처럼—반추하면서 끝없는 나태를 즐기는 방법도 있지 않으냐.

불나비가 달려들어 불을 끈다. 불나비는 죽었든지 화상을 입었으리라. 그러나 불나비라는 놈은 사는 방법을 아는 놈이다. 불을 보면 뛰어들 줄도 알고—평상에 불을 초조히 찾아다닐 줄도 아는 정열의 생물이니 말이다.

㉤그러나 여기 어디 불을 찾으려는 정열이 있으며 뛰어들 불이 있느냐. 없다. 나에게는 아무것도 없고 아무것도 없는 내 눈에는 아무것도 보이지 않는다.

암흑은 암흑인 이상 이 좁은 방 것이나 우주에 꽉 찬 것이나 분량상 차이가 없으리라. 나는 이 대소 없는 암흑 가운데 누워서 숨쉴 것도 어루만질 것도 또 욕심나는 것도 아무것도 없다. 다만 어디까지 가야 끝이 날지 모르는 내일 그것이 또 창밖에 °등대(等待)하고 있는 것을 느끼면서 오들오들 떨고 있을 뿐이다.

— 이상, 「권태」

• **표착** 정처 없이 떠돌아다니다가 일정한 곳에 정착함을 비유적으로 이르는 말.
• **일망무제** 한눈에 바라볼 수 없을 정도로 아득하게 멀고 넓어서 끝이 없음.
• **피안** 현실적으로 존재하지 아니하는 관념적으로 생각해 낸 현실 밖의 세계.
• **흉맹한** 흉악하고 사나운.
• **형리** 지방 관아의 형방에 속한 구실아치.
• **등대** 미리 준비하고 기다림.

06 윗글에 대한 설명으로 가장 적절한 것은? 기출

① 비유를 활용하여 대상의 속성과 관련된 상념을 표현하고 있다.

② 우화를 제시하여 글쓴이가 처한 부정적인 상황을 강조하고 있다.

③ 설의적 표현을 통해 자연과 조화를 추구하고자 하는 태도를 나타내고 있다.

④ 과거의 삶과 현재의 삶을 대비하여 현대 사회에 대한 비판적 인식을 드러내고 있다.

⑤ 글쓴이의 생각을 타인의 생각과 비교하며 글쓴이가 삶에서 깨달은 진리를 전달하고 있다.

07 윗글의 글쓴이에 대한 이해로 가장 적절한 것은?

① 글쓴이는 종종 자연 풍경을 즐기기 위해 풀밭에 누워 있었다.

② 글쓴이는 별을 싱겁게 느낀 뒤 바로 방으로 돌아가 잠을 청했다.

③ 글쓴이는 최 서방의 조카와 장기를 두면서 시간을 보낸 적이 있다.

④ 글쓴이는 절연된 가족에게서 연락이 오기를 기다리며 답답함을 느끼고 있다.

⑤ 글쓴이는 마당에서 잠을 자는 사람들이 시체와 같다고 여기며 그들을 동정하고 있다.

08 ㉠~㉤에 대한 설명으로 적절하지 <u>않은</u> 것은?

① ㉠: 소가 되새김질을 하는 이유에 대한 객관적인 판단이다.

② ㉡: 글쓴이가 초록색에서 공포를 느끼게 하는 자연의 속성이 제시되어 있다.

③ ㉢: 글쓴이와 마찬가지로 마을 사람들도 별을 보고 감흥을 느끼지 못함을 나타낸다.

④ ㉣: '내일'을 의인화하여 '내일'에 대한 글쓴이의 부정적인 인식을 드러낸다.

⑤ ㉤: 어떠한 정열도 느끼지 못하는 글쓴이의 처지에 대한 무력감이 나타난다.

09 〈보기〉를 참고하여 윗글을 감상한 내용으로 가장 적절한 것은? 고난도 기출 변형

― 보기 ―

윗글은 글쓴이가 일상의 시·공간, 자연, 인간 등을 탐색하고 이를 통해 의미를 발견한 작품이다. 이를 도식화하면 다음과 같다.

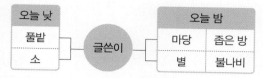

① 글쓴이는 '풀밭'에서 자신의 무기력한 삶의 원인을 찾아 고뇌하다가 마침내 그 원인을 '소'에서 찾고 자신의 처지를 한탄하고 있군.

② 글쓴이는 '풀밭'에서 '소'를 통해 자신이 권태에 빠진 고독한 존재임을 확인하고, '좁은 방'에서 '불나비'와 자신을 대조하여 자신의 처지를 깨닫고 있군.

③ 글쓴이는 '풀밭'과 '마당'에서 본 '소'와 '별'을 통해 의미 없는 일상의 허무함을 발견하고, 권태를 극복할 의욕마저 갖지 못하게 하는 현실을 비판하고 있군.

④ 글쓴이는 '마당'이라는 삶의 공간에서 '별'을 바라보는 사람들을 통해 아무런 목표 없이 살아가는 자신의 일상을 반성하고 이를 극복하겠다고 다짐하고 있군.

⑤ '풀밭'이 권태에 빠진 글쓴이가 자신의 고독감을 확인하고 있는 공간이라면, '좁은 방'은 나태한 삶을 피해 은신한 글쓴이에게 안식을 주는 도피처를 의미하겠군.

10 윗글과 〈보기〉의 공통점으로 가장 적절한 것은?

― 보기 ―

긴 — 여름 해 황망히 나래를 접고
늘어선 고층 창백한 묘석같이 황혼에 젖어
찬란한 야경 무성한 잡초인 양 헝클어진 채
사념 벙어리 되어 입을 다물다.

피부의 바깥에 스미는 어둠
낯설은 거리의 아우성 소리
까닭도 없이 눈물겹고나.

― 김광균, 「와사등」 중

① 특정 공간에서 느끼는 감정이 형상화되어 있다.

② 현대 문명 속에서 느끼는 권태와 슬픔이 묘사되어 있다.

③ 구체적인 시간적 배경을 설정하여 이상향을 자세히 묘사하고 있다.

④ 산촌과 도시의 풍경을 대비하여 스스로의 처지에 대한 비애를 드러내고 있다.

⑤ 단조로운 풍경에 대한 지루함을 표현하며 다른 곳으로 떠나고 싶은 마음을 드러내고 있다.

Q35

현대 수필

기출

게 | 김용준

정소남(鄭所南)이란 사람이 난초를 그리는데 반드시 그 뿌리를 흙에 묻지 아니하니 타족(他族)에게 짓밟힌 땅에 °개결(慨潔)한 몸을 더럽히지 않으려 함이란다.

붓에 먹을 찍어 종이에 °환을 친다는 것이 무엇이 그리 대단한 노릇이리오마는 **사물의 형용을 방불하게 하는 것만으로** 장기(長技)로 치는 데 그치지 않고, **자연을 빌려 작가의 청고(淸高)한 심경**을 호소하는 한 방편으로 삼는다는 데서 비로소 **환이 예술로 등장**할 수 있고 예술을 위하여 일생을 바치기도 하는 것이다.

그런데 나란 사람이 일생을 거의 삼분의 이나 살아온 처지에 아직까지 나 자신이 환쟁이인지 예술가인지도 구별하지 못한다는 것은 딱하고도 슬픈 내 개인 사정이거니와, 되든 안 되든 그래도 예술가답게나 살아 보다가 죽자고 내 딴엔 굳은 결심을 한 지도 이미 오래다. ㉠되도록 물욕과 °영달에서 떠나자, 한묵으로 유일한 벗을 삼아 일생을 담박하게 살다 가자 하는 것이 내 소원이라면 소원이라 할까.

[중간 부분 줄거리] 친구로부터 그림을 부탁받거나 자진해서 그려 보낼 때 '나'는 '게'를 화제로 택한다.

게란 놈은 첫째, 그리기가 수월하다. ㉡긴 양호(羊毫)에 수묵을 듬뿍 묻히고 호단(毫端)에 초묵을 약간 찍어 두어 붓 **좌우로 휘두르면** 앙버티고 엎드린 꼴에 여덟 개의 긴 발과 앙증스런 두 개의 집게발이 즉각에 하얀 화면에 나타난다. 내가 그려 놓고 보아도 붓장난이란 묘미가 있는 것이로구나 하고 스스로 기뻐할 때가 많다. / 그리고는 화제를 쓴다.

> 滿庭寒雨滿汀秋 뜰에 가득 차가운 비 내려 물가에 온통 가을인데
> 得地縱橫任自由 제 땅 얻어 종횡으로 마음껏 다니누나.
> 公子無腸眞可羨 창자 없는 게가 참으로 부럽도다.
> 平生不識斷腸愁 한평생 창자 끊는 시름을 모른다네.

역대로 게를 두고 지은 시가 이뿐이랴만 내가 쓰는 화제는 십중팔구 윤우당(尹于堂)의 작이라는 이 시구를 인용하는 것이 °항례다.

왕세정(王世貞)의 "마음껏 °횡행하기를 얼마나 하겠는가. 결국에는 사람 입에 떨어질 신세인 것을." 하는 °대문도 묘하기는 하나 무장공자(無腸公子)로서 ㉢°단장(斷腸)의 비애를 모른다는 대문이 더 내 심금을 울리기 때문이다. / ㉣이 비애의 주인공은 실로 나 자신이 아닌가. 단장의 비애를 모르는 놈, 약고 영리하게 처세할 줄 모르는 눈치 없는 미물(微物)! 아니 나 자신만이 아니라 우리 민족 중에는 이러한 인사가 너무나 많지 않은가.

[A] 맑은 동해 변 바위틈에서 미끼를 실에 매달고 이 해공(蟹公)을 낚아 본 사람은 대개 짐작하리라. 처음에는 제법 영리한 듯한 놈도 내다본 체 않다가 콩알만큼씩 한 새끼 놈들이 먼저 덤비고 그 곁두리를 보아 가면서 차츰차츰 큰 놈들이 한꺼번에 몰려나와 미끼를 뺏느라고 수십 마리가 한 덩어리가 되어 동족상쟁을 하는 바람에 그때 실을 번쩍 추켜올리면 모조리 잡혀서 어부의 이(利)가 되게 하고 마는 것이다.
어리석고 눈치 없고 꼴에 서로 싸우기 잘하는 놈!

㉤귀엽게 보면 재미나고, 어리석게 보면 무척 동정이 가고, 밉살스레 보면 °가증(可憎)하기 짝이 없는 놈! / ⓐ게는 확실히 좋은 화제다. 내가 즐겨 보내고 싶은 친구에게도 좋은 화제가 되거니와 또 뻔뻔스럽고 염치없는 친구에게도 그려 보낼 수 있는 확실히 좋은 화제다.

핵심 포인트

'게'의 속성에 대한 글쓴이의 인식

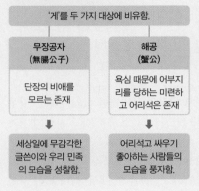

무장공자 (無腸公子)	해공 (蟹公)
단장의 비애를 모르는 존재	욕심 때문에 어부지리를 당하는 미련하고 어리석은 존재
↓	↓
세상일에 무감각한 글쓴이와 우리 민족의 모습을 성찰함.	어리석고 싸우기 좋아하는 사람들의 모습을 풍자함.

연계 작품

• 문인 겸 화가인 글쓴이의 개성: 김용준 「선부 자화상」
• 수필에 대한 글쓴이의 생각: 김용준 「발(跋)」

기출 OX

Q1 게를 어리석은 미물이라고 하면서도 스스로 그런 게와 동일시한다는 점에서, 윗글은 글쓴이의 삶에 대한 반성을 담고 있다.
기출 2004. 수능 ◯ Ⅹ

Q2 게를 그리기가 수월하다고 한 점으로 보아, 세상사에 얽히기를 꺼리는 글쓴이의 태도를 읽을 수 있다. 기출 2004. 수능 ◯ Ⅹ

• **개결한** 성품이 깨끗하고 굳은.
• **환을 친다** '그림을 그리다'를 낮추어 표현한 말.
• **영달** 지위가 높고 귀하게 됨.
• **항례** 보통 있는 일.
• **횡행하기를** 아무 거리낌 없이 제멋대로 행동하기를.
• **대문** 이야기나 글 따위의 특정한 부분.
• **단장** 몹시 슬퍼서 창자가 끊어지는 듯함.
• **가증** 괘씸하고 얄미움. 또는 그런 짓.

답 **Q1** ◯ **Q2** Ⅹ

01 윗글에 대한 설명으로 적절하지 <u>않은</u> 것은?

① 소재를 의인화하여 재치 있게 표현하고 있다.
② 한시를 통해 글쓴이의 예술관을 드러내고 있다.
③ 흔한 소재에 대한 글쓴이의 독특한 관점을 드러내고 있다.
④ 자조적인 태도로 스스로의 처지에 대한 생각을 드러내고 있다.
⑤ 역사적인 인물의 말을 인용하여 글쓴이의 생각을 드러내고 있다.

기출 변형 2004학년도 수능

02 [A]에 대한 설명으로 옳지 <u>않은</u> 것은?

① 동물의 모습을 통해 인간의 행동을 풍자하고 있다.
② 관련된 고사성어를 제시하여 사실성을 높이고 있다.
③ 제재에 대한 글쓴이의 인식과 평가를 드러내고 있다.
④ 어리석게 욕심을 부리면 손해를 본다는 교훈을 담고 있다.
⑤ 제재를 다른 이름으로 칭하여 또 다른 속성을 드러내고 있다.

03 ㉠~㉤에 대한 이해로 적절하지 <u>않은</u> 것은?

① ㉠: 예술가로서 글쓴이가 지향하는 가치를 드러내고 있다.
② ㉡: 붓으로 대상을 그리는 과정을 설명하고 있다.
③ ㉢: 글쓴이가 대상으로부터 본받고자 하는 태도를 나타내고 있다.
④ ㉣: 대상과 자신을 동일시하고 스스로를 낮추어 표현하고 있다.
⑤ ㉤: 대상에 대한 글쓴이의 복잡한 심정을 드러내고 있다.

04 ⓐ의 이유로 가장 적절한 것은?

① 붓으로 그리기가 까다롭거나 힘들지 않아서
② 옛날부터 많은 작가들이 '게'를 화제로 한 작품을 창작해 와서
③ 보고 싶은 친구보다 염치없는 친구에게 더 강한 호소력을 지녀서
④ 다양한 상황에 처한 사람들 모두에게 의미 있는 존재가 될 수 있어서
⑤ 아무 거리낌 없이 제멋대로 행동하는 모습에서 강한 생명력을 느낄 수 있어서

05 다음 중 '게'를 대하는 글쓴이의 태도를 나타내기에 가장 적절한 말은?

① 온고지신(溫故知新)
② 타산지석(他山之石)
③ 일희일비(一喜一悲)
④ 토사구팽(兎死狗烹)
⑤ 각주구검(刻舟求劍)

기출 변형 2004학년도 수능

06 윗글에 대한 감상으로 적절하지 <u>않은</u> 것은?

① 글쓴이는 정소남이 자신의 심정을 그림으로 표현했던 것처럼 게 그림을 통해 자신의 심경을 표현하고자 했겠군.
② 글쓴이는 정소남의 일화를 통해 환을 치는 일은 장기를 넘어 예술로 볼 수 있다는 자신의 예술관을 설명하고 있군.
③ 글쓴이는 윤우당의 시를 읽고 자신의 모습뿐만 아니라 민족의 삶까지 성찰하고 있군.
④ 글쓴이가 자신의 그림에 윤우당의 시를 인용한 것은 게의 형상만으로는 진의를 표현하기 어려웠기 때문이겠군.
⑤ 글쓴이는 왕세정의 시보다 사람의 먹잇감이 되고 마는 게의 운명을 다룬 윤우당의 시에 더 공감하고 있군.

고난도

07 〈보기〉를 참고하여 글쓴이의 예술관을 이해한 내용으로 적절하지 <u>않은</u> 것은?

보기

　미학에는 예술을 정의하는 세 가지 관점이 있다. 첫째는 모방론으로, 미술 작품은 외부 대상을 정확하게 모방하는 것이라는 입장이다. 두 번째는 표현론으로, 미술 작품이란 예술가의 감정을 나타내는 것이기 때문에 동일한 대상이지만 각자가 어떻게 느끼고 나타내느냐에 따라 서로 다른 미적 가치를 지닌다는 것이다. 세 번째는 형식론으로 미술 작품 안의 색, 형태, 명암 등과 같은 구성 요소들이 어떤 형식을 만드는가가 중요하기 때문에 작품 외적인 요소보다는 작품 자체에 주목할 것을 주장한다.

① 글쓴이와 달리 모방론에서는 '사물의 형용을 방불하게 하는 것'을 가장 중요하게 여기겠군.
② 글쓴이와 같이 표현론에서는 '자연을 빌'리는 것을 예술가의 감정을 담기 위한 과정으로 여기겠군.
③ 글쓴이와 같이 표현론에서는 '작가의 청고한 심경'을 그림에 담아내는 과정이 중요하다고 생각하겠군.
④ 글쓴이와 달리 형식론에서는 '긴 양호에 수묵을 듬뿍 묻'혀 '좌우로 휘'둘러서 만들어진 작품 자체를 중시하겠군.
⑤ 글쓴이와 달리 형식론에서는 '환이 예술로 등장'하기 위해 특정한 대상에 예술가의 감정을 호소하는 행위를 옹호하겠군.

▶해법문학 Link
수필·극 42쪽

뒤지가 진적(珍籍) | 이희승

키워드 체크 #사실적 #일제 강점기 #회고적 #해학적 #감옥 생활 #글을 읽고 싶은 욕구

㉠두 평쯤이나 될까 말까 한 좁은 감방 안에서 7, 8명의 식구가, 때로는 십여 명이 넘는 인구(人口)가 똥통과 동거 생활을 하면서 뒤를 볼 때에는 그래도 뒤지가 필요하였다.

그러므로 경찰서에서는 이 불가피한 청구에 응하기 위하여 뒤지를 공급하고 있었다. 원래 뒤지감의 종이를 따로 만들어 한 움큼씩 묶어서 파는 것이 있었지만, 이 당시에는 전쟁 중의 일본이 경제적 파탄에 직면하고 있었으므로 뒤지조차 구하기 어려웠다.

그리하여 일반으로 신문지나, 읽어 넘긴 잡지 같은 것을 썰어서 뒤지로 쓰고 있는 형편이었다. 감방 안에서 이러한 뒤지의 공급을 받으면, 이것은 도서관에서 책을 대하듯이 귀중한 읽을거리였다. 그런데 경찰서나 형무소에서는 구속되어 있는 사람이 바깥세상의 소식을 아는 것을 지극히 꺼리고 있어서, 신문지 조각 같은 것은 좀체로 들여 주지를 않았다. 만일 우리 동지들의 가족 중에서 음식물의 ˚차입을 할 적에, 신문지로 싸개지를 삼은 것이 있으면, 대개는 난로에 넣어서 태워 버리는 것이 보통이었다. 그래도 혹시 신문지가 남아 있고, 그것을 뒤지로 쓰겠다고 청구하면 읽을거리가 없어지도록 잘게 썰어서 넣어 준다. 그리하여 대개는 한 장이나 두 장밖에는 더 주지 않는다.

㉡그러면 뒤를 보기 전에 이 신문지 쪽을 한 줄 한 자도 빼놓지 않고 읽는다. 뒤지를 받고서 왜 뒤를 안 보느냐고 따지는 일도 있기 때문에, 똥통 위에 올라앉아서, 그것을 읽어 버리는 일도 있었다.

이러한 재료는 같은 감방에 있는 동지들도 읽어 보기를 열심으로 바라고 있기 때문에 차마 혼자만 보고 없앨 수는 없었다. 그리하여 무슨 꾀를 부리고 무슨 방법을 쓰든지 간에 신문 조각을 돌려 가며 ˚윤독(輪讀)하기로 하는 것이었다. 이것을 읽되 어엿이 펼쳐 놓고 보는 것이 아니라, 손바닥 안에 감추어질 만큼 접어서 간수의 눈을 피해 가며 몰래 읽어 내려가는 것이었다. ㉢그러나 신문지 같은 것은 ˚천재일우(千載一遇)의 좋은 기회를 얻어야만 볼 수 있는 노릇이요, 보통 경우에는 ˚왜정(倭政) 당시 경찰계의 유일한 ˚기관지(機關誌)로서 '경무휘보(警務彙報)'란 것이 있었다. 그리하여 경찰서에는 이 묵은 잡지의 재고품이 상당히 풍부한 듯하여, 이것으로 우리들에게 뒤지를 공급하고 있었다.

이 잡지는 주로 경찰 행정에 필요한 지식이나 참고 사항을 재료로 하여 편집한 것인데, 그중에는 혹 취미 기사도 있고, 일본 사람으로서 ˚양행(洋行)한 기행문 같은 것도 있었다.

어쨌든 우리는 ˚문초를 받는 일 외에는 열흘이 하루같이 아무것도 하는 일 없이 팔짱을 끼고 ˚부라질을 하며 온종일 앉아 있으므로, 그 무료하기란 견주어 말할 데가 없었다.

그런데 이러한 ˚글발이 있는 종잇조각이라도 얻어 읽는 경우에는, 한결 ˚지리한 시간이 쉽사리 지나는 것만 같았다. 더욱이 문초를 전부 마치고, 그저 구속만 되어 있는 동안은 진정 세월이 더딘 것이 지리하여 견딜 수가 없었다.

그리하여 우리는 어떻게 하든지 이 '경무휘보'의 잡지 쪽을 많이 입수(入手)하도록 갖은 노력을 다 기울이었다. / 우선 뒤를 자주 보기로 하였다. 설사가 나니까 한 장만으로 부족하니, 석 장 넉 장씩 달라고 하였다. 가다가는 뒤지를 얻기 위하여 헛뒤를 보는 일도 있었다. 이렇게 하여 다 각각 얻은 뒤지를 서로 돌려 가며 보는 것이었다.

그러나 이렇게 들여 주는 뒤지만으로는 진정 ˚갈급질이 나서 못 견딜 지경이었다. 그리하여 다량으로 뒤지를 입수하기에 청소꾼을 이용하는 일이 많았다. ㉣젊은 사람이 청소하러 나가서 마치 담배를 훔쳐 들이듯이, 뒤지를 ˚걸터서 감방으로 들여 주곤 하였다. 이

핵심 포인트

제목 '뒤지가 진적'의 의미

뒤지	진적
• 밑씻개로 쓰는 종이 • 읽을거리로써 지루한 수감 생활을 견디게 해 줌. • 글을 읽고자 하는 욕망을 충족해 줌.	진귀한 책

↓

읽을거리에 목마른 사람에게는 뒤지라 할지라도 글이 적혀 있기 때문에 진귀한 책처럼 가치가 있음.

연계 작품

교도소에서의 경험: 신영복 「감옥으로부터의 사색」, 심훈 「옥중에서 보낸 편지-어머님께」

기출 OX

Q1 글쓴이처럼 감옥에 갇힌 사람들에게 신문지는 바깥소식을 조금이라도 알 수 있는 좋은 기회였다. EBS 변형 O X

Q2 글쓴이와 동지들이 잡지 등을 읽다가 봉변을 당하고도 그 일을 단념하지 않은 것은 글 읽기에 대한 애정을 드러낸다. EBS 변형 O X

• 차입 교도소나 구치소에 갇힌 사람에게 음식, 의복, 돈 따위를 들여보냄. 또는 그 물건.
• 윤독 여러 사람이 같은 글이나 책을 돌려 가며 읽음.
• 천재일우 천 년 동안 단 한 번 만난다는 뜻으로, 좀처럼 만나기 어려운 좋은 기회를 이르는 말.
• 왜정 일본이 침략하여 강점하고 다스리던 정치.
• 기관지 특정한 개인이나 조직, 단체 따위가 추구하는 정신이나 이념 따위를 널리 펴기 위하여 발행하는 잡지.
• 양행 서양으로 감.
• 문초 죄나 잘못을 따져 묻거나 심문함.
• 부라질 몸을 좌우로 흔드는 짓.
• 글발 적어 놓은 글.
• 지리한 지루한.
• 갈급질 부족하여 몹시 바라는 짓.
• 걸터서 '걸터듦어서'의 뜻인 듯함. '걸터듦다'는 '무엇을 찾느라고 이것저것 되는대로 마구 더듬다.'의 뜻.

답 Q1 O Q2 O

와 같이 도둑글을 읽다가 들켜서 뒤지를 빼앗기는 일도 있었고, 뺨을 맞는 일도 한두 번이 아니었다. 그러나 이와 같이 봉변을 당하고도, 그래도 또 잡지 쪽 읽기를 단념하지 못하였다. 이로써 미루어 보면, ⓜ사람이 하고 싶어 하는 의욕은 벌을 받거나 모욕을 당하는 것만으로 깨끗이 청산하여 버리지 못하는 것이 역시 인간인가 싶었다. 이런 것도 <u>인력(人力)으로 좌우할 수 없는 본능의 °소치인 듯하였다.</u> 그 진정한 경지는 실지로 당하여 보지 않고서는 이해하기 어려울 것이다.

● 소치 어떤 까닭으로 생긴 일.

01 윗글에 대한 설명으로 가장 적절한 것은?

① 우의적 형식을 통해 교훈을 전달하고 있다.
② 특정 공간에서의 경험을 사실적으로 전달하고 있다.
③ 다른 인물의 경험을 자신의 관점에서 재해석하고 있다.
④ 공간의 이동에 따라 벌어지는 여러 일화를 나열하고 있다.
⑤ 하나의 사건을 여러 인물의 시각에서 입체적으로 살피고 있다.

02 윗글에 대한 이해로 적절하지 <u>않은</u> 것은?

① 당시 감옥의 상황은 제대로 된 뒤지를 공급받기 어려울 정도로 열악했다.
② 경찰서나 형무소에서는 수감자들이 바깥세상의 소식을 아는 것을 꺼렸다.
③ 수감자 중에는 가족에게 뒤지로 쓸 종이를 차입해 달라고 하는 이도 있었다.
④ 수감자들이 뒤지를 읽다가 들켜서 뒤지를 빼앗기거나 뺨을 맞는 일도 있었다.
⑤ 감옥에 갇힌 사람들은 문초를 받는 일 외에 특별히 하는 일이 없어 지루함을 느꼈다.

03 ⓐ~ⓜ에 대한 설명으로 적절하지 <u>않은</u> 것은?

① ⓐ: 핵심 화제인 '뒤지'를 공간적 배경과 함께 언급하고 있다.
② ⓑ: '뒤지'를 소중히 여기는 모습을 통해 글을 읽고자 하는 욕구를 드러내고 있다.
③ ⓒ: 고사성어를 활용하여 양질의 읽을거리를 구하는 일이 어려움을 나타내고 있다.
④ ⓓ: 비유적 표현을 활용하여 '뒤지'를 얻는 과정을 나타내고 있다.
⑤ ⓜ: 수치를 잊고 욕망에 휘둘리는 인간의 본성을 자조적으로 표현하고 있다.

04 윗글의 제목인 '뒤지가 진적'의 의미를 바르게 이해한 것은?

① 뒤지와 같은 작은 힘이 여럿 모이면 진적보다도 더 강한 저항의 힘을 보여 줄 수 있음을 역설한다.
② 밖에서는 하찮게 여겨지던 뒤지가 간수의 눈을 피해 정보를 주고받는 도구로 활용된 상황을 압축한다.
③ 뒤지를 통해 글쓴이의 욕망을 조금이나마 충족할 수 있었기에 뒤지는 진적처럼 매우 소중했음을 의미한다.
④ 물자가 귀한 시절이었지만 뒤지만은 풍족하게 쓸 수 있었기 때문에 뒤지를 하찮게 여겼던 상황을 나타낸다.
⑤ 뒤지가 진적처럼 여겨지는 역설적 상황을 통해 시대 상황에 따라 태도를 바꾼 이들에 대한 비판을 드러낸다.

05 〈보기〉를 참고하여 윗글을 감상한 내용으로 적절하지 <u>않은</u> 것은?

┌─ 보기 ─
　1942년, 「우리말 큰사전」을 편찬하고자 했던 조선어 학회가 일제에 의해 독립운동 단체로 간주되어 이희승을 포함한 학회 회원 및 관련 인물 33인이 검거되는 '조선어 학회 사건'이 발생한다. 윗글은 이 사건으로 인해 글쓴이가 3년 간 감옥살이를 하던 때에 직접 겪었던 일을 다루고 있다. 글쓴이는 유일한 읽을거리인 뒤지를 얻기 위해 노력했던 일을 해학적으로 표현하고 있으며 이러한 경험을 통해 얻은 깨달음을 제시하고 있다.
└─────

① '뒤지'로 받은 '신문지 쪽을 한 줄 한 자도 빼놓지 않고 읽'고자 하는 모습을 통해 우리말을 연구했던 글쓴이의 지식인으로서의 면모를 확인할 수 있군.
② '뒤지'를 '읽어 보기를 열심으로 바라고 있'는 '같은 감방에 있는 동지들' 또한 조선어 학회 관련 인물임을 짐작해 볼 수 있겠군.
③ '경무휘보'의 '잡지 쪽을 많이 입수하도록 갖은 노력을 다 기울'인 것은 「우리말 큰사전」을 편찬하고자 한 조선어 학회의 뜻을 이으려는 것이군.
④ '뒤를 자주 보'거나 '헛뒤를 보는 일' 등은 뒤지를 얻기 위한 수감자들의 노력을 해학적으로 표현한 것이군.
⑤ '인력으로 좌우할 수 없는 본능의 소치'는 글쓴이가 감옥 생활을 통해 얻은 깨달음이겠군.

특급품 | 김소운

핵심 포인트

유추를 통해 이끌어 낸 인생의 교훈

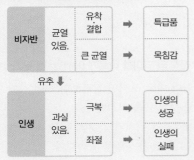

키워드 체크 #유추 #비자반의 유연성 #특급품 비자반의 조건 #바둑판 균열 극복 #인생의 과실 극복

비자는 ㉠연하고 탄력이 있어 두세 판국을 두고 나면 *반면(盤面)이 얽어서 곰보같이 된다. 얼마 동안을 그냥 내버려 두면 반면은 다시 본디대로 평평해진다. 이것이 *비자반의 특징이다.

비자를 반재(盤材)로 *진중(珍重)하는 *소이(所以)는, 오로지 이 유연성(柔軟性)을 취함이다. 반면에 돌이 닿을 때의 연한 감촉―, 비자반이면 ㉡여느 바둑판보다 어깨가 *마치지 않는다는 것이다. 아무리 흑단(黑檀)이나 자단(紫檀)이 ㉢귀목(貴木)이라고 해도 이런 것으로 바둑판을 만들지는 않는다.

비자반 일급품 위에 또 한층 뛰어 특급이란 것이 있다. 용재며, 치수며, ㉣연륜이며 어느 점이 일급과 다르다는 것은 아닌데, 반면에 **머리카락 같은 가느다란 흉터**가 보이면 이게 특급이다.

알기 쉽게 값으로 따지자면, 전전(戰前) 시세로 일급이 8, 9백 원에서 천 원(돌은 따로 하고) ― 특급은 천 2, 3백 원―. 상처가 있어서 값이 내리는 게 아니라 도리어 비싸진다는 데 *진진한 흥미가 있다.

반면이 갈라진다는 것은 기약지 않은 불측의 사고이다. 사고란 어느 때, 어느 경우에도 별로 환영할 것이 못 된다. 그 균열의 성질 여하에 따라서는 일급품 바둑판이 목침감으로 전락해 버릴 수도 있다. 그러나 그렇게 ㉤큰 균열이 아니고 **회생할 여지가 있을 정도**라면 형겊으로 싸고 뚜껑을 덮어서 조심스럽게 간수해 둔다.(갈라진 균열 사이로 먼지나 티가 **들어가지 않도록 하는 단속**이다.)

[A] 일 년, 이태, 때로는 삼 년까지 그냥 내버려 둔다. 계절이 바뀌고 추위, 더위가 여러 차례 순환한다. 그동안에 상처 났던 바둑판은 제힘으로 제 상처를 고쳐서 본디대로 *유착(癒着)해 버리고, 균열 진 자리에 머리카락 같은 흔적만이 남는다.

비자의 생명은 유연성이란 특질에 있다. 한 번 균열이 생겼다가 제힘으로 도로 유착, 결합했다는 것은 그 유연성이란 특질을 실지로 증명해 보인, 이를테면 졸업 증서이다. 하마터면 목침감이 될 뻔한 것이, 그 **치명적인 시련**을 이겨 내면 도리어 한 급이 올라 '특급품'이 되어 버린다. 재미가 깨를 볶는 이야기다.

더 부연할 필요도 없거니와, 나는 이것을 '인생의 과실(過失)'과 결부해서 생각해 본다. 언제나 어디서나 **과실**을 범할 수 있다는 가능성― 그 가능성을 매양 꽁무니에다 달고 다니는 것이 그것이 인간이다.

과실에 대해서 관대해야 할 까닭은 없다. 과실은 예찬(禮讚)하거나 장려할 것이 못 된다.

그러나 어느 누구가 '나는 절대로 과실을 범치 않는다.'라고 *양언(揚言)할 것이냐? 공인된 어느 인격, 어떤 학식, 지위에서도 그것을 보장할 근거는 찾아내지 못한다. 〈중략〉

과실은 예찬할 것이 아니요, 장려할 노릇도 못 된다. 그러나 그와 동시에 **과실이 인생의 '올 마이너스'일 까닭도 없다.**

과실로 해서 더 커 가고 깊어 가는 인격이 있다.

과실로 해서 더 정화(淨化)되고 향기로워지는 사랑이 있다. 생활이 있다.

누구나 할 수 있는 일은 아니다. 어느 과실에도 적용된다는 것은 아니다. 제 과실, 제 상처를 제힘으로 다스릴 수 있는 '비자반'의 탄력― 그 탄력만이 '과실'을 효용한다.

인생이 바둑판만도 못하다고 해서야 될 말인가.

연계 작품

대상에서 이끌어 낸 바람직한 삶의 태도: 나희덕
「내 유년의 울타리는 탱자나무였다」

기출 OX

Q1 글쓴이는 과거의 삶을 되돌아보며 삶의 의지를 다지고 있다.
기출 2015. 6. 고2 ○ X

Q2 글쓴이는 다른 사람에게 들은 이야기를 객관적으로 전달하고 있다.
기출 2015. 6. 고2 ○ X

● **반면** 장기, 바둑, 레코드 따위의 판의 겉면.
● **비자반** 윗면을 비자나무 판자로 대어 만든 바둑판.
● **진중하는** 아주 소중히 여기는.
● **소이** 까닭.
● **마치지** 몸의 어느 부분에 무엇이 부딪는 것처럼 걸리지.
● **진진한** 재미 따위가 매우 있는.
● **유착** 사물들이 서로 깊은 관계를 가지고 결합하여 있음.
● **양언** 공공연하게 소리 높여 말함.

답 **01** X **02** X

01 윗글에 대한 설명으로 적절하지 <u>않은</u> 것은?

① 일반적인 통념과 다른 현상을 소재로 삼고 있다.

② 사물의 특성을 통해 깨달은 바를 서술하고 있다.

③ 대상으로부터 얻을 수 있는 교훈에 주목하고 있다.

④ 일반적인 현상을 비판적인 시각으로 바라보고 있다.

⑤ 대상에 관한 사실과 그에 대한 주관적 감상을 함께 서술하고 있다.

고난도 기출 변형 2015학년도 6월 고2 학력평가

02 윗글을 바탕으로 〈보기〉를 이해한 내용으로 적절하지 <u>않은</u> 것은?

① ⓐ는 다른 목재에 비해 가격이 비싸고 더 귀하기 때문에 바둑판으로서의 가치가 높다.

② ⓑ는 반면이 갈라지는 것으로, 예측할 수 없는 사건이다.

③ ⓒ는 갈라짐이 없는 비자나무 바둑판으로 크기와 오래된 정도는 ⓓ와 같다.

④ ⓓ는 비자반이 상처를 스스로 유착·결합하여 미세한 균열의 흔적이 남은 상태이다.

⑤ ⓔ는 비자반이 바둑판으로서의 가치를 잃었음을 드러내는 것이다.

03 윗글을 이해한 내용으로 적절하지 <u>않은</u> 것은?

① 특급품은 '치명적인 시련'을 견뎌 냈다는 점에서 그 특질을 증명해 보이는군.

② '흑단이나 자단'으로 바둑판을 만들지 않는 이유는 '돌이 닿을 때의 연한 감촉'이 없기 때문이군.

③ '과실'과 '기약지 않은 불측의 사고'를 환영하는 관대함은 바둑판이 인생보다 낫다는 것을 보여 주는군.

④ 반면의 '머리카락 같은 가느다란 흉터'는 '과실이 인생의 '올 마이너스'일 까닭도 없다'는 것을 증명하는군.

⑤ '회생할 여지가 있을 정도'의 균열일 때에만 '갈라진 균열 사이로 먼지나 티가 들어가지 않도록 하는 단속'이 의미가 있겠군.

04 ㉠~㉤ 중, '일급품' 비자반이 '특급품'이 될 수 있게 하는 속성으로 가장 적절한 것은?

① ㉠　　② ㉡　　③ ㉢　　④ ㉣　　⑤ ㉤

05 [A]에서 말하고자 하는 바와 관련된 사자성어가 바르게 연결된 것은?

① 자신의 과오에 대한 벌은 반드시 받게 된다.
－ 과유불급(過猶不及)

② 미리 대비하면 어떤 어려움이라도 극복할 수 있다.
－ 유비무환(有備無患)

③ 묵묵히 고통을 견뎌 눈에 띄는 발전을 이루어야 한다.
－ 살신성인(殺身成仁)

④ 오랜 기다림이 있으면 그 결과 더욱 발전할 수 있는 법이다.
－ 고진감래(苦盡甘來)

⑤ 영원히 좋은 일도, 영원히 나쁜 일도 없는 것이 삶의 이치이다.
－ 설상가상(雪上加霜)

기출 변형 1999학년도 수능

06 다음 중 '특급품'을 인생에 결부시킨 글쓴이의 관점과 가장 가까운 것은?

① 소시민인 철호는 어머니가 실성하고 동생이 범죄를 저지르다 붙잡힌 뒤 아내까지 아이를 낳다가 죽자 절망에 빠진다. 그는 삶의 방향을 상실한 채 택시 안에서 심한 빈혈증으로 쓰러진다. (이범선, 「오발탄」)

② 처세술이 뛰어난 이인국 박사는 일제 말기에는 친일파로, 광복 이후에는 소련군에게 빌붙었다가, 월남한 이후에는 특유의 생명력으로 고난을 딛고, 미국인의 도움으로 사회 지도층이 된다. (전광용, 「꺼삐딴 리」)

③ 늙은 어부 산티아고는 바다에서 거대한 다랑어 한 마리를 잡는다. 그는 고기와 대결하며 인간의 존재에 대해 생각한다. 돌아오다가 상어의 습격으로 잡은 고기를 잃지만, 그는 좌절하지 않는다. (어니스트 헤밍웨이, 「노인과 바다」)

④ 전과자인 응칠은 성실한 농군인 아우 응오가 자신의 논에서 털지 않은 벼를 도둑맞자 도둑을 잡기로 결심한다. 도둑을 잡고 보니 바로 응오였고, 자신의 벼를 도둑질할 수밖에 없는 현실에 안타까워한다. (김유정, 「만무방」)

⑤ 가난과 굶주림 때문에 한 조각의 빵을 훔치다가 감옥에 갇힌 장 발장은 19년 만에 출옥을 한다. 자신의 잘못에 회한을 느낀 그는 시장이 되어 선정을 베풀고, 고아인 코제트를 돌보며 그의 행복을 위해 노력한다.
(빅토르 위고, 「레 미제라블」)

▶해법문학 Link
수필·극 56쪽

당신이 나무를 더 사랑하는 까닭 | 신영복

키워드 체크 #편지글 형식 #소나무 #현대 문명의 비정함과 폭력성에 대한 비판

핵심 포인트

현대 문명, 인간, 소나무의 특성

현대 문명: 인간마저 소비의 객체로 전락시킴.

인간: 너무 많은 것을 무차별적으로 소비하고 있음.

소나무: 신발 한 켤레의 토지에 서 있음.

'소나무'의 의미

소나무	소나무 같은 사람
몇백 년의 시간 동안 묵묵히 풍상을 겪어 내는 존재	현대 문명의 폭력을 묵묵히 견디어 내는 존재

연계 작품

• 나무에서 배우는 삶의 자세: 이양하 「나무」
• 나무를 통한 내면의 성찰: 박목월 「나무」

기출 OX

Q1 윗글은 독자들이 '당신'의 입장에서 글쓴이의 메시지를 전달받는 느낌을 가지도록 한다.
[EBS] 변형 ○ ✕

Q2 윗글의 글쓴이는 '당신'의 말을 인용하여 자신의 견해를 내세움으로써 서술의 입체성을 강화하고 있다.
[EBS] 변형 ○ ✕

• **풍상** ① 바람과 서리를 아울러 이르는 말.
② 많이 겪은 세상의 어려움과 고생을 비유적으로 이르는 말.
• **궁제** 궁궐의 형태.

오늘은 당신이 가르쳐 준 태백산맥 속의 소광리 소나무 숲에서 이 엽서를 띄웁니다. 아침 햇살에 빛나는 소나무 숲에 들어서니 당신이 사람보다 나무를 더 사랑하는 까닭을 알 것 같습니다. 200년, 300년, 더러는 500년의 *풍상(風霜)을 겪은 ⓐ소나무들이 골짜기에 가득합니다. 그 긴 세월을 온전히 바위 위에서 버티어 온 것에 이르러서는 차라리 경이였습니다. 바쁘게 뛰어다니는 우리들과는 달리 오직 ㉠'신발 한 켤레의 토지'에 서서 이처럼 우람할 수 있다는 것이 충격이고 경이였습니다. 생각하면 소나무보다 훨씬 더 많은 것을 소비하면서도 무엇 하나 변변히 이루어 내지 못하고 있는 나에게 소광리의 솔숲은 마치 ㉡회초리를 들고 기다리는 엄한 스승 같았습니다.

 어젯밤 **별 한 개 쳐다볼 때마다 100원씩 내라던 당신의 말**이 생각납니다. 오늘은 소나무 한 그루 만져 볼 때마다 돈을 내야겠지요. 사실 서울에서는 그보다 못한 것을 그보다 비싼 값을 치르며 살아가고 있다는 생각이 듭니다. 언젠가 경복궁 복원 공사 현장에 가 본 적이 있습니다. 일제가 파괴하고 변형시킨 조선 정궁의 기본 *궁제(宮制)를 되찾는 일이 당연하다고 생각하였습니다. 그러나 막상 오늘 이곳 소광리 소나무 숲에 와서는 그러한 생각을 반성하게 됩니다. **경복궁의 복원에 소요되는 나무가 원목으로 200만 재, 11톤 트럭으로 500대라는 엄청난 양**이라고 합니다. 소나무가 없어져 가고 있는 지금에 와서도 기어이 소나무로 복원한다는 것이 무리한 고집이라고 생각됩니다. 수많은 소나무들이 베어져 눕혀진 광경이라니 감히 상상할 수가 없습니다. 그것은 이를테면 고난에 찬 몇백만 년의 세월을 잘라 내는 것이나 마찬가지입니다.

 우리가 생각 없이 잘라 내고 있는 것이 어찌 소나무만이겠습니까. 없어도 되는 물건을 만들기 위하여 없어서는 안 될 것들을 마구 잘라 내고 있는가 하면 아예 사람을 잘라 내는 일마저 서슴지 않는 것이 우리의 현실이기 때문입니다. 우리가 살고 있는 **이 지구 위의 유일한 생산자는 식물이라던 당신의 말**이 생각납니다. 동물은 완벽한 소비자입니다. 그중에서도 최대의 소비자가 바로 ⓑ사람입니다. 사람들의 생산이란 고작 식물들이 만들어 놓은 것이나 땅속에 묻힌 것을 파내어 소비하는 것에 지나지 않습니다. 쌀로 밥을 짓는 일을 두고 밥의 생산이라고 할 수 없는 것이나 마찬가지입니다. 생산의 주체가 아니라 소비의 주체이며 급기야는 소비의 객체로 전락되고 있는 것이 바로 사람입니다. 자연을 오로지 생산의 요소로 규정하는 경제학의 폭력성이 이 소광리에서만큼 분명하게 부각되는 곳이 달리 없을 듯합니다. 〈중략〉

 나는 문득 당신이 진정 사랑하는 것이 소나무가 아니라 소나무 같은 '사람'이라는 생각이 들었습니다. 메마른 땅을 지키고 있는 수많은 사람들이라는 생각이 들었습니다. 문득 지금쯤 서울 거리의 자동차 속에 앉아 있을 당신을 생각했습니다. 그리고 외딴섬에 갇혀 목말라하는 남산의 소나무들을 생각했습니다. **남산의 소나무가 이제는 더 이상 살아남기를 포기하고 자손들이나 기르겠다는 체념으로 무수한 솔방울을 달고 있다는 당신의 이야기**는 우리를 슬프게 합니다. 더구나 그 솔방울들이 싹을 키울 땅마저 황폐해 버렸다는 사실이 우리를 더욱 암담하게 합니다. 〈중략〉

 나는 마치 꾸중 듣고 집 나오는 아이처럼 산을 나왔습니다. 솔방울 한 개를 주워 들고 내려오면서 생각하였습니다. 거인에게 잡아먹힌 소년이 솔방울을 손에 쥐고 있었기 때문에 다시 소생했다는 신화를 생각하였습니다. 당신이 나무를 사랑한다면 솔방울도 사랑해

야 합니다. 무수한 솔방울들의 끈질긴 *저력을 신뢰해야 합니다.

언젠가 붓글씨로 써 드렸던 글귀를 엽서 끝에 적습니다.

"처음으로 ⓒ쇠가 만들어졌을 때 세상의 모든 나무들이 두려움에 떨었다. 그러나 어느 생각 깊은 나무가 말했다. 두려워할 것 없다. 우리들이 자루가 되어 주지 않는 한 쇠는 결코 우리를 해칠 수 없는 법이다."

* 저력 속에 간직하고 있는 든든한 힘.

01 윗글의 서술상 특징으로 가장 적절한 것은?

① 가상의 인물을 내세워 현실을 비판하고 있다.

② 고사성어를 인용하여 자신의 주장을 강조하고 있다.

③ 설의적 표현을 통해 부정적인 대상을 옹호하고 있다.

④ 말을 건네는 듯한 어조를 사용하여 사색한 바를 전달하고 있다.

⑤ 대상과 관련된 역사적 사실을 밝히고 그에 대한 감탄을 드러내고 있다.

02 ㉠, ㉡에 대한 이해로 적절하지 않은 것은?

① ㉠과 ㉡은 모두 스스로에 대한 '나'의 반성적인 시각을 이끌어 낸다.

② ㉠과 ㉡은 각각 소나무의 모습과 소나무에 대한 생각을 드러낸 비유적 표현이다.

③ ㉠에는 사람과 다른 소나무의 특성을 부각하려는 의도가 담겨 있다.

④ ㉡은 '나'를 바른 길로 인도하고자 했던 선생님을 떠올리게 하는 매개체이다.

⑤ ㉠은 소나무가 처한 상황을, ㉡은 '나'가 소나무에게서 받은 느낌을 나타낸 말이다.

03 '나'가 생각하는 소나무 같은 '사람'의 의미로 가장 적절한 것은?

① '별 한 개 쳐다볼 때마다 100원씩 내라던 당신의 말'을 바탕으로 할 때, 소중한 것의 가치를 아는 사람을 의미한다.

② '이 지구 위의 유일한 생산자는 식물이라던 당신의 말'을 바탕으로 할 때, 전에 없던 것을 만들어 내는 창의적인 사람을 의미한다.

③ '경복궁의 복원에 소요되는 나무가 원목으로 200만 재'라는 것을 바탕으로 할 때, 자연을 지키기 위해 애쓰고 노력하는 사람을 의미한다.

④ '무수한 솔방울들의 끈질긴 저력을 신뢰해야' 한다는 말을 바탕으로 할 때, 문명의 폭력에 굴하지 않고 묵묵하게 견뎌 내는 사람을 의미한다.

⑤ '남산의 소나무가 이제는 더 이상 살아남기를 포기하고 자손들이나 기르겠다는 체념으로 무수한 솔방울을 달고 있다는 당신의 이야기'를 바탕으로 할 때, 자신을 희생할 줄 아는 사람을 의미한다.

04 〈보기〉는 ⓐ~ⓒ의 관계를 나타낸 것이다. 이에 대한 이해로 적절하지 않은 것은?

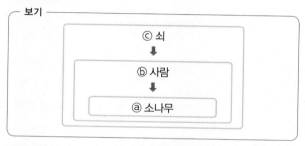

보기

ⓒ 쇠 → ⓑ 사람 → ⓐ 소나무

① ⓐ는 ⓑ보다 더 적은 것을 소비하고도 강건함을 유지하는 생산적인 대상이다.

② ⓐ는 ⓑ로부터 착취당하고, ⓑ는 현대 문명을 상징하는 ⓒ에 의해 소비의 객체로 전락된다.

③ ⓒ는 자연을 생산의 요소로 규정한다는 점에서 ⓑ와, 점점 더 황폐해진다는 점에서 ⓐ와 대조된다.

④ 경복궁을 소나무로 복원하는 상황으로 볼 때, ⓑ는 폭력을 가하는 대상, ⓐ는 폭력을 당하는 대상이다.

⑤ '생각 깊은 나무'의 말을 바탕으로 할 때, ⓐ는 ⓒ의 위협을 받더라도 결코 무너지지 않는 힘을 지니고 있다.

05 〈보기〉와 같은 상황에 대해 윗글의 '나'가 할 수 있는 말로 가장 적절한 것은?

보기

오늘날은 모든 것이 소비 중심으로 돌아가고 있다. 오늘날 아이들은 인형 하나를 소중히 여기고 아끼며 오로지 그것에만 애정을 쏟으며 가지고 놀았던 세대의 모습을 이해하지 못한다. 모든 것이 빠르게 변하고 새로운 장난감과 인형은 매일매일 봇물 터지듯 쏟아져 나오고 있기 때문이다.

① 소비의 주체가 아닌 생산의 주체가 되는 것이 중요합니다.

② 생산이 소비를 따라잡을 수 있는 방안을 연구해야 합니다.

③ 문제의식이 배제된 무차별적인 소비 행태를 경계해야 합니다.

④ 사람과 동물은 소비의 주체이므로 소비를 중심으로 생활해야 합니다.

⑤ 인간이 폭력적 소비의 대상이 되는 것을 막기 위해 경제학을 활용해야 합니다.

반 통의 물 | 나희덕

▶해법문학 Link
수필·극 64쪽

키워드 체크 #경험과 성찰 #텃밭을 가꾸며 얻은 깨달음 #적절한 거리의 중요성 #생명 존중

핵심 포인트

글쓴이의 경험과 깨달음

경험	깨달음
씨를 뿌릴 때 세 알 이상씩 심음.	자연과도 나눌 줄 아는 넉넉한 마음의 필요성
당근이 잘 자랄 수 있도록 싹들을 적절히 솎아 냄.	올바른 성장을 가능하게 하는 '적절한 거리'의 중요성
몸이 불편한 할아버지가 직접 물을 길어 와 밭을 정성스레 일구는 모습을 봄.	생명을 소중하게 여기는 마음의 중요성

유추의 전개 방식

사람	당근
사람 사이에 지켜야 할 최소한의 거리가 깨지면 폭력과 환멸이 생겨남.	당근 사이에 적절한 거리가 없으면 당근 전체가 제대로 자랄 수 없음.

↓

'적절한 거리'가 중요함.

연계 작품

농사로부터 얻은 깨달음: 성현 「한 삼태기의 흙」

● 대중 대강 어림잡아 헤아림.
● 솎아 촘촘히 있는 것을 군데군데 골라 뽑아 성기게 하여.
● 푸성귀 사람이 가꾼 채소나 저절로 난 나물 따위를 통틀어 이르는 말.

가 "좀 넉넉히 넣어요. 넉넉히." / 당근씨를 막 뿌리려는 남편에게 나는 몇 번이나 말했다. 다른 씨앗들은 한 번 키워 보았기 때문에 감을 잡을 수 있겠는데, 부추씨와 당근씨는 올해 처음 뿌리는 것이라 °대중이 서지 않았던 것이다.

게다가 아까부터 밭 주변을 종종거리는 참새 서너 마리가 어쩐지 마음에 걸린다. 작년에도 너무 얕게 씨를 뿌려 낭패를 본 적이 있기 때문이다. 씨 뿌린 지 두 주일이 넘도록 싹이 나오지 않아 웬일인가 했더니 새들이 와서 잘 잡숫고 간 뒤였다. 그제야 농부들이 씨를 뿌릴 때 적어도 세 알 이상씩 심는 뜻을 알 것 같았다. 한 알은 새를 위해, 한 알은 벌레를 위해, 그리고 한 알은 사람을 위해. / 워낙 넉넉히 뿌린 탓인지, 새들이 당근씨를 별로 ㉠좋아하지 않는 탓인지, 당근 싹은 좀 늦긴 했지만 촘촘하게 돋아났다. 처음엔 그 어렵게 틔워 낸 **이쁜 싹들을** °솎아 내느니 차라리 잘고 못생긴 당근을 먹는 게 낫다고 그냥 두었다. 그러나 워낙 ㉡자라는 속도가 빨라 자리를 잡지 못하고 밀려 나오는 뿌리가 하나둘이 아니었다. 이러다가는 당근 전체가 제대로 자랄 수 없을 것 같았다.

[A] 그것을 보면서 식물에게는 **적절한 거리**라는 것이 매우 중요하다는 생각이 들었다. **사람과 사람 사이**에서도 지켜야 할 최소한의 거리가 ㉢깨졌을 때 **폭력과 환멸**이 생겨 나는 것처럼, 좁은 땅에 서로 머리를 디밀며 얽혀 있는 그 **붉은 뿌리**들에서도 어떤 **아우성**이 들려오는 것 같았다. 내가 그들을 돕는 길은 갈 때마다 조금씩 솎아 주어서 그 아우성을 중재하는 일이었다.

나 밭 바로 옆에는 우물이나 수도가 없다. 조금 걸어가야 그 마을 사람들에게 농수를 공급하는 수로가 있는데, 호스나 관으로 연결하기에는 거리가 제법 된다. 또 그러기에는 작은 밭에 너무 수선스러운 일인 것 같아 그냥 물을 한 통 한 통 길어다 주었다. °푸성귀들을 키우는 것은 물이 아니라 **농부의 발소리**라는 말이 그냥 나온 게 아닌가 보다. 우리 밭을 흡족하게 적시려면 수로까지 적어도 열 번은 왕복을 해야 하니 그것도 만만치 않은 노릇이었다.

물통을 들고 걸을 때마다 생각나는 사람이 있다. 우리 집에서 가까운 텃밭을 ㉣일구시는 어떤 할아버지인데, 물을 주러 가시는 모습을 몇 번 본 적이 있다. 그 할아버지는 **몸 반쪽이 마비되어** 걷는 게 그리 자유롭지 못하다. 성한 한쪽 팔로 물통을 들고 걸어가시는 모습은 거의 몸부림에 가까우면서도 이상한 평화 같은 것을 느끼게 한다. 절뚝절뚝 몸이 심하게 흔들릴 때마다 물은 찰랑거리면서 그의 낡은 바지를 적시고 길 위에 쏟아져, 결국 반 통도 채 남지 않게 된다. 그렇게 몇 번씩 오가는 걸 나는 때로는 **끌 듯이 지나가는 발소리**로 듣기도 하고, 때로는 **마른 길 위에 휘청휘청 내고 간 젖은 길**을 보고 알기도 한다.

그 젖은 길은 이내 말라 버리곤 했지만, 나는 그 길보다 더 **아름답고 빛나는 길**을 별로 보지 못했다. 그리고 어느 날부터인가 나 역시 그 밭의 채소들처럼 할아버지의 발소리를 기다리게 되었다. 반 통의 물을 잃어버린 그 발소리를.

물통을 ㉤나르다가 문득 이런 생각이 들곤 한다. 내가 열 번 오가야 할 것을 그 할아버지는 스무 번 오가야 할 것이지만, 내가 이 채소들을 키우는 일도 그 할아버지와 크게 다르지 않은 **어떤 안간힘** 때문은 아닐까. 몸에 **피가 돌지 않는 것처럼** 문득문득 마음 한쪽이 **굳어져 가는** 걸 느끼면서, 절뚝거리면서, 그러면서도 남은 반 통의 물을 살아 있는 것들에게 쏟아붓고 싶은 마음, 그런 게 아니었을까.

01 윗글에 대한 설명으로 가장 적절한 것은?

① 회상을 통해 과거의 삶을 반추하고 있다.
② 일상적인 체험 속에서 얻은 깨달음을 전달하고 있다.
③ 대상의 부정적 측면을 부각하여 의견을 역설하고 있다.
④ 대상에 대한 인식이 공간의 이동에 따라 달라지고 있다.
⑤ 특정 대상을 다른 대상과 비교하여 대상에 대한 통념에 반박하고 있다.

02 '나'에 대한 설명으로 적절하지 <u>않은</u> 것은?

① '나'는 생명을 존중하는 태도를 보이고 있다.
② '나'는 실패를 겪으면서 얻은 교훈을 소중하게 생각한다.
③ '나'와 남편은 식물을 기르는 방법과 관련하여 갈등을 겪고 있다.
④ '나'는 몸이 불편한 할아버지가 자연을 돌보는 모습에 감동받고 있다.
⑤ '나'는 농사를 해 본 경험이 있지만 부추와 당근을 재배하는 것은 이번이 처음이다.

03 윗글을 이해한 내용으로 적절하지 <u>않은</u> 것은?

① '사람과 사람 사이'의 '폭력과 환멸'은 '붉은 뿌리들'의 '아우성'과 대응하는군.
② '적절한 거리'는 글쓴이가 '이쁜 싹들을 솎아 내'는 것에 대한 인식을 바꾸게 만드는군.
③ 글쓴이가 '그 젖은 길'을 '아름답고 빛나는 길'이라고 생각하는 이유는 할아버지가 가진 '어떤 안간힘' 때문이군.
④ '푸성귀들을 키우는' '농부의 발소리'는 '끌 듯이 지나가는 발소리', '마른 길 위에 휘청휘청 내고 간 젖은 길'과 그 의미가 연결되는군.
⑤ 글쓴이는 '피가 돌지 않는 것처럼' 문득문득 몸이 '굳어져 가는' 마비가 있기 때문에 '몸 반쪽이 마비되어' 걷는 할아버지의 모습에 동질감을 느끼고 있군.

04 ㉠~㉤과 바꿔 쓸 수 있는 어휘로 적절하지 <u>않은</u> 것은?

① ㉠: 선호(選好)하지   ② ㉡: 성장(成長)하는
③ ㉢: 파열(破裂)했을   ④ ㉣: 경작(耕作)하시는
⑤ ㉤: 운반(運搬)하다가

05 [A]에 사용된 표현 방식과 가장 유사한 것은?

① 수필은 독백(獨白)이다. 소설이나 극작가는 때로 여러 가지 성격을 가져 보아야 된다.
— 피천득, 「수필」
② 한갓 잡풀일망정 뽑히고 베일 때 왜 느낌이 없을 수 있겠는가. 느낌이 있다면 왜 가만히 있을 수 있겠는가.
— 이문구, 「성난 풀잎」
③ 파초만은 은은히 빗방울을 퉁기어 주렴(珠簾) 안에 누웠으되 듣는 이의 마음 위에까지 비를 뿌리고도 남는다.
— 이태준, 「파초」
④ 참새는 공작같이 화려하지도, 학같이 고귀하지도 않다. 꾀꼬리의 아름다운 노래도, 접동새의 구슬픈 노래도 모른다.
— 윤오영, 「참새」
⑤ 개나리는 개나리대로, 동백은 동백대로, 자기가 피어야 하는 계절이 따로 있다. 꽃들도 저렇게 만개의 시기를 잘 알고 있는데, 왜 그대들은 하나같이 초봄에 피어나지 못해 안달인가?
— 김난도, 「너라는 꽃이 피는 계절」

06 다음은 글쓴이가 관찰한 대상을 정리한 것이다. 〈보기〉를 참고하여 윗글을 감상한 내용으로 적절하지 <u>않은</u> 것은?

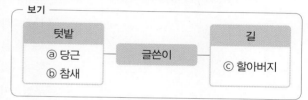

① '나'는 ⓐ를 통해 다른 생명과 공생하는 삶의 자세를 실천하고 있다.
② '나'는 ⓐ가 성장하는 모습을 보며 우리 삶의 문제를 떠올리고 있다.
③ '나'는 ⓑ를 보고 자연의 섭리에 어긋나는 대상도 포용하는 마음가짐이 중요함을 깨닫고 있다.
④ '나'는 ⓒ에게서 주어진 삶의 조건에 최선을 다하는 성실한 인간상을 보고 있다.
⑤ '나'는 ⓒ를 보고 작은 생명에게 정성을 다하는 기쁨을 배우고 있다.

07 <u>반 통의 물</u>의 의미로 가장 적절한 것은?

① 장애를 극복하려는 의지와 신념
② 농사를 지으며 느끼는 삶의 보람
③ 생명을 소중히 여기는 마음과 정성
④ 자연이 인간에게 주는 넉넉함과 아름다움
⑤ 타인을 배려하고 선행을 베푸는 봉사 정신

▶해법문학 Link
수필·극 68쪽

순후와 질박함에 대하여 | 공선옥

키워드 체크 #체험적 #비판적 #시골 마을의 인정 #바람직한 공동체의 모습

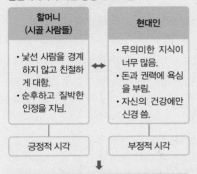
가   이따금씩, 아주 가끔 내가 살고 있는 공간이, 나의 삶이, 내 살아가는 방식이, 아니 거창
하게 말할 것도 없이 내가 먹고 있는 음식, 내가 입고 있는 옷들이 싫어지고 거추장스럽게
여겨질 때가 있다. 그럴 때는 청소하는 것도 빨래하는 것도 설거지하는 것도 귀찮아지고
의미 없어지고 오직 이곳이 아닌 다른 곳을 꿈꾸게 된다. 이곳이 아닌 다른 곳이라면 적어
도 내가 이러고 살지는 않을 텐데, 하는 막연한 꿈. 그럴 때면 나는 하던 청소도 일시 중단
하고, 설거지, 빨래도 미뤄 둔 채 무작정 **집**을 나선다. 집을 나서면 어디로 가나. 막상 대
문 밖을 나서면 갈 데가 없다는 것을 나는 잘 안다. 하지만 이왕 나섰으니 가 볼 수밖에.

나   내가 집을 나서서 주로 달리는 길은 **보성 강변길**이다. 햇빛은 투명하고 길 °가녘에 이제
피어나기 시작한 코스모스가 앙증맞다. 마을이 자리하고 있다. **강 마을**이다. 〈중략〉
  마을에 사는 사람들은 °거개가 나이 든 사람들이다. 그들은 낯선 사람이 하나도 낯설어
하지 않으며 말을 붙이면 그들은 하나도 낯설어하지 않으며 대답한다. 참으로 순박한 음
성으로, 거기에 덤으로 미소까지 얹어서 예에, 한다. 그러고 나서 뉘 집에 오셨느냐, 묻는
다. 나는 또 스스럼없이 대답한다.

[A]
>   "마을 구경 왔어요."
>   그러면 그들은 또 어김없이 말한다. / "이런 촌에 뭐 볼 게 있다고."
>   나는 그러면 또, / "촌이니까 볼 게 많지요." / 한다.
>   고추를 말리는 할머니 옆에 아이를 돌려 안고 나는 가만히 앉는다.
>   "할머니 집은 어디세요?" / "저기여." / "할머니 집 구경해도 돼요?"
>   "구경이야 해도 되지만, 심란해서 원." / 나는 할머니를 자박자박 따라간다. 사립문
> 옆에 감나무가 있고 마당 한 귀퉁이에 샘이 있고 안 가꾼 듯 가꾸어진 화단에는 붉은
> 맨드라미와 분홍 족두리꽃과 노란 분꽃이 화사하다.

  "할머니는 누구랑 사세요?" / 마루에 걸터앉아 내가 누구랑 사느냐고 묻는 사이에 할머
니는 어느 틈에 냉수 사발 을 건네준다. 나는 맛난 물을 단숨에 들이켠다. 〈중략〉
  처음 보는 사람인데도 하나도 낯설지 않은 시골 사람들, 정확히 말해 시골 할머니들에
게서 나는 늘 위안을 얻는다. 돈이 많은 사람, 권력을 가진 사람, 육체가 너무 건강한 사
람, 아는 것이 너무 많은 사람들 앞에서는 무형의 저항감을 느낀다. 가진 것 없고 그 생애
자체가 희생으로만 °점철된 시골 할머니들의 °순후한 인정이, 그것이 비록 냉수 한 사발
의 인정이라 할지라도 나는 사람을 반기고 사람을 사람으로 보고 사람을 섬기는 그 선한
눈빛이 좋아 어찌할 줄 모르겠다. 이제 이 한 시대가 또 정처 없이 흘러가 버리면 그들은
가고 그들의 인정도 끊기고 그 순후와 °질박함 또한 영영 사라져 버릴 것이다. 나는 그것
이 두렵다. 끊겨져 버리는 것이 두렵고 사라져 버리는 것이 두렵다.

다   내가 왜 이렇게 지치나, 무엇 때문에 이렇게 힘들어하는가, 늘 모르고 지내 오다가
[B]
> 그 할머니들을 보고 나서 나는 내가 결국은 고향을 잃어버려서, 어떤 정신적 유토피
> 아를 잃어버려서 그렇다는 걸 알게 된다. 아이를 업고 마을을 돌아 나오며 내 아이들
> 에게 내가 바로 그런 어머니, 고향 같은 어머니가 되어야겠다는 깨달음을 얻는다.

나는 다시 **집**으로 돌아온다. 정성 들여서 청소를 하고 밥을 짓고 빨래를 하고 바느질을 하고 푸성귀를 가꾼다. 그러면서 나는 어떻게 늙어 갈 것인가를 생각한다. 늙는 생각을 하게 되면 나는 오래된 마을을 생각할 때 그런 것처럼 아주아주 포근해진다.

01 윗글의 '나'에 대한 설명으로 적절하지 <u>않은</u> 것은?

① 시골 사람들을 좋아하며 시골 마을을 친근하게 여기고 있다.

② 모성애가 강한 인물로 아이를 위해 고향 같은 강 마을을 다시 방문하고자 다짐하고 있다.

③ 냉수 한 사발의 인정도 소중하게 생각할 만큼 사소한 것에도 감사하는 마음을 지니고 있다.

④ 돈이 많은 사람에 대해 저항감을 느끼며 어렵고 힘들게 살아가는 사람들에 대한 애정을 지니고 있다.

⑤ 육체가 너무 건강한 사람을 부정적으로 여기며 육체적 건강에 해당하지 않는 가치들을 더 중요하게 여긴다.

02 [A]와 [B]에 대한 설명으로 적절하지 <u>않은</u> 것은?

① [A]는 대화를 직접 인용하여 장면을 생동감 있게 구성하고 있다.

② [B]는 잦은 쉼표의 사용을 통해 인물이 겪고 있는 내적 갈등에 대한 원인을 찾아가는 과정을 보여 주고 있다.

③ [A]와 [B]는 모두 현재형 진술을 통해 장면에 현장감을 더하고 있다.

④ [A]에는 장소의 이동이 드러나 있고, [B]에는 인물의 내면에 대한 직접적인 서술이 나타나 있다.

⑤ [A]는 감각적 표현을 통해 풍경을 묘사하고 있고, [B]는 비유적 표현을 사용하여 인물의 냉소적 시선을 드러내고 있다.

03 <u>냉수 사발</u> 의 기능으로 가장 적절한 것은?

① 극적 반전을 통해 분위기를 전환시킨다.

② 인물이 자신의 처지를 확인하게 하는 계기가 된다.

③ 인물들의 공통된 경험을 연결하여 동질감을 형성한다.

④ 인물의 성격 및 인물 사이의 관계를 상징적으로 드러낸다.

⑤ 인물들의 대조적인 가치관을 부각하여 새로운 사건을 암시한다.

04 〈보기〉는 '나'가 이동한 경로를 정리한 것이다. ㉠~㉢에 대한 설명으로 적절하지 <u>않은</u> 것은?

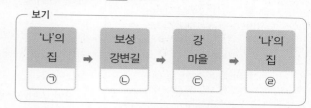

① ㉠~㉢을 거치며 '나'의 삶을 대하는 태도와 심리가 변화한다.

② ㉠과 ㉣은 '나'가 반복되는 일상에 대한 불편한 심리를 느끼는 공간이다.

③ ㉡에 대한 묘사를 통해 풍경에 대한 '나'의 긍정적인 심리가 드러난다.

④ ㉢에서의 대화와 행동은 서로에 대한 '나'와 대상의 우호적인 태도를 드러낸다.

⑤ ㉢에서의 경험은 '나'가 ㉣로 돌아온 이후의 삶에 영향을 미친다.

05 〈보기〉를 바탕으로 윗글을 이해한 내용으로 적절하지 <u>않은</u> 것은?

┌ 보기 ┐

「순후와 질박함에 대하여」는 무의미한 일상에서 벗어나려고 찾아간 시골 마을에서 한 할머니를 만나 따뜻한 인정을 느낀 경험을 통해 얻은 깨달음을 전하는 수필이다. 글쓴이는 시골 마을에서 느낀 인정이 사라져 가는 현대 사회에 대한 비판적인 시각을 드러냄과 동시에, 위안을 줄 수 있는 존재가 되고자 다짐하며 긍정적인 미래에 대한 소망을 드러내고 있다.

① '순박한 음성'과 '덤으로' 얹어 주는 '미소'는 도시와는 다른 '시골 마을'의 모습을 보여 주는군.

② '나는 어떻게 늙어 갈 것인가'에 대한 고민이 '오래된 마을'과 연결되면서 글쓴이의 깨달음이 구체화되고 있군.

③ '사람을 반기고 사람을 사람으로 보고 사람을 섬기는 그 선한 눈빛'에 대한 열망이 '위안을 주는 존재가 되고자 다짐'하는 계기가 되는군.

④ 청소와 설거지, 빨래는 '나'가 반복되는 일상에서 무의미함을 느끼게 하는 행위로, 이를 미뤄 두고 집을 나서는 것은 이러한 일상에서 벗어나려는 행동이겠군.

⑤ '거개가 나이 든', '가진 것 없고 그 생애 자체가 희생으로만 점철'되어 '무형의 저항감'을 느끼게 하는 사람들의 유형을 열거함으로써 현대 사회에 대한 비판적 시각을 드러내고 있군.

동승(童僧) | 함세덕

키워드 체크 #비극적 #어머니에 대한 그리움 #종교적 숙명 #열네 살 동승 #인간적 감정

핵심 포인트

제목 '동승'을 통한 주제 의식

동(童)	승(僧)
어머니를 그리워하는 어린아이	부처의 가르침을 수행해야 하는 수도승

↓

어머니를 그리워하는 인간적 욕망과 세속의 연을 끊고 종교적 삶을 살아야 하는 운명 사이의 갈등

전체 줄거리

발단	깊은 산속에 있는 절의 동승인 도념은 어머니가 자신을 데리러 오리라는 확신을 갖고 늘 어머니를 기다림.
전개	죽은 자식을 위해 불공을 드리러 오는 미망인이 도념에게 연민을 느끼고 양자로 삼고자 함.
절정	도념이 절에서 죄를 씻으며 지내는 것이 바람직하다고 생각한 주지는 도념의 입양을 반대함.
하강	도념이 어머니의 목도리를 만들기 위해 불상 뒤에 숨겨 둔 토끼 가죽이 발견되면서 미망인의 양자로 가려던 일이 좌절됨.
대단원	도념은 초부의 우려를 뒤로 하고 어머니를 찾기 위해 주지 몰래 절을 떠남. ···▸ 수록 부분

기출 OX

Q1 초부는 '종소리를 듣는' 행동을 통해 관객들이 음향 효과에 집중할 수 있도록 연기하고 있다. 기출 2010. 9. 모평 ○ ╳

Q2 도념은 주지에 대한 섭섭함을 삭이지 못한 채 절을 떠나고 있다.
기출 2006. 3. 고2 ○ ╳

● **미망인** 남편을 여읜 여자.
● **범종** 절에 매달아 놓고, 대중을 모이게 하거나 시각을 알리기 위하여 치는 종.
● **바랑** 승려가 등에 지고 다니는 자루 모양의 큰 주머니.
● **깽매기** '꽹과리'의 방언.
● **독경** 불교 경전을 소리 내어 읽거나 욈.
● **산문** 절 또는 절의 바깥문.

[앞부분 줄거리] 불교의 계율을 어기고 사냥꾼과 도망간 비구니의 자식인 도념은 깊은 산속에 있는 절에서 어머니가 언젠가 자신을 데리러 오리라는 믿음을 가지고 어머니를 기다린다. 그러던 중 죽은 자식의 불공을 드리러 오는 *미망인이 도념에게 연민을 느끼고 양자로 삼고자 한다. 하지만 주지는 도념의 입양을 반대하고 미망인 또한 결국 이를 받아들인다.

　　주위는 차츰차츰 어두워진다. 이윽고 *범종 소리 들려온다. 멀리 산울림. 초부, 나무를 안고 나와 지게에 얹고, 담배를 한 대 피운다. 흩날리는 초설을 머리에 받은 채 슬픈 듯한 표정으로 종소리를 듣는다.
　　사이. / 이윽고 종소리 그친다. 도념, 고깔을 쓰고 *바랑을 걸머지고, *깽매기를 들고 나온다.

초부 (지게를 지고 일어서며) 지금 그 종 네가 쳤니?

도념 그럼은요. 언젠 내가 안 치구 다른 이가 쳤나요?

초부 밤낮 나무해 가지구 비탈 내려가면서 듣는 소리지만 오늘은 왜 그런지 유난히 슬프구나. (일어서다가 도념의 옷차림을 발견하고) 아니, 너 갑자기 바랑은 왜 걸머지구 나오니?

도념 이번 가면 다시 안 올지 몰라요.

초부 왜? 스님이 동냥 나가라구 하시든?

도념 아, 아니요. 몰래 나가려구 해요.

초부 이렇게 눈이 오는데 잘 데두 없을 텐데, 어딜 간다구 이러니? 응, 갈 곳이나 있니?

도념 조선 팔도 다 돌아다닐 걸요 뭐.

초부 하 얘, 그런 생각 말구, 어서 가서 스님 말씀 잘 듣구 있거라.

도념 벌써 언제부터 나가려구 별렀는데요? 그렇지만 스님을 속이고 몰래 도망가기가 차마 발이 떨어지지 않아서 못 갔어요.

초부 어머니 아버질 찾거나 했으면 좋겠지만 찾지두 못하면 다시 돌아올 수도 없구, 거지밖에 될 게 없을 텐데 잘 생각해서 해라.

도념 꼭 찾을 거예요. 내가 동냥 달라고 하니까 방문 열구 웬 부인이 쌀을 퍼 주며 나를 한참 바라보구 있더니 별안간 "도념아, 내 아들아, 이게 웬일이냐." 하구 맨발바닥으로 뛰어 내려오던 ㉠꿈을 여러 번 꾸었어요.

초부 ㉡가려거든 빨리 가자. 퍽퍽 쏟아지기 전에. 이 길루 갈 테니?

도념 비탈길루 가겠어요.

초부 그럼 잘—가라. 난 이 길루 가겠다.

도념 네, 안녕히 가세요.

　　초부, 나무를 지고 내려간다. 도념, 두어 걸음 나갈 때 법당에서의 주지의 ㉢*독경 소리. 발을 멈추고 생각난 듯이 바랑에서 표주박을 꺼내 ㉣잣을 한 움큼 담아서 *산문 앞에 놓는다.

도념 (무릎을 꿇고) 스님, 이 잣은 다람쥐가 겨울에 먹으려구 등걸 구멍에다 모아 둔 것을 제가 아침이면 몰래 꺼내 뒀었어요. 어머니 오시면 드리려구요. 동지섣달 긴긴 밤 잠이 안 오시어 심심하실 때 깨무십시오. (산문에 절을 한 후) 스님, 안녕히 계십시오.

[A]　　멀리 동리를 내려다보고 길게 한숨을 쉰다. 정적. 원내에서는 목탁과 주지의 염불 소리만 청청히 들릴 뿐, 눈은 점점 펑펑 내리기 시작한다. 도념, ㉤산문을 돌아다보며 돌아다보며 비탈길을 내려간다.

답 **Q1** ○ **Q2** ╳

01 윗글에 대한 설명으로 적절한 것은?

① 특정 인물의 모습을 통해 세태를 비판하고 있다.

② 음향 효과를 활용하여 공간적 배경을 드러내고 있다.

③ 간결한 대화를 통해 사건을 속도감 있게 진행하고 있다.

④ 과거 회상 방식을 통해 그리움의 정서를 심화하고 있다.

⑤ 공간의 이동에 따라 변화하는 인물의 심리를 직접적으로 드러내고 있다.

02 윗글을 통해 알 수 있는 사실로 적절하지 않은 것은?

① 초부는 도념의 앞날에 대해 걱정하고 있다.

② 주지는 도념이 떠나는 것에 찬성하지 않았다.

③ 도념은 어머니를 찾고자 하는 강한 의지를 갖고 있다.

④ 초부는 도념이 친 범종 소리가 평소와 다름을 느끼고 있다.

⑤ 도념은 주지와의 약속을 지키기 위해 산문에 절을 하고 있다.

03 윗글을 연극으로 공연하려고 할 때, 연출가가 [A]에서 '도념' 역할의 배우에게 지시할 만한 내용으로 가장 적절한 것은?

① 목적지인 동리를 향해 힘차게 뛰어 내려가 주세요.

② 답답함이 모두 해소된 얼굴로 비탈길을 내려가 주세요.

③ 미안함과 불안함이 동시에 느껴지는 표정을 지어 주세요.

④ 속세에서의 삶을 기대하는 심정이 드러나게 연기해 주세요.

⑤ 미망인을 따라가지 않은 것을 후회하는 마음을 드러내 주세요.

04 ㉠~㉤에 대한 이해로 적절하지 않은 것은?

① ㉠: 어머니에 대한 도념의 간절한 그리움을 드러낸다.

② ㉡: 도념의 의견을 존중해 주는 모습을 드러낸다.

③ ㉢: 도념이 자신의 결정을 번복하는 계기가 된다.

④ ㉣: 스님에 대한 도념의 감사한 마음을 보여 주는 소재이다.

⑤ ㉤: 절에 대한 도념의 미련을 나타낸다.

05 〈보기〉를 바탕으로 윗글을 감상한다고 할 때, 가장 적절한 것은?

> **보기**
>
> 대사에는 대화, 방백, 독백 등이 있다. 대화는 등장인물 간에 주고받는 대사로, 인물들의 관계를 알려 주고 사건을 진행시키는 기능을 한다. 방백이 관객을 청자로 한 대사라면, 독백은 배우가 심리적으로 자극을 받아 촉발된 혼잣말이다. 독백은 사건 진행을 일시적으로 중단하고 배우가 내면 심리를 직접 드러낼 수 있게 하여, 연극의 서사에 시적 분위기를 첨가하는 기능을 한다.

① 초부와 도념의 대화는 두 사람이 처음 만난 관계라는 것을 알려 주는군.

② 도념의 방백은 관객이 보다 쉽게 인물의 심리를 이해할 수 있도록 하는군.

③ 도념의 독백은 사건의 흐름을 지연시키고 작품의 서정적 분위기를 강화하는 기능을 하는군.

④ 초부와 도념의 대화를 통해 두 사람은 가치관 차이 때문에 갈등을 해소할 수 없음을 확인할 수 있군.

⑤ 도념은 초부와 헤어진 후 어머니에 대한 감정을 드러내고 싶다는 심리적 자극을 받았기 때문에 독백을 한 것이군.

06 〈보기〉를 참고하여 윗글의 비탈길에 대해 이해한 내용으로 적절하지 않은 것은?

> **보기**
>
> 「동승」에서 '절'이라는 공간에 대한 주지와 도념의 인식은 상반된다. 주지에게 '절'은 도념이 부모의 죄를 깨끗이 씻어 낼 수 있는 공간이지만, 도념에게는 어머니를 기다리는 공간인 동시에 어머니를 찾기 위해 떠나야만 하는 공간이다. 이때 도념이 어머니를 찾기 위해 택하는 '비탈길'의 속성인 '갈라짐', '내려감', '벗어남', '가파름', '시작됨' 등은 다양한 상징적 의미로 연결된다.

① '갈라짐'이라는 속성에 주목할 때, 비탈길은 초부와 헤어져 홀로 길을 떠나야 하는 도념의 처지를 보여 준다.

② '내려감'이라는 속성에 주목할 때, 비탈길은 사람들이 모여 사는 세상으로 나아가고자 하는 도념의 마음을 보여 준다.

③ '벗어남'이라는 속성에 주목할 때, 비탈길은 절에서 어머니를 기다리며 살았던 지난날에 대한 도념의 회한을 드러낸다.

④ '가파름'이라는 속성에 주목할 때, 눈 내리는 비탈길은 어머니를 찾아 떠나는 도념의 여정이 순탄하지 않을 것임을 암시한다.

⑤ '시작됨'이라는 속성에 주목할 때, 비탈길은 도념이 자신의 일을 스스로 결정하게 되면서 정신적으로 성숙해졌음을 알려 준다.

『동승』 "원내에서는 목탁과 주지의 염불 소리만 청청히 들릴 뿐, 눈은 점점 평평 내리기 시작한다. 도념, 산문을 돌아다보며 비탈길을 내려간다."

작품 인출 Pick

Q42

희곡

교과서 [문] 동아, 신사고 기출 EBS

불모지(不毛地) | 차범석

핵심 포인트

전통과 근대의 대립적 구조

전통	근대
• 낡은 기와집 • 어둡고 습함. • 식물이 자라지 못하는 거칠고 메마른 땅인 '불모지'를 상징함.	↔	• 번화한 상가, 고층 건물, 최신식 건물 • 밝음.
보수적인 구세대 (최 노인)	현실적인 신세대 (경수, 경애, 경운, 경재)

전체 줄거리

발단	신식 결혼이 유행하여 전통 혼례용 혼구를 대여하는 최 노인의 사업이 날로 쇠퇴하게 되자, 가족들은 자신들이 살고 있는 낡은 한옥을 팔자고 권유하지만 최 노인은 이를 거부함. ⋯ 수록 부분 **㉮**
전개	실업 상태인 큰아들 경수, 배우를 꿈꾸는 큰딸 경애 등 가족들은 모두 최 노인을 원망하며 집을 팔자고 종용함.
절정	가족들의 성화와 큰아들의 방황을 보다 못한 최 노인은 집을 세놓기로 함.
하강	최 노인은 집을 파는 것으로 오해한 큰아들과 갈등함. ⋯ 수록 부분 **㉯**
대단원	불화의 원인이 돈에 있다고 생각한 큰아들은 권총으로 강도 행각을 벌이다가 체포되고, 사기를 당한 큰딸은 자살함.

기출 OX

Q1 윗글은 인물들의 복장을 통해 인물들의 심리를 드러내고 있다.
기출 2018. 9. 모평 ○ X

Q2 최 노인에게서 당시 절망적 현실에 처해 있는 사람들의 무력한 모습을 찾아볼 수 있다.
기출 2008. 5. 고3 ○ X

• **해묵은** 어떤 물건이 해를 넘겨 오랫동안 남아 있는.
• **풍상** ① 바람과 서리를 아울러 이르는 말.
② 많이 겪은 세상의 어려움과 고생을 비유적으로 이르는 말.
• **면목** 사람이나 사물의 겉모습.
• **일신** 날마다 새로워짐.
• **대척** 어떤 사물이나 현상을 비교해 볼 때, 서로 정반대가 됨.
• **함석** 표면에 아연을 도금한 얇은 철판. 지붕을 이거나 양동이, 대야를 만드는 데 씀.

답 **Q1** X **Q2** ○

㉮ 무대

번화한 상가에 자리 잡은 최 노인의 낡은 기와집. 정면에 유리문이 달리고, 마루를 사이에 두고 방이 둘 있고, 좌편으로 기역 형으로 굽어서 부엌과 장독대, 유리문 저쪽은 가게. 우편으로 대문을 끼고 헛간과 방 하나의 딴채가 서너 평이 못 넘는 좁은 뜨락을 에워싸고 ㉠웅크리고 앉았다. *해묵은 지붕에는 푸른 이끼며 잡초까지 자라나서 오랜 *풍상을 겪어 내려온 이 집의 역사를 말해 주는 듯하다. 배경으로, *면목이 *일신해져 가는 매끈한 고층 건물의 행렬이 엿보이고, 좌우편에도 역시 삼사 층이나 되어 보이는 최신식 건물이 들어서서 이 낡은 기와집을 거의 폐가처럼 ㉡멸시하고 있다. 좌편 건물은 아직도 건축 공사가 진척 중에 있는지 통나무로 얽어맨 작업 보조대에 거적때기가 걸려서 건물은 반쯤 가려진 채로다. 이처럼 *대척적인 주변의 장애로 말미암아 이 낡은 집 안팎에는 온종일 햇볕이 안 드는 탓인지 한층 ㉢어둡고 습하며 음산한 공기가 찬바람처럼 풍겨 나온다. 때는 초여름 어느 일요일 오전. 막이 오르면 질주하는 전차며 자동차의 소음이 잇따라 들려온다. 뜰가에서 경운이 *함석 통에 담긴 빨래를 빨고 있고, 부엌에서 설거지를 하는 어머니의 초라한 모습이 보인다. 좌편 담 아래에 마련된 조그마한 화단 앞엔 아까부터 최 노인이 쭈그리고 앉아서 화초며 푸성귀들을 손보고 있다. 입에 물린 파이프에서 이따금 뱉어지는 담배 연기가 한가롭다. 잠시 후 경재가 물지게를 지고 좁은 대문을 간신히 빠져나와 경운 앞에다 부려 놓는다.

경재 어유, 오늘은 웬 사람이 그리도 많아⋯⋯. 공동 수도엔 난장판인걸! (하며 항아리에다 물을 붓는다.)

경운 (여전히 빨래를 하며) 비가 개니까 집집마다 빨래하느라고 그렇겠지⋯⋯.

경재 아버지 우리도 다음엔 제발 물 흔한 집으로 옮깁시다. 물만 긷다가 내년 봄엔 낙제하게 생겼는걸요! 하루 이틀도 아니구⋯⋯.

최 노인 (돌아보지도 않고) 그래⋯⋯.

경운 애도 속없는 소리 잘하긴 경애 언니 닮았나 봐! 누가 이따위 골목 구석에서 살고 싶어 살고 있니?

경재 살기 싫으면 딴 데로 옮기면 될걸 왜 이런 ㉣게딱지 굴속에서 산다는 거요?

최 노인 (눈을 크게 부릅뜨며) 무슨 소리냐? 이 집이 어때서?

경재 아버지나 좋아하시지 우리 식구 중에서 이 집을 좋아하는 사람이 누가 있어요?

최 노인 싫은 놈은 언제건 나가라지! 절간이 미우면 중이 나가는 법이야.

[중간 부분 줄거리] 최 노인은 가족들의 성화에 집을 세놓기로 하지만 경수는 최 노인이 헐값에 집을 파는 것으로 오해하고 이를 막으려 한다.

㉯ 경수 아니 그럼 이 집을 파시는 게 아니면 뭣 하러 복덕방은⋯⋯

최 노인 저런 쓸개 빠진 녀석 봤나! 아니 내가 뭣 때문에 이 집을 팔아? 응? 옳아 네놈 취직 자본을 대기 위해서? 응? 〈중략〉 **경운** 아버지께서 이 집을 팔으실 줄만 알았어요.

최 노인 흥! 너희들은 모두 한속이 되어서 어쩌든지 내 일을 안 되게 하고 ㉤이 집을 날려 버릴 궁리들만 하고 있구나! 이 천하에 못된 것들! (하며 불쑥 일어선다.)

어머니 그럴 리가 있겠어요! 다만⋯⋯

최 노인 듣기 싫어! (화초밭으로 나오며) 이 집안에서는 되는 거라곤 하나도 없어! 흔한 햇볕도 안 드는 집이 뭣이 된단 말이야! 뭣이 돼! (하며 화초밭을 함부로 작신작신 짓밟고 뽑아 헤친다.)

어머니 (맨발로 뛰어내리며) 여보! 이게 무슨 짓이오! 그렇게 정성을 들여서 가꾼 것들을 …… 원…… 당신도……

최 노인 내가 정성을 안 들인 게 뭐가 있어…… 나는 모든 일에 정성을 들였지만 안 되지 않아! 하나도 씨도 말야!

01 윗글에 대한 설명으로 가장 적절한 것은?

① 소품을 활용하여 극적 긴장감을 완화하고 있다.
② 방백을 통해 사건 전개에 대한 실마리를 주고 있다.
③ 조명을 사용하여 인물의 내적 갈등을 부각하고 있다.
④ 음향 효과를 활용하여 인물의 심리를 표현하고 있다.
⑤ 공간적 배경의 특성을 통해 주제 의식을 드러내고 있다.

02 ㉠~㉤에 대한 이해로 적절하지 않은 것은?

① ㉠: 집을 의인화한 표현으로 주변 배경이 위압적으로 느껴지도록 한다.
② ㉡: 최 노인으로 대표되는 구세대를 바라보는 신세대의 시선과 대응된다.
③ ㉢: 중심인물의 처지와 연결되어 작품의 전반적인 분위기를 조성한다.
④ ㉣: 전근대적 가치관에 대한 부정적 인식이 담겨 있다.
⑤ ㉤: 세월의 흐름으로 인해 경제적 가치를 잃은 것들을 대표한다.

기출 변형 2003학년도 12월 고2 학력평가

03 〈보기〉는 윗글을 공연하기 위해 토의한 내용을 정리한 것이다. 각 항목에 대한 평가로 타당하지 않은 것은?

─ 보기 ─
ⓐ 배경: 고층 건물을 무대 전면을 제외한 삼면에 설치함.
ⓑ 조명: 등장인물에 집중하고, 주변으로는 어둡게 조절함.
ⓒ 음향: 근처에서 들리는 것 같은 전차와 자동차의 소음
ⓓ 집: 아담하고 운치 있는 고풍스러운 전통가옥
ⓔ 의상: 1950년대의 의상으로, 오래되어 해어진 옷

① ⓐ: 주인공의 집 주변에 매끈한 고층 건물의 행렬이 엿보인다고 했으므로 적절하다.
② ⓑ: 서울 번화가가 배경이기 때문에 전체적으로 밝은 조명을 사용하는 것이 더 적절하다.
③ ⓒ: 집에서 전차와 자동차의 소음이 잇따라 들려온다고 했으므로 적절하다.
④ ⓓ: 지붕에는 푸른 이끼와 잡초가 자라났다고 했으므로 낡고 초라한 상태가 더 적절하다.
⑤ ⓔ: 최 노인의 가정 형편을 고려할 때 적절하다.

기출 변형 2018학년도 9월 모의평가

04 화초밭에 대한 이해로 가장 적절한 것은?

① 경제적 안정에 대한 가족들의 염원이 담긴 장소이다.
② 다른 인물과의 갈등을 해결하기 위해 인물이 새롭게 만든 장소이다.
③ 중심인물이 이상을 실현하기 위해 이익을 포기하고 선택한 장소이다.
④ 중심인물이 애정을 담아 가꾼 공간으로, 미래에 대한 낙관적인 전망을 대표하는 장소이다.
⑤ 자신의 노력이 결실을 맺지 못한 것에 대한 중심인물의 허망함을 상징적으로 드러내는 장소이다.

05 윗글과 〈보기〉를 비교하여 이해한 내용으로 적절하지 않은 것은?

─ 보기 ─
안 초시, 서 참의, 박 영감은 복덕방에서 소일을 하며 시간을 보내는 노인들이다. 안 초시는 무용가로 유명한 딸이 있는데 몇 차례의 사업 실패로 딸에게 대접받지 못한다. 서 참의는 *구한말에 훈련원의 참의로 봉직했던 무관이었으나 시대 변화에 따라 먹고살 요량으로 복덕방을 차리고, 박 영감은 일어 공부를 하며 시간을 보낸다. 그러던 어느 날, 안 초시는 새로운 항구 건설로 황해 연변의 땅값이 많이 오를 것이라는 정보를 듣고 딸에게 투자를 하게 하지만, 토지 개발 정보가 거짓으로 밝혀진다. 딸은 아버지에게 모든 비난을 퍼붓고, 좌절한 안 초시는 결국 자살한다.

─ 이태준, 「복덕방」

*구한말: 조선 말기에서 대한 제국까지의 시기.

① 윗글과 〈보기〉 모두 가족 간의 세대 갈등이 드러나 있다.
② 윗글과 〈보기〉 모두 혼란한 시대를 배경으로 한 작품이다.
③ 윗글의 '낡은 기와집'과 〈보기〉의 '복덕방'은 구세대의 인물이 시간을 보내는 장소이다.
④ 윗글의 '최 노인'과 〈보기〉의 '서 참의'는 모두 시대 변화에 발맞춰 변화하기를 거부하는 인물이다.
⑤ 윗글의 '건축 공사'는 근대화의 과정이라는 점에서 〈보기〉의 '항구 건설'과 유사한 성격을 가진다.

[06 ~ 11] 다음 글을 읽고 물음에 답하시오.

회기 나는 환자의 생명을 구해 줌으로써 기쁘게 해 주겠다거나 사회를 위해서 선심을 쓰겠다는 생각은 없소. 나도 이 병원에서 월급을 받고 일하는 고용인이니까, 댁과 마찬가지로……

인옥 (다시 애원하며) 그러니 수술을 해 주시면 되잖아요?

회기 (냉정하게) 원래 나는 자신 없는 일엔 손을 안 대는 성질이오.

인옥 환자가 죽어가도 말씀이에요?

회기 그렇다고 내가 죽일 수는 없소. 나는 나를 위해서 사는 거지, 그 누구를 위해서 사는 사람은 아니니까.

인옥 (안타깝게) ㉠선생님……

회기 댁이 공장에서 담배를 사서 피울 사람을 생각하지 않는 것과 마찬가지 이치지요. 그렇잖아요?

인옥 (ⓐ) 선생님은 냉정하시군요…… 기계처럼……

(이때 금숙의 표정이 크게 동요된다.)

회기 (창밖으로 시선을 돌리며) ㉡직업이란 사람을 기계로 만들게 마련이죠. 댁의 손처럼……

인옥 그리고 내 손처럼……. (이제는 눈물도 말라 버린 표정으로) 그렇다고 마음까지 기계가 될 수는 없잖아요? (서서히 일어서며) 어두운 공장에서 담배 개비를 스무 개씩 집어넣는 것은 내 손이지만, 제 마음은 언제나 어린 것들을 생각하고 나를 생각했어요…… 어떻게 하면 살 수 있을까 하고……. 〈중략〉

금숙 아까 그 환자에게 대해서 너무 냉담하신 것 같았어요…… 가엾잖아요?

회기 가엾은 건 나 자신일지도 모르지……

금숙 하지만 지금까지 어느 환자에게도 수술을 거절해 보신 일도 없었거니와 실수도 없었잖아요……. 그런데 왜 그렇게 완고하게 거절하셨어요?

회기 (어둡고 침울한 표정으로 변하며) ㉢내가 냉정했을까?

금숙 그 환자는 선생님을 원망하고 있을 거예요……

회기 (ⓑ) 세상은 참 묘한 거야……. 사람들은 '의(醫)'는 인술(仁術)'이니 뭐니 하여 의사를 무슨 절대적인 존재처럼 신성시하지만, 나 자신은 조금치도 그런 실감이 안 나거든……. 여자건, 남자건, 미인이건, 늙은이건 닥치는 대로 배를 가르고 갈비뼈를 떼어 내어 썩은 폐 조각을 잘라 내는 하나의 노동을 하고 있는 데 불과하니 말야……

금숙 그렇게 해서 귀중한 생명을 건져 내지 않아요?

회기 그러나 나는 지금까지 그와 같은 목적을 의식하면서 수술을 한 적은 없었어! 5년 전에 미국에 건너가서 폐외과를 전공할 때도, 지금까지 우리나라에서는 못 해 본 수술을 해 본다는 호기

심과 이걸 배워 가지고 가면 내 존재가 뚜렷해진다는 공명심은 있었지만, 인간을 구하느니 하는 도의심 따위는 느껴 보지도 못했거든! (하며 담배 연기를 푹푹 뱉는다.)

금숙 (ⓒ) 전 자세한 얘긴 모르겠지만 아무튼 선생님의 그 메스처럼 날카로운 두뇌와 손을 무한히 존경해요! 그리고……

[중간 부분 줄거리] 인옥의 남편 상현이 회기를 찾아와 금전적인 문제와 아내의 부정을 이유로 아내의 수술을 반대한다.

회기 (외치며) ㉣그건 살인이나 다름없소……

(이 말이 떨어지자 금숙은 의아한 표정으로 회기를 쳐다본다.)

상현 뭐라구요?

회기 (강하게) 아내가 죽어 가도 내버려두는 법이 어디 있단 말이오?

상현 (처음에 지녔던 겸손과 비굴은 찾아볼 수 없는 태도로) ㉤참견 마세요! 내 처를 내가 죽이건 살리건 무슨 걱정이오! 나 살고 남도 있지! (불쑥 일어서서 손가방을 쥐며) 아무튼 실례했습니다! (하며 문을 탁 닫고 나가 버린다.)

(회기는 감전된 사람처럼 멍하니 서 있고 금숙은 회기를 주시하고만 있다. 무거운 침묵이 흐른다.)

회기 (여전히 허공을 바라보며) 미스 정!

금숙 예?

회기 아까 그 환자의 주소 알지!

금숙 예, 접수부를 보면……

회기 좋아! 그럼 속달 우편으로 보내요.

금숙 예? (하며 가까이 온다.)

회기 수술을 받고 싶으면 편지 받는 즉시 찾아오라고!

금숙 (놀라운 표정으로) 아니, 그렇지만……

회기 (속삭이듯) 자신은 있어! 그 대신 수혈용 혈액을 충분히 준비할 것을 잊지 말아! 알겠어?

금숙 (ⓓ) 선생님, 웬일이세요?

회기 응? (ⓔ) 이번 환자는 꼭 살려 보고 싶은 의욕이 생기는군!

금숙 왜요?

회기 (분노를 띠며) 그 친구에게 살해당할 바엔 내가 맡아서 살리지! 참을 수 없는 모욕을 당한 것 같아!

금숙 (흘긋 쳐다보며) 기계가 노하셨네요……

회기 잔소리 말고, 편지나 어서 써!

금숙 예! (하며 제자리에 앉아 편지를 쓰기 시작한다.)

– 차범석, 「성난 기계」

기출 · 변형 2008학년도 6월 고2 학력평가

06 윗글을 통해 알 수 있는 사실로 적절하지 <u>않은</u> 것은?

① 회기는 인옥이 수술을 받지 않으면 죽을 수도 있다고 생각한다.

② 상현은 경제적 이유로 인옥의 수술을 반대하며 회기에게 적개심을 드러내고 있다.

③ 인옥은 남편을 위해 수술을 받아야 한다고 생각하기 때문에 회기에게 애원하고 있다.

④ 금숙은 노한 회기의 모습을 보고 회기에게 감정이 생겼다고 판단하며 이를 긍정적 변화로 여기고 있다.

⑤ 금숙은 의사로서의 회기를 신뢰하기 때문에 회기가 인옥의 수술을 완고하게 거절한 것을 의아해하고 있다.

고난도 기출 · 변형 2014학년도 3월 고3 학력평가

07 〈보기〉를 바탕으로 윗글을 이해할 때, 적절하지 <u>않은</u> 것은?

┌ 보기 ─────────
　이 작품에서는 전쟁 이후의 비정한 현실과 그러한 현실에 종속되어 버린 인간을 발견할 수 있다. 비정한 현실은 인간의 삶을 비참하게 만들며, 인간의 태도나 의식에까지 영향을 미치고 있는데, 한편으로는 그러한 현실에 종속되지 않은 인물이 등장하여 그러한 현실이 극복될 수 있는 단서가 되고 있다.
└──────────────

① 인옥이 일하고 있는 어두운 공장은 인옥을 둘러싼 비정한 현실로 볼 수 있다.

② 자신의 부탁을 들어주지 않는 회기에게 기계와 같다고 말하는 인옥 역시 비정한 의식에 사로잡힌 인물로 볼 수 있다.

③ 인옥의 처지를 살피고 회기에게 말을 건네는 금숙의 태도에서 비정한 현실이 극복될 수 있는 단서를 발견할 수 있다.

④ 의사로서 도의심 따위는 느껴 보지 못했다는 회기의 말에서 비정한 현실의 영향이 그의 의식에까지 미쳐 있음을 알 수 있다.

⑤ 인옥의 병을 대하는 상현의 태도로 보아 그가 비정한 현실에 종속되어 인간이 가져야 할 최소한의 인간성마저 상실했음을 알 수 있다.

기출 · 변형 2014학년도 3월 고3 학력평가

08 ㉠~㉤에 대한 연출자의 지시로 적절하지 <u>않은</u> 것은?

① ㉠: 회기를 향해 간절한 마음이 드러나게 말하세요.

② ㉡: 인옥의 시선을 회피하려는 것이 느껴지게 연기하세요.

③ ㉢: 내적 갈등이 드러나도록 연기하세요.

④ ㉣: 상현의 말에 충격을 받은 표정을 지어 주세요.

⑤ ㉤: 당당하면서도 예의바른 태도로 연기하세요.

기출 · 변형 2008학년도 6월 고2 학력평가

09 ⓐ~ⓔ에 어울리는 어조나 태도로 적절하지 <u>않은</u> 것은?

① ⓐ: 원망스럽게 쳐다보며　② ⓑ: 깊은 생각에 잠기며

③ ⓒ: 약간 당황하며　④ ⓓ: 빙그레 웃으며

⑤ ⓔ: 초조한 목소리로

기출 · 변형 2008학년도 6월 고2 학력평가

10 윗글을 다음과 같이 정리해 보았다. Ⓐ, Ⓑ의 이유로 가장 적절한 것은?

┌ 보기 ─────────
　인옥이 회기에게 수술을 부탁함.
　↓
　회기가 인옥의 수술을 거절함. ·········Ⓐ
　↓
　회기가 인옥의 수술을 하기로 마음먹음. ·········Ⓑ
└──────────────

	Ⓐ	Ⓑ
①	의료 행위 전반에 대한 회의감	환자를 살려 보고 싶다는 도전 의식
②	상현의 반대로 인한 부담감	의사로서의 도의적 책임 실감
③	불확실한 수술 결과에 대한 우려	상현의 비인간적 처사에 대한 분노
④	수술비를 받지 못하리라는 걱정	죽어 가는 사람에 대한 인간적 연민
⑤	불투명한 수술 결과에 대한 책임 회피	의술의 진정한 의미에 대한 깨달음

11 윗글의 제목 '성난 기계'의 의미로 가장 적절한 것은?

① 감정을 느끼지 못하는 현대인

② 물질 만능주의에 저항하는 힘

③ 상실했던 인간성을 회복한 현대인

④ 경제적 가치만을 추구하는 비정한 인간

⑤ 각박하게 살아가는 현대인에게 내재된 폭력성

만선(滿船) | 천승세

▶해법문학 Link
수필·극 204쪽

키워드 체크 #사실주의 #향토적 #비극적 #남해안 어촌 #궁핍한 어부의 삶 #만선에 대한 집념과 좌절

[앞부분 줄거리] 부서 떼를 발견한 곰치 덕분에 마을 사람들은 부서 떼를 잡으러 바다에 나가지만, 곰치는 배 주인인 임 영감이 빚을 갚아야 배를 빌려주겠다고 하여 바다에 나가지 못한다. 이에 곰치는 배 문제를 해결하기 위해 임 영감을 만나러 간다.

곰치 내일 배 푼다! (생기가 돈 얼굴로 야릇한 웃음) 으흐흐!

구포댁 내일사 풀어? 이고 속 터져! 남들은 아침 절에 두 배를 푸는디!

곰치 그것을 누가 몰라? (㉠) 간쭉이 썩어 문들어진다! 그래 몇 십 년 만에 처음 백힌 부서 떼를…… (주먹으로 마루를 텅 치며) 이것을 그냥…… 그냥 남의 그물 속에다만 처넣어 주고 있단 말여.

구포댁 (덩달아 몸을 부르르 떨며) 이고 속 터져! (옷고름으로 두 눈을 꾹 누르고 나선) 시상에! 바다에다 목숨 붙여 묵고 삼시려는 좋은 일이 있었어? ㉡물줄 같은 아들들만 셋이나 지사 지내고…… (흐느낀다)

곰치 (벽력같이) 또 그 소리! 미쳤어? (발악적으로) 시끄럿!

구포댁 속이 타서 그란하요? 몇 년 동안 배 붙여 묵음시로 죽고 살고 해야 뱃샅 질러 넣다 지치고는 목구멍 풀칠이나 으찌께 하다 봉게는 이만 원 빚만 지고, 부서 떼가 사태 났다는디도 멀뚱하게 보락꼬 앉아만 있을랑께는 속이 썩어 그라제머.

곰치 (처절하게) 뱃놈 한 세상 그래서 똥보다 더 더러운 것이란 말이다! 팔뚝에 심줄이 사내끼같이 꼬였어도 돈을 모아 봤어? (떨리는 손으로 담배를 재며) 내 배도 없이 남의 배에 얹혀 묵고 사는 팔자에 사설은 믄 사설이란 말이여? 〈중략〉

구포댁 (잠시 심각한 표정으로 말이 없다간 갑자기 곰치의 팔을 붙들고) 예에? 도삼이 아부지!

곰치 (건성으로) 으째 그려?

구포댁 (애걸조로) 요참물에 빚만 빼면 아조 뭍으로 나가서는 땅이나 파묵꼬 삽시다! 예에?

곰치 (두 눈을 부라려 뜨곤) 믓이라고? (벌떡 일어서며) 미친 소리!

구포댁 (따라 일어서며) 아조 그랍시다 예에?

곰치 (완강하게 뿌리치며) 미친 소리 마랏! 내가 눈 속에 흙들 때까지 그물을 놓나 봐라! 그물을 놔? 바다를 떠나? 어림없는 소리 마라! 기어코, 기어코 똘망배 하나라도 장만하고 말 것잉께!

구포댁 (악에 받쳐) 그람 몽땅 죽잔 말이요? 이렇게 눈치보고만 살다가 밟혀 죽잔 말이요?

곰치 죽어? 아니 이 곰치가 으째 죽어? 곰치는 안 죽는다.

구포댁 (기진해서 체념조로) 후유— 당신 맘대로 하쑈그랴! 당신 고집대로만 하잔 말이여! (울먹이는 소리로) 날이 갈수록 그저 밤낮으로 아른그리는 것이 죽은 아들놈들 얼굴이고 …… (비명처럼) 못살어! 못살겠어어!

곰치 그 소리 싹 집어치지 못해? (구포댁의 코앞에다 손가락 삿대질을 해대며) 내가 여기를 떠? 이것아! 생각 좀 해 봐라! 삼대가 다 물속에서 죽었어! 곰치가 그물을 손에서 놓는 날에는 차라리 배를 갈르고 말끼여!

구포댁 그래, 내가 믓이라고 했길래 이 수선이요? 삼대가 아니라 십대라도 물귀신 만들먼 씨언할 거 아니요? (양 무릎 사이에다 얼굴을 묻으며) 이고오! 내가 믓하러 저 새끼를 낳등고? 믓한다고 늙은 년이 또 아들을 퍼 내질렀어? / (우편 방 속으로 갓난애 울음 터진다. 구포댁 비틀비틀 방 속으로 들어가 버리고, 곰치 넋 나간 사람처럼 그 자리에 서 있다)

핵심 포인트
'만선'의 상징적 의미

사전적 의미	작품 속 의미
물고기 따위를 많이 잡아 가득히 실음. 또는 그런 배	곰치가 이루고자 하는 소망과 의지

↓

인간이 이루고자 하는 삶의 목표이자 가치

곰치와 구포댁의 갈등

곰치		구포댁
바다에 대한 집념	↔	바다를 벗어나고자 하는 욕구
만선 실현에 대한 집착		자식의 생명에 대한 집착

전체 줄거리

발단	칠산 바다에 부서 떼가 몰려들고 곰치는 선주 임제순에게 빚 독촉을 받음.
전개	곰치는 선주와 불리한 조건의 계약을 맺고 아들 도삼과 딸 슬슬이의 애인 연철과 함께 물고기를 잡기 위해 배를 타고 나감. ···→ 수록 부분
절정	풍랑에 배가 뒤집어지면서 곰치는 고기는 물론 도삼과 연철마저 잃고 돌아옴.
하강	구포댁은 도삼의 죽음에 실성해 버리고 곰치는 만선에 대한 미련을 버리지 못해 어린 아들마저 어부로 만들기로 결심함.
대단원	구포댁은 갓난 아들을 빈 배에 태워 육지로 보내고, 애인을 잃고 임제순의 하수인인 범쇠에게 시집갈 처지가 된 슬슬이는 스스로 목을 맴.

기출 OX

Q1 윗글은 인물의 직업과 공간적 배경을 짐작하게 하는 단어를 사용하고 있다.
기출 2008. 수능 ○ ✕

Q2 윗글은 대화를 간결하고 속도감 있게 진행시키고 있다.
기출 2008. 수능 ○ ✕

답 **Q1** ○ **Q2** ✕

01 윗글에 대한 설명으로 적절한 것은?

① 현장감을 높이기 위해 사투리를 사용하고 있다.
② 상징적 무대 장치를 통해 긴장감을 조성하고 있다.
③ 여러 소품을 활용하여 비극적 결말을 암시하고 있다.
④ 방백을 통해 인물의 심리를 관객에게 직접 전달하고 있다.
⑤ 무대 밖에서 일어난 사건을 계기로 인물의 가치관 변화를 유도하고 있다.

02 윗글에 대한 이해로 적절하지 <u>않은</u> 것은?

① 구포댁은 만선에 대한 곰치의 집념을 이해하지 못한다.
② 곰치는 아버지의 대를 이어 어부의 삶을 살아가고 있다.
③ 곰치는 다른 사람의 배를 빌려야만 고기잡이에 나설 수 있다.
④ 곰치는 부서 떼 잡이에 성공하였으나 빚을 청산하지 못한 상태이다.
⑤ 구포댁은 육지에서 농사를 짓는 것이 어부의 삶보다 안전하다고 생각한다.

03 ㉠에 들어갈 지시문으로 가장 적절한 것은?

① 놀라 일어서며   ② 안타까워하며
③ 기뻐 펄쩍 뛰며   ④ 무표정한 얼굴로
⑤ 겁나는 목소리로

04 ㉡에 대한 설명으로 적절하지 <u>않은</u> 것은?

① 작품의 비극성을 고조한다.
② 만선에 대한 곰치의 집착을 부각한다.
③ 구포댁이 육지로 가기를 원하는 이유이다.
④ 구포댁에게 슬픔과 한(恨)의 정서를 유발한다.
⑤ 임제순과 곰치의 갈등으로 인해 발생한 사건이다.

05 〈보기〉는 윗글에 나타난 주된 갈등을 정리한 표이다. 〈보기〉에 나타난 갈등을 중심으로 윗글을 감상한 내용으로 적절하지 <u>않은</u> 것은?

보기

갈등	의미
곰치 ↔ 바다	인간과 자연의 대결 구도
곰치 ↔ 구포댁	숙명에 대한 집착과 숙명에서 벗어나려는 의지
곰치 ↔ 임제순	빈부 차이에 의한 갈등

① '갓난애 울음'은 숙명에서 벗어나고자 하는 구포댁의 의지를 더욱 강화하겠군.
② '내 배도 없이 남의 배에 얹혀 묵고 사는 팔자'는 임제순과 곰치의 갈등을 유발하겠군.
③ '삼대가 다 물속에서 죽'은 상황은 곰치가 바다와의 대결에서 승리하지 못했음을 보여 주는군.
④ '팔뚝에 심줄이 사내끼같이 꼬였어도 돈을 모'으지 못한 상황으로 인해 곰치와 바다의 갈등이 야기되었겠군.
⑤ '삼대가 아니라 십대라도 물귀신 만들면 씨언할 거 아니요?'라는 구포댁의 말을 통해 곰치와 구포댁의 갈등이 이어지게 되리라는 것을 짐작할 수 있군.

06 〈보기〉를 참고하여 윗글을 감상한 내용으로 적절하지 <u>않은</u> 것은?

보기

작품의 제목이자 곰치가 집착하는 '만선'은 사전적으로는 '물고기 따위를 많이 잡아 가득히 실음.'을 의미하지만, 작품 내에서는 단순히 고기를 많이 잡으려는 욕심을 넘어서서 인간이 이루고자 하는 삶의 목표이자 가치를 상징한다. 이러한 목표를 실현할 수 있는 바다는 작품 안에서 곰치의 삶의 터전이자, 자식의 목숨을 앗아간 이중적인 공간으로 기능하고 있다.

① '뭍'은 바다와 대조되는 공간으로 곰치의 욕망을 실현하기 어려운 공간이군.
② '내일 배 푼다!'라며 기뻐하는 곰치의 말에는 '만선'이라는 목표에 대한 기대가 담겨 있군.
③ '눈 속에 흙들 때까지 그물을 놓'지 않겠다는 곰치의 발악에는 삶의 목표를 이루고자 하는 의지가 담겨 있군.
④ 바다에서 어부로서의 욕망을 실현하고자 하지만 '이만 원 빚'만 지게 된 상황은 바다의 이중성을 드러내는군.
⑤ '내가 여기를 떠? 이것아! 생각 좀 해 봐라!'라는 말은 삶의 터전에서 벗어나지 않으려는 곰치의 집착을 보여 주는군.

파수꾼 | 이강백

[핵심 포인트]

인물 간의 관계와 역할

촌장		파수꾼 다
지배 이념을 생산하여 민중을 통제하려 하는 권력자	회유 ⇄ 굴복	지배 이념에 대한 회의를 갖고 진실을 밝히려 하는 자

| ↑복종 | | ↘기만 | ↓기만 |

파수꾼 가, 파수꾼 나		마을 사람들
지배 이념에 대한 회의 없이 이를 확산하는 자	기만 →	지배 이념에 의해 통제되는 민중

소재의 상징적 의미

이리 떼	거짓, 지배 이념
망루	민중을 통제하기 위한 권력의 장치
흰 구름	진실
팻말	권력의 실리를 감추는 수단
딸기	권력자가 누리는 특권, 민중을 현혹하기 위한 권력자의 회유책

[전체 줄거리]

발단	철책 너머 이리가 존재하지 않는다는 파수꾼 다의 편지를 받은 촌장이 망루를 찾아옴. ···→ 수록 부분 ㉮
전개	촌장이 이리 떼가 존재하지 않는다는 사실을 인정함. ···→ 수록 부분 ㉯
위기	파수꾼 다는 진실을 알리려 하고, 촌장은 이를 회유함. ···→ 수록 부분 ㉯
하강	파수꾼 다는 촌장에게 회유를 당해 거짓말을 해야만 하는 상황에 놓임.
대단원	파수꾼 다는 촌장의 의도대로 거짓말을 하고, 망루에서 벗어나지 못하는 존재가 됨.

[기출 OX]

Q1 촌장은 마을 사람들에게 이리에 대한 진실을 숨겼다. [기출] 2007. 3. 고2 ○ X

Q2 윗글은 소품을 활용하여 시대적 배경을 구체적으로 나타내고 있다. [기출] 2013. 11. 고1 ○ X

답 **Q1** ○ **Q2** X

키워드 체크 #풍자극 #서사극 #우의적 #촌장과 파수꾼 #권력의 위선 비판 #이솝 우화 모티프

㉮ **가** 이리 떼다, 이리 떼! 이리 떼가 몰려온다!

파수꾼 나는 확신 있게 양철 북을 두드린다. 다는 여느 때와는 달리 침착하게 일어선다. 그리고 담요를 벗어 네모반듯이 갠 다음 식탁 위에 놓는다. 그는 북을 두드리는 나를 바라보면서 몹시 안타까운 표정이 된다.

가 북소리 중지! 이리 떼는 물러갔다. / **다** 정말 이리가 있다고 믿으세요?

나 보렴, 방금도 이리 떼가 오질 않았니? 그렇지 않다면 내가 왜 양철 북을 치며 평생을 보냈겠느냐? 서운하다. 아무리 아픈 애라지만 너무 심한 말을 하는구나.

다 죄송해요. 하지만 어쩜 그 많은 나날을 단 한 번도 의심 없이 보내셨어요?

나 넌 그렇게도 무섭니, 이리가?

다 오히려 이리가 있다고 믿었던 때가 좋았던 것 같아요. 그땐 숨기라도 했으니까요. 땅에 엎드리면 아늑하게 느껴졌어요. 지금은요, 이리가 없으니 땅에 엎드려야 아무 소용 없고요, 양철 북도 쓸모가 없게 됐어요. 오직 이제는 제가 본 그 사실만을 말하고 싶어요.

해설자, 촌장이 되어 등장. 검은 옷차림. 이해심이 많아 보이는 얼굴과 정중한 태도. 낮고 부드러운 음성으로 말한다.

㉯ **촌장** 이것, 네가 보낸 거니? / **다** 네, 촌장님.

촌장 나를 이곳에 오도록 해서 고맙다. 한 가지 유감스러운 건, 이 편지를 가져온 운반인이 이 도중에서 읽어 본 모양이더라. "이리 떼는 없고, 흰 구름뿐." 그 수다쟁이가 사람들에게 떠벌리고 있단다. 조금 후엔 모두들 이곳으로 몰려올 거야. 물론 네 탓은 아니다. 넌 나 혼자만을 와 달라고 하지 않았니? 몰려오는 사람들은, 말하자면 불청객이지. 더구나 어떤 사람은 도끼까지 들고 온다더라. / **다** 도끼는 왜 들고 와요?

촌장 ㉠망루를 부순다고 그런단다. "이리 떼는 없고, 흰 구름뿐." 그것이 구호처럼 외쳐지고 있어. 그 성난 사람들만 오지 않는다면 난 너하고 딸기라도 따러 가고 싶다. 난 어디에 딸기가 많은지 알고 있거든. 이리 떼를 주의하라는 팻말 밑엔 으레 잘 익은 딸기가 가득하단다.

다 촌장님은 이리가 무섭지 않으세요? / **촌장** 없는 걸 왜 무서워하겠니?

다 촌장님도 아시는군요? / **촌장** 난 알고 있지.

다 아셨으면서 왜 숨기셨죠? 모든 사람들에게, 저 덫을 보러 간 파수꾼에게 왜 말하지 않는 거예요? / **촌장** 말해 주지 않는 것이 더 좋기 때문이다.

다 거짓말 마세요, 촌장님! 일생을 이 쓸쓸한 곳에서 보내는 것이 더 좋아요? 사람들도 그렇죠! "이리 떼가 몰려 온다." 이 헛된 두려움에 시달리는데 그게 더 좋아요?

촌장 애야, 이리 떼는 처음부터 없었다. 없는 걸 좀 두려워한다는 것이 뭐가 그렇게 나쁘다는 거냐? 지금까지 단 한 사람도 이리에게 물리지 않았단다. 마을은 늘 안전했어. 그리고 사람들은 이리 떼에 대항하기 위해서 단결했다. 그들은 질서를 만든 거야. 질서, 그게 뭔지 넌 알기나 하니? 모를 거야, 너는. 그건 마을을 지켜 주는 거란다.

01 윗글에 대한 설명으로 가장 적절한 것은?

① 구체적인 지명을 제시하여 사실성을 높이고 있다.
② 의상을 통해 인물의 성격과 특성을 드러내고 있다.
③ 무대 밖 사건이 무대 내의 사건에 영향을 미치고 있다.
④ 무대 공간을 좌우로 구분하여 상징적 의미를 강조하고 있다.
⑤ 인물들의 협력적인 관계를 통해 갈등 해결의 실마리를 제시하고 있다.

02 윗글의 인물에 대한 이해로 적절하지 않은 것은?

① 촌장은 파수꾼 다를 보호하기 위해 그의 행동을 만류한다.
② 파수꾼 가는 별다른 의구심 없이 자신의 역할에 충실하게 행동한다.
③ 마을 사람들은 파수꾼 다가 보낸 편지의 내용 때문에 화가 난 상태이다.
④ 파수꾼 다가 밝히고자 하는 진실은 이리 떼가 존재하지 않는다는 것이다.
⑤ 파수꾼 나는 파수꾼 다가 자신의 신념을 위협한다고 생각하여 불쾌함을 느낀다.

기출 변형 2009학년도 9월 모의평가

03 윗글의 딸기와 팻말에 대한 이해로 가장 적절한 것은?

① '딸기'는 직무에 충실한 파수꾼에게 촌장이 제공하는 보상을 뜻한다.
② '팻말'은 사람들을 위협하여 촌장이 '딸기'를 독점하게 만드는 역할을 한다.
③ '팻말'은 이리 떼라는 위협으로부터 '딸기'라는 공동체적 가치를 보호하는 기능을 한다.
④ '딸기'는 '팻말'이라는 금기와 이리 떼라는 위협 아래에서도 사라지지 않는 희망을 나타낸다.
⑤ '팻말'은 민중들이 '딸기'로 상징되는 자유를 얻기 위해 극복해야만 하는 장애물을 의미한다.

04 ㉠의 의미로 가장 적절한 것은?

① 촌장이 궁극적으로 이루고자 하는 목표이다.
② 촌장에 맞서는 마을 사람들이 가진 근원적인 힘이다.
③ 촌장이 마을 사람들을 통제하기 위해 이용하는 장치이다.
④ 촌장이 마을 사람들을 현혹하려는 목적으로 제공하는 회유책이다.
⑤ 촌장이 부조리한 현실에 이의를 제기하는 파수꾼 다를 통제하기 위한 수단이다.

05 〈보기〉를 참고하여 윗글을 읽고 떠올린 생각으로 적절하지 않은 것은?

보기

이강백의 희곡은 당대 현실과 간접적이고 우의적인 관계를 맺는다. 이는 권력자가 국가의 당면 과제를 앞세워 개인의 자유를 침해하고 권력에 대한 비판을 금기시했던 1970년대 독재 정치의 정황과 관련이 있다. 이솝 우화의 '양치기 소년과 늑대'를 모티프로 활용하여 시·공간을 막론하고 누구나 쉽게 이해할 수 있도록 쓰인 「파수꾼」은 거짓으로 공포감을 조성하여 마을을 통제하는 '촌장'을 통해 권력층의 위선을 간접적으로 폭로하고 있다.

① 관객은 작품의 이면에 감추어진 의미를 이해하려고 노력해야 하겠군.
② 주제 의식이 우의적 기법으로 형상화된 것은 당대의 억압적인 시대 상황 때문으로 볼 수 있겠군.
③ 권력층의 위선적 실체는 파수꾼 다에게 이리가 존재하지 않는다는 사실을 끝까지 숨기는 촌장의 모습을 통해 폭로되는군.
④ 널리 알려진 이솝 우화를 모티프로 하여 이를 변용한 것은 시간과 공간을 초월하여 보편성과 상징성을 획득하기 위함이겠군.
⑤ 순순히 촌장의 거짓말을 받아들이고 통제를 따르는 마을 사람들의 모습을 통해 독재 정권의 통제로 인해 진실이 왜곡되었던 당대 현실을 풍자하는 것이군.

기출 변형 2009학년도 9월 모의평가

06 〈보기〉를 참고하여 윗글을 서사극으로 공연하기 위한 의견으로 가장 적절한 것은?

보기

정통 연극은 무대의 모든 사건과 인물이 현실 그대로라는 것을 강조한다. 무대 위의 햄릿은 진짜 햄릿이지 특정한 배우가 아니며 무대 위의 상황도 현실의 상황인 것처럼 보여야 한다. 하지만 서사극은 현실과 극중 상황을 분리하여 관객을 관찰자로 만든다. 관객에게 무대에서 이루어지는 모든 것은 '연극'일 뿐이다. 그리고 그 비판적 거리를 유지하기 위해 서사극에서는 '낯설게 하기'의 기법을 활용하여, 극중 인물에 대한 관객의 공감을 방해하기도 하고 배우가 관객에게 극중 상황을 설명하기도 한다.

① 무대의 배경 그림이나 망루를 실감 나게 제작한다.
② 배우들의 표정에서 내면이 잘 드러나도록 조명을 활용한다.
③ 촌장이 해설자의 역할도 맡고 있다는 점을 관객이 알게 한다.
④ 파수꾼들에게 각각 고유한 이름을 부여하여 개성을 드러낸다.
⑤ 파수꾼 다는 역할에 어울리는 연기로 관객의 연민을 이끌어 낸다.

Q45

결혼 | 이강백

[교과서] [문] 해냄 [국] 비상(박안), 비상(박영) [기출] EBS

키워드 체크 #실험극 #풍자적 #희극적 #교훈적 #물질 만능주의 시대 #가난한 남자의 결혼담 #소유의 본질

핵심 포인트

소유의 본질에 대한 남자의 생각

- 세상의 모든 것은 결국 빌린 것임.
- 남녀 간의 사랑은 빌린 것이므로 소중히 아꼈다가 정해진 시간이 되면 되돌려 주어야 함.

결혼의 조건에 대한 인물들의 인식 변화

	발단		대단원
결혼의 조건	소유의 정도	⇒	헌신적인 사랑
조건의 성격	순간적·외면적 가치	⇒	절대적·본질적 가치

전체 줄거리

발단	가난한 사기꾼인 남자는 결혼을 위해 여러 가지 물건을 빌린 후 맞선을 보기로 한 여자를 기다림. ···▶ 수록 부분 ㉮
전개	초조한 기다림 끝에 맞선을 보기로 한 여자가 도착하고, 남자는 여자에게 사랑을 느끼고 소유의 본질을 깨달음.
절정	약속된 시간이 되어 하인이 남자가 빌린 물건을 빼앗아 가기 시작하자, 남자의 처지를 알게 된 여자가 떠나려 하고 남자는 소유의 본질과 헌신적 사랑의 중요성을 이야기하며 여자에게 결혼해 달라고 설득함. ···▶ 수록 부분 ㉯
하강·대단원	여자는 남자의 청혼을 받아들인 후 그곳을 떠나자고 함. ···▶ 수록 부분 ㉯

기출 OX

Q1 여자는 남자가 소유한 모든 것이 사실은 빌린 것이라는 말을 듣고도 그 말을 거짓이라 생각하여 받아들이려 하지 않는다.
[기출] 2016. 6. 모평 ○ X

Q2 여자는 하인의 폭력적인 행동에 무기력하게 당하는 남자를 외면하지 않음으로써 빈털터리가 된 남자에 대한 연민을 드러낸다.
[기출] 2016. 6. 모평 ○ X

답 **Q1** X **Q2** ○

㉮ **남자** 마침내 그 젊은 사기꾼의 소망은 이루어졌습니다. 정원이 있는 최고급 저택, 모자와 넥타이, 호사스러운 의복, 그리고 이 건장한 하인까지 빌렸던 것입니다. 단, 조건이 있었습니다. 이 저택은 사십오 분 동안만 그가 주인이며 다음엔 되돌려 줘야 합니다. 넥타이는 이십팔 분, 모자는 십구 분 오십 초, 그 밖에 다른 물건에도 제각기 정해진 시간이 있었습니다. 그러나 젊은 사기꾼은 매우 만족했습니다. 그래서 즉시 여성 잡지를 뒤져 사교란에 주소를 낸 여자에게 전보를 쳤습니다. 여자로부터 즉각 답신이 왔습니다. 맞선을 볼 의향이 있다는 것입니다. 바로 그것은 이쪽이 바라는 바이기도 했습니다. (혼잣말처럼) 왜 아직 안 온담? (다시 책을 낭독한다.) 오겠다 약속한 시간이 벌써 지났습니다. (하인, 시계를 본 채 손가락 다섯 개를 펼친다.) 딱 오 분 지났습니다. 그는 초조해졌습니다. 책을 읽어 마음을 달래 보려 하였으나 초조해지기만 했습니다.

(㉠하인, 아무 말 없이 책을 빼앗아 버린다. 감정이 전혀 나타나지 않는 사무적인 동작이다. ㉡남자가 항의하려 하자 하인은 무뚝뚝하게 자기의 회중시계를 내밀어 보일 뿐이다. 그러고는 남자가 미처 수긍하기도 전에 돌아서더니 빼앗은 물건을 가지고 나간다. 잠시 후, 하인은 돌아와서 남자 곁에 서서 부동자세를 취한다.)

㉯ **여자** (악의적인 느낌이 없이) 당신은 사기꾼이에요.

[A]
남자 그래요, 난 사기꾼입니다. 이 세상 것을 잠시 빌렸었죠. 그리고 시간이 되니까 하나 둘씩 되돌려 줘야 했습니다. 이제 난 본색이 드러나 이렇게 빈털터리입니다. 그러나 덤, 여기 있는 사람들에게 물어봐요. 누구 하나 자신 있게 이건 내 것이다, 말할 수 있는가를. 아무도 없을 겁니다. 없다니까요. 모두들 덤으로 빌렸지요. 언제까지나 영원한 것이 아닌, 잠시 빌려 가진 거예요. (누구든 관객석의 사람을 붙들고 그가 가지고 있는 물건을 가리키며) 이게 당신 겁니까? 정해진 시간이 얼마지요? 잘 아꼈다가 그 시간이 되면 돌려주십시오. 덤, 이젠 알겠어요?

(ⓒ여자, 얼굴을 외면한 채 걸어 나간다. 하인, 서서히 그 무서운 구둣발을 이끌고 남자에게 다가온다. 남자는 뒷걸음질을 친다. 그는 마지막으로 (ⓐ   ) 여자에게 말한다.)

남자 덤, 난 가진 것 하나 없습니다. 모두 빌렸던 겁니다. 그런데 덤, 당신은 어떻습니까? 당신이 가진 건 뭡니까? 무엇이 정말 당신 겁니까? (㉢넥타이를 빌렸었던 남성 관객에게) 내 말을 들어 보시오. 그럼 당신은 나를 이해할 거요. 내가 당신에게서 넥타이를 빌렸을 때, 그때 내가 당신 물건을 어떻게 다뤘소? 마구 험하게 했소? 어딜 망가뜨렸소? 아니요, 그렇진 않았습니다. 오히려 빌렸던 것이니까 소중하게 아꼈다간 되돌려 드렸지요. 덤, 당신은 내 말을 듣고 있어요? 여기 증인이 있습니다. 이 증인 앞에서 약속하지만, 내가 이 세상에서 덤 당신을 빌리는 동안에, 아끼고, 사랑하고, 그랬다가 언젠가 끝나는 그 시간이 되면 공손하게 되돌려 줄 테요. 덤! 내 인생에서 당신은 나의 소중한 덤입니다. 덤! 덤! 덤!

(남자, 하인의 구둣발에 걷어차인다. ㉣여자, 더 이상 참을 수 없다는 듯 다급하게 되돌아와서 남자를 부축해 일으키고 포옹한다.)

01 윗글에 대한 설명으로 가장 적절한 것은?

① 해설자의 해설을 통해 관객의 몰입을 유도한다.
② 인물의 회상을 통해 문제 해결의 실마리를 제시한다.
③ 주인공을 비판의 대상으로 설정하여 세태를 풍자한다.
④ 소품에 상징적 의미를 부여하여 시간의 역전을 드러낸다.
⑤ 배우가 관객에게 말을 건네는 등 무대와 객석 사이의 거리감을 좁힌다.

기출 변형 2016학년도 6월 모의평가

02 [A]를 참고하여 ㉠~㉤을 감상한 내용으로 적절하지 않은 것은?

① ㉠: 우리 삶의 모든 것이 빌린 것이며 정해진 시간이 되면 되돌려 줘야 하는 것임을 보여 주는군.
② ㉡: 누구도 물건을 영원히 소유할 수 없음을 상기시키고 있군.
③ ㉢: 여자가 남자의 고백을 듣고 그가 주장하는 소유의 본질을 깨닫게 되었음을 보여 주는 행동이군.
④ ㉣: 자신이 빌린 것을 소중히 아끼듯이 여자도 아끼고 사랑하겠다는 마음을 여자에게 전하는 데에 관객을 증인으로 삼고 있군.
⑤ ㉤: 결혼에 대한 여자의 관념이 남자의 설득으로 인해 바뀌었음을 알 수 있군.

03 덤에 대한 설명으로 가장 적절한 것은?

① 남자가 여자에게 사기를 치기 위해 준비한 것들이다.
② 남자가 실제로는 많은 욕망을 지닌 존재임을 보여 준다.
③ 남자가 여자를 진심으로 사랑하는 것이 아님을 보여 준다.
④ 남자가 여자를 부르는 말로 여자에 대한 남자의 마음이 담긴 표현이다.
⑤ 남자가 주변을 인식하는 시각을 드러내는 것으로 자기 중심적인 생각이 담겨 있다.

04 ⓐ에 들어갈 지시문으로 가장 적절한 것은?

① 격분하며
② 절규하듯이
③ 행복한 얼굴을 하고
④ 귀찮은 내색을 하며
⑤ 기어들어가는 목소리로

기출 변형 2016학년도 6월 모의평가

05 〈보기〉를 바탕으로 윗글을 이해한 내용으로 적절하지 않은 것은?

─ 보기 ─

　일반적으로 희곡은 무대화를 전제로 창작된다. 작가는 무대의 제약을 고려하여 관객의 눈앞에 드러나는 무대 공간을 중심으로 극중 사건을 전개하고 무대 위에서 보여 줄 수 없거나 보여 주지 않아도 되는 사건은 무대 밖의 공간에서 일어나는 것으로 처리한다. 인물의 등퇴장은 이 두 공간을 연결하여 무대 공간에서의 사건 전개에 영향을 미친다. 현대극에서는 무대 공간과 관객석의 경계를 허물고 관객석까지 무대 공간으로 설정하여 표현하는 경우도 있다.

① 무대 공간을 벗어난 하인이 잠시 후 되돌아오는 것은 무대 밖의 공간이 있음을 알려 준다.
② 여자가 남자의 전보에 답하는 행동은 현재의 무대 공간에서 인물의 대사를 통해서 제시된다.
③ 남자와 하인만 있던 무대 공간에 여자가 등장함으로써 남자와 하인 사이에 조성된 갈등이 해소된다.
④ 하인의 등퇴장은 남자가 빌린 물건들이 하나 둘씩 없어지는 사실과 결부되어 남자의 초조함을 고조시킨다.
⑤ 남자는 관객들을 극중 사건 진행으로 끌어들임으로써 관객석까지 무대 공간으로 설정되어 있음을 보여 준다.

06 〈보기〉를 바탕으로 할 때 윗글에 대한 감상으로 적절하지 않은 것은?

─ 보기 ─

　이강백의 「결혼」은 젊음, 생명, 자연 현상들을 시간의 흐름 속에서 빌리고 또 되돌려 주어야 할 것들로 형상화하면서, '남녀 간의 사랑'도 같은 관점에서 사유하고 있다. 이와 같은 주제 의식을 드러내기 위해 남자가 저택을 빌린 사십오 분은 실제 극이 상연되는 시간과 일치시키고, 시간의 흐름에 따라 각 소품들이 사라지게 함으로써 눈에 보이지 않는 시간의 흐름을 가시화하고 있다.

① 하인은 시간의 흐름을 가시화하며 이를 통해 남자를 압박하고 있군.
② 하인이 내밀어 보이는 '회중시계'는 시간을 상징하는 도구로 볼 수 있겠군.
③ 여자를 기다리며 초조해하는 남자의 모습은 한정된 시간과 관련이 있겠군.
④ '넥타이', '모자'는 각각 '이십팔 분', '십구 분 오십 초' 뒤에 무대에서 보이지 않게 되겠군.
⑤ 저택에서 나가지 않는 남자를 구둣발로 걷어차는 하인의 행위는 남녀 간의 사랑을 소중히 여기는 남자의 마음과 대조되는군.

▶해법문학 Link
수필·극 244쪽

오발탄 | 이범선 원작, 나소운·이종기 각색

키워드 체크 #비판적 #고발적 #6·25 전쟁 직후 #월남한 가족의 빈곤한 삶 #부조리한 현실 #가족의 파탄

핵심 포인트

제목 '오발탄'의 의미

사전적 의미	잘못 쏜 탄환
상징적 의미	시대에 적응하지 못하고 삶의 방향을 상실한 양심적 인간(철호)

전체 줄거리

발단	계리사 사무실 서기인 철호는 월남 가족의 가장으로 어머니, 만삭의 아내, 남동생 영호, 여동생 명숙과 해방촌의 판잣집에서 살아감.
전개	철호는 전쟁의 충격으로 정신 이상자가 된 어머니, 웃음을 잃은 아내, 속물적 삶을 추구하는 영호, 양공주가 된 명숙의 삶을 책임지며 주어진 현실에 순응하고 양심을 지키며 성실하게 살아가고자 함. ···▶ 수록 부분 ㉮
절정	영호가 은행 강도로 수감되고 출산 과정에서 아내가 세상을 떠나자 철호는 극심한 절망감과 자괴감에 시달림.
하강	갈 곳을 모르고 방황하던 철호는 치과에 들러 평소 앓던 이를 모두 빼버리고는 과도한 출혈로 점차 의식을 잃어 감.
대단원	택시에 올라탄 철호는 방향을 정하지 못하고 우왕좌왕하다가 몽롱한 의식 상태에서 가자고 외침. ···▶ 수록 부분 ㉯

기출 OX

Q1 철호의 치통은 절망적인 상황에서 느끼는 고통을 상징한다.
기출 2007. 11. 고2 (O X)

Q2 S# 74에서는 인물 간의 대결 의식을 통해 사건의 긴장감을 조성하고 있다.
기출 2019. 수능 (O X)

● **억설** 근거도 없이 억지로 고집을 세워서 우겨 댐. 또는 그런 말.
● **와이프아웃** 한 화면이 유리를 닦아 내는 것처럼 조금씩 없어지며 다른 화면으로 바뀌는 것을 말하는 시나리오 용어.
● Ⓔ 이펙트(effect)의 줄임말로, 효과음을 의미함.

답 01 O 02 O

㉮ **S# 74. 철호의 집 방 안**

영호 취직이요. 형님처럼 전차 값도 안 되는 월급을 받고 남의 살림이나 계산해 주란 말에요? 싫습니다.

철호 그럼 뭐 뾰죽한 수가 있는 줄 아니?

영호 있지요. 남처럼 용기만 조금 있으면. / **철호** 용기?

영호 네. 분명히 용기지요.

철호 너 설마 엉뚱한 생각을 하고 있는 건 아니겠지. / **영호** 엉뚱하긴 뭐가 엉뚱해요.

철호 (버럭 소리를 지르며) 영호야! 그렇게 살자면 이 형도 벌써 잘살 수 있었단 말이다.

영호 저도 형님을 존경하지 않는 건 아녜요. 가난하더라도 깨끗이 살자는 형님을……. 〈중략〉 그렇지만 어디 인생이 자기 주머니 속의 돈 액수만치만 살고 그만둘 수 있는 요 지경인가요? 형님의 어금니만 해도 푹푹 쑤시고 아픈 걸 견딘다고 절약이 되는 건 아니죠. 그러니 비극이 시작되는 거죠. 지긋지긋하게 살아야 하니까 문제죠. 왜 우리라고 좀 더 넓은 테두리까지 못 나가라는 법이 어디 있어요.

영호는 반쯤 끌러 났던 넥타이를 풀어서 방구석에 픽 던진다. 철호가 무겁게 입을 연다.

철호 그건 ●억설이야. / **영호** 억설이오?

철호 네 말대로 꼭 잘살자면 양심이구 윤리구 버려야 한다는 것 아니야. / **영호** 천만에요.

[중간 부분 줄거리] 은행 강도가 된 영호는 종로 경찰서로 잡혀가고, 아내는 아이를 낳다가 죽는다. 철호는 치과에 들러 앓던 어금니를 모두 빼 버리고 과도한 출혈로 의식을 잃어 간다.

㉯ **S# 117. 자동차 안**

조수 어디로 가시죠? / **철호** 해방촌! / 자동차가 원을 그리며 돌자

철호 아냐. 동대문 부인 병원으로. / 이번엔 반대로 커브를 돌리자

철호 아냐. 종로서로 가아! / 운전수와 조수가 못마땅해서 힐끗 돌아본다. 〈중략〉

S# 120. 자동차 안

조수가 뒤를 보며 / **조수** 경찰섭니다.

혼수상태의 철호가 눈을 뜨고 경찰서를 물끄러미 내다보다가 뒤로 쓰러지며

철호 아니야. 가! / **조수** 손님 종로 경찰선데요. / **철호** 아니야. 가!

조수 어디로 갑니까? / **철호** 글쎄 가재두—. / **조수** 참 딱한 아저씨네.

철호 ……. / 운전수가 자동차를 몰며 조수에게 / **운전수** 취했나? / **조수** 그런가 봐요.

운전수 어쩌다 오발탄 같은 손님이 걸렸어. 자기 갈 곳도 모르게.

철호가 그 소리에 눈을 떴다가 스르르 감는다. / 밤거리의 풍경이 쉴 새 없이 뒤로 흘러간다. 여기에 철호의 소리가 ●와이프아웃한다.

철호 ●Ⓔ 아들 구실, 남편 구실, 애비 구실, 형 구실, 오빠 구실, 또 사무실 서기 구실, 해야 할 구실이 너무 많구나. 그래 난 네 말대로 아마도 조물주의 오발탄인지도 모른다. 정말 갈 곳을 알 수가 없다. 그런데 지금 나는 어딘지 가긴 가야 하는데—.

01 윗글에 대한 설명으로 가장 적절한 것은?

① 인물의 독백을 통해 작품의 비극성을 강화하고 있다.

② 상징적 소재를 활용하여 인물 간 갈등의 해소를 암시하고 있다.

③ 다른 장소에서 일어난 사건을 병치하여 입체감을 부여하고 있다.

④ 사건 전개에 따라 인물의 가치관이 변화하는 과정을 그리고 있다.

⑤ 과거와 현재를 교차하여 동일한 사건에 대한 다양한 시각을 보여 주고 있다.

02 윗글에 대해 이해한 내용으로 적절하지 <u>않은</u> 것은?

① 철호는 '더 넓은 테두리'로 나가려는 영호를 막고자 한다.

② 철호가 어금니의 아픔을 견디는 것은 경제적 어려움 때문이다.

③ 영호가 말하는 용기는 정직하고 깨끗하게 살아가고자 하는 의지를 의미한다.

④ 철호가 가자는 말만을 외치는 모습에서 삶에 대한 절망을 느끼는 인간의 슬픔이 드러난다.

⑤ 영호는 철호의 가치관을 일부 인정하지만 상황을 개선하는 데는 도움이 되지 않는다고 평가한다.

03 윗글을 촬영하기 위해 연출가가 지시할 만한 내용으로 적절하지 <u>않은</u> 것은?

① S# 74: 영호와 철호가 갈등하는 상황이 잘 드러나도록 감정을 잘 살려서 연기해 주세요.

② S# 74: 철호는 화가 났다가 점차 비통함을 느끼는 모습으로 연기해 주세요.

③ S# 117: 갈팡질팡하는 철호의 심정이 부각될 수 있도록 자동차가 방향을 자꾸 바꾸는 모습을 보여 주세요.

④ S# 120: 운전수는 시간이 지남에 따라 점차 철호를 이해하게 되었음을 드러내 주세요.

⑤ S# 120: 철호의 내면 심리를 집약하여 보여 줄 수 있도록 철호의 마지막 대사는 효과음으로 삽입해 주세요.

04 〈보기〉를 참고하여 윗글을 이해한 내용으로 가장 적절한 것은?

> ┌─ 보기 ┐
> 윗글의 제목인 「오발탄」은 '잘못 쏜 탄환'이라는 의미로, 전후 혼란스러운 시대 속에서 삶의 방향을 상실한 철호의 모습을 빗댄 표현이다. 철호는 경제적 궁핍에 처한 상황에서도 양심적이고 성실하게 살아가려고 노력하지만 자신의 힘으로 어찌할 수 없는 부조리한 현실 앞에서 깊은 무력감을 느끼고, 앓던 어금니를 뽑음으로써 현실의 고통을 해소하려는 시도를 한다. 작가는 이를 통해 양심이 작용하지 못하는 전후 사회의 모순을 고발하고 있다.

① 철호가 삶의 방향을 상실한 이유는 열악한 상황에서 자신의 양심을 잃어버렸기 때문이겠군.

② 양심이 작용하지 못하는 전후 사회의 모습은 '해방촌'과 '자동차 안'의 대조를 통해 부각되는군.

③ 철호가 자신을 '조물주의 오발탄'이라고 칭하는 이유는 부조리한 현실에 순응하기로 마음먹었기 때문이군.

④ 앓던 어금니를 모두 빼 버리는 철호의 행동에는 고통스러운 현실을 벗어나고 싶은 심리가 반영되어 있겠군.

⑤ '아들 구실', '남편 구실', '애비 구실' 등은 철호가 감당해야 하는 여러 가지 역할로 전후 사회의 모순을 드러내는군.

기출 변형 2007학년도 11월 고2 학력평가

05 윗글의 철호와 〈보기〉의 윌리 로만에 대한 설명으로 적절하지 <u>않은</u> 것은?

> ┌─ 보기 ┐
> 미국의 극작가 아서 밀러의 희곡인 「세일즈맨의 죽음」에서 주인공 윌리 로만은 30년간 세일즈맨으로 살아오면서 자기 직업을 자랑으로 삼고 '성실하게 일하면 반드시 물질적인 성공을 거둘 수 있다'는 신념을 가지고 있었다. 그의 두 아들 비프와 해피에게도 그의 신조를 불어넣으며 그들의 성공을 기대하였다.
> 그러나 두 아들은 그의 기대를 저버리고 타락해 버렸고 그 자신도 오랜 세월 근무한 회사에서 몰인정하게 해고당한다. 궁지에 몰린 그는 가족에게 보험금을 남겨 주기 위해 자동차를 과속으로 몰아서 자살한다.

① 철호와 윌리 로만 모두 가족에 대한 책임을 인식하고 있다.

② 철호와 윌리 로만 모두 자신이 어찌할 수 없는 한계 상황에 도달하고 있다.

③ 윌리 로만은 철호와 달리 평소 신념을 실천하기 위해 죽음을 선택하고 있다.

④ 철호는 윌리 로만과 달리 어떤 결정도 하지 못한 채 방황하는 모습을 보인다.

⑤ 철호와 윌리 로만 모두 외부적인 요소로 인해 좌절하는 소시민의 전형이라 할 수 있다.

▶ 해법문학 Link
수필·극 292쪽

독 짓는 늙은이 | 황순원 원작, 신봉승·여수중 각색

키워드 체크 #비극적 #독 짓기 #장인 정신 #노인의 집념과 좌절

전체 줄거리

발단	독 짓는 일을 하는 송 영감은 눈 속에 쓰러져 있던 옥수를 구해 주고 그녀와 결혼하여 아들 돌이를 낳음.
전개	옥수의 옛 연인 석현이 그들을 찾아오고, 석현은 송 영감의 조수가 되어 독 짓는 일을 도움. 석현과 옥수는 밀회를 나눔. →수록 부분
절정	석현과 옥수가 달아나 버리고 송 영감은 심한 배신감과 분노를 느낌. 설상가상으로 병을 얻은 송 영감의 삶은 무너져 내리기 시작함.
하강	애써 지은 독들이 가마 안에서 터져 버리는 것을 본 송 영감은 아들을 입양 보내고 가마 속에서 죽음을 맞이함.
대단원	장성한 아들 돌이가 송 영감의 가마로 다시 찾아와 참회를 위해 그곳에 와 있던 어머니와 상봉함.

기출 OX

Q1 석현은 독에 완성도에 대해 송 영감과 다른 기준을 가지고 있다.

기출 2017. 9. 모평 (○ X)

• **뜸막** 뜸으로 지붕을 인 막집.
• **DIS** 화면이 서서히 사라지면서 그 위로 다음 화면이 나타남.
• **Ⓔ** 이펙트(effect)의 줄임말로, 효과음을 의미함.

답 **Q1** ○

가 S# 124. •뜸막 안

자리에 누운 송 영감. 나직히 신음한다. 처가 와서 ㉠약그릇을 놓는다.

옥수 약 잡수셔야죠 ……

송 영감 (눈을 뜨며) 음?!

옥수 일어나려는 송 영감을 부축하며 약그릇을 대 준다. 약을 마시는 송 영감.

송 영감 (걱정스럽게) 가만 어떻게 됐지?

옥수 저녁때 독을 끌어내야죠 ……

송 영감 음!

그의 시선은 구석에 놓인 ㉡백자기에 가 있다. 햇볕을 받아 더욱 고담한 백자기의 형체. – •DIS –

나 S# 125. 가마 앞(황혼)

마당에 놓인 중옹, 통옹, 반옹 등 갖가지 독들. 그런데 그 형태가 모두 고르지 않다. 비틀어진 독, 밑이 내려앉은 독, 거미줄처럼 ㉢금이 간 독들.

왱손이, 석현이 걱정스럽게 본다. 그러자 송 영감이 비실거리며 달려온다. 독을 하나하나 살핀다.

송 영감 (혼잣말처럼) 이럴 수가 …… 지금까지 이런 일은 없었는데 …… 이게 내가 만든 독이야! (절망) 아냐! 이건 독이 아냐! (계속 보며) 이것두! 이것두 …… (비통하게) 이건 ㉣흙덩이다!

가마 앞에 달려가 ㉤망치를 든다.

왱손이 아니 여보게! 무슨 짓인가!

송 영감 비켓! (뿌리친다)

나가떨어지는 왱손이

석현 (잡으며) 안됩니다! 성한 것두 있어요!

송 영감 닥쳣! 이건 부정을 탔어! 모두 쳐부숴야 햇!

밀어붙이며 달려가 미친 사람처럼 독을 박살 내기 시작한다.

•Ⓔ 뚜왕! 뚜왕!

박살 나는 독들. 마치 자기 심장이 박살 나는 것처럼 느껴지는 옥수.

왱손이 (비통 혼잣말같이) 자네 환장했구먼!

석현이 매섭게 보다가 휑하니 간다. 옥수 몹시 불안하게 그를 바라본다.

Ⓔ 뚜왕! 뚜왕!

송 영감 그만 숨이 턱에 닿는다. 풀썩 주저앉고 만다. 목구멍에서 차츰 오열이 새어 나온다.

Ⓔ 뚜왕! 뚜왕! 뚜왕!

옥수 귀엔 언제까지나 확대되어 가는 박살 나는 독 소리. 송 영감 조각난 독을 쓸어안고 오열해 운다. 석양에 물든 하늘. / – DIS –

[뒷부분 줄거리] 아내가 조수 석현과 달아나자 송 영감은 배신감과 분노에 휩싸인다. 그는 어린 아들을 위해 독 짓는 일에 열중하지만 마지막 힘을 다해 지은 독이 가마 속에서 깨지는 것을 보고 난 뒤, 아들을 다른 집에 양자로 보내고 자신은 가마 속으로 들어가 죽음을 맞이한다.

01 윗글을 이해한 내용으로 가장 적절한 것은?

① 석현은 송 영감의 장인 정신을 존중하고 있다.
② 옥수는 박살 나는 독을 보며 비통함을 느끼고 있다.
③ 송 영감과 옥수는 독을 짓는 문제로 다툰 적이 있다.
④ 옥수는 송 영감의 건강을 염려하여 독을 숨겨 두었다.
⑤ 왱손이는 자신이 만든 독에 대한 자부심을 가지고 있다.

02 'S# 125'를 촬영하기 위해 고려해야 할 점이 아닌 것은?

① 가마와 여러 종류의 독을 준비하여 현장에 배치한다.
② 시간적 배경을 드러내기 위해 석양이 질 때 촬영한다.
③ 현장감을 살리기 위해 독이 깨지는 효과음을 준비한다.
④ '송 영감' 역의 배우는 결의에 찬 목소리로 강인한 모습이 드러나게 연기해야 한다.
⑤ '석현' 역의 배우는 송 영감의 행위를 못마땅하게 여기는 심리가 드러나는 표정으로 연기해야 한다.

03 〈보기〉를 참고할 때, '독 짓기'가 송 영감에게 갖는 의미로 적절하지 않은 것은?

┌ 보기 ─────────────────────
　「독 짓는 늙은이」의 표면적인 갈등은 자신과 어린 아들을 버리고 도망간 아내에 대한 송 영감의 배신감으로 나타난다. 그러나 이 갈등은 이후 생계 때문에 다시 독 짓기에 나선 송 영감이 계속 독 짓기에 실패하면서 예술에 대한 집념과 현실적 번민의 대립으로 심화되고, 더 나아가 전통적인 가치가 붕괴되는 세태와 이에 대응하는 노인의 삶의 대립으로 확대된다. 송 영감이 이렇게 독 짓기에 열의를 보이는 이유는 이것이 아내와 조수에 대한 대결 방식이자 삶의 의미를 구현할 수 있는 방법이기 때문이다.
└──────────────────────────

① 삶의 의미를 실현하는 방법
② 아들을 키우기 위한 생업의 수단
③ 성공과 좌절의 교차를 통한 예술 정신의 실현
④ 도망간 아내와 조수에 대한 대결 의식의 표출
⑤ 전통적인 가치가 붕괴된 현실에 대항하려는 노력

기출 변형 2017학년도 9월 모의평가

04 〈보기〉의 관점에서 ㉠~㉤을 이해할 때 적절하지 않은 것은?

┌ 보기 ─────────────────────
　'장인(匠人)'은 그를 소재로 한 문학 작품에서 종종 실용적 가치를 추구하는 기술자와 미적 가치를 추구하는 예술가의 모습을 모두 지닌 존재로 등장한다. 무수한 고통과 인내의 과정을 통해 숙련되어 독보적 경지에 이른 장인은 작품에 대한 예술가적 집념과 열의를 보여 준다.
└──────────────────────────

① ㉠: 실용적 가치를 중시하는 장인 정신을 보여 준다.
② ㉡: 장인이 추구하는 미적 기준에 부합하는 대상이다.
③ ㉢: 장인의 고뇌에 영향을 미치는 요인이다.
④ ㉣: 장인의 엄격한 미적 기준을 짐작하게 하는 표현이다.
⑤ ㉤: 미적 가치를 추구하는 예술가로서의 집념을 드러낸다.

05 〈보기〉는 윗글의 원작 소설 중 일부이다. 윗글과 〈보기〉를 비교하여 감상한 내용으로 적절하지 않은 것은?

┌ 보기 ─────────────────────
　송 영감 자신이 집중 잡히지 않는 병으로 앓아 누웠기 때문에 조수가 이 가을로 마지막 가마에 넣으려고 거의 혼자서 지어 놓다시피 한 중옹, 통옹, 반옹, 머쎄기 같은 크고 작은 독들이 구월 보름 가까운 달빛에 마치 하나하나 도망간 조수의 그림자같이 느껴졌을 때, 송 영감은 벌떡 일어나 부채 방망이를 들어 모조리 깨부수고 싶은 충동을 받았으나, 다음 순간 내일부터라도 자기가 독을 지어 한 가마 채워 가지고 구워 내야 당장 자기네 부자가 살아갈 것이라는 생각에 미치면서는, 정말 그러는 수밖에 다른 도리가 없다고 지그시 무거운 눈을 감아 버렸다.
└──────────────────────────

① 윗글이 대사와 지시문 등을 통해 인물의 감정을 드러내는 것과 달리 〈보기〉는 서술자가 인물의 심리를 직접 표현하고 있군.
② 〈보기〉에서 '지그시 무거운 눈을 감아버렸다.'와 윗글에서 '풀썩 주저앉고 만다.'는 모두 인물의 행동을 통해 감정을 드러내고 있군.
③ 〈보기〉에서 송 영감이 '병으로 앓아 누웠'다는 진술은 윗글에서 옥수가 '송 영감을 부축하'고 '약그릇을 대' 주는 장면으로 구성되어 있군.
④ 조수가 지어 놓은 '중옹, 통옹, 반옹, 머쎄기 같은 크고 작은 독들'이라는 〈보기〉의 진술이 윗글에서는 '비틀어진 독'과 같은 소품으로 대체되어 현실감을 높이고 있군.
⑤ 윗글에서 석현이 '매섭게 보'는 모습과 〈보기〉에서 송 영감이 '부채 방망이를 들어 모조리 깨부수고 싶은 충동'을 느끼는 모습은 두 사람의 갈등을 독을 중심으로 보여 주는 것이군.

06 윗글의 심화 학습을 위한 학생의 계획으로 가장 적절한 것은?

① 연준: 송 영감의 예술혼이 경제적으로 어떤 가치를 가지는지 찾아봐야겠어.
② 민정: 송 영감이 가마 속에서 죽는 행위가 주제 의식과 어떻게 연결되는지 고민해 봐야겠어.
③ 은비: 아내와 조수가 송 영감이 장인 정신을 실현하는 데 어떤 도움을 주었는지 조사해 봐야겠어.
④ 현승: 송 영감의 몸이 약해진 이유와 이를 완전하게 낫게 할 수 있는 방법이 무엇일지 알아봐야겠어.
⑤ 혜린: 도망간 아내와 조수를 용서하는 송 영감의 가치관이 인간애의 실현과 어떤 관련이 있을지 생각해 봐야겠어.

뿌리 깊은 나무 | 이정명 원작, 김영현·박상연 각색

▶해법문학 Link
수필·극 272쪽

키워드 체크 #역사적 #상징적 #세종 #이도 #훈민정음 창제 #사대부와의 갈등

핵심 포인트

훈민정음을 둘러싼 대립 구도

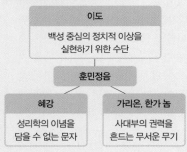

전체 줄거리

발단	이도는 무자비한 정치를 펼친 아버지 태종(이방원)과 갈등하며 아버지와 달리 문치(文治)를 하는 왕이 되리라 결심함.
전개	왕이 된 이도는 백성과 직접 소통하는 나라를 만들기 위해 비밀리에 우리 글자를 만들려고 하는데, 비밀 결사 조직 '밀본'이 집현전 학자들을 암살하기 시작함.
절정	밀본은 이도가 새 글자를 만들고 있다는 사실을 폭로하고, 이도는 신하들의 반대에도 불구하고 새 글자 창제 작업을 계속해 나감. → 수록 부분 ㉮, ㉯
하강	이도는 자신의 편이라고 여겼던 가리온이 밀본의 수장인 정기준임을 알게 되고, 훈민정음을 반포할 것을 천명함.
대단원	이도는 궁녀 소이와 호위 무관 무휼, 관원 강채윤 등 여러 조력자들의 도움으로 훈민정음을 반포하는 데 성공함.

기출 OX

Q1 윗글에는 '세종(이도)이 한글을 창제하였다'라는 역사적 사실의 기록에 작가의 허구적 상상력이 더해져 있다.

기출 2017. 3. 고1 (O / X)

- **괘도** 벽에 걸어 놓고 보는 학습용 그림이나 지도.
- **이적** 오랑캐. 예전에, 두만강 일대의 만주 지방에 살던 여진족을 멸시하여 이르던 말.
- **cut** 장면을 중지한다는 의미를 나타냄. 한 번의 연속 촬영으로 찍은 장면을 이르는 말로도 쓰임.
- **요순** 고대 중국의 요임금과 순임금을 아울러 이르는 말. 둘 다 이상적인 군주로 꼽힘.
- **언로** ① 신하들이 임금에게 말을 올릴 수 있는 길. ② 말하는 길. 여기서는 백성의 소리가 전달되는 통로를 뜻함.

답 **01** O

㉮ **S# 13. 광화문 앞(낮)**

[A]
혜강 맨 앞에 앉아 있고, 유생들 뒤에 앉아 "전하!" 하며 시위하고 있는데,

순간, 광화문이 활짝 열리면서, 내시와 궁녀들이 의자와 *괘도 등을 들고 와, 시위하는 유생들의 앞에 놓는다. 이게 뭔가 싶은데 이때 이도가 걸어 나와 혜강의 앞에 앉는다. 경비를 서고 있던 채윤도 그런 이도를 의아하게 본다.

혜강 (그런 이도를 보며) 전하! 어찌 성리학을 버리시고 스스로 *이적이 되려 하시옵니까?
이도 좋소! 허면 글자를 만드는 일이 어찌 성리학을 버리는 일인지부터 논하도록 합시다. (하고는 유생들 모두에게) 누구든 나와 자유로이 얘기하라!

ⓐ *cut. 이도의 괘도에 크게 쓰여 있는 '武(무)' 자 앞엔 혜강이 있다.

혜강 중국의 한자는 그냥 글자가 아니옵고…… 그 자체로 유학의 도이며, 개념이옵니다. (화면은 '무' 자 보이며) 보시옵소서. ㉠싸울 무 자에는 '창'과 '그치다'라는 두 개의 글자가 들어 있사옵니다. / **이도** (보고)
혜강 즉 싸울 무 자 자체에 싸움을 그치게 하라는 의미와, 싸움을 하지 않기 위한 싸움이라는 '유학의 도'가 들어 있는 것이옵니다. 헌데…… 다른 이적의 글자에 이런 도가 있을 수 있사옵니까? / **이도** …….
혜강 전하의 글자는 이것을 표현할 수가 있사옵니까? / **채윤** (보는데)
이도 ⓑ아니오, 없소.
혜강 (그럼 그렇지.) ㉡헌데 어찌 유학을 버리는 것이 아니라 하시옵니까? 〈중략〉
이도 *요순 3대에는 간관이라는 관리가 없었음에도 *언로는 넓었으나 진나라 때 모든 비방을 금지한 뒤, 한나라에 이르러 ㉢언로를 터 주기 위해 간관을 만들었으나 간관이라는 관리가 생기면서 언로는 더욱 막히었다. 이런 말이 있지요?
채윤 (보는데) / **혜강** …….
이도 이는 말이오. 한자를 아는 자가 관료가 된 시기와 정확히 맞아떨어지오. (점점 강한 목소리로) ㉣한자가 어렵기에, 백성이 그들의 말을 임금께 올리려면 관료를 거칠 수밖에 없었고! / **채윤** (보는데)
이도 그 관료들은 백성의 소리를 왜곡, 편집하여 올린 것이오! 하여 언로가 막혔다 쓴 것이오! 삼봉은! / **혜강** ⓓ…….
이도 난 유학에서 가장 중시하는 덕목, 언로를 틔워 주고 싶고, 하여 백성의 글자가 필요하다 판단하였소. 내가 어찌 유학을 버린 것이오?

㉯ **S# 56. 반촌 내 도축소(낮)**

가리온, 탁자에 망연자실하게 앉아 있다. 한가 놈의 표정도 심각하다.

가리온 (멍하게 놀라움에) 모든 사람…… 글자를 쓰는 세상에 대해 생각해 본 적이 있는가?
한가 놈 예? / **가리온** (멍하게 놀라움에) 그것은 어떤 세상일까?
한가 놈 글쎄요, 한 번도 상상해 보지 못했던 일이라.

가리온 ②글자는 무기다. 칼보다, 창보다, 유황보다 무서운 무기다. 사대부가 사대부인 이유는! 양반집에 태어나서가 아니라, 그런 혈통 때문이 아니라, 글을 알기 때문에 사대부인 것이야. / **한가 놈** ⓔ예, 물론입니다.

가리온 그게 사대부의 권력이요, 힘의 근거다. 헌데 이 글자라면, 모두가 글자를 읽고 쓰는 세상이 온다면…… 조선의 모든 질서가 무너질 것이다. 세상은 혼돈에 가득 차고…… ⑩이 조선의 뿌리인 사대부가 무너질 것이야!

01 윗글의 등장인물에 대한 이해로 가장 적절한 것은?

① 한가 놈은 가리온을 이용하여 자신의 이익을 취하고 있다.
② 이도는 혜강의 태도가 불손하다고 여겨 불쾌감을 표현하였다.
③ 혜강은 이도가 자신의 주장에 반박하지 못할 것이라고 생각하였다.
④ 이도는 채윤에게 글자를 만들자는 주장에 힘을 실어 주기를 요청하였다.
⑤ 혜강은 이도의 계획이 실현되면 백성들이 혼란스러워할 것을 염려하였다.

02 [A]에 대한 설명으로 가장 적절한 것은?

① 극적 긴장감을 완화하여 갈등의 해소를 암시한다.
② 소품에 상징적 의미를 부여하여 주제 의식을 강조한다.
③ 권력 구도의 반전을 통해 새로운 사건의 발생을 암시한다.
④ 인물의 성격을 직접적으로 제시하여 긴박한 분위기를 조성한다.
⑤ 중심인물이 이루고자 하는 목표를 둘러싼 갈등 상황을 드러낸다.

03 ㉠~㉤에 대한 이해로 적절하지 않은 것은?

① ㉠: 한자의 형성 원리를 근거로 제시하여 한자의 우수성을 내세우고 있다.
② ㉡: 유학의 도를 포함하고 있는 글자를 창제하는 일의 중요성을 질문을 통해 역설하고 있다.
③ ㉢: 간관들이 한자를 모르는 백성들의 뜻을 왜곡하는 폐단이 있었다는 사례를 들어 새로운 글자의 필요성을 주장하고 있다.
④ ㉣: 글자가 칼이나 창, 유황처럼 물리적인 힘을 발휘하지는 않지만 이들보다 더 큰 파급력을 가지고 있다는 생각을 드러내고 있다.
⑤ ㉤: 새로운 글자를 만들어 모든 사람이 글자를 사용할 수 있게 된다면 사대부의 권력 기반이 사라지게 될 것이라고 우려하고 있다.

04 ⓐ~ⓔ에 대한 연출가의 지시로 적절하지 않은 것은?

① ⓐ: 괘도의 글자를 크게 확대하여 촬영하세요.
② ⓑ: 상대방을 설득할 수 없음을 알고 체념한 것이 드러나도록 연기하세요.
③ ⓒ: 뜻을 관철시키고자 하는 의지가 강하게 드러나도록 연기하세요.
④ ⓓ: 예상하지 못한 발언에 당황한 표정이 드러나도록 연기하세요.
⑤ ⓔ: 상대방의 의견에 동조하고 있음이 드러나도록 연기하세요.

05 〈보기〉를 참고할 때, 윗글의 등장인물들이 할 법한 말로 적절하지 않은 것은?

보기

「뿌리 깊은 나무」에서는 훈민정음을 창제하려는 측과 이를 반대하는 측의 갈등을 중심으로 사건이 전개된다. 훈민정음은 백성들이 세상에 눈뜰 수 있는 결정적 도구가 될 수 있었으며, 이러한 점에서 훈민정음 창제를 반대하는 이면에는 특권을 빼앗기지 않으려는 권력층의 이기심이 깔려 있다고 볼 수 있다. 또한 유학의 이념은 한자를 통해서만 구현할 수 있다는 주장을 통해 뿌리 깊은 사대주의를 엿볼 수 있다.

① 혜강: 한자가 아닌 다른 글자로는 유학의 이념을 구현할 수 없습니다. 한자를 버리고 새 글자를 사용하는 것은 유학의 도를 버리는 일입니다.
② 유생들: 새 글자를 만드는 것은 성리학을 버리는 것이고, 더 나아가 결국 이적이 되는 것과 다름이 없습니다.
③ 이도: 새로운 글자가 있어야 백성과 소통하는 정치를 할 수 있소. 이는 유학의 덕목을 실천하는 방향이므로 성리학을 버린 것이 아니오.
④ 가리온: 무지한 백성들이 글자를 쓰게 되면 결국 글자의 힘을 통해 조선의 질서를 무너뜨릴 것이야. 새로운 글자가 반포되지 않도록 힘써야 한다.
⑤ 한가 놈: 사대부가 사대부인 이유는 양반이라는 혈통을 타고 났기 때문입니다. 신분이 천한 백성들이 사대부의 영역에 침범하여 혼란을 야기하기 전에 새로운 글자의 반포를 막아야 합니다.

실전 복합 문제

실전 복합 문제 1회

[01 ~ 04] 다음 글을 읽고 물음에 답하시오.

㉮ 내 님을 그리워하여 우니다니

　㉠산(山) 접동새 난 °이슷하요이다

　아니시며 °거츠르신달 아으

　㉡잔월효성(殘月曉星)이 알으시리이다

　넋이라도 님은 한데 °녀져라 아으

　°벼기더시니 뉘러시리잇가

　과(過)도 허믈도 천만(千萬) 업소이다

　°말힛 마리신저

　°살읏븐저 아으

　㉢님이 나를 하마 잊으시니잇가?

　아소 님하, °도람 들으샤 괴오쇼셔

　　　　　　　　　　　　　　　　　　－ 정서, 「정과정」

● **이슷하요이다** 비슷합니다.
● **거츠르신달** 거짓인 줄을.
● **잔월효성** 새벽녘의 달과 별.
● **녀져라** 지내고 싶어라.
● **벼기더시니** 우기시던 이.
● **말힛 마리신저** 뭇사람들의 말입니다.
● **살읏븐저** 사라지고 싶어라. 슬프도다.
● **도람** 도로, 다시.

㉯ **[앞부분 줄거리]** 가정을 제대로 돌보지 않고 평생을 북을 치며 방랑하다가 아들의 집에 얹혀사는 민 노인은 아들의 반대로 북을 치지 못한다. 어느 날 민 노인은 자신의 예술적 기질과 삶을 이해해 주는 손자 성규의 제안으로 대학의 탈춤 공연에서 북을 친다. 며느리는 북을 쳤다는 이유로 민 노인을 질책하고, 아들은 성규에게 화를 낸다.

"너 날 놀리는 거니?"

첫마디와 달리 착 가라앉은 아버지의 음성에는 분에 떠는 사람에게 일쑤 있음 직한, 삭지 않은 가래가 조금 끓었다. 정색을 하고 쳐드는 성규의 눈빛에도 서리가 내린 인상이었다.

"무슨 말씀이세요?" / "지금 웃었잖아."

"웃은 게 잘못이라면 사과할게요. **할아버지를 그런 자리에 모신 건,** 그러나 사과할 것이 못 됩니다."

"**할아버지까지 동원한** 게 잘한 짓이니?"

"동원이란 말이 싫습니다. 누가 누구를 동원한단 말입니까. 또 그 일이 어째서 잘하고 잘못하고로 구별돼야 하는지, 저는 통 이해를 할 수가 없습니다. 그건 잘하고 잘못하고의 인식에서는 벗어나는 일입니다. 누군가가 어떤 일에 합당한 재능을 갖고 있을 때, 한쪽은 그걸 표현할 기회를 주어야 마땅하며, 한쪽은 기꺼이 그 기회에 °편승해서, 일이 잘되면 그보다 좋은 일이 어디 있습니까."

"너 이제 보니 참 똑똑하구나. 그래서, 일이 잘 됐니?"

"대성공이었습니다."

"할아버지는 기꺼이 응하지 않았을 게다. 네가 유혹했어."

"결과는 마찬가지예요. 저는 그날 할아버지에게서 그걸 확인했습니다."

"너는 할아버지와 나와의 관계에 대해, 특히 내가 취하고 있는 입장에 대단히 불만이지?"

"그럴 것도 없습니다. 아버지의 할아버지에 대한 처지를 이해하면서도 그 논리를 그대로 저와 연결시키고 싶지도 않고, 그럴 필요도 없다고 생각하는 편이에요."

"㉣기특하구나. 그러니까 너만이라도 할아버지에게 화해의 제스처를 보이겠다는 거냐 뭐냐. 지금까지의 네 행동을 보면 그런 추측을 가능케 하더라만."

"㉤그것도 맞지 않는 말이에요. 도대체 할아버지와 저와는 갈등이 있었어야 말이죠. 처음부터 갈등이 없었는데 화해의 제스처를 보이고 말고가 어디 있습니까. 할아버지와의 갈등이 있었다면, 그건 아버지의 몫이지 저와는 상관이 없는 겁니다. 오히려 **전 세대끼리의 갈등이 다음 세대에서 쾌적한 만남으로 이어진다면,** 그건 환영할 만한 일이고, 그게 또 역사의 의미 아니겠습니까?"

[중간 부분 줄거리] 아들 내외는 성규가 °데모를 하다 잡혀갔다는 소식을 듣고 황급히 집을 나간다.

아들 내외는 밤늦도록 돌아오지 않았다. 전화도 걸려 오지 않았다. 민 노인은 수경이를 시켜, 아들이 먹다 남은 양주를 찾아 안주도 없이 조금씩 조금씩 홀짝거렸다. 얼마나 지났을까, 취기가 야금야금 전신으로 번지자, 민 노인은 극히 자연스럽게 ⃞북⃞을 껴안고 북채를 잡았다. 뚝 딱 둥 둥. 둥둥둥 뚝딱. 북소리를 듣고 들어온 수경이는, 북 한 번 할아버지의 눈 한 번씩을 교대로 쳐다보고는 그전 모양 궁상맞다는 타박을 하지 않았다. 오히려 다소곳이 민 노인 옆으로 다가앉으며 엉뚱깽뚱한 질문을 했다.

"할아버지 이 북으로 팝송 반주를 하면 어떻게 될까요."

"수경아, 늬 오래비가 붙들려 간 게, 나나 이 북과도 관계가 있겠지."

둥 둥 둥 딱 뚝.

"무슨 상관이 있겠어요. 아니에요. 그보다도 궁금한 게 있어요. 오빠와 저와는 네 살 터울이거든요. 그런데 오빠는 할아버지의 북소리에 푹 빠져 있고, 솔직히 저는 잡음으로만 들려요. 그 차이는 무엇일까요."

"아무래도 그 녀석이 내 °역마살을 닮은 것 같아. 역마살과 데모는 어떻게 다를까."

딱 둥둥 뚝.

　　　　　　　　　　　　　　　　　　－ 최일남, 「흐르는 북」

● **편승** 세태나 남의 세력을 이용하여 자신의 이익을 거둠을 비유적으로 이르는 말.
● **데모** 시위운동. 많은 사람이 공공연하게 의사를 표시하여 집회나 행진을 하며 위력을 나타내는 일.
● **역마살** 늘 분주하게 이리저리 떠돌아다니게 된 액운.

01 (가), (나)에 대한 설명으로 가장 적절한 것은?

① (가)에는 부정적 상황에 당면한 화자의 고뇌가 드러나 있다.

② (가)에는 이상과 현실의 괴리로 인한 회의적 태도가 드러나 있다.

③ (나)에는 현실의 부조리를 고발하는 인물의 비판적 시각이 드러나 있다.

④ (나)에는 문제적 상황에 맞서지 않고 회피하는 인물의 소극적인 태도가 드러나 있다.

⑤ (가)와 (나)에는 모두 전통적 가치에 대한 긍정적인 인식이 드러나 있다.

02 〈보기〉를 바탕으로 (가), (나)를 감상한 내용으로 적절하지 <u>않은</u> 것은?

─ 보기 ─

　갈등은 한 인물의 목표가 다른 인물의 목표와 대립하거나 내적, 외적 장애에 의해 목표를 성취하기 어려울 때 발생한다. 이러한 갈등은 사건 전개에 긴장을 더해 독자의 흥미를 불러일으키고, 갈등 상황에 놓인 인물의 가치관이나 태도를 짐작할 수 있도록 하며, 갈등의 해결 과정을 통해 주제를 드러내기도 한다. 때로는 갈등의 해소를 제시하지 않는 방식으로 여운을 남김으로써 주제에 대한 독자들의 적극적인 사유를 유도하기도 한다. 또한 갈등은 서사 갈래나 극 갈래에서뿐만 아니라 서정 갈래에서도 화자가 처한 상황과 정서를 이해하는 데 중요한 요소로 쓰인다.

① (가)의 화자가 겪는 갈등은 '도람 들으샤 괴'는 님의 행위를 통해 해소될 수 있겠군.

② (가)의 화자는 '벼기시더니'와의 갈등으로 '과(過)'와 '허믈'이 없음에도 불구하고 곤란한 상황에 처하게 된 것이군.

③ (나)의 아버지와 성규는 민 노인이 탈춤 공연에 참여한 것에 대한 관점 차이로 갈등을 겪고 있군.

④ (나)에서 아버지와 성규의 해소되지 않은 갈등은 주제에 대한 독자의 자유로운 감상을 유도하겠군.

⑤ (나)에 나타난 민 노인과 수경의 갈등을 통해 북소리에 대한 구세대와 신세대의 인식 차이를 짐작할 수 있군.

03 ㉠～㉤에 대한 이해로 적절하지 <u>않은</u> 것은?

① ㉠: 자연물에 감정을 이입하여 서러움을 심화하고 있다.

② ㉡: 초월적 존재를 등장시켜 결백을 주장하고 있다.

③ ㉢: 자조적 표현을 통해 자신을 잊지 말아달라고 간청하고 있다.

④ ㉣: 반어적 표현을 사용하여 상대방의 태도에 대한 불만을 드러내고 있다.

⑤ ㉤: 상대방의 논리적 오류를 지적하며 인물들의 관계에 대한 소신을 밝히고 있다.

04 〈보기〉를 참고하여 (나)를 이해한 내용으로 적절하지 <u>않은</u> 것은?

─ 보기 ─

　「흐르는 북」에 등장하는 인물들은 북에 대한 각기 다른 생각을 가지고 있다. 민 노인은 일상을 벗어나 자유로운 예술을 추구하며 살았던 인물로, 북을 자신의 분신과도 같은 존재로 여기고 있다. 반면 아들은 북을 민 노인이 가족을 돌보지 못하게 만든 물건으로 생각하고 있으며, 자신의 체면을 깎는 물건으로 여긴다. 손자 성규는 북에 담긴 할아버지의 예술혼을 이해하는 인물이며, 북을 자신과 할아버지를 이어 주는 매개체로 이해하고 있다.

① 아들이 '할아버지까지 동원한' 것에 대해 성규에게 화를 낸 것은 자신의 체면을 의식한 결과이겠군.

② 북에 대한 민 노인과 아들의 생각이 다른 것에는 북을 치며 방랑했던 민 노인의 과거가 영향을 미쳤겠군.

③ 성규가 데모를 하다 잡혀간 이유는 민 노인의 영향을 받아 자유로운 예술을 추구하는 삶을 동경했기 때문이겠군.

④ 북에 대한 성규의 생각은 '전 세대끼리의 갈등이 다음 세대에서 쾌적한 만남'으로 이어질 수 있는 가능성을 암시하는군.

⑤ 성규가 '할아버지를 그런 자리에 모신' 것에 대해 아버지에게 사과하지 않는 이유는 북에 담긴 할아버지의 예술혼을 이해하기 때문이겠군.

[05 ~ 08] 다음 글을 읽고 물음에 답하시오.

⑦ 선귤자(蟬橘子)에게 벗 한 분이 계시니 예덕 선생이라고 하는 분이다. 종본탑 동쪽에서 사는데 마을 안의 똥거름을 쳐내는 것으로 생계를 삼고 있다. 온 마을에서 그를 모두 엄 행수(行首)라고 부른다. 행수는 막일을 하는 늙은이의 칭호요, 엄은 그의 성이다.

자목(子牧)이 선귤자에게 물었다.

"그전에 선생님이 제게 말씀하시기는 ⑦벗은 동거 생활을 하지 않는 아내요, 한 탯줄에서 나오지 않은 형제라고 했습니다. 벗이란 이렇게 소중한 것입니다. 이 세상의 한다 하는 양반님네 중에서 선생님의 지도를 받고자 하는 이가 수두룩합니다. 선생님은 그런 분은 상대도 하지 않으셨습니다. 그런데 지금 엄 행수로 말하면 마을 안의 천한 사람으로 막일을 하는 하층의 처지요, 마주 서기 욕스러운 자리입니다. 선생님이 그의 인격을 높여 스승이라고 일컬으면서 장차 교분을 맺어서 벗이 되려고 하시니 저까지 부끄러워 견디지 못하겠습니다. 이제 선생님의 문하를 하직하려고 합니다."

선귤자가 웃으면서 말하였다.

"거기 앉게. 벗에 대한 이야기를 내 자네에게 해 줌세. 속담에도 있거니와 ⑥의원이 제 병을 못 보고, 무당이 제 굿을 못 한다고 하네. 자기 생각으로는 이거야말로 내 *장처라고 믿고 있는 점도 남들이 몰라준다면 어떤 사람이나 속이 답답해서 자기 결함을 지적해 달라는 편으로 말을 꺼내게 되네. 그런 때 칭찬만 하면 아첨에 가까워서 멋대가리가 없고, 타박만 하면 흉보는 것으로 떨어져서 본의와 달라지네. 그러니까 그의 장처가 아닌 점을 들추어서 어름어름 당찮은 딴전을 한단 말일세. 그렇게 적절한 내용이 아닌 만큼 설사 책망이 좀 과하더라도 저편에서 골을 내지는 않을 것일세. 그것은 그가 꺼리는 바가 아니기 때문이지.

그러다가 숨겨 놓은 물건을 알아맞히는 듯이 슬그머니 그가 장처라고 믿고 있는 그 점을 언급한다면 마치 가려운 데나 긁어 준 듯이 속마음으로 감격할 것일세. 가려운 데를 긁는 데도 *묘리가 있네그려. 등에 손을 댈 때에는 겨드랑이에 가까이 가지 말고 가슴을 만질 때에는 목을 건드리지 말아야 하네. 칭찬 같지 않게 칭찬이 되면 왈칵 손목을 잡으면서 자기를 알아준다고 할 것일세. 그래, 이렇게 벗을 사귀면 좋겠는가?"

자목이 손으로 귀를 가리고 내빼면서 말하였다.

"이건 선생님이 제게다가 장사치가 하는 일이나 하인 놈이 하는 버릇을 가르치고 계십니다."

선귤자가 말하였다.

"그렇다면 자네가 부끄럽게 여기는 것도 과연 저기 있지 않고 여기 있는 것일세그려. 대체 장사치의 벗은 잇속으로 사귀고 체면을 차리는 양반님네의 벗은 아첨으로 사귀네. 본래부터 아무리 친한 사
[A] 이라도 세 번 달라고 해서 멀어지지 않을 사람이 없고, 아무리 원수로 여기는 사이라도 세 번 주어서 친해지지 않을 사람이 없단 말일세. 그렇기 때문에 잇속으로 사귀어서는 지속되기 어렵고 아첨

으로 사귀면 오래가지 못하는 법일세. 만일 깊숙하게 사귀자면 체면 같은 것을 볼 것이 없고, 진실하게 사귀자면 특별히 죽자 사자할 것이 없네. 오직 마음으로 벗을 사귀고 인격으로 벗을 찾아야만 도덕과 의리의 벗이 되네. 이렇게 사귀는 벗은 천 년 전의 옛사람도 아득히 떨어져 있는 것이 아니요, 만 리의 거리도 먼 것이 아닐세."

— 박지원, 「예덕선생전」

● *장처* 장점. 좋거나 잘하거나 긍정적인 점.
● *묘리* 묘한 이치.

⑭ 팔월 십오일 적에 마을에서는 젊은 사람들이 *설도를 하여 태극기를 만들고, 닭을 *추렴하고, 술을 사고 하여 놓고 조촐히 만세를 불렀다. / 한 생원은 그 자리에 참례를 하지 아니하였다. 남들이 가서 같이 만세를 부르자고 하였으나 한 생원은 조선이 독립이 되었다는 것이 별양 반가운 줄을 모르겠었다. 그저 덤덤할 뿐이었다.

물론 일본이 항복을 하였으니 전쟁은 끝이 난 것이요, 전쟁이 끝이 났으니 벼 *공출을 비롯하여 솔뿌리 공출이야, 마초 공출이야, 채소 공출이야, 가지가지의 그 억울하고 성가신 공출이 없어지고 말 것이었다.

또, 열여덟 살백이 손자놈 용길이가 징용에 뽑혀 나갈 염려가 없을 터이었다. 얼마나 한 생원은, 일찍이 아비를 여의고, 늙은 손으로 여태껏 길러 온 외톨 손자놈 용길이가 징용에 뽑히지 말게 하려고, 구장과 면의 노무계 직원과, 부락 담당 직원에게 굽은 허리를 굽실거리며 건사를 물고 하였던고. 〈중략〉

하던 것이 인제는 전쟁이 끝이 났으니, 징용 이자는 싹 씻은 듯 없어질 것. 마음 턱 놓고 두 발 쭉 뻗고 잠을 자도 좋았다.

이런 일을 생각하면 한 생원도 미상불 다행스럽지 아니한 것은 아니었다. 그러나 오직 그뿐이었다. / 독립? / 신통할 것이 없었다.

독립이 되기로서니, 가난뱅이 *농투성이가 별안간 나으리 주사 될 리 만무하였다. 가난뱅이 농투성이가 **남의 세토(貰土) 얻어** 비지땀 흘려 가면서 일 년 농사 지어 절반도 넘는 도지 물고, 나머지로 굶으며 먹으며 연명이나 하여 가기는 독립이 되거나 말거나 매양 일반일 터이었다.

[중간 부분 줄거리] 독립이 되면서 일본인들이 땅을 내놓고 돌아가자, 한 생원은 일본인 길천이에게 팔았던 논을 다시 찾을 수 있을 것이라고 생각하지만 길천이의 논은 이미 다른 사람에게 팔린 뒤다.

사실이라고 한다면 한 생원은 그 논 일곱 마지기를 돈을 내고 사지 않고서는 도로 차지할 수가 없을 판이었다. 물론 한 생원에게는 그런 재력이 없거니와, 도대체 전의 임자가 있는데 그것을 아무나에게 판다는 것이 한 생원으로 보기에는 불합리한 처사였다.

한 생원은 분이 나서 두 주먹을 쥐고 *구장에게로 쫓아갔다.

"그래 일인들이 죄다 내놓구 가는 것을, 백성들더러 돈을 내구 사구 마련을 했다면서?"

"아직 자세힌 모르겠어두, 아마 그렇게 되기가 쉬우리라구들 하드군요." 해방 후에 새로 난 구장의 대답이었다.

"그런 놈의 법이 어딨단 말인가? 그래, 누가 그렇게 마련을 했는구?"

"나라에서 그랬을 테죠." / "나라?" / "우리 조선 나라요."

"나라가 다 무어 말라비틀어진 거야? 나라 명색이 내게 무얼 해 준 게 있길래, 이번엔 일인이 내놓구 가는 내 땅을 저이가 팔아먹으려구 들어? 그게 나라야?"

"일인의 재산이 우리 조선 나라 재산이 되는 거야 당연한 일이죠."

"당연?" / "그렇죠."

⌈ "흥, 가만 둬 두면 저절루 백성의 것이 될 걸 나라 명색은 가만히
│ 앉았다 어디서 툭 튀어나와 가지구, 걸 뺏어서 팔아먹어? 그따위
│ 행사가 어딨다든가?"
│ "한 생원은, 그 논이랑 •멧갓이랑 길천이한테 돈을 받구 파섰으니
│ 깐 임자로 말하면 길천이지 한 생원인가요?"
[B] "암만 팔았어두, 길천이가 내놓구 쫓겨 갔은깐, 도루 내 것이 돼야
│ 옳지, 무슨 말야. 걸, 무슨 탁에 나라가 뺏을 영으루 들어?"
│ "한 생원한테 뺏는 게 아니라, 길천이한테 뺏는 거랍니다."
│ "흥, 둘러다 대긴 잘들 허이. 공동묘지 가 보게나. 핑계 없는 무덤
│ 있던가? 저, 병신년에 원 놈(군수) 김가가 우리 논 열두 마지기 뺏
⌊ 을 제두 핑곈 다 있었드라네."

"좌우간, 아직 그렇게 지레 염렬 하실 게 아니라, 기대리구 있너라면 나라에서 다 억울치 않두룩 처단을 하겠죠."

"일없네. 난 오늘버틈 도루 나라 없는 백성이네. 제길, 삼십육 년두 나라 없이 살아왔을려드냐. 아—니 글쎄, 나라가 있으면 백성한테 무얼 좀 고마운 노릇을 해 주어야 백성두 나라를 믿구, 나라에다 마음을 붙이구 살지. 독립이 됐다면서 고작 그래, 백성이 차지할 땅 뺏어서 팔아먹는 게 나라 명색야?" / 그러고는 털고 일어서면서 혼잣말로,

"독립됐다구 했을 제, 내, 만세 안 부르기, 잘 했지."

– 채만식, 「논 이야기」

● 설도 도리를 설명함.
● 추렴하고 모임이나 놀이 또는 잔치 따위의 비용으로 여럿이 각각 얼마씩의 돈을 내어 거두고.
● 공출 국민이 국가의 수요에 따라 농업 생산물이나 기물 따위를 의무적으로 정부에 내어놓음.
● 농투성이 '농부'를 낮잡아 이르는 말.
● 구장 예전에, 시골 동네의 우두머리를 이르던 말.
● 멧갓 나무를 함부로 베지 못하게 가꾸는 산.

05 (가), (나)의 인물에 대한 이해로 적절하지 **않은** 것은?

① (가)의 엄 행수는 사람들이 비천하게 여기는 일을 업으로 삼고 있다.

② (가)의 자목은 스승이 사대부와 교우하지 않고 엄 행수와 벗하는 것에 대한 부정적 태도를 보이고 있다.

③ (가)의 선귤자는 이해관계나 아첨으로 사람을 사귀지 말고 마음으로 사귀어야 한다는 가치관을 지니고 있다.

④ (나)의 한 생원은 일본보다는 독립 이후의 조선에 더 큰 반감을 갖고 있다.

⑤ (나)의 구장은 한 생원과 달리 일인으로부터 빼앗은 토지를 나라에서 합리적으로 처리할 것이라는 믿음을 가지고 있다.

06 [A], [B]에 대한 설명으로 가장 적절한 것은?

① [A]는 [B]와 달리 예시를 들어 상반된 시각을 지닌 상대방에게 가르침을 주고 있다.

② [A]는 [B]와 달리 특정 대상을 다른 대상에 비교하여 상대방의 현학적인 태도를 비판하고 있다.

③ [B]는 [A]와 달리 인물의 내면을 직접적으로 서술하여 세태에 대한 인물의 평가를 강조하고 있다.

④ [A]와 [B]는 모두 인물의 관습적 행동을 통해 사회적 지위의 우열을 드러내고 있다.

⑤ [A]와 [B]는 모두 사건의 전말을 요약적으로 전달하여 갈등의 원인을 제시하고 있다.

07 ㉠, ㉡에 대한 이해로 가장 적절한 것은?

① ㉠은 벗이 가족보다 가까운 존재임을 일깨우며, ㉡은 교우의 문제점은 적절한 때에 지적해야 한다는 주장에 설득력을 더해 준다.

② ㉠은 벗이 가족만큼 소중한 존재임을 강조하며, ㉡은 스스로의 문제점은 깨닫기 어려우니 이를 바로잡아 주겠다는 의도를 드러낸다.

③ ㉠은 벗을 신중하게 사귀지 않는 태도에 대한 일침이며, ㉡은 아무리 뛰어난 사람이라도 다른 사람의 도움 없이 살아가기 힘들다는 깨달음을 집약한다.

④ ㉠은 벗이 자신의 명예와 체면에 영향을 주기 때문에 중요한 존재임을 역설하며, ㉡은 남의 문제를 지적할 때는 말을 신중하게 골라야 한다는 교훈에 해당한다.

⑤ ㉠은 벗을 사귈 때는 아무런 조건이 없어야 한다는 주장의 근거이며, ㉡은 교우 관계에는 귀천이 없으므로 직업으로 사람을 가리지 말아야 한다는 가르침으로 연결된다.

08 〈보기〉를 참고하여 (나)를 감상한 내용으로 적절하지 <u>않은</u> 것은?

> ─ 보기 ─
>
> 　농민들에게 논은 삶의 터전이자 존재의 이유이기 때문에 논을 빼앗긴다는 것은 삶 전체에 대한 박탈을 의미한다. 소작 제도 아래 수탈당하며 살아가는 농민들에게는 그 어떠한 정치적 변화도 근본적인 해결책이 될 수가 없었다. 「논 이야기」는 동학 농민 운동이 일어난 이후에는 관리에게, 일제 강점기에는 일본인에게, 해방 이후에는 국가에게 논을 내어 줄 수밖에 없는 한 생원의 처지를 통해 모순된 현실을 고발하고 있다.

① 오랜 세월에 걸쳐 토지를 잃기만 하는 한 생원은 당대 기득권 세력에게 수탈당하던 농민을 대표하는 인물이군.

② 한 생원은 '원 놈(군수)'에게 부당하게 '논 열두 마지기'를 빼앗겼을 때 삶의 터전을 잃은 것과 같은 아픔을 느꼈겠군.

③ 한 생원이 자신을 '도루 나라 없는 백성'이라고 말한 것은 정치적 변화와 상관없이 자신에게 돌아오는 경제적 이익이 없기 때문이겠군.

④ 한 생원은 '남의 세토(貰土) 얻어' 열심히 일하고도 굶주릴 수밖에 없는 현실에서 벗어날 수 없다면 해방은 별로 중요하지 않은 것이라고 여겼겠군.

⑤ 한 생원이 독립이 되었을 때 만세를 부르지 않은 것에는 해방 이후에도 국가에게 논을 내어 줄 수밖에 없는 모순된 현실을 고발하려는 의도가 담겨 있군.

[09 ~ 12] 다음 글을 읽고 물음에 답하시오.

㉮ 어져어져 저기 가는 저 사람아

　네 행색 보아하니 군사 도망(軍士逃亡) 네로고나

　허리 위로 볼작시면 **베적삼이 깃만 남고**

　허리 아래 굽어보니 **헌 잠방이 노닥노닥**

　곱장할미 앞에 가고 `전태발이 뒤에 간다

　십 리 길을 하루 가니 몇 리 가서 엎쳐지리

　내 고을의 양반(兩班) 사람 타도타관(他道他官) 옮겨 살면

　천(賤)히 되기 예사거든 본토(本土) 군정(軍丁) 싫다 하고

　자네 또한 도망하면 한 나라의 한 인심에

　근본 숨겨 살려 한들 어데 간들 면할손가

　차라리 네 살던 곳에 아무렇게 뿌리박아

　칠팔월에 삼을 캐고 구시월에 `돈피(獤皮) 잡아

　공채(公債) `신역(身役) 같은 후에 그 나머지 두었다가

　함흥 북청 홍원 장사 돌아들어 몰래 팔 때

　후한 값 받고 팔아 내어 살기 좋은 넓은 곳에

　집과 논밭 다시 사고 살림 도구 장만하여

　부모처자 보전하고 새 즐거움 누리려믄

　어와 생원인지 초관(哨官)인지

그대 말씀 그만두고 이내 말씀 들어 보소. / 이내 또한 갑민(甲民)

이라 이 땅에서 생장하니 이때 일을 모르소냐 〈중략〉

애슬프다 내 시절에 원수인(怨讐人)의 모해(謀害)로써

군사 강정(降定) 되단 말가 내 한 몸이 헐어나니

좌우 전후 많은 가족 차차 `충군(充軍) 되거고야

`누대봉사(累代奉祀) 이내 몸은 하릴없이 매어 있고

시름없는 친족들은 자취 없이 도망하고

여러 사람 모든 신역 내 한 몸에 모두 무니

한 몸 신역 삼 냥 오 전(三兩五錢) 돈피 두 장 `의법(依法)이라

열두 사람 없는 구실 합쳐 보면 사십육 냥(四十六兩)

해마다 맞춰 무니 `석숭인들 당할소냐

약간 농사 전폐하고 삼을 캐러 입산(入山)하여

허항령(虛項嶺) 보태산(寶泰山)을 돌고 돌아 찾아보니

인삼 싹은 전혀 없고 오가 잎이 날 속인다

하릴없이 헛되이 와서 팔구월 고추바람

안고 돌아 입산하여 돈피 산행(獤皮山行) 하려 하고

백두산 등에 지고 강 아래로 내려가서

싸리 꺾어 누대 치고 잎갈나무로 모닥불 놓고

하나님께 축수(祝手)하며 산신(山神)님께 발원(發願)하여

물채줄을 갖춰 꽂고 `사망 일기 원하되

내 정성이 부족한지 사망 기회 아니 붙네 〈중략〉

나라님께 아뢰자니 구중천문(九重天門) 멀어 있고

요순(堯舜) 같은 우리 성주(聖主) ㉠일월(日月)같이 밝으신들

`불점성화(不沾聖化) 이 극변(極邊)에 `복분하(覆盆下)라 비칠소냐

－ 작자 미상, 「갑민가」

● **전태발이** 다리를 저는 사람.
● **돈피** 담비 종류 동물의 모피를 통틀어 이르는 말.
● **신역** 나라에서 성인 장정에게 부과하는 군역과 부역.
● **충군** 조선 시대에, 죄를 범한 자를 벌로서 군역에 복무하게 하던 제도.
● **누대봉사** 여러 대의 조상의 제사를 받듦.　● **의법** 법에 의거함.
● **석숭** 중국 진나라 때의 부자 이름.　　　● **사망** 장사에서 이익을 많이 얻는 운수.
● **불점성화** 임금의 교화가 미치지 못함.
● **복분하** 임금의 은혜가 미치지 못하는 곳을 비유적으로 이름.

㉯ ── 긴 세월을 오랑캐와의 싸홈에 살았다는 우리의 머언 조상들이 너를 불러 `'오랑캐꽃'이라 했으니 어찌 보면 너의 뒷ㅅ모양이 머리태를 드리인 오랑캐의 뒷ㅅ머리와도 같은 까닭이라 전한다 ──

안악도 우두머리도 돌볼 새 없이 갔단다

도래샘도 멧집도 버리고 강 건너로 쫓겨 갔단다

고려 장군님 무지 무지 처드러와

오랑캐는 가랑잎처럼 굴러갔단다

㉡구름이 모혀 골짝 골짝을 구름이 흘러

백 년이 몇백 년이 뒤를 니어 흘러갔나

너는 오랑캐의 피 한 방울 받지 않았것만

오랑캐꽃

너는 °돌가마도 °털메투리도 몰으는 오랑캐꽃

두 팔로 해ㅅ빛을 막아 줄게

울어 보렴 목 놓아 울어나 보렴 오랑캐꽃

– 이용악, 「오랑캐꽃」

● **오랑캐꽃** '제비꽃'을 일상적으로 이르는 말.
● **돌가마** 임시로 몇 개의 돌을 고이고 만든 가마. 여진족의 생활 도구.
● **털메투리** 털미투리. 털을 짚신처럼 삼은 신. 여진족의 생활 도구.

🔵 유민(流民)이란 '일정한 거처 없이 이리저리 떠돌아다니는 백성'을 뜻하는데, 국가 권력으로부터 아무런 법적 보호를 받지 못한 존재, 사회적으로는 철저하게 배제되고 소외된 존재들이라 할 수 있다. 조선 후기부터 일제 강점기까지의 시가 작품 중에는 이러한 유민의 삶을 그린 작품들이 많다. 이들 작품들은 당대의 현실 속에서 고통스럽게 살아가는 유민들의 참담한 삶을 충실하고 생생하게 형상화하였다.

조선 후기에는 이른바 삼정의 문란이 극심해지면서 유민의 수가 급격하게 늘었다. 군포와 각종 잡역세의 징수가 가혹하게 이루어지면서 양민들의 삶은 더욱 궁핍해졌으며, 그 결과 마을 공동체와 가족 공동체가 무너졌을 뿐만 아니라 유민으로 전락하여 °유리걸식(流離乞食)하는 이들도 있었다. 작가들은 이러한 현실을 작품에 담아냄으로써, 통치자로 하여금 덕정과 애민이라는 유가의 근본 정치 이념과 실천의 회복을 촉구하였다.

일제 강점기의 유민은 노골적으로 수행되었던 일제의 토지 약탈로부터 기인한다. 토지를 빼앗긴 농민들은 일본인 지주의 소작농이 되거나 농업 노동자로 전락하였으며, 그마저도 여의치 않으면 만주나 연해주 등을 떠도는 유민이 될 수밖에 없었다. 이러한 상황에서 작가들은 자신이 직접 체험했거나 관찰한 내용 등을 바탕으로 유민들이 겪어야 했던 비참한 삶을 사실적으로 그려 내는 한편, 핍박당하는 자의 설움과 소외를 형상화하며 대상에 대한 공감과 위로를 건네기도 하였다.

● **유리걸식** 정처 없이 떠돌아다니며 빌어먹음.

09 **(가), (나)에 대한 설명으로 가장 적절한 것은?**

① (가)는 (나)와 달리 의인화를 통해 상황을 우의적으로 드러내고 있다.

② (가)는 (나)와 달리 대구법을 통해 대상에 대한 화자의 연민을 드러내고 있다.

③ (나)는 (가)와 달리 밝음과 어두움을 대조하여 화자의 애상감을 부각하고 있다.

④ (가)와 (나)는 모두 말을 건네는 방식을 통해 화자의 정서를 드러내고 있다.

⑤ (가)와 (나)는 모두 구체적인 지명을 활용하여 작품의 사실성을 높이고 있다.

10 **갑민에 대한 설명으로 적절하지 않은 것은?**

① 친족들의 군역을 대신 감당하는 어려움을 겪었다.

② 상대방이 제안한 해결 방법이 소용이 없다고 여긴다.

③ 하나님과 산신님께 소원을 빌었으나 이루어지지 않았다.

④ 신역을 감당하기 위해 여러 노력을 했으나 모두 실패했다.

⑤ 나라님에게 자신의 고충을 전달할 수 있는 곳에서 살고자 마음먹었다.

11 **(다)를 바탕으로 (가), (나)를 감상한 내용으로 적절하지 않은 것은?**

① (가)에서 '베적삼이 깃만 남고' '헌 잠방이 노닥노닥'한 '저 사람'은 삶이 궁핍해져 유민으로 전락한 이의 비참한 모습이라고 할 수 있군.

② (가)의 '석숭인들 당할소냐'에는 어떤 부자라도 감당하기 어려울 만큼 힘든 신역의 의무를 져야 했던 백성의 고통이 드러나 있군.

③ (나)에서 '도래샘도 띳집도 버리고' 쫓겨 갔던 오랑캐는 일제에 토지를 빼앗기고 유랑의 길을 떠나야 했던 우리 민족의 처지와 대응하는군.

④ (나)에서 '돌가마도 털메투리도 몰으는' 오랑캐꽃은 국외를 유랑하며 한민족으로서의 정체성을 상실한 유민들을 상징하는 소재이군.

⑤ (나)에서 오랑캐꽃이 목 놓아 울 수 있도록 '두 팔로 해ㅅ빛을 막아' 주겠다는 것에는 유민들의 처지를 위로하려는 화자의 의도가 담겨 있군.

12 **㉠, ㉡에 대한 설명으로 가장 적절한 것은?**

① ㉠과 ㉡은 모두 대상이 현실을 극복할 수 있음을 암시한다.

② ㉠과 ㉡은 모두 대상에 대한 화자의 비판 의식을 이끌어낸다.

③ ㉠은 화자의 태도 변화를 유도하며, ㉡은 대상에게 시련을 준다.

④ ㉠은 대상에게 부정적인 영향을 미치며, ㉡은 화자에게 공허함을 유발한다.

⑤ ㉠은 화자의 현실을 개선할 수 있는 힘이 있으며, ㉡은 시간의 흐름을 드러낸다.

[01~04] 다음 글을 읽고 물음에 답하시오.

㉮
　　┌─ 동방은 하늘도 다 끝나고
　　│　 비 한 방울 내리잖는 그 땅에도
　[A]│　 오히려 꽃은 발갛게 피지 않는가
　　└─ ㉠내 목숨을 꾸며 쉬임 없는 날이여

　　┌─ 북(北)쪽 툰드라에도 찬 새벽은
　　│　 눈 속 깊이 꽃 *맹아리가 움작거려
　[B]│　 ㉡제비 떼 까맣게 날아오길 기다리나니
　　└─ 마침내 저버리지 못할 약속(約束)이여!

　　┌─ 한바다 복판 용솟음치는 곳
　　│　 바람결 따라 타오르는 꽃성(城)에는
　[C]│　 나비처럼 취(醉)하는 회상(回想)의 무리들아
　　└─ 오늘 내 여기서 너를 불러 보노라

　　　　　　　　　　　　　　　　　　– 이육사, 「꽃」

● **맹아리** 아직 피지 않은 어린 꽃봉오리. '몽우리'의 방언.

㉯ 날로 기우듬해 가는 마을 회관 옆
청솔 한 그루 꼿꼿이 서 있다.

한때는 앰프 방송 하나로
㉢집집의 새앙쥐까지 깨우던 회관 옆,
그 둥치의 터지고 갈라진 아픔으로
푸른 눈 더욱 못 감는다.

그 회관 들창 거덜 내는 댓바람 때마다
청솔은 또 한바탕 노엽게 운다.
거기 술만 취하면 앰프를 켜고
천둥산 박달재를 울고 넘는 이장과 함께.

㉣생산도 새마을도 다 끊긴 *궁벽, 그러나
저기 난장 난 비닐하우스를 일으키다
그 청솔 바라보는 몇몇들 보아라.

그때마다, 삭바람마저 빗질하여
서러움조차 잘 걸러 내어
푸른 숨결을 풀어내는 청솔 보아라.

나는 희망의 노예는 아니거니와
까막까치 얼어 죽는 이 아침에도
㉤저 동녘에선 *꼭두서니빛 타오른다.

　　　　　　　　　　　　　　　　　　– 고재종, 「*세한도」

● **궁벽** 매우 후미지고 으슥함.
● **꼭두서니빛** 꼭두서니 뿌리에서 얻는 붉은 빛. 꼭두서니는 꼭두서닛과의 여러해살이 덩굴풀로, 그 뿌리는 붉은색 물감의 원료로 씀.
● **세한** 설 전후의 추위라는 뜻으로, 매우 심한 한겨울의 추위를 이르는 말.

01 **(가), (나)의 공통점으로 가장 적절한 것은?**

① 자연물을 통해 화자의 지향을 드러내고 있다.
② 설의적 표현을 활용하여 주제 의식을 부각하고 있다.
③ 대상에 인격을 부여하여 내면의 갈등을 구체화하고 있다.
④ 근경에서 원경으로의 시선 이동에 따라 시상을 전개하고 있다.
⑤ 명령형 종결 어미를 반복적으로 사용하여 화자의 태도를 드러내고 있다.

02 **㉠~㉤에 대한 설명으로 적절하지 않은 것은?**

① ㉠: 하루하루 끊임없이 노력하겠다는 다짐을 드러내고 있다.
② ㉡: 특정 계절과 의미가 연결되는 대상을 통해 화자의 간절함을 형상화하고 있다.
③ ㉢: 현재 농촌의 상황과 대비되는 과거 농촌의 활기찬 모습을 보여 주고 있다.
④ ㉣: 시상을 전환하여 암담한 상황에 처한 이들의 현실 극복 의지를 강조하고 있다.
⑤ ㉤: '꼭두서니빛'의 색채 이미지를 '동녘'과 연결하여 진리에 대한 열망을 담아내고 있다.

03 〈보기〉는 (가)의 시상 전개 흐름을 정리한 것이다. 〈보기〉를 참고하여 (가)를 이해한 내용으로 적절하지 **않은** 것은?

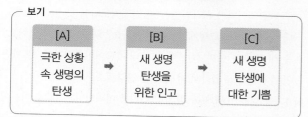

① [A]에서의 개화는 그 자체로 역설적인 상황을 이룬다.

② [A]에서 피어나는 '꽃'은 생명력을 지닌 존재로, 부정적 상황이 극복될 것이라는 화자의 희망을 드러낸다.

③ [B]에서 아직 덜 피어난 '꽃 맹아리'는 [C]에서 타오르고 있는 '꽃성'으로 그 의미가 심화된다.

④ [B]에서 '꽃 맹아리'를 품은 '눈'은 '찬 새벽'의 서늘함을 막아 주며 생명의 탄생을 기다리는 대상이다.

⑤ [C]에서 화자는 새 생명 탄생에 대한 기쁨을 '한바다 복판 용솟음치는 곳'이라는 역동적 이미지를 통해 드러내고 있다.

04 〈보기〉를 바탕으로 (나)를 감상한 내용으로 적절하지 **않은** 것은?

┌─ 보기 ──────────────────────────
  고재종의 시 「세한도」는 추사 김정희의 그림 『세한도』를 모티프로 삼아 농촌 마을의 겨울을 형상화한 작품이다. 그림 『세한도』는 추사 김정희가 제주도에 유배되었을 때 자신과의 의리를 저버리지 않은 제자에게 고마운 마음을 표현하기 위해 그려 준 것으로, 초라한 집 한 채 옆에 소나무와 잣나무 몇 그루가 한겨울 추위를 버티고 푸르게 서 있는 모습이 담겨 있다.

▲ 추사 김정희의 「세한도」
└────────────────────────────────

① '날로 기우듬해 가는 마을 회관'은 그림 속 '초라한 집 한 채'와 비슷한 처지라고 할 수 있겠군.

② 꼿꼿이 서 있는 '청솔 한 그루'는 추사 김정희가 그린 '소나무', '잣나무'와 그 성격이 비슷하군.

③ '까막까치 얼어 죽는 이 아침'은 추사 김정희가 유배 시절에 겪었을 삶의 고통에 대응할 수 있겠군.

④ 청솔은 그림 속 '소나무', '잣나무'와 같이 절개를 지키려다 '둥치의 터지고 갈라진 아픔'을 겪게 된 것이군.

⑤ 청솔이 풀어내는 '푸른 숨결'은 그림 속에서 한겨울 추위를 버티고 선 '소나무'와 '잣나무'의 '푸름'과 연결되는군.

[05~09] 다음 글을 읽고 물음에 답하시오.

가 "그래 그 돈은 갚는다는 거야 안 갚을 작정야? 세도 좋은 젊은 서방을 믿고 그 떼세루 남의 돈을 무쪽같이 떼먹으려드나 보다마는, 김옥임이두 그렇게 호락호락하지는 않어……."

원체 예쁘장한 상판이기는 하면서도 쌀쌀한 편이지마는, 눈을 곤두세우고 대드는 품이 어려서부터 30년 동안을 보던 옥임이는 아니다. 전부터 "네 영감은 어째 점점 더 젊어가니? 거기다 대면 넌 어머니 같구나." 하고 새룽새룽 놀리기도 하고, 60이 넘은 아버지 같은 영감 밑에 쓸쓸히 사는 옥임이는 은근히 부러워도 하는 눈치였지마는, 밑도 끝도 없이 길바닥에서 '젊은 서방'을 들추어내는 것을 보고 정례 어머니는 어이가 없었다.

"늙은 영감에 넌더리가 나거든 젊은 서방 하나 또 얻으려무나." 하고, 정례 모친도 비꼬아 주고 싶었으나 열을 지어 섰는 사람들이 쳐다보며 픽픽 웃는 바람에 / "이거 미쳐나려나? 이건 무슨 *객설야." 하고, 달래며 나무라며 끌고 가려 하였다.

"그래 내 돈을 곱게 먹겠는가 생각을 해보렴. 매달린 식솔은 많구 병들어 누운 늙은 영감의 약값이라두 뜯어 쓰려구, 이렇게 쩔쩔거리구 다니는, 이년의 돈을 먹겠다는 너 같은 의리가 없는 년은 욕을 좀 단단히 봬야 정신이 날 거다마는, 제 사정 보아서 싼 변리에 좋은 자국을 지시해 바친 밖에! 그것두 마다니, 남의 돈 생으루 먹자는 도둑년 같은 배짱 아니구 뭐냐?" / 오고 가는 사람이 우중우중 서며 구경났다고 바라보는데, 원체 히스테리증이 있는 줄은 짐작하지마는, 창피한 줄도 모르고 기가 나서 대든다. 히스테리는 고사하고, 이것도 빚쟁이의 돈 받는 상투 수단인가 싶었다.

"누가 안 갚는대나? 돈두 중하지만 이게 무슨 꼬락서니냔 말이야." 정례 어머니는 그래도 달래서 뒷골목으로 끌고 들어가려 하였다.

"난 돈밖에 몰라. 내일모레면 거리로 나앉게 된 년이 체면은 뭐구, 우정은 다 뭐냐? 어쨌든 내 돈만 내놓으면 이러니저러니 너 같은 장래 대신 부인께 나 같은 년이야 감히 말이나 붙여보려 들겠다던!" 하고 허청 나오는 코웃음을 친다. 구경꾼은 자꾸 꾀어드는데, 정례 모친은 생전 처음 당하는 이런 봉욕에 눈앞이 아찔하여지고 가슴이 꼭 메어 올랐으나, 언제까지나 이러고 섰다가는 예서 더 무슨 창피한 꼴을 볼까 무서워서 선뜻 몸을 빼쳐 옆의 골목으로 줄달음질을 쳐 들어갔다. 뒤에서 발소리가 없으니 옥임이는 저대로 간 모양이다. 정례 모친은 눈물이 핑 돌았다.

스물 예닐곱까지 동경 바닥에서 신여성 운동이네, 연애네, 어떠네 하고 멋대로 놀다가, 지금 영감의 후실로 들어앉아서, 세상 고생을 알까, 아이를 한번 낳아보았을까, 40 전의 젊은 한때를 도지사 대감의 실내마님으로 떠받들려 제멋대로 호강도 하여본 옥임이다. 지금도 어디가 40이 훨씬 넘는 중늙은이로 보이랴. 머리를 곱게 지지고 엷은 얼굴 단장에, 번들거리는 미국제 핸드백을 착 끼고 나선 맵시가 어느 댁 유한마담이지, 설마 1할, 1할 5푼으로 아귀다툼을 하고 어려운 예전 동무를 쫓아다니며 울리는 고리대금업자로야 누가 짐작이나 할까. 해방이 되자, 고리대금이 *전당국 대신으로 터놓고 하는 큰 *생화가 되었지마는, 옥임이는 *반민자(反民者)의 아내가 되리라는 것을 도리어 간판으로 내세우고 부라퀴같이 덤빈 것이다. 중경 도지사요, 전쟁 말기에는 무슨 군수품 회사의 취체역인가 감사역을 지냈으니 반민법이 국회에서 통과되는 날이면, 중풍을 3년째나 누웠는 영감이, 어서 돌아가 주기나 하기 전에야 으레 걸리고 말 것이요, 걸리는 날이면 떠메다가 징역은 시키지 않을지 모르되, 지니고 있는 집칸이며 땅 섬지기나마 몰수를 당할 것이니, 비록 자식은 없을망정 자기는 자기대로 살길을 차려야 하겠다고 나선 길이 이 길이었다. 상하 식솔을 혼자 떠맡고 **영감의 약값을 제 손으로 벌어야** 될 가련한 신세같이 우는소리를 하지마는 그래야 남의 욕을 덜 먹는 발뺌이 되는 것이다.

[A]
옥임이는 정례 모친이 혼쭐이 나서 달아나는 꼴을 그것 보라는 듯이 곁눈으로 흘겨보고 입귀를 샐룩하여 비웃으며, 버젓이 사람 틈을 헤치고 종로 편으로 내려갔다. 의기양양할 것도 없지마는, 가슴속이 후련하니 머릿속이고 가슴속이고 무언지 뭉치고 비비꼬이고 하던 것이 확 풀어져 스러지고 회가 제대로 도는 것 같아서 기분이 시원하다. 그러나 그 뭉치고 비비 꼬인 것이라는 것이 반드시 정례 어머니에 대한 악감정은 아니었다. 옥임이가 그 오랜 동무에게 이렇다 할 감정이 있을 까닭은 없었다. 다만 아무리 요새 돈이라도 20여만 원이라는 대금을 받아 내려면 한번 혼을 단단히 내고 제독을 주어야 하겠다고 벼르기는 하였지마는, 얼떨결에 나온다는 말이 젊은 서방을 둔 떠세냐 무어냐고 한 것은 구석 없는 말이었고 지금 생각하니 우스웠다.

– 염상섭, 「두 파산」

- ● **객설** 객쩍게 말함. 또는 그런 말.
- ● **전당국** 전당포. 물건을 잡고 돈을 빌려주어 이익을 취하는 곳.
- ● **생화** 장사를 함.
- ● **반민자** 반민족적인 행위를 한 사람.

나 [앞부분 줄거리] 동학 농민 운동을 하다 관군에게 죽임을 당한 아버지와 자신을 낳고 죽은 어머니를 둔 최원봉은 아버지의 친구 최 주사 부부에 의해 양육된다. 사회 개혁을 꿈꾸는 청년회 간부인 최원봉은 저돌적이고 거침없는 성격 때문에 '산돼지'로 불린다. 하지만 자신의 실수로 청년회 활동에 장애를 겪고, 애인 정숙과도 헤어져 앓아눕는다. 한편 최 주사댁은 친남매인 것처럼 키운 최원봉과 딸 최영순을 결혼시키라는 남편의 유언을 저버리고 가정의 질서를 위해 최영순을 최원봉의 친구인 차혁과 혼인시키려 한다.

최원봉 흥, 나 같은 산돼지가 그런 소리밖에 더 지를라고요. 아니, 한마디 물어봅시다. 나 죽으면 영순이를 어떤 데로 시집보내시려우?

최 주사댁 ㉠잠들기 어렵니? 잠 오는 약 먹여 주라?

최원봉 천만에, 걱정 마세요. 이것 봐요. ㉡혁이는 산돼지도 못 되고 집돼지예요. 들돼지도 못 되고. 그러니까 더욱 탈이지요. (웃으며) 그런데 어머니 대답 좀 하세요. 처음에는 그 집돼지를 미워해서 그리 떼어 버리려고 애쓰더니 요새 와서는 왜 또 그리 가까이하시려고 애쓰시오? 〈중략〉 아, 대답 좀 해 보세요. 혹은 집돼지가 진화를 해서 들돼지가 되는 모양이오? 진화란 말을 아시오? 진보한단 말이야. 그러면 더 이

상하지. 산돼지가 들돼지로, 들돼지가 집돼지로 진화하는 법은 있지만, 집돼지가 들돼지로 퇴화하는 수가 있소? ㉢한번 집돼지가 되어서 구정물 얻어먹기 시작하면 영영 집돼지로밖에 못 있는 거예요. 그런데 어머니는 왜 그렇게 *시종이 변해요? 왜 아무 말이 없어요? 대답 좀 해 보세요. 어머니는 "아이고, 내 가슴이야." 하지만, 내 가슴은 어떤 곡절인 줄을 몰라서 더 아파 못 견디겠소.

최 주사댁 너는 요새 와서 왜 그리 혁이를 미워하니? 그래도 처음에는 친하게 지내더니. 너부터 말 좀 해 봐라.

최원봉 (웃으며) 어머니는 부끄러워서 먼저 말 못 해 주시겠다고. 그러면 내가 말하리까?

최 주사댁 해 봐라.

최원봉 환한 일 아니에요? 제가 가지고 있던 보석이 이제야 값이 비싼 귀중한 것인 줄을 아니까 그런 것 아니에요. 돼지에게다가 진주를 내던져 준다는 말이 있지 않습니까? ㉣아까운 진주 같은 보석을 돼지 발밑에다 내던지는 것이 아깝지 않아요? 더구나 그 위선자인 돼지가 내 진주를 뺏어 가려고 하니 내 속이 어떻게 상하게요. 이왕 돼지 앞에 내던져 주시려 한들 그 더러운 집돼지에게다! ㉤더구나 그 진주는 내가 모르기 전부터 내 것으로 맡아 두었던 것을!

최 주사댁 (원봉이의 말을 못 들은 듯이 이리저리 고개를 돌리다가) 그게 모두 무슨 말뜻인지 한마디도 못 알아듣겠다.

[B]
최원봉 못 알아들으세요? 어머니가 곡절을 이야기 안 해 주시니까 내가 더 말씀해 드릴까요? 이런 이야기가 있더랍니다. 옛날 옛적에 상놈 하나가 있는데 죽을 때 친구 되는 양반에게 삽살개 한 마리를 선사로 주었더래요. 이 양반님은 그걸 받아 가지고 어찌 귀여운지 보물과 음식을 넣어 둔 곳간 옆에다가 매 두고 도적놈을 지키라고 했더래요. 그런데 그놈의 삽살개는 도적 지킬 줄을 알아야지요. 도리어 도적놈한테 몽둥이만 얻어맞고 한마디 짖지도 못하고 있었더랍니다. 그러니 그 양반 놈의 속이 얼마나 상할 것이오? 호령을 해 말하기를 "삽살개에게도 양반, 상놈이 있구나. 너는 도적 지킬 줄도 모르니 잡아서 개장이나 해 먹겠다." 하고 나서는 불일내로 그 개 목숨이 떨어지게 되었더랍니다. 그 개는 그래도 목숨이 아까워서 다시는 아니 그러겠으니 살려만 달라고 애걸복걸한 끝에 다시 보화 곳간 문지기 노릇을 하게 되었더랍니다. 그런데 그 개가 그때에야 비로소 정신을 차리고 보니 제가 지키고 있는 곳간 안에는 별별 보화와 산해진미가 들어 있는 줄 알게 되었소그려. 그래서 하룻밤은 문을 뜯어 열어젖히고 들어가서 한 번에 모두 내 것을 만들려고 했더니 이번에는 도적놈이 나서서 방해를 치지 않겠소. 그 양반 주인이 이걸 보고서는 어찌 분이 났던지 곳간 문을 죄 열어젖히고 그 안에 든 것을 도적놈에게 내어 주었답니다.

– 김우진, 「산돼지」

- ● **시종** 처음과 끝을 아울러 이르는 말.

05 (가), (나)의 공통점으로 가장 적절한 것은?

① 서술자가 인물의 성격을 직접 제시하고 있다.

② 인물 간의 대화를 통해 갈등을 전개하고 있다.

③ 특정 소재를 통해 앞으로 일어날 일을 암시하고 있다.

④ 배경을 자세하게 묘사하여 작품의 분위기를 조성하고 있다.

⑤ 한 사건을 여러 관점에서 해석하여 사건에 입체성을 부여하고 있다.

06 [A]와 [B]에 대한 설명으로 가장 적절한 것은?

① [A]에는 과거 회상을 통한 옥임이의 신세 한탄이 드러나 있으며, [B]에는 옛이야기에 빗댄 최원봉의 처지가 부각되어 있다.

② [A]에는 정례 모친에 대한 옥임이의 원한이 드러나 있으며, [B]에는 신분 제도 아래 답답함을 느끼는 최원봉의 심정이 표출되어 있다.

③ [A]에는 옥임이와 정례 모친이 갈등하게 된 원인이 요약적으로 제시되어 있으며, [B]에는 최원봉이 과거에 겪은 일이 사실적으로 제시되어 있다.

④ [A]에는 옥임이가 정례 모친에게 모질게 굴었던 이유가 직접적으로 제시되어 있으며, [B]에는 최 주사댁에 대한 최원봉의 반감이 우회적으로 드러나 있다.

⑤ [A]에는 당대 현실에 대한 옥임이의 순응적 태도가 드러나 있으며, [B]에는 자신의 이익을 타인에게 빼앗겨 울분을 느끼는 최원봉의 모습이 나타나 있다.

07 ⟨보기⟩는 (가)의 제목의 의미를 도식으로 나타낸 것이다. ⟨보기⟩에 들어갈 ⓐ, ⓑ에 대한 설명으로 적절하지 않은 것은?

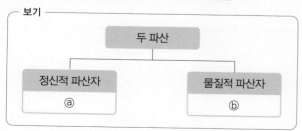

┌─ 보기 ──────────────────────────┐
│   두 파산   │
│   │
│   정신적 파산자   물질적 파산자 │
│   ⓐ   ⓑ   │
└──────────────────────────────────┘

① 옥임이는 ⓐ, 정례 모친은 ⓑ에 해당하는 인물이다.

② ⓐ와 ⓑ는 '30년 동안을 보'아 왔지만 현재 돈 때문에 대립하고 있다.

③ '아버지 같은 영감'과 사는 ⓐ는 '젊은 서방'을 둔 ⓑ를 질투하고 있다.

④ '돈두 중하지만 이게 무슨 꼬락서니냔 말'에서 ⓐ에 대한 ⓑ의 비판 인식이 드러난다.

⑤ '영감의 약값을 제 손으로 벌어야' 하는 형편은 ⓐ가 정신적 파산자가 되는 데 영향을 끼쳤다.

08 ㉠~㉤을 이해한 내용으로 적절하지 않은 것은?

① ㉠: 최원봉이 묻는 말에 대답하지 않으려는 목적으로 화제를 돌리고 있다.

② ㉡: 차혁을 비하하며 최영순과 차혁의 결합에 대한 반감을 드러내고 있다.

③ ㉢: 현실에 순응하며 살아가는 자들에 대한 부정적인 시각이 반영되어 있다.

④ ㉣: 최영순을 차혁과 혼인시켜 개인적 이득을 취하려는 최 주사댁의 행동이 잘못되었음을 알리려는 의도가 담겨 있다.

⑤ ㉤: 최 주사가 남긴 유언의 내용을 알고 있음을 간접적으로 드러내고 있다.

09 ⟨보기⟩를 참고하여 (나)를 감상한 내용으로 적절하지 않은 것은?

┌─ 보기 ──────────────────────────┐
│   「산돼지」에서 '산돼지', '집돼지', '들돼지'는 모두 '돼지' │
│ 앞에 붙은 공간의 속성과 밀접한 연관을 가지는데, '산'은 │
│ 자유롭고 거친 개혁의 공간을, '집'은 일상에 안주하는 공 │
│ 간을, '들'은 '산'과 '집'의 중간적인 속성을 가진 공간을 의 │
│ 미한다. 이 작품은 각 돼지의 의미를 통해 등장인물의 성 │
│ 격과 현실 인식 양상을 효과적으로 드러내고 있다. │
└──────────────────────────────────┘

① 최원봉이 '집돼지'를 경멸하는 것을 고려할 때, 최원봉에게 '집'은 자신이 추구하는 욕망을 실현할 수 없는 공간이군.

② 최원봉이 앓아누운 현재 상황은 저돌적인 '산돼지'로서의 모습과 무기력한 '집돼지'로서의 모습이 충돌하고 있는 것이겠군.

③ '진화'와 '퇴화'에 대한 최원봉의 말을 고려할 때, 최원봉은 '산돼지'보다 진보한 단계로 나아가고자 하는 욕망을 지닌 인물이군.

④ 산이 자유롭고 거친 공간이라는 점을 고려할 때, 최원봉의 별명인 '산돼지'는 그가 개혁에 앞장서고자 하는 인물임을 드러내 주는군.

⑤ '산돼지가 들돼지로, 들돼지가 집돼지로 진화'한다는 최원봉의 말을 고려할 때, '들돼지'는 현실 개혁과 일상 사이에서 고민하는 인물로 볼 수 있겠군.

[10~13] 다음 글을 읽고 물음에 답하시오.

㉮ 상처는 스승이다

절벽 위에 뿌리를 내려라
뿌리 있는 쪽으로 나무는 잎을 떨군다
잎은 썩어 뿌리의 끝에 닿는다
㉠나의 뿌리는 나의 절벽이어니
보라
내가 뿌리를 내린 절벽 위에
㉡노란 애기똥풀이 서로 마주 앉아 웃으며
똥을 누고 있다
나도 그 옆에 가 똥을 누며 웃음을 나눈다
너의 뿌리가 되기 위하여
예수의 못자국은 보이지 않으나
오늘은 **상처에서 흐른 피가**
뿌리를 적신다

– 정호승, 「상처는 스승이다」

㉯ 나는 나를 잘 모른다.

아니 사실은 **혼자 있을 적의 나와 사람들 앞에 나섰을 때의 내가 전혀 다르다고** 느낀다. 인호나 정수는 그런 나를 전쟁 때에 피난 시절의 경상도 아이들이 그랬듯이 '다마내기'라고 했다. 서울내기는 다마내기라는 것이다. 겉으로는 양파처럼 빤질거리는데 속은 아무리 까봐도 모르겠다는 소리다. 상진이가 독서한 깜냥으로 이렇게 말한 적도 있다.

누군가 내면에 지닌 것과 외면에 나타나는 게 다르다는 것은 그가 세계를 올바르게 대하지 않는다는 뜻이겠지.

'나의 내면에 지닌 것과 외면의 것이 조화되게 해 주소서.' 하는 문장은 판 신에게 드리는 기도라는 제목으로 저 옛날 플라톤이 열었던 아카데미아 학원의 문전에 새겨져 있었다고 한다. ㉢사실 나는 세상을 올바르거나 그릇되게 대하려던 것이 아니라 타인에게서 나를 방어하고자 했을 뿐이다. 자유로운 떠돌이 판 신이라 한들 저 혼자 있을 적에, 가령 정신없이 갈대피리를 불고 나서 무슨 생각에 잠겼을지 아무도 모를 일이니까.

내 부모는 누구였을까. 지금은 그들과 함께했던 일상들이 모래 속의 금빛 은빛 싸라기 조각들처럼 기억 속에 흩어져서 반짝이고 있다. 모습은 **어느 장면 하나 또렷하지 않고 희미하다.** 회색 시멘트 담과 언제나 언덕처럼 곳곳에 쌓여 있던 석탄더미들, 기관차의 화물차량 뒤를 쥐새끼처럼 쫓아가며 땔감 코스를 줍던 아이들, 국방색 작업복에 똑같이 하얀 칼라를 내놓은 차림의 방직공장 처녀들, 검은 무명팬티만 입고 벌거벗은 채 뛰어다니며 쌍소리를 하던 영단주택 노동자의 아이들, 공장

폐수가 끊임없이 흘러가던 학교 가는 길, 죽은 쥐, 버려진 제웅, 그리고 실직한 노동자들이 몰려 살던 부서진 화물차들, 그 양지 쪽에서 해바라기하던 아이들, 미군부대의 철조망이 가로막은 여의도 일대의 쓰레기더미, 틈틈이 잡초가 보이고 녹슨 깡통 사이로 피어나던 오랑캐꽃과 민들레 자운영 냉이꽃 같은 작은 풀꽃들, 이런 것들이 영등포에서의 내 어린 날의 기억이다.

공장이나 철도 노동자들의 아이들과 나는 날마다 음모를 꾸몄고 비록 몰락했지만 자신들은 개화된 교육을 받은 점잖은 시민이었다는 생각을 바꿀 수가 없었던 아버지와 어머니를 나는 **날마다 속여넘겨야 했다.** ㉣나는 한편으로는 밑바닥 품삯꾼의 자식들과 같았고 쥐뿔도 없으면서 자산가의 흔적만을 자존심처럼 갖고 살던 월남한 피란민의 도련님이었다. 동네에서나 서울 변두리의 학교에서는 말이다. 부모가 식민지 치하에서 전문 교육을 받았으며 노동이나 농사일을 하지 않았고 일제가 진출해서 번영시킨 만주국의 수도에서 영화관, 백화점, 카페, 그릴 따위의 근대적 문화시설을 기꺼이 드나들며 잘살던 시절이 있었던 것이다.

나는 이제 와서 그들이 일본의 번영을 바랐는지 아니면 은근히 독립을 바랐는지는 잘 모르지만 해방 이후에 서울로 와서 더 좋은 생활을 할 수 있으리라고 믿었던 것만은 틀림이 없었던 듯하다. 그러나 아버지는 끝내 예전처럼 괜찮았던 세월을 다시는 누리지 못했다. 곧 뒤이은 전쟁으로 밑천을 만들 여유를 갖지 못했고 몇 해 뒤에 병사했기 때문이다.

이를테면 나는 일찌감치 **서로 다른 두 세상을 훔쳐보면서** 자랐다. ㉤부모들이 지니고 있던 중산층이니 개화된 지식인이니 하던 의식은 내게는 모두 참을 수 없는 것들뿐이었다. 얌전하고 바른 말씨, 어머니가 불시에 나타나서 학교 수업을 참관하던 일, 유별나게 재단해서 재봉틀로 박아 만든 셔츠, 세일러복 가슴께에 달던 하얀 손수건, 집에서 만든 간식 같은 것들은 우리집을 영단주택의 노동자 구역 가운데서 **동떨어진 섬으로** 만들었다.

– 황석영, 「개밥바라기 별」

10 **(가), (나)의 공통점으로 가장 적절한 것은?**

① 성찰을 통해 삶에 대한 인식을 드러내고 있다.
② 과거와 현재를 대비하여 내용을 전개하고 있다.
③ 명령형 어미를 통해 주제 의식을 강조하고 있다.
④ 일상의 소재를 활용하여 공동체적 유대감을 부각하고 있다.
⑤ 시대적 배경을 나타내는 표지를 사용하여 공간적 배경을 묘사하고 있다.

11 ⊙~⑩에 대한 이해로 적절하지 <u>않은</u> 것은?

① ⊙: 절벽에 뿌리를 내린 나무의 모습에 빗대어 고통을 통한 성숙을 노래하고 있다.

② ⓒ: '나'와 '마주 앉아 웃'는 노란 애기똥풀은 '나'와 위안을 주고받는 존재이다.

③ ⓒ: '나'가 타인들에게 자신의 내면을 숨겼던 이유를 솔직하게 고백하고 있다.

④ ㉣: 자존심만 남아 있는 부모를 비판하는 동시에 연민을 느끼는 '나'의 이중적인 태도가 나타난다.

⑤ ⑩: 부모가 갖고 있던 개화된 지식인으로서의 의식에 대한 '나'의 반감이 드러난다.

12 〈보기〉를 바탕으로 (가)를 감상한 내용으로 적절하지 <u>않은</u> 것은?

┌─ 보기 ─────────────────────
　정호승 시인은 시 창작이 일상의 삶에 가득한 '시'를 자신만의 눈으로 발견하는 것이라고 말하며, 인간이 삶에서 겪는 슬픔과 상처를 위로해 주는 것이 시의 의미라고 밝혔다.
　상처에 대한 시인의 체험과 생각을 바탕으로 한 시 「상처는 스승이다」는 시인의 눈으로 바라본 상처에 새로운 의미를 부여하는 시이다. 시인은 상처 없는 삶은 존재하지 않는다는 전제를 바탕으로, 죽음이라는 상처로 사랑을 완성한 예수, 상처가 아로새겨져 아름다운 무늬를 남기는 나무, 고통과 상처로 만들어지는 진주조개의 진주처럼 상처를 보석으로 만들어야 한다고 말하고 있다.
└─────────────────────────────

① 시인은 '절벽 위에 뿌리를 내'린 나무에서 영감을 얻어 시를 창작한 것이겠군.

② 시인은 누구나 겪을 수밖에 없는 고통과 상처가 아름답게 승화될 수 있다고 여기는군.

③ '상처에서 흐른 피'가 '뿌리를 적'시는 것은 상처를 보석으로 만들어 내는 과정이겠군.

④ '상처는 스승이다'는 시인이 상처에 새롭게 부여한 개성적인 의미를 집약적으로 드러내는 시구이군.

⑤ 시인은 힘겨운 시간을 보내고 있는 이들에게 '예수의 못 자국'과 같은 결실을 맺을 수 있다는 격려를 건네고 싶었겠군.

13 〈보기〉를 참고하여 (나)를 이해한 내용으로 적절하지 <u>않은</u> 것은?

┌─ 보기 ─────────────────────
　성장 소설이란 주인공의 육체적·정신적 성장 과정을 형상화한 소설을 말한다. 성장 소설은 어른이 된 '나'가 자신의 과거를 회상하는 방식으로 서술되는 경우가 많은데, 과거의 '나'는 부모나 사회에 대한 반항, 미래에 대한 불안, 진정한 자아 찾기 등의 모습을 보이며 정신적으로 방황한다. 그러나 '나'는 이러한 정신적 방황 속에서 좌절과 절망에 그치지 않고 희망과 신념을 바탕으로 이를 극복하고 새로운 차원의 단계로 나아가는데, 이 과정에서 '성장'이 나타나게 된다.
└─────────────────────────────

① '서로 다른 두 세상을 훔쳐보면서 자'란 '나'는 이로 인해 정신적 방황을 겪고 있군.

② '나'는 자신의 집이 주변과 구별되는 '동떨어진 섬'이 될지도 모른다는 불안감을 느끼고 있군.

③ 부모님 몰래 '공장이나 철도 노동자들의 아이들'과 음모를 꾸미고, 부모님을 '날마다 속여넘'긴 것은 부모님에 대한 '나'의 반항으로 볼 수 있군.

④ '혼자 있을 적의 나와 사람들 앞에 나섰을 때의 내가 전혀 다르다고 느'끼는 것은 과거의 '나'가 진정한 자아를 찾기 위해 고민하는 모습을 드러내는군.

⑤ 부모님과 함께 했던 일상들이 '어느 장면 하나 또렷하지 않고 희미'한 것으로 보아 어른이 된 '나'가 과거를 회상하는 방식으로 사건이 전개되고 있음을 알 수 있군.

[01 ~ 05] 다음 글을 읽고 물음에 답하시오.

㉮ 울릉도산 취나물 북해산 조갯살 중국산 들기름
타이산 피시소스 알프스에서 온 소금 스페인산 마늘 이태리산 쌀

가스는 러시아에서 오고
취나물 레시피는 모 요리 블로거의 것

독일 냄비에다 독일 밭에서 자란 유채기름을 두르고
완벽한 글로벌의 블루스를 준비한다

글로벌의 밭에서 바다에서 강에서 산에서 온 것들과
취나물 볶아서 잘 차려 두고 **완벽한 고향**을 건설한다

고향을 건설하는 인간의 가장 완벽한 내면을 건설한다
완벽한 내면은 **글로벌의 위장**으로 내려간다

여기에다 외계의 별 한잔이면 **글로벌**의 **블루스**는 시작된다
고향의 입구는 비행장 고향의 신분증은 **패스포트**

오 년에 한 번 본에 있는 영사관으로 가서 패스포트를 갱신하는

선택이었다 자발적인 유배였으며 자유롭고 우울한
선택의 블루스가 흐르는 세계의 중심부에서 변방까지
불선택의 블루스가 흐르는 삶과 죽음까지

글로벌이라는 새 고향, 블루스를 울어야 하는 것이다

이 가난의 고향에는 우주도 없고 이 가난의 고향에는
지구에 사는 인간의 말을 해독하고 싶은 외계도 없다

다만 블루스가 흐르는 **인공위성의 심장**을 가진
바람만이 있다 별 한잔만이 글로벌의 위장 안에서 진다

— 허수경, 「글로벌 블루스 2009」

㉯ 모두가 바캉스를 떠난 파리에서
나는 **묘비**처럼 외로웠다.
고양이 한 마리가 **발이 푹푹 빠지는** 나의
습한 낮잠 주위를 어슬렁거리다 사라졌다.
시간이 똑똑 수돗물 새는 소리로
내 잠 속에 떨어져 내렸다.
그러고서 흘러가지 않았다.

엘튼 존은 자신의 예술성이 한물갔음을 입증했고
돈 맥클린은 아예 뽕짝으로 나섰다.
송×식은 더욱 원숙해졌지만
자칫하면 서××처럼 될지도 몰랐고
그건 이제 썩을 일밖에 남지 않은 **무르익은 참외**라는 뜻일지도 몰랐다.

그러므로, ㉠썩지 않으려면
다르게 기도하는 법을 배워야 했다.
㉡다르게 사랑하는 법
감추는 법 건너뛰는 법 부정하는 법.
그러면서 모든 사물의 배후를
손가락으로 ㉢후벼 팔 것
절대로 *달관하지 말 것
절대로 ㉣*도통하지 말 것
언제나 아이처럼 울 것
아이처럼 배고파 울 것
그리고 가능한 한 ㉤아이처럼 웃을 것
한 아이와 재미있게 노는 다른 한 아이처럼 웃을 것.

— 최승자, 「올 여름의 인생 공부」

● **달관** 사소한 사물이나 일에 얽매이지 않고 세속을 벗어난 활달한 식견이나 인생관에 이름.
● **도통** 사물의 이치를 깨달아 통함.

㉰ 시는 시인의 상상력을 거쳐 재창조된 세계이지만 당대 현실의 모습을 반영하기도 하고, 실제로 존재하는 인물을 등장시키기도 한다. 일상에서 접할 수 있는 현실의 모습이나 인물을 시에서 만나게 되면 독자는 시 속의 이야기가 다른 세상의 이야기가 아니라 바로 내 주변에서 일어난 일인 것처럼 느끼게 된다. 이처럼 허구의 공간인 시적 공간에 현실이나 실존 인물을 등장시키는 방법은 시의 현실성을 높이는 효과가 있다.

01 **(가), (나)의 공통점으로 가장 적절한 것은?**

① 과거를 성찰함으로써 새로운 삶의 태도를 모색하고 있다.

② 화자가 처한 상황을 묘사하여 고독의 정서를 부각하고 있다.

③ 공간적 배경을 묘사하여 부재하는 대상에 대한 그리움을 드러내고 있다.

④ 문장을 도치하여 소시민적이고 속물적인 근성에 대한 반성을 촉구하고 있다.

⑤ 인간의 이면에 주목하여 현실의 문제를 극복하기 위한 대안을 제시하고 있다.

02 **(가)를 이해한 내용으로 적절하지 않은 것은?**

① '완벽한 고향'의 건설은 화자가 만든 고향의 음식으로 자신이 처한 상황에 적응하려는 심리가 반영된 것이다.

② '글로벌의 위장'은 타지에서 외국인으로 살고 있는 화자의 처지를 빗대어 나타낸다.

③ '블루스'는 '글로벌'과 병치되어 화자가 타지에서 느끼는 정서를 효과적으로 드러낸다.

④ '패스포트'는 화자의 신분증으로, '불선택의 블루스'가 흐르는 공간으로 향하기 위한 수단이다.

⑤ '인공위성의 심장'은 지구 밖을 떠도는 인공위성의 특성을 통해 세계 전체를 낯선 땅으로 인식하는 화자의 근원적 외로움을 드러낸다.

03 **(나)의 표현상 특징으로 적절하지 않은 것은?**

① '묘비'와 대조되는 '고양이'라는 역동적인 이미지의 시어를 통해 시에 생동감을 부여하고 있다.

② '발이 푹푹 빠지는' '습한 낮잠'이라는 촉각적 이미지를 통해 화자의 어두운 내면을 환기하고 있다.

③ 추상적 관념인 '시간'을 '똑똑 수돗물 새는 소리'에서 결국 멈춰 버린 것으로 형상화하여 '시간'에 대한 화자의 구체적인 인식을 드러내고 있다.

④ 바람직하지 못한 삶을 사는 여러 가수들의 사례를 나열하여 '무르익은 참외'와 같은 삶에 대한 비판 의식을 드러내고 있다.

⑤ '그러므로'를 기점으로 삶에 대한 부정적 태도와 인식을 이를 극복하기 위한 의지로 전환하고 있다.

04 **〈보기〉를 참고하여 (나)의 시어를 이해한 내용으로 적절하지 않은 것은?**

> ─ 보기 ─
>
> 선생님: 시인은 단어의 사전적 의미를 그대로 빌려와 시어로 쓰기도 하지만, 자신만의 해석을 더해 새로운 의미로 변용하기도 합니다. 따라서 시어의 의미를 해석할 때에는 시의 주제 의식이나 앞뒤 문맥을 잘 살펴 시인만의 개성이 부여된 의미를 적절하게 파악할 수 있어야 해요. 다음 시어의 사전적 의미를 바탕으로 시인이 시에서 이 시어들을 어떻게 사용했는지 파악해 볼까요?
>
> ⓐ 썩다: 유기물이 부패되어 원래 형체를 잃고 나쁜 냄새가 나며 뭉개지는 상태가 되다.
> ⓑ 다르다: 비교가 되는 두 대상이 서로 같지 아니하다.
> ⓒ 후비다: 틈이나 구멍 속을 긁거나 돌려 파내다.
> ⓓ 도통하다: 사물의 이치를 깨달아 통하다.
> ⓔ 아이: 나이가 어린 사람.

① 학생 1: ⓐ은 앞에서 언급한 사람들의 행태로 보아, '사람의 사고방식이나 정신이 나쁘게 변해서 건전하지 못하게 되는 것'을 말하는 듯해요.

② 학생 2: ⓑ은 뒤에 이어지는 썩지 않는 방법들을 고려했을 때, '자신만의 새로운 방법으로'라는 의미가 새롭게 부여된 것이겠네요.

③ 학생 3: ⓒ은 '모든 사물의 배후'라는 구절과 연결 지어 '숨겨진 진실을 깊이 파악하다'라는 의미로 해석할 수 있을 것 같아요.

④ 학생 4: ⓓ은 화자가 부정적으로 인식하는 행위라는 점에서, '타인의 일에 간섭하다'의 의미로 사용된 것 같아요.

⑤ 학생 5: ⓔ은 화자가 지향하는 속성을 지닌 대상이므로, '순수성을 지닌 존재'라는 상징적 의미를 새롭게 부여받은 것이겠네요.

05 **(다)를 바탕으로 (가), (나)를 감상한 내용으로 적절하지 않은 것은?**

① (가)의 제목에서 '2009'년을 명시한 것은 2000년대 이후 가속화된 세계화 속에서 살아가고 있는 독자들의 공감을 이끌어 내기 위함이겠군.

② (가)에 제시된 '울릉도', '북해', '중국' 등의 지명을 통해 시의 내용이 더욱 현실성 있게 다가오는 것 같군.

③ (가)의 우주도 없고 외계도 없는 '가난의 고향'은 시인의 상상력을 통해 재창조된 공간이라고 할 수 있겠군.

④ (나)에서 '송×식'이나 '서××'를 언급한 것은 시인이 조명하는 현실이 마치 나와 내 주변의 일상인 것처럼 느껴지게 하는군.

⑤ (나)에서는 '썩을 일밖에 남지 않은' 허구의 공간과 대조되는 당대 현실을 사실적으로 반영하기 위해 '엘튼 존'이나 '돈 맥클린'이라는 가수의 실명을 언급한 것이군.

[06 ~ 10] 다음 글을 읽고 물음에 답하시오.

가 [앞부분 줄거리] 복덕방에서 서 참의, 박 영감과 소일하면서 시간을 보내는 안 초시는 박 영감을 통해 황해 연변의 개발 정보를 얻어 딸 안경화에게 부동산 투기를 권한다. 그러나 개발 정보가 모두 사기로 밝혀지고 부동산 투자는 실패하고 만다.

모두 꿈이었다. 꿈이라도 너무 악한 꿈이었다. 삼천 원 어치 땅을 사 놓고 날마다 신문을 훑어보며 수소문을 하여도 거기는 *축항이 된단 말이 신문에도, 소문에도 나지 않았다. 용당포(龍塘浦)와 다사도(多獅島)에는 땅값이 삼십 배가 올랐느니 오십 배가 올랐느니 하고 졸부들이 생겼다는 소문이 있어도 여기는 감감소식일 뿐 아니라 나중에, 역시, 이것도 박희완 영감을 통해 알고 보니 그 관변 모 씨에게 박희완 영감부터 속아 떨어진 것이었다. 축항 후보지로 측량까지 하기는 하였으나 무슨 결점으로인지 중지되고 마는 바람에 너무 기민하게 거기다 땅을 샀던, 그 모 씨가 그 땅 처치에 곤란하여 꾸민 연극이었다.

돈을 쓸 때는 일 원짜리 한 장 만져도 못 봤지만 벼락은 초시에게 떨어졌다. 서너 끼씩 굶어도 밥 먹을 정신이 나지도 않았거니와 밥을 먹으러 들어갈 수도 없었다.

"재물이란 **친자 간의 의리도** 배추 밑 도리듯 하는 건가?"

탄식할 뿐이었다. 밥보다는 술과 담배가 그리웠다. 물론 **안경다리는** 그저 못 고치었다. 그러나 이제는 오십 전짜리는커녕 단 십 전짜리도 얻어 볼 길이 없다.

추석 가까운 날씨는 해마다의 그때와 같이 맑았다. 하늘은 천 리같이 트였는데 조각구름들이 여기저기 널리었다. 어떤 구름은 깨끗이 바래 말린 옥양목처럼 흰빛이 눈이 부시다. ⊙안 초시는 이번에도 자기의 때 묻은 적삼 생각이 났다. 그러나 이번에는 소매 끝을 불거나 떨지는 않았다. 고요히 흘러내리는 눈물을 그 더러운 소매로 닦았을 뿐이다.

여름이 극성스럽게 덥더니, 추위도 그럴 징조인지 예년보다 무서리가 일찍 내리었다. ⓐ서 참의가 늘 지나다니는 *식은 관사(殖銀官舍)에 들 울타리가 넘게 피었던 코스모스들이 끓는 물에 데쳐 낸 것처럼 시커멓게 무르녹고 말았다.

참의는 머리가 띵—하였다. 요즘 와서 울기 잘하는 안 초시를 한번 위로해 주려, ⓑ엊저녁에는 데리고 나와 청요릿집으로, 추탕집으로 새로 두 점을 치도록 돌아다녔기 때문 같았다. 조반이라고 몇 술 뜨기는 했으나 혀도 그냥 뻑뻑하다. 안 초시도 그럴 것이니까 해는 벌써 오정 때지만 끌고 나와 해장술이나 먹으리라 하고 부지런히 내려와 보니, 웬일인지 복덕방이라고 쓴 베 발이 아직 내어걸리지 않았다.

"이 사람 봐아……. 어느 땐 줄 알구 코만 고우……."

그러나 코 고는 소리는 들리지 않았다. 미닫이를 밀어젖힌 서 참의는 정신이 번쩍 났다. 안 초시의 입에는 피, 얼굴은 잿빛이다. 방 안은 움 속처럼 음습한 바람이 횡— 끼친다.

"아니?"

참의는 우선 미닫이를 닫고 눈을 비비고 초시를 들여다보았다. 안 초시는 벌써 아니요, 안 초시의 시체일 뿐, 둘러보니 무슨 약병인 듯한 것

하나가 굴려져 있다.

참의는 한참 만에야 이 일이 슬픈 일인 것을 깨달았다.

"허!"

파출소로 갈까 하다 그래도 자식한테 먼저 알려야겠다 하고 말만 듣던 그 안경화 무용 연구소를 찾아가서 안경화를 데리고 왔다. 딸이 한참 울고 난 뒤다.

"관청에 어서 알려야지?"

"아니야요. 앗으세요."

딸은 펄쩍 뛰었다.

"앗으라니?" / "저……."

"저라니?" / "제 명예도 좀…….."

하고 그는 애원하였다.

— 이태준, 「복덕방」

● **축항** 항구를 구축함. 또는 그 항구.
● **식은 관사** 한국 산업 은행의 전신인 '조선 식산 은행' 직원이 살던 사택.

나 [앞부분 줄거리] 시한부 인생을 살고 있는 정원은 사진관을 운영하는데, 주차 단속원 다림이 정원에게 주차 단속 사진의 인화를 맡기면서 서로 조금씩 가까워진다. 어느 날 갑자기 상태가 악화된 정원은 다림 모르게 입원을 하게 된다.

S# 97. 병원 입원실(밤)

정숙 무슨 생각해.

정원 갑자기 아카시아 냄새가 맡고 싶어. 아파트가 들어서기 전, 삼거리 동산이 있었잖아. 밤늦게 버스가 지날 때는 아카시아 냄새가 바람을 타고 버스 안으로 들어왔었어.

정숙 오빠, 어떤 아가씨하고 친하게 지낸다며? 연락해서 오라고 할까?

정원 ⓒ됐어……. 보고 싶은 사람 없어.

눈을 감는 정원. 정숙이 정원에게서 고개를 돌려 창밖을 본다.

S# 98. 도로(낮)

열린 창문으로 고개를 내민 다림. 바람에 헝클어진 여자의 머리. 멍하니 바깥 풍경을 바라보는 다림. 스쳐 지나가는 거리의 풍경들. 거리를 달리는 주차 단속 차량 티코.

S# 99. 사진관(낮)

잠긴 사진관 앞에서 서성거리는 다림. 다림은 닫힌 사진관 문의 손잡이를 잡고 흔들어 본다. 〈중략〉

S# 112. 슈퍼마켓 앞(해 질 녘)

파라솔 의자에 나란히 앉아 있는 철구와 정원. 지나가는 사람들을 본다.

철구 그 주차 단속원 아가씨 너 입원하고 안 보이더라. 그만뒀대?

정원 …… 야, 벌써 가을이 다 갔네.

정원은 길가의 앙상한 가지들을 바라본다.

S# 113. 사진관(밤)

ⓛ정원은 선반 위에 있는 박스와 앨범을 꺼낸다. 자신이 학생 때 찍은 사진들 몇 장이 나온다. 몇 장을 보다가 박스를 밀어 넣고 앨범을 펼친다. 한 장한 장 앨범을 넘기면서 미소를 짓는다.

ⓓ앨범을 넘기면서 정원의 미소는 점점 사라지고 눈시울이 뜨거워진다. 눈물을 글썽거리는 정원. 한 장의 사진이 앨범에 붙어 있다. 자신이 찍어 준 다림의 증명사진이다.

정원, 앨범을 덮고 다림이 보낸 편지와 함께 다시 박스 속에 집어넣는다. 굳게 밀봉되는 박스.

S# 114. 촬영실(밤)

정원, 벽에 걸린 손님용 양복을 입는다. 거울 앞에서 넥타이를 매는 정원. 카메라 앞에 놓인 의자 위에 앉는다. 정원, 다시 일어나 카메라를 보고 자신의 위치를 확인하고는 자리에 앉는다. 플래시가 터진다. 한 번, 두 번, 세 번, 활짝 웃는 정원의 얼굴이 화면에 가득 찬다.

그 사진은 그대로 정원의 영정 사진으로 *디졸브된다. 활짝 웃고 있는 정원의 영정 앞에는 항불이 연기를 피워 올리고 있다. / 암전.

S# 115. 사진관 앞(낮 – 눈)

눈이 내리는 사진관 앞거리……. 어딘가에서 크리스마스 캐럴이 흐른다. 사진관 문이 열리고 정원의 아버지가 나온다. 문을 잠그고 스쿠터를 타고 멀어져 가는 아버지.

겨울 코트를 입고 털모자와 목도리를 한 다림이 사진관 앞으로 걸어간다. 그러다 문득 다시 발걸음을 멈추고 서서히 사진관 쪽으로 걸음을 옮기는 다림. 유리창 안에서 밖을 보면 다림이 다가와 사진관 앞에 선다. 사진관 안을 가만히 들여다보다가 시선이 한곳에 머무는 다림.

ⓔ놀라움이 조금씩 얼굴에 드러나기 시작한다.

돌아서 양손에 입김을 불어 넣는 다림, 활짝 웃는다. 양손을 입에 댄 채 입김을 불어 넣으며 서서히 멀어져 가는 다림의 뒷모습.

사진관 진열관에는 활짝 웃는 다림의 얼굴이 액자에 넣어져 걸려 있다.

멀어져 가는 다림의 모습.

S# 116. 초등학교 운동장(해 질 녘 – 눈)

운동장 전체가 한눈에 내려다보인다. 아무도 없는 운동장 위로 서서히 눈이 내리기 시작한다. 아이들이 남긴 무수한 발자국들 위로 흰 눈이 쌓여 간다.

내레이션 내 기억 속의 무수한 사진들처럼, 사랑도 언젠간 추억으로 그친다는 것을 난 알고 있었습니다. 하지만 당신만은 추억이 되질 않았습니다. 사랑을 간직한 채 떠날 수 있게 해 준 당신께 고맙단 말을 남깁니다.

– 오승욱·신동환·허진호, 「8월의 크리스마스」

* **디졸브(Dissolve)** 한 화면이 사라짐과 동시에 다른 화면이 점차로 나타나는 장면 전환 기법.

06 (가), (나)의 공통점으로 가장 적절한 것은?

① 인물의 대사를 통해 사건을 요약하여 제시하고 있다.

② 인물이 처한 현실에 대한 부정적 인식을 드러내고 있다.

③ 여러 사건이 동시에 진행되어 다양한 갈등 관계를 형성하고 있다.

④ 시간의 흐름에 따라 사건을 전개하여 계절의 변화를 드러내고 있다.

⑤ 시·공간적 배경을 통해 서정적이고 낭만적인 분위기를 조성하고 있다.

07 ㉠, ㉡에 대한 이해로 적절하지 않은 것은?

① ㉠의 죽음은 ㉡의 죽음과 달리 문제 상황에 대한 비판 의식을 촉발한다.

② ㉠의 죽음은 ㉡의 죽음과 달리 주변 인물과의 관계가 원인으로 작용한다.

③ ㉡의 죽음은 ㉠의 죽음과 달리 주변 인물들이 서로 갈등하는 계기가 된다.

④ ㉠의 죽음은 절망스럽고 비참한 정서와, ㉡의 죽음은 애틋한 정서와 연결된다.

⑤ ㉠의 죽음은 경제적 상황과 관련이 있고, ㉡의 죽음은 신체적 상황과 관련이 있다.

08 ⓐ~ⓔ에 대한 이해로 가장 적절한 것은?

① ⓐ: 안 초시에게 닥칠 미래를 암시하는 불길한 분위기를 조성한다.

② ⓑ: 안 초시와의 갈등을 해소하기 위한 서 참의의 노력이 드러난다.

③ ⓒ: 병문안을 오지 않는 다림에 대한 원망이 반어적으로 드러난다.

④ ⓓ: 행복했던 과거에 대한 그리움과 절망적인 현실에 대한 정원의 분노가 함께 드러난다.

⑤ ⓔ: 새로운 사랑을 시작한 다림의 설렘이 느껴지는 모습으로 희망찬 분위기와 연결된다.

09 〈보기〉를 참고하여 (가)를 감상한 내용으로 적절하지 <u>않은</u> 것은?

> ┌─ 보기 ─────────────────────
> 　이태준의 「복덕방」은 1930년대 서울 외곽의 복덕방을 배경으로, 봉건적 풍속이 식민지 자본주의적 풍토로 급격하게 변하는 시대 상황에 적응하지 못한 채 살아가는 수동적인 세 노인의 삶을 그리고 있다. 그중에서도 몰락해 가는 안 초시를 중심으로 소외된 세대의 궁핍과 좌절을 보여 주고 있으며, 전통적인 가족 공동체의 파괴, 새로운 세대의 이해타산적인 가치관 등을 비판적 시각으로 드러내고 있다.
> └──────────────────────────

① 안 초시는 근대화 과정에서 급변하는 세태에 적응하지 못하여 소외되는 이들을 대표하는군.

② 세대 간 갈등에 대한 원인을 지적하는 서 참의는 근대적 가치관을 지닌 이들의 위선을 폭로하고 있군.

③ 아버지의 죽음 앞에서도 자신의 명예부터 걱정하는 안경화를 통해 새로운 세대의 이기적인 모습을 형상화하였군.

④ 딸의 경제적 도움 없이는 '안경다리'조차 고치지 못하는 궁핍한 안 초시의 모습은 구세대의 비참한 처지를 드러내고 있군.

⑤ '친자 간의 의리'를 무시하고 안 초시에게만 투자 실패의 책임을 묻는 안경화를 통해 가족 공동체가 파괴되는 모습을 보여 주고 있군.

10 (나)를 바탕으로 영화를 연출한다고 할 때, 고려해야 할 점으로 적절하지 <u>않은</u> 것은?

① S# 98에서는 다림의 흐트러진 머리카락이 잘 보이도록 확대하여 촬영하다가 점차 풍경과 거리감이 느껴지도록 카메라를 전환한다.

② S# 113에서 '다림의 증명 사진'을 클로즈업함으로써 정원이 눈물을 흘리는 이유가 다림 때문임을 강조한다.

③ S# 114에서 정원의 웃는 사진과 영정 사진이 겹쳐지게 편집하여 두 사진이 동일한 사진임을 나타낸다.

④ S# 115에서 다림 역을 맡은 배우가 사진관 진열관을 본 후에 놀라움에서 행복감으로 변하는 표정을 짓도록 한다.

⑤ S# 116에서 내레이션의 배경음악으로 처연한 음악을 삽입하여 이별로 인한 슬픔을 나타낸다.

[11~15] 다음 글을 읽고 물음에 답하시오.

㉮ ㉠오호, 여기 줄지어 누웠는 넋들은
　눈도 감지 못하였겠고나.

　어제까지 너희의 목숨을 겨눠
　방아쇠를 당기던 우리의 그 손으로
　썩어 문드러진 살덩이와 뼈를 추려
　㉡그래도 양지바른 두메를 골라
　고이 파묻어 *떼마저 입혔거니

　㉢죽음은 이렇듯 미움보다도 사랑보다도
　더 너그러운 것이로다.

　이곳서 나와 너희들의 넋들이
　돌아가야 할 고향 땅은 삼십 리(里)면
　가로막히고
　*무주공산(無主空山)의 적막만이
　천만 근 나의 가슴을 억누르는데

　살아서는 너희가 나와
　미움으로 맺혔건만
　㉣이제는 오히려 너희의
　풀지 못한 원한이 나의
　바람 속에 깃들여 있도다.

　손에 닿을 듯한 봄 하늘에
　㉤구름은 무심히도
　북(北)으로 흘러가고

　어디서 울려오는 포성 몇 발
　나는 그만 이 은원(恩怨)의 무덤 앞에
　목 놓아 버린다.

　　　　　　　－ 구상, 「*초토의 시 8 － 적군 묘지 앞에서」

● **떼** 흙이 붙어 있는 상태로 뿌리째 떠낸 잔디.
● **무주공산** 인가도 인기척도 전혀 없는 쓸쓸한 곳.
● **초토** 불에 탄 것처럼 황폐해지고 못 쓰게 된 상태를 비유적으로 이르는 말.

㉯ 정말 이 야만의 시대에 꽃이 과연 총을 이길 수 있는가. 그 답을 시에게 묻는다.

　할머니 꽃씨를 받으신다.
　방공호(防空壕) 위에
　어쩌다 된

채송화 꽃씨를 받으신다.

호(壕) 안에는
아예 들어오시덜 않고
말이 수째 적어지신
할머니는 그저 누여우시다.

— 진작 죽었더라면
이런 꼴 / 저런 꼴
다 보지 않았으련만……

　　　　　　　　　　[A]

글쎄 할머니,
그걸 어쩌란 말씀이서요.
수째 말이 적어지신
할머니의 노여움을
풀 수는 없었다.

할머니 꽃씨를 받으신다.
인제 지구(地球)가 깨어져 없어진대도
할머니는 역시 살아 계시는 동안은
그 작은 꽃씨를 털으시리라.

　　　　　　－ 박남수, 「할머니 꽃씨를 받으시다」

평양이 고향인 시인 박남수. 이 작품은 1951년 월남한 그가 피난민의 생활을 갈매기의 생태에 비겨 그려 낸 『갈매기 소묘』(1958)라는 시집에 실려 있다. 그러니까 이 시인도 난민이었던 셈. 마침 이 시의 화자도 *브랑동처럼 어린이다. 한데 이 어린 손주가 보건대 전쟁터의 할머니는 노여우시기만 하다. 진작 죽지 못해 못 볼 꼴 다 보고 산다고. 저간에 숨겨진 사연이야 짐작할 수밖에 없다. 이웃들이 학살당하는 걸 봤는지도, 당신 아들이 먼저 저세상에 갔는지도, 전쟁 통에 세상이 바뀌며 위아래도 없고 경우도 사라져 억울한 해코지를 당했는지도 모른다.

이렇든 저렇든 할머니는 분에 겨워 말수조차 줄어드셨고, 이제 당신 목숨은 상관조차 않으신다. 방공호에 아예 들어오시지도 않으니 말이다. 그런데 그런 분이 하찮은 채송화, 그것도 '어쩌다' 핀 채송화, 자잘하기 이를 데 없어 거두기 힘들고 짜증만 잔뜩 나는 그 채송화 꽃씨를 손수 받으시는 것이다. 채송화라? 혹시 동요 「꽃밭에서」를 기억하는가.

아빠하고 나하고 만든 **꽃밭**에
채송화도 봉숭아도 한창입니다.
아빠가 매어 놓은 새끼줄 따라
나팔꽃도 어울리게 피었습니다.

　　　　　　[B]

　　　　　　－ 어효선 작사·권길상 작곡, 「꽃밭에서」

맑고 밝게 즐겨 불렀던 노래지만 사실 이 노래는 『스승의 은혜』로 유명한 권길상 선생이 1953년 피란 시절에 작곡한 것이다. 아, 피란 시절 그 난리 통에 아빠는 뭐하러 꽃밭을 만들었을꼬. 놀랄 만하지 않은가. 전쟁 통에 할머니는 채송화 씨를 거두고 아빠는 그걸 심었단 말이다. 게다가 그걸 박남수는 시로 남기고 권길상은 노래로 만들었단 말이다. 혹여나 아빠와 할머니가 키웠던 채송화가 '나' 아니었을까, 채송화 꽃씨는 내 자식이 아닐까. 그 덕에 지금 우리가 꽃밭에서 시와 노래를 즐기며 살고 있는 게 아니겠는가.

그래, 전쟁 통에도 꽃은 피었고, 사람들은 꽃을 키웠다. 채송화 꽃밭은 환상이나 낭만이 아닌 실재 세계였던 것이다. 하지만 현실이든 상상이든 그게 무슨 대수랴. 중요한 것은 **군화 자국 옆에 꽃들을 피우고, 총자루에 꽃을 매며, 총구에 꽃을 꽂는 일** 아니겠는가. 〈중략〉

총은 꽃을 이기지 못한다. 총이 이기면 사람이 죽는다. 더 큰 총은 더 많은 사람을 죽인다. 그래서 거친 남성, 어른의 폭력, 주류의 횡포에 맞서는 것은 늘 여성, 아이, 장애다. 아픈 자만이 아픔을 안다. 작은 것이 큰 것을 고치고, 부드러운 것이 강한 것을 이긴다. 그러므로 꽃이 총을 이긴다. 그리고 **그런 꽃을 시는 닮고자 한다**. 시는 지배 언어의 자기도취를 일깨우는 변방의 언어이기 때문이다.

　　　　　　－ 정재찬, 「총, 꽃, 시」

● **브랑동** 베트남 출신 프랑스 이민자의 아들. 2015년 프랑스 파리에서 일어난 테러 희생자를 애도하러 간 브랑동은 현지 방송과의 인터뷰에서 '꽃'이 우리를 지켜줄 거라고 말하였는데 이 영상이 공개되며 큰 호응을 받음.

11 (가), (나)의 공통점으로 가장 적절한 것은?
　① 다른 작품의 일부를 인용하여 주제 의식을 부각하고 있다.
　② 역사적 사건을 중심으로 현실에 대한 인식을 드러내고 있다.
　③ 과거와 현재의 대비를 통해 비극적인 분위기를 고조하고 있다.
　④ 특정 소재를 활용하여 미래에 대한 비관적인 전망을 드러내고 있다.
　⑤ 문답의 형식을 활용하여 역설적인 표현에 담긴 상징적 의미를 탐구하고 있다.

12 ⊙~⑩에 대한 이해로 적절하지 <u>않은</u> 것은?

① ⊙: 적군의 원통한 마음을 짐작하며 공감과 연민을 드러
낸다.

② ⓒ: 양지바른 땅을 골라 적군을 묻어 주고 떼까지 입혀
주는 모습에서 화자의 인간적인 면모가 부각된다.

③ ⓒ: 죽음 앞에서는 그 어떠한 감정에도 연연하지 않겠다
는 달관적인 자세를 나타낸다.

④ ②: 시적 대상에게 느끼는 감정이 과거와 달라진 현재 상
황으로, 시적 대상과 화자의 염원이 일치함을 드러낸다.

⑤ ⑩: 인간사와 달리 평화로운 자연의 모습을 제시하여 현
실에 대한 안타까움을 강조한다.

13 〈보기〉를 바탕으로 (가)를 감상한 내용으로 적절하지 <u>않은</u> 것은?

> ─ 보기 ─
> 전후 문학이란 전쟁이 가져온 참상, 정신적 상처와 우
> 울 등을 인간 존재의 부조리 측면에서 파악하고 형상화한
> 문학이다. 전후 문학은 전쟁의 비극을 사실적으로 그려
> 낼 뿐만 아니라 전쟁이 끝난 후에도 이어지는 고통과 부
> 조리에 주목한다. 이는 인간 존재에 대한 실망으로 인한
> 허무주의로 나타나기도 하고, 또는 삶의 부조리를 극복하
> 기 위한 방안을 모색하는 형태로 나타나기도 한다.

① '눈도 감지 못'한 '줄지어 누웠는 넋들'은 전쟁에 희생당
한 원혼들을 의미하겠군.

② '어제까지 너희의 목숨을 겨'누고 '방아쇠를 당기던 우리
의 그 손'으로 죽은 넋들을 위로하는 것은 전쟁의 참상을
극복하려는 시도로 볼 수 있겠군.

③ '너희들의 넋들'이 '돌아가야 할 고향 땅'이 '삼십 리(里)
면 가로막'힌다는 현실을 통해 남북 분단의 비극을 드러
내고 있군.

④ 가슴을 억누르는 '무주공산(無主空山)의 적막'의 무게가
'천만 근'이라는 것은 전쟁 이후 부조리한 상황에 대한
답답함을 과장하여 표현한 것이겠군.

⑤ '어디서 울려오는 포성 몇 발'에 '목 놓아 버'리는 모습은
현실에 대한 실망을 해소하기 위한 방안을 모색하는 행
위이겠군.

14 [A], [B]를 이해한 내용으로 가장 적절한 것은?

① [A]의 '그걸 어쩌란 말씀'에는 '방공호'로 형상화된 할머
니의 상처가 회복되지 못할 것이라는 화자의 비관적 인
식이 드러난다.

② [B]에서 어린 자식과 함께 '꽃밭'을 만드는 아빠의 행위
에는 미래 세대에 대한 기대가 담겨 있다.

③ [A], [B]는 전쟁의 비극성에 대한 절망과 한탄의 정서를
집약한다.

④ [A], [B]의 '채송화'는 현실의 고단함으로부터 도피하고
싶은 심정을 의미하는 소재이다.

⑤ [A], [B]의 할머니와 아빠는 일상에 안주하기 위해 꽃을
키우는 소시민을 대표하는 인물이다.

15 (나)를 깊이 있게 감상하기 위해 〈보기〉의 학습 활동을 수행하
고자 할 때, 빈칸에 들어갈 내용으로 적절하지 <u>않은</u> 것은?

> ─ 보기 ─
> [학습 활동] 제목의 의미 파악하기
>   (나)는 상징적인 소재인 '총, 꽃, 시'를 활용하여 주제를
> 전달하고 있다. (나)의 내용을 바탕으로 '총', '꽃', '시'의 관
> 계를 파악하고, 나아가 이를 통해 글쓴이가 전달하고자
> 한 내용이 무엇인지 탐구해 보자.
>
> (1) '총', '꽃', '시'의 관계
>   (   )
> (2) 글쓴이가 전달하고자 한 내용
>   • 작은 것이 큰 것을 고칠 수 있음.
>   • 부드러운 것이 강한 것을 이길 수 있음.
>   • 변방의 언어가 지배 언어를 반성하게 만들 수 있음.

① 글쓴이가 '꽃이 과연 총을 이길 수 있는가'라는 물음을
던지는 것으로 보아, '꽃'과 '총'은 서로 대립적인 관계에
놓여 있다고 볼 수 있다.

② 야만의 시대에도 창작되어 사람들에게 희망과 위안이
되었다는 점에서 '시'는 '꽃'이 상징하는 바를 언어로 형
상화한 것이라고 할 수 있다.

③ '그런 꽃을 시는 닮고자 한다'는 것으로 보아, '시'는 '총'
으로 표상되는 폭력 앞에 굴하지 않은 '꽃'처럼 지배 언
어에 대항하려 한다고 볼 수 있다.

④ '군화 자국 옆에 꽃들을 피우고, 총자루에 꽃을 매며, 총
구에 꽃을 꽂는 일'이 중요하다고 하는 것으로 보아, 부
드러운 '꽃'은 강한 '총'을 이길 수 있는 힘을 의미한다.

⑤ 글쓴이가 '꽃이 과연 총을 이길 수 있는가'에 대한 답을
'시'에서 찾고자 하는 것으로 보아, '시'는 '꽃'으로 대표되
는 부드러운 것과 '총'으로 대표되는 강한 것을 모두 포
용하는 보편적 가치를 의미한다.

● 수험생에게 고 단 백 이란?

고효율 학습 단 기간에 빠르게 백 전백승

선택과 집중!
수능 단기 특강서

기본편 / 문학 / 현대시 / 고전시가 /
독서 / 언어와 매체 / 화법과 작문 /
고난도 독서·문학

실전 대비!
미니 모의고사

문학 / 독서 / 언어와 매체 /
화법과 작문

Q

해법 문학Q

현대 문학 문제편

정답과 해설

천재교육

해법문학 Q

현대 문학 문제편

정답과 해설

정답과 해설 현대 시

개화기 ~ 광복 이전

01 ⑦ 진달래꽃 ⑭ 산유화   14~15쪽

01 ③   02 ④   03 ④   04 ③   05 ②

⑦ [작품 해제] 우리 민족의 보편적 정서라고 할 수 있는 이별의 정한을 노래한 시로, 민요적 율격과 애절한 어조로 이별의 슬픔과 그것을 극복하려는 내적 의지를 형상화하고 있다.

⑭ [작품 해제] 민요조 서정시의 대표적인 작품으로, 꽃이 피고 지는 자연 현상을 통해 이 세상에 존재하는 모든 사물의 근원적 고독감을 노래하고 있다.

01 (가)와 (나)는 모두 유사한 시구를 시의 처음과 끝에 배치하는 수미 상관의 구조를 통해 구조적 안정감을 부여하고 주제를 강조하고 있다.

🖊️ 왜 오답일까 ① (나)에서는 '가을'을 '갈'로 표현하는 시적 허용을 활용하여 운율을 살리고 있지만, (가)에서는 이러한 부분이 나타나지 않는다.
② (가), (나)에서는 상반된 의미의 시어를 나란히 배치한 부분을 찾을 수 없다.
④ (가)에는 계절의 변화가 나타나지 않는다.
⑤ (나)에서는 '산에서 우는 작은 새'에서 청각적 이미지를 활용하고 있지만, (가)에서는 청각적 이미지를 활용하고 있지 않다.

02 임에게 자신이 뿌린 꽃을 '즈려밟고 가'라는 화자의 말에는 떠나는 임을 축복하는 마음과 이별로 인한 슬픔이 동시에 담겨 있다. 화자가 뿌린 꽃을 밟을 때라도 임이 자신을 떠올리길 바라는 애절한 심정을 드러낸 것이다. 이처럼 헌신적인 화자의 태도로 볼 때, 이 부분에서 임에 대한 원망을 표현했다고 보기는 어렵다.

03 '작은 새'는 '꽃'을 좋아하는 주체로, '꽃'이 '작은 새' 때문에 고독을 느꼈다고 판단할 만한 내용은 찾을 수 없다.

04 (가)는 3음보의 민요조 율격을 보이고 있으므로, 4음보를 형성하려 했다는 내용은 적절하지 않다.

🖊️ 왜 오답일까 ① 〈보기〉의 1연 2행의 '말업시'가 (가)의 1연에서는 3행에 배치되었는데, 이를 통해 시의 첫 연과 마지막 연이 동일한 형식을 지니게 되면서 형태적 안정감을 갖추게 되었다.
② 〈보기〉의 '영변엔 약산'이 (가)에서는 '영변에 약산'으로 수정되어, 발음상의 차이로 낭독이 조금 더 부드러워지는 효과가 있다고 볼 수 있다.
④ 〈보기〉의 '발거름마다'를 (가)에서는 '걸음걸음'으로 수정하여 반복을 통해 리듬감을 형성하고 있다.
⑤ 〈보기〉의 4연 3행에 있던 반점(,)이 (가)에서는 삭제되었는데, 이를 통해 (가)의 4연 3행도 다른 연의 3행과 동일한 율격을 갖추게 되었다.

05 (나)에서는 종결 어미 '-네'를 사용하여 감정을 절제한 채 담담하게 드러내는 효과를 거두고 있다.

🖊️ 왜 오답일까 ① (나)에는 화자가 직접 체험한 내용이 아니라 관찰한 모습이 드러나 있다.
③ (나)에서는 대상에 대한 냉소적 태도가 아니라 관조적 태도를 드러내고 있다.
④ (나)에는 현실 비판 인식이 드러나 있지 않다.
⑤ '저만치 혼자서 피어 있는' '꽃'은 화자와의 거리감을 드러내며, '-네'를 통해 친근한 정서가 강조된다고 보기도 어렵다.

02 ⑦ 초혼 ⑭ 접동새   16~17쪽

01 ⑤   02 ③   03 ④   04 ⑤   05 ④

⑦ [작품 해제] 전통적 장례 의식인 '초혼'을 소재로 하여, 사랑하는 사람을 잃은 비탄과 절망감을 격정적인 어조로 노래하고 있다.

⑭ [작품 해제] 접동새 설화를 제재로 하여 애절한 혈육의 정을 표현하고 있으며, 3음보의 민요적 가락과 향토적 어휘 등을 활용하여 한의 정서를 형상화하고 있다.

01 (나)에는 화자의 사연이 아닌, 접동새 설화 속 '누나'의 사연이 요약적으로 제시되어 있다.

🖊️ 왜 오답일까 ① (가)와 (나)는 모두 3음보의 민요적 율격을 이루고 있다.
② (가)는 '~이여!'와 같은 영탄적 표현을 통해 화자의 격정적인 정서를 드러내고 있다.
③ (가)의 화자는 '슬피' 우는 '사슴'에 감정을 이입하고 있다.
④ (나)의 '접동 / 접동 / 아우래비 접동'은 한(恨)과 설움을 지닌 접동새의 울음소리를 표현한 음성 상징어(의성어)로, 애상적인 분위기를 조성한다.

02 ⓒ은 '떨어져 나가' 있다는 점에서 화자의 고립감 혹은 임과의 거리감과 단절감을 드러내는 공간이다. 현실의 고통을 잊을 수 있는 초월적 공간이라는 설명은 적절하지 않다.

03 〈보기〉에서 한은 체념해야 할 상황에서도 미련을 버리지 못할 때 맺힌다고 하였다. (나)의 '누나'는 죽은 뒤에도 동생들을 잊지 못하여 그리워하고 있으므로, 누나의 한은 동생들에 대한 미련을 끊어내지 못하여 맺힌 것이라고 볼 수 있다.

🖊️ 왜 오답일까 ① 누나는 '의붓어미 시샘에 죽었다고 하였으므로 시샘을 하는 주체는 누나가 아닌 의붓어미이다.
②, ③ 누나의 한은 동생들에 대한 미련 때문에 맺힌 것으로, 누나가 가족을 버린 것에 대해 자책을 한다거나 희망을 잃고 체념하는 부분은 나타나지 않는다.

⑤ 자신을 지켜 주지 못한 동생들에 대한 누나의 원망은 나타나지 않는다.

04 〈보기〉의 「접동새 설화」와 (나)는 모두 계모 때문에 죽은 누나가 '접동새(ⓑ)'가 된 상황을 제시하고 있으며, 이때 접동새는 동생들을 그리워하며 밤마다 슬피 울고 있다. 따라서 접동새가 위안의 의미를 갖는다고 보기는 어렵다.

05 (가)의 화자는 '그 사람'의 이름을 간절하게 부르고 있지만 '그 사람'이 있는 하늘과 자신이 있는 땅 사이의 거리가 넓어 절망하고 있으며, (나)의 화자는 '이 사람'이 어디로 갔는지 찾고 있지만 메아리로 되돌아오는 자신의 목소리 때문에 상대방의 부재를 더욱 절실하게 실감하고 있다.

엮인 작품 더 알기
김춘수, 「강우」   ▶해법문학 Link 현대 시 366쪽
작품 해제 아내의 죽음으로 인한 슬픔과 절망을 나타낸 시로, 아내의 죽음을 받아들이지 못하고 계속해서 아내를 찾는 화자의 모습을 독백적으로 나타내어 애상감이 느껴진다. 후반부에서는 '비'라는 객관적 상관물을 통해 그리움과 안타까움의 정서를 심화하고 있다.

03 빼앗긴 들에도 봄은 오는가   18~19쪽

01 ⑤   **02** ③   **03** ⑤   **04** ⑤   **05** ⑤

작품 해제 국권 상실의 비극적 현실과 새로 찾아온 봄의 아름다움을 대비하여, 일제 강점하의 우리 민족의 설움을 격정적 호흡과 영탄적 어조로 드러내고 있다.

01 윗글의 화자는 '-자', '-라' 등의 청유형 어미와 명령형 어미를 통해 봄을 맞은 국토에서 느끼는 정취와 빼앗긴 들에 대한 탄식을 드러내고 있지만, 대상의 태도 변화를 촉구하지는 않았다.
왜 오답일까 ① '나는 온몸에 풋내를 띠고'에서 후각적 이미지를 통해 자연에 동화된 화자의 모습을 형상화하고 있다.
② 1연에서 질문을 던져 시를 시작하고, 마지막 연에서 이에 대한 대답을 하는 방식으로 처음과 끝을 대응하여 조국을 빼앗긴 절망적인 현실에 대한 인식을 강조하고 있다.
③ '걸어만 간다', '반갑다 웃네', '어깨춤만 추고 가네' 등에서 현재형 시제를 통해 봄을 맞이한 들의 모습과 화자의 정서가 생동감 있게 전달되고 있다.
④ '삼단 같은 머리를 감'은 '보리밭'에게 말을 건네는 등 의인화된 대상에 대한 친밀감을 드러내고 있다.

02 '좋은 땀조차 흘리고 싶다.'에는 노동을 통해 국토의 생명력을 적극적으로 느끼고 싶은 소망이 담겨 있다.
왜 오답일까 ④ 9연에서 화자는 들을 빼앗긴 부정적인 상황에 처했음에도 불구하고 철없이 경치에 취해 있는 자신의 모습을 자조적으로 표현하고 있다.

03 '봄 신령'은 화자가 무엇인가에 홀린 듯 하루 종일 봄의 정취가 가득한 들판을 걷고 싶게 만드는 존재나 내면의 욕구를 가리키는 것으로, 빼앗긴 들의 회복을 도울 수 있는 존재라는 설명은 적절하지 않다.

04 [A]의 물음과 [E]의 답을 통해 화자는 민중의 참담한 상황이 바뀌지 않을 것이라는 절망적인 현실 인식을 드러내고 있다.
왜 오답일까 ① '남의 땅'은 노동할 땅을 빼앗긴 민중의 참담한 상황을 나타낸다.
② 들판의 풍요로움을 드러내는 잘 자란 '보리밭'은 민중의 생명력을 함의하고 있다고 볼 수 있으며, 농기구인 '호미'는 직접 노동에 참여하려는 화자의 태도를 드러낸다.
③ [B]에서 봄의 들판을 걸으며 황홀함을 느끼던 화자는 [D]에서 들판을 빼앗긴 현실을 인식하고 자조와 허탈감을 느끼고 있다. 따라서 [C]에는 땅을 빼앗겨 생명력 넘치는 봄을 제대로 만끽할 수 없는 민중의 실상에 대한 안타까움이 내재되어 있다고 볼 수 있다.
④ '푸른 하늘 푸른 들이 맞붙은 곳'은 화자가 꿈꾸는 아름다운 조국의 들 풍경이고, '푸른 웃음 푸른 설움이 어우러진 사이'에는 기쁨과 슬픔을 동시에 느껴야 하는 현실 인식이 담겨 있다.

05 윗글의 11연에는 조국을 잃어버려 봄이 오지 않을 것이라는 화자의 절망적인 현실 인식이 드러나는 반면, 〈보기〉의 화자는 '나아가리라'라는 시어를 통해 현실을 극복하려는 의지를 드러내고 있다.
왜 오답일까 ① 〈보기〉의 '이처럼 떠돌으랴'를 통해 〈보기〉의 화자가 떠도는 삶을 살고 있다는 것이 드러나지만, 윗글의 화자가 떠도는 삶을 살고 있는지는 명확하게 드러나지 않는다.
② 윗글의 화자는 '들'을, 〈보기〉의 화자는 '집'과 '땅'을 잃은 처지에 놓여 있다.
③ 〈보기〉는 삶의 터전인 '땅'을 잃어버린 사람들의 아픔을 형상화하고 있지만, 땅의 역사적인 가치에 주목하지는 않았다.
④ 윗글과 '들'과 〈보기〉의 '땅' 모두 노동의 공간으로서의 성격을 지니고 있다.

엮인 작품 더 알기
김소월, 「바라건대는 우리에게 우리의 보습 대일 땅이 있었더면」
작품 해제 일제의 수탈 때문에 삶의 터전을 잃고 유랑하는 우리 민족의 비애를 그린 작품이다. 화자는 동무들과 함께 들판의 일을 마치고 해 저물 무렵 마을로 돌아오는 모습을 '꿈'을 통해 제시함으로써, 소박하고 평화로운 삶에 대한 간절한 바람을 드러내고 있다.

04 ㉮님의 침묵 ㉯알 수 없어요 20~22쪽

01 ② 02 ③ 03 ④ 04 ② 05 ⑤ 06 ② 07 ③ 08 ③

㉮ 작품 해제 불교의 역설적 진리를 바탕으로 이별의 슬픔을 극복하고, 그것을 새로운 만남에 대한 희망으로 전환하여 노래하고 있다.

㉯ 작품 해제 자연 현상을 통해 드러내는 절대적 존재에 대한 깨달음과 절대자를 위한 희생 의지를 형상화하고 있다.

01 (가)의 화자는 '떠날 때에 다시 만날 것을 믿'는 등 '님'과의 재회를 기대하고 있으나, (나)의 화자는 '누구'와의 재회에 대해 언급하지 않았다.

🖊️왜 오답일까 ④ (가)의 4행에서 화자는 '님'과의 만남이 자신의 운명을 바꿀 만큼 강렬한 변화를 일으켰다고 말하고 있다.
⑤ (가)는 시 전체에 걸쳐 화자와 '님'의 관계(만남, 이별, 재회)에 대해 이야기하고 있다. 반면 (나)는 주로 자연 현상에 내재한 절대자의 흔적에 초점을 맞추고 있다.

02 〈보기〉를 고려할 때 (가)의 화자는 ㉠에서 '만난 자는 반드시 헤어지고 떠난 사람은 반드시 돌아오게 된다.'라는 불교적 진리를 깨닫고 떠난 '님'과 재회할 수 있다는 믿음과 기대를 갖게 된다. 하지만 ㉠을 통해 화자가 '님'과의 이별이 성숙한 삶의 밑바탕으로 작용함을 깨달은 것은 아니다.

🖊️왜 오답일까 ⑤ 떠난 '님'과 재회할 수 있다고 확신한 화자는 현재의 상황을 '님의 부재'가 아닌 '님의 침묵'이라고 여기며 사랑의 노래를 부르고 있다.

03 ㉡을 관념적인 표현으로 볼 수도 있으나 이를 통해 인간의 한계를 부각하려 한 것은 아니다. 오히려 인간인 화자가 절대자를 향한 의지를 드러내는 부분이다.

🖊️왜 오답일까 ① (나)에서 1~5행은 임(절대자)의 다양한 모습이라고 한다면, 6행인 ㉡에서는 이러한 임을 향한 화자의 구도 정신을 드러내고 있으므로 시상이 전환된 것으로 볼 수 있다.
② ㉡에서 '약한 등불'은 화자 자신을 가리키는 것으로, 절대자를 향한 구도자로서의 의지와 열망이 담겨 있다고 볼 수 있다.
③ '타고 남은 재가 다시 기름이 됩니다'라는 것은 부정적인 대상이 긍정에 이르기 위한 전제의 역할을 하게 된다는 역설적 논리로, 불교의 윤회설을 바탕으로 한 것이다.
⑤ (나)는 '절대자'라는 궁극적 존재를 탐구하는 시이다. 동시에 그것은 역설에 의한 구도자로서의 자기 정립 또는 자기 극복의 시이기도 하다. (나)에서는 이런 점이 물음의 방식을 통해 강화되어 나타난다.

04 (가)의 '차디찬 티끌'은 사랑의 맹세가 보잘것없는 존재가 되어 버렸음을 감각적인 표현으로 나타낸 것일 뿐, '님'과의 깨진 인연을 상징한다고 보기 어렵다. 〈보기〉의 '새벽 서리' 또한 애상적인 정서와 분

위기를 드러내는 자연물로, 허무하게 깨진 인연을 상징한다고 보기 어렵다.

엮인 작품 더 알기

작자 미상, 「춘면곡(春眠曲)」 ▶ 해법문학 Link 고전 시가 260쪽
작품 해제 조선 후기 12가사 중 하나로, 전국적으로 유행한 가창 가사이며, 남성 화자가 이별의 비애를 토로한다는 점에서 여성 화자 중심의 다른 고전 시가와 차이가 있다. 남성 화자는 사랑을 약속했던 여인과의 이별에 대한 슬픔과 여인에 대한 그리움을 드러내며 재회를 다짐하고 있다.

05 '가이없는 바다를 밟'는 '저녁놀'은 문맥상 넓은 세계에 펼쳐진 진리의 속성을 드러낸다고 볼 수 있다. 어둠이 다가올 때만 참모습을 드러내는 진리의 속성을 나타내는 것은 아니다.

🖊️왜 오답일까 ③ '언뜻언뜻'은 지나는 결에 잇따라 잠깐씩 나타나는 모양을 나타내는 말로, 푸른 하늘이 검은 구름 사이로 언뜻언뜻 보이는 것은 진리가 아무 때나 선명하게 드러나지 않음을 형상화한 것이라고 볼 수 있다.

기출 작품 딥러닝

㉯ 김광균, 「노신(魯迅)」
작품 해제 시인으로서의 신념과 가족을 부양해야 하는 가장으로서 겪는 현실적 고통의 충돌로 인한 괴로움을 드러낸 시로, 중국의 문인 '노신'을 떠올리며 현실의 고통을 극복하는 모습을 형상화하고 있다.

핵심 포인트 화자의 삶과 노신의 삶

화자		노신
먹고사는 문제로 인해 시를 쓰는 일에 회의를 느끼며 괴로워하다가 신념을 지키며 살았던 노신의 삶을 떠올림.	동일시 →	현실의 고단함에도 불구하고 자신의 신념을 굳세게 지키며 살아감.

06 (가)의 화자는 '님'과 이별한 상황에서 '님'에 대한 영원한 사랑을 다짐하고 있으며, (나)의 화자는 예술적 신념을 지키는 것이 어려운 가난한 현실에서 '노신'을 떠올리며 위안을 받고 있다.

07 (가)의 화자는 '님'과 이별한 슬픔에 빠져 있다가 [A]를 기점으로 재회에 대한 희망을 갖게 되며, (나)의 화자는 예술가로서의 신념을 흔드는 현실의 고통에 괴로워하다가 [B]를 기점으로 '노신'의 굳센 삶을 떠올리며 위안을 얻고 있다.

08 ㉢에서는 '님'과의 만남이 화자의 운명을 바꿀 만큼 강렬했음을 드러내고 있지만, 시어를 점층적으로 배열하여 '님'의 절대성을 강조하지는 않았다.

🖊️왜 오답일까 ④ 화자가 향기롭고 꽃다운 속성을 지닌 긍정적인 대상을 접한 뒤 귀가 먹고 눈이 머는 부정적이고 극단적인 상황에 처하게 된 것이므로 역설법과 대구법이 사용되었다고 볼 수 있다.

01 ④ **02** ③ **03** ④ **04** ② **05** ⑤ **06** ② **07** ⑤ **08** ④

㉮ [작품 해제] 모란이 피고 지는 과정을 통해 소망하는 것에 대한 기다림과 그것이 이루어진 후 그 가치와 의미가 퇴색됨으로써 생기는 비애를 형상화하고 있다.

㉯ [작품 해제] 음성 상징어와 영탄법 등의 표현 방법을 통해 맑고 밝은 가을의 정경을 묘사하고, 이를 통해 느끼는 자연과의 일체감을 형상화하고 있다.

01 (가)에서는 '모란이', '-테요' 등의 반복을 통해, (나)에서는 '호르르', '-노라' 등의 반복을 통해 리듬감을 형성하고 있다.

[왜 오답일까] ① (가), (나) 모두 대화체 형식은 사용하지 않았다.
② (가)에서만 어순이 바뀐 문장으로 시를 종결하고 있다.
③ (가)는 첫 연이 마지막 연에서 변주되는 수미상관의 구조를 보이나, (나)에서는 나타나지 않는다.
⑤ (나)는 4~5연에서 영탄적 어조로 화자의 감동을 표현하고 있으나, (가)에서는 영탄적 어조가 나타나지 않는다.

02 ㉠은 모란이 떨어지는 모습으로 화자의 비애와 상실감을, ㉡은 동백꽃이 떨어지는 소리로 자연에 대한 화자의 경탄을 자아낸다.

03 봄을 '찬란한', '슬픔의'로 동시에 수식한 것은 모순된 표현으로 역설법에 해당한다. 이와 같은 표현 방법이 쓰인 것은 ④이다.

[왜 오답일까] ① '산 꿩'이라는 대상에 화자의 슬픈 정서를 이입하여 드러낸 표현이다.
② 사람이 아닌 '물살'을 사람인 것처럼 표현하는 의인법이 사용되었다.
③ '당신'을 잊지 못할 것이지만 '당신'이 찾을 때 '당신'을 잊었다고 말하겠다고 반대로 표현하는 반어법이 사용되었다.
⑤ 꽃이 핀 모습을 시각적 이미지를 활용하여 비유적으로 드러낸 표현이다.

04 '비로소'는 봄을 여읜 설움에 잠기는 시점이 모란이 지는 날이라는 것을 분명하게 드러내는 말이다. 모란에 대한 화자의 정서는 시에서 일관되게 나타나고 있다.

05 ㉢에서 화자는 청명한 가을날에 느끼는 포근함을 낯익은 고향을 찾은 것에 비유하여 자연과의 일체감과 만족감을 표현했을 뿐, 가을이 지나가는 것에 대한 아쉬움을 드러낸 것은 아니다.

[왜 오답일까] ① '호르르르'는 청각적 심상으로 이를 통해 가을 아침에 대한 화자의 인상을 표현하고 있다.
② '수풀'을 정을 가진 존재로 의인화하였고, 그 정을 화자가 안다고 표현하여 자연과 동화된 화자의 모습을 드러내고 있다.
③ 의문형 어미 '-뇨'를 통해 자신이 지금까지 자연과 동떨어진 삶을 살아왔음을 드러내고 있다.
④ 햇살이 처음 비추는 장면을 '관'을 쓴다는 비유적 표현으로 드러내고 있다.

㉯ 김종길, 「고고(孤高)」

[작품 해제] 북한산이 고고한 높이를 회복할 수 있는 조건을 탐구하고, 그 시기에 대한 기다림을 바탕으로 고고한 삶의 자세를 환기하고 있다.

[핵심 포인트] '고고한 높이'에 대한 기다림

고고한 높이가 회복되는 시기 (어느 겨울날 이른 아침)	고고한 높이의 특성
• 높은 봉우리만이 가볍게 눈을 씀. • 온 산은 차가운 수묵으로 젖어 있음.	• 신록, 단풍, 안개, 적설로는 드러나지 않음. • 장밋빛 햇살이 닿기만 해도 변질됨.

↓

고고한 정신과 삶의 자세 지향

06 (가), (나) 모두 수미상관의 구조를 통해 각각 '모란'과 '고고한 높이'에 대한 화자의 기다림의 자세를 강조하고 있다.

[왜 오답일까] ① (가)와 (나) 모두 공간의 이동은 드러나지 않는다.
③ (가)의 마지막 행에서는 '아직 기다리고 있을 테요'와 '찬란한 슬픔이 봄을'의 순서를 바꾸어 표현하고 있지만 이를 통해 상황의 긴박감을 드러내는 것은 아니다.
④ (나)의 3연에서는 산을 '수묵'에 빗대어 흑백의 대비를 통해 시각적으로 표현하고 있다.
⑤ (가)와 (나)에서 자기반성의 태도는 드러나지 않는다.

07 (가)의 모란은 한정된 시간 동안만 피어 있다는 점에서 그 아름다움이 더욱 부각된다. (나)의 고고한 높이 역시 '장밋빛 햇살이 와 닿기만 해도 변질'되어 쉽게 드러나지 않는다는 점에서 그 아름다움이 더욱 부각된다.

[왜 오답일까] ① (가)에서는 표면에 드러난 화자가 모란으로 인해 느끼는 정서를 직접적으로 표현하고 있지만, (나)에는 화자가 직접적으로 노출되어 있지 않다.
② (가)에는 모란이 피는 봄, (나)에는 북한산이 가볍게 눈을 쓰는 겨울이라는 계절적 배경이 드러난다.
③ (가)와 (나)는 모두 대상의 아름다움이 드러나는 순간과 그렇지 않은 순간을 대비하고 있다.
④ (나)에서 북한산이 고고한 아름다움을 보이기 위해서는 높이뿐만 아니라 '백운대와 인수봉만이 가볍게 눈을' 써야 하므로, 높이만이 유일한 조건은 아니다.

08 (나)에서는 '눈이래도 왼 산을 뒤덮는 적설'이 아니라 '백운대와 인수봉만이 가볍게 눈을 쓰는' 정도여야 ㉡(고고한 높이)을 경험할 수 있다고 하였다. 따라서 '가볍게 눈을 쓰는'은 ㉡을 경험하기 위한 대상의 요건에 해당한다.

06 향수　　　　　　　　　　26~27쪽

01 ④　02 ②　03 ③　04 ②　05 ④　06 ②

작품 해제 감각적 이미지를 사용하여 어린 시절 고향의 가난하지만 평화로운 모습과 고향에 대한 그리움을 노래하고 있다.

01 4연에서 따가운 햇살을 맞으며 이삭을 줍는 누이와 아내의 모습에서는 가난하고 고단한 삶의 모습이 드러난다.

02 윗글의 후렴구인 ⊙은 각 연의 마지막에 반복되어 시상을 마무리하는 역할을 하지만, 시상을 점점 확장하고 있지는 않다.

03 ⓒ는 추상적 관념인 '마음'을 '흙에서 자란'으로 구체화하여 화자가 고향에서 성장할 때의 순수하고 소박했던 마음을 표현한 것으로, 가난한 환경을 묘사한 것은 아니다.

04 '금빛 게으른 울음'에서는 청각(울음)의 시각(금빛)화가 나타나며 ②에서도 청각(종소리)의 시각(푸른)화가 나타난다.

왜 오답일까 ①에는 청각(울었다)의 촉각화(차게), ③에는 시각(금으로 타는 태양)의 청각화(울림), ④에는 시각(새파란 초생달)의 촉각화(시리다), ⑤에는 후각(국화 향기)의 시각화(흔들리는)가 나타난다.

05 윗글에서는 '실개천', '황소', '밤바람' 등 다양한 감각적 이미지로 고향을 묘사하고 있으며, 〈보기〉에서는 '뻐꾹채꽃', '별', '푸른 물' 등의 감각적 이미지로 백록담까지 가는 길과 백록담을 묘사하고 있다.

왜 오답일까 ① 〈보기〉는 화자의 여행 과정에 따라 시상을 전개하지만, 윗글은 화자의 회상에 따라 시상이 전개된다.
② 윗글과 〈보기〉에 독백적 어조로 스스로의 삶의 태도를 성찰하는 모습은 나타나지 않는다.
③ 윗글과 〈보기〉에는 모두 문제의식이 드러나지 않는다.
⑤ 〈보기〉의 '기도조차 잊'은 화자의 모습에서 자연과의 일체감이 드러나지만, 윗글에는 자연과의 일체감이 드러나지 않는다.

06 윗글의 '그곳'은 고향을 의미하며 화자는 고향의 정경과 고향에서의 경험, 가족의 모습 등을 회상하고 있다. 〈보기〉의 '백록담'은 현재 화자가 찾아간 곳이며 〈보기〉에는 '백록담'에 오르기 위한 화자의 구체적인 여정이 드러난다.

엮인 작품 더 알기

정지용, 「백록담(白鹿潭)」　　▶해법문학 Link 현대 시 72쪽

작품 해제 정지용의 자연시 경향을 대표하는 작품으로, 한라산 백록담 근처의 자연 풍경을 담담하게 묘사한 산문시이다. 인간 세상의 질서와 단절된 백록담의 푸르고 평화로운 모습을 통해 탈속적인 정신세계를 지향하는 시인의 삶의 태도를 보여주고 있다.

07 ㉮ 춘설 ㉯ 비　　　　　　　　　28~29쪽

01 ⑤　02 ②　03 ②　04 ③　05 ①

㉮ **작품 해제** 초봄에 눈이 내린 풍경을 묘사하며 때 아닌 눈이 오히려 봄을 알린다는 참신한 발상을 통해 봄을 맞이하는 화자의 감회를 나타내고 있다.

㉯ **작품 해제** 비가 내리기 직전부터 비가 본격적으로 내리기까지의 자연 현상을 감정을 배제한 채 짧은 시행 속에 감각적으로 그려 내고 있다.

01 (가)에서는 '눈', '미나리', '고기' 등을 통해 봄의 분위기를 형성하고 있으며 (나)에서는 '그늘', '소소리 바람', '여울', '붉은 잎' 등을 통해 비가 오기 전의 분위기와 비가 내리는 분위기를 형성하고 있다.

왜 오답일까 ① (나)에는 '여울'을 의인화한 표현이 나타나지만, (가)에는 대상을 의인화한 표현이 나타나지 않는다.
② (나)는 감정을 배제한 채 시간의 흐름에 따른 자연 경관을 묘사하고 있지만, (가)는 봄에 내리는 눈과 봄에 대한 화자의 정서를 드러내고 있다.
③ (가)에는 영탄적 어조가 나타나지만, (나)에는 나타나지 않는다.
④ (가)의 '서늘옵고 빛난 이마받이하다.'에서 시각의 촉각화(공감각적 심상)가 나타나지만, (나)에는 시각의 촉각화가 나타나지 않는다.

02 (가)의 화자는 갑자기 내린 춘설에 놀라움을 느끼고 있으며, (나)의 화자는 비가 내리는 과정을 묘사하고 있다. 따라서 (가), (나)에서 자연은 모두 화자에게 작품 창작에 대한 영감을 주는 시적 대상이다.

03 ⊙의 '바람'은 봄을 맞아 변하는 자연의 모습을, ⓒ의 '바람'은 비가 내리기 전 자연의 모습을 드러내는 자연물로, 일상적 의미로 사용되었다. (가)와 (나)의 화자는 이러한 ⊙과 ⓒ을 포착하여 자연의 모습을 묘사하고 있다.

04 '흰 옷고름'과 '파릇한 새순'은 생동감 있는 봄의 모습을 표현한 것으로, 봄에 대한 반가움의 정서는 나타나지만 이와 다른 이중적 정서가 나타난다고 볼 수는 없다.

왜 오답일까 ① '선뜻!', '먼 산이 이마에 차라.'를 통해 눈 덮인 먼 산의 차가움이 이마에 닿은 것처럼 생생하게 느껴짐을 표현했다.
② '우수절'은 양력 2월 19일경으로, 시의 계절적 배경을 명시적으로 드러낸다.
④ '옹송그리고' 추운 겨울을 견뎌 내다가 봄이 되어 자연이 '살아난 양'이 되자 화자는 이를 '꿈 같'다고 여기며 서럽거나 낯섦의 정서를 느낀다.
⑤ '도로 춥고 싶'다는 데에서 겨울이 간 것에 대한 허전함을 느끼는 화자의 정서를 읽을 수 있다.

05 '소소리 바람'은 비가 내리기 전의 스산한 분위기를 형성하는 소재이다. 이러한 '소소리 바람'이 불고 난 후 '앞섰거니 하여' 산새가 등장하기 때문에 ⓑ를 따르더라도 '소소리 바람'이 산새의 모습을 비유한 것이라고 볼 수 없다.

왜 오답일까 ④ ⓐ와 ⓑ의 해석은 시에서 비가 오는 시점에 대해 차

이를 보인다. ⓐ는 [A]에서 비가 오기 시작하는 것으로 보고 ⓑ는 7~8연에서 비가 오기 시작하는 것으로 본다. 그러므로 '수척한 흰 물살'은 ⓐ를 따르면 내린 비가 여울이 되어 흐르는 모습으로, ⓑ를 따르면 비가 내리기 전 가늘게 흐르는 여울의 모습으로 이해할 수 있다.

⑤ '소란히 밟고 간다.'는 ⓐ를 따르면 3~4연에서 내리던 비가 멎었다가 다시 내리는 빗소리를, ⓑ를 따르면 7연에서 멎은 듯이 약하게 이제 막 내리기 시작한 빗소리를 표현한 것으로 해석할 수 있다.

08 ㉮ 거울 ㉯ 오감도 – 시제1호 30~31쪽

01 ③　02 ④　03 ②　04 ⑤　05 ③

㉮ 작품 해제 '거울'이라는 소재를 통해 분열된 자의식의 세계를 보여 줌으로써, 현대인의 심리적 불안과 갈등 양상을 드러내고 있다.

㉯ 작품 해제 초현실주의 경향을 드러내는 시로, 실험적 기법으로 현대인의 근원적인 불안과 공포를 강조하고 있다.

01 (나)의 '좋소'는 무섭거나 무서워하는 아해의 인원수는 상관이 없다는 의미로, 상황에 대한 화자의 부정적인 정서를 직접적으로 드러내는 것은 아니다. (가)는 '퍽섭섭하오'와 같이 자아가 분열된 상황에 대한 화자의 안타까움을 직접적으로 나타내고 있다.

왜 오답일까 ① (가)에는 시적 화자인 '나'가 표면에 등장하지만 (나)에는 등장하지 않는다.

② (가)에서 나는 지금 거울을 갖고 있지 않지만 거울 속에는 늘 거울 속의 내가 있다는 역설적 표현이 나타나며, 이를 통해 자의식 분열의 심화를 드러내고 있다.

④ (가), (나) 모두 띄어쓰기 규범을 무시하여 낯선 느낌을 준다.

⑤ (가)의 2연에서는 '내게 귀가잇소'라는 문장의 변주가, 3연에서는 '왼손잡이오'라는 문장의 변주가 나타나고 있다. (나)에서는 2연, 3연, 4연에서 '~아해도무섭다고그리오.', '~아해라도좋소.'라는 통사 구조의 반복이 드러난다.

02 '내악수'는 거울 밖 현실적 자아가 거울 속 내면적 자아에게 건네는 것으로, 거울 속이나 거울 속 내면적 자아와 관련된 나머지 시어들과 구분된다.

03 ㉃에서 거울 속 '나'가 현실의 '나'의 말을 알아듣지 못하는 '싹한귀'를 가지고 있다고 했으므로, 두 자아의 갈등은 '내면적 자아'가 '현실적 자아'를 인식하지 못하는 데서 비롯된 것임을 알 수 있다.

왜 오답일까 ① 거울 속에는 '소리'가 없고 저렇게까지 조용한 세상은 없다고 표현함으로써 거울 밖 세상과 이질적인 거울 속 세상의 특성이 나타난다.

③ '악수'는 만남, 화합 등을 상징하는데 이것이 불가능하다는 것은 자아가 완전히 분리되어 합쳐지지 못하는 상황을 말한다.

④ 화자는 '거울' 때문에 거울 속 '나'를 만지지 못하지만, 한편으로 '거울' 때문에 거울 속의 '나'를 만날 수 있다고 말하고 있다.

⑤ 거울 밖의 자아는 거울 안의 자아를 근심하고 진찰하려 하지만 그것을 할 수 없기 때문에 섭섭함을 느끼고 있다.

04 1연과 5연이 대칭 구조를 이루며 5연에서 1연의 내용을 부정하는 것은 13인의 아이가 무서워하는 상황만을 남기는 것으로, 오히려 불안과 공포의 정서를 부각한다고 볼 수 있다.

05 (나)의 화자는 마지막 연에서 '13인의아해'가 불안과 공포를 느끼는 현실에 대해 방관적인 태도를 보이고 있다. 〈보기〉의 화자는 시의 마지막 부분에서 안 열리는 문을 열고 집 안으로 들어가려고 매달리며 현실을 극복하려는 태도를 보이고 있다.

왜 오답일까 ① (나)에는 시간적 배경이 드러나지 않는다.

② (나)는 해석에 따라 문명에 대한 비판적 의식을 드러낸다고 볼 수도 있으나 〈보기〉에는 미래에 대한 낙관적 인식이 드러나지 않는다.

④ (나)에서는 화자가 '13인의아해'가 도로를 질주하고 무서움을 느끼는 시적 상황을 관찰자의 입장에서 전하고 있지만, 〈보기〉에서는 화자가 자신이 처한 어려운 상황을 전달하고 있다.

⑤ (나)와 〈보기〉에는 모두 감정 이입이 나타나지 않으며, 대상에 대한 친화적 태도도 나타나지 않는다.

엮인 작품 더 알기

이상, 「가정」　▶해법문학 Link 현대 시 78쪽

작품 해제 가장으로서의 역할을 다하지 못해 자책감과 소외감을 느끼고 있는 한 가장의 고뇌를 드러내며 일상적인 생활의 회복에 대한 바람을 표현하는 작품이다. 가족들과 단절된 화자의 상황을 상징적으로 드러내고 있으며, 띄어쓰기를 무시한 실험적 형식을 통해 화자의 내면을 솔직하게 드러내고 있다.

09 ㉮ 풀벌레소리 가득차 있었다 ㉯ 다리 위에서 32~33쪽

01 ⑤　02 ⑤　03 ⑤　04 ②　05 ③

㉮ 작품 해제 타향에서 임종을 맞은 아버지의 죽음을 통해 일제의 강압적 수탈 때문에 해외 등지로 유랑해야 했던 우리 민족의 비극적인 삶을 형상화하고 있다.

㉯ 작품 해제 '다리'라는 과거 회상의 매개체를 통해 누이와 함께했던 유년 시절을 회상하며 과거에 대한 그리움을 형상화하고 있다.

01 (가)는 아버지가 돌아가시던 날 풀벌레 소리가 가득 차 있었다고 표현함으로써 비극적인 분위기를 강조하고 있고, (나)는 '풀벌레 우는 가을철'이라는 계절적 배경을 통해 쓸쓸한 분위기를 조성하고 있다.

왜 오답일까 ① (가)와 (나)에는 영탄적 어조가 드러나지 않는다.

② (나)에는 수미상관 구조가 드러나지 않는다.

③ (나)에는 어른이 된 화자가 과거를 회상하는 역순행적 구성이 나타나지만, (가)에는 역순행적 구성이 나타나지 않는다.

④ (가)는 '아무을만', '니코리스크' 등 러시아의 구체적인 지명을 제시하고 있지만, (나)에는 구체적인 지명이 언급되지 않는다.

02 '풀벌레 소리'는 아버지의 죽음이라는 시적 상황의 비극성을 고조하는 역할을 한다.

🖊 **왜 오답일까** ① 침상조차도 없는 곳에서 죽음을 맞이하는 것은 '나'의 가족이 처한 가난한 현실을 드러낸다.

② 유언도 남길 수 없었던 상황으로 보아 아버지의 죽음이 갑작스러웠을 것이라고 추측할 수 있다.

③ '꿈의 꽃봉오리'는 아버지의 소망이라고 할 수 있으며, 이것이 피지 못했다는 것으로 보아 아버지가 소망을 이루지 못한 채 죽음을 맞이했음을 알 수 있다.

④ 의원이 말없이 돌아갔다는 것은 아버지를 살릴 수 없다는 것을 의미하므로, 아버지의 죽음이 되돌릴 수 없는 현실이라는 것을 보여 준다.

03 (가)와 (나)는 절제된 어조로 시적 상황을 묘사하고 있지만, (나)의 2연에서 자신과 누나의 유년 시절에 대한 그리움이 직접적으로 드러난다.

04 (가)는 '우리 집'도, '일갓집'도, '고향'도 아닌 타향을 공간적 배경으로 설정하여 타향에서 죽음을 맞은 아버지를 지켜보았던 경험을 형상화하고 있다.

🖊 **왜 오답일까** ① (나)에서는 국숫집을 찾아가는 다리 위에서 유년 시절을 회상하고 있어 시·공간적 배경의 변화가 나타난다. 하지만 (가)에는 '우리 집도 아니고 / 일갓집 아닌 집 / 고향은 더욱 아닌 곳에서' 아버지가 죽음을 맞이한 상황이 드러나 있으므로, 시·공간적 배경의 변화가 드러나지 않는다.

③ '설룽한 니코리스크의 밤'은 고향이 아닌 곳에서 죽음을 맞이하는 상황의 비극성을 강조한다.

④ (나)의 공간적 배경을 '국수집'이라고 보기는 어려우며, 화자는 유년 시절에 대한 그리움을 느끼고 있을 뿐, 고향에 대한 향수를 느끼는 것은 아니다.

⑤ (나)에서 누나는 '별 많은 밤'이 되어 무섭다고 하였으므로 평화로운 분위기를 조성한다고 보기 어렵다.

05 〈보기〉의 화자는 '목련'을 매개로 하여 돌아가신 어머니를 떠올리고 있고, (나)의 화자는 국숫집을 찾아가는 '다리' 위에서 유년 시절을 회상하고 있다.

엮인 작품 더 알기

김광균, 「다시 목련」

작품 해제 봄이면 피는 목련을 매개로 돌아가신 어머니를 떠올리는 작품이다. 봄이 되자 화자는 마당에 핀 '목련'을 통해 어머니에 대한 그리움을 느끼고, 내리는 '비'와 지는 '목련'을 통해 서러움과 슬픔의 정서를 표현하고 있다.

---

10 **㉮ 강 건너간 노래** **㉯ 절정** **34~35쪽**

01 ② **02** ③ **03** ③ **04** ③ **05** ② **06** ③

㉮ 작품 해제 '노래'를 통해 일제 강점기라는 부정적 현실을 극복하고자 하는 희망과 의지를 드러내고 있다.

㉯ 작품 해제 견디기 어려운 극한 상황에서 역설적 인식을 통해 그러한 상황을 초월하려는 정신적 경지를 드러내고 있다.

01 (가)와 (나)에는 부정적인 상황에서도 희망을 잃지 않으려는 화자의 의지가 나타나 있다.

02 (나)와 달리 (가)에서는 첫 연과 마지막 연에 유사한 시행을 제시하여 수미상관의 구조로 주제를 강조하고 있다.

🖊 **왜 오답일까** ① (가)와 (나) 모두 설의적 표현은 사용되지 않았다.

② (나)는 점층법을 통해 화자가 처한 극한 상황을 강조하였으며, (가)에는 점층법이 사용되지 않았다.

④ (가)와 (나) 모두 색채 대비는 나타나지 않는다.

⑤ (가)와 (나) 모두 반어적 표현은 사용되지 않았으며, (나)의 '겨울은 강철로 된 무지개'에서는 역설적 표현이 사용되었다.

03 '사막'은 '푸른 하늘'이 덮인 공간이지만 '눈물 먹은 별들이 조상' 온다는 시구를 고려할 때 잃어버린 자아를 회복할 수 있는 공간이라고 보기는 어렵다.

04 3연에서는 화자의 의지가 반영된 '노래'가 '모래불에 떨어져 타서 죽'는 비극적 상황을 가정함으로써 화자의 절망적인 현실 인식을 드러내고 있다.

🖊 **왜 오답일까** ① 1연에서는 '-던', '-았-' 등의 과거 시제를 사용하여 지난날을 회상하고 있다.

② 2연에서는 '제비같이'라는 비유적 표현을 활용하여 '노래'에 동적 이미지를 부여하고 있다.

④ 4연에서 '눈물 먹은 별들이 조상 오는 밤'이라는 시간적 배경을 통해 부정적 현실에 대한 화자의 슬픔을 드러낼 뿐 현실 극복 의지가 나타나지는 않는다.

⑤ 5연에서 시간의 흐름에 따른 화자의 시선 이동은 드러나지 않는다.

05 화자는 [B]에서 생존의 극한 상황이라고 할 수 있는 '서릿발 칼날진' '고원' 위에 서 있으며, [D]에서 현실을 극복하려는 의지를 다지고 있다. 이는 상황에 대한 인식 전환을 바탕으로 한 화자의 태도 변화일 뿐, 화자가 처한 상황 자체가 반전된 것은 아니다.

06 ㉢에서는 '북방'이라는 수평적 공간의 극한 지점을 제시하여 '일상적 현실'의 어려움을 반영하고 있다. 또한 화자는 '당위적 현실'을 지향하고 있을 뿐 '당위적 현실'에서의 고단함을 드러낸 것은 아니다.

🖊 **왜 오답일까** ① 화자가 부른 노래는 '강 건너 하늘 끝에 사막도 닿은 곳', 즉 삭막하고 고된 '있는 그대로의 현실'로 향한다.

② 부정적 현실인 '밤'은 화자의 지향을 나타내는 '무지개'보다도 고 왔던 과거의 일을 떠오르게 만든다. 따라서 '당위적 진실'을 추구하

는 화자의 소망을 드러낸다고 볼 수 있다.

④ '서릿발 칼날 진 그 위'는 생존의 극한 상황으로, '있어야 하는 현실'인 '당위적 진실'을 추구하기 어려운 화자의 처지를 드러내고 있다.

⑤ 화자는 생존의 극한 상황에서 '한 발 제겨디딜 곳조차 없는' 심리적 극한에 처한다. 이때 생존의 극한 상황은 화자가 닥친 '일상적 현실'을 의미한다.

11 ㉮ 자야곡 ㉯ 광야   36~37쪽

01 ②   02 ⑤   03 ②   04 ③   05 ②   06 ④

㉮ [작품 해제] 고향의 이상적인 모습과 현실의 모습의 대비를 통해 고향을 상실한 상황에 대한 비애와 절망감을 형상화하고 있다.

㉯ [작품 해제] '광야'라는 광막한 공간과 아득한 시간을 배경으로 하여, 강인한 지사적 어조로 조국 광복에 대한 의지를 드러내고 있다.

01 (나)는 '내 여기 가난한 노래의 씨를 뿌려라'에서 명령형 어조를 통해 일제 강점기라는 현실 극복에 대한 강한 의지를 드러내고 있다. 그렇지만 (가)에는 명령형 어조가 사용되지 않았다.

02 (가)에서는 '꽃불도 향기론데', (나)에서는 '매화 향기 홀로 아득하니'에서 후각적 심상을 사용하여 '꽃불'과 '매화 향기'를 감각적으로 드러내고 있다.

🖊 왜 오답일까 ① (가)의 '연기는 돛대처럼 나려'에서 직유법이 사용되었으나, (나)에는 직유법이 사용되지 않았다.
② 문장의 어순을 바꾸는 도치법은 (가)와 (나)에 사용되지 않았다.
③ (나)의 '산맥들이 / 바다를 연모해 휘달릴 때도'에서 '산맥들'을 의인화하여 대상의 역동성을 드러내고 있지만, (가)에서는 의인법이 사용되지 않았다.
④ (가)의 '발자취 소리', (나)의 '닭 우는 소리'에 청각적 이미지가 드러나지만, 대상의 소망과는 관련이 없다.

03 ㉴(광야)은 과거에는 생명이 시작되는 원시적 공간이었으며, 현재는 고난과 시련을 겪는 공간, 미래에는 백마 탄 초인이 오는 공간이다.

04 '매화 향기'는 고난과 시련을 의미하는 '눈'이 내리는 상황에 '홀로 아득'한 것이므로, 시련을 겪는 존재인 동시에 시련을 극복하려는 화자의 고고한 의지로 볼 수 있다. 그렇지만 미래에 '초인'이 타고 올 '백마'와 대조되지는 않는다.

🖊 왜 오답일까 ① 광야에 길을 연 '큰 강물'은 역사와 문명을 의미한다.
② 화자는 현재 시련을 상징하는 '눈'이 내리는 상황에서 '가난한 노래의 씨'를 통해 이러한 현실을 극복하겠다는 의지를 다지고 있다.
④ 천고의 뒤(미래)에 '백마 타고 오는 초인'은 화자의 이상(理想)을 실현할 수 있는 존재이다.

⑤ '광야'는 민족의 삶의 터전으로, 민족의 혼이 담겨 있는 공간이라고 할 수 있다.

05 '슬픔'도 '자랑'도 집어삼키는 '검은 꿈'은 절망을 상징한다고 볼 수 있다. 시인이 '검은 꿈'을 통해 현실을 극복하려는 의지를 드러낸 것은 아니다.

06 [A]에서 화자는 고난과 시련의 현실에서 '가난한 노래의 씨를 뿌'리는 행위를 통해 조국 광복을 위한 자기희생의 의지를 다지고 있다. ④의 화자 또한 '어두워 가는 하늘 밑'이라는 부정적 상황 속에서 '모가지를 드리우고' 피를 흘리겠다고 하면서 현실을 극복하기 위한 자기희생의 의지를 다지고 있다.

🖊 왜 오답일까 ① 새해를 맞아 한 해에 대한 희망을 다지고 있다.
② 홀로 길을 걷는 나그네의 고독한 정서가 드러나 있다.
③ 자연을 벗하며 소박하게 살아가는 안분지족의 태도가 드러나 있다.
⑤ 반어적 표현을 통해 현실의 문제에 대해 무심한 태도를 지닌 이들을 비판하고 있다.

12 ㉮ 와사등 ㉯ 추일서정   38~39쪽

01 ④   02 ③   03 ③   04 ⑤   05 ②

㉮ [작품 해제] 도시 문명 속에서 느끼는 현대인의 고독과 비애를 형상화한 시로, 다양한 감각적 이미지와 수미상관의 구조를 통해 주제를 강조하고 있다.

㉯ [작품 해제] 황량한 가을날의 풍경을 묘사한 시로, 이국적이고 도회적인 시어와 기계적, 물질적 이미지를 사용하여 도시 문명에서 느끼는 고독감을 표현하고 있다.

01 (나)는 '일광의 폭포', '흰 이빨' 등 시각적 이미지를 활용하여 황량한 가을 풍경을 묘사하고 있다.

🖊 왜 오답일까 ① (가)는 변형된 수미상관 구조를 활용하고 있으나 이를 통해 화자의 관조적 태도를 드러내는 것은 아니다.
② 선경후정에 따라 시상을 전개하는 것은 (나)이다.
③ (가), (나)의 '호올로'에서 시어를 변형했지만 이를 통해 대상에 역동성을 부여한 것은 아니다.
⑤ (가)와 (나) 모두 특정 시어를 장음으로 읽도록 유도하고 있지만, 현실 극복 의지는 나타나지 않는다.

02 ㉠은 화자의 '사념'이 '벙어리'가 된 것처럼 이성적인 사고를 할 수 없는 상태를 의미하며, ㉡은 '황량한 생각'을 버릴 곳이 없어 '돌팔매'로 고독감에서 벗어나고자 하는 행위를 의미한다.

03 ⓐ는 도시와 화자 사이의 거리감, ⓑ는 고독한 현대인의 비애, ⓓ는 화자의 고독하고 황폐화된 내면, ⓔ는 고독의 심화를 드러낸다. 하지만 ⓒ는 급행 열차가 들을 달리는 풍경에 대한 묘사일 뿐, 도시 문

명 속에서 자아와 세계 사이의 분열에 대한 자아의 반응이나 정서가 담겨 있지는 않다.

04 황량한 '비인 하늘'을 배경으로 걸려 있는 '슬픈 신호기(등불)'는 어떠한 방향성도 제시하지 않음으로써, 삶의 방향을 상실한 화자의 안타까움을 심화하고 있다. (가)에는 화자의 이상이나 화자가 느끼는 현실과 이상 간의 거리감도 드러나지 않는다.

왜 오답일까 ① '차단—한 등불'은 도시 문명의 모습이 차갑고 쓸쓸하다고 여기는 화자의 인식을 감각적으로 드러낸다.
② '늘어선 고층'이 무덤 앞에 세우는 '창백한 묘석'과 같다고 비유하고 있으므로 도시 문명에 대한 화자의 부정적 태도가 드러난다.
③ 화자는 '군중의 행렬' 속에서도 외로움과 고독감을 느끼고 있다.
④ '무거운 비애'는 추상적 관념인 '비애'를 무겁다고 표현하여 현대인의 슬픔을 감각적으로 형상화하고 있다.

05 〈보기〉에서 작품의 소재로 사용된 역사적 사실은 해당 사건에 대한 비판적 인식을 드러내려는 것이 아니라, 대상의 이미지나 그에 대한 정서를 효과적으로 나타내기 위함이라고 하였다. 따라서 '폴—란드 망명정부'라는 소재를 통해 당대의 역사적 사건에 대한 화자의 부정적 정서를 형상화한다고 보기 어렵다.

---

13 ㉮ 수라 ㉯ 흰 바람벽이 있어   40~41쪽

01 ③   **02** ③   **03** ①   **04** ③   **05** ⑤

㉮ [작품 해제] 거미 가족이 해체되는 모습을 통해 가족 공동체가 파괴되어 '아수라'와 같은 상황에 처한 민족의 비극적 현실을 드러내고 있다.

㉯ [작품 해제] 외롭고 쓸쓸한 화자가 흰 바람벽에 투사된 내면의 풍경을 통해 자신의 지난 삶을 성찰하고 어려운 현실에 대한 운명적 수용과 극복 의지를 드러내고 있다.

01 (가)는 거미들을 대하는 화자의 정서 변화를 시간의 흐름에 따라 전개하고 있으며, (나)는 '흰 바람벽'을 바라보고 있는 화자의 내면에 떠오르는 생각 및 의식의 흐름에 따라 시상을 전개하고 있다.

왜 오답일까 ① (가)의 화자는 '방'으로 들어온 거미들을 '찬 밖(문 밖)'으로 보내고 있으며 (나)의 화자는 초라하고 누추한 '좁다란 방'에 있으므로, 특정 공간을 배경으로 설정하여 화자나 대상이 처한 상황을 드러낸다고 볼 수 있다.
② (가)와 (나)는 모두 현재형 시제를 활용하여 현장감을 강화하고 있다.
④ (가)에는 화자가 거미를 쓸어 '문 밖'으로 버리는 행위가 반복적으로 제시되고 있는데, 이를 통해 흩어진 거미 가족에 대한 화자의 연민과 배려를 드러내고 있다.
⑤ (나)는 문장의 어순을 바꾸어 시상을 마무리함으로써 운명에 대한 긍정적인 수용과 나열된 대상들처럼 고결한 삶을 살고자 하는 화자의 의지를 강조하고 있다.

02 (가)의 화자는 '거미 새끼'를 무심히 치웠다가 '큰 거미', '무척 작은 새끼 거미'를 대하며 서러움과 슬픔, 안타까움을 느낀다. 이때 '문 밖'은 거미 가족을 헤어지게 만드는 공간에서 가족이 만날 수 있는 희망의 공간으로 변화하고 있으므로 화자의 태도 변화에 따라 대상이 처한 상황이 악화된다고 보기는 어렵다.

03 '좁다란 방'과 '흰 바람벽'은 초라한 이미지로, 화자가 머무는 공간이 누추함을 드러내고 있으므로 서로 의미상 대립을 이룬다고 보기 어렵다.

왜 오답일까 ④ 화자는 '흰 바람벽'에서 '어머니'와 사랑했던 '어여쁜 사람', '글자들'을 보고 있다. 이는 '흰 바람벽'이 마치 스크린처럼 화자의 삶에 대한 상념과 회한을 투사하고 있는 것이라고 볼 수 있다.

04 ㉢은 '큰 거미'를 '거미 새끼'가 있는 '찬 밖'으로 보낸 화자의 정서가 드러나는 부분으로, 이를 공동체의 회복을 어렵게 만드는 부정적 현실에 대한 비판이라고 보기는 어렵다.

왜 오답일까 ① '차디찬 밤'은 거미 가족이 헤어진 비극적인 상황을 뒷받침하는 시간적 배경으로, 〈보기〉를 바탕으로 할 때 우리 민족이 처한 비극적인 시대적 상황으로 볼 수 있다.
② 〈보기〉에 따르면 홀로 유랑하는 삶을 살던 시인의 처지는 (가)에서 뿔뿔이 흩어진 거미 가족의 모습으로 형상화되었다고 했다. 따라서 ㉡에는 거미에 대한 연민뿐만 아니라 거미와 같이 가족과 떨어져 지내는 자신의 처지에 대한 서러움이 담겨 있다고 볼 수 있다.
⑤ ㉤은 거미 가족의 재회를 바라는 화자의 마음으로, 공동체적인 삶의 회복에 대한 시인의 소망이 담겨 있다고 볼 수 있다.

05 [A]에서 화자는 자신의 삶을 운명으로 받아들이고 수용하는 운명론적이고 체념적인 태도를 드러낸다. 이러한 태도는 [B]에서 운명에 의한 삶을 긍정적으로 수용하고 현실을 극복하려는 자세로 전환된다.

---

14 남신의주 유동 박시봉방   42~44쪽

01 ④   **02** ②   **03** ⑤   **04** ④   **05** ⑤   **06** ③   **07** ①

[작품 해제] 편지 형식을 활용하여 고향을 떠나 객지에 홀로 머무는 화자가 지나온 삶을 차분히 응시하며 성찰하고, 새로운 삶에 대한 의지를 회복하는 과정을 그리고 있다.

01 윗글의 전반부에서 화자는 자신의 지난 삶을 성찰하며 슬픔과 부끄러움을 느끼고 있다.

02 '쌀랑쌀랑'이라는 음성 상징어가 사용되었으나 이를 통해 시적 긴장감을 조성하는 것은 아니다.

03 화자는 불가항력적인 운명을 받아들이고 안정을 취함으로써 하강 구조에서 상승 구조로의 전환을 보인 후 '외로운 생각'이 든다고 하였다. 따라서 '외로운 생각'이 하강 구조에 따라 심화된다고 보기 어렵다.

✏️ **왜 오답일까** ① 더욱 세게 부는 '바람'과 점점 더해 오는 '추위'는 암담한 화자의 처지를 강조해 준다.

② 〈보기〉에 따르면 '방(方)'은 세대주나 집주인 이름 아래 붙는 것이라고 했으므로, 현재 화자가 '박시봉'이라는 목수네 집에 거처하고 있음을 알 수 있다.

③ '눈을 떠서 높은 턴정을 쳐다보는' 화자의 시선은 아래에서 위로 향하는 것으로, 하강 구조에서 상승 구조로의 전환과 대응할 수 있다.

④ '더 크고, 높은 것'은 운명으로, 화자의 내적 갈등은 '나를 마음대로 굴'리는 불가항력적인 운명이 존재한다는 것을 깨닫고 심화되지만 화자는 결국 운명을 겸허하게 받아들인다.

04 [D]에서 화자는 운명론적인 깨달음을 얻고 있으나 외로움으로부터 벗어나고 싶다는 감정을 느끼고 있지는 않다.

05 윗글은 의연하게 고난을 이겨 내는 '갈매나무'를 통해 새로운 삶에 대한 의지와 희망을 드러내고 있으며, 〈보기〉는 '낡은 나조반' 위 반찬이라는 소박한 소재를 제시하여 현재 삶에 대한 만족을 드러내는 안분지족의 자세를 보이고 있다.

✏️ **왜 오답일까** ① 윗글에서는 '하이야니 눈을 맞'는 '갈매나무', 〈보기〉에서는 '흰밥'을 통해 흰색의 색채 이미지가 드러나지만, 색채 대비가 나타나지는 않는다.

② 윗글과 〈보기〉에는 모두 현실을 통달하려는 달관적인 자세는 드러나지 않는다.

③ 윗글과 〈보기〉 모두 소극적인 태도를 반성하고 있지는 않는다.

④ 〈보기〉의 화자는 '흰밥'과 '가재미'를 의인화하여 이들에 대해 동질감을 느끼고 있으며, 윗글에서는 의인화가 드러나지 않는다.

엮인 작품 더 알기

백석, 「선우사(膳友辭)」

작품 해제 음식을 소재로 하여 화자가 지향하는 삶의 태도를 형상화한 작품이다. 화자는 욕심이 없고 착하며 정갈한 '흰밥'과 '가재미'를 반찬 친구라고 말하며, 고결한 삶에 대한 지향과 안분지족의 자세를 드러내고 있다.

기출 작품 딥러닝

🔹 김종길, 「저녁해」

작품 해제 늦가을 오후를 배경으로 기차를 타고 가며 차창 밖의 황금빛으로 빛나는 가을 풍경에 몰입하는 모습을 형상화하고 있다.

핵심 포인트 '저녁해'와 이를 감상하는 화자를 빗댄 표현

화자		저녁해
눈먼 벌레 (낙조가 물든 풍경에 도취됨.)	관찰 ➡	골든 델리셔스

06 (가)는 겨울 저녁이라는 배경이 외롭고 쓸쓸한 분위기와 연결되며, (나)는 늦가을 오후의 배경이 아름답고 황홀한 분위기와 연결된다.

✏️ **왜 오답일까** ① (가)는 동일한 종결 어미를 반복하며 운율을 형성하고 있으나, (나)에는 동일한 시어의 반복이 나타나지 않는다.

② (가)는 '삿', '딜옹배기' 등 토속적 시어를 통해 향토적 정감을 불러일으키지만, (나)에는 토속적 시어가 사용되지 않았다.

④ (가), (나) 모두 관조적 태도와는 거리가 멀다.

⑤ (가), (나) 모두 의미 대조를 이루는 소재를 사용하지 않았다.

07 (가)에서는 '그러나'를 기점으로 화자의 인식이 전환되며, (나)에서는 화자의 인식이 전환되는 부분이 나타나지 않는다.

15 ㉮ 자화상 ㉯ 바람이 불어   45~47쪽

| 01 ③ | 02 ② | 03 ④ | 04 ⑤ | 05 ④ | 06 ④ | 07 ② |

㉮ 작품 해제 우물을 들여다보는 행위를 통해 일제 강점기를 살아가는 자신의 모습을 객관적으로 성찰하는 모습을 형상화하고 있다.

㉯ 작품 해제 바람이 불고 강물이 흐르는 중에 멈춰 서 있는 자신의 모습을 통해 소극적으로 대응하는 스스로의 모습을 성찰하고 있다.

01 (가)에서는 '우물', (나)에서는 '바람'이라는 시적 대상의 속성에 비추어 삶의 태도를 성찰하고 있다.

✏️ **왜 오답일까** ① 구어체를 사용하여 산문적으로 진술하는 것은 (가)에만 해당한다.

② (가)와 (나)에는 특정한 계절적 배경이 드러나 있지 않다.

④ (가)와 (나)에서는 자연물을 사용하고 있지만, 자연물에 감정을 이입한 부분은 나타나지 않는다.

⑤ (가)에서 과거의 모습을 발견하는 부분이 나타나지만, 과거 회상을 통한 역순행적 구조가 사용된 것은 아니다.

02 ㉠~㉢은 모두 자아 성찰의 매개체로, ㉠은 투명한 속성을 바탕으로 화자의 내면을 비추는 역할을 한다. ㉡과 ㉢은 끊임없이 움직이는 속성을 바탕으로 소극적인 태도를 보이는 화자와 대비를 이루어 화자가 스스로의 태도를 성찰하게 만든다.

03 6연에서 자연과 함께 나타나는 '사나이'는 과거 속 순수했던 자신의 모습으로, 6연에서 화자의 내적 갈등이 해결되는 것으로 이해할 수 있다. 하지만 화자가 존재 탐구를 끝냈다고 보기는 어렵다.

04 '강물'은 자꾸 흐르는 동적인 속성을 지녔으므로, '언덕 위'에 선 '나'와 대비되는 존재이다. (나)의 화자는 이러한 동적인 이미지와 정적인 이미지의 대비를 통해 방관적이고 소극적인 스스로의 태도를 반성하고 있다.

05 (가)와 〈보기〉의 화자는 모두 현실 대결 의지를 드러내지 않는다. 〈보기〉에서 화자가 '옹졸하게 반항한다'는 것은 힘없는 자에게만 대항하는 자기 자신에 대한 자조적인 표현이다.

✎ **왜 오답일까** ① (가), (나)와 〈보기〉의 화자는 모두 스스로의 현실 대응 태도 등에 대해 성찰하고 있다.

② (나)와 〈보기〉의 '바람'은 화자가 느끼는 괴로움과 부끄러움을 강조하는 기능을 하고 있다.

③ (가)의 화자는 6연에서 순수했던 과거의 자신을 발견함으로써 내적 갈등을 해소하는 모습을 보이고 있지만, 〈보기〉의 화자는 내적 갈등을 해소하고 있지 않다.

⑤ (나)의 화자는 부는 바람으로 인해 괴로움을 인식하고 있으며, 〈보기〉의 화자 또한 자연물에게 자신이 얼마나 작으냐고 물으며 자기 자신의 모습에 대한 괴로움과 부끄러움을 느끼고 있다.

엮인 작품 더 알기

김수영, 「어느 날 고궁을 나오면서」 ▶해법문학 Link 현대 시 176쪽

작품 해제 일상적인 경험과 일화를 나열하여 사회적 부조리에 저항하지 못하는 소시민적 삶에 대한 자기반성을 나타내는 작품이다. 화자는 대조적인 상황을 설정하여 자신의 옹졸함을 부각하고, 비속어와 자조적 표현을 통해 스스로의 모습을 비판하고 있다.

기출 작품 딥러닝

ㄴ 김기택, 「새」

작품 해제 새장에 갇힌 새의 모습에 대한 관찰을 통해 도시적 삶에 익숙해져 잠재력과 본질, 자유로운 삶의 가치를 잃은 현대인의 모습을 비유적으로 드러내고 있다.

핵심 포인트 새를 통한 현대인의 모습에 대한 성찰

새	현대인
• 새장에 갇힘. • 날지 않고 걸음. • 새장 문을 열어 놓아도 나가지 않음.	• 일상에 충실함. • 잠재력과 본질을 잃음. • 자유로운 삶의 가치를 상실한 채 살아감.

06 (가)는 2연과 4연에서 '없다'를 반복하여 자신이 괴로운 이유를 생각하는 화자의 반성적 자세를 드러내고 있다.

07 (가)에서 '바람'은 '반석 위'에 서 있는 '나'와 대조되는 속성을 지닌 존재로, 소극적 태도로 살아가고 있는 화자 자신에 대해 반성하는 계기로 작용한다고 볼 수 있다. 따라서 '바람'이 '내 발'을 '반석 위'로 이끄는 힘이라고 보기는 어렵다.

---

16 쉽게 씌어진 시 48~49쪽

01 ④ **02** ④ **03** ② **04** ③ **05** ④ **06** ⑤

작품 해제 일제 강점하의 시대적 상황에서 부끄럽지 않은 삶을 살기 위해 노력하는 식민지 지식인의 고뇌와 자기 성찰을 담고 있다.

01 윗글에서는 반어적 표현을 사용하고 있지 않으며, '슬픈 천명', '부끄러운 일' 등의 시어를 통해 화자의 정서를 직접적으로 드러내고 있다.

02 [D]에는 무기력하게 현실에 안주하여 살아가는 삶에 대한 반성과 성찰이 드러나 있으며, 화자는 자아와 시대 현실과의 괴리를 인식하고 부끄러움을 느낀다. 그렇지만 자아와 시대 현실 간의 괴리를 야기한 원인을 탐구하고 있지는 않다.

03 '홀로 침전하는 것'은 암담한 현실 속에서도 힘을 발휘하지 못하는 시인으로 살아가는 자신의 무기력한 삶의 모습을 드러내는 부분이며, 고결함을 유지하고자 하는 화자의 의지를 드러내는 것은 아니다.

✎ **왜 오답일까** ① '육첩방은 남의 나라'는 일제 강점기에 조선을 떠나 일본에 머물러 있는 화자의 부정적인 현실을 암시한다.

③ 화자는 '어둠'을 내몰기 위해 '등불'을 밝히고 있으므로 현실 상황을 극복하고자 하는 의지가 드러난다고 볼 수 있다.

④ 화자는 '아침'이 '시대처럼 올' 것이라고 생각하며 긍정적 미래의 도래에 대한 확신을 드러내고 있다.

⑤ 이상적 자아인 '나'가 현실적 자아인 '나'에게 손을 내밀어 잡는 '최초의 악수'를 통해 현실적 자아와 이상적 자아가 화해하여 내적 갈등이 해소되었음을 알 수 있다.

04 ㉠은 1연을 변주한 것으로, 1연에서 자신이 처한 현실을 인식하고 내면을 성찰하던 화자는 ㉠에서 현실을 재인식하고 있다.

✎ **왜 오답일까** ① 자문자답은 드러나지 않는다.

② 화자는 자기 성찰을 하는 것이지 과거를 회상하는 것이 아니다.

④ ㉠은 1연을 반복, 변주한 것이기는 하나, 이를 수미상관 구조로 보기는 어렵다.

⑤ 화자가 처한 시적 상황에는 변화가 없다.

05 ⓑ가 아니라 ⓐ가 자기 성찰을 거쳐 '시가 이렇게 쉽게 씌어지는 것'을 부끄러워하고 있으며, 이러한 성찰은 ⓐ와 ⓑ의 화해로 이어진다.

06 시인은 실천적 행동으로 현실에 대응하는 사람이 아니라 언어를 다루는 사람이다. 따라서 시인인 윗글의 화자는 식민지 현실이라는 부정적 상황 아래 무기력한 자신의 처지를 '슬픈 천명'으로 여기고, 이에 대한 부끄러움을 느낀다고 볼 수 있다.

17 ㉮동물원의 오후 ㉯낙화   50~51쪽

01② **02**④ **03**③ **04**② **05**④ **06**④

㉮ 작품 해제 주객전도된 상황의 설정을 통해 일제 강점하의 식민지 지식인으로서의 고독과 비애감을 드러내고 있다.

㉯ 작품 해제 떨어지는 꽃잎을 보며 느끼는 삶의 무상감과 비애, 절망감을 전통적 어휘와 4음보의 율격을 바탕으로 드러내고 있다.

01 (가)에서는 동물원 철책에 갇힌 짐승을 통해 망국민이라는 자신의 처지를 인식하는 화자의 내면 심리가 드러나며, (나)에서는 꽃이 지는 모습을 통해 삶에 대한 무상감과 비애를 느끼는 화자의 내면 심리가 드러난다.

🖉 왜 오답일까 ① (가)는 '속삭이는 소리……'에서 말줄임표를 활용하여 나라를 잃은 지식인의 상실감을 부각하고 있지만, (나)에는 말줄임표가 활용되지 않았다.
③ (가)와 (나)에서는 역설적 표현을 사용하고 있지 않다.
④ (나)의 '우련 붉어라'에서 영탄적 어조가 사용되었다고 볼 수 있으나 이를 통해 대상에 대한 확신을 강조하고 있지 않으며, (가)에는 영탄적 어조가 사용되지 않았다.
⑤ (가)에서는 외부에서 동물원으로의 공간 이동이 나타나지만, (나)에서는 공간 이동이 나타나지 않는다.

02 '뜰'은 꽃이 지는 공간으로, 은둔자적 삶을 살아가고 있는 화자가 바라보고 있는 공간이다. 그러나 '뜰'이 화자를 현실과 단절시키는 것은 아니다.

03 화자는 식민 지배 아래 시를 '읽어줄 사람'이 없는 현실에 대한 슬픔을 느끼면서 동물원의 '쇠창살 앞'에서 자신의 시집을 읽고 있다. 이는 화자가 처한 부정적이고 절망적인 상황을 부각하는 행위로, 화자가 이를 통해 현실 극복의 의지를 다지고 있다고 보기는 어렵다.

04 '쇠창살', '철책', '창살 틈' 등의 유사한 이미지를 반복하는 것은 폐쇄적인 이미지 간의 긴밀한 관계를 통해 단절과 속박이라는 시적 의미를 형상화하기 위한 것으로, 이를 통해 이미지의 신선함을 강조하고 있다고 보기는 어렵다.

🖉 왜 오답일까 ① 추상적인 '마음'이 '후줄근'하게 '시름에 젖'었다고 구체적으로 표현함으로써 화자의 슬픔을 선명하게 드러내고 있다.
③, ④ '사방'에서 '이방(異邦)의 짐승들'이 '철책 안에 갇힌 것은 나'라는 사실을 깨달은 화자를 들여다보고 '여기 나라 없는 시인이 있다'고 '속삭이는' 행위를 통해 대상과 전도된 화자의 상황을 암시하고 있다. 이러한 낯선 상황의 설정은 화자가 느끼는 망국민으로서의 비애를 참신한 방식으로 드러낸 것이라고 볼 수 있다.
⑤ '낙조(落照)가 물들고 있었다'와 같은 하강의 이미지는 높은 곳에서 낮은 곳으로 내려가는 듯한 느낌을 주는 이미지로, 가라앉은 화자의 정서에 대응하여 화자의 비통한 정서를 환기하고 있다.

05 (나)는 1~6연에서는 꽃이 지고 있는 외부 상황을, 7~9연에서는 화자의 내면을 묘사함으로써 외부에서 내부로의 시선 전환이 일어난다. 그러나 '꽃이 지는' 외부 상황에 대한 화자의 심리는 '슬픔, 비애, 무상감'으로 일관되게 드러난다.

🖉 왜 오답일까 ① (나)에서는 '별이 / 하나둘 스러지'는 밤에서 새벽으로의 시간에서 '꽃이 지는 아침'으로의 흐름에 따라 시상을 전개하고 있다.
② 한을 상징하는 '귀촉도 울음'은 화자의 서글픈 정서를 간접적으로 드러내고 있다.
③ (나)에서는 '우련', '저허하노니' 등의 고풍스러운 어휘를 통해 전통적인 정서를 불러일으키고 있다.
⑤ '하이얀 미닫이가 / 우련 붉어라.'에서는 '하얀' 미닫이와 창호지에 비친 '붉은' 꽃의 색채 대비가 드러난다.

06 ㉣은 현실과 단절된 화자가 자신의 상황을 인식하고 자신의 마음을 아는 이가 있을까 경계하는 심정을 드러낸 것으로, 반어적으로 표현한 것이 아니다.

🖉 왜 오답일까 ① 화자는 꽃이 지는 것을 거부하지 않고 대자연의 섭리로 담담하게 받아들이고 있다.
② '산'을 살아 있는 생명처럼 표현하여 밤에서 새벽으로 밝아 오는 시간을 묘사하고 있다.
③ '묻혀서 사는 이'는 현실과 단절된 삶을 살아가는 화자의 처지를 드러내고, '고운 마음'은 부정적 상황에 소극적으로 저항하는 화자의 마음을 의미한다.
⑤ 화자는 아름다움이 사라지는 모습을 보며 삶의 무상감과 비애, 절망감을 느끼고 있다.

정답과 해설

광복 이후 ~ 1980년대

18 ② 도봉 ④ 청산도   54~55쪽

01 ①   02 ①   03 ⑤   04 ⑤   05 ⑤   06 ②   07 ③

② [작품 해제] 가을의 도봉산을 배경으로 하여 인생의 쓸쓸함과 고독감을 노래한 시로, 해가 질 무렵부터 밤까지의 시간의 흐름에 따라 시상을 전개하고 있다.

④ [작품 해제] '푸른 산'을 청자로 하여 화자가 소망하는 이상적인 세계를 노래하는 시로, 광복 후의 혼란을 극복한 건강하고 평화로운 세계에 대한 열망을 나타내고 있다.

01 (가)는 시·공간적 배경인 '가을 산'을 통해 쓸쓸하고 고독한 분위기를 형성하고 있으며, (나)는 화자가 지향하는 이상 세계를 나타내는 '푸른 산'을 통해 역동적인 분위기를 형성하고 있다.

왜 오답일까 ② (가)에서는 '호오이 호오이'에서 시어의 반복이 드러나고 (나)에서는 '산', '사람' 등의 시어가 반복되지만, 이를 통해 형태적 안정감을 얻는 것은 아니다.
③ (가)와 (나) 모두 삶에 대한 무상감을 드러내지는 않았다.
④ (가)와 (나) 모두 어조의 변화는 나타나지 않는다.
⑤ (나)에는 '푸른 산'이라는 이상 세계에 대한 기대와 바람이 나타나고 있으나, (가)에는 이상 세계가 제시되지 않았다.

02 (가)의 화자는 '긴 밤'과 '슬픔'이라는 부정적인 현실 상황에서 '그대'를 기다리고 있으며, (나)의 화자는 '티끌 부는 세상', '벌레 같은 세상'에서 '너'를 그리워하고 있다.

03 화자는 '그대'를 위해 '긴 밤'과 '슬픔'을 기꺼이 감당하겠다는 의지를 드러낸다.

왜 오답일까 ① (가)에는 감정 이입이 나타나지 않는다.
② 떠가고 오지 않는 '구름'의 속성과 붉은 '해'는 관련이 없다.
③ 빈 골 골을 되돌아오는 '울림'은 화자의 말이 메아리쳐 돌아오는 것으로, 이로 인해 화자의 외로움이 심화되고 있다. 따라서 화자가 고대하던 내용이 담겨 있다고 보기 어렵다.
④ (가)에 화자의 이상은 드러나지 않는다. 따라서 '별'이 화자의 이상이 실현되기 어렵다는 것을 암시하는 대상이라고 볼 수 없다.

04 [E]에서 물음의 형식이 사용된 것은 맞지만 이를 통해 '그대'가 돌아오지 않는 상황에 대한 절망감을 드러내고 있는 것이 아니라 '그대'를 향한 그리움과 기다림의 정서를 표출하고 있다.

05 '향기로운 풀밭'에서 후각적 심상이 드러나지만 이는 이상 세계를 의미하는 '푸른 산'의 평화로운 분위기를 형상화한 것으로, 현실 세계의 아름다움을 부각했다고 보기는 어렵다. 현실 세계는 '눈에 어려 흘러가는 물결 같은 사람 속, 아우성쳐 흘러가는 물결 같은 사람 속'에서 시각적, 청각적 심상을 통해 혼란스러운 모습으로 형상화되어 있다.

왜 오답일까 ① 행을 엄격하게 나누지 않고 자유롭게 산문 형식으

로 쓰는 산문적 진술을 사용하여 이상 세계에 대한 화자의 기다림을 드러내고 있다.
② '산아', '우뚝 솟은 푸른 산아', '철철철 흐르듯 짙푸른 산아' 등에서 '산'을 호명하는 말을 변주하여 '산'의 특성을 부각하고 있다.
③ 이상 세계를 의미하는 '푸른 산', '밝은 하늘', '빛난 아침' 등과, 부정적 현실을 의미하는 '달', '밤', '눈물' 등의 상징적 시어를 대조하여 이상 세계에 대한 화자의 지향을 강조하고 있다.
④ '우뚝', '철철철' 등의 음성 상징어를 통해 '산'을 역동적으로 형상화하고 있다.

06 '볼이 고운 사람'은 청산을 완전한 이상 세계로 만들어 줄 존재로, 현재 화자가 기다리고 있는 대상이므로 청산에서 함께하고 있다는 진술은 적절하지 않다.

07 '아침'은 '달 가고, 밤 가고, 눈물도 가고' 올 밝은 미래를 상징하는 시어로, 화자가 소망하는 세계를 의미한다. 따라서 '짙푸른 산', '밝은 하늘', '볼이 고운 나의 사람' 등이 '아침'과 유사한 의미를 지녔다고 볼 수 있다.

19 ② 꽃덤불 ④ 대숲에 서서   56~57쪽

01 ③   02 ⑤   03 ②   04 ⑤   05 ②   06 ④

② [작품 해제] 고통스러웠던 일제 강점기와 광복 직후의 혼란상을 극복하고, 새롭게 수립해야 할 바람직한 민족 국가의 모습을 꽃덤불로 형상화하고 있다.

④ [작품 해제] '대숲'을 바라보며 화자가 대나무처럼 살고 싶은 마음을 노래한 시로, '대숲'의 속성을 통해 삶의 자세를 형상화하고 있다.

01 (가)에서는 '이야기하며 이야기하며'를 통해 부정적 현실 극복에 대한 간절한 염원을, (나)에서는 '대숲으로 간다'의 반복을 통해 지향하는 세계로 가고자 하는 염원을 강조하고 있다.

왜 오답일까 ① (가)는 과거, 현재, 미래의 순서로 시간의 흐름에 따라 시상을 전개하고 있지만, (나)에는 시간의 흐름이 뚜렷하게 드러나지 않는다.
② (나)의 '한사코 서러워 대숲은 좋드라'에서 역설적 표현이 사용되었으나, (가)에는 역설적 표현이 사용되지 않았다.
④ (가)는 밝음과 어둠의 이미지를 드러내는 시어를 통해 주제를 형상화하고 있지만, (나)에는 대립적인 이미지의 시어가 나타나지 않는다.
⑤ (가)와 (나) 모두 과거와 현재를 대비하여 화자의 상실감을 부각하고 있지 않다.

02 〈보기〉에서 (가)는 해방 이후 좌우익의 이념 갈등 때문에 혼란스러운 시기에 쓰였다고 하였다. 화자는 이러한 상황에서 우리 민족의 완전한 화합을 기대하며 '꽃덤불'에 안기고자 하는 의지를 드러내고 있으므로 ⑤의 진술은 적절하지 않다.

03 ⓒ의 '항상'은 일제 강점기라는 부정적 현실 속에서 조국의 광복에 대한 이야기는 언제나 비밀스럽게 나눌 수밖에 없었던 현실을 드러낸다.

04 (나)의 화자는 대숲의 '대'처럼 곧고 바르게 살고자 하는 의지를 드러내고 있으나, (가)의 화자가 '꽃덤불'을 통해 삶의 자세에 대한 깨달음을 얻고 있는 것은 아니다.

05 화자는 '대숲'의 속성을 닮아 이처럼 살아가고자 하지만 '대숲'을 인격화하지는 않았다.

> **왜 오답일까** ① '자욱한 밤안개에 버레소리 젖어 흐르고', '버레소리에 푸른 달빛이 배어 흐르고'에서 공감각적 심상이 나타난다.
> ③ 화자는 '한사코' '대숲으로 간다'고 하고, '한사코 서러워 대숲은 좋'다고 하며 대숲에 대한 정서를 강조하고 있다.
> ④ '밤안개', '달빛'을 통해 밤에 '대숲'에서 느끼는 정취를 드러내고 있다.
> ⑤ '나도 대같이 살거나'와 같은 직유적 표현을 통해 '대숲'처럼 살고 싶어 하는 화자의 의지를 부각하고 있다.

06 (나)에는 청유형 어미가 사용되지 않았으며, 〈보기〉는 청유형 어미를 통해 '어머니'에 대한 친밀감을 드러내고 있다.

> **엮인 작품 더 알기**
>
> 신석정, 「그 먼 나라를 알으십니까」　▶해법문학 Link 현대 시 126쪽
>
> 작품 해제 '먼 나라'를 이상 세계로 상정하여 '먼 나라'로 떠나고 싶은 소망을 드러낸 작품이다. 감각적인 표현을 통해 전원적이고 평화로운 세계에 대한 동경을 형상화하고 있으며, '어머니'와 함께 이상 세계에서 살고자 하는 화자의 간절한 마음이 나타난다.

20　㉮ 청노루　㉯ 나무　58~59쪽

> 01② 02③ 03④ 04③ 05③ 06②

> ㉮ 작품 해제 간결한 리듬과 절제된 언어를 바탕으로 봄날의 정취를 그린 시로, 한 폭의 동양화를 보는 듯한 탈속적인 세계를 형상화하고 있다.

> ㉯ 작품 해제 여행 중에 본 나무들을 통해 자신의 내면의 모습을 발견하는 과정을 그린 시로, 고독한 나무의 모습을 통해 자신의 삶의 본질을 인식하고 있다.

01 (나)에서 '나무'를 의인화하기는 하였지만 이는 역동적 분위기를 형성하는 것이 아니라 화자의 고독한 내면을 드러내는 기능을 하고 있다.

02 (나)의 화자는 여행길에서 만난 '나무'를 통해 인간의 근원적 고독에 대한 깨달음을 얻고 있다.

03 (가)에서 음성 상징어는 사용되지 않았다.

> **왜 오답일까** ① '청운사 기와집'–'자하산'–'느릅나무'–청노루의 눈'의 순서로 화자의 시선 이동이 드러난다.

② '구름'이라는 명사로 시상을 종결하여 시적 여운을 남기고 있다.

③, ⑤ (가)는 4음보의 운율을 바탕으로 하지만, 시상 전개에 따라 시행의 길이를 조절하여 운율에 변화를 주고 있다. 3연의 2행에서는 시행의 길이가 길어지면서 호흡이 빨라지고, 4연과 5연에서는 1행을 1음보로 구성하여 호흡이 다시 느려진다.

04 ⓒ에서는 동적 이미지가 나타나고 있으나 이는 긴박한 분위기가 아니라 평화로운 분위기를 형성하며, 빠르고 경쾌한 리듬을 통해 청노루가 달려오는 듯한 느낌이 들게 한다.

05 (나)의 화자는 '나무'를 본 체험을 통해 고독한 인간의 삶에 대한 깨달음을 얻고 있고, 〈보기〉의 화자는 식료품 가게에서 '북어'를 본 체험을 통해 획일적이고 무기력한 자신의 삶을 비판하고 있다.

> **왜 오답일까** ① (나)에만 해당하는 설명이다.
> ② (나)는 '나무'들의 모습이 인간의 본질적인 모습과 같다는 인식에 이르는 과정을 보여 주고 있고, 〈보기〉는 '북어'를 통해 현실에 대해 성찰하는 모습을 보여 주고 있으므로 자연의 섭리를 깨닫는 과정을 보여 주고 있다는 진술은 적절하지 않다.
> ④ (나)에서는 '나무'를 인격화하여 고독하고 외로운 '나무'와 동일시하는 화자의 모습을 드러내고 있다. 또한 〈보기〉에서도 '북어'에 생명력을 부여하여 '커다랗게 입을 벌리고', '너도 북어지'라고 부르짖는 모습을 통해 화자 자신의 삶을 반성하며 비판하고 있지만, (나)와 〈보기〉 모두 지향하는 세계를 형상화하고 있지는 않다.
> ⑤ 〈보기〉에만 해당하는 설명이다.

06 (나)의 화자는 4행에서 '나무'와 자신을 동일시하며 '나무'에 대한 동질감을 보이고 있지만 '나무'에 대해 적대감을 느끼는 부분은 없다.

> **엮인 작품 더 알기**
>
> 최승호, 「북어」　▶해법문학 Link 현대 시 261쪽
>
> 작품 해제 말라비틀어진 '북어'의 모습을 통해 비판 정신을 잃어버리고 무기력하게 살아가는 현대인을 비판하는 작품이다. '북어'를 관찰하고 이를 연민하던 화자가 비판의 대상으로 전환되면서 화자는 자신의 삶을 반성하게 된다.

21　㉮ 눈　㉯ 풀　60~61쪽

> 01③ 02④ 03⑤ 04⑤ 05④

> ㉮ 작품 해제 순수를 표상하는 '눈'을 제재로 하여 순수하고 정의로운 삶을 살아가고자 하는 의지를 형상화하고 있다.

> ㉯ 작품 해제 '풀'을 제재로 하여 민중의 끈질긴 생명력과 넉넉함을 비유적 표현을 통해 형상화하고, 반복과 대구를 통해 운율을 형성하고 있다.

01 (가)에서는 '눈'이라는 자연물을 통해 부정적 현실을 극복하려는 의지를 드러내고 있으며, (나)에서는 '풀'이라는 자연물에 부조리한 현실에서 억압받는 민중을 빗댐으로써 현실에 대한 비판 의식을 드러내고 있다.

왜 오답일까 ① (가)와 (나) 모두 색채의 대비는 드러나 있지 않다.

② (가)와 (나) 모두 공간의 이동은 드러나 있지 않다.

④ (가)에서는 '기침을 하자', '마음껏 뱉자' 등의 청유형 표현을 통해 시대 현실에 대한 저항 의지를 환기하여 독자의 변화를 유도하고 있지만, (나)에는 청유형 종결 표현이 사용되지 않았다.

⑤ (가)에서는 계절감을 드러내는 '눈'이라는 소재를 활용하였으나 (나)에서는 계절감을 나타내는 소재를 찾을 수 없다.

02 (가)의 '새벽'은 눈이 견뎌 내는 시간으로, 화자가 지향하는 세계에 대한 기대감을 의미한다고 보기는 어렵다.

03 1연에서 나약한 존재로 형상화된 풀은 2연에서 강인한 생명력을 지닌 존재로 변화하며, 3연에서는 '바람보다 먼저' 일어나고 웃는 주체적인 의지를 가진 대상으로 표현된다. 화자는 '날이 흐리고 풀뿌리가 눕는다.'로 시상을 마무리함으로써, 민중은 고통 속에서도 생명력을 유지하여 다시 일어날 것이라는 기대를 표출하고 있다.

04 〈보기〉의 '금잔화'와 '인가'는 부정적 현실을 의미하는 '밤'에는 어둠에 묻혀 보이지 않는 대상이므로, 부정적 현실 때문에 사라지게 된 긍정적인 가치로 볼 수 있다. 따라서 기침을 통해 뱉어 내야 하는 더럽고 불순한 것을 의미하는 (가)의 '가래'와 의미가 유사하다고 볼 수 없다.

왜 오답일까 ① (가)에서 '기침을 하'는 행위는 불순한 것을 뱉어 냄으로써 부패한 현실에 대한 저항 의지를 표출하는 것이며, 〈보기〉의 '폭포'가 '소리를 내며 떨어'지는 것은 부정적 현실에 대한 비판과 저항 의지를 드러내는 것이다.

② (가)의 '죽음을 잊어버린 영혼과 육체'는 죽음을 두려워하지 않는 순수하고 정의로운 존재를 뜻하는데, 〈보기〉의 '무서운 기색도 없이' 떨어지는 폭포의 모습 역시 두려움이 없다는 점에서 유사하다고 할 수 있다.

③ (가)에서 '기침'을 통해 젊은 시인에게 저항 의식을 마음껏 표출하자고 권유하는 시적 화자의 모습과, 〈보기〉에서 '곧은 소리'를 냄으로써 또 다른 '곧은 소리'를 불러오는 폭포의 모습은 남들보다 앞서 저항의 길을 걷는 선구자적인 면모를 보인다는 점에서 유사하다고 할 수 있다.

④ (가)의 '눈'은 순수하고 생명력이 강한 존재라는 점에서 시적 화자가 지향하는 대상이다. 〈보기〉의 '고매한 정신'은 멈추지 않고 떨어지는 폭포를 비유한 말로, 시적 화자가 지향하는 폭포의 속성에 해당한다.

05 (나)는 '풀이 눕는다.', 〈보기〉는 '폭포는 ~ 떨어진다'를 반복하여 '풀'과 '폭포'의 저항 정신을 강조하고 있다.

왜 오답일까 ① (가)와 (나)는 모두 시선의 이동에 따라 시상을 전개하고 있지 않다.

② (가)와 (나)는 각각 '풀'과 '폭포'를 의인화하여 주제를 드러내고 있지만, 감정을 이입하여 정서를 드러내고 있지는 않다.

③ (가)와 (나)에서는 각각 '동풍', '밤'이라는 부정적 시어가 나타나

지만 대립적 구조를 형성한다고 보기는 어렵다.

⑤ (가)에서는 풀이 눕는 모습을 '바람보다도 더 빨리 눕는다.', '발목까지 / 발밑까지 눕는다.' 등으로 표현하여 점층적으로 배열하고 있다고 볼 수 있지만, (나)에서는 점층적인 시어의 배열이 나타나지 않는다.

엮인 작품 더 알기

김수영, 「폭포」　　　　　　　　　　▶해법문학 Link 현대 시 164쪽

작품 해제 '폭포'의 역동적인 모습을 통해 시인이 처한 현실과 시인의 지향을 드러내는 작품이다. 곧게 떨어지는 폭포는 부정적 현실에 안주하려는 자세를 비판함과 동시에 절대적 자유로움을 지향하는 화자의 정신을 형상화하고 있다.

22　어느 날 고궁을 나오면서　　62~63쪽

01 ⑤　02 ③　03 ④　04 ④　05 ④

작품 해제 부정한 권력과 부조리가 만연한 사회에서 올곧은 삶을 살아가지 못하고 소시민적 삶을 사는 자신의 모습을 자조적 어조로 형상화하고 있다.

01 윗글은 과거의 경험을 포함한 여러 일화를 바탕으로 자신의 삶과 태도에 대한 반성을 드러내는 시로, 시간의 흐름이 명확하게 드러나지 않으며 화자의 태도 또한 변하지 않는다.

왜 오답일까 ① 마지막 연에서 '나는 얼마큼 작으냐'를 반복함으로써 소시민적 삶을 살아가는 자신에 대한 반성이라는 주제를 강조하고 있다.

② '분개하는가', '증오하고 있는가' 등 설의적 표현을 통해 비본질적인 삶을 살고 있는 자신의 모습을 반성하고 있다.

③ 설렁탕 집 주인에게 욕을 했던 경험, 야경꾼을 증오했던 경험, 야전 병원에서 스펀지와 거즈를 개켰던 경험 등을 제시하고 이러한 비본질적인 행위에 대한 부끄러움을 드러내고 있다.

④ 6연에서 권력자(구청 직원, 동회 직원)와 힘없는 자(이발쟁이, 야경꾼)를 대비하여 시적 상황을 부각하고 있다.

02 ⓒ은 일상어를 사용하여 소시민적인 삶을 사실적으로 보여 주고 있으나, 이를 통해 강조되는 것은 무기력한 화자의 모습이다.

03 ⓐ는 본질적인 행위와 관련 깊은 시어이고, ⓑ는 비본질적인 행위와 관련 깊은 시어이다. 따라서 ⓐ는 '왕궁의 음탕에 분개하는 일', '언론의 자유를 요구하고 월남 파병에 반대하는 일', '땅 주인, 구청 직원, 동회 직원에게 반항하는 일', ⓑ는 '설렁탕집 주인에게 욕을 하는 일', '야경꾼들을 증오하는 일', '스펀지를 만들고 거즈를 개키는 일', '이발쟁이에게 반항하는 일'과 짝지을 수 있다.

04 화자는 소시민적인 삶을 살아가는 스스로의 모습을 비판함으로써 자신과 같이 시대 현실을 외면하고 일상에 안주하는 사람들의 도덕적 양심을 일깨우고 있다.

05 〈보기〉는 갈등하던 내면적 자아와 현실적 자아가 악수를 통해 화해하는 것으로 시를 끝맺음으로써 긍정적인 미래에 대한 확신을 드러내고 있다. 하지만 윗글은 스스로를 모래나 바람 등보다 더 작다고 여기는 자조적인 물음을 던지며 시를 마무리함으로써 여운을 남기고 있을 뿐, 긍정적인 미래에 대한 확신은 드러나 있지 않다.

📝 **왜 오답일까** ① 윗글은 비본질적인 것을 의미하는 '조그마한 일', '스펀지를 만들고 거즐를 / 개키는' 일, 본질적인 것을 의미하는 '언론의 자유를 요구하고 월남 파병에 반대하는' 일 등의 상징적 시어를 통해 주제를 드러내고 있다. 〈보기〉는 현실적 자아와 내면적 자아를 표현하는 '나', 화해를 의미하는 '악수' 등의 상징적 시어를 사용하여 주제를 부각하고 있다.

② 윗글과 〈보기〉의 화자는 모두 독백적 어조로 자아를 성찰하고 있다.

③ 윗글은 '언론의 자유를 요구하고 월남 파병에 반대하는'이라는 구절을 통해, 〈보기〉는 '육첩방'이라는 시어 등을 통해 시대적 상황을 짐작할 수 있으며, 이러한 시대적 상황에서 적극적으로 저항하지 못하는 스스로에 대한 고뇌가 드러난다.

⑤ 윗글에서는 조그마한 일에만 분노하는 소시민적인 '나'에 대한 자조적 인식을 바탕으로 한 자아 성찰이 드러나 있는 반면, 〈보기〉에서는 현실적 자아와 내면적 자아의 대립을 통해 시상을 전개하다가 두 자아의 화해로 시상을 마무리하고 있다.

엮인 작품 더 알기

윤동주, 「쉽게 씌어진 시」 ▶ 해법문학 Link 현대 시 112쪽

작품 해제 시인이 일본 유학 중에 쓴 작품으로, 일제 강점기라는 어두운 현실 속에서 무기력하기만 한 자신에 대해 부끄러움을 느끼고 자기반성을 함으로써 현실 극복에 대한 의지를 드러내는 작품이다. 현실적 자아와 이상적 자아의 갈등을 통해 시상을 전개하며, 두 자아가 악수를 통해 화해하는 것에서 미래에 대한 희망을 드러내고 있다.

---

23 ㉮ 추천사 ㉯ 외할머니의 뒤안 툇마루 64~65쪽

01 ② 02 ⑤ 03 ⑤ 04 ④ 05 ④ 06 ⑤

㉮ 작품 해제 고전 소설을 모티프로 하여 춘향이 그네를 타는 행위를 통해 현실에서 벗어나 이상 세계에 도달하고자 하는 열망을 보여 주고 있다.

㉯ 작품 해제 외할머니네 집 뒤안 툇마루를 떠올리며 어린 시절 느꼈던 외할머니의 사랑에 대한 그리움을 표현하고 있다.

01 (가)는 '밀어라', '올려다오' 등에서, (나)는 '있습니다', '들이비칩니다' 등에서 현재 시제를 사용하여 현장감을 부여하고 있다.

📝 **왜 오답일까** ① 수미상관의 구조는 (가)에만 나타나 있다.

③ (가)는 청자인 향단에게 말을 건네는 방식으로 시상을 전개하고 있으나, (나)는 독백적 어조로 시상을 전개하고 있다.

④ (나)에는 화자가 툇마루를 보고 어린 시절을 회상하는 역순행적

시상 전개가 드러나 있으나, (가)에는 회상이 나타나지 않는다.

⑤ (가)는 고전 소설 「춘향전」을 모티프로 한 시적 변용이 이루어졌다고 볼 수 있으나, (나)에는 이러한 특징이 드러나 있지 않다.

02 (가)의 화자는 '하늘'이라는 이상 세계를 추구하고 있으나 ㉠을 통해 상승과 하강을 반복하면서 현실의 한계를 인식하게 된다. (나)의 ㉡은 외할머니와 그 딸들을 거치면서 손때가 많이 묻어 거울처럼 변한 곳으로, 세대 간의 교감이 이루어진 공간이면서 화자가 어린 시절의 기억을 회상하게 하는 역할을 한다.

03 5연은 행의 길이가 짧아지고 있으므로 〈보기〉에 따라 점차 느려지는 속도로 낭송해야 한다. 또한 5연의 화자는 4연에서 '아무래도 갈 수가 없다'고 인식을 한 이후에도 계속해서 그네를 타겠다는 의지를 보이고 있으므로, 체념적 어조로 낭송하는 것은 적절하지 않다.

04 '수양버들나무', '풀꽃더미', '나비 새끼 꾀꼬리들'은 지상의 아름다운 존재들로, 순간성과 유한성이라는 속성을 지닌 대상이다. 따라서 '하늘', '서' 등으로 형상화된 ㉢에 존재하는 대상이라고 보기 어렵다.

📝 **왜 오답일까** ①, ② 화자는 현실 세계에서 벗어나 이상 세계로 가기 위해 그네를 타고 오르는 상승 행위를 반복하고 있다.

③ 화자가 '배를 내어 밀듯이', '채색한 구름같이', '바람이 파도를 밀어 올리듯이' 자신을 밀어 올려 주기를 바라는 것은 이상 세계로 가고자 하는 간절함 때문이다.

⑤ '서로 가는 달같이는 / 나는 아무래도 갈 수가 없다.'에서 화자가 자신의 한계를 인식하고 있음을 알 수 있다.

05 '오디 열매'는 어린 시절에 어머니에게 꾸지람을 듣고 툇마루에 찾아간 화자에게 할머니가 건넨 것으로, 화자의 마음을 어루만지는 할머니의 사랑을 의미한다.

06 (나)의 '거울'은 '외할머니의 얼굴과 내 얼굴이 나란히 비치어 있는' 소재로, 여기서 '외할머니'는 화자가 그리워하는 대상이다. 따라서 〈보기〉의 이중섭은 (나)의 거울을 통해 자신의 모습과 그리움의 대상인 아내의 모습을 볼 수 있을 것이다.

엮인 작품 더 알기

김춘수, 「내가 만난 이중섭」

작품 해제 화자가 화가 이중섭을 관찰하는 방식으로 서술한 시로, 동경에 있는 아내가 돌아오기를 간절히 기다리다가, 아내가 돌아오지 않자 슬픔에 빠진 이중섭의 정서를 감각적으로 드러내고 있다.

24 ⑦ 할머니 꽃씨를 받으시다 ⑭ 새 1 66~67쪽

01 ② **02** ④ **03** ④ **04** ③ **05** ④ **06** ③

⑦ [작품 해제] 전쟁 상황과 꽃씨를 받는 할머니의 모습을 대비하여 절망적인 전쟁 상황에 대한 비판 의식과 미래에 대한 희망을 드러내고 있다.

⑭ [작품 해제] '포수'와 '새'의 대립적인 관계 설정을 통해 자연의 순수성을 파괴하는 인간의 파괴적 본성을 극명하게 보여 주면서, 문명에 대한 날카로운 비판 의식을 드러내고 있다.

01 (가)에서는 전쟁 상황을 드러내는 '방공호 위'와 여기에 자라난 희망의 표상인 '채송화 꽃씨'가 대조되고 있으며, (나)에서는 자연, 생명, 순수를 의미하는 '새'와 비정하고 잔혹한 문명사회를 의미하는 '포수'가 대조되고 있다.

📝 왜 오답일까 ① (가)는 화자가 할머니의 한탄에 답하는 모습이 나타나지만, (나)에는 화자가 드러나 있지 않다.
③ (가)와 (나) 모두 일상적인 체험으로부터 얻은 깨달음을 드러내고 있지 않다.
④ (가)에서는 '할머니 꽃씨를 받으신다.'라는 구절을 반복하고 있고, (나)에서는 '-인 줄도 모르면서'라는 구절을 반복하고 있지만 이를 통해 화자의 의지를 강조하는 것은 아니다.
⑤ (나)는 새와 포수의 모습을 묘사할 뿐 정서가 직접적으로 표출된 부분은 찾을 수 없다.

02 할머니는 [A]에서 전쟁 중에서도 꽃씨를 받고 있으며, [B]의 화자는 할머니가 '지구가 깨어져 없어진대도' 계속해서 '꽃씨를 털으시리라'고 하였다. 따라서 할머니는 [A], [B]에서 모두 미래에 대한 희망을 잃지 않고 있다고 볼 수 있다.

📝 왜 오답일까 ① [A]에서 '방공호'로 형상화된 전쟁의 부정적 상황은 [B]에서 지구가 깨어지는 상황으로 심화되어 나타나 있다.
②, ③ [A]와 [B]에서는 비극적인 상황에서도 할머니가 꽃씨를 받으신다는 내용의 구절을 변주하고 반복하여 시적 안정감을 형성하고 주제를 강조하고 있다.
⑤ [A]에서는 전쟁을 겪고 있는 현재 할머니가 방공호 위의 꽃씨를 받으시는 상황을 묘사하고 있으며, [B]에서는 더 비극적인 상황을 가정하여 미래에도 할머니가 꽃씨를 받으실 것이라는 화자의 생각을 제시하고 있다.

03 ㉢은 전쟁 상황에 대한 화자의 무심하고 체념적인 태도가 나타난 부분으로, '호(壕) 안에는 / 아예 들어'가시지도 않고 노여워하는 '할머니'의 태도와는 대조적으로 나타난다.

04 (나)의 화자는 '새'로 상징되는 자연과 순수성을 파괴하는 문명에 대해 비판적인 태도를 보이고 있다. ③의 화자 또한 문명의 폭력성을 상징하는 '돌 깨는 산울림'에 '가슴이 금이' 간 비둘기의 상황을 통해 문명에 대한 비판적인 인식을 드러내고 있다.

📝 왜 오답일까 ① 타국에서 본 '소나무'를 통해 고국에 대한 그리움과 사랑을 드러내고 있다.

② 평상이 있는 국숫집에서 사람들을 관찰하며 친근한 정서를 드러내고 있다.
④ 자아 성찰을 하며 스스로에 대한 부끄러움을 느끼고 있다.
⑤ 아우의 죽음으로 인해 이승과 저승의 거리감을 느끼며 아우에 대한 안타까움과 슬픔, 그리움을 드러내고 있다.

05 '포수'는 자연을 파괴하는 인간 문명의 폭력성과 잔혹함을 의미한다.

06 '꽃씨'는 작고 소박한 존재이지만 꽃을 피울 수 있는 희망을 의미하고, '새'는 허위와 가식이 없는 자연 그대로의 순수성과 생명력을 의미한다.

25 ⑦ 흥부 부부상 ⑭ 추억에서 68~69쪽

01 ④ **02** ⑤ **03** ① **04** ⑤ **05** ④ **06** ⑤

⑦ [작품 해제] 고전 소설 '흥부전'을 모티프로 하여 가난한 삶 속에서도 웃음을 잃지 않고 사랑으로 가난을 극복하는 서민들의 애환을 따뜻한 시선으로 형상화하고 있다.

⑭ [작품 해제] 가난했던 어린 시절을 회상하며 힘겨운 삶을 살았던 어머니의 한과 슬픔을 향토적인 시어와 감각적 이미지를 활용하여 그려 내고 있다.

01 (가)는 가난으로 인한 삶의 애환을 사랑으로 극복하여 소박한 행복을 누리는 흥부 부부의 긍정적인 태도를 드러내고 있고, (나)는 가난하고 고달픈 삶을 살았던 어머니에 대한 안타까운 정서를 드러내고 있다.

📝 왜 오답일까 ① (나)는 화자의 어린 시절에 대한 회상을 중심으로 시상을 전개하고 있지만, (가)에는 과거를 회상하는 부분이 나타나지 않는다.
② (가)는 화자가 '흥부 부부'의 모습을 관찰하며 시상을 전개하고 있지만, (나)에서 시적 화자가 달라지는 부분은 나타나지 않는다.
③ (가)에서 자연물을 통해 시·공간적 배경을 형상화하거나, (나)에서 자연물에 화자의 감정을 이입하는 부분은 나타나지 않는다.
⑤ (가)에서 고전 문학의 제재를 활용하고 있지만 이를 통해 신비로운 분위기를 형성하고 있지는 않다.

02 (가)의 '거울 면(面)'은 서로를 바라보고 웃는 흥부 부부의 얼굴이 마치 거울을 보는 것처럼 똑같음을 나타내는 비유적 표현이며, (나)의 '남강'은 신새벽이나 밤빛에만 그것을 볼 수 있는 어머니의 한(恨)을 부각하는 소재이다. 따라서 '거울 면(面)'과 '남강'이 화자가 지향하는 바를 나타내고 있다고 보기는 어렵다.

03 '황금 벼 이삭'은 '금'과 함께 물질적인 풍요로움을 의미하는 시어로, 소박한 삶을 지향하는 흥부 부부의 삶의 태도와 대립된다.

04 (가)는 흥부 부부가 서로 마주 보고 웃는 모습과 눈물을 흘리는 모습, 그리고 다시 웃는 모습을 교차하여 현실의 고난을 웃음으로 승

화하는 판소리의 특징을 계승하고 있다. 따라서 익살스러운 장면을 연속적으로 제시했다고 보기는 어렵다.

왜 오답일까 ①, ③ '흥부 부부'는 삶의 애환을 겪는 민중을 대표하는 인물형으로, 부부애를 통해 삶의 애환을 극복하고 있다.

② 어려운 현실에서도 마주하며 웃는 흥부 부부의 모습은 현실의 긴장을 완화한다고 볼 수 있다.

④ 〈보기〉에서 『흥부가』는 「방이 설화」를 근원 설화로 삼았다고 하였고, 「흥부 부부상」은 '흥부 부부'를 소재로 삼아 판소리의 전통을 계승한 것이라고 하였다.

05 (나)에서는 '한(恨)이던가', '떨던가' 등에서 의문형 어미를 통해 정서를 드러내고 있을 뿐, 설의적 표현을 통해 현실에 대한 비판 의식을 드러내고 있지는 않다.

왜 오답일까 ① '진주 장터', '남강'이라는 구체적인 지명을 통해 현실감과 현장감을 강조하고 있다.

② '울 엄매' 등의 방언을 활용하여 향토적 분위기를 형성하고 있다.

③ '남은 고기 몇 마리의 / 빛 발(發)하는 눈깔들', '달빛 받은 옹기전의 옹기들' 등을 통해 어머니의 한(恨)을 형상화하고 있다.

⑤ '해 다 진 어스름', '신새벽', '밤빛' 등 시간적 배경을 제시하여 고단했던 유년 시절에 대한 애상감을 드러내고 있다.

06 화자는 어머니의 슬픔과 한(恨)이 담긴 눈물을 '달빛 받은 옹기전의 옹기들'에 비유하여 애상적인 분위기를 형성하고 있으므로, 낭만적인 분위기를 형성한다는 감상은 적절하지 않다.

---

26 ㉮ 산에 언덕에 ㉯ 껍데기는 가라   70~71쪽

01 ④   **02** ③   **03** ②   **04** ⑤   **05** ②   **06** ④

㉮ [작품 해제] 4·19 혁명 과정에서 희생된 영혼을 추모하며, '그'가 추구하던 소망과 신념이 언젠가는 실현되리라는 확신을 노래하고 있다.

㉯ [작품 해제] 4·19 혁명의 민주화 열망이 점차 퇴색해 가는 현실 속에서 부정적인 세력이 물러가고 순수와 열정의 시대가 도래하기를 바라는 소망을 상징적인 시어를 통해 표현하고 있다.

01 (가)는 '꽃', '숨결', '영혼'이 산, 언덕 등에 피어나고 살아갈 것이라고 표현함으로써 그리워하는 대상인 '그'의 부활과 '그'의 소망이 이루어지기를 바라는 신념을 드러내고 있으며, (나)는 '중립의 초례청' 앞에서 맞절하는 '아사달 아사녀'를 통해 통일을 염원하는 화자의 신념을 드러내고 있다.

왜 오답일까 ①, ⑤ (가)와 (나)는 모두 시상 전개에 따라 화자의 정서가 고조되고 있다고 보기 어려우며, 화자의 인식 변화도 나타나지 않는다.

② (가)는 '그의 얼굴', '그의 모습' 등 시각적 이미지를 통해 '그'에 대한 그리움을 노래하고 있으나, (나)에는 시적 대상에 대한 그리움을 노래하고 있지 않다.

③ (나)는 '한라에서 백두까지' '껍데기'와 '쇠붙이'가 남아 있는 현실을 비판하고 있으나, (가)에는 현실에 대한 강한 비판이 드러나지 않는다.

02 (가)에서 5연의 '들', '언덕'은 1연의 '산', '언덕'과 마찬가지로 화자가 '그'의 부활이 이루어지기를 염원하거나, '그'의 소망이 실현될 것이라고 믿는 공간이다.

03 Ⓐ의 맥락에서 보면 '산에 언덕에' 피어날 '꽃'은 '그'의 화신으로, '그'를 상징한다. 따라서 이를 세상을 떠난 연인에게 보내지 못했던 화자의 애정이라고 보기는 어렵다.

04 (가)의 '행인'을 청자로 볼 수도 있지만, 청자와의 문답을 통해 시상을 전개하고 있지는 않다.

왜 오답일까 ① 4연에서 '~거든 ~ 담을지네.'라는 통사 구조를 반복하여 운율을 형성하고 있다.

② 화자는 '그의 꽃', '그 숨결', '그의 영혼'이 산과 언덕, 들과 숲 속, 들과 언덕에 존재할 것이라고 하며 '그'의 부활을 소망하고 있다.

③ 1연과 5연의 수미상관 구조를 통해 '그'의 소망이 실현될 것이라는 확신을 강조하고 있다.

④ 예스러운 어미 '-ㄹ지어이'를 통해 미래에 대한 낙관적인 전망을 드러내고 있다.

05 우리 민족을 상징하는 '아사달 아사녀'가 맞절하는 공간인 '중립의 초례청'은 부정적 현실 때문에 분단된 민족이 화합을 이루는 곳이라고 볼 수 있다. 따라서 사회적 모순과 부조리로 인하여 훼손된 민족의 터전이라고 이해하는 것은 적절하지 않다.

06 '한라에서 백두까지'는 한반도 전체를 의미하는 대유적 표현으로, '한라'와 '백두'는 대조적인 의미로 사용된 것이 아니다.

---

27 ㉮ 생의 감각 ㉯ 성북동 비둘기   72~73쪽

01 ①   **02** ①   **03** ①   **04** ④   **05** ③   **06** ④

㉮ [작품 해제] 뇌출혈로 사경을 헤맸던 시인의 경험을 바탕으로 생에 대한 새로운 자각과 인간의 존재에 대한 성찰을 상징적 시어와 감각적 이미지로 형상화하고 있다.

㉯ [작품 해제] 근대화 과정에서 파괴된 자연에 대한 안타까움과 점점 비인간화되어 가는 현대 문명에 대한 비판을 '비둘기'를 통해 우의적으로 형상화하고 있다.

01 (가)는 '채송화', (나)는 '비둘기' 등의 상징적 시어를 활용하여 주제를 드러내고 있다.

왜 오답일까 ② (가)에서는 절망적인 상황에 처했던 화자가 생의 감각을 회복하며 부정적 정서가 긍정적으로 변하고 있지만, (나)에서는 화자의 정서 변화가 나타난다고 볼 수 없다.

③ (나)에서는 시각적 심상, 청각적 심상, 촉각적 심상을 모두 사용하여 시적 상황을 드러내고 있는 반면, (가)에서는 시각적 심상과 청각적 심상만을 사용하고 있다.

④ (가)와 (나)는 모두 과거와 현재 상황의 대비를 통해 화자의 인식을 드러내고 있다.

⑤ 화자가 대상을 관찰한 내용을 중심으로 시상을 전개하는 것은 (나)이고, 화자가 처한 상황을 중심으로 시상을 전개하는 것은 (가)이다.

02 과거의 화자는 4연에서 무더기로 핀 '채송화'를 발견함으로써 인식을 전환하고 있으며, 1연에는 현재의 화자가 느끼는 일상적인 생의 감각이 드러나 있다.

왜 오답일까 ② 종결 어미 '–다'로 각 행을 끝맺음으로써 통일성을 부여하고 있다.

③ 대구법을 통해 '나'를 중심으로 세계가 존재한다는 화자의 인식을 드러냄과 동시에 운율을 형성하고 있다.

④ 2연과 4연에서는 시적 화자인 '나'를 표면에 드러내어 '나'의 인식을 부각하고 있다.

⑤ 1~2연은 현재를, 3~4연은 과거를 드러내어 역순행적 구성을 취하고 있다.

03 '여명(黎明)의 종이 울린다.'는 '희미하게 날이 밝아 오는 빛'이라는 '여명'의 의미와 관련하여 생명의 부활을 감각적으로 표현한 것이다.

04 (나)는 문명과 자연의 대조를 통해 물질문명을 비판하고 있지만 현실 극복 의지는 드러나지 않는다.

왜 오답일까 ① '성북동'이라는 구체적인 지명을 밝혀 사실성을 획득하고 있다.

② 성북동 산에 '번지'가 새로 생김과 동시에 본래 살던 비둘기의 '번지'가 없어진 아이러니한 상황을 통해 주제를 드러내고 있다.

③, ⑤ '성북동 비둘기'를 의인화하여 비둘기가 처한 상황을 묘사하고, 이를 통해 자연을 파괴한 현대 문명에 대한 비판 의식을 드러내고 있다.

05 1연에서 '성북동 주민에게 축복의 메시지나 전하듯 / 성북동 하늘을 한 바퀴 휘' 도는 비둘기는 이미 새로운 '번지' 때문에 보금자리를 잃은 상태이다. 이는 그럼에도 불구하고 인간을 사랑하는 비둘기의 모습을 표현한 것이다.

06 1연에서 '성북동 비둘기'가 '성북동 주민에게 축복의 메시지나 전하듯 / 성북동 하늘을 한 바퀴 휘' 도는 모습을 통해 연대 의식이 드러난다고 볼 수도 있지만, 3연에서 결국 '쫓기는 새'가 된 비둘기의 처지를 고려할 때 비둘기가 이웃 간의 연대 의식을 회복할 수 있는 힘을 지니고 있다고 보기는 어렵다.

---

28 ㉮ 묵화 ㉯ 누군가 나에게 물었다　　74~75쪽

01 ⑤　**02** ④　**03** ⑤　**04** ③　**05** ⑤　**06** ④

㉮ **작품 해제** 대상의 세밀한 부분에 대한 묘사를 생략하고 단 하나의 장면만으로 시를 구성하여, 마치 한 폭의 수묵화를 연상하게 하는 시이다.

㉯ **작품 해제** 누군가의 질문과 질문에 답하는 과정을 통해 인생의 가치와 인간다운 삶에 대한 주제 의식을 형상화하고 있다.

01 (가)에서는 '서로'를, (나)에서는 '그런 사람들이'를 반복하여 각각 할머니와 소, 고된 삶에도 인정 넘치는 민중에 대한 따뜻한 시선을 드러내고 있다.

왜 오답일까 ① (가)에는 도치법이 사용되지 않았으며, (나)에는 1행과 7~10행에서 도치법이 사용되었으나 긴박한 분위기가 나타나지 않는다.

② (나)에는 질문과 이에 대한 답을 찾는 과정이 제시되어 있으나, (가)에는 문답 형식이 드러나지 않는다.

③ (가)에서는 할머니의 외롭고 고단한 일상을 함께하는 소의 모습을 그리며 소와 할머니의 유대감을 보여 주고 있고, (나)에서는 일상적인 체험을 통해 시인이 지향해야 할 가치를 표현하고 있을 뿐 (가)와 (나) 모두 일상적 삶에 대한 반성을 역설적으로 드러내고 있지 않다.

④ (가)와 (나)에는 모두 대립적 속성을 지닌 시어가 나타나지 않는다.

02 할머니와 소는 '발잔등이 부'을 정도로 고된 노동을 하고 있으나 이러한 현실을 비판하는 인식은 드러나지 않는다.

03 (가)의 화자는 절제된 언어로 소와 할머니의 모습을 묘사하고 있으므로 화자의 정서가 점점 심화된다는 진술은 적절하지 않다.

04 (가)에서 할머니와 소는 고되고 힘든 현실 속에서 유대감을 느끼며 서로를 의지하고 있다. 그러므로 할머니와 소의 관계는 '같은 병을 앓는 사람끼리 서로 가엾게 여긴다는 뜻으로, 어려운 처지에 있는 사람끼리 서로 가엾게 여김을 이르는 말'인 동병상련(同病相憐)의 관계라고 볼 수 있다.

왜 오답일까 ① 청출어람(靑出於藍): 쪽에서 뽑아낸 푸른 물감이 쪽보다 더 푸르다는 뜻으로, 제자나 후배가 스승이나 선배보다 나음을 비유적으로 이르는 말.

② 막상막하(莫上莫下): 더 낫고 더 못함의 차이가 거의 없음.

④ 동상이몽(同牀異夢): 같은 자리에 자면서 다른 꿈을 꾼다는 뜻으로, 겉으로는 같이 행동하면서도 속으로는 각각 딴생각을 하고 있음을 이르는 말.

⑤ 견원지간(犬猿之間): 개와 원숭이의 사이라는 뜻으로, 사이가 매우 나쁜 두 관계를 비유적으로 이르는 말.

05 (나)의 화자는 고생 속에서도 순하고 명랑하고 맘 좋고 인정이 있어 슬기롭게 사는 그런 사람들이 시인이라고 말하고 있다.

06 (나)의 화자는 '시가 무엇인가'라는 물음을 생각하며 고통스럽더라도 착하고 인정 있게 사는 사람들의 고귀한 가치를 인식하지만, 이들에게 연민을 느끼고 있는 것은 아니다.

✏️ **왜 오답일까** ① 작가는 시인이므로, 작가와 화자를 동일하게 본다면 시와 시인의 의미에 대해 생각하는 시의 내용이 작가 자신의 생각을 드러낸 것이라고 볼 수 있다.

② '누군가'의 질문을 통해 시를 시작하고 이 질문에 대한 답을 찾으며 시를 전개하고 있으므로 적절하다.

③ 화자는 '무교동, 종로, 명동, 남산, 서울역 앞, 남대문 시장'을 돌아다니며 깨달음을 얻었으므로 적절하다.

⑤ 화자는 고생을 하면서도 순하고 인정 있고 슬기롭게 사는 사람들이야말로 '알파'이고 '고귀한 인류'이고 '영원한 광명'이고 '다름 아닌 시인'이라고 생각하고 있으므로 적절하다.

29 ㉮ 목계 장터 ㉯ 다시 느티나무가   76~77쪽

01 ①   02 ②   03 ④   04 ③   05 ⑤

㉮ 작품 해제 '목계 장터'라는 구체적인 삶의 공간을 설정하여 방랑과 정착 사이에서 갈등하는 민중들의 삶의 애환을 드러내고 있다.

㉯ 작품 해제 고향집 앞의 느티나무를 제재로 하여 시간의 흐름에 따라 느티나무에 대한 인식이 변화하는 것을 통해 삶의 깨달음을 얻는 과정을 그리고 있다.

01 (가)는 15~16행에서 대구법을 통해 방랑하는 삶과 정착하는 삶 사이에서 갈등하는 화자의 내면을 드러내고 있다. (나)에는 대구법이 쓰이지 않았으며 화자의 내적 갈등 또한 드러나지 않는다.

✏️ **왜 오답일까** ② (가)와 (나)에는 모두 탈속의 세계에 대한 화자의 지향이 드러나지 않는다.

③ (가)는 애상적 어조, (나)는 성찰적·고백적 어조로 정서를 표현하고 있다.

④ 변형된 수미상관의 구조는 (가)에서만 나타난다.

⑤ (가)에는 방랑과 정착 사이에서 고민하는 화자의 모습이 드러나며, (나)에서 화자는 노년기에 더 크게 느끼는 세상의 아름다움을 노래하고 있다.

02 (가)는 4음보의 전통 민요의 율격을 활용하여 운율을 형성하고 있다.

03 '석삼년에 한 이레쯤 천치로 변해'는 차라리 바보가 되어 세속적 시름을 잊고 살고 싶은 화자의 소망이 드러나는 표현이다.

04 ㉢에는 느티나무를 청년 시절과는 다르게 인식하는 '나'의 모습이 드러나 있다. 이는 느티나무가 예전보다 더 나이가 들었음을 나타내는 것이 아니라, '나'가 노년이 되어 세상을 더 깊게 바라보고 내면의 가치에 집중할 수 있게 되었음을 나타내는 것이다.

05 〈보기〉는 느티나무들을 통해 더불어 사는 삶의 가치에 대해 노래하고 있다. 그러나 (나)에는 공동체적 삶에 대한 화자의 생각이 드러나지 않는다.

✏️ **왜 오답일까** ① (나)는 화자의 성장에 따라 느티나무를 바라보는 인식이 달라지는 모습을 드러내고 있다.

② (나)는 화자가 느티나무를 바라보면서 깨달은 내용을 중심으로 시상이 전개되고 있으며, 〈보기〉는 느티나무를 의인화하여 이를 긍정적으로 바라보는 화자의 시각을 드러내고 있다.

③ 〈보기〉에서는 서로 다투기도 하고 감싸주고 배려하기도 하며 더불어 살아온 느티나무에 대한 예찬적인 태도를 보이지만, (나)에서는 느티나무를 통해 얻은 삶의 깨달음을 전달하고 있을 뿐, 느티나무를 예찬하고 있지는 않다.

④ (나)는 청년에서 노인이 된 화자의 모습을 드러내고 있으며, 〈보기〉는 느티나무들이 나고 자라는 모습을 시간의 흐름에 따라 묘사하고 있다.

엮인 작품 더 알기

신경림, 「우리 동네 느티나무들」   ▶해법문학 Link 현대 시 369쪽

작품 해제 느티나무들을 의인화하여 서로 의지하고 더불어 살아가는 공동체적인 삶의 아름다움을 형상화한 작품이다. 작가는 열거법을 통해 느티나무의 다양한 모습을 구체적으로 묘사하여, 공동체적 삶의 가치에 대한 지향을 드러내고 있다.

30 농무   78~80쪽

01 ②   02 ⑤   03 ②   04 ③   05 ③   06 ①   07 ③   08 ③

작품 해제 산업화 과정에서 소외된 농촌의 암담한 현실, 이로 인한 농민의 절망감과 울분 등을 농무를 추는 농민들의 모습을 통해 그려 내고 있다.

01 윗글에서는 '답답하고 고달프게 사는 것이 원통하다'와 같은 직설적 표현을 활용하여 피폐한 농촌 현실에 대한 화자의 답답한 심정을 나타내고 있다.

✏️ **왜 오답일까** ① 현실에 대한 화자의 부정적 인식과 비판 의식이 드러나고 있지만, 의지적 어조가 사용되지는 않았다.

③ 청자에게 말을 건네는 어조는 사용되지 않았다.

④ '보름달'을 통해 시간적 배경을 알 수 있지만, 상징적인 시간적 배경으로 설정되었다고 보기는 어렵다.

⑤ 상승 이미지가 사용된 부분은 없으며, 1행의 '막이 내렸다'에는 하강 이미지가 활용되었다.

02 농무를 추는 농민이 '장거리'로 나서자 '쪼무래기들'만이 따라붙고 '처녀 애들'은 철없이 킬킬댄다. 이는 예전과 달라진 농무에 대한 냉담한 반응을 보여 주는 것으로, 함께 농무를 즐기며 위안을 주는 행위라고 보기는 어렵다.

✎ **왜 오답일까** ① 〈보기〉에서 산업화로 인해 사람들이 도시로 이주했다는 내용을 바탕으로 할 때, 막이 내린 후의 '가설무대'와 '운동장'은 공허한 농촌의 현실을 보여 준다고 할 수 있다.

② 농사를 짓고도 싼값에 농작물을 팔아야 하는 농촌의 현실을 고려할 때, '소줏집에 몰려 술을 마'시는 행위는 고달픈 현실을 잊고자 하는 행위라고 할 수 있다.

③ 임꺽정은 조선 시대의 의적으로, 임꺽정 이야기의 삽입은 몇백 년 전과 차이가 없는 고된 현실을 의미한다고 볼 수 있다.

④ 〈보기〉를 바탕으로 할 때, 산업화로 인해 싼값에 농산물을 팔아야만 했으므로 '비룟값도 안 나오는 농사'는 개인의 노력으로 해결할 수 없는 구조적인 문제라고 할 수 있다.

03 [A]는 농촌 현실에 대한 농민들의 처절한 울분과 한(恨)이 신명 나는 동작을 통해 표출되고 고조되는 역설적 상황이라고 볼 수 있다.

04 〈보기〉는 노동자의 삶 또한 흐르는 물과 같으며, 강물이 깊어 가는 것처럼 노동자의 비애도 깊어 간다는 인식을 드러내고 있다. 하지만 윗글에서는 자연물의 속성을 삶과 연결하여 시적 의미를 형성하고 있는 부분을 찾을 수 없다.

✎ **왜 오답일까** ① 윗글은 피폐한 농촌 현실에 대한 비애를, 〈보기〉는 궁핍한 노동자로서 살아가야만 하는 비애를 드러내고 있다.

② 윗글과 〈보기〉에서 '우리'는 화자 개인뿐만이 아닌 공동체를 가리키는 말로, 화자가 자신이 속한 집단에게 느끼는 공동체 의식을 드러내 준다.

④ 윗글에서는 '악을 쓰는' '쪼무래기들', '킬킬대는' '처녀 애들', '꺽정이처럼 울부짖는' 녀석, '서림이처럼 해해대는' 녀석 등 다양한 인물을 통해 비참한 농촌의 현실을 드러내고 있다.

⑤ 윗글에는 '운동장 → 소줏집 → 장거리 → 쇠전 → 도수장'으로의 공간 이동이 나타나며, 〈보기〉에는 날이 저물 무렵부터 달이 뜨는 밤까지의 시간의 흐름이 드러난다.

05 윗글의 ㉠에서는 '산 구석에 처박혀 발버둥 친들 무엇하랴'라는 설의적 표현을 통해 부정적인 현실에 대한 자조적 태도가 드러나며, 〈보기〉의 ㉡에서는 '먹을 것 없는 사람들의 마을로 / 다시 어두워 돌아가야 한다'에서 부정적인 현실을 수용하며 살아가는 화자의 체념적 태도가 드러난다.

엮인 작품 더 알기

정희성, 「저문 강에 삽을 씻고」 ▶해법문학 Link 현대 시 220쪽

작품 해제 도시 노동자인 화자가 고된 하루 일을 끝내고 흐르는 강물에 삽을 씻으며 인생의 의미를 성찰하는 작품이다. 1970년대 도시화, 산업화로 인해 소외된 도시 노동자의 비애를 차분한 어조로 노래하고 있으며, 가난하고 암담한 현실에 대한 무력감과 체념이 드러난다.

기출 작품 딥러닝

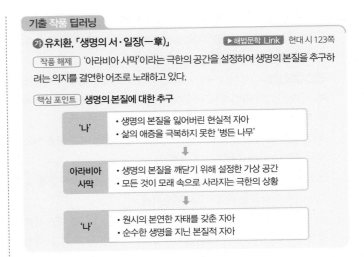

㉮ 유치환, 「생명의 서·일장(一章)」 ▶해법문학 Link 현대 시 123쪽

작품 해제 '아라비아 사막'이라는 극한의 공간을 설정하여 생명의 본질을 추구하려는 의지를 결연한 어조로 노래하고 있다.

핵심 포인트 **생명의 본질에 대한 추구**

'나'	• 생명의 본질을 잃어버린 현실적 자아 • 삶의 애증을 극복하지 못한 '병든 나무'

↓

아라비아 사막	• 생명의 본질을 깨닫기 위해 설정한 가상 공간 • 모든 것이 모래 속으로 사라지는 극한의 상황

↓

'나'	• 원시의 본연한 자태를 갖춘 자아 • 순수한 생명을 지닌 본질적 자아

06 ㄱ. (가)에는 청각적 심상이 드러나지 않으며, (나)는 '징이 울린다', '킬킬대는구나' 등에서 청각적 심상을 통해 시적 상황을 구체화하고 있다.

ㄴ. (가)는 대구의 방식으로 시상을 마무리하고 있지 않으며, (나)는 '한 다리를 들고 날나리를 불거나 / 고갯짓을 하고 어깨를 흔들거나'에서 대구의 방식으로 시상을 마무리하고 있다.

✎ **왜 오답일까** ㄷ. (가)와 (나)에서는 모두 계절을 드러내는 시어가 사용되지 않았다.

ㄹ. (가)의 '아라비아의 사막'은 탈속성을 지닌 시적 공간으로 볼 수 있으나, (나)에는 탈속성을 지닌 시적 공간이 나타나지 않는다.

07 '그 열렬한 고독 가운데', '호올로 서면' '반드시 '나'와 대면케 될' 것이라고 하였으므로, 오히려 화자가 고독의 가운데에 있을 때 본질적 자아인 '나'에 도달할 수 있다고 볼 수 있다.

08 (나)에서 농사를 포기한 것에 대한 화자의 후회는 드러나지 않는다. 오히려 화자는 수익이 나지 않는 농사를 포기하고 농무를 추는 과정에서 역설적으로 신명을 느끼고 있다.

✎ **왜 오답일까** ① 화자와 함께 농무를 춘 사람들이 '분이 얼룩진 얼굴'로 '학교 앞 소줏집'에서 술을 마시는 것으로 보아 적절하다.

② [B]의 '악을 쓰는', '울부짖고', '해해대지만' 등은 암담한 농촌 현실의 분위기를 드러내고 있으므로, 화자가 농무를 흥겹게 대하지 못한다는 사실을 알 수 있다.

④ '텅 빈' 운동장의 공허한 분위기는 '비룟값도 안 나오는 농사'를 지은 농민의 허탈한 심정과 연결된다.

⑤ ㉡에서는 농촌 현실에서 느끼는 원통함이 드러나며 이는 이러한 현실에 대한 자조적 인식(㉢)으로까지 이어진다.

31

㉮ 샤갈의 마을에 내리는 눈
㉯ 납작납작-박수근 화법을 위하여

81~83쪽

01 ① **02** ③ **03** ④ **04** ③ **05** ⑤ **06** ① **07** ③ **08** ④

> ㉮ [작품 해제] 샤갈의 그림인 「나와 마을」을 보고 떠오른 이미지를 감각적인 언어로 나타낸 시로, 봄의 순수한 생명력을 토속적 감성으로 재구성하여 드러내고 있다.

> ㉯ [작품 해제] 박수근 화백의 그림 「세 여인」을 제재로 하여 가난한 삶을 살아가는 서민들에 대한 연민을 그려 내고 있다.

01 (가)는 '바르르', (나)는 '드문드문', '서성서성' 등의 음성 상징어를 활용하여 시적 상황을 묘사하고 있다.

> [왜 오답일까] ② (가)에서는 '눈', '정맥', '올리브빛' 등의 선명한 색채 이미지가 드러나고 있으나, (나)에는 색채 이미지가 드러나지 않는다.
> ③ (가), (나) 모두 현재형 시제가 사용되었으나, 이를 통해 계절적 배경의 생명력을 부각하는 것은 (가)에만 해당하는 설명이다.
> ④ (나)는 '발바닥도 없이 서성서성. / 입술도 없이 슬그머니. / 표정도 없이 슬그머니.'에서 대구법을 통해 시적 대상의 모습을 효과적으로 형상화하고 있으나, (가)에는 대구법이 쓰이지 않았다.
> ⑤ (가)는 실재하지 않는 가상의 세계인 '샤갈의 마을'을 공간적 배경으로 설정하여 환상적인 분위기를 조성하고 있으나, (나)는 그렇지 않다.

02 [C]에서는 활유법을 통해 눈을 살아 있는 존재인 것처럼 표현하고 있지만, 사람이 아닌 대상에 인격을 부여하여 사람처럼 표현하는 의인법을 활용하지는 않았다. 또한 이를 통해 냉정하면서 포용력이 있는 역설적 속성이 드러난다고 보기도 어렵다.

03 ㉠과 ㉡은 모두 절대자인 '하나님'에게 서민들이 고생하며 힘들게 살아가는 모습이 보기에 어떠한지를 묻는 것으로, 현실에 대한 화자의 비판 의식을 강조하기 위한 설의적 표현이다. 하지만 절대적 존재가 문제를 해결해 주기를 바라는 소망이 담긴 것은 아니다.

04 '하늘', '지붕과 굴뚝'은 공감각적 이미지를 드러내는 시어라고 보기 어렵다.

> [왜 오답일까] ①, ② 〈보기〉에서 '이질적 이미지들의 병치로 이루어진 샤갈의 초현실주의적 그림에 대한 감각적 인상을, 자신의 고향 마을에 투사하여 다양한 이미지의 병치로 변용'하였다고 했으므로 적절하다.
> ④ 〈보기〉에서 시인은 샤갈의 그림에서 '올리브빛 얼굴을 가진 사나이와 당나귀가 서로 마주 보고 있는 그림'에서 영감을 받았다고 하였으며, (가)의 '쥐똥만 한 겨울 열매들은 / 다시 올리브빛으로 물이 들고'에서 '올리브빛'이 '겨울 열매들'을 물들이는 따뜻한 봄의 이미지를 표상하고 있음을 알 수 있다.
> ⑤ (가)의 '아낙', '아궁이'는 토속적 시어로, 〈보기〉에서 시인은 그림에서 받은 감각적 인상을 '자신의 고향 마을에 투사하여 다양한 이미지의 병치로 변용'하였다고 했으므로 적절하다.

05 '가이없이 한없이 펄렁펄렁'이는 모습은 세상사에 휘둘리며 살아가는 서민들의 삶을 묘사한 것으로, 서민들이 정처 없이 떠돌며 살아가는 모습은 그림이나 시에서 찾아볼 수 없다.

기출 작품 딥러닝

㉮ 유치환, 「출생기(出生記)」

[작품 해제] 일제의 감정이 현실화되는 시대적 암울함을 화자의 출생과 연관 지어 형상화하는 시로, 생명력 넘치는 자연의 이미지와 대비하여 시대적 암담함을 감각적이고 사실적으로 그려 내고 있다.

[핵심 포인트] **암울한 시대 속 출생의 기록**

생명력 넘치는 자연의 모습		시대적 암울함
• 지붕에 자라는 박넝출 • 푸른 하늘에 피어 있는 석류꽃	↔	• 검정 포대기 같은 까마귀 울음소리 • 괴괴히 우는 부엉이 • 상서롭지 못한 세대의 어둔 바람 • 신월같이 슬픈 제 족속의 태반 • 고고의 곡성

↓

화자의 출생
• 사대주의의 욕된 후예로 태어남.
• 명이나 길라 하여 돌메라는 이름이 지어짐.

06 (가)는 '밤', '융희(隆熙) 2년' 등의 시어를 활용하여 일제 강점기를 앞둔 시기의 암울한 분위기를, (나)는 '삼월', '봄' 등의 시어를 활용하여 봄을 맞이하는 생동적인 분위기를 조성하고 있다.

> [왜 오답일까] ② 과거 시제를 사용하여 서사적 사건을 들려주는 형식을 취하는 것은 (가)이다.
> ③ (나)는 봄을 맞이하는 풍경의 관찰에 초점을 두고 있으나, (가)는 '욕된 후예', '슬픈 제 족속' 등의 시어를 통해 화자의 감정을 드러내고 있다.
> ④ (가)는 '까마귀 울음소리', '부엉이 괴괴히 울어', '상서롭지 못한 세대의 어둔 바람' 등의 시어를 활용하여 비극적 상황을 고조하고 있으나, (나)에는 비극적 상황이 나타나지 않는다.
> ⑤ (나)는 자연물인 '눈'을 살아 있는 대상으로 묘사하여 이국적인 세계를 드러내고 있지만, (가)는 자연물을 통해 이국적인 세계를 형상화하고 있지 않다.

07 (나)의 공간적 배경인 '샤갈의 마을'은 실제 존재하는 공간이 아닌 상상 속 세계이지만, 13~15행에서 '아낙들'을 통해 향토적 분위기를 형성하고 있으므로 서양식 의복을 입는 것은 적절하지 않다.

08 [D]에서는 화자가 태어난 날의 상황이 구체적으로 제시되어 있지만 출생에 대한 감격은 드러나지 않는다.

32 ⑦ 꽃 ⑭ 과목
84~85쪽

01 ① **02** ⑤ **03** ⑤ **04** ⑤ **05** ①

⑦ **작품 해제** '꽃'을 제재로 하여 존재의 본질을 인식하고자 하는 인간의 갈망과 진정한 인간관계 형성에 대한 소망을 표현하고 있다.

⑭ **작품 해제** 소멸의 계절인 가을에 결실을 맺은 과목의 모습을 통해 삶에 대한 새로운 깨달음을 얻는 모습을 형상화하고 있다.

01 (가)는 '이름을 불러~', '~이 되고 싶다' 등의 시구를 반복하고, (나)는 '과목에 과물들이 ~ 경악케 하는 것은 없다.'를 반복하여 의미를 강조하고 운율을 형성하고 있다.

02 '하나의 눈짓'은 '우리'가 이름을 불러 주는 행위를 통해 서로를 인식하고 의미를 부여함으로써 상호 의미 있는 존재가 된 대상을 가리킨다. '빛깔과 향기'는 특정 존재만이 가진 개성적이고 본질적인 가치로, '하나의 눈짓'의 의미에 대응하지는 않는다.

🖊 **왜 오답일까** ① '하나의 몸짓'은 앞뒤에 있는 '다만', '지나지 않았다.' 등의 구절을 통하여 화자가 이름을 부르기 이전에는 그 어떤 의미도 없는 행위임을 알 수 있다.
② (가)에서 '내가 그의 이름을 불'렀을 때 '그가 나에게로 와서' 의미 있는 존재인 '꽃이 되었다'는 것을 통해 '이름'을 부르는 행위가 존재를 인식하고 의미를 부여하는 행위라는 것을 알 수 있다.
③ '꽃'은 이름을 부르는 행위를 통해 서로에게 의미 있는 존재가 되었음을 형상화한 대상이다.
④ '무엇'은 (가)에서 시적 화자가 갈망하는 상호 의미 있는 존재로서의 교류 또는 관계 맺음으로, '꽃'과 동일한 의미의 시어로 사용되었다.

03 '모든 것'이 멸렬하는 가을에도 '홀로' 열매를 맺는 과목의 속성은 화자가 놀라움과 경이로움을 느끼게 한다. 그렇지만 이를 통해 과목의 고독하고 외로운 속성이 드러나는 것은 아니다.

04 (가)에서는 이름을 부르는 행위에 새로운 의미를 담아 서로에게 '꽃'으로 상징되는 의미 있는 존재가 되는 모습을 드러내고 있을 뿐, '꽃이 피는 과정'에 대한 지식이 나타나 있지는 않다.

🖊 **왜 오답일까** ① (가)의 작가는 이름을 부르는 행위에 '존재의 본질을 인식하는 행위'라는 새로운 의미를 부여하여, '이름을 부르는 행위'를 통해 '상호 의미 있는 존재가 됨'을 언어로 표현하고 있다.
② 〈보기〉에서 문학 작품을 통해 인간과 세계에 대한 이해가 확대되는 것을 문학의 인식적 기능이라고 하였다. 따라서 이름을 부르는 행위에 담긴 새로운 의미를 표현한 (가)를 읽고 독자들은 존재들 사이의 관계 맺음에 대한 이해를 확대할 수 있다.
③ (나)의 작가는 나무에 열매가 맺힌 일반적인 현상을 생명의 경이로움으로 새롭게 인식하고 그를 통해 삶에 대한 새로운 깨달음을 얻고 있다.
④ 모든 것이 멸렬하는 가을에도 열매를 맺는 과목을 통해 독자들은 과목의 생명력을 인식하고 그에 대한 경이로움을 느낄 수 있다.

05 ⓐ는 자신의 존재를 인식하고 가치를 알아줄 누군가에게 의미 있는 대상이 되고 싶은 화자의 소망이 드러나는 표현이고, ⓑ는 화자가 '과목'을 보고 얻은 깨달음으로 인한 감동이 드러나는 표현이다.

33 ⑦ 벼 ⑭ 봄
86~87쪽

01 ③ **02** ③ **03** ② **04** ② **05** ③ **06** ④

⑦ **작품 해제** '벼'라는 상징적 소재를 통해 민중의 모습과 그 속성을 노래한 시로, 고난과 시련을 이겨 내는 민중을 따뜻한 시선으로 담아내고 있다.

⑭ **작품 해제** 자연의 순리에 따라 겨울이 지나면 봄이 오듯, 부조리한 시대가 가고 새로운 시대가 올 것이라는 신념을 봄을 통해 형상화하고 있다.

01 (가)는 '산다', '맡긴다' 등에서, (나)는 '온다'에서 단정적 어조를 사용하여 각각 '벼'와 '봄'의 특성을 부각하고 있다.

🖊 **왜 오답일까** ① (가), (나)에는 모두 감정 이입이 나타나지 않는다.
②, ④ (가)와 (나) 모두 설의적 표현이나 구체적인 지명이 나타나 있지 않다.
⑤ (가)는 벼의 생명력을 예찬하고 있으며, (나)는 간절하게 기다리던 봄이 돌아오는 것에 대한 감격과 기쁨을 드러내고 있으므로 '고요한 마음으로 사물이나 현상을 관찰하는 자세'를 뜻하는 관조적 태도가 드러나 있다고 할 수 없다.

02 (가)의 '서러운 눈 씻어 맑게 다스릴 줄 알고'는 독재 정권에 저항하는 상황에서도 서러움을 삭일 줄 아는 민중의 현명함과 인내심을 드러낸다.

🖊 **왜 오답일까** ① (가)의 '죄도 없이 죄지어서 더욱 불타는'은 무고하게 억압받는 민중의 모습을 역설적으로 나타낸 부분으로, 〈보기〉를 참고하면 기본적인 인권도 보장받지 못한 채 억압받는 삶을 살아야 했던 민중의 모습과 관련이 있다고 할 수 있다.
② (가)의 '벼는 소리 없이 떠나간다.'는 대의를 위해 자신을 희생하는 벼의 모습이 드러난 부분으로, 〈보기〉에서 기본권을 지키기 위해 저항하는 과정에서 목숨을 잃은 사람도 있었다는 내용과 관련이 있다고 할 수 있다.
④ 〈보기〉를 참고할 때 화자가 반드시 올 것이라고 확신하는 '봄'은 민주주의를 의미한다고 할 수 있다.
⑤ (나)의 '지쳐 나자빠져 있다가'는 시련과 역경을 겪고 있는 봄의 모습을 의미하므로, 민주주의가 현실에 정착되지 못한 상황에 영향을 받은 것이라고 볼 수 있다.

03 (가)의 '벼', '백성', '사랑', '넉넉한 힘'은 '벼'의 긍정적인 속성과 관련된 시어이지만, '햇살'은 '벼'가 이겨 내야 할 시련과 고통을 의미한다.

04 '이웃들에게 저를 맡긴다.'는 벼가 서로 의지하는 모습을 나타낸 부분이며, 벼의 인내심은 '서러운 눈 씻어 맑게 다스릴 줄 알고', '제 몸

의 노여움을 덮는다.'에서 드러난다.

🖊️ **왜 오답일까** ① 서로 어우러져 기대고 사는 것은 공동체 속에서 서로 의지하며 살아가는 것이므로, 민중의 공동체 의식을 나타낸다고 할 수 있다.

③ 서로 몸을 묶어 더욱 튼튼해진 것은 단합하고 연대하는 것이므로, 민중의 단결력을 나타낸다고 할 수 있다.

④ 사랑을 바치고 떠나는 것은 타인을 위해 자신을 희생하는 것이므로, 민중의 희생정신을 나타낸 것이라고 할 수 있다.

⑤ 쓰러져도 다시 일어서는 것은 끈질기게 생명력을 이어 가는 것이므로, 민중의 강인한 생명력을 보여 준다고 할 수 있다.

05 '더디게 더디게'에 이어지는 '마침내 올 것이 온다.'라는 구절로 보아, [B]에는 더디더라도 반드시 봄이 올 것이라는 시적 화자의 믿음이 드러나 있다.

06 ㄹ은 봄을 맞이하는 화자의 감격스러운 마음 때문에 나타나는 행동이다. 화자가 자신의 소극적인 자세를 반성하는 내용은 드러나 있지 않다.

🖊️ **왜 오답일까** ① ㄱ에서는 기다리지 않아도 자연의 섭리에 따라 봄이 필연적으로 온다는 당위성을 드러내고 있다.

② '뻘밭 구석'이나 '썩은 물웅덩이' 등은 봄이 오기까지의 시련과 역경을 의미한다.

③ '바람'은 '다급한 사연을 듣고 달려'가 봄을 흔들어 깨우므로 화자의 소망을 전달하는 매개 역할을 한다고 볼 수 있다.

⑤ '너'는 '봄'을 의미하는 것으로, '먼 데서 이기고 돌아'왔다는 표현을 통해 승리자의 모습으로 형상화되고 있다.

---

34 ㉮ 울타리 밖 ㉯ 월훈   88~89쪽

01 ③   02 ②   03 ③   04 ②   05 ①   06 ④

📖 ㉮ [작품 해제] 화자의 개인적인 생각과 정서를 배제하고, 주로 시각적 이미지를 통해 고향 마을의 풍경을 묘사하여 자연과 인간의 조화에 대한 소망과 그리움을 형상화하고 있다.

📖 ㉯ [작품 해제] 토속적인 공간을 설정하고 향토적 시어 등을 사용하여 외딴집에 홀로 살고 있는 노인의 고독감과 외로움을 드러내고 있다.

01 (가)는 자연과 닮아 있으면서 조화를 이루고 있는 마을의 모습을 시각적 이미지를 활용하여 묘사하고 있고, (나)는 시각적, 청각적 이미지를 활용하여 깊은 산속 마을의 고요하고 적막한 모습을 그려 내고 있다.

🖊️ **왜 오답일까** ① (가), (나) 모두 대비되는 대상을 나열하고 있지 않다.

② (가)의 '천연히'나 (나)의 '월훈'과 같이 정서를 함축하는 시어를 찾아볼 수 있지만 이것이 시적 분위기를 반전하지는 않는다.

④ (가), (나) 모두 공간의 이동은 나타나지 않는다.

⑤ (가), (나) 모두 독백적 어조로 시상을 전개하고 있다.

02 '같이'를 '처럼'의 의미로 보면 '낯이 설어도 사랑스러운'은 '소녀, 소년, 들길'에 모두 해당하는 속성이 되지만, '함께'의 의미로 보면 '들길'에만 해당하는 속성이 된다.

03 [C]는 '천연(天然)히'라는 시어 하나로 연을 구성함으로써 대상이 지닌 꾸밈없고 자연스러운 속성을 강조하고 있다. 이는 시상을 집약하는 역할을 하는 것이지, 시상의 전환을 암시하는 것은 아니다.

04 노인은 홀로 잠에서 깨어 무와 고구마를 깎고 있는데, 이는 출출함과 공허함, 고독감 등을 달래기 위한 행위이다. (나)에 노인의 경제적 형편을 알 수 있는 시어는 나오지 않았다.

05 (나)의 화자는 표면에 나타나지 않으며 노인을 제외한 마을 사람은 시에 나오지 않으므로 ①은 영상물 제작 시 고려할 사항으로 적절하지 않다.

🖊️ **왜 오답일까** ② '꼴깍, 해가, 노루 꼬리 해가 지면'과 '외딴집에도 불빛은 앉아 이슥토록 창문은 모과[木瓜]빛입니다.'를 고려할 때 적절하다.

③ '기인 밤입니다. 외딴집 노인은 홀로 잠이 깨어'를 고려할 때 적절하다.

④ '노인의 자리맡에 받은기침 소리도 없을 양이면 벽 속에서 겨울 귀뚜라미는 울지요. 떼를 지어 웁니다. 벽이 무너지라고 웁니다.'를 고려할 때 적절하다.

⑤ '밖에는 눈발이라도 치는지, 펄펄 함박눈이라도 흩날리는지, 창호지 문살에 돈는 월훈(月暈).'을 고려할 때 적절하다.

06 ㉡은 깊은 산속 마을로, 노인의 고독감과 외로움을 심화하는 공간으로 형상화되었다. ㉠은 자연을 닮은 순수한 사람들이 '울타리 밖에도 화초를 심'는 모습을 통해 넉넉함과 조화로움을 드러내는 공간이며, 아름다운 자연이 오래 머무르는 공간이라는 점에서 따뜻하고 밝은 분위기를 느낄 수 있다.

🖊️ **왜 오답일까** ① ㉠은 자연과 인간이 조화롭게 어우러져 살아가는 공간이지만, ㉡에는 자연과 인간의 교감이 나타나지 않는다.

② ㉠과 ㉡은 모두 토속적인 정경을 보여 주고 있지만, ㉡은 화자가 소망하는 세계로 보기 어렵다.

③ ㉠은 자연과 조화를 이루는 순수한 공간이며, ㉡은 깊은 산속 마을이라는 점에서 문명과 동떨어진 공간이다.

⑤ ㉠에는 사람들의 따뜻한 마음이 드러나 있으나 ㉡에는 사람들의 따뜻한 마음과 연결되는 내용이 없다.

35 ㉮ **묘비명** ㉯ **대장간의 유혹** 90~91쪽

01 ① 02 ④ 03 ③ 04 ⑤ 05 ⑤

㉮ 작품 해제 세속적인 가치를 추구했던 인물의 '묘비명'을 소재로 하여 정신적 가치가 물질적 가치에 밀려난 현실을 비판하며, 이러한 현실에서 역사가와 시인의 역할에 대한 반성의 질문을 던지고 있다.

㉯ 작품 해제 대량 생산, 대량 소비되는 사회에서 의미 없이 살아가는 현대인의 삶을 비판하며, 의미 있고 가치 있는 존재가 되고 싶은 소망을 표현하고 있다.

01 (가)는 '시인(詩人)은 어디에 무덤을 남길 것이냐'에서 설의적 표현을 사용하여 시인의 역할에 대해 성찰하고 있다.

왜 오답일까 ② (가)의 '훌륭한 비석', '귀중한 사료'는 반어적 표현이지만, (나)에는 반어적 표현이 사용되지 않았다.
③ (나)에는 '홍은동 사거리' 등의 구체적인 지명이 제시되었으나, (가)에는 구체적인 지명이 제시되지 않았다.
④ (나)의 '아득한 나락으로 떨어져 내리는'에서 하강적 이미지가 드러나지만, (가)에는 하강적 이미지가 드러나지 않는다.
⑤ (나)에는 '나'라는 화자가 표면에 드러나지만, (가)에는 화자가 드러나지 않는다.

02 화자는 정신적 가치가 아닌 물질적 가치만을 추구하는 세태를 '묘비명'을 통해 비판하고 있다. '불의 뜨거움 꿋꿋이 견디며 / 이 묘비는 살아 남아 / 귀중한 사료가 될 것이니'에는 없어져야 할 내용이 담긴 묘비가 살아남은 것에 대한 화자의 냉소적 태도가 드러난다.

03 (가)의 화자는 정신적 가치로 대변되는 '한 줄의 시'나 '한 권의 소설'조차 읽지 않고 세속적 가치만을 추구하며 '행복하게 살'았던 이들의 삶을 '훌륭한 비석'이라는 반어적 표현을 통해 비판하고 있다. 따라서 이러한 이들을 기리는 내용이 담긴 '묘비명'이 시인의 관점을 드러내는 소재라는 것은 적절하지 않다.

왜 오답일까 ① '묘비명'의 내용은 물질적 가치를 추구한 사람의 삶을 기리는 것이고, 화자는 정신적 가치가 외면받는 현실을 안타까워하고 있으므로 시인이 추구하는 삶과는 거리가 있는 사람의 인생을 반영하고 있다고 할 수 있다.
② '묘비명'을 기록한 '유명한 문인' 또한 물질적 가치를 추구하고 있고 (가)의 시인은 정신적 가치를 중시하고 있으므로 추구하는 삶의 방향이 서로 대비를 이룬다고 할 수 있다.
④, ⑤ 화자는 '이 묘비'에 기록된 인물의 삶이 '귀중한 사료'가 되어 후세에 부정적인 영향을 줄 것이라고 생각하고 있다. 이를 통해 화자는 시인이 '무엇을 기록'해야 하고 어떻게 살아가야 하는지에 대한 자기 성찰을 하고 있음을 알 수 있다.

04 '대장간'은 가치 있는 물건을 만드는 공간으로, 화자가 삶의 의미를 찾기 위해 가고 싶어 하는 공간이며, '직지사 해우소'는 '아득한 나락으로 떨어져 내리는' 똥덩이가 있는 공간이다. 따라서 '직지사 해우소'와 '대장간'은 서로 대비되는 공간이라고 할 수 있다.

05 〈보기〉의 '토끼 같은 사람들'은 듣기 위해 노력하는 사람을 비유하므로 '안개'를 통해 진실을 은폐하는 현실을 극복하려는 태도를 가진 사람을 나타낸다. (나)의 '똥덩이'는 배출하고 버려야 할 것이므로, 가치 없는 삶을 살아왔던 화자 자신에 대한 부정적인 표현이라고 볼 수 있다.

왜 오답일까 ① (나)의 '마구 쓰다가 / 망가지면 내다 버리는 플라스틱 물건'에서 부정적인 현대 물질문명의 모습이, 〈보기〉의 '언제나 안개가 짙은'에서 진실을 은폐하는 부정적인 현실의 모습이 드러난다.
② (나)의 '현대 아파트'는 삶의 의미를 찾을 수 있는 공간인 '대장간'이 사라지고 들어온 장소이며, 〈보기〉의 '안개의 나라'는 안개를 통해 진실을 가리는 공간이므로 모두 화자가 부정적으로 여기는 공간이라고 볼 수 있다.
③ (나)의 '풀무질'은 대장간에서 가치 있는 물건을 만드는 행동이고, 〈보기〉의 듣는 행위는 아무것도 보이지 않는 상황에서 이를 극복하기 위한 행동에 해당한다.
④ (나)의 '시우쇠'는 무쇠낫을 만드는 과정에서 쓰이는 쇠붙이로 인간의 열정이 녹아 있는 진정한 삶을 의미한다. (나)의 화자는 무의미한 자신의 삶을 반성하고 있으므로 '시우쇠'는 현실에 대한 대응 방안이라고 볼 수 있다. 〈보기〉에서 자꾸만 커지는 '귀'는 보는 행위의 대안인 듣는 행위를 더 잘하기 위함이므로, 현실에 대한 대응 방안으로 볼 수 있다.

엮인 작품 더 알기

김광규, 「안개의 나라」

작품 해제 사람들의 의식을 마비시키는 부조리한 정치적 현실을 풍자한 작품이다. 이 작품에서 안개는 진실을 은폐하는 수단으로, 화자는 시야를 가리는 안개에 대한 대응으로 듣는 행위를 택하고 있다. 이를 통해 시인은 현실에 무감각하게 순응하는 이들을 비판하고 있으며, 진실을 추구하려는 노력이 필요함을 일깨우고 있다.

36 ㉮ **사평역에서** ㉯ **새벽 편지** 92~93쪽

01 ④ 02 ③ 03 ③ 04 ② 05 ③ 06 ⑤

㉮ 작품 해제 '사평역'이라는 시골의 간이역을 배경으로 하여 막차를 기다리는 사람들의 추억과 삶의 애환을 간결하고 잔잔하게 그리고 있다.

㉯ 작품 해제 어둠을 지나 밝아 올 아침을 기다리는 시간인 새벽에 새벽별을 바라보며 사랑과 희망이 넘치는 세상에 대한 소망을 노래하고 있다.

01 (가)는 '그래 지금은 모두들 / 눈꽃의 화음에 귀를 적신다'에서, (나)는 '아무도 모르는 고요한 그 시각에 / 아름다움은 새벽의 창을 열고 / 우리들 가슴의 깊숙한 뜨거움과 만난다'에서 현재형 어미를 사용하여 시적 상황을 생생하게 전달하고 있다.

왜 오답일까 ① (가)와 (나)에는 공간의 이동이 드러나지 않는다.
② (가)는 '싸륵싸륵'이라는 음성 상징어를 통해 눈꽃이 쌓이는 모습을 드러내고 있지만, (나)에는 음성 상징어가 사용되지 않았다.

③ (가)와 (나)에는 화자의 정서를 자연물에 투영하는 부분이 나타나지 않는다.

⑤ (가)에서는 '톱밥 난로', '눈꽃', (나)는 '새벽' 등 상징적 이미지를 사용하고 있지만, (가)는 이를 통해 화자가 추구하는 삶의 자세를 드러내지 않았다.

02 ㉢은 고단하고 고통스러운 서민들의 삶의 모습을 드러내는 것으로, 삭막한 현실에 대한 비판적 시각은 드러나지 않는다.

03 (가)에서 '눈꽃'은 가난하고 고단한 이들에게 위로가 되는 존재이며, '눈꽃의 화음'은 눈꽃이 내리는 모습을 감각적으로 표현한 것이다. 따라서 '눈꽃의 화음'이 열악한 상황을 드러낸다고 볼 수 없으며, '한 줌의 눈물'에 상황을 극복하려는 화자의 의지가 담겨 있다는 근거는 찾아보기 어렵다.

04 (나)의 화자는 희망을 기다리는 시간인 새벽을 시간적 배경으로 하여 시상을 전개하고 있다.

왜 오답일까 ① (나)에서는 '이제 밝아 올 아침의 자유로운 새소리를 듣기 위하여 / 따스한 햇살과 바람과 라일락 꽃 향기를 맡기 위하여'의 구절에서 대구법을 사용하여 운율을 형성하고 있다.

③ (나)의 '이 세상 깊은 어디에 마르지 않는 / 희망의 샘 하나 출렁이고 있을 것만 같다.'라는 구절에서 감각적 이미지를 통해 사랑이 충만한 세상이 오기를 기대하는 화자의 소망을 드러내고 있다.

④ (나)에서는 1~4행과 15~18행에서 유사한 구절을 반복하는 수미상관의 구조를 통해 구조적 안정성을 형성하고 있다.

⑤ '사랑의 샘', '희망의 샘'은 화자가 추구하는 소중한 가치를 의미한다.

05 화자가 '다시 고통하는 법을 익히기 시작해야겠다.'라고 다짐하는 것은 고통받는 사람들에 대한 애정과 관심, 그리고 고통을 극복하겠다는 의지를 드러낸 것으로, 화자는 곧 맞이할 아침을 기다리고 있으므로 다시 밤으로 돌아간다는 것은 적절하지 않다.

왜 오답일까 ① '눈시울이 붉어진 인간의 혼들만 깜박이는' 시간은 '아무도 모르는 고요한 그 시각', 즉 새벽을 의미하는 것으로, 고통을 겪어 낸 사람들이 교감하며 희망을 나누는 시간을 의미한다.

② 새벽을 의미하는 '고요한 그 시각'에 만나는 '가슴의 깊숙한 뜨거움'은 희망이 넘치는 세상에 대한 절실한 소망을 의미한다.

④ '햇살'과 '바람'은 화자가 맞이하고자 하는 아침의 희망적인 이미지를 감각적으로 드러낸 것이다.

⑤ '희망의 샘 하나 출렁이고 있을 것만 같다.'는 희망이 넘치는 세상이 오기를 소망한다는 의미로, '밤'으로 상징되는 험한 세상이 지나가고 이상 세계인 '아침'이 오기를 바라는 화자의 마음을 담고 있다.

06 ⓐ는 대합실에 모인 사람들이 기다리는 대상으로, 소멸의 이미지를 드러내어 외롭고 쓸쓸한 분위기를 형성한다. ⓑ는 화자의 따뜻한 마음과 애정을 고통받는 사람들에게 전해 주는 매개체로, 희망적이고 서정적인 분위기를 형성한다.

---

37 ㉮ 낡은 집 ㉯ 성에꽃

94~95쪽

01 ④   02 ①   03 ④   04 ④   05 ②

㉮ **작품 해제** 가난하지만 소박하고 따뜻한 가족의 정이 느껴지는 고향의 모습을 담담한 어조로 그려 내고 있다.

㉯ **작품 해제** 새벽 시내버스 창에 핀 성에를 통해 세상을 살아가는 서민들의 삶에 대한 애정과 시대 현실에 대한 아픔을 형상화하고 있다.

01 (가)의 '뒤주', '메주', (나)의 '성에꽃' 등은 일상적이고 평범한 소재로, 이를 활용하여 (가)는 고향 집의 분위기를, (나)는 서민들의 삶의 흔적이 성에꽃이 되어 남아 있는 시내버스의 분위기를 드러내고 있다.

왜 오답일까 ① (가)와 (나)는 자연의 생명력을 드러내고 있지 않다.

② (나)에서 겨울과 관련된 '엄동 혹한'이라는 시어를 통해 암울한 시대 현실을 짐작할 수 있다. (가)에서는 '겨울 해어름'을 통해 계절적 배경이 드러나지만, 암울한 시대 현실과 연결되지 않는다.

③ (가), (나) 모두 슬픔에서 벗어나려는 화자의 의지는 드러나지 않는다.

⑤ (나)의 화자는 성에꽃을 보면서 평범한 민중을 떠올리고 있지만 그들의 모습을 구체적으로 묘사했다고 보기는 어렵다.

02 (가)에서 귀향을 한 고향 집을 낯선 시선으로 바라보고 있고, 〈보기〉의 화자는 행인의 손에서 따뜻함을 느낄 것이라고 기대하고 있다.

왜 오답일까 ② (가)의 화자가 찾아간 고향 집은 '슬레이트 흙담집', '선뜩한 냉돌'로 형상화되어 있지만, 처음의 어색한 시간이 흐른 후에는 정겨움을 느끼고 있으므로 고향집을 벗어나고자 한다고 보기는 어렵다. 〈보기〉의 화자는 고향에서 친근한 정서를 느끼기를 소망하지만 고향을 벗어나고자 하는 마음은 드러나지 않는다.

③ (가)의 화자는 고향집에서 정겨움과 익숙함을 느끼지만, 인심이 변하지 않기를 바라는 마음은 시에서 확인할 수 없다. 〈보기〉의 화자는 고향에서 따뜻한 인정을 느끼기를 바라고 있을 뿐, 각박한 인심이 여전함에 좌절하고 있지는 않다.

④ '나의 부모인 농부 내외'에서 (가)의 화자의 부모가 농부라는 것을 알 수 있으며, 〈보기〉의 화자는 고향을 찾아가고 있을 뿐 떠돌아다니는 처지라는 것은 확인할 수 없다. 또한 (가)와 〈보기〉 모두 삶의 무상함을 드러내고 있지는 않다.

⑤ (가)의 화자가 산업화를 통해 농촌의 모습이 변화되기를 희망한다는 것은 시에서 확인할 수 없다.

엮인 작품 더 알기

오장환, 「고향 앞에서」

작품 해제 잃어버린 고향 앞에서 느끼는 향수와 비애를 드러내는 작품이다. 화자는 주막의 늙은이와 함께 고향 상실에 대한 슬픔을 나누고 있으며, 시각, 청각, 후각 등 다양한 감각적 이미지를 활용하여 과거 고향의 모습을 형상화하고 고향에 대한 절실한 그리움을 강조하고 있다.

03 ㉠의 '슬레이트 흙담집'을 통해 가난한 삶의 모습이 드러나고, ㉡의 향토적 소재와 귀가하는 가족의 모습을 통해 고향의 인정과 정겨움

을 느낄 수 있다. 하지만 ㉡에 고향의 풍요로움이 드러나 있지는 않다.

왜 오답일까 ① ㉠에는 오랜만에 귀향한 화자가 처음 마주한 집의 모습이 드러나 있고, ㉡에는 가족들이 집에 돌아와 재회하는 모습이 드러나 있다. 그렇지만 ㉠과 ㉡ 사이의 시간 경과를 직접적으로 드러내는 표현은 나타나 있지 않다.

② ㉠에서는 아무도 없는 겨울 해어름의 집 안의 모습과 선뜩한 방바닥을 통해 쓸쓸한 분위기를 느낄 수 있으며, ㉡에서는 고향의 정겨움을 느끼게 하는 향토적 소재인 '뒤주', '메주' 등과 가족들과의 재회를 통해 ㉠에서의 쓸쓸한 분위기가 누그러지고 있다.

③ ㉠에는 '선뜩한 냉돌'과 같은 차가운 이미지의 시어가 사용되었고, ㉡에는 '군불'과 같은 따뜻한 이미지의 시어가 사용되었다.

⑤ 화자는 ㉠에서 자신의 가족을 '농부 내외와 그들의 딸'이라고 지칭하며 거리를 두는 듯한 느낌을 주고 있다.

04 '전람회'는 '소개, 교육, 선전 따위를 목적으로 물건이나 예술 작품을 진열하여 놓고 여러 사람에게 보이는 모임'을 뜻하는 단어로, 화자가 성에꽃을 감상하는 데 흠뻑 빠져 있음을 드러내는 시어이다. 이를 성에꽃의 아름다움을 다른 이들에게 널리 알리고 싶다는 바람으로 보기는 어렵다.

왜 오답일까 ① '차창'은 '어제 이 버스를 탔던 / 처녀 총각 아이 어른' 등의 입김과 숨결이 담긴 성에꽃이 피어나 있는 소재이므로 화자와 서민들을 매개하는 역할을 한다고 볼 수 있다.

② '엄동 혹한'은 힘겨운 삶 또는 시대 상황을 의미하는 시어로, '엄동 혹한일수록 / 선연히 피는 성에꽃'이라는 구절에서 선명한 성에꽃이 만들어지는 계절임을 알 수 있다.

③ '간밤'은 고단한 서민들의 '입김과 숨결'로 성에꽃이 만들어지는 시간이다.

⑤ 차창에 서린 성에꽃을 보며 고단한 서민들의 삶에 연민을 느끼고 있던 화자는 '덜컹거리는 창에 어리는 푸석한 얼굴'을 통해 암울한 시대 현실로 인해 감옥에 갇힌 친구의 얼굴을 떠올리게 된다.

05 '입김과 숨결이 / 간밤에 은밀히 만나 피워 낸'은 서민들이 내뱉은 입김과 숨결이 아무도 없는 밤사이에 성에꽃을 만들었다는 의미이다. 서민들이 연대를 통해 현실을 극복하려 한다는 내용은 윗글이나 〈보기〉에서 확인할 수 없다.

왜 오답일까 ① 화자는 서민들의 입김과 숨결이 만들어 낸 '성에꽃'을 '찬란한 치장', '번뜩이는 기막힌 아름다움'이라고 표현함으로써 그들의 삶을 아름답게 인식하고 있음을 드러내고 있다.

③ 화자가 자리를 옮겨 다니며 이마를 대고 성에꽃을 감상하는 것은 서민들의 삶을 더 가까이에서 느끼기 위함이므로 서민들에 대한 화자의 애정을 드러내는 행위라고 볼 수 있다.

④ '막막한 한숨'에는 고단한 삶을 살아가는 서민들의 애환이 담겨 있다.

⑤ '더운 가슴'과 '정열의 숨결'은 고달프고 힘든 현실 속에서도 열정을 가지고 살아가는 서민들의 생명력을 나타낸다.

---

38 ㉮ **우리 동네 구자명 씨** ㉯ **작은 부엌 노래**   96~97쪽

01 ① **02** ⑤ **03** ⑤ **04** ⑤ **05** ④ **06** ③

㉮ **작품 해제** 출근 버스 안에서 졸고 있는 구자명 씨를 묘사하여 남성 중심의 사회에서 살아가는 여성의 고달픈 삶을 형상화하고, 여성의 희생을 강요하는 현실에 대한 비판을 드러내고 있다.

㉯ **작품 해제** 주로 여성이 일하는 공간인 '부엌'을 배경으로 가부장적 사회에서 여성이 겪는 억압적 현실을 다양한 감각적 이미지를 통해 형상화하고, 여성이 자기 주체성을 찾기를 바라는 소망을 드러내고 있다.

01 (가)는 '구자명 씨'라는 개인에 대한 내용에서 '여자'로 인식을 확장하고 있으며, (나)는 '한 여자'를 대상으로 시상을 전개하다가 '우리'로 인식을 확대하는 모습을 보인다.

왜 오답일까 ② (가)와 (나)에서는 모두 공감각적 표현이 사용되지 않았다.

③ (가)와 (나) 모두 특정 청자를 설정하지 않았다.

④ (가)에서는 '부처님처럼 졸고 있는', '팬지꽃 아픔', '안개꽃 멍에' 등의 감각적 심상을 활용하여 구자명 씨를 형상화하고 있다. (나)에서도 '젊음이 삭아 가는 냄새', '바삭바삭 무언가 / 타는 소리' 등의 감각적 심상을 활용하여 여자의 고단함을 표현하고 있다.

⑤ (가)에서는 '그러나', (나)에서는 '그런데'를 통해 시상을 전환하고 있다.

02 '죽음의 잠'은 '죽은 듯 깊이 잠이 든 구자명 씨의 모습'이나 '피곤함이 죽음처럼 여성의 삶을 갉아먹는 모습'으로 해석할 수 있으나, 이를 통해 '죽음의 잠'으로부터 벗어나기 위한 구자명 씨의 노력을 강조하지는 않았다.

03 '팬지꽃 아픔'과 '안개꽃 멍에'는 가정을 위한 구자명 씨의 희생과 고통을 상징적으로 드러내는 소재이다.

04 '촛불과 같이 / 나를 태워 너를 밝히는'은 '한 여자'를 바라보던 화자가 '그런데'에서 시상을 전환한 후, '나(여자)'의 시선에서 '너(남성)'를 바라보게 된 부분으로, 심화되는 고통으로 인한 여성의 좌절을 나타내고 있다고 보기는 어렵다.

왜 오답일까 ① 여성이 젊음을 잃어 가는 모습을 '삭아 가는'이라는 소멸 이미지를 통해 드러내고 있다.

② 희생하는 여성의 생명력이 사라지는 것을 '술 괴는 냄새', '빙초산 냄새'와 같은 후각적 이미지로 표현하고 있다.

③ 가부장적 권위의 공간인 '큰소리'를 치는 '큰방'과 억압된 공간인 '뜨거운 촛농을 제 발등에 붓는 소리'가 나는 '부엌'이 대조를 이루고 있다.

④ '바삭바삭'이라는 음성 상징어를 통해 속이 타는 여성의 억눌린 삶을 감각적으로 드러내고 있다.

05 '마고할멈의 도마 소리'는 '천형의 덜미를 푸는' 소리로, 여성이 주체적인 존재로 거듭남을 드러내 주는 소리이다.

왜 오답일까 ① '큰방'은 남성이 '큰소리'를 치는 공간으로, 남성들의 공간이라고 볼 수 있다.

② '우리'라는 표현을 통해 '한 여자'에 대한 인식을 '우리'로 확장하며 여성들에 대한 동질감을 드러내고 있다.

③ '천형의 덜미'는 가부장적인 억압과 구속을 의미하므로, 여성을 부엌에 머물게 했던 사회적 압박과 고정 관념으로 이해할 수 있다.

⑤ '찌개를 끓이고' '간을 맞추는 냄새'가 나는 부엌은 가사 노동의 공간으로, 여성들의 공간으로 이해할 수 있다.

06 ㉠은 밤새 아이와 시어머니, 남편 시중을 드느라 피곤하지만 아침이면 다시 출근 버스를 타고 일을 하러 가야 하는 여성으로, 버스만 타면 경적 소리에도 깨지 않은 채 졸기 바쁘다. 이는 구자명 씨의 고단한 삶을 드러내는 것이므로, 잠깐의 잠을 통해 행복을 느낀다는 말은 적절하지 않다.

39 ㉮ 질투는 나의 힘 ㉯ 가을 무덤 - 제망매가   98~99쪽

01 ②   **02** ④   **03** ②   **04** ④   **05** ⑤   **06** ③

㉮ **작품 해제** 미래의 상황에 대한 가정을 통해 시상을 전개하여 현재 자신의 모습에 대한 성찰과 반성을 드러내고 있다.

㉯ **작품 해제** 화자가 죽은 누이에게 말을 건네는 형식을 통해 누이에 대한 그리움과 한의 정서를 표현하고 있다.

01 (가)는 과거를 회상하는 미래 상황을 가정하여 현재의 삶을 반성하고 있으며, (나)는 누이의 제(祭)를 지내며 과거 누이와 함께 보냈던 시간을 회상하고 있다.

왜 오답일까 ① (가)는 미래의 상황을 가정하여 주제를 드러내고 있으나, (나)에는 미래 상황에 대한 가정이 나오지 않는다.

③ (가)에 과거 삶에 대한 반성과 후회가 드러나지만 이를 통해 미래에 대한 의지를 다지고 있지는 않으며, (나)에는 과거에 대한 반성과 후회가 드러나지 않는다.

④ (가)의 '누구도 나를 두려워하지 않았으니'에서 아무도 '나'를 인정해 주지 않는 현실이 드러나고, (나)에서도 '나'가 누이의 죽음으로 슬퍼하는 상황이므로 부정적 현실에 처해 있다고 볼 수도 있으나, 화자가 현실에 대한 부정적 인식을 바탕으로 비판적 태도를 드러내고 있지는 않다.

⑤ (가)의 '내 희망의 내용은 질투뿐이었구나'에서 '희망'과 '질투'라는 상반적인 의미의 시어를 통해 역설적 인식을 드러내고 있지만, 이를 통해 시적 대상의 긍정적인 속성을 드러내는 것은 아니다.

02 (나)에서 '-랴', '-냐' 등의 어미를 통해 누이의 죽음에 대한 슬픔을 설의적으로 드러낸다고 볼 수 있지만, 원망을 드러낸다고 보기는 어렵다.

왜 오답일까 ①, ② (가)는 감탄형 종결 어미 '-구나'를 반복적으로 사용하여 화자의 깨달음을 영탄적 어조로 드러내고, 운율을 형성하고 있다.

③ (나)는 청자인 '누이'에게 말을 건네는 방식을 활용하여 누이의 죽음에 대한 슬픔을 드러내고 있다.

⑤ (가)는 '남겨 둔다', (나)는 '부어 주랴', '까닭이냐' 등의 현재형 표현을 통해 시적 상황을 생생하게 드러내고 있다.

03 '그때'는 미래에서 보는 현재를 의미하며, 화자는 '너무나 많은 공장을 세'우고, '어리석게도 그토록 기록할 것이 많았'던 젊은 날의 모습이 질투로 인한 것이었음을 깨닫고 젊은 날에 대한 반성적 성찰을 하고 있다.

04 (가)의 화자는 자신의 삶을 돌아보며 과거의 행동들이 모두 '질투'로 인한 것이었다는 깨달음을 얻고 반성하며 회한을 느끼고 있다. 이때 질투가 '희망의 내용'이었다는 것은 자신이 열정적으로 해 왔던 일이 결국 타인에 대한 시기와 질투에 지나지 않는다는 반성으로, 낙관적인 전망과는 거리가 멀다.

05 (나)의 화자가 누이의 무덤에 붓는 술은 죽은 누이를 위로하는 화자의 마음이 담긴 것으로, 누이의 죽음을 슬퍼하는 화자를 위로하는 것은 아니다.

왜 오답일까 ① '망초꽃 이불'은 누이의 무덤의 모습을 표현한 것으로, 누이의 죽음에 대한 비애를 강화하는 역할을 한다.

② 화자와 누이는 가난했던 어린 시절 '숟가락 움켜쥐고' 눈물보다 찝찔한 설움'을 빨았다고 하였다.

③ '맨발로도 아프지 않던 산길'에 있는 '버려진 개암, 도토리, 반쯤 씹힌 칡'은 누이와 함께 보냈던 가난한 유년 시절의 삶을 보여 준다고 할 수 있다.

④ '전신에 땀방울을 비늘로 달고' 어둠과 싸우던 '쉰 목소리'는 화자와 누이의 힘겨웠던 지난날의 삶을 의미한다고 볼 수 있다.

06 (나)에서 '나'는 지난날의 추억을 되새기며 누이의 죽음을 애도하고 있다. '껄끄러운 네 뼈다귀'는 누이의 죽음을 받아들이기 어려운 화자의 심정을 나타낼 뿐, 과거에 '나'와 '누이'의 사이가 껄끄러웠음을 의미하는 것은 아니다.

왜 오답일까 ① '시리도록 허연'이라는 공감각적 심상(시각의 촉각화)을 활용하여 가을을 형상화함으로써 화자의 공허한 심정을 나타내고 있다.

② 누이의 죽음으로 슬퍼하는 화자의 마음을 '헝클어진 가슴 몇 조각'이라는 시각적 이미지로 구체화하여 표현하고 있다.

④ 희망을 상징하는 아침이 '항상 우리 뒤켠에서 솟아났'다고 함으로써 과거의 삶이 암울했음을 드러내고 있다.

⑤ 화자가 누이의 무덤에 부은 술방울이 튀어 올라 화자의 '영혼을 휘감고 / 온몸을 뒤흔'든다는 표현을 통해 화자와 누이가 교감하고 있음을 드러내고 있다.

1990년대 이후

40 사과를 먹으며 102~103쪽

01 ①　02 ②　03 ③　04 ②　05 ⑤

작품 해제 사과를 먹는 경험을 통해 깨달은 생명 순환의 원리를 형상화한 시로, 일상의 친숙한 사물에 대한 개성적인 인식을 드러내고 있다.

01 '흙에서 ~ 돌아가고 마는'에서 의인법을 통해 사과의 속성을 드러내어 인간의 삶과의 유사성을 발견하고 있지만, 이것이 화자가 본받고자 하는 속성은 아니다.

왜 오답일까 ② 1~2행의 '사과를 먹는다 / 사과나무의 일부를 먹는다'가 마지막 부분에서 '사과를 먹는다 / 사과가 나를 먹는다'로 변주되어 시적 의미를 강조하고 있다.
③ '먹는다'와 같은 현재 시제가 반복되어 시적 상황과 화자의 인식을 생생하게 전달하고 있다.
④ 동일한 통사 구조인 '-을(를) 먹는다'가 반복되다가 '흙으로 빚어진 ~ 돌아가고 마는'에서 형식의 변화가 일어나고 있다. 또한 이 부분에서 행을 들여 씀으로써 행 배열에도 변화가 일어나고 있다.
⑤ 사과를 먹는 행위에서 시작하여 사과를 존재하게 한 자연물, 인간의 노력, 사과의 성장에 근원적인 영향을 준 우주의 요소까지 의미를 점층적으로 확대하고 있다.

02 [B]는 흙에서 태어난 사과나무가 높이 자라면서 점점 흙으로부터 멀어지지만, 결국 '생성-소멸'의 원리에 따라 흙으로 돌아간다는 순환 인식을 형상화한 것이다.

왜 오답일까 ④ 〈보기〉를 통해 인간과 자연(사과)은 모두 순환의 원리를 따르는 대자연의 일부로서 서로 동등한 존재라는 것을 알 수 있다. 이를 바탕으로 화자는 인간이 사과를 먹는 것은 곧 사과가 인간을 먹는 것과 다르지 않다는 역설적 인식을 드러내고 있는 것이다.
⑤ 〈보기〉에서 화자는 사과를 먹는 것이 대자연의 작용에 참여하는 것이라는 인식에 이르게 되었다고 했으므로 적절하다.

03 '소슬바람'은 사과를 흔들고 '벌레'는 사과 위를 지나고 있는데, 이것들은 사과의 성장을 방해하는 외부의 존재가 아니라 사과의 성장에 함께한 자연물로 보는 것이 적절하다.

왜 오답일까 ① [A]에서는 계절을 거치며 성장하는 사과나무의 모습을 제시하고 있다. 이때 '햇살', '장맛비', '소슬바람', '눈송이'는 각각 봄, 여름, 가을, 겨울을 나타내는 시어로, 사과와 사과나무의 성장에 영향을 미치는 자연물이다.
④ '중력'은 사과와 사과나무를 자라게 하는 '흙'을 꽉 붙잡음으로써 사과와 사과나무의 성장에 참여하고 있다고 볼 수 있다.

04 〈보기〉의 ㉠을 참고할 때 '먹는다'는 관념적이거나 행위의 대상이 될 수 없는 소재와 연결되어 새로운 의미를 갖게 된 시어이다. ②의 '매어진다'는 실제로는 맬 수 없는 '구름, 빛'이나 관념적인 '시간'과 결합되어 사랑이란 그 사람의 모든 것을 받아들이는 것이라는 의미

를 갖게 된다는 점에서 윗글의 '먹는다'와 그 특징이 유사하다고 할 수 있다.

05 윗글은 '사과가 나를 먹는다'라는 역설적 표현을 통해 생명의 순환론적 인식을 드러내고 있으며, 〈보기〉는 상처에 대한 긍정적인 인식을 바탕으로 '상처는 스승이다'라는 주제를 드러내고 있다. 〈보기〉에 반어적 표현은 나타나지 않는다.

엮인 작품 더 알기

정호승, 「상처는 스승이다」　▶해법문학 Link 현대시 300쪽

작품 해제 절벽에 뿌리를 내리고 있는 나무를 통해 상처에 대한 깨달음을 드러내는 작품이다. 화자는 상처와 고통을 참아 내고 견뎌 성숙해진 나무를 보며 '상처'가 진정한 성숙을 가져다주는 스승이라는 인식을 얻고 있다.

41 ㉮ 바퀴벌레는 진화 중 ㉯ 멸치 104~105쪽

01 ④　02 ②　03 ⑤　04 ⑤　05 ③　06 ②

㉮ 작품 해제 '바퀴벌레'의 끈질긴 생명력을 반어적 표현을 통해 보여 줌으로써 환경 오염과 생태계 파괴의 심각성을 경고하고, 현대 물질문명을 비판하고 있다.

㉯ 작품 해제 식탁 위 반찬으로 올라온 멸치가 가졌던 생명력을 상상해 보며, 역동적인 생명력의 회복에 대한 염원을 감각적 이미지를 통해 드러내고 있다.

01 (가)는 '말인가', '있었을까', '몰라'의 반복을 통해, (나)는 '것이다'의 반복을 통해 화자의 정서를 강조하여 드러내고 있다.

02 ㉡은 도치법과 반어법을 통해 바퀴벌레의 생명력에 대해 감탄하면서 환경 오염의 심각성을 드러내고 있다. 역설적 표현은 사용되지 않았다.

왜 오답일까 ③ 자연을 상징하는 '흙과 나무, 내와 강'과 현대 물질문명을 나타내는 '시멘트, 살충제'를 대조하여 생태계가 파괴되는 과정을 드러내고 있다.
④ '로봇처럼, 정말로 철판을 온몸에 두른 벌레들'이 출현할지도 모른다는 화자의 우려를 미래 상황에 대한 가정을 통해 드러내고 있다.

03 '움직이지 못하고 눈만 뜬 채 잠들어 있'는 신형 바퀴벌레는 환경 오염이 지금보다 더 심각해지면 출현하게 될지도 모르는 생명체로, 화자는 이를 통해 환경과 생태계 파괴의 심각성에 대해 경고하고 있다.

왜 오답일까 ③ 화자는 바퀴벌레가 '빙하기'로 대변되는 과거 시대에 어떻게 살았을지 궁금해하면서, '금속'의 이미지를 통해 과거와 현대의 물질문명을 연결하고 있다.
④ 〈보기〉에서 바퀴벌레는 현대 문명의 발달에 맞게 적응하고 진화한다고 하였다. 이에 따라 3연에서 '금속과 금속 사이를 뚫고', '철판을 왕성하게 소화'하고, '수억 톤의 중금속 폐기물을 배설하면서 불

쑥불쑥 자라는 '신형 바퀴벌레'는 미래 환경 오염의 심각성을 드러내는 소재로 쓰였다.

04 [C]에서 화자는 멸치가 '파도를 만들고 해일을 부르고 / 고깃배를 부수고 그물을 찢'는 모습을 상상하면서 생명력의 회복에 대한 가능성을 노래하고 있다. 중심 소재가 죽음을 통해 본래의 속성으로 회귀하는 모습을 제시한 것은 아니다.

✏️ **왜 오답일까** ① [A]는 '물결', '유유히 흘러 다니던 무수한 갈래의 길' 등을 통해 중심 소재인 멸치의 원초적 속성을 제시하고 있다.

②, ③ [B]는 중심 소재인 멸치가 그물에 잡힌 뒤 '길거리', '건어물집'을 거쳐 딱딱하게 굳어져 가는 과정을 묘사하고 있다.

④ [C]에서 화자는 멸치에 '두껍고 뻣뻣한 공기를 뚫고 흘러가는 / 바다'가 있고 그 바다에는 '지느러미가 있고 지느머리를 흔드는 물결'이 있다고 하였다. 이는 멸치가 아직까지도 생명력을 간직하고 있다는 인식이 반영된 표현이다.

05 '바람'은 물기를 빨아들임으로써 멸치의 생명력을 상실하게 하는 존재이고, '모래 더미'는 말려진 멸치가 쌓여 있는 모습을 비유한 표현이다. 따라서 이를 현대 문명에 의해 파괴된 인간 삶의 불안한 양상으로 해석하는 것은 적절하지 않다.

✏️ **왜 오답일까** ② '햇빛'은 '꼿꼿한 직선'의 성격으로 물체를 꿰뚫는다는 점에서 현대 문명의 파괴적 속성을 지닌다. 반면 '지느러미 물결'은 곡선의 이미지로써 생명력이 넘치는 멸치의 속성을 드러낸다.

⑤ 화자는 멸치의 생명력 회복에 대한 열망을 멸치가 '파도를 만들고 해일을 부르고 / 고깃배를 부수고 그물을 찢'는 상상을 통해 드러냄으로써 현대 문명에 대한 저항 의식을 표출하고 있다.

06 '시멘트와 살충제'는 자연을 파괴하는 현대 물질문명의 폭력성을 드러내는 소재이고, '그물'은 멸치를 붙잡아 생명력을 빼앗는 대상이다. 따라서 ⓐ, ⓑ 모두 반생명적 속성을 지닌 현대 문명을 의미한다고 볼 수 있다.

---

42 🄰 백두산을 오르며
🄱 윤동주 시집이 든 가방을 들고   106~107쪽

01 ④ **02** ③ **03** ④ **04** ④ **05** ⑤ **06** ②

🄰 **작품 해제** 백두산을 오르는 경험을 시간의 흐름과 공간의 이동을 통해 드러내며 공동체적 삶에 대한 바람을 표현하고 있다.

🄱 **작품 해제** 자아 성찰과 반성을 상징하는 '윤동주 시집'을 소재로 하여, 용서를 실천하지 못하는 자신에 대한 반성을 드러내고 있다.

01 (가)는 백두산에 오르는 과정을 시간의 흐름과 공간의 이동에 따라 묘사하고 있으며, (나)에는 시간의 흐름이나 공간의 이동이 나타나지 않는다.

✏️ **왜 오답일까** ① (가)와 (나) 모두 현실에 대한 화자의 비판 의식이 뚜렷하게 드러나지 않는다.

---

② (가)는 백두산을 오르는 과정을 과거형 어미를 통해 드러내고 있다.

③ (가)와 (나) 모두 표면에 드러난 화자가 정서를 직접 표출하고 있다.

⑤ (가)에는 자조적 어조가 나타나지 않으며, (나)에도 의지적 어조가 나타나지 않는다.

02 '외롭게 걸려 있던 낮달'은 '낮달'을 의인화하여 시간의 경과를 드러내고 있을 뿐, 이를 통해 역동적 이미지를 강화하고 있지는 않다.

03 [D]에는 '눈보라가 장백송 나뭇가지를 후려 꺾는 풍구'로 대변되는 역경 속에서 운명을 받아들이기 어렵다는 화자의 인식이 드러날 뿐, 현실에 저항하는 모습은 드러나지 않는다.

04 (나)의 화자는 산에 개를 데려왔다고 시비를 거는 사내와 멱살잡이를 했던 과거를 회상하고 있지만 이를 통해 구체적인 현실 극복 방안을 모색하지는 않았다. 이는 강아지에게 소리치는 현재의 모습과 대비되어 스스로의 행동에 대한 반성을 이끌어 내고 있다.

05 〈보기〉의 화자는 일제 강점기라는 암울한 시대 상황에서 이상과 현실 사이의 갈등에서 오는 고뇌로 괴로워하고 있다. 반면 (나)의 화자가 구두에 오줌을 싼 강아지에게 구두를 내던지는 행위는 강아지를 용서하지 못하고 화를 내는 옹졸한 모습을 드러낸 것으로, 이러한 행동은 곧 자아 성찰의 계기로 작용한다.

엮인 작품 더 알기

윤동주, 「서시」   ▶ 해법문학 Link 현대 시 110쪽

작품 해제 일제 강점기라는 암울한 시대 상황에서도 양심을 지키며 현실에 타협하지 않는 삶, 즉 부끄러움이 없는 순결한 삶을 추구하는 화자의 의지를 드러낸 작품이다. 화자는 살아 있는 존재에 대한 사랑을 나타내면서 미래의 삶에 대한 결의를 다지고 있다.

06 (가)의 화자는 백두산을 오르며 '천지처럼 / 함께 살아가야 할 날들을 생각'하고 있고, (나)의 화자는 윤동주 시인의 말씀을 되새기며 '인생의 순례자'와 거리가 멀어 보이는 자신의 행위를 반성하고 있다.

---

43 🄰 못 위의 잠 🄱 땅끝   108~110쪽

01 ④ **02** ④ **03** ② **04** ④ **05** ② **06** ④ **07** ③ **08** ①

🄰 **작품 해제** 못 위에서 잠을 자고 있는 '아비 제비'의 모습을 보며 어린 시절을 회상하여, 고단한 삶을 산 '아버지'에 대한 연민의 정서를 드러내고 있다.

🄱 **작품 해제** '땅끝'을 소재로 한 시로, '땅끝'에 대한 역설적 인식을 통해 절망의 끝에 아름다움이 있음을 깨닫고 삶의 희망을 발견하는 모습을 드러내고 있다.

01 (가)는 실업자였던 아버지와 함께 일을 마치고 돌아오는 어머니를 마중 나갔던 기억을, (나)는 어릴 때 땅끝을 찾아갔던 경험을 바탕으로 시상을 전개하고 있다.

02 (가)에는 실업 상태인 아버지가 어머니를 마중 나간 상황이 제시되어 있지만, 이를 통해 특정 시대적 배경이 간접적으로 드러나는 것은 아니다.

03 '달빛'은 아내를 마중 나간 사내가 바라보는 대상으로, 이러한 행동에서 아내에 대한 미안함과 안쓰러움을 엿볼 수 있다. 따라서 '달빛'이 아버지가 자신과 동일시하는 대상이라는 진술은 적절하지 않다.

04 (나)에서 '끊임없이 땅을 먹어 들어오는' 파도 때문에 '뒷걸음질만이 허락된' 상황은 더 이상 물러날 곳이 없는 절망적 상황을 의미한다.

05 (나)의 '고운 노을'은 화자가 지향하는 이상이나 꿈을 의미하므로 화자에게 위안이 되는 존재라고 보기 어렵다. 〈보기〉의 '불빛'은 길을 잃은 화자가 계속해서 걸어갈 수 있도록 하는 희망으로, 화자에게 위안이 되는 존재라고 볼 수 있다.

왜 오답일까 ① (나)는 '위태로움 속에 아름다움이 스며 있다'는 사실과 '땅끝은 늘 젖어 있다'는 사실을 통해 절망 속에서 희망을 발견하고 있으며, 〈보기〉는 길을 잃은 상황에서 보게 된 '멀리서 밝혀져 오는 불빛'의 따뜻함을 통해 계속 걸어갈 힘을 얻고 있다.
③ (나)의 '어둠에게 잡아먹'힌 경험과 〈보기〉의 '길을 잃'은 상황은 모두 화자가 처한 부정적 상황이다.
④ 〈보기〉에는 어둠 속에서 '맞잡을 손', 어깨를 감싸 주는 '작은 지붕들', 나그네가 계속 걸어갈 수 있게 해 주는 '먼 곳의 불빛'이 대상이 의지할 수 있는 존재로 제시되어 있다.
⑤ (나)는 '그런데 이상하기도 하지'를 통해 시적 대상인 '땅끝'에 대한 화자의 인식 전환을 드러내고 있다.

엮인 작품 더 알기

나희덕, 「산속에서」 ▶해법문학 Link 현대 시 288쪽
작품 해제 산속에서 길을 잃고 헤매었던 경험으로부터 깨닫게 된 삶의 희망에 대해 노래한 시이다. 화자는 길을 잃은 나그네가 계속 걸어갈 수 있도록 해 주는 불빛을 긍정적인 존재로 인식하며, 궁극적으로는 우리 또한 타인에게 불빛과 같은 존재가 될 수 있기를 소망하고 있다.

기출 작품 딥러닝

㉮ 김선우, 「감자 먹는 사람들」
작품 해제 담장 너머에서 풍겨 오는 감자 냄새를 통해 어릴 적 가족을 위해 희생하시던 어머니를 떠올리며, 그리움의 정서를 드러내고 있다.

핵심 포인트 **과거 회상을 통한 시상 전개**

현재		과거 회상		현재
감자 삶는 냄새를 맡음.	➡	감자밥을 먹었던 어린 시절의 기억	➡	어머니에 대한 그리움을 느낌.

06 (나)는 종결 어미 '-지'를 반복적으로 활용하여 운율을 형성하고 있다.

07 [B]에서 두 번째로 나타나는 '땅끝'은 살면서 겪게 되는 고난과 시련, 절망 등을 의미하므로, 화자가 '땅끝'을 이상적 공간으로 인식하고 있다고 보기 어렵다.

왜 오답일까 ① '어둠'은 '노을'을 잡아먹는 것으로, 화자는 '어둠'의 시각적 이미지를 통해 자신의 암담한 심정을 드러내고 있다.
② '그네'는 화자가 노을을 보기 위해 타고 올라 발을 구르는 것으로, 이상적 대상에 다가가고자 하는 수단이다.
④ '아가리를 쳐들고 달려드는' 파도'는 삶의 위태로움에 해당한다.
⑤ 화자는 '여기'(땅끝)에서 '위태로움 속에 아름다움이 스며 있'으며, '늘 젖어 있'는 땅끝은 바다가 시작되는 곳이기 때문에 오히려 희망을 품고 있다는 역설적 깨달음을 얻고 있다.

08 어느 집 담장 곁을 지나다가 맡게 되는 감자 삶는 냄새는 화자가 잊고 있던 어린 시절을 갑자기 떠올리게 해 주는 매개체로써 비자발적 기억을 우연히 떠오르게 하는 요인으로 작용하고 있다.

---

44 ㉮ 우포늪 왁새 ㉯ 신의 방   111~113쪽

01 ③ **02** ④ **03** ② **04** ④ **05** ② **06** ③ **07** ③ **08** ⑤

㉮ 작품 해제 우포늪에서 살아가는 왁새의 울음소리를 진정한 소리를 추구했던 소리꾼의 소리에 빗댄 시로, 진정한 소리를 찾는 예술의 세계와 자연의 생명력을 어울러 형상화하고 있다.

㉯ 작품 해제 제주도의 전통식 화장실인 '통시'를 통해 생명의 순환이라는 의미를 발견하여, 자연 친화적이고 생태적인 가치관을 드러내고 있다.

01 (가)는 여러 자연물을 제시하고 있지만 이에 화자의 감정을 이입하지는 않았다.

왜 오답일까 ① (가)의 '신명 한 가락', '한 대목 절창', '왁새 울음' 등에 청각적 이미지가 드러나 있다.
② (가)는 '우항산', '우포늪', '소목 장재 토평마을'과 같은 구체적인 지명을 사용하여 현실감을 더하고 있다.
④ (나)는 '-지요', '-데요'와 같은 종결 어미의 반복을 통해 운율을 형성하고 있다.
⑤ (나)는 자연과의 공존을 중시하는 생태적 가치관과 편리성, 효율을 중시하는 근대적 가치관의 대조를 통해 '통시'의 의미와 주제 의식을 부각하고 있다.

02 ㉣은 돼지가 자연과 더불어 지내면서 자연의 일부로 살아가는 모습을 나타낸 것으로, 자연과의 공존을 강조한 것이라고 볼 수 있다. 이는 자연적이고 순리적인 행위로서 돼지의 생태를 표현한 것으로, 자연과 동화되기 위한 돼지의 노력이 나타나 있다는 설명은 적절하지 않다.

왜 오답일까 ① '신명 한 가락'과 '막걸리 한 사발'이면 만족한다는 의미로, 소리꾼의 소박한 삶의 모습을 엿볼 수 있다.

② '달빛 같은 슬픔'이라는 직유적 표현을 통해 소리꾼의 삶의 비애와 고독을 애상적으로 나타내고 있다.

③ 소리꾼이 평생을 찾아 헤매던 '한 대목 절창'이라는 진정한 소리가 우포늪의 '적막한 늪 뒷산 솔바람 맑은 가락 속'에 있음을 발견하는 모습을 통해 예술적 가치와 자연의 아름다움을 동일시하고 있음을 알 수 있다.

⑤ '음식물 찌꺼기며 설거지물까지' 모아 둔 독 속에서 '한때 빛나던 것들이 제힘으로 다시 빛'나고 있다고 했으므로, 버려진 음식물 등에도 빛나는 생명력이 있다는 인식을 엿볼 수 있다.

03 (가)는 '우포늪 둔치(ⓐ)'에서 들리는 왁새의 울음소리를 소리꾼의 절창에 빗대어 표현하고 있는데, 이는 자연의 생명력과 예술혼의 경지를 동일시하는 것으로 볼 수 있다. (나)의 '통시(ⓑ)'는 인간과 돼지의 생명이 순환되는 공간으로, 인간과 자연이 어우러지는 공간이라고 볼 수 있다.

04 '일제히 깃을 치며' 날아가는 왁새들의 모습은 소리꾼의 득음의 경지와 상통하고 있으므로, 이를 소리꾼의 회한으로 보는 것은 적절하지 않다.

05 '돼지의 배설물'이 '보리밭 거름'으로 쓰이는 것은 생명의 순환이라는 자연의 질서를 나타내는 것이며, 편리함과 효율성을 중시하는 인간 중심적인 가치관을 드러내는 것은 아니다.

✏️ **왜 오답일까** ① '기른다는 것은 실은 서로 길드는 것'에서 인간이 돼지를 기른다는 것은 인간과 돼지가 서로에게 길들여지는 것이라는 의미를 담고 있다. 따라서 인간과 자연이 맺고 있는 관계에 대한 화자의 인식을 보여 주는 것이라 할 수 있다.

③ '생명이 생명에게 공양되는 법'은 사람의 배설물이 돼지에게는 음식이 되는 것과 같이, 생명이 순환되는 자연의 이치를 나타내는 것이다.

④ '문명국의 지표인 변소'는 인간과 자연의 삶의 영역을 철저하게 분리한 공간으로, 인간이 자연을 지배하는 삶의 양식을 대변한다고 볼 수 있다.

⑤ 화자가 '통시'를 '신이 거주하는 장소'로 여기는 것은 자연과 생명의 섭리를 깨달았기 때문이다.

㉮ 박봉우, 「휴전선」

[작품 해제] 남북의 대치 상황을 나타내는 '휴전선'을 소재로 하여 분단 현실에 대해 비판하고, 남북 간의 화합에 대한 염원을 드러내고 있다.

[핵심 포인트] 분단의 비극과 전쟁의 가능성을 의미하는 시어 및 시구

• 산과 산이 마주 향하고 믿음이 없는 얼굴과 얼굴이 마주 향한 항시 어두움 • 서로 응시하는 쌀쌀한 풍경 • 나무 하나 안심하고 서 있지 못할 광장	➡️ 한국 전쟁으로 인해 분단되어 대치하는 남북의 현실
• 천동 같은 화산 • 독사의 혀같이 징그러운 바람 • 모진 겨우살이	➡️ 분단의 장기화로 인해 앞으로 발생할 수도 있는 전쟁의 가능성

06 (가)는 분단 상황에 놓인 현재 상황에 대한 화자의 인식을 중심으로 시상을 전개하였으며, 시간의 흐름에 따라 시상을 전개하지는 않았다. (나)에서 시선의 이동에 따른 시상 전개는 나타나지 않았다.

✏️ **왜 오답일까** ① (가)는 '-ㄴ가'의 설의적 표현을 사용하여 분단 현실에 대한 화자의 안타까움을 드러내고 있다.

② (나)는 '왁새 울음'이라는 청각적 심상을 '자운영 꽃불 질러 놓는'으로 시각화하여 나타내고 있다.

④ (가)는 1연과 5연을 반복하여 분단 상황 극복의 의지를 강조하고 있고, (나)는 한 소리꾼에 대한 이야기를 중심으로 우포늪에서 창조된 예술의 경지와 우포늪의 아름다움이라는 주제 의식을 강조하고 있다.

⑤ (가)는 '꽃', '화산', '바람' 등의 자연물에 우리 민족이 겪는 분단의 아픔과 공포를 투영하여 드러내고 있고, (나)는 소리꾼의 예술에 대한 염원을 '우포늪'의 '왁새 울음'에 담아 표현하고 있다.

07 끊어진 '정맥'은 전쟁으로 인해 분단된 우리 민족의 현실을 의미한다.

08 [E]에서 하늘을 선회하는 존재는 왁새이지만, 화자는 이를 보고 '완창 한 판 잘 끝냈다'라고 함으로써 '왁새'와 '소리꾼'을 동일시하고 있다. 따라서 '왁새'와 '소리꾼'을 대비한다고 이해하는 것은 적절하지 않다. 또한 화자는 [E]의 장면을 상상하고 있는 것이지 이를 사실적으로 그려 내는 것은 아니다.

✏️ **왜 오답일까** ① [A]에서 화자는 왁새 울음소리가 퍼지는 우포늪의 정경을 보면서 절창을 찾아 떠돌던 소리꾼을 연상하고 있다.

② [B]에서 화자는 득음의 경지에 오르기 위해 떠돌아다녔던 소리꾼의 삶의 비애를 '달빛 같은 슬픔이 엉켜'와 같은 비유적 표현을 활용하여 감각적으로 형상화하고 있다.

③ [C]에서 화자는 영탄적 어조를 통해 소리꾼이 찾아 헤맸던 절창이 늪 뒷산 솔바람에 있었다고 말하고 있다.

④ [D]에서 화자는 왁새들이 판소리의 한 유파를 뜻하는 '동편제'를 넘어가는 상상의 장면을 '소목 장재 토평마을'이라는 현실적 공간과 결부하여 형상화하고 있다.

45 ㉮ **나무 속엔 물관이 있다** ㉯ **첫사랑** 114~115쪽

01 ② **02** ② **03** ① **04** ③ **05** ④ **06** ④

㉮ [작품 해제] 겨울 감나무에 대한 관찰을 바탕으로 나무의 생명력을 발견하고, 생명의 이치를 깨닫는 감동을 드러내고 있다.

㉯ [작품 해제] 한 겨울에 나뭇가지에 눈이 쌓이는 풍경을 소재로 하여, 성숙한 사랑을 위한 시련과 고난, 인내와 헌신의 의미를 드러내고 있다.

01 (가)는 '감나무'를 통해 생명의 경이로움을 느끼고 삶에 대해 성찰하고 있으며, (나)는 '눈'과 '꽃'을 통해 첫사랑과 이별의 경험을 통한 성숙을 나타내고 있다.

왜 오답일까 ④ (가)의 '아, 우린 너무 감동을 모르고 살아왔느니.'에 영탄적 어조가 나타나지만 이는 삶에 대한 성찰을 나타내는 표현이다. (나)의 '마침내 피워 낸 저 황홀 보아라'에서 영탄적 어조가 나타나지만 이는 눈꽃의 아름다움에 대한 예찬적 태도가 드러난 표현이다.

⑤ (가)의 '바르르', '획획', (나)의 '싸그락 싸그락', '난분분 난분분', '획' 등에서 음성 상징어를 활용하고 있지만 이를 통해 긴박한 분위기를 형성하고 있는 것은 아니다.

02 (가)에는 자연물과 대화를 나누는 듯한 어조가 사용되지 않았으며, 주로 독백적 어조를 통해 시상을 전개하고 있다.

왜 오답일까 ① 1연과 3연에서 쉼표를 사용하여 대상을 묘사하고 낭송의 호흡을 조절하고 있다.

③, ④ 화자는 4연에서 주변에서 흔히 볼 수 있는 감나무를 관찰하고 느낀 경이로움과 생명의 조화로운 이치를 바탕으로 자신의 삶을 성찰하고 있다.

⑤ 화자는 '가지들(1연) → 둥치(2연) → 땅속 실뿌리(3연)'로 초점을 전환하며 대상을 관찰하고 있다.

03 '가지들'이 '제 깜냥껏 한세상을 흔들거'리는 것은 세상의 순리를 지키며 욕심을 부리지 않고 자신의 분수에 맞게 살아가는 모습으로 볼 수 있다.

04 '마침내 피워 낸 저 황홀'은 나뭇가지가 아닌 눈의 수많은 도전과 노력 끝에 피어난 눈꽃을 의미하며, 그 눈꽃에 대한 화자의 기쁨이 드러나는 표현이다.

05 '햇솜'은 '눈'과 형태적인 유사성을 지닌 희고 따뜻한 이미지의 시어이다. 이는 눈의 순수하고 헌신적인 사랑을 의미하므로, 금방 사라져 버릴 가벼운 마음과는 거리가 멀다.

왜 오답일까 ① '꽃(㉠)'은 '눈(㉡)'이 '가지(㉣)'를 만나 이루고자 하는 사랑이므로 적절하다.

② '눈(㉡)'은 '미끄러지고 미끄러지길 수백 번' 겪으면서도 포기하지 않고 도전을 거듭하고 있다.

③ 바람이 불면 눈은 가지에 매달릴 수 없기 때문에 눈꽃을 피우기 어려워진다. 따라서 '바람 한 자락(㉢)'은 '눈(㉡)'과 '가지(㉣)'의 화합을 방해하는 존재로 볼 수 있다.

⑤ '가지(㉣)'의 '그 한 번 덴 자리'는 눈꽃이 피었던 자리로, 첫사랑의 아픈 경험을 의미한다. 따라서 '가지(㉣)'는 첫사랑의 아픔을 경험한 존재라고 볼 수 있다.

06 ⓐ는 눈꽃이 진 후 봄이 되어 피어난 꽃의 아름다움을 역설적으로 표현한 것이다. ④에서는 '결별이 이룩하는 축복'이라는 역설적인 표현을 통해 고통을 통한 성숙이라는 의미를 전달하고 있다.

왜 오답일까 ① 도치법을 사용하여 행위의 대상을 강조하고 있다.

② 임을 잊지 못하는 마음을 '잊었노라'고 말함으로써 실제 자신의 마음과는 반대로 나타내는 반어적 표현을 사용하고 있다.

③ '금(金)으로 타는 태양(시각적 이미지)을 '즐거운 울림'(청각적

이미지)과 결합하여 공감각적 이미지(시각의 청각화)를 사용하고 있다.

⑤ '청솔 한 그루'가 눈을 감지 못한다고 표현하여 자연물에 생명력을 부여하고 있다.

---

46 ㉮ **가재미** ㉯ **산수유나무의 농사**　　116~117쪽

01 ①　**02** ③　**03** ⑤　**04** ⑤　**05** ③

㉮ **작품 해제** 암으로 고통받으며 죽어 가는 시인의 친척을 대상으로 한 시로, '가재미'라는 독특한 비유를 통해 죽음을 앞둔 대상에 대한 위안과 연민을 드러내고 있다.

㉯ **작품 해제** 산수유나무의 그늘에 대한 참신한 문학적 발상을 통해 타인에게 인색한 현실의 모습을 드러내고 있다.

01 (가)는 '누워 있다', '눕는다', '쏟아낸다' 등에서, (나)는 '터트리고 있다', '짓고 있다' 등에서 현재형 어미를 사용하여 현장감을 드러내고 있다.

02 ㉢에서 '한쪽 눈이 다른 쪽 눈으로 캄캄하게 쏠려버렸다'는 것은 화자의 상황을 시각화한 것이 아니라, 시적 대상인 '그녀'가 처한 상황이 죽음으로 완연하게 기울어졌다는 것을 시각화한 것이다.

03 '나'가 '좌우를 흔들며 헤엄쳐 가 그녀의 물속에 나란히 눕는' 것은 '그녀'의 죽음이 임박한 것을 인식한 '나'가 위로의 감정을 구체적 행위로 드러내는 것이므로, '그녀'의 죽음을 받아들이지 못하는 마음이 표출된 것으로 보기 어렵다.

왜 오답일까 ① '바닥에 바짝 엎드린 가재미'는 암 투병으로 고통받고 있는 '그녀'의 모습을 빗댄 자연물이다.

② 가재미처럼 누워 있는 '그녀'에게 안타까움과 연민을 느끼는 '나'는 '그녀'의 곁에 가재미처럼 함께 누워 위로의 눈길을 건네고 있다.

③ 흙담조차 없었던 가계는 '그녀'가 가난 속에서 힘겹게 살아왔음을 드러낸다.

④ 숨소리가 점점 거칠어진다는 것은 임종의 순간이 얼마 남지 않았다는 것을 의미한다.

04 '산수유나무의 그늘'은 다른 생명들에게 휴식의 공간을 베푸는 미덕을 가지고 있으며, '사람들의 마음의 그늘'은 타인을 배려하지 못하는 인간의 이기적인 속성을 의미한다. 이러한 속성들은 과거 환기나 미래에 대한 의지와는 관련이 없다.

왜 오답일까 ① 7행의 '꽃은 하늘에 피우지만 그늘은 땅에서 넓어진다'는 부분에서 '산수유나무의 그늘'이 꽃이 필수록 넓어짐을 알 수 있으며, 3행에서 '사람들의 마음의 그늘'은 옥말려드는 속성이 있음을 알 수 있다.

②, ③ 산수유나무가 만드는 '산수유나무의 그늘'은 눈에 보이는 가시적 대상인 반면, 사람들이 만드는 '사람들의 마음의 그늘'은 눈에 보이지 않는 대상이다.

④ '산수유나무의 그늘'은 노란색의 색채 이미지로 그려지고 있으므로 밝음의 이미지가 부여된 것으로 이해할 수 있으며, '사람들의 마음의 그늘'에는 '그늘'이 환기하는 어둠의 이미지가 부여되어 있다고 볼 수 있다.

05 ⓐ의 '그늘'은 산수유나무가 짓는 농사의 결과로, 그늘이 넓다는 것은 꽃도 많이 피어 있음을 의미한다. 꽃은 열매를 맺고 누군가의 식량이 된다는 점, 그늘은 햇빛을 피하는 휴식처가 된다는 점에서 ⓐ는 다른 생명에 대한 배려의 의미를 내포한다. ⓑ는 〈보기〉에서 햇빛을 맑고 눈이 부시게 만들어 주고 누군가가 그 아래에서 햇살을 바라보며 쉴 수 있다는 점에서 배려의 속성을 지니고 있다고 볼 수 있다.

엮인 작품 더 알기

정호승, 「내가 사랑하는 사람」　　▶해법문학 Link 현대 시 364쪽

[작품 해제] '그늘'과 '눈물'에 상징적 의미를 부여하여 세상의 아픔과 고통을 위로할 수 있는 연민과 공감의 힘, 그리고 이들의 아름다움에 대해 형상화한 작품이다. 화자는 자신이 사랑하는 것과 사랑하지 않는 것을 제시하고 그 이유를 밝히는 구조를 반복하며 시상을 전개하고 있으며, 설의법을 통해 주제 의식을 강조하고 있다.

---

47 까치밥　　　　　　118~119쪽

01 ③　02 ④　03 ⑤　04 ④　05 ⑤

[작품 해제] '까치밥'의 의미를 통해 배려와 인정, 이타적인 삶의 중요성을 드러내고 있다.

01 [A]의 '서울 조카아이들'은 [B]에서 '철없는 조카아이들'로 변주되었으나, 이는 모두 까치밥의 의미를 잘 알지 못하는 도시 아이들을 의미하는 것으로 청자에 대한 화자의 인식 변화가 드러나지는 않는다.

왜 오답일까 ① [A]는 '남도의 빈 겨울 ~ 얼마나 허전할까', [B]는 '사랑방 말쿠지에 ~ 걸어가시지 않았느냐'에서 설의적 표현을 사용하여 조카아이들에게 까치밥과 짚신의 의미에 대한 공감과 이해를 촉구하고 있다.

② [A]와 [B]는 모두 '-지 말라'와 같은 명령형 어조를 사용하여 까치밥을 따지 말라는 말을 전달하고 있다.

④ [A]는 힘든 세상살이를 '물굽이', '소용돌이' 등에 빗대어 표현함으로써 힘든 삶을 따뜻하게 감싸 주는 까치밥의 의미를 강조하고 있다.

⑤ [B]는 시적 대상인 까치밥과 유사한 속성을 지닌 짚신을 제시하여 주제를 구체화하고 있다.

02 '아버지는 다시 새벽 두만강 국경을 넘기도 하였느니'에서 아버지가 고된 삶을 살았음을 짐작할 수 있지만, 할아버지처럼 타인을 위한 삶을 살았다는 내용은 찾을 수 없다.

03 '조카아이들'은 소중한 전통문화의 가치를 지닌 까치밥의 의미를 모른 채 까치밥을 따고 있으므로, 전통문화를 이어 가기 위한 노력이 드러난다고 보기는 어렵다.

04 〈보기〉의 '보아하니 할머니는 슬슬 막대기질을 하지만'에서 화자가 자신과 할머니의 일하는 방식이 다름을 인식하고 있음을 알 수 있지만, 할머니가 건네는 충고의 내용을 예상하고 있었다는 내용은 찾아볼 수 없다.

왜 오답일까 ①, ② 윗글에서 '충고를 받는 이'는 '서울 조카아이들'이고, 〈보기〉에서 '충고를 받는 이'는 '젊은 나'이다. 이들은 모두 도시에서 살아온 이들이다.

③ 윗글의 화자는 조카아이들에게 타인에 대한 배려와 인정의 중요성을 충고하고 있다. 〈보기〉의 화자는 신이 나서 함부로 참깨를 털다가 참깨를 조심스럽게 털어야 한다는 할머니의 충고를 듣는데, 이는 성급하게 살아가기보다는 신중한 삶을 살아야 한다는 의미로 볼 수 있다.

⑤ 〈보기〉에서 '충고를 받는 이'인 '나'가 참깨를 연이어 턴 이유는 '기가 막히게 신나는 일인지라'에 제시되어 있다. 반면 윗글에서 '충고를 받는 이'인 '조카아이들'이 까치밥을 따는 이유는 드러나 있지 않다.

엮인 작품 더 알기

김준태, 「참깨를 털면서」

[작품 해제] 참깨를 터는 일상의 경험에서 얻은 깨달음을 바탕으로 삶에 대해 성찰하는 작품이다. 내리칠 때마다 무수히 쏟아지는 참깨를 보며 쾌감을 느끼는 '나'는 성급하고 경솔하게 쾌락을 추구하는 현대인의 삶을 보여 주는 인물로, 할머니는 그런 '나'에게 순리에 따르는 신중하고 겸손한 삶의 자세의 필요성을 일깨우고 있다.

05 '상처 자국으로 벌집이 된 몸'으로 '저 나무'가 만들어 주는 길손의 '그늘'은 다른 사람에게 위안과 휴식이 된다는 점에서, 배려와 인정을 상징하는 '까치밥'과 그 기능과 성격이 유사하다.

왜 오답일까 ① '눈'은 순수하고 강인한 생명력을 지닌 존재로, 현실의 더러움과 타협하지 않는 정의로운 상태를 의미한다.

② '별'은 희망, 이상적 삶 등을 의미하는 시어로, 화자는 '별'과 같은 이상적인 삶, 도덕적으로 순결한 삶을 살기를 소망하고 있다.

③ '유리'는 화자와 죽은 아이를 단절하는 대상이면서 동시에 만남의 매개체로 기능하고 있다.

④ '그믐달'은 어딘가에도 얽매이지 않은 초월적인 자연의 모습을 의미한다.

개화기 ~ 광복 이전

01 만세전
122~125쪽

| 01 ① | 02 ④ | 03 ② | 04 ② | 05 ③ | 06 ④ | 07 ④ | 08 ⑤ |
| 09 ③ | 10 ⑤ |

작품 해제 동경과 서울을 오가는 여로형 구조를 통해 식민 지배 아래 우리 민족이 처한 암담한 현실을 사실적으로 드러낸 작품이다.

01 윗글은 주인공이자 서술자인 '나'가 직접 보고 들은 것을 바탕으로 한 생각들이 내적 독백을 통해 제시되고 있다.

02 〈보기〉에서 주인공인 '나'는 '반성적 시각'을 갖고 있기 때문에 민족의 현실을 자각하게 된다고 하였다. '나'가 소작인의 비참한 삶 때문에 '반성적 시각'을 갖게 된 것은 아니다.

03 '흙의 냄새가 향기롭지 않다는 것도 아니다.'에서 '나'가 흙이 향기를 잃었다고 인식하지 않았음을 알 수 있다. 다만 '나'는 이러한 낭만적인 이야기를 하기에는 조선의 현실이 너무 비참하다고 느낀 것이다.

04 일본인에 대한 불쾌한 감정이 드러난 표현은 '교활한 웃음, 도적놈 같은 협잡 부랑배, 상관대기' 등이다.

왜 오답일까 '요보'와 '쿨리'는 일본인이 조선인을 낮추어 부르던 말이며, '투정질하는 수작'과 '이따위 산문시 줄'은 '나'가 스스로의 삶을 반성하는 과정에서 자신을 자조하고 비꼬며 쓴 표현이다. '흰옷 입은 백성'은 '나'가 조선인을 칭한 말이다.

05 ⓒ에서 '나'는 조선의 현실을 자각하고, 자신이 지금까지 해 온 공부가 조선의 현실 그리고 미래와 어떤 관련이 있을지 회의하고 있다. 그러나 '나'가 조선 민중을 계몽하려고 했던 것은 아니다.

기출 작품 딥러닝

염상섭, 「삼대」 ▶해법문학 Link 현대 소설 52쪽

작품 해제 1920년대를 배경으로 각기 다른 가치관을 지닌 삼대(三代)의 삶과 갈등을 통해 시대착오적이고 위선적인 삶을 비판하면서, 덕기로 대표되는 새로운 세대에 대한 희망을 드러낸 작품이다.

전체 줄거리

발단	유학생 덕기가 방학을 맞아 귀향했다가 친구 병화 등과 만남.
전개	덕기는 조부(조 의관)와 그의 후처인 수원집을 비롯한 집안의 뒤엉킨 인간관계와 갈등을 목격함.
위기	수원댁과 그녀를 조 의관에게 소개해 준 최 참봉 등은 재산을 빼돌릴 생각으로 유서를 변조하고 모략을 꾸밈.
절정	조 의관이 독살되자 재산 문제를 둘러싸고 집안의 갈등이 심화되지만 덕기가 집안의 재산을 관리하면서 수원집 일행의 계획은 물거품이 됨. 여기에 사회주의 사건과 관련하여 덕기와 주변 사람들이 체포됨. ⟶ 수록 부분
결말	덕기는 무혐의로 풀려나지만, 향후 어떻게 살아야 할 것인가를 놓고 망연해함.

핵심 포인트 인물 간의 갈등

구한말 세대	· 조 의관으로 대표됨. · 보수적, 유교 중심적 사고	족보를 만드는 데 돈을 쓰는 것을 두고 갈등함.
개화기 세대	· 조상훈으로 대표됨. · 신학문을 접함.	
식민지 세대	· 조덕기로 대표됨. · 사회주의 사상을 접함.	조 의관의 재산 상속 문제로 갈등함.

06 (나)에서 덕기는 부친(조상훈)이 세간 값으로 천여 원이나 '생돈 잡아먹는 것'을 본 후 "늘 이렇게만 하시면야 어디 드릴 수 있겠습니까?"라고 말한다. 이를 통해 재산 낭비를 막기 위해 '정미소 장부'를 내놓지 않으려는 덕기의 생각을 확인할 수 있다.

왜 오답일까 ① (나)에서 덕기가 상훈에게 "할아버지께서 산소에 돈 쓰신다고 반대하시던 걸 생각하시기로"라고 말하는 부분을 통해 상훈은 자신의 부친이 산소에 돈을 쓰는 것을 반대했음을 알 수 있다. ② (나)의 "여간한 세간 나부랭이야 저 집에 안 쓰고 굴리는 것만 갖다 놓으셔도 넉넉할 게 아닙니까?"라는 덕기의 말을 통해 부친의 '세간 값'으로 치러야 하는 돈을 낭비라고 생각하고 있음을 알 수 있다. ③ (가)에서 상훈의 부친은 족보와 관련하여 삼사천 원을 가외로 썼다는 아들의 말이 옳다고 생각하였으며, (가)의 '성한 돈 가지고 이런 병신구실해 보기는 처음이다.'를 통해 상훈의 부친도 족보에 돈을 쓴 것을 탐탁지 않아 함을 알 수 있다. ⑤ (가)에서 상훈의 부친이 상훈에게 "오륙천 원씩 학교에 디밀고 제 손으로 가르친 남의 딸자식 유인하는 것"이라고 말하는 것은 상훈의 치부를 들추기 위한 발언이다.

07 조 의관이 산소에 돈을 쓰는 것을 반대했던 조상훈의 태도를 통해 봉건적인 가치를 고수하는 조 의관에 대한 부정적인 인식이 드러날 뿐, 이는 조상훈이 방탕한 생활을 했다는 것과는 관련이 없다.

08 ⓐ 앞에서 '여자 손들이 많은데 구차스럽게 세간 값으로 부자 충돌을 하는 꼴을 보이기 싫기 때문'이라고 했으므로, 아들이 자신에게 세간 값을 과하게 쓴 것을 탓하는 말을 못하게 하려는 의도임을 알 수 있다.

09 (나)에서 상훈은 자신이 산 세간 값을 아들이 치러 주지 않고 간섭하는 것과, 정미소 장부를 내어 주지 않는 것을 나무라고 있으나 자신의 잘못을 아들의 탓으로 돌리고 있지는 않다.

10 ㉠에서는 서술자가 영감(조 의관)의 시각에, ㉡에서는 덕기의 시각에 의존하고 있다. ㉠에서는 족보를 사기 위해 경제적 손해도 감수하는 영감의 성격이 드러나고, ㉡에서는 아버지(조상훈)가 자신을 폭행했음에도 불구하고 아버지를 동정하고 연민하는 덕기의 성격과 신앙을 잃고 타락해 가는 상훈의 성격이 드러난다.

왜 오답일까 ① ㉠에서 서술자가 선택한 특정 인물은 영감으로 고정되어 있다.

② ㉠에서 영감은 상훈의 말이 옳다고 생각하므로 상훈을 낮게 평가하고 있는 것은 아니며, ㉡에서 덕기는 상훈을 못마땅하게 생각하고 있지만 그를 이해하고 있으므로 낮게 평가한다고 보기 어렵다.

③ ㉠에서는 특정 인물인 영감의 의식과 행동 사이의 인과 관계가 드러난다.

④ ㉠에서 영감은 상훈이 옳다고 일정하게 평가하므로, 평가가 달라졌다는 설명은 적절하지 않다. ㉡에서 상훈에 대한 덕기의 평가는 일정하게 유지되고 있다.

02 고향 126~127쪽

01 ② 02 ⑤ 03 ② 04 ④ 05 ③

작품 해제 '나'가 기차 안에서 만난 한 사내의 인생을 통해 식민 지배 아래 파괴된 농촌 공동체와 짓밟힌 개인의 삶을 생생하게 그리고 있는 작품이다.

01 윗글에서 외화의 서술자인 '나'는 '그'의 이야기를 듣고 난 뒤 '그'를 연민하고 동정하고 있으므로 객관적인 태도를 지녔다고 보기 어렵다.

02 '그'가 돌아간 고향은 근대화로 낯설게 변한 것이 아니라 아예 없어져 버렸다. 따라서 ㉲에서는 고향에 대한 한탄의 정서가 드러난다고 보는 것이 적절하다.

왜 오답일까 ① '나'는 그를 매우 흥미 있게 바라보고 있다고 하였으므로 적절하다.

② 타처로 유리하는 사람이 늘어나면서 동리가 점점 쇠진하였다고 하였으므로 적절하다.

③ '그의 나이가 실상 스물여섯이었다.'는 것은 '그'가 고생을 많이 한 탓에 나이보다 훨씬 더 들어 보인다는 뜻이다. 이는 '가난과 고생이 얼마나 사람을 늙히는가.'라는 그 다음 문장을 통해 알 수 있다.

④ '가을이 되어 얻는 것은 빈주먹뿐'이라는 것은 한 해 동안 열심히 농사를 지어 봤자 '그'에게 남은 것이 없었다는 뜻이다. 이는 '그'가 조선에서보다 더 나은 삶을 살기 위해 노력했음에도 불구하고 사정이 나아지지 않았음을 의미한다.

03 '말마디나 하는 친구'가 감옥에 갔다는 것은 일제의 탄압에 저항하고 목소리를 내는 사람들이 탄압받았음을 보여 주는 내용으로 해석하는 것이 적절하다.

왜 오답일까 ① '볏섬이나 전토'가 사라지고 '신작로'가 들어서는 것은 일제의 수탈을 효과적으로 하기 위한 변화이다.

③ 일제에게 국권을 빼앗기는 상황을 경험한 노인 세대들이 절망 속에서 죽음을 맞이했음을 표현한 것이다.

⑤ 시 전체의 내용은 결국 조선의 모든 민중들의 삶이 일제의 식민 통치로 인해 피폐해졌다는 것을 나타내고 있다.

04 '그'의 이야기를 바탕으로 할 때, '그'가 고향을 떠남으로써 일제의 수탈에서 벗어나 잘 살았다고 보기는 어렵다. '그'가 괴로워하는 것은 고향이 없어졌다는 사실에 따른 상실감과 분노 때문이다.

05 '상전벽해(桑田碧海)'는 '뽕나무밭이 변하여 푸른 바다가 된다.'는 뜻으로, '세상일의 변천이 심함.'을 비유적으로 이르는 말이므로 변해 버린 고향의 모습을 드러내기에 적절하다.

왜 오답일까 ① 풍수지탄(風樹之嘆): 효도를 다하지 못한 채 어버이를 여읜 자식의 슬픔을 이르는 말.

② 만시지탄(晩時之嘆): 시기에 늦어 기회를 놓쳤음을 안타까워하는 탄식.

④ 인생무상(人生無常): 인생이 덧없음.

⑤ 맥수지탄(麥秀之嘆): 고국의 멸망을 한탄함을 이르는 말.

03 달밤 128~131쪽

01 ② 02 ① 03 ④ 04 ② 05 ③ 06 ② 07 ② 08 ⑤
09 ⑤ 10 ①

작품 해제 우둔하지만 천진한 황수건이라는 인물이 각박한 세상 속에서 실패를 거듭하는 모습을 담은 작품으로, 결말 부분의 시간적 배경인 '달밤'은 애상적이고 서정적인 분위기를 형성하고 있다.

01 윗글에서 작중 인물인 '나'는 황수건을 관찰하여 그가 겪는 상황을 서술하며 그에 대한 연민의 태도를 드러내고 있다.

왜 오답일까 ① 중심인물인 '나'와 '황수건'은 갈등하는 사이가 아니라 호의적인 관계이다.

③ 구체적 공간인 '성북동'이 제시되어 있으나 이로 인해 시대 상황이 실감 나게 느껴지도록 했다고 보기는 어렵다.

④ 사건이 시간의 흐름에 따라 순차적으로 나타난다.

⑤ 서술자인 '나'가 직접 '황수건'이라는 인물을 보거나 겪은 이야기를 전하고 있다.

02 (가)에는 황수건을 '못난이'라고 생각하는 '나'의 평가가 나타나 있지만, 이것이 그의 외양을 바탕으로 한 것은 아니다.

왜 오답일까 ② (가)에서 드러난 황수건의 우둔하고 순박한 특성 때문에 (나)에서 황수건이 참외 장사에 실패하고 아내가 도망간 일화에 개연성이 더해지고 있다.

③ (나)에서 '나'는 소문을 통해 황수건의 사업이 잘되지 않았고, 아내가 도망갔다는 소식을 들었다.

④ (다)에서 술에 취해 전에는 본 적이 없는 담배까지 피우며 노래를 부르는 황수건의 모습은 그의 고달픈 정서를 드러낸다.

⑤ (다)에서 '나'는 황수건이 훔쳐 온 포돗값을 물어 준 일 때문에 그가 무안해할 것을 배려하여 일부러 알은체를 하지 않았다.

03 ㉣은 황수건이 '나'에게 느끼는 고마움과 애정을 드러내는 소재로 볼 수 있다.

04 애상적이고 서정적인 분위기를 형성하는 '달밤'은 황수건에 대한 '나'의 따뜻한 시선과 연민의 정서를 돋보이게 하는 역할을 한다.

05 황수건을 '못난이'라고 평가하는 인물은 '나'이며, 이러한 '나'의 평가는 작품 전체에서 황수건에 대한 연민과 애정의 시선으로 이어진다.
왜 오답일까 ① '나'는 순박한 황수건을 좋아하기 때문에 그의 실패에 안타까움을 느낀다.
② 치밀하지 못하고 금세 들켜 버린 도둑질은 황수건의 어수룩함을 보여 준다.
④ 비록 훔친 것이긴 하지만 황수건의 고마운 마음이 담긴 포도이기에 '나'는 이를 소중히 여기고 있다. 이러한 태도로 황수건에 대한 '나'의 애정을 짐작해 볼 수 있다.
⑤ 황수건은 여름 동안 사업 실패와 아내의 도주와 같은 사건을 겪는다. 이러한 사건들은 그가 사회와 일상에서 소외된 인물임을 보여 준다고 볼 수 있다.

기출 작품 딥러닝

이태준, 「돌다리」 ▶해법문학 Link 현대 소설 116쪽
작품 해제 땅을 둘러싼 아버지와 아들의 갈등을 통해 금전적인 가치만을 중시하는 근대 자본주의 사회를 비판하는 작품이다. 이러한 주제 의식은 '돌다리'를 통해 상징적으로 드러난다.

전체 줄거리

발단	서울의 내과 의사인 창섭은 병원을 확장하기 위해 부모님의 땅을 팔 계획으로 부모님을 찾아옴.
전개	땅을 정성스레 가꾸는 아버지의 모습을 떠올리며 고향으로 향하던 창섭은 고향 마을 입구에서 돌다리를 고치는 아버지를 만남.
위기	창섭은 아버지에게 병원 확장에 필요한 자금을 대기 위해 땅을 팔자고 설득함. ⋯ 수록 부분 ㉮
절정	아버지는 창섭의 제안을 거절하며 죽기 전에 땅을 농민에게 넘기겠다는 유연을 하고, 창섭은 자신의 세계와 아버지의 세계의 거리감을 느낌. ⋯ 수록 부분 ㉯, ㉰
결말	창섭은 아버지가 고쳐 놓은 돌다리를 건너 서울로 돌아가고, 아버지는 돌다리에서 세수를 하며 땅을 지키며 사는 천리(天理)를 되새김.

핵심 포인트 땅을 둘러싼 창섭과 아버지의 갈등

창섭	아버지
• 땅을 실용적인 관점에서 바라봄. • 땅을 금전적 가치로 봄.	• 땅을 천지만물의 근본으로 봄. • 땅에 얽힌 가족의 추억을 중시함.

가치관의 차이로 창섭과 아버지의 세계가 결별함.

06 윗글에서는 아버지와 아들이 대화를 통해 서로 다른 각자의 지향점을 드러내고 있다.

07 (가)에 제시된 창섭의 말에는 아버지가 땅을 팔아야 하는 이유, 땅을 팔고 나서 자신이 사려고 하는 건물에 대한 설명, 그로 인한 이익 등이 나열되어 있다. 이는 창섭의 계획을 일목요연하고 명확하게 드러내는 효과를 준다.

08 아버지가 땅을 팔아 병원을 확장하고자 하는 아들의 욕망을 이뤄 줄 마음이 없는 것은 맞지만, 아들이 자신의 일을 스스로 해결해야 한다고 생각하거나, 그러한 생각 때문에 제안을 거절한 것은 아니다.
왜 오답일까 ①, ② (나)와 (다)에 나타난 아버지의 말을 통해 아버지가 '시쳇사람들(요즘 사람들)'이 사람에게만 인정을 베풀 수 있다고 여기며, 땅의 가치를 모른 채 돈벌이 수단으로만 여긴다고 생각함을 알 수 있다.
③ (나)에서 아버지는 '그 다리(돌다리)'에 얽힌 여러 가지 추억을 나열하며 소중함을 되새기고 있다.
④ (다)에서 아버지는 대대로 가꾼 땅의 가치를 알아보는 농군들에게 땅을 넘길 것이라고 말하고 있다.

09 '창섭'은 삼층 양옥을 병원으로 개조하여 돈을 벌 생각을 하고 있으므로 '창섭'에게 삼층 양옥은 땅과 같이 금전적 도구일 뿐, 장소애의 대상이 된다고 보기는 어렵다.

10 〈보기〉에서 심리적 괴리감은 상대 인물을 동경하면서도 자신의 마음을 버리지 못하는 것이라고 하였다. 창섭은 아버지의 신념을 경외하고 동경하면서도 병원을 확장하고 싶은 자신의 뜻을 완전히 포기하지는 않았으므로 '심리적 괴리감'의 상태에 처해 있다고 볼 수 있으며, 따라서 창섭이 '아버지가 펼치는 신념의 세계'로 들어간다는 진술은 적절하지 않다.

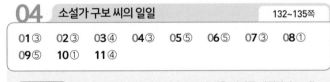

04 소설가 구보 씨의 일일 132~135쪽

01 ③ 02 ③ 03 ④ 04 ③ 05 ⑤ 06 ⑤ 07 ③ 08 ①
09 ⑤ 10 ① 11 ④

작품 해제 작가의 자전적 소설로, 소설가 구보가 서울 거리를 배회하며 느끼는 내면 의식의 변화를 드러낸 작품이다.

01 윗글은 '남대문'에서 '경성역'으로 이동한 구보가 '경성역'에서 느끼는 내면 심리를 중심으로 이야기를 전개하고 있다.

02 구보는 '노파'를 물질 만능에 빠진 인물이 아니라 궁핍한 상황에서 고생을 많이 한 인물로 생각하고 있다.
왜 오답일까 ① '삼등 대합실 군중 속'에서 고독을 피하고자 했던 구보는 '오히려 고독은 그곳에 있었'음을 확인하게 된다.
② 구보는 대합실에서 타인에게 짐조차 부탁하지 않는 사람들의 '남을 결코 믿지 않는' 눈을 보고 '딱하고 또 가엾'다고 여기고 있다.
④, ⑤ 구보는 바제도씨병에 걸린 사람 앞에 떨어뜨린 복숭아를 포기하는 '젊은 아낙네'에게서 현대인의 비인간적인 모습을 발견하고, '온갖 사람에게 의혹을 갖는 두 눈'을 가진 '양복 입은 사내'를 보고서는 우울을 느끼고 있다.

03 구보는 활기차고 인간적인 이미지를 나타내는 '약동, 인생, 한마디 말, 부탁' 등을 긍정적인 것으로, 불신과 거리감을 나타내는 '간격, 의혹' 등을 부정적인 것으로 여긴다.

04 구보는 '조그만 / 한 개의 기쁨을 찾아' 남대문을 나서기로 하였으며 '약동하는 무리들이 있는 곳으로, 가고 싶다 생각'하고 '고독을 삼등 대합실 군중 속에 피할 수 있으면 그만'이라고 여겼기 때문에 경성역으로 향한 것이다.

05 구보는 '바제도씨병'에 걸린 병자의 모습에서 병든 육체를, 그를 피하며 소외시키는 사람들의 모습에서 비인간적이고 차가운 도시인들의 정신적 질환을 포착한다. 구보는 이에 흥미를 느끼고 대학 노트에 이를 기록하려고 하는 것이다.

⟨✐ 왜 오답일까⟩ ① 구보는 남대문을 안에서 밖으로 나가 '웅숭그리고 앉아 있는 서너 명의 지게꾼들'의 맥없는 모양을 발견한다. 이를 정신적으로 건강한 상태를 포착한 것으로 보기 어렵다.

② 구보는 노인의 몽롱한 두 눈은 '딸의 그지없는 효양'을 통해서도 감동시킬 수 없다고 여길 뿐, 노인의 쇠약함이 '그지없는 효양'의 부재 때문이라고 생각하지는 않았다.

③ 구보 또한 '그의 얼굴에 부종을 발견하고 그의 앞을 떠났'다.

④ 구보가 '만성 위 확장'을 앓는다는 사실이 구보의 정신적 건강 상태를 드러내 주지는 않는다.

---

06 '막 자동차에 오르려는 딸에게 달려들어', '그는 실신한 사람같이, 얼마를 그곳에 서 있었다' 등에서 어머니의 행위 묘사를 통해 출가하는 딸과 이별해야 하는 어머니의 심정을 보여 주고 있다. 또한 '고

개나마 변변히 못 들고 빠른 걸음걸이로 천변을 걸어 나가, 그대로 큰길로 사라지는' 신전 집 사람들의 모습을 통해, 원치 않게 서울을 떠나 낙향하는 절망적 심리를 드러내고 있다.

07 동리 사람들은 '수다스러운 점룡이 어머니'가 빨래터에서 한 말을 통해 신전 집 사람들이 떠날 것을 이미 짐작하고 있었으므로, 신전 집 사람들이 떠나서 깜짝 놀랐다는 것은 적절하지 않다.

⟨✐ 왜 오답일까⟩ ① '스무 해를 살아온 이 동리에서 사라지고 말았다.'에서 확인할 수 있다.

② '그대로 큰길로 사라지는 뒷모양이라도 흘낏 본 이는 몇 명이 못 된다.'에서 신전 집 사람들은 조용히 서울을 떠났음을 알 수 있다.

④ '외딸을 남을 주고 난 그 뒤에, 홀어머니의 외로움과 슬픔은 컸으나'에서 이쁜이가 홀어머니의 외동딸임을 알 수 있다. 또한 딸을 위한 세간을 정성껏 준비하고 시집가는 딸의 모습을 보며 애달파하는 모습을 통해 딸에 대한 애정을 확인할 수 있다.

⑤ '가난한 자기 신세가 애달팠다.', '에미가 그저 있는 힘을 다 해서 마련해 논 게 아니냐……'에서 이쁜이 어머니가 넉넉하지 않은 가정 형편에도 최선을 다해 이쁜이의 세간을 마련했음을 알 수 있다.

08 이발소 소년은 '천변에 일어나는 온갖 일에 관찰을 게을리하지 않는' 인물로, 신전 집 사람들이 집을 떠나는 모습을 목격하여 사람들에게 알려 주고 있다.

09 정보가 실현되지 못한 원인을 독자의 망각에서 찾고 있는 내용은 나타나지 않았다.

10 '그 골목이 그렇게도 짧은 것을 그가 처음으로 느낄 수 있었을 때'라고 한 것은 어머니가 시집가는 딸을 배웅하는 길이기 때문으로, 딸을 시집보내는 어머니의 아쉬운 마음이 반영된 표현이라고 볼 수 있다.

⟨✐ 왜 오답일까⟩ ② 딸이 시집가는 모습을 통해 가족 간의 이별을 슬퍼하는 상황이 제시되어 있을 뿐, 가족 간의 갈등 상황은 나타나지 않는다.

③ '눈물'은 딸을 시집보내는 어머니의 공허함과 걱정 등을 복합적으로 나타내는 요소로, 가족의 성장을 기특하게 바라보는 감격을 보여 주는 것은 아니다.

④ 신전 집 사람들은 '당장이라도 서울을 떠날 수 있는 준비 아래' 주인 영감의 명령이 떨어지면 동네를 떠나야만 하는 신세이다. 그러나 이를 통해 신전 집 가족 내의 분위기가 고압적이라는 것은 확인할 수 없다.

⑤ 윗글에서는 동네에서 쫓겨나 시골로 향하는 신전 집 사람들을 '도회에서의 패잔자'라고 묘사하고 있는데, 이는 주어진 현실에 적응하지 못하는 모습을 드러낸다고 할 수 있다.

11 '바로 이날에'를 통해 동일한 날에 ㉠과 ㉡의 사건이 벌어졌음을 확인할 수 있다.

정답과 해설

05 봄·봄
136~137쪽

01 ③ 02 ④ 03 ④ 04 ⑤ 05 ③

작품 해제 주인공의 회상에 따른 역순행적 구성을 취하는 작품으로, 장인으로 대표되는 '마름'이라는 강자가 '나'로 대표되는 약자를 착취하는 수탈의 상황을 해학적인 문체로 그려 내었다.

01 윗글의 서술자는 소설에서 전개되는 사건의 당사자인 '나'로, 주관적인 입장에서 사건의 전개 양상을 전달하고 있다.

02 장인은 점순이와 혼인을 시켜 준다는 조건으로 '나'를 데릴사위로 데려왔지만, 점순이의 키를 핑계로 계속 혼례를 미루며 '나'에게 일만 시키고 있다.

03 '나'는 성례를 시켜 주지 않는 장인에 대한 분노와 반발 심리로 '이놈의 장인님'이라는 호칭을 사용하고 있지만, [뒷부분 줄거리]에서 장인과 화해하고 다시 일을 하러 가는 모습이 나타나고 있다. 따라서 '나'가 더 이상 장인을 장인으로 대접하지 않을 것이라는 설명은 적절하지 않다.

왜 오답일까 ① '이놈'은 상대방을 낮잡아 이르는 말이므로 윗사람인 장인에게 써서는 안 되는 말이다. 그럼에도 이러한 표현을 사용한 것은 '나'의 장인에 대한 반발 심리에 초점을 맞춘 것이다.
② 윗글의 다른 부분에서는 '장인님' 또는 '우리 장인님'이라는 표현을 사용하였으며, 장인이 '나'를 때리거나, '나'와 점순이의 혼인을 미루는 발언을 할 때는 '이놈의 장인님'이라고 하며 분노를 드러내고 있다.
③ '나'는 장인에게 '이놈'이라는 표현을 사용함으로써 분노의 감정을 나타낸다. 이는 마름으로서 악행을 저지르는 장인의 모습을 묘사한 부분, '나'가 뺨을 맞고 나서 '나'와 장인의 반응을 묘사한 부분, 장인에게 배짱부리며 사정을 달라고 말하는 부분 등과 결합하여 해학적인 분위기를 형성하고 있다.
⑤ 장인에게 '이놈'이라는 낮춤 표현을 쓰면서도 '장인님'이라고 하는 것을 보아 '나'가 불만스러운 상황에서도 장인에게 최소한의 예의를 지키는 인물임을 알 수 있다.

04 '나'는 점순이와 성례를 올리기 위해 머슴살이를 하고 있으며, '장가를 들러 갔다가 오작 못났어야 그대로 쫓겨 왔느냐'는 고향 사람들의 손가락질이 무서워 성례를 올리지 않고서는 고향으로 돌아갈 수 없다고 생각하고 있다. 따라서 ㉠에서 '나'는 빨리 성례를 시켜 달라고 장인을 압박하고 있다고 볼 수 있다.

05 '나'는 점순이와 성례를 올리기 위해 데릴사위로 지내고 있을 뿐, 고통스러운 농촌 현실에 힘겨워하며 이로부터 벗어나고자 하는 인물이 아니다. 또한 〈보기〉에 따르면 김유정은 당시 일반적인 농민 문학의 경향과는 다른 흐름을 보인 작가이다.

06 금 따는 콩밭
138~139쪽

01 ① 02 ② 03 ④ 04 ③ 05 ⑤

작품 해제 성실했던 개인이 일확천금의 꿈에 빠져 결국 파멸에 이르는 과정을 드러낸 작품이다. 일제 강점기의 금광 열풍과 소작농의 비참한 삶을 엿볼 수 있다.

01 수재가 금이 나왔다고 영식과 그의 아내를 속인 것일 뿐, 콩밭에서 금은 나오지 않았다.

왜 오답일까 ② "네가 허라구 옆구리를 쿡쿡 찌를 제는 언제냐"에서 영식이 아내의 부추김에 영향을 받았음을 알 수 있다.
③ "산제 지낸다구 꿔 온 것은 은제나 갚는다지유?", "갚지도 못할 걸 왜 꿔 오라 했지유!"에서 산제를 위해 꿔 온 곡식을 아직 갚지 못했음을 알 수 있다.
④ 콩밭을 파헤쳤지만 금이 나오지 않자 초조해진 아내는 비아냥거리고 영식은 폭력을 행사하는 등 서로 극심한 갈등을 빚고 있다.
⑤ '저러다가 그 분풀이가 다시 제게로 슬그머니 옮아올 것을 지레채었다. 인제 걸리면 죽는다.'에서 수재는 자신에게 분노의 화살이 향할 것임을 직감하고 슬그머니 자리를 피하고 있으며, '오늘 밤에는 꼭, 정녕코 꼭 달아나리라 생각'하고 있다.

02 영식은 '금줄'을 찾기 위해 콩밭을 마구잡이로 파헤쳤으므로 '금줄'은 영식을 파멸로 내몬 원인이 되지만, 영식의 가난과 궁핍의 근본적인 원인이 '금줄'인 것은 아니다. 이는 아무리 농사를 지어도 가난에서 벗어날 수 없는 일제 강점기 소작인의 처지와 더 관련이 있다.

왜 오답일까 ① 영식과 영식의 아내, 수재는 금을 찾기 위해 콩밭을 파헤쳤으므로, '금줄'은 인물들이 간절하게 찾고 있는 대상이다.
③ 영식과 영식의 아내는 금을 찾아내서 현재의 가난으로부터 벗어나려 하고 있다.
④ 금은 물질적 욕망을 나타내는 소재로, 일확천금을 노리는 영식과 영식의 아내의 허황된 꿈과 욕망을 나타내고 있다.
⑤ 영식과 아내는 애써 가꾼 콩밭을 파헤칠 만큼 '금줄'을 가치 있는 대상으로 여기고 있다.

03 〈보기〉에서 아무리 열심히 농사를 지어도 소작료와 세금을 내고 나면 남는 것이 없는 소작인의 궁핍한 상황을 엿볼 수 있다. 영식 또한 이러한 이유에서 가난으로부터 벗어나지 못하는 것으로 짐작할 수 있으며, 이에 영식은 일확천금을 노리며 콩밭을 파헤친 것이다. 이는 개인적 이익을 위한 것일 뿐 지주에 대한 농민의 저항 의식이 반영된 것이라고 보기는 어렵다.

04 ㉠은 농민들이 수확의 기쁨을 누리는 모습으로, 금을 캐기 위해 콩밭을 뒤엎은 영식의 모습과 대조되어 영식의 판단이 어리석었음을 강조하고 있다.

05 윗글에서 영식은 경제적 궁핍으로 어려움을 겪다가 수재의 꼬임에 넘어가 생업(콩 농사)을 내팽개치고 일확천금(금)을 꿈꾸고 있다. 이러한 상황을 현대적으로 가장 적절하게 해석한 것은 ⑤이다.

40 정답과 해설

07 날개
140~141쪽

01 ③ 02 ④ 03 ⑤ 04 ② 05 ④

작품 해제 현대인의 무의미한 삶과 자아 분열을 그려 낸 심리 소설로, '나'가 '탈출'이라는 상징적 의미를 가진 외출을 통해 자아 정체성 회복에 대한 소망을 드러내는 과정을 의식의 흐름에 따라 드러내고 있다.

01 윗글은 대화가 거의 없는 독백적 어조를 통해 서술자 '나'의 심리와 의식을 드러내고 있다.

02 '나'는 아내가 자신에게 아달린을 먹여 살해하려 했다는 의심을 하고 있지만 화를 내는 대신 문지방 밑에다 돈을 넣어 두고 집을 나온다.

왜 오답일까 ① '나'는 아내와 자신의 관계가 '숙명적으로 발이 맞지 않는 절름발이'와 같다고 생각하면서, '사실은 사실대로 오해는 오해대로 그저 끝없이 발을 절뚝거리면서 세상을 걸어가면 되는 것'이라고 여기고 있다.
③, ⑤ 아내는 '나'에게 밤을 새우며 도적질이나 계집질을 하느냐고 화를 냈으며, '나'는 이에 억울함을 느껴 어안이 벙벙해하고 있다.

03 정오가 되기 전에 '나'는 자신의 삶과 아내와의 관계 등을 성찰하며 내면세계에 빠져 있었지만, 정오 사이렌이 울린 후에는 사람들의 활기와 세상의 활력을 느끼고 있다. 그러나 '나'는 그 이후에도 자신에게 날개가 돋기를 바라며 개인적인 삶의 소망을 바라고 있으므로, 개인의 문제에서 사회 문제로 인식을 확대하고 있지는 않다.

왜 오답일까 ① 사이렌이 울리기 전에는 금붕어 지느러미처럼 흐느적거리는 것처럼 보이던 사람들이 사이렌이 울린 후에는 활개를 펴고 닭처럼 푸드덕거리는 것 같이 보인다고 하는 모습이나, 겨드랑이에 가려움을 느끼고 날아보자고 말하는 모습을 통해 무기력했던 '나'가 사이렌을 기점으로 생명력을 회복하고 있다는 사실을 알 수 있다.
② 〈보기〉에서 정오는 '인식의 각성'이라는 상징성을 지니고 있음을 알 수 있는데, '희망과 야심의 말소된 페이지가 딕셔너리 넘어가듯 번뜩였다.'에서 정오는 '나'의 희망과 야심이 다시 살아나고 자신에 대한 인식이 각성되는 시간임을 확인할 수 있다.
③ (나)의 '그러나 나는 이 발길이 ~ 가야 하나? 그럼 어디로 가나?'에서 방황하는 '나'의 심리를 어두운 어조로 나타내고 있는데, 이는 정오 사이렌을 기점으로 희망적이고 의지적인 어조로 바뀌게 된다. 이러한 어조의 변화는 낮 시간의 정점이라는 정오의 특성을 활용한 것으로 볼 수 있다.
④ (나)에 드러난 불안정한 심리와 방황은 정오가 지난 후 희망적이고 의지적으로 바뀌게 되는데, 이는 태양이 내적인 어둠을 몰아낸다는 정오의 상징적 의미를 작품 속에 활용한 부분이라고 할 수 있다.

04 활발한 생명력을 지닌 '금붕어'는 '나'의 굳어 있던 의식을 깨워 주는 역할을 하지만, '나'가 자신의 삶의 의미와 자아를 획득하도록 하고 있는 것은 아니다.

05 머릿속에서 '희망과 야심의 말소된 페이지가 딕셔너리 넘어가듯 번뜩'인다는 것은 '나'가 잊어버렸던 희망이나 야심을 되찾았다는 의미로 해석할 수 있다. 따라서 현대 문명에 대한 부정적 인식이 전환되었다기보다는 현대 문명에 대한 비판적 인식을 회복하고자 하는 지식인의 소망을 드러냈다고 보는 것이 적절하다.

왜 오답일까 ① (가)에서 아내가 '도적질하러 다니느냐, 계집질하러 다니느냐'며 '나'를 의심하고 발악하는 모습은 현대 문명이 지식인에게 가하는 위협을 상징한다.
② (가)에는 '나'가 아내를 피해 집을 나오는 장면이 제시되는데, 이는 현대 문명으로부터 도피하고자 하는 지식인의 모습을 상징한다고 볼 수 있다.
③ (나)에서 '나'는 아내가 자신에게 아달린을 먹였을 리가 없다고 생각하면서도 아내에게 돌아가야 하는지에 대한 확신도 가지지 못하는 심리적 방황 상태에 놓여 있다. 이는 현대 문명에서 멀어지지도 가까워지지도 못하는 지식인의 의식을 상징한다.
⑤ '나'는 아내가 자신을 속여 수면제의 일종인 아달린을 먹여 왔다는 것에 대해 배신감을 느낀다. 이는 자신도 모르게 아달린을 통해 아내에게 길들여지는 '나'처럼, 자신도 모르게 현대 문명에 길들여지고 있는 것이 아닐까 두려워하는 지식인의 내면세계와 연결된다.

08 메밀꽃 필 무렵
142~143쪽

01 ② 02 ③ 03 ④ 04 ④ 05 ③ 06 ③

작품 해제 장돌뱅이의 삶을 살아가는 허 생원의 과거와 현재를 메밀꽃이 흐드러지게 핀 달밤을 배경으로 교차하여, 인간의 근원적인 유랑의 삶과 혈육에 대한 애정을 서정적이고 낭만적으로 드러내는 작품이다.

01 (가)는 달밤의 정경을 서정적으로 묘사한 부분으로, 허 생원이 불운했던 과거를 극복할 것임을 암시한다고 보기는 어렵다.

02 허 생원은 어려운 집안 사정 때문에 울고 있던 성 서방네 처녀를 위로해 준 것일 뿐, 성 서방네 처녀가 다른 남자를 기다리거나 버림받은 상황은 아니었다.

03 ㉣에는 성 서방네 처녀와의 만남을 황홀한 추억으로 생각하고 있는 허 생원의 심리가 드러난다.

04 허 생원은 동이의 이야기를 듣고 동이가 자신의 아들일지도 모른다는 생각에 충격을 받아 넘어진 것이므로 ⓐ는 허 생원의 심리를 간접적으로 드러내는 부분이라고 할 수 있다.

05 ⑧의 행렬은 조 선달과 나귀가 먼저 개울을 건너고, 동이가 허 생원을 붙잡고 있었기 때문에 만들어진 것이다. 이후 허 생원은 동이의 모친에 대한 이야기를 듣고 놀라 물에 빠진다.

① '좁은 길'이라는 공간적 제약 때문에 세 사람이 외줄로 걷게 된 것이다.
② 동이는 외줄로 늘어선 일행의 마지막에 있었기 때문에 허 생원의 이야기가 제대로 들리지 않았다.
④ 동이가 허 생원을 붙잡고 함께 개울물을 건넜기 때문에 두 사람 사이의 대화가 가능하게 되었다.
⑤ ⓐ에서는 허 생원과 동이 사이에 조 선달이 있어 동이가 허 생원의 이야기를 제대로 들을 수 없었지만, ⓑ에서는 허 생원과 동이가 함께 걷게 되어 동이가 살아온 내력과 관련한 대화를 나누며 심리적으로 가까워지고 있다.

06 윗글과 〈보기〉는 모두 허 생원과 동이가 부자지간임을 암시하고 있을 뿐, 동이가 허 생원의 아들인지에 대한 사건의 전말을 직접적으로 밝히지 않음으로써 여운을 남기고 있다.

왜 오답일까 ① 윗글에서는 '봉평', 〈보기〉에서는 '왼손잡이'를 통해 동이가 허 생원의 아들일지도 모른다는 것을 암시하고 있다.
② "듣고 보니 딱한 신세로군."에서 동이에 대한 연민이 드러난다.
④ 〈보기〉의 "제천으로 가세.", "모처럼 한번 가 보고 싶구만." 등에서 옛 인연을 찾아가려는 허 생원의 의지를 확인할 수 있다.
⑤ 윗글과 달리 〈보기〉에서 동이는 "제천으로유?", "그러지유.", "뵙구유." 등과 같은 방언을 통해 향토적 정서를 드러내고 있다.

09 태평천하 144~145쪽

01 ④ 02 ④ 03 ② 04 ④ 05 ③ 06 ④

작품 해제 일제 강점기 현실을 '태평천하'로 여기는 '윤 직원'을 풍자적인 수법으로 묘사함으로써 일제 강점기 현실에서의 바람직한 가치관과 현실 대응 방식이 무엇인지 암시하고 있는 작품이다.

01 윗글은 인물 간의 대화와 서술자의 해설을 중심으로 전개되고 있으며, 배경 묘사가 드러난 부분은 찾아볼 수 없다.

왜 오답일까 ① 윗글의 서술자는 단순히 사건을 전달하는 데 그치지 않고 인물과 사건에 대한 자신의 의견을 덧붙이면서 마치 판소리 창자와 같은 역할을 하고 있다. 이를 통해 작품 세계와 독자의 중간에서 인물을 조롱하고 희화화한다.
② 윗글은 판소리 문체를 사용함으로써 작품에 생동감을 더하고 있다.
③ '~입니다', '~습니다' 등의 경어체를 사용하여 독자와 가까운 위치에서 인물을 서술함으로써 독자와의 거리를 좁히고 있다.
⑤ 윤 직원은 종학이가 피검되었다는 소식을 듣고 '부랑당' 등의 비속한 표현을 사용하여 분노의 감정을 드러내고 있다.

02 종학이 사회주의 운동을 하다가 경시청에 피검된 것은 맞지만, 종학이 사회주의 운동을 시작한 이유에 대해서는 알 수 없다.

03 윤 직원은 일제 강점의 현실을 태평천하라고 여기는 인물로, 사회와 갈등하고 있지 않다.

왜 오답일까 ① 전보는 종학의 피검 소식을 알림으로써 작품의 분위기를 전환하는 역할을 한다.
③ 전보는 일본의 동경에 있는 종학에 대한 정보를 전달하고 있다.
④ 종학이 경시청에 피검되었다는 전보를 들은 후, 윤 직원의 기세등등한 태도가 꺾이게 된다.
⑤ 믿었던 종학이 사회주의 운동을 하여 피검되었다는 전보를 들은 후 윤 직원은 종학에게 실망하게 된다.

04 작가는 식민 지배를 받고 있는 현실을 태평천하라고 여기는 윤 직원의 역사의식을 제시함으로써, 독자가 윤 직원을 비판적으로 인식하도록 유도하고 있다.

05 윤 직원이 '종학이가 사회주의를 한다는 그 한 가지 사실'을 두려워하는 이유는 단순히 종학이 윤 직원의 기대에 부응하지 않아서가 아니라, 빈부의 차이를 없애고자 하는 사회주의 사상이 부자인 자신의 재산을 뺏어 갈까 봐 적대심을 느끼기 때문이다.

06 ㉣에는 방정맞은 윤 직원의 행동과 점잖은 윤 주사의 모습을 대비하여 윤 직원의 부정적인 면을 부각하려는 서술자의 의도가 담겨 있다.

왜 오답일까 ① '웅장한 투쟁의 선언'과 같이 표현함으로써 윤 직원의 역사의식을 반어적으로 비꼬아 조롱하고 있다.
② 창식이 '전보 때문에 억지로 억지로' 윤 직원을 찾아왔다는 내용을 제시함으로써 윤 직원에 대한 창식의 거부감을 드러내고 있다.
③ 해가 서쪽에서 뜨겠다는 윤 직원의 말에 담긴 의미를 제시함으로써 창식을 향한 윤 직원의 심리를 나타내고 있다.
⑤ 윤 직원이 엉덩방아 찧는 소리를 '방구들이 내려앉을 뻔'했다고 과장하여 표현함으로써 웃음을 유발하고 있다.

10 소망 146~149쪽

01 ③ 02 ③ 03 ④ 04 ③ 05 ③ 06 ④ 07 ④ 08 ④
09 ③ 10 ⑤ 11 ②

작품 해제 일제 강점기 아래 시대적 문제의식을 지닌 채 내적 갈등하는 '남편'을 이해하지 못하는 '나'의 시각에서 서술되는 작품으로, 이를 통해 현실에 대한 비판적이고 풍자적인 시각을 드러내고 있다.

01 윗글은 서술자 '나'가 언니와 대화하는 형식으로 이루어져 있지만, 작품 내에서 언니의 발화는 생략된 채 '나'의 발화로만 사건을 전달하는 방식을 취하고 있다.

02 '남들은 다 같이 대학을 마치구 나와서두 삼사 년씩 취직을 못 해 쩔쩔매는 세상에, 그해 동경서 나오던 멀루 신문사에를 들어갔구'를 통해 남편은 대학을 졸업한 후 바로 신문사에 들어갔음을 알 수 있다.

✍️ **왜 오답일까** ① '인해 오 년이나 말썽 없이 있어 왔으니깐'에서 확인할 수 있다.

② 스스로 직장을 그만둔 남편에게 '도루 회사에 나오라는 권면'을 여러 번 보내는 회사 사람들의 행동과, '신문사 인심두 얻구 또 사장 두 자별하게 대접을 했'다는 '나'의 말에서 확인할 수 있다.

④ 아내는 남편에게 피서를 가자고 졸랐으나, 남편은 '임자나 태호 데리구 가겠거든 가'라며 거절하고 있다.

⑤ 남편은 자신이 설명을 해 주더라도 아내가 이를 이해하지 못할 것이라고 생각하며 아내를 '하등 동물'이라고 칭하고 있다.

03 〈보기〉에서 플롯의 아이러니는 인물의 의도와 반대되는 결과가 나타나는 경우임을 알 수 있는데, 남편이 일자리를 잃은 것은 남편이 의도한 행동이므로 플롯의 아이러니가 구현된 것이라고 볼 수 없다.

✍️ **왜 오답일까** ① '소망'은 젊은 나이에 미쳤다는 의미로, 일제 강점기라는 어려운 현실에서 일상적 편안함을 추구하는 것에 대한 반감을 지닌 지식인을 '소망'이라고 칭함으로써 반어적으로 나타내고 있다.

② 책이나 신문을 읽으며 지적 호기심을 채우는 남편의 모습을 독자에게 보여 줌으로써 남편이 미치지 않았다는 것을 아내만 모르고 있는 구성 방식을 취하고 있다.

③ '나'는 일제 강점기에 대한 인식 없이 개인의 삶에만 관심이 있는 소시민으로, 작가는 이러한 인물을 서술자로 내세워 올바른 역사 의식을 지닌 인물을 비판하는 형식을 취하고 있다.

⑤ 여름에 겨울 양복을 입고 외출하는 남편의 행위는 왜곡된 시대 현실을 표현한 것으로, 상식에 어긋나는 행동을 통해 세태를 풍자하려는 작가의 의도를 드러낸 것이다.

04 '눈동자가 옳게 박힌 놈은 이 짓 못 해 먹겠다구'라는 말을 고려할 때, 남편은 일제가 언론을 통해 하는 일에 반감을 갖고 있었음을 알 수 있다.

05 〈보기〉의 아저씨는 사회주의 운동을 통해 현실에 적극적으로 대항한 인물이나, 윗글의 남편은 이상 행동을 하며 고립되기를 의도하는 인물로 사회에 적극적으로 저항했다고 보기 어렵다.

✍️ **왜 오답일까** ① 〈보기〉의 아저씨와 윗글의 남편은 모두 일제 강점기에 대학까지 졸업한 지식인이다.

② 〈보기〉의 아저씨는 일제에 대항하기 위해 사회주의 운동에 참여한 인물이며, 윗글의 남편은 언론 왜곡을 조장하는 직장을 그만두고 세상에 대한 분노를 표출하고 있다.

④ 〈보기〉의 '나'는 아저씨를 답답해하며 반감을 가지고 있지만, 윗글의 '나'는 남편을 이해하지 못하면서도 남편을 두고 친정에 가지는 못하겠다며 연민의 정서를 드러내고 있다.

⑤ 〈보기〉는 '나'가 관찰한 아저씨에 대한 이야기를, 윗글은 '나'가 관찰한 남편에 대한 이야기를 남에게 들려주는 형식을 취하고 있다.

엮인 작품 더 알기

채만식, 「치숙」 ▶해법문학 Link 현대 소설 108쪽

작품 해제 사회주의 운동을 하다 옥살이를 하고 나온 아저씨의 모습을 어리숙한 서술자인 '나'의 눈을 통해 관찰하는 방식으로 서술하고 있다. 작가는 아저씨와 '나'에 대한 칭찬과 비난을 역전함으로써 식민 통치에 협력하는 인물을 비판하고 있으며, 당시 좌절에 빠져 있던 지식인들의 자조와 절망을 드러내고 있다.

기출 작품 딥러닝

채만식, 「미스터 방」 ▶해법문학 Link 현대 소설 136쪽

작품 해제 광복 직후의 사회를 배경으로, 혼란스러운 세태에 편승하여 권력을 추구하는 인물들을 풍자함으로써 이러한 인물들이 대우받는 당대 사회 현실을 비판하고 있는 작품이다.

전체 줄거리

발단	방삼복은 십여 년을 외국에서 떠돌다가 집에 돌아와 서울에서 신기료장수를 하며 연명함. ···› 수록 부분
전개	방삼복은 미국 장교(S 소위)에게 접근하여 통역을 해 주고 그의 통역관이 됨. 그 후 방삼복은 재산을 모아 큰 권세를 누리게 됨.
위기	해방이 된 후 재산을 모두 빼앗기게 된 백 주사는 방삼복을 찾아와 보복을 해달라고 부탁함. ···› 수록 부분
절정·결말	공교롭게 S 소위의 얼굴에 양칫물을 뱉게 된 방삼복은 허둥지둥 뛰어나와 S 소위에게 싹싹 빌지만, 턱을 얻어맞음.

핵심 포인트 「미스터 방」에 드러난 풍자와 비판

풍자	• 부정적 인물을 희화화하여 웃음을 유발함. • 개인의 삶과 이익을 중시하고, 사회의 권력에 기생하며 살아가는 인물의 허세를 풍자함.

↓

• 조롱, 냉소 등을 통해 기회주의자인 미스터 방과 백 주사를 비판함.
• 광복 직후 혼란스러웠던 당시 사회를 비판함.

06 윗글은 전지적 작가 시점으로, 작품 밖 서술자가 사건의 내력이나 인물의 심리를 전달하고 있다.

07 윗글에서는 방삼복이 자신의 목적을 위해 백 주사를 이용하는 모습은 드러나지 않는다. 오히려 백 주사가 자신의 목적을 이루기 위해 방삼복을 이용하려 하고 있다.

✍️ **왜 오답일까** ① 백 주사는 친일 행위를 반성하지 않으며, 친일 행위를 해서 모은 재물을 되찾고 싶어 하는 인물이다.

② 백 주사는 자신의 이익을 취하기 위해 미스터 방에게 부탁을 하면서도 그를 '코 뻬뚤이 삼복이'라고 깔보는 기회주의적이고 이중적인 태도를 보인다.

③ [중간 부분 줄거리]에서 방삼복은 미군 통역관이 되어 권력을 갖게 되었다고 하였다. 이는 해방 직후 혼란스러운 사회상을 반영한 것으로, 작가는 세태에 편승하여 사적인 이익을 취하는 기회주의자들을 비판적 시각으로 바라보고 있다.

⑤ 방삼복은 독립이 자신에게 이득이 될 것이 없다고 생각할 때는 독립에 반감을 갖다가, 돈을 많이 벌 수 있다고 생각하자 독립을 가치 있다고 여긴다. 또 생각보다 돈을 많이 벌 수 없음을 알자 다시

독립에 반감을 갖는데, 이는 시대적 상황에 상관없이 자신의 이익만을 생각하는 이기적이고 비도덕적인 현실 인식을 드러낸다.

08 ㉣에서는 친일 행위를 통해 얻었던 부를 모두 빼앗긴 백 주사가, 자신이 무시했던 방삼복에게 숙이는 처지가 된 것에 대해 비참함을 느끼고 있다.

09 백 주사는 자신의 재산을 빼앗은 사람들에게 분풀이를 하고 자신의 재산도 되찾기 위해 방삼복을 찾아간 것이다. 이러한 백 주사의 의도를 가장 잘 표현한 것은 '한 가지 일을 하여 두 가지 이익을 얻음.'의 뜻을 가진 '일거양득'이 가장 적절하다.

  📝**왜 오답일까** ① 각주구검(刻舟求劍): 융통성 없이 현실에 맞지 않는 낡은 생각을 고집하는 어리석음을 이르는 말.
② 풍전등화(風前燈火): 바람 앞의 등불이라는 뜻으로, 사물이 매우 위태로운 처지에 놓여 있음을 비유적으로 이르는 말.
④ 결초보은(結草報恩): 죽은 뒤에라도 은혜를 잊지 않고 갚음을 이르는 말.
⑤ 수구초심(首丘初心): 여우가 죽을 때에 머리를 자기가 살던 굴쪽으로 둔다는 뜻으로, 고향을 그리워하는 마음을 이르는 말.

10 백 주사는 해방 후 통역관이 되어 큰돈을 벌게 된 방삼복에게 청탁을 하고 있고, 방삼복은 미군 소위를 등에 업고 위세를 떨치고 있으므로 인물에 대한 사회적 인식이 그대로인 것이라고 보기는 어렵다.

11 '술을 먹으면서 양치하는 버릇'이 생긴 미스터 방은 양칫물을 뱉기 위해 노대로 나갔다가 S 소위의 얼굴에 실수를 하고 만다. 이때 '버선발로 뛰쳐나와 손바닥을 싹싹 비비는' 미스터 방의 비굴한 행동은 웃음을 유발하지만, 방삼복이 겸손한 사람으로 거듭나게 되는 것은 아니다.

  📝**왜 오답일까** ① 이전에는 위생에 신경을 쓰지 않던 방삼복이 지위를 갖게 되자 유난을 떠는 태도를 비꼬려는 의도를 가지고 있다.
③ 방삼복의 양치 습관이 결국 미군 소위에게 어퍼컷을 맞는 장면으로 이어진 것을 통해 방삼복의 습관이 결말을 암시하는 복선이었음을 알 수 있다.
④ 양칫물을 뱉은 미군 소위에게 용서를 비는 모습을 통해 자신의 말 한마디면 미군이 출동해 쑥밭을 만든다는 방삼복의 말이 허풍이었음을 드러낸다.
⑤ 잔뜩 허세를 부리던 모습이 결말의 굴욕적인 모습과 대비되어 방삼복의 우스꽝스러운 모습을 강조하는 효과를 주고 있다.

광복 이후 ~ 1980년대

11   **역마**   152~153쪽

| 01 ③ | 02 ③ | 03 ② | 04 ④ | 05 ② | 06 ⑤ |

작품 해제 '역마살'을 소재로 하여 인간과 운명의 갈등을 중심으로 그린 작품이다. 이때 결말에서 성기가 선택하는 '하동'은 역마살이라는 운명에 순응하는 길로 형상화되어 있다.

01 윗글은 전지적 작가 시점으로, 서술자가 인물의 내면과 심리를 직접 서술하고 있다(ㄴ). 또한 성기에게 계연과 혈연관계임을 털어 놓는 옥화의 말에 과거의 사건이 집약적으로 드러나 있다(ㄷ).

  📝**왜 오답일까** ㄱ. '화개 장터', '하동', '구례'는 실제로 존재하는 곳이므로, 상상의 공간을 배경으로 설정한 것은 아니다.
ㄹ. 윗글은 다른 장소에서 동시에 벌어진 사건들을 병치하지 않았으며, 향토적 분위기는 '두릅회', '막걸리', '화개 장터'와 같은 소재들을 통해 강조된다.

02 마음의 병으로 앓아누운 성기가 곧 죽을 것이라고 생각한 옥화는 성기가 자신을 원망하며 죽는 것을 막기 위해 통정 이야기를 한 것이며, 성기가 요청한 것은 아니다.

03 '유달리 맑게 갠' 날씨는 분위기를 밝게 전환하며, 이러한 자연적 배경은 운명을 받아들인 뒤 편안해진 성기의 심리적 변화와 연결된다.

  📝**왜 오답일까** ① 뻐꾸기의 울음소리는 갈등이 해소된 긍정적인 분위기를 조성하고 있다.
③ 성기가 옥화에게 하직하는 행위는 먼 길을 떠나게 되어서 인사를 한 것으로 계연에 대한 그리움과는 거리가 멀다.
④ 수건을 질끈 동여매고 나무 엿판을 느직하게 건 행위는 길을 떠날 때의 성기의 의지를 보여 준다고 볼 수 있으며, 인물의 슬픔을 강조하고 있다고 보기는 어렵다.
⑤ 성기는 역마살의 운명에 순응하는 삶을 선택했으므로 그가 가진 도구들도 떠돌아다니는 생활과 관련이 있다. 따라서 '나무 엿판'과 '아랫목관'이 가족의 생계를 책임지기 위한 도구라고 보기는 어렵다.

04 성기가 아버지를 찾아가거나 장가를 들고 싶은 마음도 없다는 것을 미루어 볼 때, ㉠에는 현실을 수용하려는 성기의 태도가 드러난다. 엿판을 맞추어 달라는 성기의 말에 그를 멍하게 바라보는 옥화의 모습을 미루어 볼 때, ㉡에는 혈육을 떠나보내야 하는 옥화의 심리적 고통이 드러난다.

05 ⓑ는 성기가 옥화와 함께 살던 곳이므로, ⓑ를 선택하는 것은 성기의 운명인 역마살에 순응하여 떠돌이의 삶을 사는 것과는 거리가 멀다.

06 계연은 옥화의 반대로 성기를 떠난 것이므로, 삶의 방향을 스스로 결정하는 인물이라고 할 수 없다.

12 너와 나만의 시간

154~155쪽

01 ④ 02 ④ 03 ③ 04 ④ 05 ② 06 ②

작품 해제 6·25 전쟁이라는 극한 상황 속에서 죽음의 위협 앞에 선 세 사람의 심리와 삶의 방식을 드러내는 작품이다. 작가는 이를 통해 인간의 존재 의미와 삶에 대한 열망을 성찰하도록 하고 있다.

01 '주 대위는 김 일등병에게 무엇인가 주고 싶었다.'에서는 주 대위에게 맞춰진 서술의 초점이 '혹시 주 대위가 죽음을 앞두고 허깨비 소리를 듣고 그러는 게 아닐까.'에서는 김 일등병으로 교체되는 등 서술의 초점이 되는 인물이 바뀌면서 상황이 진술되고 있다.

02 김 일등병은 주 대위가 권총으로 협박을 하고 있기 때문에 탈진 상태에서도 길을 걸어가고 있는 것이다.

왜 오답일까 ① 김 일등병은 개 짖는 소리가 자신에게는 질리지 않자 '누웠던 자리로 도로 뒷걸음질'을 치며 실망을 드러내고 있다.
② "내일쯤은 까마귀 떼가 더 많이 몰려들겠지."라는 김 일등병의 말에는 내일이 되면 자신도 죽어 시체를 쪼아 먹으러 올 까마귀가 찾아들 것이라는 의미가 담겨 있다. 이는 절망에 빠진 김 일등병의 심리를 드러낸다.
③, ⑤ 김 일등병은 총에 맞지 않으려고 주 대위를 업고 걷고 있으며, 김 일등병을 살리기 위해 총을 겨누는 주 대위의 행위는 인간애의 실현과 연결된다.

03 Ⓐ에서 현 중위가 김 일등병과 주고받고자 하는 것은 삶에 대한 희망이며, 마을에 도착하는 것은 그들이 희망을 성취하는 일이라고 할 수 있다.

04 ⓐ는 김 일등병이 현 중위의 시체로부터 까마귀를 쫓아내려는 행위, ⓑ는 주 대위가 김 일등병을 마을로 이끌기 위한 행위이므로 ⓐ, ⓑ 모두 김 일등병과 주 대위의 이타적인 속성을 드러낸다고 할 수 있다.

05 '개 짖는 소리'는 주 대위가 근처에 인가가 있음을 확신하는 계기가 된다. 이 덕분에 주 대위는 김 일등병을 인가까지 인도하여 김 일등병의 목숨을 구하게 된다.

06 김 일등병이 현 중위의 시체를 보고 힘이 빠져 버린 것은 현 중위가 본대에 먼저 도착하여 자신들을 구해 줄 것이라는 기대가 좌절되었기 때문이며, 전쟁의 극한 상황에 대한 좌절감으로도 볼 수 있다. 하지만 이념 간의 갈등으로 인해 지친 심리와는 관련이 없다.

왜 오답일까 ① 까마귀가 현 중위의 시체를 쪼아 먹고 있는 상황은 인물들이 처한 극한 상황을 더욱 강조해 준다.
③ 〈보기〉를 바탕으로 할 때, 당시 전후 소설이 6·25 전쟁을 남한과 북한의 이념 충돌로 형상화한 것과 달리, 윗글은 힘을 합쳐 공포와 상처를 극복해 나가는 데 초점을 맞추고 있다.
④, ⑤ 현 중위는 부상당한 주 대위와 그를 부축하는 김 일등병을 버리고 홀로 떠났다. 이는 생존 욕구를 충실하게 따른 모습이라 할 수

있으며, 계급과 같은 사회적 질서에서 벗어난 인간의 모습이라고 볼 수 있다.

13 광장

156~157쪽

01 ③ 02 ③ 03 ③ 04 ④ 05 ②

작품 해제 해방 이후부터 6·25 전쟁까지의 혼란스러운 시대 속에서 남과 북을 오가며 고뇌하는 명준을 통해, 이념 대립의 폭력성과 분단 상황의 현실을 비판하고 있는 작품이다.

01 윗글은 '명준'이라는 인물의 의식에 초점을 맞추어, 이념의 이상적인 실현이 불가능한 현실에 대한 관념적 인식을 드러내고 있다.

왜 오답일까 ① (가)는 명준이 북한 측의 설득자들과 대화를 하는 장면, (나)는 명준의 상상, (다)는 명준의 의식이므로 장면이 빈번하게 전환된다고 보기 어려우며, 분위기가 긴박하지도 않다.
②, ④ 실제 공간에 대한 묘사나 인물의 회상은 드러나 있지 않다.
⑤ 북한 측 설득자와 명준, 남한 측 설득자와 명준이 인물 간의 갈등을 겪는다고 볼 수도 있지만, 이를 다각적으로 조명하고 있지는 않다.

02 (가)는 실제 일어난 일, (나)는 인물이 상상한 일을 묘사한 것으로, ㉢은 명준이 남한 측 설득에 대한 자신의 반응을 상상하는 부분이다.

03 명준은 '과학'이 아닌 '신비한 술잔(환상)'을 믿었기 때문에 '슬픈 환상(이상적 이념이 실현되리라는 믿음)'을 갖게 되었다.

왜 오답일까 ① 명준은 '바다(이상적 이념)'가 허구적이라는 것을 깨닫고 이에 회의감을 느껴 중립국 행을 결정한 것이다.
② 못된 균을 옮기는 것은 진실을 알리는 것을 의미하므로, 이미 깨달음을 얻은 명준이 못된 균에 옮았다는 것은 적절하지 않다.
④ 명준이 마술에 속은 것은 맞지만, '참을 알고 돌아온 바다의 난파자'라고 보는 것이 더 적절하다.
⑤ 명준은 권력이라는 약을 팔려고 다른 사람들을 꾀는 '마술사'로 간주되지 않았다.

04 '낯선 땅에 가서 고생하느니' 남한에서 사는 게 더 행복한 일이라고 말하며 중립국의 부정적인 측면을 제시하는 것은 남한 측 설득자이다.

왜 오답일까 ① 북한 측에서는 명준에게 참전 용사들을 위한 연금 법령을 냈다고 하며 금전적인 이득을 강조하고 있다.
② 남한 측에서는 명준에 대해 개인적인 호감을 드러내며 조력을 제공할 수도 있다고 하였다.
③ 북한 측에서는 명준이 '인민의 영웅으로 존경받을 것'이라고, 남한 측에서는 '당신 한 사람을 잃는 건, 무식한 사람 열을 잃는 것보다 더 큰 민족의 손실'이라고 말하며 명준의 가치를 높게 평가하고 있다.
⑤ 남한 측에서는 남한에서 사는 일이 '개인으로서도 행복이라는 걸 믿어 의심치 않는다'고 말하며 행복한 삶의 중요성을 언급하고 있다.

05 명준은 이념의 허구성을 깨닫고 이로부터 벗어나고 싶어 한 것이므로, 남북한 양측의 제안이 비슷하다는 이유로 괴로워하는 지식인의 고뇌가 드러났다고 볼 수 없다.

06 아들은 러시아어를 배우라는 아버지의 말에 반대하고 있지 않다. 또한 아내가 이인국의 의견에 반대하는 것은 아들에 대한 걱정 때문이므로, 아내를 작가의 비판적 의식을 대변하는 인물이라고 보기는 어렵다.

---

14 꺼삐딴 리   158~159쪽

01 ②   02 ⑤   03 ④   04 ②   05 ①   06 ⑤

작품 해제 │ 일제 강점기에서 6·25 전쟁에 이르는 한국 현대사를 조망하면서, 사회 지도층의 위선을 통해 왜곡의 역사를 걸어온 당대 사회의 비극을 폭로하는 풍자적 작품이다.

01 윗글에서는 급변하는 시대 상황에 대응하는 이인국의 기회주의적인 성격이 아들 또는 아내와의 대화나, 신문을 보고 독백적 어조로 말하는 부분 등을 통해 드러나고 있다.

02 아내는 "표나지 않게 사는 것이 이런 세상에선 가장 편안", "이제 겨우 죽을 고비를 면했는데", "그래도 저 어린 것을", "그래도 어디 앞일을 알겠소……." 등의 말로 남편을 만류하고 있지만, 아들이 과거에 낯선 곳에서 죽을 고비를 겨우 면한 적이 있다는 내용은 찾아볼 수 없다.

왜 오답일까 ① '스텐코프 소좌의 배경으로 요직에 있는 당 간부의 추천을 받아'에서 아들을 러시아로 유학 보내는 데에 스텐코프 소좌의 도움을 받았음을 알 수 있다.
② '잘 있노라는 서신이 계속하여 왔지만 동란 후 후퇴할 때까지 소식은 두절된 대로였다.'에서 지금은 원식의 소식이 끊어졌음을 알 수 있다.
③ '아버지의 말에 의아를 느끼면서 반문'하는 장면에서 아버지의 제안을 아들이 의아하게 느꼈음을 알 수 있다.
④ '외아들을 사지로 보낸 것 같은 수심에도 그 원인이 있었다'는 부분을 통해 아내가 죽기 전에 아들에 대한 걱정이 많았다는 것을 알 수 있으며, 이인국이 과거 자신의 결정(아들을 소련으로 유학 보낸 것)이 아내의 죽음에 영향을 미쳤다고 생각하고 있음을 알 수 있다.

03 윗글의 내용을 바탕으로 할 때, 이인국은 아들이 의대에 입학한 해에 아들에게 노어 공부를 권하며 스텐코프 소좌의 도움으로 러시아로 유학을 보냈다. 그 후 사변이 터져 아내와 월남하고, 아내가 죽었다. 그리고 현재 외신 기사를 읽으며 소련에서 탈출하지 못한 아들의 처세에 불만을 표현하고 있다.

04 '그의 시각은 활자 속을 헤치고 머릿속에는 아들의 환상이 뒤엉켜 들이차 왔다.'를 통해 이인국이 신문을 보고 과거에 아들을 소련으로 유학 보낸 일을 떠올리고 있음을 알 수 있다.

05 이인국은 ㉠에서 소련의 영향력 아래에서는 러시아어를 배워야 함을, ㉡에서 소련 유학의 필요성을 강조하고 있다. 즉 광복 이후 소련이 득세한 시류에 따른 이인국의 대응 방식을 드러내고 있는 것이다.

---

15 시장과 전장   160~161쪽

01 ④   02 ④   03 ③   04 ②   05 ③

작품 해제 │ 생활의 터전인 시장과 이념의 싸움터인 전장이라는 두 가지 관점에서 6·25 전쟁을 다룬 작품이다. 이때 객관적으로 형상화된 전쟁은 이념과 전쟁, 삶의 본질에 대해 생각하도록 만든다.

01 윗글은 '-ㄴ다'와 같은 현재형 시제를 사용하여 사건에 현장감을 부여하고 인물이 처한 긴박한 상황을 강조하고 있다.

왜 오답일까 ① 시간의 역전은 나타나지 않는다.
② 말줄임표는 인물의 정서를 강조하는 역할을 할 뿐, 인물의 성격 변화를 암시하지는 않는다.
③ 인물 간의 대화가 나타나지만 이를 통해 갈등 해결의 단서가 제시되지는 않는다.
⑤ 동시에 일어난 여러 사건이 병치된 부분은 나타나지 않는다.

02 '그들이 간 곳은 한강 모래밭이었다.'를 통해 윤 씨와 김씨 댁 아주머니가 식량을 얻기 위해 한강 모래밭으로 갔음을 알 수 있다.

왜 오답일까 ① 윤 씨는 피란 준비를 하며 옷가지에 미련을 가지므로 합리적인 태도를 보인다고 할 수 없다. 합리적인 태도를 보이는 인물은 지영이다.
② 총에 맞은 사람은 윤 씨이다.
③ 윗글에서 찾아볼 수 없는 내용이다.
⑤ 김씨 댁 아주머니는 피란을 가지 않은 것에 대해 야단을 맞을까 봐 걱정하는 윤 씨를 안심시키고 있다.

03 (나)는 많은 피란민들이 달려들어 곡식을 챙기고 고함 소리와 총성이 난무하는 와중에 지영이 총에 맞은 윤 씨를 데리러 가는 상황이므로, '한 번 건드리기만 해도 폭발할 것같이 몹시 위급한 상태'라는 의미의 '일촉즉발(一觸卽發)'이 상황을 설명하기에 가장 적절한 표현이다.

왜 오답일까 ① 절치부심(切齒腐心): 몹시 분하여 이를 갈며 속을 썩임.
② 토사구팽(兎死狗烹): 토끼가 죽으면 토끼를 잡던 사냥개도 필요 없게 되어 주인에게 삶아 먹히게 된다는 뜻으로, 필요할 때는 쓰고 필요 없을 때는 야박하게 버리는 경우를 이르는 말.
④ 기진맥진(氣盡脈盡): 기운이 다하고 맥이 다 빠져 스스로 가누지 못할 지경이 됨.
⑤ 중구난방(衆口難防): 뭇사람의 말을 막기가 어렵다는 뜻으로, 막기 어려울 정도로 여럿이 마구 지껄임을 이르는 말.

04 ㉡에서 김씨 댁 아주머니는 윤 씨의 말을 듣고 '피란 안 갔다고 야단' 맞는 일이 실제로 일어날까 봐 염려하고 있을 뿐, 자신의 속마음을 간파당해 당황하는 것은 아니다.

05 '굶주린 이리 떼'는 식량을 얻기 위해 식량에 달려드는 사람들의 모습을 비유한 것으로, 이웃의 죽음조차 외면하는 냉혹한 존재임을 드러내는 표현으로 보기는 어렵다.

16 병신과 머저리

162~163쪽

01 ③   **02** ③   **03** ①   **04** ⑤   **05** ⑤

작품 해제) 액자식 구성을 통해 6·25 전쟁을 체험한 세대인 형과 전후 세대인 '나'가 지닌 아픔을 형상화한 작품이다. 전쟁에서 직접적인 상처를 받은 형과 관념으로서의 아픔을 지닌 동생 간의 갈등이 주를 이룬다.

01 윗글은 1인칭 주인공 시점의 소설로, 서술자는 '나'이다. '나'는 내적 독백을 통해 형의 삶과 아픔에 대한 판단을 드러내고 있다.

02 형의 내부는 '검고 무거운 것'에 부딪혀 산산조각이 났지만, 이어지는 '그렇다고 해도 ~ 그만한 용기는 계속해서 형에게 메스를 휘두르게 할 것이다.'를 고려할 때, 형이 다시 용기를 가지고 상처를 극복하기 위해 시도할 것임을 알 수 있다.

왜 오답일까) ① [앞부분 줄거리]에서 형이 소설의 결말에서 오관모를 죽였음을 알 수 있지만, 현실에서 형은 오관모를 만났다고 하였으므로, 형의 소설이 허구임을 알 수 있다.
② 형은 "이 참새가슴 같은 것, 뭘 듣고 있어. 썩 네 굴로 꺼져!"라는 말을 통해 부조리한 현실에 정면으로 맞서지 못하고 도피하는 '나'의 태도를 비판하고 있다.
④ '나'는 형이 곧 일을 시작하게 될 것이라고 하면서 관모의 출현이 착각이든 아니든 형에게는 관념을 파괴할 힘이 있다고 하였다.
⑤ '나'가 멍하니 드러누워 생각을 모으려 애쓰는 행위는 이어지는 내용으로 볼 때, '나' 자신의 아픔의 원인을 생각하기 위함임을 알 수 있다.

03 형은 '아픔이 오는 곳을 알고 있다'고 하였지만 '나'는 '아픔이 오는 곳이 없다'고 하였다. 이때 '나의 아픔 가운데에는 형에게서처럼 명료한 얼굴이 없다'는 것은 '나'가 형과 달리 자신의 아픔이 어디에서 온 것인지 정확하게 알지 못한다는 의미이다. 따라서 '명료한 얼굴'은 아픔의 원인과 실체를 가리키며, '명료한 얼굴'이 있는 ㉠은 아픔의 실체인 '환부'를 정확하게 알 수 있는 상처이다.

04 '나'가 '㉢(관념을 파괴해 버릴 수 있는 힘)'를 거부한다는 내용은 윗글에서 찾을 수 없다.

05 〈보기〉에서 형은 전쟁이라는 극한 상황 속에서 부정적 힘에 제대로 맞서지 못했던 자신에게 환멸을 느꼈다고 하였다. 형은 동생이 낸

결말을 고쳐, 소설 속 '나(형)'가 오관모를 죽이는 것으로 결말을 내었다. 이는 과거 자신의 모습과 달리 소설 속 자신이 부정적 힘에 맞서도록 함으로써 비겁했던 스스로의 모습에 대한 환멸로부터 벗어나려는 시도로 볼 수 있다.

왜 오답일까) ① 형이 과거 자신의 모습을 합리화하려는 태도는 나오지 않는다.
② 형이 소설에서 오관모를 죽인 것은 현실의 부정적 요소를 없애려는 시도이지만, 이후 오관모를 만남으로써 현실에 내재된 부정적 요소를 없앨 수 없다는 사실을 깨닫는다. 오관모를 만나 현실에 내재된 부정적 요소를 없앨 수 없음을 깨달은 후에 소설에서 오관모를 죽인 것은 아니다.
③ '형'은 "내가 이제 놈을 아주 죽여 없앴으니"라고 말하며 마치 자신이 실제로 '관모 놈(관모)'을 죽인 것처럼 말하지만, 소설 속에서 죽인 것일 뿐 실제로 죽인 것은 아니다.
④ '형'은 전쟁이라는 극한 상황 속에서 비인간성을 체험하면서 부정적 힘에 제대로 맞서지 못한 데에서 자기 환멸을 느낀 것일 뿐, 형이 비인간성을 지녔다고 보기는 어렵다.

17 토지

164~165쪽

01 ②   **02** ②   **03** ④   **04** ③   **05** ④

작품 해제) 구한말부터 해방에 이르는 시기와 광범위한 공간을 배경으로 당대 민중의 삶을 사실적이고 극적으로 제시한 작품이다. 한국 근대사에 대한 작가의 역사의식을 엿볼 수 있다.

01 서희가 복수를 꿈꾸는 부분과 조준구가 서희의 행동에 대해 질색하는 부분에서 인물의 내면 심리가 잘 드러나 있다.

02 '할머님의 기상을 본받아야 할 것이며 어서어서 자라야 한다는 것이다.'를 통해 알 수 있다.

왜 오답일까) ① 수동이가 '자신과 길상이 봉순이를 빼놓은 나머지는 모조리 원수로 알아야 할 것'이라고 한 것을 볼 때, 봉순이를 서희가 경계해야 할 인물이라고 할 수 없다.
③ 조준구 내외가 윤보 일행의 습격 여부를 알고 있었는지에 대해서는 언급되지 않았으며, 조준구 내외는 재산을 모두 탈취당했으므로 강경하게 대응하여 물리쳤다고 볼 수도 없다.
④ 길상과 수동이는 서희에게 조준구 무리에 대한 불만과 적개심이 담긴 비슷한 말을 하였다.
⑤ '서희는 윤씨 부인 상청에 나가 상식을 올리고 곡을 하는데'를 통해, 봉순이가 아닌 서희가 곡을 했음을 알 수 있다.

03 홍씨가 분노하고 있는 것은 서희가 습격에 대비를 하지 못했기 때문이 아니라, 서희가 자신을 습격했던 무리들과 공모했다고 생각하기 때문이다.

04 〈보기〉의 선생님의 설명은 '서술자의 개입'에 해당한다. ⓒ는 서술자의 주관적 판단으로 고방에 아무것도 남아 있지 않음을 전달하고 있다.

05 봉순이는 서희의 앞가슴을 '와락와락 흔들어'대는 홍씨로부터 서희를 지키기 위해서 서희의 몸을 잡아당긴 것일 뿐, 신분 질서가 흔들린 것과는 관련이 없으며, 서희와의 협력 관계가 약화된 것도 아니다.

> **왜 오답일까** ① 수동이가 삼월이나 복이는 물론, '자신과 길상이 봉순이를 빼놓은 나머지는 모조리 원수로 알아야 할 것'이라고 한 것으로 볼 때 적절하다.
> ② 서희는 아이답지 않은 적개심을 조준구에게 드러내고 있다. 이를 통해 서희가 조준구와의 대립 관계에서 이기고 싶어 함을 추측할 수 있다.
> ③ 의병 자금을 마련한다는 점으로 볼 때 윤보 일행이 일제 강점기의 저항 세력임을 알 수 있다. 또한 이들이 조준구의 재산을 노렸다는 점에서 윤보 일행으로 대표되는 저항 세력과 조준구가 대립적인 관계를 형성함을 알 수 있다.
> ⑤ 서희는 죽을 생각을 하다가 생각을 고쳐 홍씨의 눈을 똑바로 주시하게 된다. 이로 볼 때 서희와 홍 씨의 대립 관계가 이어질 것으로 추측할 수 있다.

---

18 삼포 가는 길 166~167쪽

01 ⑤ **02** ④ **03** ④ **04** ⑤ **05** ④

> **작품 해제** 1970년대 급속하게 진행된 농촌의 해체와 근대화 과정에서 고향을 잃고 떠도는 사람들의 삶과 애환, 인간적인 유대를 그린 작품이다.

01 ㉠에서 눈 쌓인 어두운 길을 헤매는 인물들의 모습은 현재의 고단한 삶과 관련이 있다. 또 ㉡에서 어두운 눈길을 달리는 기차는 마음의 고향을 상실한 정 씨의 이후 삶이 현재의 삶과 같이 힘겹고 어려울 것이라는 사실을 암시하고 있다.

> **왜 오답일까** ① ㉠과 ㉡ 모두 시간적 배경을 나타내고는 있지만, 공간의 변화를 드러내는 기능을 한다고 보기는 어렵다.
> ② ㉠은 세 사람의 어려운 처지와 상황을 상징하고 있으며, ㉡은 계속 힘겹게 떠돌아다니는 인물의 삶을 암시하고 있다. 따라서 새로운 사건의 발생을 예고하고 있는 것은 아니다.
> ③ ㉠에서 서정적이고 낭만적인 분위기는 드러나지 않는다. ㉠과 ㉡ 모두 쓸쓸하고 어두운 분위기를 자아내고 있다.
> ④ ㉠과 ㉡ 모두 인물 간의 갈등이 심화되거나 해소되는 상황을 제시하고 있지 않다.

02 '대합실'은 세 사람의 동행이 끝나는 공간이지만 영달은 아직 갈 곳을 확실히 정하지 않았으므로 정 씨와의 동행을 마쳤다고 보기 어렵다. 또한 고달픈 삶이 계속될 것을 암시하는 것은 '눈발이 날리

는 어두운 들판'을 달리는 '기차'이다.

03 백화가 떠나기 전에 본명을 밝히는 것은 인간적 교감을 나누었던 상대방에게 감추어 두었던 자신의 참모습을 드러내는 행위라고 볼 수 있다.

> **왜 오답일까** ① 두 사람과 헤어지게 되면서 마지막으로 자신의 진심을 전한 것이지, 관계 단절을 두려워하는 행위로 보기는 어렵다.
> ② 두 사람과의 교감 덕에 마음의 상처가 어느 정도 치유되었다고 볼 수는 있지만, 마음의 상처가 완전히 치유되었다고 보기는 어렵다.

04 초점 화자가 인물과 긴밀한 상태에서 그 인물의 감정을 그대로 반영한 부분은 ⓔ로, 초점 화자는 오랜만에 찾아가는 고향이 많이 변했다는 소식을 들은 정 씨가 받은 낯선 느낌을 드러내고 있다. ⓐ~ⓓ는 인물들의 모습을 객관적이고 사실적으로 서술한 부분이다.

05 정 씨는 노인으로부터 과거의 삼포의 모습을 더 이상 볼 수 없다는 말을 듣고 상심하게 되는데, 이는 그가 고향을 과거의 기억과 추억이 담긴 장소로 여기고 있음을 보여 준다.

> **왜 오답일까** ① 영달이 삼포로 가자는 정 씨의 제안을 받아들인 것은 딱히 갈 곳이 없었기 때문이다. 삼포를 마음의 안식처라고 여겼던 사람은 영달이 아닌 정 씨이다.
> ② 비록 크게 변하긴 했지만 물리적 공간으로서의 삼포는 여전히 남아 있다고 볼 수 있다. 그럼에도 정 씨가 정처를 잃어버린 느낌을 받은 것은 정신적인 안식처로서의 고향을 잃어버렸기 때문이다.
> ③ 정 씨가 노인에게 나룻배가 있는지 묻는 이유는 정 씨가 기억하는 정신적인 안식처로서의 고향의 이미지가 남아 있는지를 묻는 것이다. 현재 삶의 문제를 해결하는 것과는 관련이 없다.
> ⑤ '관광호텔을 여러 채 짓'는 이유는 산업화로 인한 개발 때문이지, 정신적인 위로를 받기 위해서가 아니다.

---

19 자서전들 쓰십시다 168~171쪽

01 ⑤ **02** ④ **03** ① **04** ① **05** ③ **06** ③ **07** ③ **08** ④
09 ⑤ **10** ② **11** ⑤ **12** ①

> **작품 해제** '감동적인 자서전적 인물상'을 추구하는 지욱이 이에 해당하지 않는 인물들의 자서전 대필을 의뢰받는 일을 중심으로 전개되는 작품으로, 작가는 이를 통해 참된 글쓰기의 의미를 탐색하고 있다.

01 윗글은 전지적 작가 시점으로, 주로 '지욱'의 시각에 초점을 맞추어 사건을 서술하고 있다.

> **왜 오답일까** ③ 피문오가 의문 형식을 활용하여 자신의 생각을 강조하고는 있으나, 서술자의 신념과는 거리가 멀다.

02 피문오가 자서전을 '채권' 등에 비유한 이유는 자서전 대필을 상행위와 같은 것으로 취급하면서 지욱을 조롱하기 위함이지, 자서전이 경제적 가치가 있음을 인정하기 위함이 아니다.

03 최상윤은 '회의가 없는 신념'을 가진 인물로, 자신의 삶이 가식적임을 인정하고 있지 않다.

📝 **왜 오답일까** ② 피문오는 자서전 대필을 거절한 지욱에게 찾아와 지욱을 조롱하며 자신의 분노를 직접 드러내고 있다.

③ 최상윤과 피문오는 모두 지욱에게 자서전 대필을 의뢰한 인물이다.

④, ⑤ 지욱은 두 사람 모두 진정한 글쓰기의 대상이 아니라고 생각하여 두 사람의 자서전 대필 의뢰를 거부한다.

04 지욱이 압박감을 느끼는 이유는 신념이 지나치게 견고하여 맹목적인 아집에 가까운 최상윤을 자신의 이해와 능력으로는 이해할 수 없었기 때문으로, 최상윤의 신념을 용인해야 한다는 것을 깨달은 것은 아니다.

📝 **왜 오답일까** ② 지욱은 '자신감이 넘치고 있는 선생의 신념'은 자기 독단에 흐를 위험이 큰 '맹목적인 아집'이라고 생각하고 있다.

③ '경화'는 '주장이나 의견, 태도, 사고방식 따위가 강경해짐.'을 뜻하는 말로, '의식의 경화 현상'이란 의식이나 신념이 어떠한 회의도 없이 그대로 굳어버림을 의미한다.

④ '웃음을 팔아먹고 사는 무식쟁이'에서 피문오의 직업이 코미디언임을 짐작할 수 있다.

⑤ 피문오는 지욱의 신념을 '알량한 당신의 양심'으로 비하하고 자신이 지욱의 양심에 들러리라도 서야 하느냐고 비아냥거리고 있다.

05 〈보기〉에서 주인공이 바라는 의뢰인은 '작가의 의사를 존중하면서 삶을 거짓 없이 성찰하는 사람'이라고 하였다. 따라서 ③과 같은 사람이 '감동적인 자서전적 인물상'에 가장 가깝다.

기출 작품 딥러닝

이청준, 「눈길」
▶해법문학 Link 현대 소설 289쪽

작품 해제 집안의 몰락 때문에 갖게 된 피해 의식으로 어머니를 외면해 왔던 '나'가 자신에 대한 어머니의 사랑을 깨닫고 어머니와 화해하게 되는 과정을 역순행적 구성을 통해 그려 낸 작품이다.

전체 줄거리

발단	고향 집에 왔다가 바로 다음 날 아침에 올라가겠다는 '나'의 결정에 어머니는 아쉬워하지만 금방 체념함.
전개	고등학교 1학년 때 형의 주벽으로 집이 몰락한 뒤 어머니와 '나'는 서로에게 부모 노릇, 자식 노릇을 하지 못한 채 살아왔기 때문에 어머니가 집을 고치고 싶다는 바람에도 '나'는 이를 외면함.
위기	'나'의 태도에 불만을 가진 아내는 어머니에게 옛집과 관련된 이야기를 이끌어 내고, '나'는 옛집에서 어머니와 마지막 밤을 보냈던 날을 떠올림.
절정	'나'는 어머니가 아내에게 '나'를 바래다준 뒤 혼자 눈길을 돌아오던 이야기를 하는 것을 들음. ···→ 수록 부분 ㉮, ㉯
결말	어머니의 애틋한 사랑을 깨달은 '나'는 죄책감을 느끼며 눈물을 흘림. ···→ 수록 부분 ㉯

핵심 포인트 '눈길'의 의미

'나'	• 기억하고 싶지 않은 추억 • 집안의 몰락으로 인해 자수성가해야 하는 고난의 삶
어머니	• 아들에 대한 헌신적 사랑 • 혼자 겪어야 하는 시련 • 몰락한 집안에서 겪어온 인고의 삶

06 윗글에서는 어머니와 아내의 대화를 통해 '나'가 과거에 옛집에서 어머니와 하루를 묵었던 다음 날 아침의 사건을 제시하고 있다.

📝 **왜 오답일까** ① 윗글에서는 어머니와 아내의 대화를 통해 '나'가 어머니에 대한 사랑을 깨달으며 오랜 갈등이 해소되고 있다.

② 과거에 어머니가 '나'를 바래다주고 홀로 눈길을 돌아오는 이야기는 현재와 관련성이 없는 사건이라 보기 어렵다.

④, ⑤ 윗글은 1인칭 주인공 시점의 소설로 주인공인 서술자가 '나'의 내면을 직접 드러내고 있지만, 노인이나 아내의 내면은 말과 행동을 통해서만 나타날 뿐 서술에 의해 직접 제시되고 있지는 않다.

07 노인이 이미 팔린 집의 주인에게 간청하여 옛집에서 '나'와 머문 것은 '나'에게 상처를 주지 않기 위해서이다.

📝 **왜 오답일까** ① '나'가 아내에게 도움을 요청하는 내용은 확인할 수 없다.

② '나'가 계속 자는 척한 이유는 자신에 대한 노인의 사랑을 깨닫지 못했던 미안함과 부끄러움 때문이다.

④ 노인이 동네에 들어설 수 없었던 이유는 집과 자식을 지키지 못했던 자신에 대한 부끄러움과 슬픔 때문으로, "누구네 문간방 한 칸이라도 산 몸뚱이 깃들일 데 마련이 안됐겄냐."라는 말에서 노인이 갈 데가 없는 것을 걱정하지는 않았음을 알 수 있다.

⑤ 아내가 노인을 추궁한 것은 당시 상황에서 노인이 느꼈던 감정을 확인하기 위한 것이지 노인이 진실을 감췄다고 생각해서가 아니다.

08 어머니를 애써 외면하고 싶은 '나'는 어머니를 '노인'이라고 칭함으로써 심리적 거리감을 두려고 한다.

09 ⓒ의 '몹쓸'은 노인이 아들을 제대로 뒷바라지하지 못한 것 같은 스스로를 자책한 표현이라고 볼 수 있다. 따라서 아들에 대한 거리감을 갖게 한다고 볼 수 없다.

10 '나'는 어머니의 말을 통해 당시 어머니가 느꼈던 감정을 이해하고, 눈물을 흘리며 그동안 어머니를 외면했던 자신을 부끄러워하고 죄책감을 느끼고 있다.

11 〈보기〉에서 햇살은 자연적이고 근원적인 빛으로서 만물을 속속들이 비추는 기능을 한다고 하였다. 이때 말간 햇살은 동네로 돌아가는 어머니와 어머니의 내면을 비추는데, 이에 어머니는 부모의 도리를 다하지 못한 것을 자책하는 자신의 내면을 정면으로 마주하고 슬픔과 한스러움, 부끄러움을 느껴 '시린 눈'을 하게 되는 것이다.

12 '나'가 노인을 외면하고 지내 온 것은 맞지만, 눈길이 이러한 세월을 의미한다고 보기는 어렵다.

20 난쟁이가 쏘아 올린 작은 공 172~173쪽

01 ② **02** ① **03** ④ **04** ④ **05** ⑤

작품 해제 1970년대 산업화의 물결 속에서 삶의 기반인 집마저 빼앗기고 몰락해 가는 도시 빈민들의 삶을 다루고 있다. 이때 '난쟁이'는 빈곤하고 소외된 도시 노동자라는 상징적 의미를 가진다.

01 [A]에서 지섭은 질문을 연속으로 던져 이에 대한 아버지의 대답을 이끌어 냄으로써 현실의 불공평함을 인식시키고 있다.

02 영희는 갈 곳이 없으므로 집을 떠날 수 없다고 여기고 있지만, 영호처럼 집을 허물러 오는 사람들에게 맞서겠다고 결심하고 있지는 않다.
왜 오답일까 ② "시에서 아파트를 지어 놨다니까 얘긴 그걸로 끝난 거다."에서 아버지가 계고장의 내용을 받아들였음을 알 수 있다.
③ "기어코 왔구나!", "우리가 꼭 받아야 할 것 중의 하나가 이제 나온 셈이구나!"에서 어머니가 철거 통보를 예상했음을 알 수 있다.
④ "그건 우릴 위해서 지은 게 아녜요.", "돈도 많이 있어야 되잖아요?"에서 영호가 아파트는 돈 있는 자들을 위한 것이라고 인식하고 있음을 알 수 있다.
⑤ '나'는 철거를 막아 보려는 영호의 행동이 소용없을 것이라고 생각하기 때문에 집을 헐러 오는 사람을 가만 놔두지 않겠다는 영호를 만류하고 있다.

03 난쟁이 가족의 처지를 고려할 때 『일만 년 후의 세계』라는 책 제목은 아버지가 바라는 세계는 일만 년 후에나 도래할 것임을, 즉 지금의 현실이 바뀌려면 아주 오랜 시간이 필요할 것이라는 전망을 암시한다고 볼 수 있다.
왜 오답일까 ① 초라한 밥상인 '보리밥에 까만 된장, 그리고 시든 고추 두어 개와 졸인 감자'는 난쟁이 가족의 궁핍함을 드러낸다.
② '낙원구 행복동'은 난쟁이 가족이 처한 상황과 대조되는 지명으로, 난쟁이 가족의 불행을 반어적으로 드러내고 있다.
③ '마당가 팬지꽃'은 순수하고 여린 영희의 이미지를 강조하는 소재로, 어려운 상황에서도 꿈을 버리지 않는 가족의 강인한 생명력과는 관련이 없다.
⑤ 지섭이 사는 '밝고 깨끗한 주택가 삼층집'은 난쟁이 가족의 상황과 대조되는 장소이므로, 아버지가 이를 계기로 지섭에게 동질감을 느끼게 된다고 보기는 어렵다.

04 ⓐ는 가진 자들의 이익과 권력을 유지하고 보호하기 위한 법으로, 사회적 불평등을 심화한다. 또한 아버지는 법을 어기지 않고 성실하게 일하며 살아왔지만 이에 대한 어떠한 보상도 받지 못했으며 여전히 가난하므로 이들에게 ⓑ는 무용지물과 같다고 볼 수 있다.

05 지섭은 불공평한 현실에서 벗어나기 위해 이러한 문제가 해결된 이상 세계인 '달나라'로 떠나야 한다는 생각을 가지고 있지만, '달나라'로 떠날 수 있는 방법에 대해서는 언급하지 않았다.
왜 오답일까 ① 갈 곳 없는 도시 빈민을 집으로부터 쫓아내는 '계고장'은 불평등한 현실의 문제를 드러내는 소재이다.

② 지섭은 '사랑이 없는 욕망만 갖고 있는 사람들이 사는 땅'을 '죽은 땅'이라고 하였다. 가진 자들을 위한 아파트를 짓기 위해 집에서 쫓겨나야 하는 난쟁이 가족의 어려움은 욕망으로 가득한 현실에서 비롯되었다고 볼 수 있다.
③, ④ 지섭은 사랑 대신 욕망 가득한 현실 세계를 '죽은 땅'이라고 여기기 때문에 '달나라'로 떠나야 한다고 생각하고 있다.

21 아홉 켤레의 구두로 남은 사내 174~177쪽

01 ④ **02** ③ **03** ④ **04** ③ **05** ④ **06** ③ **07** ① **08** ⑤
09 ③ **10** ④

작품 해제 1970년대 산업화·도시화의 흐름 속에서 소외된 사람들의 삶과 현실의 부조리를, 자신의 안락한 삶을 포기하지 못하는 소시민 '나'의 시각에서 그려 낸 세태 소설이다.

01 윗글은 작품 내 서술자인 '나'가 권 씨나 의사와 있었던 일을 전달하면서 인물이나 사건에 대한 생각이나 판단을 전달하고 있다.
왜 오답일까 ① 이 글은 1인칭 주인공 시점의 소설로, 제시된 지문에서 공간의 이동이 있기는 하지만 서술자가 바뀌고 있지는 않다.
② 윗글에는 과거와 현재가 교차되는 부분이 나타나지 않는다.
③ 윗글은 서술자가 작품 안에 있는 1인칭 주인공 시점의 소설이다.
⑤ 윗글에서는 주로 과거형 어미를 활용하고 있다.

02 ㉢은 '나'가 권 씨의 부탁을 거절하며 한 말로, 권 씨의 처지를 고려할 때 '나'가 보증을 서는 것은 아무런 도움이 되지 않으므로 선량한 인물의 면모가 나타난다는 설명은 적절하지 않다.

03 ⓐ는 '나'가 돈을 빌려주었을 경우 권 씨가 '나'에게 갚아야 빚을, ⓑ는 '나'가 권 씨로부터 받아 둔 전세금을 가리킨다. '나'는 권 씨가 ⓐ를 갚기 힘들 것이라 생각하여 권 씨의 부탁을 거절했다가 ⓑ를 떠올리며 마음을 바꾸고 있다.

04 Ⓐ는 부탁을 거절당한 권 씨가 상처 입은 자존심을 회복하기 위해 던진 말로, 과거에 대한 그리움과는 거리가 멀다.
왜 오답일까 ①, ⑤ 〈보기〉를 통해 권 씨가 도시 빈민으로 전락할 수밖에 없었던 이유를 알 수 있으며, 권 씨가 Ⓐ에서 대학을 졸업했음을 밝히며 자신이 경제 사정 때문에 무시를 받을 만큼 무능하거나 무책임한 사람이 아님을 드러내고 있다고 볼 수 있다.
②, ④ 막일을 하는 권 씨가 매일같이 구두를 닦은 것에는 자존심을 지키기 위한 의도가 담겨 있으므로, Ⓐ에 담긴 의도와 유사하다고 볼 수 있다.

05 〈보기〉에서 현실의 벽에 부딪혀 자존심에 큰 상처를 입은 권 씨가 아홉 켤레의 구두를 남기고 사라진 것으로 보아 '아홉 켤레의 구두'는 그의 무너진 자존심을 상징하며, '나'에 대한 원망을 나타낸다고 보기는 어렵다.

윤흥길, 「완장」

▶ 해법문학 Link 현대 소설 248쪽

작품 해제 위선적 권력과 그 권력을 향하는 욕망의 집요함과 공허함을 다룬 작품이다. 작가는 우리 민족의 과거와 현재의 불행한 상황 또한 권력에 대한 욕망에서 비롯된 것임을 밝히고 있다.

전체 줄거리

발단	종술은 완장에 현혹되어 저수지 감시원으로 일하게 되고, 종술의 어머니는 완장과 관련된 남편의 과거를 떠올리며 불길함을 느낌.
전개	완장을 찬 종술은 권력자가 된 듯이 저수지에 온 사람들에게 횡포를 부리며 안하무인으로 행동함. ···▶ 수록 부분
위기	읍내를 나갈 때도 완장을 차고 나가는 종술은 완장의 힘을 과신하여 행동하다가 감시원 자리에서 쫓겨남. ···▶ 수록 부분
절정	종술은 가뭄 해소책으로 저수지의 물을 빼야 한다는 수리 조합 직원, 경찰과 부딪침.
결말	종술은 완장의 허황함을 알려 주는 부월의 충고를 받아들여 부월과 함께 고향을 떠남.

핵심 포인트 인물과 관련된 사건의 의미

사건	의미
종술이 완장을 차고 사람들을 괴롭힘.	약자 위에 군림하려는 권력의 폭력성과 횡포를 드러냄.
종술이 자신을 고용한 최 사장에게 대듦.	권력의 맛에 취해 자신의 본분과 정체성을 망각함.
종술이 저수지 관리인 자리를 박탈당함.	권력의 허망함과 이보다 더 큰 권력이 존재함을 보여 줌.
완장의 허황됨을 알려 주는 부월의 충고를 받아들인 종술이 부월과 함께 고향을 떠남.	권력의 속성을 깨닫고 자신의 삶을 찾아 나섬.

06 윗글의 인물들은 방언과 비속어를 사용하고 있는데, 이를 통해 사실적인 느낌을 살리고 있다.

✏️왜 오답일까 ⑤ 사회 현실을 풍자하고 비판하고는 있으나, 이질적인 시선을 가진 서술자들이 서술하고 있지는 않다.

07 [A]는 종술이 최 사장에게까지 훈시를 하는 상황에서 인물의 내면을 직접적으로 제시함으로써 독자의 이해를 돕고 있다.

08 ㉤은 '원 양이 참다못해 매섭게 쏘아붙'인 말로, 종술의 행동을 비꼬는 것일 뿐 불안한 심리와는 거리가 멀다.

09 윗글에서 종술이 해고되는 모습은 전반부의 기고만장한 모습과 대비되어 권력의 부질없음을 보여 주고 있지만, 종술이 마을 사람들의 낚시질을 단속하는 것과 권력의 부질없음은 관련이 없다.

10 종술은 최 사장의 제안으로 완장을 차게 된다. 이는 권력에 대한 선망이 바탕이 되는 것이지, 완장을 찼던 이들이 행사한 부당한 힘을 바로잡기 위해서는 아니다.

✏️왜 오답일까 ① 〈보기〉와 윗글을 통해 일제 강점기, 해방 이후, 6·25 전쟁 전후 등 시대 상황에 따라 완장의 힘을 누리던 이가 그것을 잃어버리기도 하고, 완장의 횡포를 당한 이가 완장을 차고 횡포를 부리기도 한다는 것을 알 수 있다.

② 〈보기〉에서 종술의 아버지는 일제 강점기와 해방 이후에 완장을 찬 사람들의 횡포를 겪었다고 하였다.

③ 〈보기〉에서 종술의 아버지는 6·25 전쟁을 거치면서 좌익 완장을 차게 된 뒤 앙갚음을 하기 위해 날뛰었다고 했으며, 윗글에서 종술도 완장을 찬 뒤 다른 사람들에게 행패를 부리고 있다.

⑤ 〈보기〉의 마지막 문장을 참고할 때 종술의 어머니는 완장을 찬 남편의 비극을 겪었기 때문에, 완장을 차고 온 종술 역시 같은 비극을 겪을까 봐 두려워할 것이라고 추측할 수 있다.

---

22 우리 동네 황 씨

178~181쪽

01 ④ 02 ④ 03 ② 04 ② 05 ⑤ 06 ③ 07 ④ 08 ②
09 ② 10 ③ 11 ④

작품 해제 산업화로 인해 공동체적 가치관이 무너져 가는 1970년대 농촌 사회의 모습을 그려 낸 작품이다. 타인이나 공동체의 상황에는 무관심하고 자기 이익에만 몰두하는 황 씨를 통해 이기적 사회상의 단면을 드러내고 있다.

01 윗글은 김의 시선에서 황선주(황 씨)와 마을 사람들의 관계를 드러내고 있다.

✏️왜 오답일까 ① 대화는 사용되었지만, 이를 통해 인물 간의 갈등이 해소되고 있지 않다.

②, ③ '느티울'이라는 배경이 묘사되거나 그 특성이 드러나는 장면은 나타나지 않으며, 이를 통해 사건의 의미를 해석하고 있지도 않다.

⑤ 이질적인 장면이 삽입되지 않았다.

02 (다)의 '이장의 말은 틀림없었다. ~ 내색 한번 얼핏하지 않았다.'를 고려할 때 이장은 황이 '남대문표'가 걸린 것을 보고도 아무런 내색을 하지 않더라는 말을 주민들에게 일러 주었을 것이다.

03 ㉡은 동네 사람들이 이익만 추구하는 황선주를 비난해도 황선주는 그에 아랑곳하지 않는다는 의미이므로, 청렴한 태도와는 거리가 멀다.

04 황선주는 자신이 구호 물품으로 내놓은 헌 팬티는 '남대문표'이고 아직도 '새물내'가 난다고 주장하며 스스로의 행동을 정당화하고 있다(㉢). 이러한 인물의 태도는 마을 사람들의 반감을 유발하여, '남대문표'를 마을 회관에 매달아 놓는 움직임으로 이어진다(ⓐ).

✏️왜 오답일까 ⓑ 황선주의 인색함을 드러낼 뿐, 이재민에 대한 연민을 드러내지는 않는다.

ⓓ '남대문표'는 황선주의 이기적인 면모를 보여 주는 기능을 할 뿐, 이로 인해 황선주에 대한 마을 사람들의 인식이 전환되지는 않는다.

05 황선주는 공동체의 유대가 깨지고 사람들 사이의 신뢰가 떨어졌음을 보여 주는 인물로, '창피를 주고자 했던 여럿의 양심'은 이러한 인물에 대한 응징이라고 할 수 있다.

06 윗글에서 김이 황선주가 내놓은 팬티를 마을 회관에 매달아 두는 '효수형을 집행'한 것은 황선주의 이기적인 행위에 대한 응징이며, 〈보기〉에 이러한 행위에 대한 반감이 드러나 있지는 않다.

왜 오답일까 ① 〈보기〉에서 이장의 말을 통해, 과거에 이장이 마을 사람들에게 비난받을 짓을 했지만 현재는 그 행동을 반성하고 있음을 알 수 있다. 윗글에서 황선주는 구호품으로 입던 팬티를 내놓은 일을 반성하고 있지 않으므로, 자기반성을 하지 않는다는 점에서 이장과 대비된다.

②, ④, ⑤ 윗글의 (다)에서는 구호품으로 입던 팬티를 내놓은 황선주의 행동에 분노한 마을 사람들이 팬티를 마을 회관에 매달아 놓음으로써 황선주에 대한 응징을 하며 갈등이 고조되고 있다. 하지만 〈보기〉에서는 이장이 황선주를 마을 공동체의 일원으로 인정하면서 팬티를 직접 걷어 가라고 함으로써 갈등이 어느 정도 해소되는 모습이 나타난다.

기출 작품 딥러닝

이문구, 「관촌수필」   ▶ 해법문학 Link 현대 소설 192쪽

작품 해제 산업화 시기 해체되어 가는 농촌의 모습을 묘사하며 잃어버린 고향에 대한 그리움을 현재 물질 만능주의적인 황폐한 삶과 대비하여 드러내는 자전 소설이자 연작 소설이다.

전체 줄거리

제1편 일락서산 (日落西山)	성묘를 하기 위해 고향을 찾은 '나'는 예전 모습을 찾아볼 수 없는 고향을 둘러보며 할아버지와 얽힌 옛 추억을 회상함.
제2편 화무십일 (花無十日)	6·25 전쟁으로 인한 윤 영감 일가의 몰락을 통해 인생을 허무함을 이야기하는 한편, 그들을 따뜻하게 대하는 '나'의 어머니의 순박한 인정을 회상함.
제3편 행운유수 (行雲流水)	유년 시절의 고향을 배경으로 주인공과 함께 성장기를 보냈던 소녀 옹점이의 가슴 아픈 인생(결혼 생활, 떠돌이 생활)을 회상함.
제4편 녹수청산 (綠水靑山)	대복이와 그 가족에 얽힌 이웃의 순박한 삶과 그 삶이 퇴색되어 가는 과정을 그림.
제5편 공산토월 (公山吐月)	어린 시절 석공네 집과 '나'가 특별한 인연을 맺게 되었던 사연과 석공이 안타까운 죽음을 맞이했던 과정을 통해 감동적인 인간상을 그림.
제6편 관산추정 (關山芻丁)	유년 시절 고향 친구를 만난 이야기를 중심으로, 마을 안을 흐르던 한 내가 도시에서 밀려 들어온 퇴폐적 소비문화의 하수구로 전락한 실상을 그림. → 수록 부분
제7편 여요주서 (與謠註序)	중학 동창인 친구가 아버지의 약값을 마련하기 위해 꿩을 잡아 팔다가 발각되어 자연 보호를 위배했다는 이유로 공권력의 횡포에 시달리는 내용을 그림.
제8편 월곡후야 (月谷後夜)	성년이 된 '나'가 고향을 둘러보며 경험한 이야기로, 벽촌에서 소녀를 겁탈한 사건을 둘러싸고 마을 청년들이 범인에게 사적인 제재를 가하는 내용을 그림.

핵심 포인트 연작 소설의 구성과 향토적 어휘의 사용

연작 소설 구성	• 연작의 형태로 발표된 8편의 작품들이 각각 독립적이면서도 서로 유기적인 관계를 맺음. • 작가가 연상한 소재들을 회고적 어조로 서술하여 전통적인 소설의 형식에 비해 자유로운 구조를 취함.
향토적 어휘	• 충청도 사투리와 그 지방 고유의 소재를 사용함. • 고풍스러운 어조와 사투리가 섞인 문체가 과거 회상의 분위기를 살림.

07 '나'는 '낚시꾼들의 간드레 불'을 보고 유년 시절의 도깨비불을 떠올린다. 그렇지만 곧 자신이 착각했음을 깨달음으로써 반가움에서 실망으로 정서가 변화하고 있다.

왜 오답일까 ① '나'가 본 '도깨비불'은 과거에 보았던 '도깨비불'이 아니므로 반복되는 사건이 제시된 것으로 보기 어렵다. 또한 인물의 갈등이 심화되고 있지도 않다.

② 장면이 교차되고 있는 부분은 없다.

③ 윗글은 일관되게 '나'의 관점에서 사건을 서술하고 있으므로 서술자가 바뀌지 않았다.

⑤ 시간에 따라 사건이 서술되고 있으므로, 시간의 역전이 이루어지지 않고 있다. 또한 인과 관계를 재구성한 서사도 없다.

08 ⓛ에서 '나'의 '뒷덜미가 선뜩하고 떨떠름'했던 이유는 도깨비불에 대한 두려움 때문이다. 따라서 '나'의 호기심이 나타난다고 보기는 어렵다.

09 '나'는 전통적인 삶에 대한 애착과 과거 고향에 대한 향수 때문에 '먹탕곳 개펄'의 '푸른빛'을 '도깨비불'로 착각한 것이며, '나'가 '밤낚시'를 해 보지 않은 것은 이러한 애착과 관련이 없다.

10 '낚시꾼들의 간드레 불'은 과거와 달리 근대화 이후 변화한 고향의 모습을 보여 주는 소재로, '늘어앉은 불빛들이 제자리에 죽어 있다'는 표현에서 '간드레 불'에 대한 '나'의 비판적인 인식이 드러난다고 볼 수 있다. 하지만 '나'가 '도깨비불'을 '간드레 불'로 착각한 것일 뿐, '도깨비불'이 '간드레 불'로 변화한 것은 아니다.

왜 오답일까 ⑤ '나'는 유년 시절에 '왕대뫼 자드락이나 갯가', '먹탕곳 개펄게'에 있다는 도깨비불에 대한 이야기를 자주 들었으며, 성인이 되어서는 '왕대뫼 밑 먹탕곳 개펄'의 간드레 불을 도깨비불로 착각하고 있다.

11 '아무리 무더워도' 핑계를 대고 '마실 마당에서 일찍 물러나곤' 한 것은 '도깨비불'에 대한 두려움 때문이지 어른들의 처벌에 대한 두려움 때문이 아니다.

왜 오답일까 ① 〈보기〉에 따르면 금기가 설정된 근본적인 이유는 알려지지 않는다고 하였다. 따라서 이 글에서 어른들이 금기의 이유를 '이렇다 하게 내놓지 못하는 눈치가 역연'한 것은 금기가 설정된 이유를 알지 못했기 때문이라고 생각할 수 있다.

② 아이들은 '늘그막의 아낙네들'에게 '도깨비불'에 대한 이야기를 듣게 되어 '도깨비불'에 대한 금기를 알게 되는데, 이는 공동체의 금기를 다른 세대가 공유하는 장면이라고 볼 수 있다.

③ 〈보기〉에서 '금기와 그 대상에 대한 추측은 구전의 방식을 통해 은밀하게 전파'된다고 하였는데, 이는 '그네들'이 '낮춘말'로 '귀띔'하는 행위와 관련된다고 볼 수 있다.

⑤ '나'는 어린 시절의 추억인 '도깨비불'을 본 것으로 착각했다가 그렇지 않다는 것을 깨닫고 상실감을 느끼게 되는데, '재산붙이'를 잃은 듯 '무거워진 가슴을 안고' 방으로 들어가는 행동에 이러한 심리가 잘 표현되어 있다.

01 ④ **02** ⑤ **03** ③ **04** ④ **05** ⑤

작품 해제 1970년대 사회를 조명하여 인간 중심적인 산업화의 폐해를 생생하게 드러내고, 북에 가족과 사랑하는 이를 두고 온 실향민의 안타까운 심정을 나타내고 있는 작품이다.

01 (가)는 병국의 내면 심리를 중심으로, (나)는 병국과 병식의 대화를 중심으로 사건이 전개되고 있다.

왜 오답일까 ① (가)는 1인칭 주인공 시점으로 작품 속 인물인 '나(병국)'가 사건을 서술하고 있으며, (나)는 전지적 작가 시점이다.
② 인물 간의 갈등은 (나)에만 나타난다.
③ (가)와 (나) 모두 시간의 흐름에 따라 사건을 전개하고 있다.
⑤ (가)는 '나'가 도요새를 찾아 헤매는 사건을, (나)는 새 밀렵 문제로 병국과 병식이 갈등하는 사건을 다루고 있으므로 하나의 사건을 서로 다른 시각에서 서술한다고 볼 수 없다.

02 '학관'은 병식이 새를 박제하는 사람들과 어울리는 장소로, 병국과 병식이 화해하는 공간으로 보기 어렵다.

왜 오답일까 ① 병국의 '깜깜한 생활 안으로 나그네새의 울음소리'가 살아나, 사고의 굳게 닫힌 문을 쪼며 밀려들었다고 하였다.
② '도요새'는 병국에게 이상, 자유, 동경의 대상이자, 병국의 정신적 상처를 치유해 주는 존재이므로 새들의 여정에 동참하는 것은 병국의 상처를 치유하는 행위라고 할 수 있다.
③ 병국은 '도요새'를 자신의 상처를 치유해 주는 존재로 여기고 있으며 인간의 환경 파괴는 돌이킬 수 없다고 인식하고 있으므로, 새를 잡아 박제하는 일에 가담한 병식에게 화를 낸 것이다.
④ 병식은 병국이 과거 구치소에 갇힌 적이 있음을 상기시키며 자신만 '햇볕'을 보는 것이 못마땅해서 죄를 추궁하냐며 비꼬고 있다.

03 ⓒ에서 병식은 자신이 '삼십억이 넘는 새들' 중에서 오십 마리를 죽인 상황을 가정하고 있지만 병국의 의견에 동조하지는 않았다.

04 병식은 자신을 질책하고 때리기까지 하는 병국을 이해하지 못한 채 비아냥대고 있지만, 그의 행동이 가식적이라고 생각하고 있지는 않다.

왜 오답일까 ① '나'의 머릿속을 '자유자재 날아다'니는 도요새는 병국의 의식을 각성시키는 존재이자 병국이 찾아 헤매는 이상적 존재이다.
② 병식은 도요새를 잡아 돈을 버는 행위가 잘못되었다고 생각하지 않는다.
③ 병국은 희귀새인 도요새의 멸종이 얼마나 큰일인지를 말하며 병식이 새를 잡는 행위에 대한 추궁을 이어가고 있다.
⑤ 병식이 족제비를 따라 심심풀이로 도요새를 잡으러 다녔다는 점에서 족제비의 생각과 행동에 동조한다고 할 수 있다.

05 산업화에 따른 역기능이 우리의 삶과 환경을 파괴하는 것은 맞지만, 작가가 이러한 역기능이 인간과 자연 간의 갈등으로 이어진다고 생각했다고는 보기 어렵다.

01 ② **02** ② **03** ② **04** ④ **05** ②

작품 해제 전쟁 중에 아들을 잃은 아픔을 평생 품고 살아가는 어머니를 통해 전쟁이 남긴 상처와 분단의 비극을 형상화한 작품이다.

01 윗글은 현재의 '나'가 과거의 일을 회상하는 역순행적 구성을 통해 과거 아들을 잃은 어머니의 아픔이 현재로까지 이어지고 있음을 밝히고 있다.

왜 오답일까 ① 윗글에서 어머니와 '나'의 대화를 통해 갈등이 고조된다고 보기는 어렵다.
③, ⑤ 작품 속 등장인물인 '나'의 시선에서 사건이 서술되고 있다.
④ 마지막 장면에 '어머니는 아직도 투병 중이시다.'처럼 현재형 시제가 활용된 것을 제외하고 대부분 '않았다', '아니었다', '도전적이었다', '수단이었다' 등 주로 과거형 시제를 통해 서술되어 있다.

02 '아아, 나는 그 짓을 또 한 번 할 수밖에 없을 것 같다.'를 고려할 때, '나'가 어머니의 부탁을 거절하기로 하였다는 설명은 적절하지 않다.

왜 오답일까 ① '나'는 오빠의 화장을 주장하는 어머니를 대하는 올케를 보며 '시어머니의 모진 마음이 야속하고 정떨어졌으련만'이라고 말하며 올케의 심정을 이해하는 모습을 보인다.
③ 올케는 아들들에게 아버지의 무덤이라도 남겨 주어야 함을 들어 오빠를 화장시키고자 하는 어머니의 의견을 반대하였다.
④ "누가 뭐라든 상관하지 않고 그럴 수 있는 건 너밖에 없기에 부탁하는 거다."라는 어머니의 말을 통해 알 수 있다.
⑤ '나'의 회상에 따르면 어머니는 평소 '오빠를 죽게 한 것이 자기 죄처럼, 젊어 과부된 며느리한테 기가 죽어 지냈었'으나 오빠의 화장 관련 문제에서만은 강경한 태도를 보였다.

03 어머니가 괴물을 거역하는 수단은 화장한 유해를 고향 땅이 보이는 바다에서 뿌리는 것이다. 이는 어머니가 할 수 있는 유일한 방법일 뿐, 분단 상황을 극복하는 근본적인 방법이라고 보기는 어렵다.

04 어머니는 아들의 유해를 처리했던 것과 같이 자신의 유해를 북녘 땅을 향해 뿌리고자 한다. 아들이 죽은 지 30년이 지나서도 계속 이러한 마음이 이어지고 있다는 점에서 '엄마의 말뚝'은 아들의 죽음에 대한 한스러운 마음과 분단이라는 비극적 현실에 맞서려는 의지를 나타낸다고 볼 수 있다.

왜 오답일까 ① 어머니는 올케와 갈등하기도 했지만 결국 자신의 뜻대로 '나'의 오빠를 화장하였고, 가족들을 원망하고 있지도 않다.
② 어머니가 비극적인 전쟁에서 아들을 잃은 상처를 지닌 인물은 맞지만, 이 때문에 어머니가 지병을 앓았다는 내용은 확인할 수 없다.
③ 전쟁과 분단으로 인해 어머니가 아들을 잃고 고향에도 가지 못하는 등 상처를 지닌 것은 맞지만 이를 극복하지는 못했다.
⑤ 어머니가 아들이 죽은 후 며느리인 '나'의 올케에게도 기가 죽어 지냈다는 것 등을 통해 볼 때, 집안의 어른으로서 위엄을 보이고자 한다는 것은 적절하지 않다.

05 어머니는 전쟁 상황에서 아들을 잃은 한을 가슴에 품고 사는 인물로, 누구보다 애절하게 통일을 바라고 있다. 따라서 어머니는 분단된 상처가 그대로 아물어 버리는 것을 거부하고, 끊임없이 상처를 쥐어뜯으려고 할 것이라고 추측할 수 있다.

🖉 왜 오답일까 ① 분단 상황으로 인해 한을 지니고 있는 어머니에게 통일은 애절한 꿈이겠지만, 실현되지 못했으므로 전쟁의 상처를 치유해 주었다고 볼 수 없다.

③ '나'가 분단된 현실을 인정하고 분단된 상처를 굳히려고 한다는 근거는 찾아볼 수 없다.

④, ⑤ 〈보기〉에서 작가는 분단의 고통을 겪지 않은 이들이 통일을 '한낱 구호로써' 취급하고 이 구호로 분단을 치장하려 한다고 하였다. 올케와 '나'는 전쟁으로 인해 가족을 잃었다는 점에서 분단의 고통을 직접 겪은 인물이므로, 이들에게 분단은 한낱 구호가 아닐 것이며 이들이 많은 구호로 분단을 치장하려 하지도 않을 것이다.

등을 촉발하고 있지 않다.

🖉 왜 오답일까 ③ '철사 줄'은 전쟁이 일어났던 과거와 그 시신의 유골을 수습하는 현재를 연결하는 기능을 한다. 그리고 '나'의 과거와 현재를 연결하는 매개로 작용하기도 한다.

④ 유골에 묶인 철사 줄은 전쟁의 상처와 민족사의 비극을 상징하는데, '나'가 과거를 회상하며 '철사 줄'을 동여맨 아버지의 환영을 보는 것을 통해 이 철사 줄이 민족사뿐만 아니라 주인공의 삶에도 영향을 미치고 있던 비극의 굴레를 상징한다고 볼 수 있다.

⑤ '나'는 철사 줄에 묶인 유골을 수습하는 장면을 보다가 어머니와 아버지를 떠올리고는 결국 아버지에게 연민을 느끼게 된다. 유골에 묶여 있던 '철사 줄'이 원망의 대상이었던 아버지에게 연민을 느끼게 되는 계기가 되는 것이다.

05 '나'는 6·25 전쟁의 희생자인 유골의 '철사 줄'을 매개로 하여 '가슴과 팔목에 철사 줄을 동여맨' 상상 속의 아버지를 떠올린다. 이는 6·25 전쟁의 비극이 가족사의 아픔으로 이어지고 있음을 보여 준다고 할 수 있다.

---

25 아버지의 땅 186~187쪽

01 ⑤ 02 ④ 03 ④ 04 ② 05 ①

작품 해제 6·25 전쟁이라는 민족사의 비극을 가족사의 비극과 연결시켜 분단의 문제가 과거 세대에서 현재 세대로까지 이어짐을 강조하는 작품이다.

01 서술자인 '나'는 철사 줄에 묶인 유골을 수습하는 현재의 사건을 매개로 과거 어머니의 모습을 회상하며 자신의 내면을 드러내고 있다.

🖉 왜 오답일까 ① 윗글은 짧은 문장과 긴 문장을 섞어서 사용하고 있으며, 짧은 문장의 사용으로 긴박한 분위기를 조성하고 있지는 않다.

② 인물 간의 대화는 있으나 그 대화를 통해 인물의 내적 갈등이 드러나지는 않는다.

③ 윗글에는 '나'의 내면만 서술되어 있을 뿐 여러 인물의 내면이 서술되어 있지 않다.

④ 현재 작품 속 공간은 '유골을 수습한 곳'이며 이 공간의 의미가 변화하고 있지는 않다.

02 과거에 아버지가 산길을 타고 떠나간 뒤 어머니는 아버지가 돌아오기를 기원하며 하얀 물 사발을 올렸다. 이후 노인은 '나'가 발견한 유골의 몸을 묶고 있던 철사 줄을 풀어내어 수습했고, 군인들은 유해를 위해 봉분을 만들고 음복을 하였다.

03 ㉣에서 어머니는 아버지가 결국에는 돌아올 것이라고 믿었음을 알수 있다. 그렇지만 어머니가 아버지를 원망하고 있는 것은 아니다.

04 윗글의 핵심적인 갈등은 분단과 전쟁이라는 민족사의 비극으로 인한 '나'의 아버지에 대한 심리적인 갈등이며, '철사 줄'은 이러한 갈

---

26 해산 바가지 188~189쪽

01 ① 02 ④ 03 ④ 04 ④ 05 ④

작품 해제 '나'의 시어머니가 손주들을 위해 준비한 '해산 바가지'라는 소재를 통해 당대 만연했던 남아 선호 사상을 비판하고, 인간의 생명은 그 자체로 소중하다는 깨달음을 주는 작품이다.

01 '나'는 '박'을 보고 과거에 남녀 구별 없이 사랑으로 아이들을 돌봐주셨던 시어머니의 모습을 떠올리고, 시어머니를 요양원에서 모시고자 했던 마음을 바꾸게 된다.

🖉 왜 오답일까 ② '나'는 '박'을 본 뒤 시어머니의 '해산 바가지'를 떠올리게 된다. 이에 발걸음을 돌려 다시 시어머니를 모시게 되므로 '박'은 갈등 해소의 매개체가 된다고 볼 수 있다.

③ 윗글에는 치밀한 배경 묘사가 나타나지 않는다.

④ 외화와 내화가 구분되어 있지 않다.

⑤ 윗글은 '나'의 내면 심리를 중점으로 서술하고 있다.

02 '나'는 첫아이가 딸이라는 것을 알고 약간 켕기는 것을 느끼며, 시어머니의 '엄숙한 해산 준비는 대를 이을 손자를 위해서나 어울림 직'하다고 생각하였다. 이를 통해 '나'가 시어머니가 딸보다는 아들을 바라고 계셨을 거라고 짐작했음을 알 수 있다.

🖉 왜 오답일까 ① 박을 보고 환성을 지르며 해산 바가지를 하면 좋겠다고 말하는 '나'를 보고 남편이 '멍청하게 물었다.'라고 하는 것을 통해 '나'에게 해산 바가지가 갖는 의미를 남편은 알지 못하고 있음을 알 수 있다.

② '나'는 다시 시어머니를 모시기로 결심한 후 다른 사람들 눈치를 보지 않고 시어머니에게 큰 소리로 분풀이도 하고 거칠게 다루기도 하였다.

③ '나'가 첫아이로 딸을 낳았을 때 시어머니는 정성스럽게 산모와 아기의 건강을 빌었다고 하였고, '나'도 그러한 시어머니의 모습을 보고 '엄마 됐음에 황홀한 기쁨을 느'꼈다고 하였다. 따라서 시어머니가 위선적인 모습을 보이거나, '나'가 그러한 태도에 상처를 받은 것은 사실이 아니다.

⑤ 시어머니가 해산 바가지를 통해 아이의 탄생을 경건하게 준비한 것은 맞지만, 해산 바가지를 직접 구하러 간 것이 아니라 사람을 시켜 구해 오도록 하였다.

03 '나'는 치매에 걸린 시어머니를 요양원에 보내려고 하다가 '해산 바가지'에 담겨 있던 시어머니의 사랑을 떠올리며 마음을 바꿔 다시 집에서 모시기로 한다.

왜 오답일까 ①, ② '나'와 남편은 갈등하고 있지 않으며, '나'의 남편이 내적 갈등에 빠지지도 않는다.

③ '나'는 다시 시어머니를 모시기로 결심한 후 위선을 떨지 않고 편하게 대하였다. 또한 '임종 때의 그분은 주름살까지 말끔히 가셔 평화'로워 보였고, 그분의 그런 얼굴을 보며 '나'가 성취감을 느꼈다고 했으므로 비극적 결말을 맞이했다고 보기는 어렵다.

⑤ '해산 바가지'를 떠올린 후 시어머니를 다시 집에서 모시고자 한 것이지, 시어머니가 치매에 걸린 원인을 알게 된 것은 아니다.

04 시어머니는 남녀를 차별하지 않는 인물이지만, 시어머니가 남아 선호 사상에 대해 부채 의식을 지녔다고 볼 근거는 없다.

왜 오답일까 ①, ③ '나'가 처음 딸을 낳았을 때 시어머니에게 켕기는 마음을 갖는 것이나, 계속 딸을 낳자 울음을 터뜨리는 것 등을 통해 볼 때 '나' 또한 당시 사회에 팽배했던 남아 선호 사상에 영향을 받았음을 알 수 있다.

② 시어머니는 '나'가 딸을 낳든 아들을 낳든 언제나 경건하게 해산을 돕고 모든 아이들을 사랑으로 대하는 모습을 보여 주었으므로, 당시 남아 선호 사상을 가지고 있던 사람들과는 다른 가치관을 지녔음을 알 수 있다.

⑤ '그동안 힘이 덜 들었단 얘기는 아니다.'라는 내용을 통해 시어머니에 대한 인식을 바꾸고 직접 모시기로 한 후에도 시어머니를 모시는 일이 쉽지 않았음을 알 수 있다. 이를 통해 오늘날 고령화 사회로 인한 노인 부양의 문제를 짐작할 수 있다.

05 '나'는 '위선을 떨지 않고 마음껏 못된 며느리 노릇을' 하고 나서부터 마음이 진정되어 신경 안정제를 복용하지 않게 되었다.

왜 오답일까 ① '나'는 과거 생명을 존중하는 모습을 보여 주었던 시어머니에 대한 기억을 떠올리고 시어머니를 존중하겠다고 생각을 바꾼 것일 뿐, 시어머니가 '나'를 괴롭히거나 '나'가 시어머니를 용서한 것은 아니다.

② '나'는 위선에서 벗어나 마음이 편해진 것이지, 체념하여 수용한 것은 아니다.

③ '나'는 시어머니가 생명을 존중하는 모습을 떠올리고, 자신 또한 그런 시어머니를 존중해야겠다고 생각한 것일 뿐, 시어머니와 '나'의 가치관이 달라 갈등을 겪은 것은 아니다.

⑤ '나'는 시어머니가 생명을 사랑으로 대해 주었던 과거 일화를 통해 시어머니의 사랑을 깨닫고 마음의 안정을 찾은 것이지, 시어머니의 속마음을 이해할 필요가 없다고 생각한 것은 아니다.

27 비 오는 날이면 가리봉동에 가야 한다 190~193쪽

01 ② **02** ⑤ **03** ① **04** ④ **05** ⑤ **06** ③ **07** ③ **08** ②
09 ⑤ **10** ③

작품 해제 도시 변두리에 사는 서민들의 삶을 통해 1980년대의 사회상을 사실적으로 묘사한 작품이다. 작가는 가난하지만 성실하고 양심적으로 살아가는 임 씨의 모습을 통해 탐욕스러운 현대인의 반성을 촉구하고 있다.

01 윗글은 전지적 작가 시점으로, 서술자는 '그'의 시각에 초점을 맞추어 임 씨와 관련된 사건을 서술하고 있다.

02 ⓛ에 임 씨를 가난에서 벗어나지 못하게 하는 불합리한 사회 제도가 무엇인지는 구체적으로 드러나 있지 않다.

왜 오답일까 ①, ② ⓐ에는 '그'가 발견한 임 씨의 뛰어난 실력, 성실함, 진심과 이러한 노력에 합당한 대우와 보상을 받지 못하는 현실에 대한 안타까움이 나타나 있다.

③ ⓛ은 막일을 하는 임 씨와 그의 돈을 떼어먹은 사장의 삶을 대비하여 임 씨의 비참한 삶이 그의 개인적인 문제가 아니라, 사회적인 불평등과 관련되어 있는 문제라는 것을 드러내고 있다.

④ ⓛ에서 '그'는 임 씨의 삶이 나아질 것이라는 확신을 하지 못하고 있으므로 임 씨의 처지가 나아지지 않을 것이라는 비관적인 전망을 드러낸다고 볼 수 있다.

03 ⓐ는 '그'가 탐욕스러운 스웨터 공장 사장의 모습을 상상한 것이므로, 외양을 객관적으로 묘사했다는 설명은 적절하지 않다.

04 '내 코가 석 자'는 '자기가 대단히 곤궁해서 남을 돌볼 여유가 없음.'을 뜻하는 속담이다. 그렇지만 '가리봉동 그 새끼'가 맨션아파트에 산다는 임 씨의 말을 고려할 때 '스웨터 공장 사장'이 곤궁한 처지에 놓였다고 볼 수 없다.

왜 오답일까 ① '눈 감으면 코 베어 간다.'는 사람들의 인심이 야박하고 무섭다는 뜻이다.

② '방귀 뀐 놈이 성을 낸다.'는 잘못을 저지른 쪽에서 오히려 남에게 성냄을 비꼬는 말이다.

③ '핑계 없는 무덤 없다.'는 무엇이고 결과가 있는 것은 반드시 원인이 있듯이 무슨 일이든지 핑계거리는 있다는 뜻의 말이다.

⑤ '내 돈 서 푼은 알고 남의 돈 칠 푼은 모른다.'는 제 것은 소중히 여기면서 남의 것은 대수롭지 않게 여기는 이기적인 사람을 비꼬는 말이다.

05 아내는 임 씨를 의심하여 일부러 옥상 일을 시켰지만 임 씨가 밤늦도록 열심히 일을 하자 양심의 가책을 느낀 것일 뿐, 임 씨의 사연에 연민을 느끼거나 임 씨를 적극적으로 돕지 못해 부끄러움을 느낀 것은 아니다.

기출 작품 딥러닝

양귀자, 「마지막 땅」 ▶해법문학 Link 현대 소설 272쪽

작품 해제 땅을 둘러싼 '강노인'과 마을 사람들 간의 갈등을 중심으로 한 작품으로, 도시화가 급격히 이루어지며 자본주의적 사고방식이 땅으로까지 침투되었던 1980년대의 사회상을 그려 내고 있다.

전체 줄거리

발단	원미동의 땅값이 많이 올랐지만, 강노인은 자신의 땅을 끝까지 팔지 않고 농사를 지음.
전개	강노인은 땅을 팔라는 박 씨 내외의 회유에도 땅을 팔지 않고, 밭에 인분을 뿌리는 문제로 동네 사람들과 갈등을 겪음.
위기	강노인의 농사와 관련하여 대책을 마련하기 위해 동네 사람들은 반상회를 개최하고, 동네 사람들은 강노인을 압박하여 농사를 중단할 것을 요구함.
절정	강노인이 땅을 팔 것이라는 소문이 마을에 퍼지자 아들과 며느리에게 돈을 빌려준 사람들이 몰려오고, 강노인은 결국 땅을 팔기로 마음먹음. ···▶ 수록 부분
결말	강노인을 땅을 내놓기 위해 부동산으로 향하다가 자신의 밭의 고추 모종에 물을 주어야겠다고 생각하며 발걸음을 돌림.

핵심 포인트 땅을 대하는 인물들의 태도

강노인	• 삶의 터전이자 생명의 근원이라고 생각함. • 도시화 과정에서 땅을 통해 정신적 위안을 얻음.
↕	
동네 사람들	• 땅을 경제적인 수단으로만 생각함. • 도시화 과정에서 땅값을 올려 부(富)를 얻으려고 함.

06 윗글은 전지적 작가 시점으로 강노인을 비롯한 여러 인물의 내면 심리를 서술하고 있다.

07 경국이 엄마가 땅을 내놓았다는 이야기를 했다는 청소원 김씨의 말을 듣고 강노인은 화를 내며 땅을 팔지 않겠다고 다짐하고 있으므로, 경국이 엄마가 강노인의 입장을 변호하려 했다는 설명은 적절하지 않다.

✏ 왜 오답일까 ① 은혜 엄마는 '딸이 다니는 에바다 피아노 학원에서' 경국이 엄마를 알게 되었다고 하였다.
② 은혜 엄마가 경국이 엄마에게 곗돈을 빌려준 이유는 경국이 엄마가 '이 동네 지주의 큰며느리'이기 때문으로, 지주인 강노인의 재력을 신뢰했던 것이다.
④ 청소원 김씨는 "땅을 내놓으셨다면서요?", "어젯밤 반상회에서 댁의 며느님이 그러셨다는데요?" 등의 말을 통해 며느리가 반상회에서 한 말을 강노인에게 알린다.
⑤ 강노인의 부인은 큰아들 용규에게 돈을 빌려준 마을 사람들이 몰려와 돈을 갚으라고 요구하자, 용규가 공장까지 담보로 잡혀 먹고 은행 대출도 곧 갚아야 하는 상황에 처해 있음을 강노인에게 알리고 있다.

08 은혜 엄마는 이자 몇 푼을 욕심내다가 더 큰 돈을 떼이게 되었으므로, '작은 것을 탐하다가 큰 손실을 입음.'이라는 의미의 '소탐대실(小貪大失)'과 어울리는 상황이다.

✏ 왜 오답일까 ① 일거양득(一擧兩得): 한 가지 일을 하여 두 가지 이익을 얻음.
③ 전화위복(轉禍爲福): 재앙과 근심, 걱정이 바뀌어 오히려 복이 됨.
④ 진퇴양난(進退兩難): 이러지도 저러지도 못하는 어려운 처지.
⑤ 풍전등화(風前燈火): 바람 앞의 등불이라는 뜻으로, 사물이 매우 위태로운 처지에 놓여 있음을 비유적으로 이르는 말.

09 자식들의 뒷바라지를 위해 땅을 팔자는 것은 강노인의 마누라의 의견이며, 강노인은 땅을 팔기를 원하지 않으므로 땅이 강노인에게 자식들과의 행복한 생활을 보장하는 공간이라고 보기는 어렵다.

✏ 왜 오답일까 ① 강노인은 '마지막 땅 조각'을 붙들고 있다는 데서 위안을 느낀다고 하였다.
② 강노인은 '해마다 씨를 뿌리고 수확을 거두는 재미만큼은 쉽게 포기할 수 없'다고 하였다.
③ 강노인은 마누라의 설득과, 큰아들의 빚을 갚으라는 마을 사람들의 요구에도 땅을 팔지 않겠다는 입장을 고수하고 있다.
④ 강노인은 '고추 모종'을 키우는 등 농사를 짓고 있으므로 강노인의 땅은 생명을 가꾸고 유지할 수 있는 공간이라고 할 수 있다.

10 마누라는 땅을 팔아 자식들 뒷바라지를 하고 여생을 경제적으로 넉넉하게 살고자 한다. 이는 경제적 관점에서 땅을 생계유지의 수단으로 여기는 것일 뿐, '땅'을 바탕으로 가족 공동체의 가치를 지키는 일과는 거리가 멀다.

✏ 왜 오답일까 ① 강노인은 땅(밭)에 목숨이 붙어 있다 여기고 있으나, 땅에 연탄재를 던진 마을 사람들은 그것을 모르는 것이므로 땅에 깃든 생명의 가치를 모르는 인물들이라고 볼 수 있다.
② 강노인은 '살아 있는 밭에 해코지'를 한 마을 사람들을 괘씸하게 생각하고 있으며 '땅을 아는 자라면 저 시퍼런 하늘이 무서워서라도' 이러한 행패를 부릴 수 없다고 생각하고 있다. 이는 땅을 살아 있는 자연의 일부로 여기고 이들과 조화를 이루어 살아가는 삶을 중요하게 여기는 강노인의 가치관을 드러낸다.
④ 마을 사람들은 강노인에게 땅이 갖는 가치를 전혀 이해하지 못하고 땅을 팔아 빚을 갚으라고 요구하고 있으므로 땅을 경제적 가치로만 환산하는 인물들이라고 볼 수 있다.
⑤ 땅을 판 돈으로 먹을 것을 사는 것이 아니라, 땅에서 나는 수확으로 살아가는 것에서 만족을 느끼는 강노인은 농사꾼으로서의 정체성을 갖고 있는 인물이라고 말할 수 있다.

28 유자소전 196~197쪽

01 ④　　02 ⑤　　03 ④　　04 ②　　05 ⑤　　06 ⑤

작품 해제) 실존했던 '유자'라는 인물을 주인공으로 한 실명 소설로, 유자의 전근 대적이고 우스꽝스러운 행동을 통해 사치심과 이기심에 젖어 허황된 삶을 살아가는 현대인을 풍자하고 있는 작품이다.

01 윗글은 전지적 시점으로 작품 밖의 서술자가 인물의 심리와 언행을 전달하고 있다.

왜 오답일까 ① '유자'에 대한 세간의 평가는 드러나 있지 않으며 서술자의 평가가 일관되게 제시되고 있다.

② 윗글이 전(傳)의 형식이기는 하지만 유자가 아닌 사람이 유자의 전(傳)을 쓴 것이므로 자전적 성격을 띠고 있지 않다.

③ 윗글의 공간적 배경은 스페어 운전수의 집으로, 공간적 배경의 변화와 사건 전개 양상의 변화는 확인할 수 없다.

⑤ 운전자들의 운전 윤리에 대한 '유자'의 비판이 드러나 있으나 이에 대한 자조적 인식이 드러나지는 않는다.

02 '스페어 운전수의 사고에는 업무 추진비 명색도 차례가 가지 않아' 유자는 자신의 용돈을 사용하여 스페어 운전수들의 어려움을 해결해 주었다.

왜 오답일까 ① '바다와 연하여 사는 탓에 밥상에 비린 것이 없으면 먹어도 먹은 것 같지 않아 하는 대천 사람의 속성'에서 추론할 수 있다.

② 유자가 다루는 사건은 '태반이 가해자의 운전 윤리 마비증이 자아낸 것'이라고 하였다.

③ 윗글에서 유자는 스페어 운전수들의 요청이 없었음에도 불구하고 사비를 털어 음식과 연탄을 마련해 주었다.

④ '인건비를 줄이느라고 임시로 쓰던 스페어 운전수'라고 하였으므로 적절하다.

03 ㉣은 어려운 사람들을 돕는 일에 책임감을 가지고 마무리까지 확실하게 하고자 하는 행동으로, 유자가 쌀을 배달하고 연탄을 옮기는 등의 힘들고 궂은일을 직접 한 것은 아니다.

04 [A]에서 작품 밖의 서술자는 스페어 운전수를 돕는 유자의 행동을 서술하고 있다. 이를 통해 독자는 유자의 성격을 파악할 수 있으므로, 간접 제시의 방법을 통해 인물의 성격을 드러내고 있다고 볼 수 있다.

왜 오답일까 ① 윗글의 서술자는 유자에 우호적인 태도를 취하고 있으므로 인물을 객관적으로 관찰한다고 볼 수 없다.

③, ④ 현재와 과거가 교차하여 제시되지 않으며, 인물 간의 갈등도 나타나지 않는다.

⑤ 주인공의 긍정적인 측면만 보여 주었을 뿐 부정적인 측면은 제시되지 않는다.

05 산업화 속에 사라지고 있는 전통적 삶의 양식은 유자가 스페어 운전수들을 돕는 장면에서 나타나며, 유자가 동료 운전수들의 사건을 규정에 따라 처리하는 것과는 관련이 없다.

06 "츤헌늠…… 저건 아마 즤 증조할애비는 ~ 다 계통이 있는 법이니께."에서 유자는 운전 상식이나 도로 질서에 도전하는 사람들을 경멸하는 태도를 보이고 있다. 이는 유자가 운전 윤리를 중요하게 여김을 드러내지만, 이를 통해 유자가 속한 계층에 대한 반성을 촉구하고 있는 것은 아니다.

29 자전거 도둑 198~199쪽

01 ③　　02 ④　　03 ⑤　　04 ①　　05 ②　　06 ③

작품 해제) 「자전거 도둑」이라는 영화를 매개로 '나'와 '서미혜'의 유년 시절 이야기가 중첩되어 전개되는 작품이다. '나'는 유년 시절의 충격적 경험을 통한 상처를 가진 인물로, 이러한 상처를 서미혜와 공유하는 관계를 맺고 있다.

01 이상한 낌새를 알아챈 혹부리영감은 포대를 풀어 물건의 셈을 다시 한 다음, 소주 두 병이 더 들어간 사실을 직접 알아냈다.

왜 오답일까 ① 혹부리영감은 물건을 훔친 자식을 따끔하게 교육시켜야 한다며 아버지에게 체벌을 요구하고 '나'의 뺨을 때린 아버지에게 "길티…… 기게 바로 진짜 교육이야."라고 말하고 있으므로, 아들을 때리는 아버지를 말렸다는 설명은 적절하지 않다.

② "내레 이까짓 걸루다 당신하고 거래를 끊지는 않갔어."에서 혹부리영감이 거래를 끊지는 않았음을 알 수 있다.

④ 아버지는 아들의 거짓말에 '직접적 책임을 모면'했다고 여기며 '혜설픈 표정'으로 '나'를 쳐다볼 뿐 문제의 책임을 자기 자신에게 돌리는 모습은 찾아볼 수 없다.

⑤ 물건은 훔친 사람은 아버지이며, '나'를 때린 것은 체벌을 요구하는 혹부리영감의 말을 어쩔 수 없이 따른 것일 뿐 진심으로 노여워한 것은 아니다.

02 소주 두 병을 훔친 도둑은 아버지 자신으로, 윗글에서 아버지가 도둑을 용서함으로써 약자에 대한 연민의 태도를 보이는 부분은 찾아볼 수 없다.

왜 오답일까 ⑤ 윗글에서 아버지는 소주 두 병 값 때문에 곤혹을 치르고 있으므로 가난 때문에 도둑질을 했을 것이라고 추론할 수 있으며, 〈보기〉의 안토니오는 '어렵게 구한 일을 하기 위해 돈을 빌려' 자전거를 마련했다고 하였으므로 경제적 형편이 좋지 않음을 알 수 있다.

03 혹부리영감은 아버지와 같은 이북 출신이기는 하지만, 영감은 '성질이 불같고 매몰차기로 소문이 자자한 위인'으로 관용을 기대하기는 어려운 인물이다.

04 아버지는 자신의 잘못이 드러나 거래가 중단되는 일이 생길까 봐 걱정하고 있으므로 '몹시 두려워서 벌벌 떨며 조심함.'이라는 뜻의 '전전긍긍'이 가장 적절하다.

   📝 **왜 오답일까** ② 노발대발(怒發大發): 몹시 노하여 펄펄 뛰며 성을 냄.
③ 동분서주(東奔西走): 동쪽으로 뛰고 서쪽으로 뛴다는 뜻으로, 사방으로 이리저리 몹시 바쁘게 돌아다님을 이르는 말.
④ 우왕좌왕(右往左往): 이리저리 왔다 갔다 하며 일이나 나아가는 방향을 종잡지 못함.
⑤ 의기양양(意氣揚揚): 뜻한 바를 이루어 만족한 마음이 얼굴에 나타난 모양.

05 세상의 부조리에 굴복하는 아버지의 나약하고 비굴한 모습이 유년의 '나'에게 크나큰 충격과 상처가 되었으므로, '나'는 ⓒ에서 아버지와 같은 삶을 살지 않겠다고 다짐한 것으로 볼 수 있다.

06 ⓒ는 유년 '나'로 시선을 제한하여 혹부리 영감의 행위를 포착한 것으로, 〈보기〉에서 이러한 경우에는 독자가 그 묘사에 대해 해석해야 한다고 하였으므로 '독자는 혹부리 영감의 의도에 대한 '나'의 해석에 공감'한다는 진술은 적절하지 않다.

---

30   황만근은 이렇게 말했다   200~201쪽

01 ③   02 ①   03 ②   04 ①   05 ③   06 ②

〔작품 해제〕 1990년대 농촌 공동체를 배경으로 이기적인 현대인을 풍자함과 동시에 암울한 농촌 현실을 고발하고 있는 작품이다. 이러한 주제 의식은 우직한 '황만근'과 이해타산적인 '마을 사람들'의 대조를 통해 드러난다.

01 윗글은 전지적 시점으로 사건을 서술하고 있으며, 다양한 시점을 사용하지 않았다.

   📝 **왜 오답일까** ① 민 씨와 이장의 대화에서 두 인물이 갈등하고 있음을 알 수 있다.
② 민 씨를 제외한 인물들은 모두 사투리를 사용하고 있으며 '술 처먹고'와 같은 비속어도 섞여 있다. 이를 통해 농촌의 현실과 농민들의 삶이 사실적으로 묘사되고 있다.
④ '농가 부채 탕감 촉구 전국 농민 총궐기 대회'가 열렸다는 데에서 당시 농촌에 부채가 많았음을 알 수 있다.
⑤ "돼지고기 반 근만 해서" 등의 표현을 통해 인물들이 주인공을 부정적으로 평가하고 있음을 알 수 있다.

02 이장은 황만근의 소재를 묻는 민 씨를 흘기듯 노려보는 등 그의 태도를 못마땅하게 여기고 있다.

   📝 **왜 오답일까** ② "돼지고기 반 근만 해서", "술 처먹고 주질러 앉았을 끼라." 등에서 사람들이 평소 황만근을 무시하고 있었음을 알 수 있다.
③ 민 씨는 이장이 궐기 대회 전날 황만근을 따로 불러낸 것에 대해 물으며 황만근 실종의 책임을 묻고 있지만 이장은 이를 회피하고

있다. 따라서 민 씨는 이장을 지도력 있는 사람이라고 생각하지 않을 것임을 짐작해 볼 수 있다.
④ '자리에 모인 대여섯 명의 황씨들은 서로의 얼굴을 마주보더니 모두 고개를 흔들었다.'에서 마을 사람들은 황만근의 소재를 모르고 있음을 알 수 있다.
⑤ 민 씨는 황만근의 실종에 대한 책임을 이장에게 묻고 있으므로, 황만근 실종에 대해 죄책감을 느낀다고 보기는 어렵다.

03 "그 자리에 꼭 황만근 씨만 경운기를 끌고 갔어야 했느냐 이 말입니다."라는 민 씨의 말에서, 이장이 모임이 끝난 뒤에 황만근에게 경운기를 끌고 궐기 대회에 가라고 말했음을 짐작할 수 있다.

   📝 **왜 오답일까** ① 황만근은 '궐기 대회'에 경운기를 타고 갔다가 유해로 돌아왔으므로 적절하다.
③ 황만근은 민 씨에게 "농사꾼은 빚을 지마 안 된다 카이."라는 자신의 신조를 밝혔다.
④ 농사를 짓기 위해 진 빚이 '만근산의 눈덩이, 처마의 고드름'처럼 커진다는 표현을 통해 많은 부채를 감당하며 살아가야 했던 당시 농촌의 경제적 상황을 짐작할 수 있다.
⑤ '서로 도와 가면서 농사짓던 건 옛날 말'이라고 하였으며 '한 집에서 기계를 놀리면서도 안 빌려'준다고 하였으므로 적절하다.

04 [A]는 민 씨가 황만근과 술을 마시면서 들었던 이야기를 전하는 부분으로, 괄호 안은 황만근의 말을 민 씨의 입장에서 풀어서 전달하는 기능을 하고 있다.

   📝 **왜 오답일까** ② 황만근의 말을 민 씨의 입장에서 풀어서 전달할 뿐, 민 씨의 내적 갈등은 드러나지 않는다.
③ 민 씨의 반성은 제시되어 있지 않다.
④ 빚을 진 농민들의 삶이 제시되어 있을 뿐, 황만근의 처지가 과거와 대비되는 부분은 나타나지 않는다.
⑤ 황만근과 민 씨의 가치관 차이는 확인할 수 없다.

05 황만근만이 '고장 난 경운기'를 몰 수 있는 것은 맞지만, 이것이 황만근을 마을에서 없어서는 안 될 존재로 만드는 것은 아니다.

06 ⓒ에서 이장은 민 씨가 황만근의 실종에 대한 책임을 자신에게 묻고 있다고 생각하여 흘기듯 노려본 것이지, 그가 마을의 공동체 의식을 무너뜨리고 있다고 생각해서 그런 것은 아니다.

   📝 **왜 오답일까** ① 이장은 ⊙에서 '군 전체 사람'을 모두 모아도 백 명이 되지 않는다고 하였으며, 〈보기〉에서 사람들이 도시로 떠나 농촌이 황폐해졌다고 하였으므로 적절하다.
③ 이장은 황만근이 궐기 대회에 고장 난 경운기를 타고 가게 한 장본인이지만, 이는 투쟁 방침일 뿐이라며 책임을 회피하는 이기적인 모습을 보이는 인물이다.
④ ⓔ의 '경운기, 트랙터, 콤바인, 이앙기, 거다 탈곡기, 건조기'는 농사꾼이 빚을 져 가며 사는 기계들을 나열한 것으로, 이를 통해 부채로 얼룩진 농촌의 현실을 구체적으로 드러내고 있다.
⑤ ⓜ은 소박하고 우직하게 살아가는 인물인 황만근에 대한 서술자

의 우호적인 시선이 드러나는 부분으로, 서술자는 이를 통해 황만근의 삶이 주는 교훈을 강조하고 있다.

31 황진이 202~203쪽

01 ③ 02 ④ 03 ③ 04 ② 05 ②

작품 해제 황진이의 삶을 새로운 시각으로 그린 북한 소설로, 하인 '놈이'와 기생 '황진이'의 비극적인 사랑을 그린 작품이다. 민중적 비속어와 품위 있는 시적 표현이 자연스럽게 녹아 들어 있다.

01 윗글은 또복의 상여가 진이의 집 앞을 지나가기 전부터 도착하기까지의 과정을 시간의 흐름에 따라 그리고 있으며, 이에 따른 진이의 감정을 드러내고 있다.

02 구경꾼들은 '지살받기'를 '간질간질하고 요글요글한 마음으로 고대하는 구경거리'로 여기고 진이가 어떻게 대처할지 궁금하여 진이의 집 앞 골목에 몰려와 있다.

✏️**왜 오답일까** ① 할멈은 '그네뛰기'를 할 때 상목필을 내다가 상두수번의 입을 막지 않으면 별의별 험담과 비밀이 발설되어 집안의 체면을 무너뜨릴 수 있다며 걱정하고 있다.
② 진이는 제때 문을 열고 사람들 앞에 나서야 한다며 마음을 다잡고 있을 뿐, 상여가 집 앞을 지나는 것에 자책감을 느끼고 있지는 않다.
③ 구경꾼들이 진이를 보고 깜짝 놀란 것을 통해 구경꾼들은 진이가 상행 앞에 나타나리라고는 예상하지 못했음을 알 수 있다.
⑤ 상두군들은 진이가 인사를 할 수 있도록 상여를 내려놓은 것이 아니라, 진이가 상여 앞으로 다가가자 예상치 못한 행동에 놀라 상여를 내려놓은 것이다.

03 상여 노래는 망자를 애도하고 슬픔을 나누는 노래로, 구슬픈 분위기를 형성하고 또복의 죽음에 대한 사연을 전달하고 있다. 하지만 진이와 또복이 상여 노래를 통해 갈등을 해소하는 것은 아니다.

04 황진이는 총각을 한번 얼핏 본 적밖에 없지만, 자신에 대한 뜨거운 사랑을 보여 준 것에 대해 고마워하며 저승에서라도 이를 보답하겠다고 말하고 있다.

05 윗글은 양반댁 딸인 진이와 하인인 놈이의 사랑을 다룬다는 점에서 신분 차이를 넘어선 평등 사회에 대한 지향을 드러낸다고 볼 수 있다.
✏️**왜 오답일까** ① '퉁', '지살받기' 등의 북한어와 '상두군', '리별' 등 남한과 다른 표기 등을 통해 윗글이 북한에서 창작된 작품임을 알 수 있다.
③ 진이의 아버지가 종이었던 진이의 어머니를 겁탈하여 진이가 태어났다는 사실을 통해 지배층의 위선이 드러나며, 이는 출생 배경을 알게 된 진이가 기생이 되어 지배층을 비판하는 근거가 된다고

볼 수 있다.
④ 종의 딸이라는 출생의 비밀이 드러난 후 파혼을 당하고, 또복이 자신을 사랑하여 상사병으로 죽은 사건 등을 겪으며 진이는 기존의 가부장적 제도에서 벗어나 새로운 삶을 살기 위해 기생의 길을 택하게 된다.
⑤ 진이는 또복의 관에 슬란치마를 덮어 주고 저승에서 그의 사랑에 보답하겠다고 하며 '지니고 있던 사랑의 감정을 송두리채 죽은 혼백한테 바쳐 버렸'다. 이는 더 이상 이승에서의 사랑에 얽매이지 않겠다는 진이의 마음가짐을 드러낸다.

32 남한산성 204~205쪽

01 ① 02 ③ 03 ③ 04 ⑤ 05 ③

작품 해제 '병자호란'이라는 역사적 사건을 바탕으로 한 소설로, 간결하면서도 힘 있는 문장을 통해 전쟁의 비참함과 주전파·주화파의 갈등, 인조의 고민 등을 실감 나게 묘사하고 있는 작품이다.

01 윗글은 병자호란을 배경으로, 남한산성이 포위된 상황에서 화친 여부를 두고 대립하는 최명길과 김상헌의 갈등을 중심으로 사건을 전개하고 있다.
✏️**왜 오답일까** ② 최명길과 김상헌은 자신들이 생각하기에 더 적절한 현실 대응 방식을 놓고 갈등을 겪는 것이지 자신의 이익만을 도모하는 이기적인 인물은 아니다.
③ '못미더운 서술자'가 서술자로 설정되면 채만식의 「치숙」에서처럼 서술자의 말이나 행위를 신뢰할 수 없어서 서술자의 서술 자체에 의문을 갖게 하는 등의 효과가 있다. 그러나 윗글의 서술자는 믿을 수 없는 서술자가 아니다.
④ 윗글의 인물들은 비극적 상황에 놓여 있다고 할 수 있으나 인물의 내면에 대한 섬세한 묘사는 찾아볼 수 없다.
⑤ 당대 조정의 사람들, 즉 지배층에 초점이 맞춰져 있기 때문에 다양한 계층의 사람들이 지닌 공통 심리를 제시했다는 내용은 적절하지 않다.

02 적의 침략으로 임금과 신하들은 남한산성으로 피란하였는데 성을 둘러싼 적병들 때문에 성안에 갇혀 적과 화친할 것인지, 싸울 것인지에 대해 갈등하고 있다.
✏️**왜 오답일까** ① [앞부분 줄거리]에서 성안은 추위와 굶주림에 시달리고 있는 상황임을 알 수 있다.
② '적의 문서'가 무도하다는 최명길의 말을 고려할 때, 적의 문서에는 예의가 갖추어져 있지 않음을 추측할 수 있다.
④ '적병이 성을 멀리서 둘러싸고 서둘러 취하려 하지 않음'이라는 최명길의 말을 고려할 때, 적병은 성을 멀리서 포위하고 있다.
⑤ 이조 판서 최명길과 예조 판서 김상헌은 화친 여부를 두고 갈등하고 있으나, 영상(영의정) 김류는 '체찰사의 직을 겸하여 군부를

현대 산문 **59**

'총괄'하고 있으므로 화친에 대한 의견을 말하기 어렵다고 하였다.

03 최명길은 적이 성을 서둘러 취하지 않는 것은 화친의 뜻이 있기 때문이라고 보고 있지만, 김상헌은 적의 목적이 화친이 아니라고 주장하고 있다. 따라서 '성안' 사람들은 '성 밖'의 사람들의 의도에 대해 서로 엇갈린 주장을 하고 있다.

왜 오답일까 ① '성안'의 사람들은 '성 밖'에서 성을 포위하고 있는 적 때문에 화친 여부를 두고 대립하고 있다.
② '성안'의 사람들은 '성 밖'의 사람들을 적으로 인식하고 있다.
④ '성안'의 내실을 지키지 못하면 스스로 무너질 것이고, 이 경우 '성 밖'의 적은 화친보다 싸움을 도모할 것이라는 최명길의 말을 고려할 때 적절하다.
⑤ '성 밖'에 있는 적의 힘이 '성안'보다 우위에 있기 때문에 '성안'의 사람들이 이에 대처할 방안에 대해 논의하고 있는 것이다.

04 김상헌은 '전(戰)'이 나라를 지키는 길이며 '화(和)'를 이끌 수 있는 방법이라고 주장하고 있을 뿐, 나라가 망하는 한이 있더라도 싸워야 한다고 주장하는 것은 아니다.

왜 오답일까 ① 김상헌은 '싸울 수 없는 자리에서 싸우는 것이 전이고, 지킬 수 없는 자리에서 지키는 것이 수이며, 화해할 수 없는 때 화해하는 것은 화가 아니라 항'이라고 생각하고, 최명길은 '싸울 자리에서 싸우고, 지킬 자리에서 지키고, 물러설 자리에서 물러서는 것이 사리'라고 생각하고 있으므로, 싸우고 지키고 화해하는 '자리'에 대한 기준이 다름을 알 수 있다.
② 최명길은 '아직 내실이 남아 있을 때가 화친의 때'라고 말하고 있으며 '성안이 다 마르고 시들'어 때를 놓치면 화친할 수 없다고 여기고 있다.
③ 최명길은 김상헌이 말을 중히 여기고 생을 가볍게 여긴다고 비판하였으며, 화친을 해야 성이 말라죽는 일을 막을 수 있다고 여긴다.
④ '전이 본이고 화가 말이며 수는 실'이라는 김상헌의 말을 통해 화친보다 싸우는 것이 더 중요하다고 생각하고 있음을 알 수 있다.

05 윗글의 주된 갈등은 '신들'과 '임금'의 갈등이 아니라, 주화파인 최명길과 주전파인 김상헌의 갈등이다.

33 입동

206~207쪽

01 ⑤ **02** ⑤ **03** ④ **04** ② **05** ④

작품 해제 사고로 어린 아들을 잃은 부부의 고통과 슬픔을 담아낸 작품이다. 부부는 자신들의 슬픔을 바라보는 주위 사람들의 호기심 어린 시선으로부터 큰 상처를 받는데, 이는 다른 사람의 불행을 대하는 우리의 태도를 성찰하게 한다.

01 윗글은 주로 서술자인 '나'의 독백과 회상으로 사건이 전개되며, 이를 통해 떠난 아이를 그리워하는 '나'와 아내의 내면 심리가 생생하게 드러나고 있다.

왜 오답일까 ① 역설적 상황은 드러나지 않았다.
② 작품의 서술자인 '나'가 과거 일을 회상하고 있으나 서술 시점에 변화를 주고 있지는 않다.
③ 사건의 중심이 되는 인물은 '나'와 아내이며, 서술자인 '나'는 아내를 안쓰럽게 여기고 아내의 아픔에 공감하고 있으므로 객관적으로 묘사했다고 보기 어렵다.
④ 공간적 배경의 전환은 드러나지 않으며, 긴장감 있는 전개 또한 나타나지 않았다.

02 '나' 역시 아이의 죽음으로 인해 슬픔을 느끼고 있지만, 풀을 바른 벽지를 놓을 수 없는 것처럼 일상의 삶도 포기할 수 없는 현실에 괴로워하고 있다.

왜 오답일까 ① 죽은 아이를 화장하면서 "잘 자."라고 하는 아내의 말은 영우가 죽은 것이 아니라 자고 있는 것이라고 믿고 싶은 심정을 드러낸다.
② '이응밖에' 쓰지 못했다는 말에는 글자를 제대로 익히기도 전에 떠나버린 아이에 대한 안타까움이 담겨 있다.
③, ④ 윗글에서 꽃은 사람들이 부부에게 건넨 배려 없는 위로를 상징하는데, 이러한 꽃이 무더기로 그려진 벽지 아래 쪼그려 앉아 우는 아내의 모습에서 아내가 배려 없는 위로 때문에 상처를 받았음을 알 수 있다.

03 '나'와 아내는 도배를 하다가 아이가 벽 아래에 써 놓은 낙서를 발견하고, 죽은 아이와의 추억을 떠올리며 깊은 슬픔에 잠기고 있다.

04 '입동'을 통해 아들을 잃은 슬픔과 그리움을 강조하고, 부부의 내면에 시리고 아픈 겨울이 도래했음을 드러내는 것은 맞지만, '입동'이라는 시기가 '영우를 잃은 비극적인 시기인 '지난봄'과 대비되는 것은 아니다.

05 이웃들이 '타인의 몸 바깥에 선 자신'의 한계를 스스로 인식했다면 '나'와 아내에게 배려 없는 위로를 건네지는 않았겠지만, 그렇다고 하더라도 '나'와 아내가 아이를 잃은 슬픔을 극복할 수 있었을 것이라고 보기는 어렵다.

왜 오답일까 ①, ③ 〈보기〉에서 '이해'란 타인의 몸 바깥에 선 자신의 무지를 인정하는 과정이라 언급하고 있으므로, '나'를 이해하지 못하는 이웃들은 타인의 고통에 대한 자신의 무지를 인정하지 않은 사람들이라고 할 수 있다.
② 작가는 '꽃매'라는 표현을 통해 아이를 잃은 부부에게, 겉으로는 위로처럼 보이지만 실제로는 상처를 주는 '배려 없는 위로의 폭력성'을 그려 내고 있다.
⑤ '나'는 자신과 같은 슬픔을 겪고 있는 아내의 고통에 공감하고 있으며, 아내의 고통을 자신의 고통과 같이 인식하고 있다.

34 산촌 여정

210~213쪽

01 ⑤ 02 ⑤ 03 ⑤ 04 ① 05 ① 06 ① 07 ③ 08 ①
09 ② 10 ①

작품 해제 편지글 형식을 활용하여 산촌의 정취를 감각적으로 표현한 수필이다. 자연적이고 전통적인 사물을 도회적 감각을 바탕으로 근대적이고 이국적인 이미지로 형상화했다는 점에서 참신함이 돋보인다.

01 윗글에서 계절의 흐름과 공간의 변화를 연결하는 부분은 찾아볼 수 없다.

왜 오답일까 ① '－ㅂ니다'의 경어체를 통해 현재 글쓴이가 지내고 있는 산촌의 모습을 묘사하고 있다.
② '나'는 '노루', '멧돼지' 등 팔봉산에 있는 야생 동물들을 동물원에서 산에 내어놓은 동물로 비유하고, 석유 등잔 냄새를 석간 냄새 등에 비유하는 등 사물에 대한 참신한 시각을 보여 주고 있다.
③ 윗글은 '나'가 정 형에게 보내는 편지글의 형식을 통해 '나'의 내면을 진솔하게 고백하고 있다.
④ '향기로운 엠제이비(MJB)의 미각', '파라마운트 회사 상표처럼 생긴 도회 소녀' 등 도회적이고 감각적인 표현을 통해 이국적인 느낌을 드러내고 있다.

02 글쓴이가 산촌에 오게 된 계기는 윗글에서 확인할 수 없다.

왜 오답일까 ① 글쓴이는 도회에 남겨 두고 온 가난한 식구들의 꿈을 꾸고 가족에 대한 걱정으로 잠에서 깬 뒤 우울함과 근심을 느낀다.
② '도회에 화려한 고향이 있습니다.'를 고려할 때 글쓴이는 본래 산촌에 사는 사람이 아님을 추론할 수 있다.
③ '도회에 남겨 두고 온 가난한 식구들을 꿈에 봅니다.'에서 글쓴이의 가족들은 경제적으로 넉넉하지 않음을 알 수 있다.
④ '신문도 잘 아니 오고 체전부는 이따금 하도롱 빛 소식을 가져옵니다.'에서 산촌은 소식이 느림을 알 수 있다.

03 '도회에 남기고 온 일이 걱정', '도회에 남겨 두고 온 가난한 식구들' 등에서 '도회'가 '나'에게 가족들에 대한 걱정과 그리움을 불러일으키는 공간임을 알 수 있다. 그리고 '별빛만으로라도 넉넉히 좋아하는 누가복음도 읽을 수 있'고, '별들의 운행하는 기척이 들리는 것' 같은 산촌의 정경은 고요하고 평화로운 정서를 불러일으킨다.

04 Ⓐ는 '근심'이라는 추상적 관념을 촉각적 이미지를 사용하여 마치 만질 수 있는 것처럼 구체적으로 표현하였다. 이와 가장 유사한 발상은 추상적 관념인 '전설'을 청포도가 열리는 시각적 이미지로 구체화하여 나타낸 ①에서 확인할 수 있다.

왜 오답일까 ② '나'를 '한 마리 어린 짐승'에 빗대어 표현하고 있다.
③ '껍데기(가식, 외세)', '흙 가슴(순수한 정신)', '쇠붙이(무력, 외세)' 등의 상징적 표현을 활용하였고, '한라에서 백두까지'에서 대유

법을 사용하여 한반도 전체를 나타내고 있다.
④ '바람'과 '종다리'를 의인화하고 있다.
⑤ '저녁놀'을 '바다를 밟고', '하늘을 만지면서', '날을 곱게 단장하는' 대상으로 의인화하여 표현하고 있다.

05 글쓴이는 짐승들을 주로 도회의 동물원에서 보았기 때문에, 짐승들이 동물원이 아닌 산에 있는 풍경을 낯설게 여기고 있다.

기출 작품 딥러닝

이상, 「권태」

▶해법문학 Link 수필·극 26쪽

작품 해제 한여름 시골의 벽촌에서 생활하며 느끼는 권태로움을 진술하게 서술한 작품이다. 글쓴이는 농촌 생활을 날카로운 눈으로 바라봄으로써 시골과 도회 생활의 장단점을 제시하고 삶의 여러 본질적 의미를 돌아보고 있다.

핵심 포인트 글쓴이의 일상과 그에 따른 정서

| 단조로운 환경 | • 굴곡이 없는 산과 어디에나 있는 초록색의 벌판
• 똑같은 모습의 농가 풍경 |

↓

삶의 적극적 가치 의식이 없는 생활로, 글쓴이의 방황과 고민의 이유이자 권태의 근본적인 원인이 됨.

---

06 글쓴이는 자신의 '사소한 고독'을 '세균'에 비유하여 '사색의 반추는 가능할는지 불가능할는지 몰래 좀 생각해' 보겠다며 자신의 상념을 드러내고 있다. 또한 '내일'을 '흉맹한 형리'에 비유하여 '내일'에 대한 심리적 부담감을 드러내고 있다.

07 '또 깨거든 최 서방의 조카와 장기나 또 한판 두지'에서 글쓴이가 이전에 최 서방의 조카와 장기를 둔 적이 있음을 알 수 있다.

왜 오답일까 ① 글쓴이는 삶에 권태를 느끼고 있기 때문에 자연 풍경을 즐기기 위해 풀밭에 누워 있었던 것으로 보기는 어렵다.
② 글쓴이는 별에 감흥을 느끼지 못하고 싱겁게 여겼으나 방으로 바로 돌아가지 않고 멍석에 누운 사람들을 관찰하고 있으며, 그들을 시체와 같이 생각하기를 정지하고 잠을 자기로 마음먹었다.
④ '나'는 '모든 것에서 절연'된 상태이지만 절연된 가족에게서 연락이 오기를 기다리는 모습은 확인할 수 없다.
⑤ '나'는 마당에서 잠을 자는 사람들을 시체와 같다고 여기며 그들에 대한 비판적 시각을 보이고 있으므로 그들을 동정한다는 설명은 적절하지 않다.

08 ㉠은 글쓴이가 생각하는 소가 되새김질을 하는 이유로, 주관적인 판단에 해당한다.

09 글쓴이는 '풀밭'에서 '소'를 '지상 최대의 권태자'라고 칭하면서 자신의 권태에 대한 생각을 이어간다. 또 '좁은 방'에서는 '불나비'를 '정열의 생물'이라고 칭하면서 이와 달리 권태에 빠져 정열도, 욕심도 없는 상태인 자신의 처지를 확인하고 있다.

10 윗글의 글쓴이는 시골에서 생활하며 느끼는 권태로움을 솔직하게 고백하고 있으며, 〈보기〉의 화자는 '낯설은 거리'로 표현되는 도시에서 느끼는 고독과 비애를 표현하고 있다.

35 게 214~215쪽

01 ② **02** ② **03** ③ **04** ④ **05** ② **06** ⑤ **07** ⑤

작품 해제 일상적 소재인 '게'의 속성을 글쓴이 자신을 포함한 우리 민족으로 확대하여 삶에 대한 성찰을 드러낸 작품으로, 글쓴이의 재치가 돋보인다.

01 글쓴이는 '게'와 관련한 한시를 인용하여 게에 대한 글쓴이의 생각을 드러내고 있으며 더 나아가 스스로와 인간의 태도에 대해 풍자하고 있다. 한시를 통해 글쓴이의 예술관을 드러내고 있는 것은 아니다.

02 고사성어 '어부지리(漁夫之利)'를 뜻하는 '어부의 이(利)'라는 표현이 사용되었지만, 이를 통해 내용의 이해를 돕고 있을 뿐 사실성을 높이기 위한 것은 아니다. [A]에서는 게의 행동에 대한 구체적인 묘사를 통해 사실성을 높이고 있다.

03 '단장의 비애를 모른다'는 것은 세상일에 무감각함을 의미한다. 글쓴이는 자신뿐만 아니라 우리 민족으로까지 범위를 확대하여 '단장의 비애를 모르는' 태도에 대해 성찰하고 있을 뿐, 이러한 태도를 본받고자 하는 것은 아니다.

04 '게'에는 다양한 의미가 함축되어 있다. 따라서 다양한 상황에 처한 사람들 모두에게 의미 있는 존재가 될 수 있다는 점에서 글쓴이는 '게'를 좋은 화제로 생각하고 있다.

05 '타산지석'은 본이 되지 않은 남의 말이나 행동도 자신의 지식과 인격을 수양하는 데에 도움이 될 수 있음을 비유적으로 이르는 말이다. 윗글은 게의 부정적인 속성을 자신뿐만 아니라 우리 민족으로 확대하여 삶을 성찰하고 있기 때문에 글쓴이의 태도를 나타내기에는 '타산지석'이 가장 적절하다.

왜 오답일까 ① 온고지신(溫故知新): 옛것을 익히고 그것을 미루어서 새것을 앎.

③ 일희일비(一喜一悲): 한편으로는 기쁘고 한편으로는 슬퍼함. 또는 기쁨과 슬픔이 번갈아 일어남.

④ 토사구팽(兔死狗烹): 토끼가 죽으면 토끼를 잡던 사냥개도 필요 없게 되어 주인에게 삶아 먹히게 된다는 뜻으로, 필요할 때는 쓰고 필요 없을 때는 야박하게 버리는 경우를 이르는 말.

⑤ 각주구검(刻舟求劍): 융통성 없이 현실에 맞지 않는 낡은 생각을 고집하는 어리석음을 이르는 말.

06 글쓴이가 왕세정의 시보다 윤우당의 시에 더 공감하고 있는 것은 맞지만, 결국 먹잇감이 되고 마는 게의 운명을 다룬 시는 왕세정의

시에 해당한다.

왜 오답일까 ①, ② 글쓴이는 그림에 작가의 정신과 심경을 담은 정소남의 예술관에 공감하며, 게 그림에 글쓴이의 청고한 심경을 담고자 하는 모습을 보이고 있다.

③ '나 자신만이 아니라 우리 민족 중에는 이러한 인사가 너무나 많지 않은가.'에서 글쓴이는 자신뿐만 아니라 민족의 삶으로까지 성찰의 범위를 확대하고 있다.

④ '내가 쓰는 화제는 십중팔구 윤우당의 작이라는 이 시구를 인용하는 것이 항례다.'에서 화자는 게 그림에 윤우당의 시를 인용하여 무장공자 즉, 세상일에 무감각한 글쓴이와 우리 민족의 모습을 표현하고자 했음을 알 수 있다.

07 〈보기〉에 따르면 형식론은 예술가의 감정과 같은 작품 외적인 요소보다 작품 자체에 주목하는 관점이다. 특정한 대상에 예술가의 감정을 호소하는 행위를 옹호하는 관점은 표현론에 해당하며, 글쓴이 또한 자연을 작가의 심경을 호소하기 위한 방편으로 삼을 때 비로소 그림이 예술로 등장할 수 있다고 생각하고 있다.

왜 오답일까 ① 〈보기〉에 따르면 모방론은 외부 대상을 정확하게 그려 내는 것을 예술이라고 보고 있으므로, 글쓴이와 달리 '사물의 형용을 방불하게 하는 것'을 가장 중요시할 것이다.

②, ③ 〈보기〉에 따르면 표현론에서 예술이란, 작품에 예술가의 주관적인 감정을 담은 것이다. 따라서 '자연을 빌려' 예술가의 감정을 담는 것이나 '작가의 청고한 심경'을 그림에 담아내는 것은 표현론의 견해와 연결된다.

④ 붓에 수묵을 묻히고 휘둘러 만들어진 작품 자체에 주목하는 것은 도구가 만들어 내는 독특한 색, 양감, 질감 등에 주목한다는 것으로, 만들어진 작품 자체를 중요시하는 형식론의 주장과 연결된다.

36 뒤지가 진적 216~217쪽

01 ② **02** ③ **03** ⑤ **04** ③ **05** ③

작품 해제 조선어 학회 사건으로 3년 가까이 감옥살이를 한 글쓴이의 경험을 담은 글이다. 어려운 상황에서도 글을 읽고자 하는 글쓴이의 모습을 통해 인간의 의욕은 인력으로 좌우할 수 없음을 깨닫는 과정을 보여 주고 있다.

01 윗글은 글쓴이가 일제 강점기에 감옥 생활을 하면서 유일한 읽을거리인 뒤지를 얻기 위해 노력했던 경험을 사실적이고 생생하게 전달하고 있는 수필이다.

왜 오답일까 ① 윗글에서 우의적 기법은 사용되지 않았다.

③, ⑤ 다른 인물이 아닌 '나'의 경험과 생각 등을 통해 내용이 전개된다.

④ 윗글의 공간적 배경은 감옥으로, 공간의 이동은 나타나지 않는다.

02 차입된 음식물을 싼 신문지가 있으면 이를 보지 못하도록 태워 버린다는 내용은 확인할 수 있지만, 수감자가 가족에게 뒤지로 쓸 종

이를 차입해 달라고 요청했다는 내용은 찾아볼 수 없다.

왜 오답일까 ① '이 당시에는 전쟁 중의 일본이 경제적 파탄에 직면
하고 있었으므로 뒤지조차 구하기 어려웠다.'에서 신문지나 잡지
등을 뒤지로 사용해야 할 만큼 환경이 열악했음을 알 수 있다.

② '경찰서나 형무소에서는 구속되어 있는 사람이 바깥세상의 소식
을 아는 것을 지극히 꺼리고 있어서'를 통해 알 수 있다.

④ '읽다가 들켜서 뒤지를 빼앗기는 일도 있었고, 뺨을 맞는 일도 한
두 번이 아니었다.'를 통해 확인할 수 있다.

⑤ '우리는 문초를 받는 일 외에는 열흘이 하루같이 아무것도 하는
일 없이' 있었다는 말을 통해 수감자들이 그저 무료하게 갇혀 있었
음을 알 수 있다.

03 글쓴이는 '뒤지'를 읽었다는 이유로 여러 봉변을 당하지만, 이는 글
을 읽고자 하는 인간의 본능을 억누르기에는 역부족이었음을 깨닫
고 있다. 따라서 ㉤은 인간의 의욕은 인력으로 좌우할 수 없다는 깨
달음을 드러냈을 뿐 이를 자조적으로 표현한 것이 아니다.

왜 오답일까 ① 글의 핵심 화제인 '뒤지'와 공간적 배경인 '감방'을
함께 언급하고 있다.

② 뒤지의 글을 '한 줄 한 자도 빼놓지 않고 읽'는 모습에서 글을 읽
고자 하는 욕구가 강한 글쓴이의 모습을 확인할 수 있다.

③ '천재일우'라는 고사성어를 활용하여 '신문지'와 같은 양질의 읽
을거리를 구하는 일이 매우 어려움을 드러내고 있다.

④ '젊은 사람이 청소하러 나가서 마치 담배를 훔쳐 들이듯이' 뒤지
를 몰래 감방으로 들였다고 하였다.

04 '뒤지'는 무료한 수감 생활을 달래 주고, 글을 읽고 싶은 글쓴이와
동지들의 욕망을 충족시켜 주었기에 감옥 안의 사람들에게 '진적'
처럼 여겨진 것이다. 제목 '뒤지가 진적'은 이러한 뒤지의 의미를 요
약적으로 드러내고 있다.

05 '경무휘보'는 일제의 기관지이므로, 우리말을 연구하여 사전을 편
찬하고자 했던 조선어 학회의 뜻과는 상반된다. 글쓴이와 동지들이
'경무휘보'를 많이 입수하려고 노력한 것은 글을 읽고 싶은 욕망을
충족하기 위함이다.

왜 오답일까 ① 우리말을 연구했던 글쓴이가 읽을거리가 없는 무료
한 감옥 생활을 견디기 위해 뒤지의 글조차 진적처럼 여기는 모습
에서 지식인으로서의 면모를 확인할 수 있다.

② 〈보기〉의 내용과 뒤지를 돌려 읽는 모습 등을 통해 같은 감옥에
있는 동지들이 조선어 학회 사건으로 함께 수감된 지식인이었음을
추측해 볼 수 있다.

④ 글쓴이는 고통스러운 감옥 생활 속에서 읽을거리를 찾기 위한
노력을 해학적으로 표현하고 있으며, 이를 통해 글쓴이의 개성이
드러난다.

⑤ 글쓴이는 뒤지를 얻으려다 봉변을 당하고도 읽기를 단념할 수
없었던 경험을 통해 인간의 본능적 욕망을 제어하기 어려움을 깨닫
고 있다.

---

37 특급품

218~219쪽

01 ④   **02** ①   **03** ③   **04** ①   **05** ④   **06** ⑤

작품 해제 바둑판을 소재로 하여 삶에서 범하는 잘못이나 허물을 대하는 태도를
이끌어 내는 글이다. 글쓴이는 과실에 낙담하지 않고 유연하게 이겨낼 때 좀 더 성숙
해질 수 있다는 교훈을 전달하고 있다.

01 윗글은 '특급품' 비자반의 성질에서 인생의 교훈을 이끌어 내고 있
을 뿐, 이러한 현상을 비판적인 시각으로 바라보고 있지는 않다.

02 비자나무 바둑판은 연하고 탄력이 있기 때문에 바둑판으로 쓰이는
것이지 '귀목'이라서 쓰이는 것은 아니다.

왜 오답일까 ② 윗글에서 반면이 갈라지는 것은 '기약지 않은 불측
의 사고'라고 하였다.

③ 윗글에서 일급품은 용재나 치수, 연륜에서 특급품과 다를 바가
없다고 하였다.

④ 비자반이 균열을 스스로 유착·결합하여 균열이 있던 자리에 머
리카락 같은 가느다란 흔적만 남은 것을 특급품이라고 한다.

⑤ 목침감은 일급품 비자반의 균열이 회복될 수 없을 만큼 커서 바
둑판으로서의 가치를 잃게 되었음을 드러내는 표현이다.

03 바둑판이 모든 과실과 기약지 않은 불측의 사고를 환영하는 것은
아니며, 비자반의 특성에서 인생의 교훈을 이끌어 내고 있을 뿐 인
생이 바둑판보다 못하다고 말하는 것은 아니다.

04 '일급품' 비자반에 생긴 흉터는 비자반이 유연성 때문에 다시 유착
되어 '특급품'이 되었다는 것을 증명한다. 따라서 '일급품' 비자반이
'특급품'이 될 수 있게 하는 속성은 유연성이다.

05 [A]에서 일급품 바둑판이 스스로의 힘으로 균열을 메우는 것은 고
생스러운 시간이면서도 특급품으로 거듭나는 과정이므로 '고생 끝
에 즐거움이 옴.'을 이르는 말인 '고진감래(苦盡甘來)'와 관련이 있다.

왜 오답일까 ① 자신의 과오에 대한 벌을 받게 된다는 것은 '인과응
보(因果應報)'와 관련이 있다. '과유불급(過猶不及)'은 '정도를 지
나침은 미치지 못함과 같다'는 뜻이다.

② 유비무환(有備無患): '미리 준비가 되어 있으면 걱정할 것이 없
음'을 뜻하는 말이다.

③ 살신성인(殺身成仁): '자기의 몸을 희생하여 인(仁)을 이룸.'을
뜻하는 말이다.

⑤ 영원히 좋은 일도, 영원히 나쁜 일도 없는 삶의 이치와 관련된 사
자성어는 '새옹지마(塞翁之馬)'이다. '설상가상(雪上加霜)'은 '눈
위에 서리가 덮인다는 뜻으로, 난처한 일이나 불행한 일이 잇따라
일어남을 이르는 말'이다.

06 특급품 비자반은 갈라진 상처를 체험으로 이겨 낸 존재이므로 이를
인간의 삶에 적용하면 과실이나 시련을 스스로의 노력으로 극복하
고 더 나은 삶을 살게 된 ⑤가 가장 적절하다.

38 당신이 나무를 더 사랑하는 까닭 220~221쪽

01 ④ 02 ④ 03 ④ 04 ③ 05 ③

작품 해제 소나무 숲에서의 사색을 바탕으로 현대 문명의 비정함과 폭력성을 비판하고 오늘날을 살아가는 바람직한 태도를 전하고 있는 작품이다. 글쓴이는 글의 끝부분에서 비유를 통해 소나무와 같이 뜻과 힘을 모으면 무수한 폭력을 이겨 낼 수 있음을 제시하고 있다.

01 윗글은 편지글 형식의 수필로, 글쓴이가 소나무를 보고 느낀 바를 솔직하고 담담하게 전달하고 있다.

02 '나'는 소나무를 통해 삶을 성찰하게 되었으므로 소나무를 '회초리를 들고 기다리는 엄한 스승'에 빗대어 표현한 것이지, 소나무를 보고 자신을 바른 길로 인도하려 했던 선생님을 떠올린 것은 아니다.

03 '솔방울'은 황폐하고 척박한 환경에서도 소생할 수 있는 저력을 상징하는 소재로, 현대 문명의 폭력성을 묵묵히 견뎌 내고 있는 소나무가 달고 있는 희망이다. 이를 고려할 때, '나'가 생각하는 소나무 같은 '사람'은 문명의 폭력 앞에서도 희망을 버리지 않고 이를 묵묵하게 견뎌 내는 사람이라고 볼 수 있다.

04 '자연을 오로지 생산의 요소로 규정하는 경제학의 폭력성'을 고려할 때, 최대의 소비자인 ⓑ와 현대 문명을 상징하는 ⓒ는 유일한 생산자인 자연(ⓐ)을 생산의 요소로 규정하고 있다고 볼 수 있다. 따라서 ⓑ와 ⓒ가 자연을 생산의 요소로 규정한다는 점에서 대조된다고 보기 어렵다.
왜 오답일까 ① ⓐ는 '신발 한 켤레의 토지'에 서서 우람함을 드러내며, 지구 위의 유일한 생산자인 식물에 해당한다.
② ⓑ는 소비자로서 유일한 생산자인 ⓐ를 착취하고, 현대 문명을 상징하는 ⓒ는 소비의 주체인 ⓑ마저 소비의 객체로 전락시킨다.
④ 경복궁을 복원하기 위해 수많은 소나무를 베어야 한다는 점에서 ⓐ는 ⓑ의 욕심으로 인해 훼손당하는 피해자라고 볼 수 있다.
⑤ '생각 깊은 나무'는 나무들 스스로가 쇠의 자루가 되어 주지 않는 한 결코 쇠가 나무를 해칠 수 없다고 말하고 있다. 이는 자루 없는 쇠도끼가 폭력을 가할 수 없는 것처럼, 우리들 스스로가 문명이라는 도끼의 자루가 되지 않으면 문명의 폭력이 우리를 해칠 수 없다는 글쓴이의 견해를 드러내는 것이다. 이때 폭력의 도구인 자루가 되어 주지 않으며 폭력을 묵묵히 견뎌 내는 ⓐ는 솔방울이라는 희망을 지닌 존재로, ⓒ의 위협 앞에서도 결코 무너지지 않는 힘을 지닌 존재라고 할 수 있다.

05 윗글에서 '나'는 우리 모두가 결국 '생산의 주체가 아니라 소비의 주체이며 급기야는 소비의 객체로 전락'되고 있는 상황을 지적하며 무차별적인 소비에 대한 비판 의식을 드러내고 있다.
왜 오답일까 ①, ② '나'는 자연만이 유일한 생산의 주체라는 당신의 말을 떠올리며 소비에만 매몰되어 있는 우리 삶을 성찰하고 있으므로 우리가 생산성을 높여야 한다는 것은 적절하지 않다.
④ '나'는 사람이 소비의 주체에서 소비의 객체로 전락되는 현실을

비판하고 있지만 소비를 중심으로 생활해야 한다고 주장하는 것은 아니다.

39 반 통의 물 222~223쪽

01 ② 02 ③ 03 ⑤ 04 ③ 05 ⑤ 06 ③ 07 ③

작품 해제 밭에서 식물을 기르는 일상의 순간에 느낀 정서와 깨달음을 드러낸 수필이다. 자연과 사람에 대한 생각과 불편한 몸으로 물을 길어 나르던 할아버지를 본 경험을 통해 자연과 어우러져 살아가고자 하는 마음을 드러내고 있다.

01 윗글은 글쓴이가 밭을 가꾼 경험과 텃밭을 일구는 할아버지를 본 경험을 통해 얻은 깨달음을 솔직하게 드러낸 경수필이다.

02 '나'는 남편에게 당근씨를 넉넉히 넣으라고 당부하고 있을 뿐, 식물을 기르는 것과 관련하여 남편과 갈등을 겪고 있는 것은 아니다.
왜 오답일까 ① '나'가 '어렵게 틔워 낸 이쁜 싹들'에 애착을 가지고, 당근이 잘 자랄 수 있도록 최선을 다해 돌보는 모습에서 생명을 존중하는 태도를 지니고 있음을 알 수 있다.
② '나'는 너무 얕게 씨를 뿌려 낭패를 보았던 작년의 농사 경험에서 교훈을 얻고 이를 올해 농사에 적용하고 있다.
④ '나'는 몸이 불편한 할아버지가 텃밭을 일구기 위해 물을 길어 오는 모습에서 감동을 받고 있다.
⑤ (가)에서 '나'는 다른 씨앗은 키워보았으나, '부추씨와 당근씨는 올해 처음 뿌리는 것'이라고 하였다.

03 글쓴이는 자연을 정성껏 돌보는 할아버지의 모습에 감동을 받아 할아버지가 걸어가시는 모습에 이상한 평화를 느끼는 것일 뿐, 글쓴이에게 할아버지와 같은 마비가 있어 동질감을 느끼는 것은 아니다.

04 ⓒ의 '깨지다'는 '일 따위가 틀어져 성사가 안되다.'라는 의미로, 맥락상 적정 거리를 넘어서 너무 가까워졌음을 의미한다고 보는 것이 적절하다. '파열하다'는 '깨어지거나 갈라져 터지다.'의 의미를 지니고 있으므로 ⓒ의 '깨지다'와 바꾸어 사용하기에 적절하지 않다.

05 [A]는 당근과 사람 모두 '적절한 거리'를 유지하는 것이 중요함을 유추를 통해 깨닫고 있다. 따라서 꽃이 피는 계절이 제각기 다른 것처럼 사람마다 성공하는 시기가 각자 다르다는 사실을 유추를 통해 이끌어 내고 있는 ⑤가 그 표현 방식이 가장 유사하다.

06 '참새'는 밭 가꾸기를 방해하는 존재이지만, 자연의 섭리에 어긋나는 대상인 것은 아니다. 또한 '나'는 참새와 관련한 경험을 통해 농사를 지을 때 다른 생명과 먹을 것을 나누는 넉넉한 마음이 필요하다는 깨달음을 얻고 있다.
왜 오답일까 ① '나'는 참새를 위해 '당근씨'를 넉넉하게 뿌렸다.
② '나'는 '당근씨'를 심은 경험을 통하여 최소한의 거리가 깨졌을 때

폭력과 환멸이 생겨나는 인간관계를 떠올리고 있다.

④ '나'는 몸 반쪽이 마비되어 성하지 않음에도 불구하고 텃밭을 정성껏 일구는 할아버지의 성실함에 깊은 감명을 받고 있다.

⑤ '나'는 '할아버지'의 모습을 보며 자연과 공존하는 기쁨과 작은 생명에게도 소중하게 정성을 쏟아야 한다는 교훈을 얻고 있다.

07 윗글의 제목인 '반 통의 물'은 불편한 몸에도 불구하고 생명을 사랑하며 소중히 아끼는 할아버지의 따뜻한 마음과 정성을 의미한다.

40 순후와 질박함에 대하여   224~225쪽

01 ②   **02** ⑤   **03** ④   **04** ②   **05** ⑤

작품 해제 ▶ 반복되는 일상에서 벗어나려고 찾아간 시골 마을에서 만난 할머니에게서 순후하고 질박한 인정을 느끼고 얻은 깨달음을 전하는 수필이다. 인정이 사라져 가는 현대 사회에서 스스로 위안을 줄 수 있는 존재가 되고자 하는 글쓴이의 마음가짐이 돋보인다.

01 (다)에서 글쓴이는 '고향 같은 어머니가 되어야겠다는 깨달음'을 얻고 있지만, 강 마을을 다시 방문하겠다고 다짐하지는 않았다.

🖋왜 오답일까 ①, ③ 글쓴이는 강 마을에 사는 할머니들의 순후한 인정과 냉수 한 사발의 인정에 감동을 받았으며, 이들을 친근하게 여기고 있다.

④, ⑤ 글쓴이는 '돈이 많은 사람', '육체가 너무 건강한 사람' 등에게 '무형의 저항감'을 느낀다고 하였으며, '가진 것 없고 그 생애 자체가 희생으로만 점철된 시골 할머니들'에게 애정을 느끼고 있다. 또한 그들의 순후함과 질박함에 가치를 두어 이가 사라질 것을 두려워하고 안타까워한다고 하였다.

02 [B]에서는 '정신적 유토피아'나 '고향 같은 어머니'와 같은 비유적 표현을 사용하고 있으나, 이를 통해 인물의 냉소적 시선을 드러내지는 않았다.

🖋왜 오답일까 ① [A]에서는 '나'와 '할머니'의 대화를 직접 인용하여 장면에 생동감을 부여하였다.

② [B]에서는 잦은 쉼표를 사용하며 문장을 진술하다가, '내가 결국은 고향을 잃어버려서'에서 내적 갈등의 원인을 찾아가고 있다.

③ [A]와 [B] 모두 현재형 종결 어미 '-ㄴ다'를 사용하고 있다.

④ [A]에서는 마을 입구부터 할머니 집으로의 장소 이동이, [B]에서는 '내가 왜 이렇게 지치나' 등에서 내면의 직접적 서술이 드러난다.

03 '냉수 사발'은 손님의 마음을 헤아리는 할머니의 배려가 담겨 있는 소재로, 할머니의 인정 넘치는 성격을 드러내며 '나'와 할머니의 친밀한 관계를 상징적으로 드러낸다.

04 '나'는 ㉠에서 반복되는 일상에 대한 불편한 감정을 느끼고 ㉡을 거쳐 ㉢으로 향한다. ㉢에서의 긍정적인 경험을 통해 깨달음을 얻은

'나'는 ㉣로 돌아와 앞으로의 삶에 대해 생각하지만, 일상에 대해 불편한 심리를 느끼고 있지는 않다.

🖋왜 오답일까 ①, ⑤ '나'는 집에서 나와 보성 강변길을 지나 강 마을에 방문한 경험을 통해 무기력함과 싫증에서 벗어나 앞으로의 삶에 대한 긍정적인 다짐을 하고 있다.

③ 보성 강변길의 햇빛과 코스모스에 대한 묘사에서 풍경에 대한 '나'의 긍정적인 심리가 드러난다.

④ 강 마을에서 '나'는 하나도 낯설어하지 않으며 할머니에게 말을 걸고, 할머니도 스스럼없이 대답하고 집 구경을 시켜 주는 등 서로에게 우호적인 태도를 보이고 있다.

05 '거개가 나이 든', '가진 것 없고 그 생애 자체가 희생으로만 점철'된 것은 할머니들을 가리키는 속성이다. '나'가 '무형의 저항감'을 느끼게 하는 사람들은 '돈이 많은 사람, 권력을 가진 사람, 육체가 너무 건강한 사람, 아는 것이 너무 많은 사람들'이다.

🖋왜 오답일까 ② 글쓴이는 '나는 어떻게 늙어 갈 것인가를 생각'할 때마다 '오래된 마을'을 떠올리며 포근함을 느낀다. 이는 '강 마을'에서 만난 사람들처럼 인정이 넘치는 사람으로 늙어 가야겠다는 글쓴이의 깨달음으로 구체화된다.

③ 글쓴이는 '사람을 반기고 사람을 사람으로 보고 사람을 섬기는 그 선한 눈빛'을 긍정적으로 생각하고 있으며, 이들의 인정과 순후, 질박함이 사라져 버리는 것을 두려워하고 있다. 이는 곧 시골 할머니들처럼 인정을 베푸는 사람이 되고자 하는 다짐으로 나아가고 있으므로 적절한 진술이다.

41 동승   226~227쪽

01 ②   **02** ⑤   **03** ③   **04** ③   **05** ③   **06** ③

작품 해제 ▶ 수도승이자 어린아이로서 불가적 삶과 어머니를 그리워하는 마음 사이에서 겪는 심리적 갈등을 낭만적으로 드러낸 작품이다.

01 '범종 소리', '주지의 독경 소리', '목탁과 주지의 염불 소리' 등의 음향 효과를 통해 '절'이라는 공간적 배경을 드러내고 있다.

02 도념은 잣을 놓아두거나 산문에 절을 하는 방식으로 자신을 돌보아 주었던 주지에 대한 감사의 마음을 표현하고 있다. 그렇지만 윗글에서 도념이 주지와 한 약속에 대한 내용은 찾아볼 수 없다.

🖋왜 오답일까 ① 초부는 "눈이 오는데 잘 데두 없을 텐데,", "찾지두 못하면 다시 돌아올 수두 없구, 거지밖에 될 게 없을 텐데 잘 생각해서 해라." 등에서 도념의 앞날에 대한 걱정을 드러내고 있다.

② [앞부분 줄거리]에서 주지가 도념이 절을 떠나는 것에 반대했음을 알 수 있으며, 도념이 주지 몰래 절을 떠나는 모습에서도 이를 추론할 수 있다.

③ 조선 팔도를 다 돌아다니겠다거나 어머니와 재회한 꿈을 여러

번 꾸었다는 도념의 말에서 어머니를 찾고자 하는 강한 의지를 엿볼 수 있다.

④ 초부는 도념이 친 범종 소리를 듣고 "오늘은 왜 그런지 유난히 슬프"다고 했으므로, 범종 소리가 평소와 다르다고 느꼈음을 알 수 있다.

03 도념은 주지에게 자신이 떠난다는 사실을 알리지 못해 미안함을 느끼고 있으며, 한편으로는 앞날에 대한 불안함을 느끼고 있으므로 미안함과 불안함이 동시에 느껴지는 표정을 연기하는 것이 가장 적절하다.

🖊 **왜 오답일까** ① 도념의 심정을 고려할 때 비탈길을 힘차게 뛰어 내려가게 하는 것은 적절하지 않다.

②, ④ 도념은 자신의 미래를 걱정하며 길게 한숨을 쉬고 있으므로 답답함을 모두 해소했다고는 볼 수 없으며, 속세에서의 삶을 기대하고 있다고 할 수 없다.

⑤ 도념은 미래에 대한 불안과 동시에 자신을 돌보아 주었던 주지에 대한 고마움과 미안함을 느끼지만, 미망인을 따라가지 않은 것을 후회하고 있지는 않다.

04 도념은 독경 소리를 듣고 주지 스님에게 잣을 남기지만 어머니를 찾아 떠나려는 자신의 결정을 번복하지는 않는다.

05 도념은 절을 떠나려다가 주지에게 독백을 하는데, 이는 도념이 절을 떠나는 사건을 지연하고 작품의 서정적 분위기를 강화한다.

🖊 **왜 오답일까** ① 초부와 도념의 대화는 두 사람이 그동안 친밀한 관계를 형성하고 있었음을 보여 준다.

② 윗글에서 방백이 사용된 부분은 없다.

④ 초부와 도념의 대화를 통해 초부가 도념의 결심을 헤아리고 도념의 의사를 존중하게 되는 과정을 확인할 수 있다.

⑤ 도념은 초부와 헤어진 후 '법당에서의 주지의 독경 소리'를 듣고 주지 스님에게 감사함을 표현해야겠다는 심리적 자극을 받아 독백을 하고 있다.

06 도념은 어머니를 찾아 절을 떠나지만, 어머니를 기다리며 절에서 살았던 지난날에 대해 한탄하지는 않았으므로 지난날에 대한 회한을 느끼고 있다는 진술은 적절하지 않다.

42 불모지 228~231쪽

01⑤	02⑤	03②	04⑤	05④	06③	07②	08⑤
09⑤	10③	11③					

작품 해제 구시대는 힘을 잃고 새로운 시대는 아직 열리지 않은 '불모지'와 같은 1950년대를 배경으로, 전후 사회의 어둡고 불안한 상황을 사실적으로 드러낸 작품이다.

01 윗글의 공간적 배경은 '낡은 기와집'으로, 작가는 이 공간을 '흔한 햇볕도' 들지 않아 식물이 잘 자라지 않는 불모지로 설정하여 구시대

는 힘을 잃고 새로운 시대는 아직 열리지 않은 1950년대에 대한 현실 인식을 강조하고 있다.

🖊 **왜 오답일까** ① 함석 통이나 항아리 등의 소품이 활용되고 있으나 이를 통해 극적 긴장감을 완화하지는 않았다.

③ 조명을 통해 인물의 내적 갈등을 부각하는 부분은 나오지 않았다.

④ 근대화를 표현하기 위해 '질주하는 전차며 자동차의 소음'을 음향 효과로 활용하고 있지만 이를 통해 인물의 심리를 드러낸 것은 아니다.

02 '이 집'은 최 노인이 살고 있는 '낡은 기와집'으로, 가족들은 이 집에 대해 불만을 갖고 있지만 집을 팔자는 가족들의 성화나, 집을 헐값에 파는 것으로 오인하고 막으려 하는 경수의 태도를 고려할 때 '낡은 기와집'이 세월의 흐름으로 인해 경제적 가치를 잃었다고 보기는 어렵다.

🖊 **왜 오답일까** ② 근대를 상징하는 최신식 건물이 구시대를 상징하는 낡은 기와집을 멸시하는 것은 구세대를 바라보는 신세대의 시선에 대응된다.

③ 햇볕이 들지 않아 어둡고 습하며 음산한 낡은 기와집은 최 노인의 처지와 연결되어 작품의 분위기를 형성한다.

03 집은 '대척적인 주변의 장애로 말미암아' '온종일 햇볕이 안 드는' 장소로 제시되었으므로, 인물의 주변으로는 어두운 조명을 사용하는 것이 더 적절하다.

04 (나)에서 최 노인은 식물이 제대로 자라지 못한 화초밭을 짓밟고 뽑아 헤치며 '모든 일에 정성을 들였지만' 되는 일이 없음에 허망함을 느끼고 있다.

05 윗글의 '최 노인'은 구시대의 전통을 유지하려는 인물이나, 〈보기〉의 '서 참의'는 시대 변화에 따라 먹고살 요량으로 복덕방을 차린 인물이라고 했으므로 시대 변화에 발맞춰 변화하기를 거부한다고 볼 수 없다.

기출 작품 딥러닝

차범석, 「성난 기계」 ▶해법문학 Link 수필·극 196쪽

작품 해제 종합 병원을 배경으로 냉정하고 인간미 없던 의사가 인간성을 회복해 가는 과정을 나타낸 희곡이다. 작가는 '기계'와 같던 주인공 회기가 '성난 기계'로 변화하는 과정을 통해 인간성 회복에 대한 가능성을 제시하고 있다.

전체 줄거리

발단	담배 공장에서 포장공으로 일하는 인옥이 의사인 회기를 찾아와 수술을 해 달라고 애원함. …▶ 수록 부분
전개	회기는 수술 결과에 확신이 없어 수술을 거부하고, 인옥은 수술을 포기하고 돌아감. …▶ 수록 부분
절정	인옥의 남편인 상현이 회기를 찾아와 금전적인 문제와 아내의 부정을 이유로 인옥의 수술을 반대함. …▶ 수록 부분
하강	회기는 상현의 이기적인 태도를 보고 그의 행위를 살인이라고 생각하며 분노함. …▶ 수록 부분
대단원	회기는 간호사인 금숙에게 수술을 받으러 오라는 우편을 인옥에게 보내라고 지시함. …▶ 수록 부분

기계	인간미를 상실한 채 다른 사람의 고통을 외면하는 회기의 비인간성을 단적으로 표현함.
↓ 인옥의 남편을 만난 회기가 분노를 느낌.	
성난 기계	기계가 감정을 가지게 되었다는 뜻으로, 상실된 인간성의 회복을 상징함.

06 "제 마음은 언제나 어린 것들을 생각하고 나를 생각했어요…… 어떻게 하면 살 수 있을까 하고……."라는 인옥의 말에서 인옥이 수술을 받으려는 이유는 어린 자식들 때문임을 알 수 있다.

07 인옥은 회기에게 수술을 해 달라고 애원하다 거절당한 뒤 그를 기계라고 칭한다. 그렇지만 마음까지 기계가 될 수 없지 않느냐는 인옥의 물음과 언제나 어린 자식들을 생각한다는 말을 고려할 때, 인옥을 비정한 의식을 지닌 인물로 보기 어렵다.

왜 오답일까 ③ 금숙은 인옥을 가엾다고 여기고 있으며, 회기가 수술에 실패하지 않으리라고 생각하고 회기가 수술을 해 주기를 바라고 있다. 따라서 금숙은 비정한 현실에 종속되지 않은 인물이라고 볼 수 있으며, 비정한 현실을 극복할 수 있는 단서로써 작용한다고 이해할 수 있다.

④ 〈보기〉에서 비정한 현실은 인간의 태도나 의식에까지 영향을 미친다고 하였으며, 회기는 사람을 살리는 자신의 일에 도의심을 느끼지 못하고 살아온 인물이므로 비정한 현실의 영향을 받았다고 볼 수 있다.

⑤ 상현은 아내가 죽음을 앞둔 처지임에도 불구하고 금전적인 문제와 아내의 부정을 이유로 인옥을 방치하려고 한다. 따라서 상현은 비정한 현실에 종속되어 인간성을 상실한 인물이라고 할 수 있다.

08 ㉤에서 상현은 처음의 겸손하고 비굴한 태도를 버리고 자신들의 일에 참견하지 말라며 화를 내고 있으므로, 예의바른 태도라고 보기는 어렵다.

09 회기는 상현의 비인간적인 처사에 분노하여 인옥의 수술을 결심한 후 '의욕이 생'긴다고 말하고 있으므로 초조한 목소리는 적절하지 않다.

10 회기는 처음에는 인옥의 수술을 '자신 없는 일'이라고 생각하여 수술을 거절했지만, 상현과 만난 후 "그 친구에게 살해당할 바엔 내가 맡아서 살리지! 참을 수 없는 모욕을 당한 것 같아!"라고 말하는 것으로 보아 상현의 비인간적 처사에 분노하여 인옥의 수술을 하기로 마음먹었음을 알 수 있다.

11 인간미를 상실한 현대인(회기)을 '기계'에 비유하고, 이후 '기계가 노'했다는 표현을 통해 '기계'가 감정을 느끼고 인간성을 회복하게 됨을 드러냈으므로 ③이 가장 적절하다.

---

43 만선 232~233쪽

01 ① **02** ④ **03** ② **04** ⑤ **05** ④ **06** ④

작품 해제 남해안의 어촌에 사는 어민들의 욕망과 좌절을 토속적으로 드러낸 작품으로, 자연과 대결하고자 하는 집념을 지닌 곰치와 바다를 벗어나고자 하는 아내 구포댁의 갈등을 중심으로 인간 삶의 양면성을 보여 주고 있다.

01 윗글은 사투리를 사용하여 '남해안 어촌'이라는 극의 공간적 배경에 대한 현장감을 높이고 있다.

왜 오답일까 ⑤ 곰치와 구포댁의 대화를 통해 무대 밖에서 마을 사람들이 부서 떼를 잡는 사건이 일어나고 있음을 알 수 있지만, 이를 계기로 인물의 가치관이 변화하지는 않는다.

02 "부서 떼가 사태 났다는디도 멀뚱하게 보락꼬 앉아만 있을랑께는 속이 썩어 그라제머."라는 구포댁의 대사를 통해 곰치가 부서 떼를 잡으러 나가지 못했음을 알 수 있다.

왜 오답일까 ①, ⑤ 죽은 아들들에 대한 슬픔과 갓난애의 미래에 대한 걱정 때문에 뭍에 나가 살자는 구포댁의 말을 통해 구포댁이 곰치의 집념을 이해하지 못한다는 것을 알 수 있다.

② "삼대가 다 물속에서 죽었어!"라는 말을 통해 곰치가 아버지의 대를 이어 어부의 삶을 살아왔음을 알 수 있다.

③ 부서 떼를 발견하고도 바다에 나가지 못하고 "내 배도 없이 남의 배에 얹혀 묵고 사는 팔자"라는 말을 통해 곰치가 다른 사람의 배를 빌려야만 고기잡이를 할 수 있음을 알 수 있다.

03 배가 묶여 있어서 부서 떼를 잡으러 가지 못하는 현실에 대한 곰치의 한탄이 담긴 대사이므로, '안타까워하며'가 들어가는 것이 가장 적절하다.

04 임제순과 곰치가 배 문제로 갈등을 겪고 있는 것은 맞지만, 윗글에서 임제순이 아들들의 죽음과 관련이 있다는 것은 확인할 수 없다.

왜 오답일까 ② 곰치는 바다에서 아들들을 셋이나 잃었음에도 불구하고 "내가 눈 속에 흙들 때까지 그물을 놓나 봐라!" 등에서 만선에 대한 집착을 버리지 않은 모습을 보여 준다.

05 곰치는 대대로 이어온 어부의 삶을 바탕으로 만선의 꿈을 꾸고 있으며, '팔뚝에 심줄이 사내끼같이 꼬였어도 돈을 모'으지 못한 상황에서도 만선에 집착하고 있다. 그렇지만 위험을 무릅쓰고 열심히 고기를 낚아도 가난에서 벗어날 수 없는 상황 때문에 인간 본연의 욕망에 도전하는 곰치와 험난한 바다와의 갈등이 야기되었다고 보기는 어렵다.

왜 오답일까 ① 방 속에서 터지는 '갓난애 울음'은 구포댁의 모성애를 자극하고 있으므로, 만선이라는 어부의 숙명에서 벗어나고자 하는 구포댁의 의지를 더욱 강화하는 기능을 한다.

② '내 배도 없이 남의 배에 얹혀 묵고 사는 팔자'라는 말에는 자신 소유의 배가 없는 곰치의 가난한 처지가 드러나 있다. 이는 곰치가 다른 이에게 배를 빌릴 수밖에 없는 상황의 원인이며, 빈부 차이에

의해 곰치와 임제순 간의 갈등을 유발한다.

③ '삼대가 물 속에서 다 죽'은 상황은 할아버지와 아버지 대부터 이어져 내려온 인간과 자연의 갈등 상황을 드러내며, 곰치가 여기서 승리하지 못한 처지임을 보여 준다.

⑤ 구포댁은 곰치에게 '삼대'에서 그치지 않고 '십대'까지 계속 물귀신을 만들면 속이 시원하겠느냐고 화를 내고 있다. 이는 곰치의 만선에 대한 열망이 쉽게 지지 않을 것을 암시하며, 따라서 숙명에서 벗어나고자 하는 구포댁과의 갈등은 계속 이어질 것이다.

06 곰치는 빚 때문에 배가 묶여 부서 떼를 잡으러 가지 못했으므로 '이만 원 빚'을 꿈을 이룰 수 없게 하는 장애물로 볼 수 있지만, 이것이 바다의 이중적인 속성을 강조하는 것은 아니다. 〈보기〉를 참고할 때 바다의 이중성은 삶의 터전인 동시에 자식을 잃는 고통을 느끼게 하는 공간이라는 점에서 확인할 수 있다.

　✎ **왜 오답일까** ① 곰치는 바다에 삶의 터전을 두고 그곳에서의 만선을 욕망하는 인물로, 바다와 대조되는 '뭍'은 곰치의 욕망과는 거리가 먼 공간이라고 할 수 있다.

② 곰치는 내일 배를 풀면 부서 떼를 잡으러 갈 수 있다는 생각에 기뻐하고 있다. 따라서 '만선'이라는 목표를 이룰 수 있다는 기대를 하고 있다고 볼 수 있다.

③, ⑤ 곰치는 '만선'이라는 삶의 목표를 이루고자 하고 있으며, 바다에 대한 강한 집념을 보이는 인물이다.

---

44 파수꾼　　　　　　　　234~235쪽

01 ③　**02** ①　**03** ②　**04** ③　**05** ③　**06** ③

　作品 해제 　우의적 기법을 적용하여 권력층의 위선을 간접적으로 폭로하고 있는 작품이다. 국가의 과제를 앞세워 개인의 자유를 침해하던 1970년대의 정치 상황은 거짓으로 공포감을 조성하여 마을을 통제하는 촌장의 행동에 녹아들어 있다.

01 편지 운반인이 도중에 편지를 읽고 사람들에게 편지의 내용을 떠벌린 사건, 사람들이 망루로 몰려오고 있는 사건은 촌장의 대사를 통해 전달되는 '무대 밖 사건'으로, 이는 촌장이 파수꾼 다를 설득하는 일에 영향을 미친다.

02 촌장은 파수꾼 다를 회유하고 있지만, 이는 마을을 통제하여 얻을 수 있는 자신의 이득을 유지하기 위해서이다.

　✎ **왜 오답일까** ③, ④ 파수꾼 다는 "이리 떼는 없고, 흰 구름뿐."이라는 진실이 담긴 편지를 촌장에게 보냈으며, 마을 사람들은 운반인이 퍼뜨린 편지의 내용을 듣고 화가 나서 망루로 찾아오고 있다.

⑤ 파수꾼 나는 정말 이리 떼가 있다고 믿느냐는 파수꾼 다의 물음에 "그렇지 않다면 내가 왜 양철 북을 치며 평생을 보냈겠느냐? 서운하다."라고 답하며 불쾌함을 표출하고 있다.

03 '이리 떼'라는 위협을 알리는 역할을 하는 '팻말'은 사람들이 '딸기'가 있다는 사실을 알지 못하게 한다. 촌장은 이를 이용하여 '딸기'라

는 실리를 취하고 있다.

04 망루는 존재하지 않는 위협인 '이리 떼'를 감시하는 역할을 하고, 이러한 감시는 마을 사람들에게 불안을 유발하여 마을 사람들을 쉽게 통제할 수 있도록 한다. 따라서 망루는 촌장이 마을 사람들을 통제하기 위해 이용하는 장치라고 할 수 있다.

05 마을 사람들과 파수꾼 가, 파수꾼 나에게 이리가 존재하지 않는다는 사실을 숨기고 통제하는 촌장의 모습에서 권력층의 위선적 실체가 드러나지만, 촌장은 "없는 걸 왜 무서워하겠니?"에서 파수꾼 다에게 이리가 존재하지 않는다는 진실을 밝혔다.

　✎ **왜 오답일까** ① 〈보기〉에서 윗글은 당대 현실에 대한 비판을 간접적으로 폭로한다고 하였으므로 독자는 작품의 이면에 감추어진 의미를 이해하기 위해 노력해야 한다.

② 〈보기〉에 나타난 1970년대의 시대적 상황을 고려할 때, 윗글에서 우의적 기법을 활용한 것은 억압적인 시대 현실 때문에 주제를 직접적으로 드러내는 일이 어려웠기 때문이라고 추측할 수 있다.

④ 널리 알려진 이솝 우화를 모티프로 삼아 이를 변용한 것은, 시간과 공간을 초월한 보편성과 상징성을 통해 누구든지 주제 의식을 쉽게 이해할 수 있도록 하기 위한 의도가 담겨 있는 것으로 볼 수 있다.

⑤ 의심 없이 촌장의 거짓말을 받아들이고 촌장의 통제에 따르는 마을 사람들의 모습을 통해 당대 현실을 풍자하고 있다.

06 배우가 일인 다역을 하면 인물의 통일성이 무시되면서 관객이 작중 상황에 객관적인 거리를 유지할 수 있게 된다. 윗글에서는 '해설자'가 '촌장' 역할을 겸하고 있으며, 서사극으로 공연하기 위해서는 이를 관객이 인식하게 하여야 한다.

　✎ **왜 오답일까** ① 무대의 배경 그림이나 망루를 실감 나게 제작하면 무대 상황이 사실적으로 돋보이게 되므로 적절하지 않다.

②, ⑤ 인물의 내면을 사실적으로 돋보이게 하거나 관객에게 연민을 이끌어 내는 연기를 하면, 관객들이 인물에 감정을 이입하거나 공감하게 되므로 서사극의 특성을 살리기에 적절하지 않다.

④ 파수꾼들은 고유한 이름이 아니라 각각 가, 나, 다라는 명칭으로 불리고 있으며, 오히려 이러한 명칭이 파수꾼들의 개성을 드러내지 않아 서사극으로 공연하기에 적절하다.

---

45 결혼　　　　　　　　236~237쪽

01 ⑤　**02** ③　**03** ④　**04** ②　**05** ③　**06** ⑤

　作品 해제 　다양한 실험적 기법을 통해 창작된 작품으로, 세상 모든 것이 누군가에게 빌린 것에 지나지 않는다는 주제 의식을 통해 소유의 본질과 진정한 사랑의 의미를 곱씹게 한다.

01 '남자' 역의 배우는 관객에게 물건을 빌리거나 말을 거는 방식으로 무대와 객석 사이의 거리감을 좁히고 있다.

02 여자가 '얼굴을 외면한 채 걸어 나'가는 행동은 모든 물건을 빌렸다고 고백한 남자의 구애를 거절하겠다는 의사 표현이다.

왜 오답일까 ① 남자가 빌린 책을 다시 가져가는 하인의 행동은 책을 비롯하여 우리가 소유한 모든 것이 잠시 빌린 것이며 시간이 다 되면 되돌려 줘야 하는 것임을 보여 준다.

② 남자의 항의에 하인이 시계를 내밀어 보이는 것은 돌려줄 시간이 되었음을 알리는 것이며, 이는 우리가 물건을 영원히 소유할 수 없음을 드러내는 행위이다.

④ 남자는 자신이 빌린 넥타이를 어떻게 다루었는지를 관객에게 설명하면서, 넥타이를 소중하게 아꼈듯이 여자 또한 동일한 방식으로 아끼고 사랑할 것이라는 마음을 전달하고 있다.

⑤ 남자를 외면한 채 걸어 나가던 여자가 하인에게 걷어차이는 남자에게 되돌아오는 것을 통해 여자의 생각이 바뀌었음을 확인할 수 있다.

03 '템'은 남자가 여자를 부르는 호칭으로, 남자는 이를 통해 이 세상의 모든 것은 빌린 것이라는 소유에 대한 관념과 빌린 것을 소중히 여기다 되돌려 줄 것이라는 마음을 전달하고 있다.

04 남자는 여자가 떠나는 상황에서 여자를 소중히 아끼고 사랑하겠다고 애원하며 설득하고 있다. 따라서 '절규하듯이'가 들어가는 것이 가장 적절하다.

05 하인이 남자를 구둣발로 걷어차는 것은 여자의 등장 이후에 일어나는 사건으로, 여전히 남자와 하인 사이의 갈등이 해소되지 않았음을 보여 주는 행위이다. 따라서 여자의 등장이 남자와 하인 사이에 조성된 갈등을 해소한다고 보기는 어렵다.

06 하인이 저택에서 나가지 않는 남자를 걷어차는 이유는 남자가 저택을 빌린 시간이 다 되었기 때문이다. 이는 '남녀 간의 사랑'을 소중히 여기는 남자의 마음과는 관련이 없다.

왜 오답일까 ①, ② 회중시계는 시간을 상징하는 도구로 활용되고 있다고 볼 수 있으며, 남자가 빌린 물건들을 무대 밖으로 가지고 나가는 하인은 시간의 흐름을 가시화함으로써 남자를 압박하는 역할을 한다.

③ 남자는 결혼의 조건을 갖추기 위해 저택과 하인, 이외 각종 물건을 한정된 시간 동안 빌렸기 때문에 여자를 기다리면서 초조함을 느끼고 있다.

④ 〈보기〉에서 윗글은 시간의 흐름에 따라 각 소품들을 사라지게 함으로써 눈에 보이지 않는 시간의 흐름을 가시화한다고 하였다. 이때 남자는 "넥타이는 이십팔 분, 모자는 십구 분 오십 초" 동안 빌렸다고 하였으므로, 넥타이와 모자는 각각 이십팔 분, 십구 분 오십 초 뒤에 무대에서 사라질 것이다.

---

46 오발탄   238~239쪽

01 ①   02 ③   03 ④   04 ④   05 ③

작품 해제 이범선의 소설 「오발탄」을 각색한 시나리오로, 전후 월남 가족의 불행한 삶을 통해 전쟁의 폭력성과 왜곡된 사회상을 드러내어 1950년대의 현실을 고발하고 있다.

01 S# 120에서 철호의 독백이 효과음으로 삽입되어 결말의 비극성을 강화하고 있다.

02 영호는 양심적으로 일하는 철호처럼 살기 싫다고 하며 잘살기 위해서는 남들처럼 용기만 조금 있으면 된다고 한다. 이때 "네 말대로 꼭 잘살자면 양심이구 윤리구 버려야 한다는 것 아니야."라며 영호를 나무라는 철호의 말을 고려하면, 영호가 말하는 '용기'는 비양심과 비윤리를 의미한다.

왜 오답일까 ② "형님의 어금니만 해도 푹푹 쑤시고 아픈 걸 견딘다고 절약이 되는 것 아니죠."라는 영호의 말에서, 철호가 경제적인 이유로 치통을 견디고 있음을 추측할 수 있다.

④ 철호가 택시에서 가자는 말만 외치는 것은 절망적인 상황에 처한 그가 삶의 방향을 상실한 채 혼란스러움을 느끼기 때문이다.

⑤ 영호는 '가난하더라도 깨끗이 살자'는 영호를 존경하지 않는 것은 아니지만, 영호처럼 살기 때문에 비극이 시작되는 것이라고 하였다. 즉 철호의 가치관을 일부 인정하지만 이는 궁핍한 상황의 개선에 도움이 되지 않는다고 평가한 것이다.

03 S# 120의 "어쩌다 오발탄 같은 손님이 걸렸어."라는 말을 고려할 때 운전수는 철호를 귀찮은 손님으로 여기고 있으므로, 시간이 지남에 따라 철호를 이해하게 되었다고 보기는 어렵다.

왜 오답일까 ② 영호는 가난하더라도 양심적으로 살아야 한다는 철호의 가치관이 현실적으로 도움이 되지 않는다고 평가하고 있다. 이는 성실하게 살아온 철호에게 자신의 삶이 부정당하는 느낌이 들게 할 것이므로, 철호는 화도 나고 비통함을 느끼기도 할 것이다.

04 치통이 있지만 경제적 이유로 치료할 수 없는 어금니는 가난한 삶과 가족 부양에 대한 압박감 등, 열악한 상황에 처한 철호를 괴롭히는 것들을 상징한다. 따라서 철호가 이러한 어금니를 모두 뽑는 것에는 자신의 삶을 고통스럽게 하는 것을 없애 버리고 싶은 심리가 담겨 있다고 볼 수 있다.

왜 오답일까 ②, ⑤ 양심이 작용하지 못하는 전후 사회의 모순은 성실하고 양심적으로 살아도 '전차 값도 안 되는 월급'을 받고 있는 철호의 생활을 통해 드러난다.

③ '조물주의 오발탄'은 철호가 삶의 방향성을 잃은 스스로의 모습을 빗댄 표현으로, 현실에 대한 순응적 자세라고 보기는 어렵다.

05 윌리 로만의 자살은 가족들에게 경제적인 방편을 마련해 주기 위한 행동으로, 자신의 신념을 실천하기 위한 목적이 담겨 있다고 보기 어렵다.

47 독 짓는 늙은이

240~241쪽

01 ② 02 ④ 03 ③ 04 ① 05 ④ 06 ②

작품 해제 황순원의 소설 「독 짓는 늙은이」를 원작으로 한 시나리오이며, 전통적 가치 체계가 붕괴되는 세태에 대항하는 노인의 집념과 좌절에 초점을 맞춘 원작과 달리 혈육 관계를 바탕으로 한 인간 본연의 애정에도 초점을 맞춘 것이 특징이다.

01 '박살 나는 독들. 마치 자기 심장이 박살 나는 것처럼 느껴지는 옥수.'를 통해 옥수가 비통함을 느끼고 있음을 알 수 있다.

02 S# 125에서 송 영감은 쇠약한 상태로, 독을 깨부순 뒤 오열하고 있기 때문에 '결의에 찬 목소리로 강인한 모습이 드러나게 연기'하는 것은 적절하지 않다.

03 '독 짓기'는 송 영감의 예술적 집념과 장인 정신을 드러내는 행위이지만, 송 영감은 계속해서 '독 짓기'에 실패하고 있으므로 성공과 좌절의 교차를 통한 예술 정신의 실현으로 보기는 어렵다.

04 약그릇은 몸이 아픈 송 영감을 치료하기 위해 옥수가 가져온 것으로, 실용적 가치를 중시하는 장인 정신과는 관련이 없다.

왜 오답일까 ② 앓다 일어난 송 영감은 '햇볕을 받아 더욱 고담한 백자기'를 바라보고 있다. 따라서 백자기는 송 영감의 미적 기준에 부합하는 대상임을 추측할 수 있다.

③ '금이 간 독들'은 잘못 지어진 독들로, 송 영감의 예술적 고뇌를 심화한다.

④ 송 영감은 자신이 지은 독들을 '흙덩이'라고 칭하고 있다. 이는 송 영감의 엄격한 미적 기준을 드러내는 표현이다.

⑤ 송 영감은 '망치'를 사용해 지은 독들을 모두 부수는데, 이는 자신의 미적 가치에 부합하지 않는 작품을 인정하지 않는 행위이므로 미적 가치를 추구하는 예술가의 집념을 드러낸다고 볼 수 있다.

05 소품을 통해 현실감을 높이는 것은 맞지만, 윗글의 '비틀어진 독'은 송 영감의 실패작이고 〈보기〉의 독들은 조수가 지어 놓은 정상적인 독이므로 이 독들이 '비틀어진 독'으로 대체된 것은 아니다.

왜 오답일까 ③ 〈보기〉에서는 병을 앓는 송 영감의 상태를 '병으로 앓아 누웠'다고 서술하였고 이는 윗글에서 옥수가 송 영감을 부축하고 약그릇을 대 주는 장면으로 구성되었다.

06 송 영감이 가마 속에서 죽는 행위는 결국 자신의 생명까지 불사르며 '독 짓기'라는 예술을 완성하려고 하는 장인 정신을 보여 준다. 따라서 이를 주제 의식과 연결 지어 학습하고자 하는 계획이 가장 적절하다.

48 뿌리 깊은 나무

242~243쪽

01 ③ 02 ⑤ 03 ② 04 ② 05 ⑤

작품 해제 이정명의 소설 「뿌리 깊은 나무」를 원작으로 하여 세종이 훈민정음을 창제하고 반포하는 과정을 다룬 드라마 대본이다. 역사에 기록되지 않은 내용들을 상상하여 훈민정음을 만드는 과정에서의 세종의 고뇌 등을 그리고 있다.

01 혜강은 "전하의 글자는 이것을 표현할 수가 있사옵니까?"라는 질문을 던지고, 이에 이도가 그렇지 않다고 대답하자 '그럼 그렇지.'라고 생각하고 있다. 이를 통해 혜강은 이도가 자신의 주장에 반박하지 못할 것이라고 여겼음을 알 수 있다.

왜 오답일까 ⑤ 혜강이 염려하는 것은 백성들의 혼란이 아니라, 유학의 도가 사라지는 것이다.

02 [A]는 혜강과 유생들이 글자를 만들고자 하는 이도의 뜻에 강력하게 반대하여 시위를 하고 있는 장면으로, 이는 훈민정음 창제를 둘러싼 혜강, 유생들과 이도의 갈등 상황이라고 볼 수 있다.

왜 오답일까 ②, ③ 시위하는 유생들 앞에 의자와 괘도 등을 놓고 이도가 유생들의 의견을 묻는 것을 통해 새로운 전개가 펼쳐질 것임을 예상할 수 있지만, 권력 구도가 반전되었다고 보기는 어려우며 의자와 괘도 등에 상징적 의미가 부여되었다고 보기도 어렵다.

④ 이도는 "누구든 나와 자유로이 얘기하라!"라고 하며 혜강과 유생들의 의견을 듣고자 하는 모습을 보인다. 이는 민주적이고 적극적인 이도의 성격을 대사와 행동을 통해 간접적으로 드러내는 것이다.

03 혜강은 ⓒ에서 이도의 글자(훈민정음)에는 유학의 도가 들어 있지 않음을 비판하고 있다. 이는 유학의 도가 들어 있다고 여기는 한자 사용을 옹호하는 입장이며, 유학의 도를 포함하고 있는 글자를 창제하는 일의 중요성에 대해서는 언급하지 않았다.

왜 오답일까 ① 혜강은 '창'과 '그치다'라는 글자 두 개로 만들어진 '싸울 무' 자를 근거로 하여 유학의 도가 들어 있는 한자의 우수성을 강조하고 있다.

③ 이도는 ⓒ에서 '간관이라는 관리가 생기면서 언로는 더욱 막히었'다는 예시를 들고, 이후 관료들이 백성들의 소리를 왜곡, 편집했다는 부연 설명을 덧붙여 글자 창제의 필요성을 주장하고 있다.

04 이도는 훈민정음이 유학에서 가장 중시하는 덕목인 '언로'를 틔워 줄 수 있는 수단이라고 확신하고 있으며, 이후 혜강의 발언에 논리적으로 반박한다. 따라서 체념한 표정은 적절하지 않다.

05 한가 놈은 "사대부가 사대부인 이유는! 양반집에 태어나서가 아니라, 그런 혈통 때문이 아니라, 글을 알기 때문에 사대부인 것이야."라는 가리온의 말에 동의하고 있다. 따라서 '사대부가 사대부인 이유는 양반이라는 혈통을 타고 났기 때문'이라고 말하는 것은 적절하지 않다.

정답과 해설 실전 복합 문제

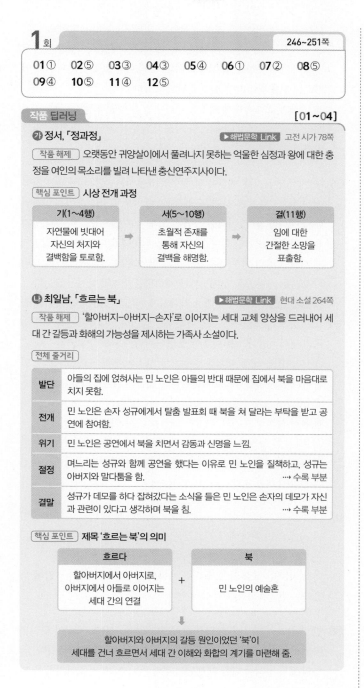

1회

246~251쪽

01 ① 02 ⑤ 03 ③ 04 ③ 05 ④ 06 ① 07 ② 08 ⑤
09 ④ 10 ⑤ 11 ④ 12 ⑤

작품 딥러닝 [01~04]

㉮ 정서, 「정과정」 ▶해법문학 Link 고전 시가 78쪽

작품 해제 오랫동안 귀양살이에서 풀려나지 못하는 억울한 심정과 왕에 대한 충정을 여인의 목소리를 빌려 나타낸 충신연주지사이다.

핵심 포인트 시상 전개 과정

기(1~4행)	서(5~10행)	결(11행)
자연물에 빗대어 자신의 처지와 결백함을 토로함.	초월적 존재를 통해 자신의 결백을 해명함.	임에 대한 간절한 소망을 표출함.

㉯ 최일남, 「흐르는 북」 ▶해법문학 Link 현대 소설 264쪽

작품 해제 '할아버지-아버지-손자'로 이어지는 세대 교체 양상을 드러내어 세대 간 갈등과 화해의 가능성을 제시하는 가족사 소설이다.

전체 줄거리

발단	아들의 집에 얹혀사는 민 노인은 아들의 반대 때문에 집에서 북을 마음대로 치지 못함.
전개	민 노인은 손자 성규에게서 탈춤 발표회 때 북을 쳐 달라는 부탁을 받고 공연에 참여함.
위기	민 노인은 공연에서 북을 치면서 감동과 신명을 느낌.
절정	며느리는 성규와 함께 공연을 했다는 이유로 민 노인을 질책하고, 성규는 아버지와 말다툼을 함. ···▶ 수록 부분
결말	성규가 데모를 하다 잡혀갔다는 소식을 들은 민 노인은 손자의 데모가 자신과 관련이 있다고 생각하며 북을 침. ···▶ 수록 부분

핵심 포인트 제목 '흐르는 북'의 의미

흐르다	북
할아버지에서 아버지로, 아버지에서 아들로 이어지는 세대 간의 연결	민 노인의 예술혼

↓

할아버지와 아버지의 갈등 원인이었던 '북'이 세대를 건너 흐르면서 세대 간 이해와 화합의 계기를 마련해 줌.

01 거짓으로 참소를 당한 (가)의 화자는 이에 대한 억울함과 원통함을 드러내고 있다. 또한 이 때문에 님(임금)이 자신을 잊었을 것이라고 생각하며, 님을 모시고 싶다는 간절한 충절을 드러내고 있다.

왜 오답일까 ② 님과 함께하고 싶은 화자의 마음과 화자가 처한 상황을 이상과 현실의 괴리로 볼 수도 있지만, 이로 인한 회의적 태도가 드러나지는 않는다.
③ (나)에서 현실의 부조리를 고발하는 인물은 등장하지 않는다.
④ (나)에서 문제 상황을 고의로 회피하려는 인물은 등장하지 않는다.
⑤ (나)에는 '북'으로 대표되는 전통적 가치에 대한 성규의 긍정적인 인식이 드러나며, (가)에는 전통적 가치와 관련한 내용이 없다.

02 (나)에서 북소리가 '잡음'으로만 들린다는 수경의 말을 통해 북소리에 대한 수경의 인식이 성규나 민 노인과는 다르다는 것을 알 수 있지만, 민 노인과 수경이 갈등하고 있는 것은 아니다.

왜 오답일까 ① '도람 드르샤 괴오쇼셔'는 결백을 주장한 화자가 자신을 다시 사랑해 달라는 바람을 드러낸 표현으로, 이를 통해 화자의 갈등 상황이 해소될 수 있다.
② '벼기더시니'는 화자를 모함한 자로, 화자가 원망하는 대상이다. 화자는 이들의 참소로 인해 잘못이 없음에도 불구하고 님과 떨어져 지내는 갈등 상황에 처해 있다.
③ 아버지와 성규는 민 노인이 성규의 학교 공연에서 북을 친 일에 대한 의견 차이로 갈등을 겪고 있다.
④ 〈보기〉에서 갈등의 해소를 제시하지 않는 방식은 여운을 남겨 독자들의 적극적인 사유를 유도하는 기능을 한다고 했으므로 적절하다.

03 ㉢은 자신을 잊은 듯한 님에 대한 원망을 드러내는 것으로, 자조적 표현이 사용되지는 않았다.

왜 오답일까 ④ 아버지는 성규의 행동을 못마땅하게 여기고 있으므로 '기특하'다는 말은 성규를 칭찬하는 것이 아니라 성규에 대한 불만을 반어적으로 드러내는 것이다.
⑤ 성규는 '너만이라도 할아버지에게 화해의 제스처를 보이겠다는 거냐'는 아버지의 물음에, 처음부터 할아버지와 자신 간의 갈등이 없었으므로 화해의 제스처를 보일 이유가 없다고 논리적으로 반박하고 있다. 또한 아버지와 할아버지와의 갈등은 자신과 상관이 없다고 함으로써 두 사람의 관계에 대한 소신을 밝히고 있다.

04 성규가 데모를 하다 잡혀간 것은 일반적 삶의 방식에서 벗어나 자신의 의지에 따르는 삶을 살고자 한다는 점에서 일상을 벗어나 자유로운 예술을 추구했던 민 노인의 삶과 관련이 있다. 그렇지만 성규가 자유로운 예술을 추구했기 때문에 데모를 하다 잡혀간 것은 아니다.

왜 오답일까 ① 〈보기〉에서 아들은 북을 자신의 체면을 깎는 물건으로 여긴다고 하였다. 이 때문에 아들은 할아버지를 동원하여 학교 공연에서 북을 치게 한 성규에게 화를 내고 있다.
② 북을 분신처럼 여기는 민 노인에게 북을 치며 방랑했던 과거는 자유로운 예술을 추구하며 살았던 긍정적인 시간이다. 그렇지만 이 때문에 민 노인이 가족을 제대로 돌보지 못했으므로, 아들은 민 노인의 과거와 북을 부정적으로 인식하고 있다.
④ 아들은 북을 부정적으로 여기고 있지만 성규는 북을 긍정적으로 인식하고 민 노인의 예술혼을 이해하고 있으므로, 이러한 성규의 생각은 민 노인과 아들의 갈등이 성규의 세대로까지 이어지지 않을 것임을 암시한다고 볼 수 있다.
⑤ 성규는 할아버지의 예술혼을 이해하는 인물이기 때문에, 학교 공연에 할아버지를 동원했다는 이유로 화를 내는 아버지에게 사과하지 않았다.

작품 딥러닝 [05~08]

㉮ 박지원, 「예덕선생전」

▶해법문학 Link 고전 산문 202쪽

[작품 해제] 자신의 분수를 알고 그 속에서 삶의 즐거움을 찾는 엄 행수의 모습을 통해 진실된 사귐의 의미와 참다운 인간상을 문답의 형식으로 제시한 작품이다.

[전체 줄거리]

인물 소개	선귤자에게는 예덕 선생이라는 벗이 있는데, 그는 분뇨를 거두는 역부의 우두머리인 엄 행수임. …▶ 수록 부분
자목의 비판	자목은 스승인 선귤자가 사대부와 교우하지 않고 비천한 엄 행수와 벗하는 것에 불만을 표함. …▶ 수록 부분
스승의 반문	선귤자는 이해와 아첨으로 사귄 벗은 친구라 하기 어려우며 교우에서 중요한 것은 진실된 마음이라고 가르침. …▶ 수록 부분
스승의 부언	엄 행수는 직업은 비천하지만 가식이 없으며, 근면 성실하게 자신의 삶에 만족하며 사는 덕이 높은 사람임.
스승의 깨우침	엄 행수야말로 진정한 군자이므로 예덕 선생이라고 부르며 도의의 교를 나누지 않을 수 없음.

[핵심 포인트] 작품에 나타난 친구를 사귀는 도리

선귤자가 생각하는 친구를 사귀는 도리

- 이해관계를 따지거나 아첨하며 사귀는 것은 참된 사귐이 아님.
- 상대방의 신분이나 직업은 교우 관계에서 중요하지 않음.
- 마음으로 사귀는 것이 참된 교우의 방식임.

↓

상대방의 직업과 신분, 이해관계를 따지며 아첨하며 사귀는 양반 계층의 위선을 비판함.

㉯ 채만식, 「논 이야기」

▶해법문학 Link 현대 소설 132쪽

[작품 해제] 해방 직후 과도기의 사회상을 풍자한 농촌 소설로, 작가는 이기적인 한 생원을 풍자함과 동시에 나라답지 못한 나라에 대한 비판 의식을 드러내고 있다.

[전체 줄거리]

발단	광복 직후 일본인들이 재산을 그대로 두고 달아나게 되었다는 소식을 들은 한 생원은 자신이 일본인에게 팔았던 논을 되찾게 될 것이라고 기대함.
전개	구한말, 고을 원님은 한 생원의 아버지가 동학의 잔당에 가담했다는 누명을 씌워 한 생원네의 논을 빼앗음.
위기	한 생원은 남은 논 일곱 마지기를 빚을 갚기 위해 일본인에게 팔아넘김.
절정	논을 되찾을 수 없다는 사실을 알게 된 한 생원은 허탈함을 느낌. …▶ 수록 부분
결말	한 생원은 자신이 나라가 없는 백성이라고 하며 광복이 되던 날 만세를 부르지 않기를 잘 했다고 혼잣말을 함. …▶ 수록 부분

[핵심 포인트] '논'을 통해 드러나는 모순된 현실

농민		기득권
• '논'은 농민들의 삶의 터전임. • 소작 제도에서 벗어나지 못하면 어떠한 정치적 변화도 농민들에게는 진정한 해방일 수 없음.	수탈 ←	• 소작 제도를 통해 농민들을 수탈함. • 일제 강점기 때는 일본이, 해방 이후에는 친일파를 중심으로 한 지주 세력이 농민들을 수탈함.

05 한 생원은 독립 이후 자신의 옛 논을 되찾지 못한다는 사실을 알고 나라에 대한 불만을 표출하고 있지만, 일본보다 독립 이후의 조선에 더 큰 반감을 갖고 있다고 볼 근거는 찾을 수 없다.

✎ **왜 오답일까** ① 엄 행수는 '마을 안의 똥거름을 쳐내는 것'을 업으로 하고 있으며, '막일을 하는 하층의 처지'라는 자목의 말에서 사람들

이 그가 하는 일을 비천하게 여김을 알 수 있다.

② 자목은 스승인 선귤자가 '마을 안의 천한 사람'인 엄 행수와 교우하는 것을 못마땅하게 여겨 '문하를 하직'하고자 한다고 말하고 있다.

③ 선귤자는 '잇속으로 사귀어서는 지속되기 어렵고 아첨으로 사귀면 오래가지 못하는 법'이라고 하며 '오직 마음으로 벗을 사귀고 인격으로 벗을 찾아야만' 한다고 말하고 있다.

⑤ 나라의 조치에 대해 반감을 나타내는 한 생원과 달리 구장은 "기대리구 있느냐면 나라에서 다 억울치 않두룩 처단을 하겠죠."라고 말하며 한 생원을 달래고 있다.

06 [A]에서 선귤자는 자신이 엄 행수와 교우하는 것을 비판하는 자목에게 잇속으로 벗을 사귀는 장사치와 아첨으로 벗을 사귀는 양반님네의 예시를 들어, 이러한 사귐은 오래 가지 않으므로 마음과 인격으로 벗을 사귀어야 한다는 깨달음을 전하고 있다. [B]에는 일인에게 빼앗은 땅의 처분에 대한 구장과 한 생원의 상반된 시각이 드러나지만 두 사람 모두 상대방에게 가르침을 주려고 하지는 않는다.

✎ **왜 오답일까** ② '현학적'이란 지나치게 어렵고 전문적인 어휘를 필요 이상으로 사용하는 것을 나타내는 말이다. [A]에서 선귤자가 자목의 현학적인 태도를 비판한 것은 아니다.

③ [A], [B]는 모두 대화를 중심으로 사건이 전개되고 있으므로 인물의 내면을 직접적으로 서술한다는 진술은 적절하지 않다.

④ [A], [B] 모두 인물의 관습적 행동이 드러나지 않으며, 따라서 이를 통한 사회적 지위의 우열도 드러나지 않는다.

⑤ [B]의 한 생원과 구장의 대화를 통해 해방 이후 일본인이 내놓고 간 땅을 국가가 어떻게 처리했는지 짐작할 수 있지만, [A]에는 사건의 전말에 대한 요약이 나타나지 않는다.

07 ㉠은 벗은 가족과 같은 존재이므로 소중하게 여겨야 한다는 말이다. 선귤자가 자목에게 가르침을 주겠다고 한 상황에서 인용된 ㉡은 '자신의 허물을 스스로 알아차리고 바로잡기 어려움.'이라는 의미로, 이에는 교우의 도에 대한 자목의 잘못된 생각을 바로잡아 주겠다는 선귤자의 의도가 담겨 있다.

08 한 생원이 독립 직후에 만세를 부르지 않은 이유는 독립이 되어도 자신의 삶이 별반 달라지지 않을 것이라고 인식했기 때문이다. 국가의 토지 정책에 대한 한 생원의 불만은 이후 '논 일곱 마지기'를 되찾을 수 없다는 사실을 알았을 때 생긴다.

✎ **왜 오답일까** ① 동학 농민 운동 이후, 일제 강점기, 해방 이후까지 잃은 토지를 되찾지 못하는 한 생원은 수탈당하며 살아가던 당대 농민의 고통을 대표하는 인물로 볼 수 있다.

② 〈보기〉에서 '논'은 농민들의 삶의 터전이라고 했으므로 적절하다.

③ 논을 되찾지 못한다는 사실을 알게 된 생원은 자신을 '도루 나라 없는 백성'이라고 말하고 있는데, 이에는 해방 이후에도 자신의 삶이 일제 강점기 때와 다를 바가 없다는 인식이 담겨 있다.

④ 〈보기〉에서 소작 제도는 농민들의 고통스러운 삶의 근본적 원인이라고 하였다. 따라서 소작인인 한 생원은 소작 제도가 없어지지 않는 이상 해방 또한 별반 중요한 사건이 아니라고 여길 것이다.

㉮ 작자 미상, 「갑민가」

작품 해제 생원과 갑민의 대화 형식을 통해 신역으로 인한 부담 때문에 극심한 고통을 겪고 결국 유랑하게 된 유민들의 참담한 삶의 모습을 생생하게 그린 작품이다.

현대어 풀이 아아 저기 가는 저 사람아 / 네 행색 보아하니 군역에서 도망친 너로구나
허리 위로 봄직하면 깃만 남은 베적삼이를 입고
허리 아래 굽어보니 가랑이만 남은 짧은 바지 노닥노닥
허리가 굽은 할미 앞에 가고 절뚝이는 이는 뒤에 간다
십 리 길을 하루에 가니 몇 리 못 가서 엎어지리
내 고을의 양반도 다른 고을으로 옮겨서 살면
천하게 되기 예사거든 고향의 군역을 거부하고
자네 또한 도망하면 한 나라의 한 인심에
근본을 숨겨 살려고 한들 어딜 간들 면할 것인가
차라리 네 살던 곳에 아무렇게나 뿌리를 박아
칠팔월에 인삼을 캐고 구시월에 담비 가죽을 잡아
공채와 신역을 갚은 후에 그 나머지 두었다가
함흥과 북청, 홍원 장사에 돌아들어가 몰래 팔 때
후한 값 받고 팔아 내어 살기 좋은 넓은 곳에
집과 논밭 다시 사고 살림 도구 장만하여
부모와 처자를 보전하고 새 즐거움을 누리려무나
아아 생원인지 초관인지 / 그대 말씀 그만두고 이 내 말씀 들어 보소.
나 또한 갑민이라 이 땅에서 자랐으니 이때 일을 모를소냐 〈중략〉
애슬프다 내 시절에 원수의 음모로써
군사의 계급으로 강등되었단 말인가 내 한 몸이 당하고 나니
좌우 전후 많은 가족 차차 군역을 채웠구나
여러 대의 조상의 제사를 받는 내 몸은 하릴없이 매어 있고
시름없는 친족들은 자취도 없이 도망가고
여러 사람 모든 신역 내 한 몸에 모두 무니
한 사람 몫으로 신역 삼 냥 오 전 돈피 두 장이 법으로 정해져 있으니
도망간 열두 사람의 구실을 합쳐 보면 사십육 냥
해마다 맞춰 물어내니 석숭인들 감당이 되겠는가
약간의 농사를 접어두고 인삼 캐러 산에 올라
허항령 보태산을 돌고 돌아 찾아보니
인삼 싹은 전혀 없고 오가 잎이 날 속인다
하릴없이 헛되이 와서 팔구월 고추바람
안고 돌아 입산하여 담비 가죽을 사냥하려고
백두산 등에 지고 강 아래로 내려가서
싸리 꺾어 누대 치고 잎갈나무로 모닥불 놓고
하나님께 축수하며 산신님께 발원하여
물채줄을 갖춰 꽂고 장사에서 이익을 많이 보는 운수를 원하되
내 정성이 부족한지 장사에서 이익을 많이 보는 운수 기회 아니 붙네 〈중략〉
임금님께 아뢰자니 아홉 겹 대궐문은 멀리 있고
요순 같은 우리 임금 해와 달 같이 밝으신들
이 극한 변방에 임금의 은혜가 비치겠느냐

핵심 포인트 생원과 갑민의 대화 형식을 통해 드러나는 의견 차이

생원(서사)		갑민(본사 1~3)
• 갑민에게 갑산에서 머물러 살라고 함. • 신역은 인삼을 캐고 담비를 잡아 갚으면 됨. • 신역을 갚고 남은 인삼과 담비를 팔아 집과 논밭, 살림 도구를 사서 부모와 처자를 보전할 수 있음.	⟷	• 갑산을 떠나려고 함. • 도망간 친족들의 신역을 대신 갚아야 함. • 여러 사람의 신역을 감당하는 것은 부자여도 어려운 일임. • 인삼과 담비 사냥을 시도했으나 실패함. • 하나님께 사망이 일기를 빌었으나 실패함. • 임금의 덕이 갑산까지 미치지 못함.

㉯ 이용악, 「오랑캐꽃」 ▶해법문학 Link 현대 시 94쪽

작품 해제 오랑캐꽃을 소재로 일제 강점기 우리 민족의 비참한 삶을 그린 작품이다. 작가는 오랑캐꽃이 목 놓아 울 수 있는 환경을 조성하여 일제의 식민 지배를 받고 있는 우리 민족에 대한 연민의 시선을 드러내었다.

핵심 포인트 '오랑캐꽃'의 상징성

고려 시대	고려 군사에 의해 삶의 터전을 잃고 쫓겨 갔던 여진족의 비극적인 삶을 연상시킴.
일제 강점기	일제의 탄압 때문에 생활의 터전을 잃어버린 채 유랑하는 우리 민족의 유민으로서의 삶을 표상함.

㉰ 평론

중심 내용 조선 후기부터 일제 강점기까지 창작된 시가 작품들은 유민의 처참한 삶을 생생하게 그려 내었다. 조선 후기에는 삼정의 문란에 따른 백성의 고통을, 일제 강점기에는 일제의 수탈로 인해 고향을 떠날 수밖에 없었던 유랑민들의 고통을 작품에 담아내었다.

09 (가)는 생원과 갑민의 대화 형식을 사용하여 갑민의 비참한 처지와 한탄의 정서를 사실적으로 드러내고 있으며, (나)는 의인화된 오랑캐꽃을 청자로 설정하여 연민과 위로의 정서를 드러내고 있다.

왜 오답일까 ① (나)에서는 '오랑캐꽃'을 의인화하고 있지만 (가)에는 의인법이 사용되지 않았다.
② (가)의 '허리 위로 볼작시면 베적삼이 깃만 남고 / 허리 아래 굽어보니 헌 잠방이 노닥노닥 / 곱장할미 앞에 가고 전태발이 뒤에 간다'에서, (나)의 '안악도 우두머리도 돌볼 새 없이 갔단다 / 도래샘도 띳집도 버리고 강 건너로 쫓겨 갔단다'에서 대구법이 사용되었으나, 이는 각각 갑민과 오랑캐의 상황을 드러내기 위해 사용된 것이다.
③ (나)에 화자의 애상감이 드러나 있는 것은 맞지만 밝음과 어둠의 대비를 활용한 부분은 찾아볼 수 없다.
⑤ (가)에서 '허항령 보태산' 등의 구체적인 지명을 통해 작품의 사실성을 높이고 있지만, (나)에는 구체적인 지명이 제시되어 있지 않다.

10 갑민은 가혹한 신역을 감당하다 못해 나라님의 덕을 바라고 있지만, 자신의 고충을 나라님에게 전달할 수 있는 곳에서 살고자 하는 의지를 드러내지는 않았다.

왜 오답일까 ① '시름없는 친족들은 자취 없이 도망하고 / 여러 사람 모든 신역 내 한 몸에 모두 무니'에서 짐작할 수 있다.
②, ④ 생원은 인삼을 캐고 담비를 잡아 신역을 갚고 가난을 극복할 수 있다고 했지만, 갑민은 이미 이러한 방법들을 시도해 보았고 실패했다고 하였다.
③ 갑민은 '하나님께 축수(祝手)'하고 '산신(山神)님께 발원(發願)'했지만 장사에서 이익을 많이 얻는 운수인 '사망'이 붙지 않았다고 하였다.

11 '돌가마'와 '털메투리'는 오랑캐로 불린 여진족의 생활 도구로, '오랑캐의 피 한 방울 받지 않'았지만 '오랑캐꽃'으로 불리는 오랑캐꽃의 억울한 처지를 강조하는 소재이다. 이는 일제 강점기에 어쩔 수 없이 고향을 떠나야 했던 유민들의 삶이 '오랑캐꽃'과 같이 억울하고 비참했음을 부각한다.

왜 오답일까 ① '저 사람'은 '베적삼이 깃만 남고' '헌 잠방이 노닥노닥'한 비참한 행색을 하고 고향을 떠나고 있다. 이로부터 '저 사람'이 궁핍한 생활을 견디다 못해 유민으로 전락하게 되었음을 추론할 수 있다.

② '석숭'은 중국 진나라 때의 부자의 이름으로, 부자조차도 갑민이 부담해야 할 신역을 감당하기는 어려웠을 것이라고 함으로써 갑민으로 대표되는 백성이 처한 고통을 드러내고 있다.

③ 고려 장군이 쳐들어와 쫓겨났던 오랑캐는 일제 강점기 때 일제의 수탈로 땅을 잃고 유랑해야 했던 우리 민족의 처지를 상징한다고 볼 수 있다.

⑤ 오랑캐꽃을 위해 대상을 밝게 비추는 햇빛을 막아 줄테니 목 놓아 울어 보라는 화자의 말에는 오랑캐꽃에 대한 연민의 정서가 담겨 있다고 볼 수 있다.

12 ⊙은 백성의 삶을 두루 살피는 임금의 은덕을 의미하며, 화자는 이가 자신의 비참한 삶을 개선해 줄 수 있으리라고 생각하지만 그 은덕이 갑산까지 미치지 못함을 한탄하고 있다. ⓒ은 몇백 년에 걸친 흐름을 통해 긴긴 세월이 지났음을 드러내는 자연물이다.

왜 오답일까 ① ⊙은 백성의 삶을 두루 살피는 임금의 은덕에 해당하지만 대상의 현실 극복을 암시하지는 않으며, ⓒ 또한 대상의 현실 극복과는 관련이 없다.

② ⊙, ⓒ 모두 대상에 대한 화자의 비판 의식을 이끌어 낸다고 볼 수 없다.

③ (가)에서 화자의 태도는 변화하지 않으므로 ⊙이 화자의 태도 변화를 유도한다는 진술은 적절하지 않다. 또 ⓒ이 대상에게 시련을 주지도 않는다.

④ ⊙은 화자가 자신의 삶을 개선해 줄 수 있으리라고 여기는 대상이므로 화자에게 부정적인 영향을 미친다고 볼 수 없으며, ⓒ이 덧없는 세월의 흐름을 드러내기는 하지만 화자에게 공허함을 유발한다고 보기는 어렵다.

2회   252~257쪽

| 01 ① | 02 ⑤ | 03 ④ | 04 ④ | 05 ② | 06 ④ | 07 ⑤ | 08 ④ |
| 09 ③ | 10 ① | 11 ④ | 12 ⑤ | 13 ② | | | |

작품 딥러닝   [01~04]

㉮ 이육사, 「꽃」   ▶해법문학 Link   현대 시 102쪽

작품 해제   꽃을 소재로 극한 상황을 극복하여 새로운 세계가 찾아올 것을 확신하는 화자의 강인한 현실 극복 의지를 드러낸 작품이다.

핵심 포인트   극한 상황의 설정과 이를 극복하려는 의지

극한 상황		조국 광복에 대한 희망과 의지
• 하늘도 다 끝남. • 비 한 방울 내리지 않음. • 북쪽 툰드라의 찬 새벽 • 눈 속 깊이 꽃 맹아리가 묻혀 있음.	➡	• 꽃이 발갛게 피어남. • 눈 속에 묻힌 꽃 맹아리가 옴작거림. • 까맣게 날아올 제비 떼를 기다림. • 바람결 따라 꽃성이 타오름. • 회상의 무리들이 나비처럼 취함.

㉯ 고재종, 「세한도」   ▶해법문학 Link   현대 시 306쪽

작품 해제   추사 김정희의 「세한도」에 그려진 소나무와 잣나무의 푸름을, 쇠락해 가는 마을 회관의 모습에서 드러나는 부정적 상황을 극복하고자 하는 의지로 변용하여 드러낸 작품이다.

핵심 포인트   농촌의 현실과 대비되는 소재

마을 회관		청솔
• 날로 기우듬해 감. • 댓바람이 불 때마다 들창이 거덜남.	⬌	• 마을 회관 옆에 꼿꼿이 서 있음. • 암담한 현실에 처한 사람들이 바라보는 희망의 대상임. • 푸른 숨결을 풀어냄.

01 (가)는 새 생명 또는 희망을 의미하는 '꽃'을 통해 광복을 기다리는 화자의 의지적 태도를 드러내고 있으며, (나)는 고난을 겪으면서도 꼿꼿하게 서 있는 '청솔'을 통해 시련을 이겨 내려는 현실 극복 의지와 희망을 강조하고 있다.

왜 오답일까 ② 설의적 표현은 (가)의 '오히려 꽃은 발갛게 피지 않는가'에서만 활용되었다.

③ (나)는 '청솔'을 의인화하여 이가 '노엽게 운다'고 표현하였으나 (가)에는 의인법이 사용되지 않았다.

④ (가), (나) 모두 근경에서 원경으로의 시상 전개를 활용하지 않았다.

⑤ (나)는 명령형 종결 어미 '-아라'를 반복적으로 활용하여 화자의 의지적 태도를 드러내고 있으나, (가)에는 명령형 어미가 사용되지 않았다.

02 ⓜ은 '까막까치 얼어 죽는 이 아침'이라는 부정적인 상황에서도 희망을 상징하는 '꼭두서니빛'이 타오른다고 말함으로써 어려움 속에서도 사라지지 않는 희망과 현실 극복 의지를 강조하고 있다. (나)에 화자가 추구하는 진리에 대한 내용은 언급되지 않는다.

왜 오답일까 ① '내 목숨을 꾸며 쉬임 없는 날'은 죽음을 두려워하지

않는 끊임 없는 노력을 드러내는 구절이다.

② '제비'는 희망을 상징하는 '봄'과 의미가 연결되는 자연물로, 화자가 간절히 기다리는 '봄'의 도래를 알리는 기능을 한다.

③ '집집의 새앙쥐까지 깨'웠다는 것은 앰프 방송으로 사람들에게 소식을 전하던, 현재와는 달리 활기찼던 농촌의 과거 모습을 보여 준다.

④ ㉣의 '그러나'는 시상을 전환하여 이후에 언급되는 '그 청솔 바라보는 몇몇들'의 의지적 태도를 강조한다.

03 '눈'은 '북쪽 툰드라'나 '찬 새벽'과 같이 혹독한 현실을 의미하는 시어로, 개화를 준비하는 '꽃 맹아리'를 덮어 버리는 부정적인 대상이다.

📝 **왜 오답일까** ① [A]에 제시된 '하늘도 다 끝나고' '비 한 방울 내리잖는 그 땅'이라는 극한 상황에서 오히려 꽃이 피어나는 것은 모순이므로 역설적 상황이라고 볼 수 있다.

② [A]의 꽃은 '발갛게 피'어날 만큼 강렬한 생명력을 지닌 대상으로, [B]에서 화자가 '마침내 저버리지 못할 약속'이라고 하며 꽃이 피는 봄을 간절히 기다리는 모습이나 [C]에서 화자가 새 생명 탄생에 대한 기쁨을 노래하면서 꽃을 부르는 모습을 통해 '꽃'이 부정적 상황의 극복에 대한 화자의 희망을 드러내는 소재임을 확인할 수 있다.

③ [B]의 '꽃 맹아리'는 눈 속에서 옴작거리고만 있지만 [C]에서는 '꽃성'을 이루며 바람결을 따라 타오르고 있다는 점에서 그 의미가 심화되었다고 볼 수 있다.

⑤ [C]에서 역동적인 이미지로 형상화된 '한바다 복판 용솟음치는 곳'은 새 생명 탄생에 대한 기쁨을 누리는 장소이다.

04 '둥치의 터지고 갈라진 아픔'은 청솔이 겪는 시련과 고난으로, 청솔이 절개를 지키려다 시련을 겪게 되었다고 볼 근거는 없다.

📝 **왜 오답일까** ① 퇴락해 가는 '날로 기우듬해 가는 마을 회관'과 쓸쓸한 유배지에 자리한 '초라한 집 한 채'는 서로 비슷한 처지라고 이해할 수 있다.

②, ⑤ 추사 김정희가 그린 '소나무', '잣나무'는 의리와 절개를 뜻하는 상징적 소재로, (나)에서 부정적 현실에도 불구하고 '꼿꼿이' 서 있는 '청솔 한 그루'의 성격과 비슷하다. 이때 '소나무', '잣나무'와 '청솔 한 그루'의 절개는 '푸름'이라는 속성을 통해 드러난다.

③ '까막까치 얼어 죽는 이 아침'은 부정적이고 참혹한 현실을 드러내는 시어로, 추사 김정희가 유배 시절에 겪었을 고통에 대응할 수 있다.

[05~09]

작품 딥러닝

㉮ 염상섭, 「두 파산」

[작품 해제] 광복 직후 혼란한 시기를 배경으로 각각 물질적, 정신적 파산을 겪는 두 인물을 통해 정신적 가치가 파괴되고 물질 만능주의가 만연했던 당대 사회상을 풍자하고 있는 작품이다.

[전체 줄거리]

발단	과거 보통 학교 교장이었던 고리대금업자가 정례 모친을 찾아와 옥임이에게 진 빚을 자신에게 대신 갚으라고 요구함.
전개	해방 이후 정례 모친은 경제력이 없는 남편 대신 친구인 옥임이에게 빚을 져 문방구를 운영함.
위기	정례 아버지의 사업이 실패하고 정례 모친은 옥임이에게 빌린 돈의 이자도 갚지 못할 지경에 이름.
절정	옥임이는 큰길에서 정례 모친에게 모욕을 주며 빚을 갚으라고 소리치고, 정례 모친은 이에 수치를 느낌. ···→ 수록 부분
결말	계속되는 빚 재촉에 결국 정례 모친은 가게를 정리하여 빚을 갚은 뒤 앓아 눕고, 남편은 옥임이를 골려 주자며 부인을 위로함.

[핵심 포인트] **제목 '두 파산'의 의미**

경제적 파산		정신적 파산
• '정례 모친'의 파산 • 광복 직후 성실하게 살아가고자 하는 사람들의 경제적 몰락	↔	• '옥임이'의 파산 • 광복 직후 물질 만능주의의 세태에 편승한 사람들의 정신적 몰락

㉯ 김우진, 「산돼지」

▶해법문학 Link 수필·극 164쪽

[작품 해제] 원봉의 별명이자 원봉이 지닌 사회 개혁에 대한 숙명을 상징하는 '산돼지'를 통해 자신에게 주어진 숙명과 현실적 무기력함 사이에서 내적 갈등하는 식민지 지식인의 고뇌를 형상화하고 있는 작품이다.

[전체 줄거리]

발단	청년회 간부인 최원봉은 청년회 공금을 마음대로 사용하다 해임될 위기에 처하고, 이러한 사실을 덮고 계속 청년회 활동을 하라는 차혁과 다툼.
전개	사람들은 원봉을 '산돼지'라고 부르고 최원봉은 청년회 일과 애인 정숙과의 이별 등으로 몽환병에 시달림. 이후 차혁과 최영순이 교제하자 최 주사댁과도 갈등을 겪음. ···→ 수록 부분
절정·하강	최원봉은 꿈속에서 자신의 출생의 비밀(토벌 병정에 쫓기는 동학군이었던 아버지와, 관군에게 쫓기다가 최원봉을 낳고 죽은 어머니)을 알게 되고, 자신에게 주어진 사회 개혁의 사명과 현실과의 괴리 사이에서 고뇌함.
대단원	병에서 회복된 최원봉은 동경에서 돌아온 정숙과 각자의 앞날에 대해 대화를 나누며 갈등을 해소함.

[핵심 포인트] **인물 간의 갈등 양상**

최원봉		최 주사댁
• 차혁과 최영순의 사랑을 질투함. • 최영순에 대한 애틋한 마음을 갖고 있음. • 출생의 비밀을 알고 있음.	↔	• 차혁과 최영순을 혼인시키려고 함. • 최원봉과 최영순이 친남매가 아니며, 남편이 두 사람을 혼인시키라는 유언을 남겼다는 사실을 숨기고 있음.

05 (가)는 옥임이와 정례 모친의 대화를 통해 갈등을 전개하고 있으며, (나)는 최원봉과 최 주사댁의 대화를 통해 갈등을 전개하고 있다.

06 [A]에서 서술자는 옥임이의 심리를 직접적으로 제시하여 옥임이가 정례 모친에게 모욕을 준 이유를 드러내었으며, [B]에서 최원봉은

자신과 주변 인물들의 상황을 빗댄 이야기를 통해 최영순을 차혁과 결혼시키려는 최 주사댁에 대한 반감을 우회적으로 드러내었다.

왜 오답일까 ① [B]에서 최원봉은 자신의 상황을 빗댄 이야기를 통해 자신의 처지를 부각하고 있으며, [A]에는 과거 회상이 없다.

② [A]에서 '뭉치고 비비꼬인 것이라는 것이 반드시 정례 어머니에 대한 악감정은 아니'라고 하였으므로 옥임이가 정례 모친에게 원한을 갖고 있다는 내용은 적절하지 않으며, [B]에서 최원봉이 신분 제도 때문에 답답함을 느끼고 있다는 내용은 나타나지 않는다.

③ [A]에서 옥임이와 정례 모친이 갈등하게 된 이유가 빚 때문이라는 사실을 짐작할 수 있으나, [B]의 이야기는 최원봉이 자신의 상황을 빗댄 것일 뿐 과거에 겪은 일을 사실적으로 나타내는 것은 아니다.

⑤ [B]에서 '삽살개'는 최원봉, '보물과 음식'은 최영순, '도적놈'은 차혁을 의미한다. 최원봉은 곳간을 털러 온 도적에게 몽둥이로 얻어맞고만 있는 삽살개 이야기를 통해 자신의 이익을 빼앗기고 있는 처지에 대한 울분을 드러낸다. [A]에서 당대 현실에 대한 옥임이의 순응적 태도는 드러나지 않는다.

07 "난 돈밖에 몰라. ~ 우정은 다 뭐냐?"라는 말을 고려할 때 ⓐ에 해당하는 옥임이는 물질 만능주의적인 가치관을 가진 '정신적 파산자'라 할 수 있다. 이때 옥임이가 '영감의 약값을 제 손으로 벌어야 될 가련한 신세같이 우는소리'를 하는 이유는 '그래야 남의 욕을 덜 먹는 발뺌'이 되기 때문으로, 실제로 경제적인 어려움을 겪고 있는 것은 아니다.

왜 오답일까 ①, ② '30년 동안을 보'아 온 동무 사이이지만 돈 때문에 동무에게 길거리에서 모욕을 주는 옥임이는 물질 만능주의적인 가치관에 물들어 정신적으로 파산한 인물에, 돈을 빌리고도 갚지 못하는 정례 모친은 물질적으로 파산한 인물에 해당한다.

③ 옥임이가 정례 모친에게 '젊은 서방'을 들먹이는 이유는 '아버지 같은 영감'과 사는 자신과 비교하여 정례 모친에게 질투심을 느끼고 있기 때문이다.

④ '돈도 중하지만 이게 무슨 꼬락서니냔 말'에는 물질만을 중시하는 '정신적 파산자'인 옥임이에 대한 정례 모친의 비판이 담겨 있다.

08 ㉣에서 최원봉은 최영순을 차혁과 결혼시키려는 최 주사댁을 비판하고 있지만, [앞부분 줄거리]에서 최 주사댁이 최영순과 차혁을 혼인시키려는 이유는 가정의 질서를 지키기 위함이라고 하였다. 이는 최 주사댁이 얻는 개인적인 이득이라고 할 수 없다.

왜 오답일까 ② 최원봉은 차혁을 현실에 안주하는 인물을 상징하는 '집돼지'로 칭하면서 비하하는데, 이를 통해 차혁과 최영순의 결합에 대한 반감을 드러낸다.

③ 최원봉은 한번 집돼지가 되면 영영 집돼지로 살아갈 수밖에 없다고 하였다. 이에는 현실에 안주하며 살아가는 이들에 대한 비판적 시각이 반영되어 있다.

⑤ '진주'는 최영순을 뜻하는데, 최원봉은 '그 진주는 내가 모르기 전부터 내 것으로 맡아 두었던 것'이라고 한다. 즉 최원봉은 자신과 최영순을 혼인시키라는 최 주사의 유언을 알고 있음을 간접적으로 드

러내고 있다.

09 '산돼지가 들돼지로, 들돼지가 집돼지로 진화'한다는 것은 자유와 개혁을 의미하는 '산돼지'가 점차 일상에 안주하게 되는 모습을 반어적으로 표현한 것이다. '산돼지'보다 진보한 단계는 (나)와 〈보기〉에 언급되지 않았으며, 최원봉이 이러한 단계로 진화하고 싶다는 욕망을 드러내고 있는 것도 아니다.

왜 오답일까 ② [앞부분 줄거리]에서 최원봉이 앓아누운 상황임을 알 수 있으며, 이러한 상황은 자유롭고 거친 성격을 지닌 '산돼지'에 비유되는 최원봉을 집에만 안주하도록 만들기 때문에 '집돼지'로서의 모습과 '산돼지'로서의 모습이 충돌하게 된다.

작품 딥러닝 [10~13]

㉮ 정호승, 「상처는 스승이다」 ▶해법문학 Link 현대 시 300쪽

작품 해제 절벽에서 뿌리를 내리고 있는 나무를 통해 '상처'에 새로운 의미를 부여한 작품이다. 화자는 '상처'를 진정한 성숙을 가져다주는 스승으로 해석하고 있다.

핵심 포인트 화자에게 깨달음을 주는 자연물

나무	극한 상황에서 상처와 고통을 견디며 뿌리를 내림.
애기똥풀	• '나'가 뿌리를 내린 절벽에 마주 앉아 웃고 있음. • '나'와 위안을 주고받음.

↓

화자에게 고통과 인내를 통한 성숙이라는 깨달음을 줌.

㉯ 황석영, 「개밥바라기 별」 ▶해법문학 Link 현대 소설 401쪽

작품 해제 작가의 체험을 바탕으로 고교 1학년부터 입대하기 전인 스물한 살 무렵까지의 방황을 드러낸 성장 소설로, 인터넷에 연재된 뒤 책으로 출간된 작품이다.

전체 줄거리

발단	1967년 겨울, 베트남 파병이 결정된 준은 입대 전에 자신의 고교 시절을 회고함.
전개	일류 학교에서 모범생으로 살던 준은 학교가 제시하는 가치와 부모의 요구를 부정하고, 학교를 떠나 무전여행을 함. ····› 수록 부분
위기	무전여행을 통해 성장한 준은 공업 학교의 야간부에 입학하여 문학상을 수상하고 대학에 진학함.
절정	준은 시위를 하다 유치장에 갇히고, 이때 만난 일용 노동자를 따라 여기저기를 전전함. 허무주의에 빠져 자살 시도까지 했었던 준은 깨어난 이후 베트남 파병을 결정함.
결말	베트남으로 떠나기 전 준은 사랑했던 여인 미아에게 연락을 취해 보지만 결국 만나지 못하고 떠남.

핵심 포인트 제목 '개밥바라기 별'의 의미

개밥바라기 별	• 금성의 별칭 • 쓸쓸하고 예쁜 존재 • 방황하고 고달팠던 주인공의 젊은 날에 대한 상징

10 (가)는 삶의 고통과 아픔을 긍정적으로 수용하는 성찰적 자세를 보이고 있으며, (나)는 어릴 적 삶을 회고하며 자신의 내면을 돌아보고 있다.

왜 오답일까 ② (나)는 과거와 현재 부모님의 모습에 대한 대비가 드러나 있지만, (가)에는 과거와 현재의 대비가 드러나지 않는다.

③ 명령형 어미를 통해 주제 의식을 강조하는 것은 (가)에만 해당하

는 진술이다.

④ (가), (나) 모두 일상의 소재를 활용했다고 볼 수 있으나 (나)는 이를 통해 공동체적 유대감을 부각하고 있지 않다.

⑤ (가)에는 시대적 배경을 알 수 있는 표지가 드러나지 않으며, (나)에는 '전쟁', '피란', '월남' 등 시대적 배경을 알 수 있는 표지가 나타난다.

11 ㉣에는 현재 경제적으로 넉넉하지 못함에도 불구하고 자산가로서의 자존심을 지키며 살아가는 부모님에 대한 '나'의 비판적 시각이 드러나 있다. 그렇지만 '나'가 부모님에게 연민을 느낀 것은 아니다.

🖊️**왜 오답일까** ① '상처'를 '스승'으로 받아들이고 '나의 뿌리'를 극한 공간인 '나의 절벽'이라고 말한다는 점에서, 화자는 상처가 '나'의 성장과 성숙의 원천이라는 인식을 드러내고 있다.

② 화자와 애기풀은 절벽이라는 극한 상황에서 인간적인 본질(똥)을 있는 그대로 드러내고 마주하고 웃음으로써 상처와 고통에 대한 위로를 주고받는다.

③ '나'는 '타인에게서 나를 방어'하기 위해 타인에게 내면을 드러내 보이지 않았다고 고백하고 있다.

⑤ '부모들이 지니고 있던 중산층이니 개화된 지식인이니 하던 의식은 내게는 모두 참을 수 없는 것들'이라고 했으므로 적절하다.

12 예수가 죽음이라는 상처로 사랑을 완성했다는 〈보기〉의 내용을 고려할 때, '예수의 못자국'은 사랑을 완성하기까지의 고통과 희생의 흔적이라고 볼 수 있다. 따라서 '예수의 못자국'을 결실로 보는 것은 적절하지 않다.

🖊️**왜 오답일까** ① 〈보기〉에서 시인은 시 창작이란 일상의 삶에 가득한 시를 자신만의 눈으로 발견하는 것이라고 하였음을 알 수 있다. 따라서 시인은 '절벽 위에 뿌리를 내'린 나무를 자신만의 시각으로 포착하고 이에서 영감을 얻어 시를 창작했을 것이다.

② 〈보기〉에서 시인은 상처 없는 삶은 존재하지 않는다고 하였음을 알 수 있으며, '상처를 보석으로 만'들어야 한다는 말에서 고통과 상처가 아름답게 승화될 수 있다는 인식을 읽을 수 있다.

③ 상처에서 피를 흘리는 것은 고통을 견뎌 성숙해지는 과정이므로 상처가 보석이 되는 과정과 유사하다.

④ 시인은 일반적으로 고통과 아픔을 의미하는 상처에 '스승'이라는 새로운 의미를 부여하고 있다. '상처는 스승이다'는 이러한 시인의 개성적인 인식을 집약적으로 드러내는 시구이다.

13 '얌전하고 바른 말씨, ~ 우리집을 영단주택의 노동자 구역 가운데서 동떨어진 섬으로 만들었다.'에서 '나'는 노동자들의 일반적인 방식과는 다르게 생활하고 있는 자신의 집이 주변과 유리된 모습을 이미 '동떨어진 섬'으로 인식하고 있다. 따라서 '동떨어진 섬'이 될까봐 불안감을 느낀다는 진술은 적절하지 않다.

3회   258~264쪽

01 ②	02 ④	03 ①	04 ④	05 ⑤	06 ④	07 ③	08 ①
09 ②	10 ⑤	11 ②	12 ③	13 ⑤	14 ②	15 ⑤	

작품 딥러닝   [01~05]

가 허수경, 「글로벌 블루스 2009」   ▶ 해법문학 Link 현대 시 344쪽

작품 해제 독일에서 거주하였던 시인이 낯선 땅에서의 삶에 적응하며 살아가는 모습과 그곳에서 느끼는 서글픔과 고독을 드러낸 작품이다.

핵심 포인트 시상 전개 과정

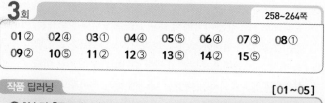

요리 과정과 식사 (1~5연)	→	내면의 심리 (6~11연)
세계 각국에서 나는 글로벌한 식재료로 취나물을 만들어 먹음.		고향의 음식을 먹으며 고독을 느낌.

나 최승자, 「올 여름의 인생 공부」   ▶ 해법문학 Link 현대 시 226쪽

작품 해제 타지에서 외로움을 겪고 있는 화자가 깨달은 올바른 삶의 자세를 제시하고 있는 작품이다. 화자는 타락, 변절, 몰락을 강요하는 현실의 문제를 풍자하면서, 아이들의 웃음과 같은 순수한 마음이 문제 해결의 단초가 될 수 있음을 강조하고 있다.

핵심 포인트 화자가 깨달은 올바른 삶의 자세

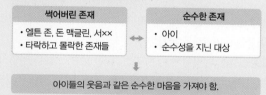

썩어버린 존재	↔	순수한 존재
• 엘튼 존, 돈 맥글린, 서×× • 타락하고 몰락한 존재들		• 아이 • 순수성을 지닌 대상

↓

아이들의 웃음과 같은 순수한 마음을 가져야 함.

다 평론

중심 내용 시는 당대의 현실을 그대로 반영하거나 실제로 존재하는 인물을 등장시키는데, 이를 통해 시 속의 이야기가 바로 내 주변에서 일어난 일인 것처럼 느끼게 하여 현실성을 높인다.

01 (가)는 다양한 나라의 식재료와 자원으로 한국 음식을 요리하는 화자의 처지를 통해 타국에서 느끼는 고독함과 슬픔을 드러내고 있으며, (나)는 '모두가 바캉스를 떠난 파리'에 남아 외로움을 느끼는 화자의 모습과 인생을 살아가는 자세에 대한 깨달음을 드러내고 있다.

🖊️**왜 오답일까** ① (나)의 화자는 '썩지 않는 삶'을 살아가기 위한 방법을 깨닫고 있으나 과거를 성찰하고 있는 것은 아니며, (가)에는 과거 성찰과 새로운 삶의 태도의 모색이 드러나지 않는다.

③ (가), (나) 모두 부재하는 대상에 대한 그리움을 드러내는 것은 아니다.

④ (가)는 '선택이었다 자발적인 유배였으며'에서 도치법을 사용하였으나 소시민적이고 속물적인 근성에 대한 반성은 드러나지 않으며, (나)에는 도치법이 사용되지 않았다.

⑤ (가), (나) 모두 현실의 문제를 극복하기 위한 대안은 제시되지 않았다.

02 6~8연을 고려할 때 '선택의 블루스'는 화자가 선택할 수 있는 '머무는 지역'으로 흐르는 것이고, '불선택의 블루스'는 화자가 선택할 수

없는 '삶과 죽음'으로 흐르는 것이다. '패스포트'는 화자가 여권을 신분증으로 사용하는 타국에서 살고 있음을 드러내는 소재로, 이러한 상황은 화자가 선택한 것이다. 따라서 '패스포트'를 '불선택의 블루스'가 흐르는 공간으로 향하기 위한 수단이라고 보기는 어렵다.

왜 오답일까 ① 화자는 다양한 나라에서 온 식자재로 고향의 음식을 만들고 이를 '완벽한 고향'이라고 표현한다. 실제로는 완벽할 수 없는 고향(의 음식)이기에 반어적인 표현이지만, 여기에는 타국에 있는 자신의 현재 상황을 수용하고 이에 적응하고자 하는 화자의 심리가 담겨 있다고 볼 수 있다.

② '글로벌의 위장'은 글로벌한 식재료로 만든 음식을 먹어야 하는 화자 자신을 뜻하는 것으로, 타국에서 외지인으로 살고 있는 화자의 처지를 비유적으로 표현한 것이다.

③ '블루스'는 여러 나라의 음악이 섞여서 형성된 슬픈 선율의 음악으로, '글로벌'과 병치되어 화자가 외국에서 한국인으로 살아가면서 느끼는 서글픔과 고독을 잘 드러낸다.

⑤ '인공위성의 심장'은 지구 밖을 맴도는 인공위성과 같이 세계 어느 곳에 완전히 편입되지 못하고 떠돌기만 하는 화자의 근원적인 외로움이 담겨 있는 표현이라고 할 수 있다.

03 (나)에서 '고양이'는 역동적 이미지로 형상화되어 있지 않으며, 시에 생동감을 부여한다고 보기도 어렵다.

왜 오답일까 ② '발이 푹푹 빠지는' '습한 낮잠'은 늪의 이미지와 연결되어 '묘비처럼 외로'운 화자의 어두운 내면을 드러내고 있다.

③ (나)의 화자는 시간을 수돗물처럼 '똑똑' 떨어져 내리다가 멈춰 버린 것으로 형상화하여, 추상적 개념인 시간을 구체적으로 인식하는 창의적 발상을 보여 주고 있다.

④ 화자는 '엘튼 존', '돈 맥글린', '서××'의 몰락과 타락을 말하며 '송×식'은 '썩을 일밖에 남지 않는 무르익은 참외'라고 표현하였다. 뒤이어 이러한 삶을 살지 않기 위한 방법을 나열하고 있으므로 '무르익은 참외'는 화자의 기준에서 바람직하지 못한 삶을 빗댄 표현으로 볼 수 있다.

⑤ (나)의 화자는 타지에서 극도의 외로움을 느끼며 몰락하고 타락한 삶의 모습을 나열하다가 '그러므로'를 기점으로 '썩지 않는 방법'을 생각하며 인생에 대한 깨달음을 얻고 있다.

04 ㉣은 화자가 절대로 하지 말아야 할 행위라는 점을 바탕으로 할 때, 사전적 의미를 넘어 '반성이나 성찰 없이 자신이 아는 것에 갇히다'라는 의미가 새롭게 부여된 것으로 볼 수 있다.

05 '엘튼 존'과 '돈 맥글린'은 실존 가수들의 이름으로, 지난 시절 유명세를 누렸지만 타락하고 몰락한 모습을 보여 준다. 따라서 이들의 이름은 '썩을 일밖에 남지 않은' 허구의 공간이 아니라, 그러한 현실 자체를 반영한 것으로 보는 것이 적절하다.

왜 오답일까 ③ '가난한 고향'은 '글로벌이라는 새 고향'이다. 이곳은 모든 나라와 문화가 뒤섞이고 일정한 근원은 없는 곳으로, 실재하는 곳이 아니라 화자가 느끼는 상상의 공간이다.

작품 딥러닝 [06~10]

㉮ 이태준, 「복덕방」 ▶해법문학 Link 현대 소설 104쪽

작품 해제 1930년대 서울의 한 복덕방을 배경으로, 땅 투기에 실패하여 파멸하는 안 초시의 모습을 통해 근대화 과정에서 소외된 세대의 궁핍함과 좌절, 가족 공동체의 파괴에 대한 문제의식을 비판적으로 그려 낸 작품이다.

전체 줄거리

발단	생활의 기반을 잃은 안 초시, 서 참의, 박희완 영감은 복덕방에서 소일을 하면서 미래가 없는 삶을 살아감.
전개	박희완 영감을 통해 연변의 개발 정보를 입수한 안 초시는 딸에게 부동산 투기를 권함.
위기	토지 개발 정보가 사기로 밝혀지고 부동산 투자에 실패한 안경화는 모든 비난을 안 초시에게 퍼부음. ···➤ 수록 부분
절정	좌절한 안 초시는 자살하게 되고, 안 초시의 죽음을 발견한 서 참의가 안경화에게 안 초시의 장례를 성대하게 치러 주기를 당부함. ···➤ 수록 부분
결말	서 참의와 박희완은 안 초시의 장례식장에서 안경화와 그 주변 사람들의 위선적인 행동을 보고 울분과 서러움을 느낌.

핵심 포인트 구세대와 신세대의 갈등

구세대	신세대
• 안 초시, 박희완, 서 참의 • 근대 사회에 적응하지 못하고 소외된 세대 • 전통적인 윤리와 가치관을 중시함.	• 안경화와 주변 인물 • 근대 사회를 이끌어 가는 새로운 세대 • 근대적 가치관을 추구함.

㉯ 오승욱·신동환·허진호, 「8월의 크리스마스」
▶해법문학 Link 수필·극 294쪽

작품 해제 시한부 인생을 산 사진사 정원과 주차 단속 요원 다림의 순수한 사랑을 그린 시나리오로, 삶의 죽음, 사랑의 의미를 곱씹게 하는 작품이다.

전체 줄거리

발단	시한부 인생을 살고 있는 정원은 주차 단속원인 다림에게 호감을 느낌.
전개	정원과 다림은 놀이공원에 놀러 가 즐거운 시간을 보내는 등 서로에 대한 호감이 깊어짐.
절정	갑자기 병이 악화된 정원은 입원을 하게 되지만, 이러한 상황을 모르는 다림은 사진관 주변을 서성임. ···➤ 수록 부분
하강	다림은 다른 곳으로 전출을 가고, 정원은 자신의 죽음을 준비하며 스스로의 영정 사진을 찍음. ···➤ 수록 부분
대단원	정원이 죽은 후, 다림은 크리스마스 이브에 사진관을 찾아오고 사진관에 진열된 자신의 사진을 보며 행복한 미소를 지음. ···➤ 수록 부분

핵심 포인트 '8월의 크리스마스'라는 제목의 상징성

8월	크리스마스
정원이 다림을 만나 사랑을 키워 가는 시기	사랑, 기쁨 등을 느낄 수 있는 기념일(겨울)

⬇

8월의 크리스마스
8월의 여름에 만난 정원과 다림이 12월의 크리스마스에 누릴 수 있는 사랑의 기쁨을 느낌.

06 (가)와 (나)는 모두 시간의 흐름에 따라 사건을 전개하고 있으며, (가)는 여름에서 가을로 넘어가는 계절, (나)는 가을에서 겨울로 넘어가는 계절을 배경으로 하고 있다.

07 정원(ⓛ)의 죽음 때문에 주변 인물들이 갈등하는 모습은 나오지 않는다.

[왜 오답일까] ① 안 초시(㉠)의 죽음은 변화하는 시대에 적응하지 못한 구세대의 절망과 좌절을 상징하며 안 초시(㉠)를 구박하는 안경화의 모습에서 무너지는 가족 공동체의 모습을 확인할 수 있다. 따라서 안 초시(㉠)의 죽음은 사회적 문제 상황에 대한 비판 의식을 촉발한다고 볼 수 있다.

②, ④, ⑤ 안 초시(㉠)는 안경화에게 권유한 투자가 실패한 뒤 안경화의 질책을 받다가 죽음을 선택한 것이므로 절망스럽고 비참한 정서를 유발하며, 정원(ⓛ)은 시한부 인생을 살아가는 인물로 다림과 아름다운 사랑을 하다 죽음을 맞이했으므로 애틋한 정서를 유발한다.

08 ⓐ에서는 '시커멓게 무르녹'은 코스모스를 묘사하여 안 초시의 최후를 암시하는 듯한 불길한 분위기를 조성하고 있다.

[왜 오답일까] ② ⓑ에는 좌절한 안 초시를 위로하기 위한 서 참의의 노력이 드러난다.

③ ⓒ는 정원이 다림을 보고 싶은 마음을 감추는 것으로, 다림은 정원이 입원했다는 사실을 모르기 때문에 정원이 병문안을 오지 않는 다림을 원망한다는 진술은 적절하지 않다.

④ ⓓ에서 정원은 과거 사진을 보며 행복해하다가 다림의 사진을 보고 죽음을 맞이해야 하는 현실에 대한 안타까움과 슬픔을 느껴 눈물을 흘리고 있는 것이다. 이를 현실에 대한 분노로 보기는 어렵다.

⑤ ⓔ에서 다림이 놀라는 이유는 사진관 진열관에 자신의 사진이 걸린 것을 보았기 때문이다.

09 (가)에 안 초시로 대표되는 구세대와 안경화로 대표되는 신세대의 갈등이 드러나 있으나, 서 참의가 이러한 갈등의 원인을 지적하거나 근대적 가치관을 지닌 이들의 위선을 폭로하는 장면은 나오지 않았다.

[왜 오답일까] ① 안 초시는 봉건적인 사회를 살아온 세대로 급격하게 변화하는 자본주의적 풍토에 적응하지 못한 노인이다. 따라서 안 초시는 근대화 과정에서 적응하지 못하여 소외된 이들을 대표한다고 할 수 있다.

③ 안경화는 안 초시의 시체를 보고 눈물을 흘리다가, 자신의 명예를 지키기 위해 안 초시의 자살 소식을 알리지 말아 달라고 부탁한다. 이러한 모습에는 당시 근대화를 이끌었던 새로운 세대에 대한 작가의 부정적인 시각이 반영되어 있다고 볼 수 있다.

④ 안 초시는 투자에 실패한 후 딸에게서 '오십 전 짜리는커녕 단 십 전짜리'도 얻지 못하는 신세가 되어 부러진 '안경다리'를 고치지 못하고 있다. 이는 비참하게 살아가는 구세대의 모습을 드러낸 것으로 볼 수 있다.

⑤ 안경화는 땅 투기 실패의 원인을 안 초시에게 돌리며 강하게 질책하고 있는데, 이러한 모습을 통해 가족 공동체가 파괴되고 있는 당대의 세태가 드러난다.

10 S# 116의 내레이션은 정원의 독백으로 이별의 슬픔이 아니라, 사랑을 간직한 채 떠날 수 있도록 만들어 준 다림에 대한 감사의 마음이 나타나 있다. 따라서 처연한 음악보다는 잔잔하고 서정적인 음악이 더 적절하다.

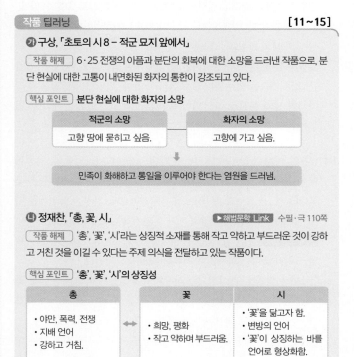

[11~15]

작품 딥러닝

㉮ 구상, 「초토의 시 8 – 적군 묘지 앞에서」

[작품 해제] 6·25 전쟁의 아픔과 분단의 회복에 대한 소망을 드러낸 작품으로, 분단 현실에 대한 고통이 내면화된 화자의 통한이 강조되고 있다.

[핵심 포인트] 분단 현실에 대한 화자의 소망

적군의 소망		화자의 소망
고향 땅에 묻히고 싶음.		고향에 가고 싶음.

↓

민족이 화해하고 통일을 이루어야 한다는 염원을 드러냄.

㉯ 정재찬, 「총, 꽃, 시」 ▶해법문학 Link 수필·극 110쪽

[작품 해제] '총', '꽃', '시'라는 상징적 소재를 통해 작고 약하고 부드러운 것이 강하고 거친 것을 이길 수 있다는 주제 의식을 전달하고 있는 작품이다.

[핵심 포인트] '총', '꽃', '시'의 상징성

총	꽃	시
• 야만, 폭력, 전쟁 • 지배 언어 • 강하고 거침.	• 희망, 평화 • 작고 약하며 부드러움.	• '꽃'을 닮고자 함. • 변방의 언어 • '꽃'이 상징하는 바를 언어로 형상화함.

11 (가)는 6·25 전쟁이 남긴 상처를 중심으로 분단의 비극에 대한 슬픔과 통일에 대한 희망을 드러내고 있으며, (나) 또한 '총'으로 대변되는 폭력과 거대한 힘을 '꽃'으로 이길 수 있음을 6·25 전쟁에 영향을 받아 창작된 작품들을 통해 제시하고 있다.

12 ⓒ은 미움과 사랑을 초월한 죽음의 의미를 드러내고 있을 뿐, 죽음 앞에서 달관적인 자세를 보이는 것은 아니다.

[왜 오답일까] ① ㉠에서 화자는 적군의 원통한 마음에 공감하고 이들을 연민하고 있다.

② ⓛ에서 화자는 양지바른 땅에 만든 적군의 묘지에 잔디까지 입히며 정성을 다하는 인간적인 면모를 드러내고 있다.

④ ⓔ의 '너희'는 과거에 화자와 '미움으로 맺혔'던 관계로, 화자는 이러한 적대 관계에서 벗어나 '너희'의 '풀지 못한 원한'이 자신의 '바람'이라고 하며 시적 대상과 자신의 염원을 일치시킴으로써 화해와 통일에 대한 소망을 드러내고 있다.

⑤ ⓜ에서 화자는 북쪽으로 흘러가는 구름을 바라보고 있는데, 이는 현실과 대조적인 평화로운 자연의 모습을 보며 남북 분단의 현실에 대한 안타까움을 느끼는 것이다.

13 '어디서 울려오는 포성 몇 발'에 '목 놓아 버'리는 것은 여전히 남북이 군사적으로 대치하고 있는 상황에 대한 화자의 통한을 드러낼 뿐, 현실에 대한 실망을 해소하기 위한 방안을 모색하는 것은 아니다.

왜 오답일까 ① 줄지어 누워 있는 전사자들은 전쟁에 희생당한 이들의 참혹한 모습에 해당한다.

② 과거에 서로의 목숨을 겨누고 위협하던 손으로 적들의 무덤을 만들고 그 넋을 위로하며 연민하는 것은 화자의 동포애를 드러내는 행위이며, 비인간적인 전쟁의 참상을 극복하려는 시도로 볼 수 있다.

③ '돌아가야 할 고향 땅'이 '삼십 리(里)면 가로막'힌다는 것은 분단된 남과 북의 현실을 드러낸다.

④ 화자는 전쟁 이후 부조리한 상황에 대한 답답함을 '적막'이 '천만 근'으로 가슴을 억누른다고 표현하고 있다. 이러한 답답함은 우리나라가 남과 북으로 분단되어 죽은 넋조차 고향으로 돌아갈 수 없는 상황이 되었기 때문이다.

14 (나)의 '아빠와 할머니가 키웠던 채송화가 '나' 아니었을까, 채송화 꽃씨는 내 자식이 아닐까. ~ 전쟁 통에도 꽃은 피었고, 사람들은 꽃을 피웠다.'를 고려할 때 [B]에서 아빠가 꽃밭을 가꾸는 행위에는 미래 세대인 '나'에 대한 희망과 기대가 담겨 있다고 볼 수 있다.

왜 오답일까 ① [A]의 '그걸 어쩌란 말씀'에는 전쟁의 비정함은 어찌할 도리가 없다는 화자의 무기력한 태도가 드러난다.

③ [A]는 '방공호'로 상징되는 전쟁의 비극성을 드러냄과 동시에 '꽃씨'를 받는 할머니를 통해 희망을 드러내고 있으며, [B] 또한 아빠가 가꾸는 '꽃밭'을 통해 미래 세대에 대한 희망을 드러내고 있다.

④ [A], [B]의 '채송화'는 절망적인 상황 속에서도 사라지지 않는 희망을 상징한다.

⑤ [A], [B]에서 할머니와 아빠는 일상에 안주하기 위해 꽃을 기르는 것이 아니라, 작은 생명이라도 소중히 기르며 희망을 지키려 한다고 보는 것이 적절하다.

15 '시'는 희망과 사랑 등을 상징하는 '꽃'의 의미를 언어로 형상화한 것으로, '꽃'을 닮고자 한다는 점에서 '총'과 대립되는 대상이다. 따라서 '시'가 '꽃'과 '총'으로 상징되는 모든 것을 포용하는 속성을 지녔다고 보기는 어렵다.

왜 오답일까 ① (나)에서 '꽃'은 '총'과 대비되는 대상이다.

② (나)는 비극적 상황에서도 잃지 않는 희망을 노래하는 작품들을 통해 야만의 시대에도 여전히 '시'가 위안과 희망이 되었음을 보여 주고 있다. 이런 점에서 '시'는 '꽃'이 상징하는 부드러운 힘을 언어로 형상화한 것이라 할 수 있다.

③ 변방의 언어인 '시'가 '꽃'을 닮겠다고 하는 것은, 크고 강한 지배 언어에 대항하려는 의지를 드러낸다고 볼 수 있다.

④ 무참한 전쟁 속에서도 '꽃'을 피우고, '꽃'으로 총구를 막는 것이 중요하다는 것은 '꽃'이 '총'을 이길 힘이 있다는 것을 의미한다.

미안,
오늘 못 놀아~

국어 선생님 100명이
집에서 나만 기다리고 있거든!

100인의 지혜

국어 전문가 100명의 노하우가 담긴
고등 국어 기본서

100인의 지혜
(문학 / 문법 · 화작 / 독서)

Q

· 정답과 해설 ·

해법문학Q

현대 문학 문제편

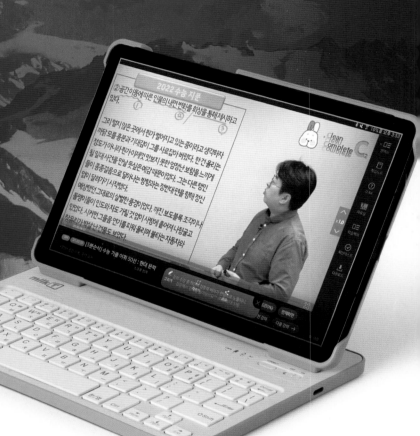